Collection « *Lettres gothiques* »

LETTRES GOTHIQUES

Collection dirigée par Michel Zink

Alexandre de Paris

Le Roman d'Alexandre

Traduction, présentation et notes de Laurence Harf-Lancner
(avec le texte édité par E.C. Armstrong *et al.*)

*Ouvrage publié avec le concours
du Centre National du Livre*

LE LIVRE DE POCHE

Laurence Harf-Lancner est professeur à l'Université de Paris III-Sorbonne Nouvelle. Elle a publié *Les Fées au Moyen Age, Morgane et Mélusine ou la Naissance des fées* (Champion, 1984), les *Lais de Marie de France* dans la collection « Lettres gothiques » et le *Roman de Mélusine* de Coudrette dans la collection « GF-Flammarion ».

© 1976, Princeton University Press ; E.C. Armstrong, *et al.*, ed., The Medieval French « Roman d'Alexandre », Volume II, reproduit avec l'autorisation de Princeton University Press.

© Librairie Générale Française, 1994, pour la traduction,
la présentation et les notes.

ISBN : 978-2-253-06655-2 – 1ᵉ publication LGF

à Aurélie.

INTRODUCTION

Le 13 juin 323 avant notre ère, Alexandre mourait à Babylone, à l'âge de trente-trois ans. Il avait conquis une grande
partie du monde connu et habité (l'*oikouménè* des Grecs) et fait
reculer les limites orientales de l'univers en s'avançant en Inde
jusqu'au bassin du Gange. Il avait aussi tout fait pour donner
naissance, autour de sa personne, à un mythe qui devait s'épa-
nouir après sa mort et perdurer jusqu'à nos jours.

Alexandre accède au pouvoir à vingt ans, en 336, date de
l'assassinat de son père Philippe II, roi de Macédoine[1].
Reconnu général en chef des Grecs, comme successeur de Philippe, il livre campagne dans les Balkans, détruit dans l'œuf les
velléités de révolte des cités grecques en détruisant Thèbes
soulevée en 335 et, dans le prolongement de la politique macédonienne, entreprend une guerre panhellénique en Asie, contre
l'Empire perse et son Grand Roi, Darius III. Il triomphe une
première fois de l'armée perse à la bataille du Granique, en juin
334, et conquiert l'Asie mineure durant l'année 333. C'est au
cours de cette campagne qu'il tranche le nœud gordien, se révélant ainsi, selon la prédiction, comme le futur maître de l'Asie
et de l'univers. A Issos, en novembre 333, il s'empare du camp
et de la famille de Darius puis se dirige vers le sud, la Palestine
et l'Egypte, pour parachever la conquête de la façade maritime
de l'Empire perse. Tyr tombe après un long siège en août 332.
Alexandre se présente en libérateur en Egypte : il fonde
Alexandrie en janvier 331 et se rend dans l'oasis de Siwa pour
entendre l'oracle d'Ammon. La même année, il remporte sur

1. Ce résumé de l'histoire d'Alexandre s'appuie sur P. Goukowsky,
«Alexandre et la conquête de l'Orient (336-323)», dans *Le Monde grec et
l'Orient* (tome II), éd. E. Will, C. Mossé et P. Goukowsky, Paris, 1975,
pp. 247-333.

les Perses la victoire de Gaugamèles, près d'Arbèles, qui
contraint Darius à la fuite. Babylone et Suse se soumettent.
Persépolis est livrée au pillage en 330. Alexandre poursuit
Darius vers le nord, s'enfonce dans le désert persan en remon-
tant vers la mer Caspienne. Après la conspiration des trois
satrapes Bessos, Satibarzanès et Barxaentès et l'assassinat de
Darius (été 330), il se proclame le vengeur du roi mort, dont il
organise les funérailles. Après cette mort, Alexandre n'est plus
le successeur de Philippe mais bien celui de Darius. Il poursuit
jusqu'en Bactriane la guerre contre Bessos, qui s'est proclamé
Grand Roi, et s'empare peu à peu de tous les territoires qui ont
fait partie de l'Empire perse : Bactriane, Sogdiane, jusqu'à
l'Iaxarte (l'actuel Syr-Daria), limite orientale de l'Empire
achéménide. Il prend lui-même le titre de Grand Roi, exige la
prosternation, épouse Roxane, fille du prince bactrien Oxyarte ;
les Perses sont recrutés en grand nombre dans l'armée grecque.
Après la conquête de la Perse, qui l'a mené jusqu'aux frontières orientales et septentrionales de l'*oikoumènè*, vient, dès
327, celle des lointains fabuleux de l'Inde. En 326, il franchit
l'Indus pour vaincre Paurorava ou Parvataka (Poros), prince du
Pendjab, sur l'Hydaspe (Jhelum). Continuant sa marche vers
l'est, il atteint l'Hyphase (Bias). C'est là, au moment d'entrer
dans le bassin du Gange, que la rébellion de l'armée l'oblige à
faire demi-tour : il élève aux dieux douze autels gigantesques
sur la rive droite du fleuve. Il descend l'Hydaspe et l'Indus
jusqu'à Patala, dans le delta, avant de reprendre la route de
l'ouest en longeant le littoral de l'océan Indien. A Suse, en 324,
il célèbre ses noces avec Stateira, fille de Darius, et Parysatis,
fille d'Ochos, ainsi que celles de nombreux Grecs avec des
Persanes. Il gagne Babylone, future capitale de l'empire, en
323, et y trouve une mort dont l'origine demeure mystérieuse.
Il a alors conquis tout l'Empire achéménide ainsi que le bassin
de l'Indus et créé un état centralisé qui rassemble Grecs et
Perses autour d'un monarque assimilé à un dieu. Cette fabuleuse conquête devait naturellement entourer Alexandre d'une
aura légendaire, que celui-ci a tout fait pour susciter de son
vivant, et qui allait se développer après sa mort.

UN MYTHE VIVANT

Le mythe est d'abord une histoire sacrée qui explique la réalité par sa relation au divin. Or la vie d'Alexandre est tout entière sous le signe du divin. La fameuse légende du nœud gordien relève de ces épisodes surnaturels qui prédestinent le héros à une gloire supra-humaine. L'oracle de Gordion promettait en effet l'empire de l'Asie ou même de l'univers à celui qui saurait défaire le nœud fixant le timon d'un char dédié par Midas (ou son père Gordios) à Zeus Basileus. Selon la tradition la plus ancienne, le Macédonien aurait défait le nœud en enlevant d'abord la cheville du timon. Selon la tradition la plus répandue, il aurait tranché le nœud d'un coup d'épée. Il s'est formé autour d'Alexandre, de son vivant, un faisceau de légendes qui justifiaient la prodigieuse histoire du conquérant par son ascendance divine. La dynastie macédonienne se disait en effet issue d'Héraclès, et l'expédition contre les Perses est présentée comme la réédition de la geste d'Héraclès en Asie[1]. Mais la lignée maternelle n'est pas moins glorieuse : par Olympias, Alexandre descend d'Achille. Dès son débarquement en Asie, il fait un pèlerinage à Troie et regrettera souvent l'absence d'un Homère pour conter ses exploits. Il se donne en outre comme le fils du dieu Zeus-Ammon. La légende selon laquelle le dieu se serait uni à Olympias sous la forme d'un serpent semble propagée par Olympias elle-même. Elle apparaît chez Plutarque et Justin au Ier et au IIe siècles, et dans la légende alexandrine rapportée au IIIe siècle par le Pseudo-Callisthène, le héros sera placé, par sa naissance, sous le double patronage de Zeus-Ammon et de Nectanébo, le dernier des pharaons[2]. D'ailleurs, Alexandre se rend en pèlerinage, en 331, lors de son séjour en Egypte, au sanctuaire de Siwa, pour y entendre l'oracle d'Ammon le saluer comme « fils d'Ammon ». On retrouve, dans toutes ces légendes autour de l'origine sur-

---

1. Sur le mythe d'Alexandre, voir P. Goukowsky, *Essai sur les origines du mythe d'Alexandre* : tome I, Les origines politiques, Nancy 1978 ; tome II, Alexandre et Dionysos, Nancy 1981.

2. Pseudo-Callisthène, *Le Roman d'Alexandre*, trad. G. Bounouré et B. Serret, Paris, 1992, pp. 4-7. Sur cette légende fomentée par Alexandre lui-même, voir également W.W. Tarn, *Alexander the Great*, Cambridge, 1948, I, pp. 77-82.

naturelle d'Alexandre, le mythe de la naissance du héros ana-
lysé par Otto Rank en 1909[1] :
– Le héros est un fils de roi dont la naissance est précédée de
difficultés : dans le Pseudo-Callisthène, Olympias, stérile,
craint d'être répudiée par Philippe. Le magicien Nectanébo,
pharaon chassé de son pays par les Perses, lui annonce que le
dieu Ammon lui donnera un fils. Il se fait passer pour le dieu
auprès de la reine et engendre Alexandre.
– L'enfant est menacé : Philippe accepte mal la grossesse de
la reine mais se laisse finalement convaincre qu'elle est
l'œuvre d'un dieu.
– Devenu grand, le héros, souvent élevé dans l'obscurité,
retrouve ses parents, se venge de son père et parvient au
sommet de la gloire. Alexandre ne connaît pas cette enfance
cachée, mais un épisode de la vie et de la légende du Macédonien a été interprété selon ce schéma mythique : la répudiation
d'Olympias. En 337, Philippe épouse Cléopâtre, nièce d'Attale,
et répudie Olympias ; la mère et le fils quittent la Macédoine
mais une réconciliation se produit rapidement. Le Pseudo-
Callisthène mentionne explicitement l'accusation de bâtardise
qui pèse sur le héros. Conjurant la menace, Alexandre chasse
la nouvelle épousée et contraint Philippe à reprendre Olympias
à ses côtés, affirmant sa supériorité sur le vieux roi.
    Un autre dieu fait partie des protecteurs attitrés
d'Alexandre : Dionysos. Des textes tardifs font du Macédonien
le descendant de Dionysos et le titre de Nouveau Dionysos lui
sera décerné par les Athéniens. Une légende circulait dès le
IVe siècle avant J.-C., selon laquelle Dionysos aurait conquis
l'Asie jusqu'à l'Inde. Quinte-Curce place dans la bouche
d'Alexandre cette harangue à ses troupes, avant la bataille
d'Issos : les Grecs sont « les libérateurs du monde » et « dépas-
seront un jour les bornes d'Hercule et de Liber le Vénérable »
(Héraclès et Dionysos) « pour courber sous le joug non les
Perses seuls mais tous les peuples[2] ». En 329, l'armée grecque

---

1. Otto Rank, *Le Mythe de la naissance du héros*, trad. française, Paris, 1983.
Voir en particulier le schéma narratif, p. 89, et les tableaux récapitulatifs,
pp. 304-309.
    2. Quinte-Curce, *Histoire d'Alexandre*, éd. et trad. H. Bardon, Paris, 1948,
III, 10, 5.

trouve au-delà de l'Iaxarte, en Sogdiane, les bornes par lesquelles Dionysos a marqué le terme de son expédition : « On était au-delà des bornes de Liber le Vénérable, bornes dont les marques étaient des pierres réparties à intervalles rapprochés, et des arbres de haute taille aux troncs tissés de lierre[1]. » Pline mentionne les autels érigés par Hercule et Liber sur les rives de l'Iaxarte, pour marquer les limites orientales du monde[2]. Après sa victoire de l'Hydaspe sur Poros, sa marche vers le bassin du Gange et sa décision, contraint et forcé, de faire demi-tour, Alexandre dresse lui-même douze autels sur les rives de l'Hyphase en action de grâces envers les dieux : il imite ainsi à la fois les stèles et les autels dressés par Héraclès et Dionysos aux extrémités orientales du monde, mais aussi les bornes occidentales de la terre que constituent les colonnes d'Hercule (Gibraltar). Le nombre de douze autels rappelle d'ailleurs celui des travaux d'Hercule. Voilà l'origine des fameuses bornes d'Hercule, horizon onirique du *Roman d'Alexandre*, symbole de l'Orient et de ses mystères, qui, dans les récits français, deviendront, par le jeu de l'imagination populaire médiévale, les bornes du roi Arthur.

C'est aussi un mythe politique qu'Alexandre a su créer autour de sa personne. On relève le souci de modeler l'opinion publique à travers les bulletins officiels transmis par la chancellerie royale au régent de Macédoine, Antipater. Le Macédonien, soucieux de son image de marque, a son historiographe attitré, Callisthène d'Olynthe, parent d'Aristote. auteur d'une *Histoire d'Alexandre* dont on a conservé des fragments, et qui, pour cette raison, s'est vu faussement attribuer la paternité du roman biographique né à Alexandrie au IIIe siècle. Alexandre a voulu imprimer à la royauté macédonienne la marque de la monarchie perse, en assimilant l'absolutisme oriental. De cette volonté relèvent l'exigence du nouveau Grand Roi de voir tous ses sujets se prosterner devant lui, le recrutement de milliers de Perses dans l'armée, la fondation de multiples Alexandrie sur le passage du *kosmokrator*, ou les fameuses noces de Suse, qui voient l'union de dix mille Grecs et dix mille Persanes.

---

1. *Ibid.*, VII, 9, 15.
2. Pline l'Ancien, *Histoire naturelle*, éd. et trad. J. André et J. Filliozat, Paris, 1980, VI, 16, 49.

L'œuvre est parachevée, en 324-323, par l'apothéose d'Alexandre, qui réclame les honneurs réservés aux dieux. Cette orientalisation de la monarchie grecque, cette personnalisation du pouvoir susciteront d'ailleurs l'opposition d'une partie de l'armée et même plusieurs conspirations.

LA FORMATION DU MYTHE D'ALEXANDRE

Alexandre est à peine disparu que Perdiccas, qui a reçu des mains du mourant le sceau royal et doit assurer la régence au nom de Philippe Arrhidaios, fils de Philippe II, ressoude l'unité de l'empire autour du mort. Il proclame l'apothéose d'Alexandre et fait construire un somptueux fourgon pour transporter la momie jusqu'au sanctuaire d'Ammon à Siwa. Mais la dépouille est détournée par Ptolémée, qui la ramène à Memphis en 321. Alexandre devient le nouveau dieu tutélaire de l'Egypte. Des jeux sont organisés en son honneur. Et vers 300, le corps est ramené à Alexandrie, dans le mausolée (le Sêma) qui lui a été édifié. Un culte est établi. C'est la première captation du mythe, la captation alexandrine, sous l'impulsion de Ptolémée[1]. A Alexandrie sont nés, vers 300 av. J.-C., les deux textes d'où est issue la double tradition historique des conquêtes d'Alexandre : l'*Histoire d'Alexandre* de Clitarque, et les *Mémoires* de Ptolémée Ier Sôter, compagnon d'Alexandre, fondateur de la dynastie des Lagides qui devait régner sur l'Egypte de 306 à 30[2].

La double tradition historique.

Clitarque, en sa double qualité d'Alexandrin et de courtisan de Ptolémée, écrit une *Histoire d'Alexandre* dont on n'a conservé que de rares fragments, mais qui constitue la source essentielle des principaux textes reconnus comme la vulgate de l'histoire d'Alexandre. Diodore de Sicile consacre ainsi au héros macédonien le livre XVII de sa *Bibliothèque Historique*,

---

1. Sur la double captation du mythe, voir P. Vidal-Naquet, « Flavius Arrien entre deux mondes », postface à Arrien, *Histoire d'Alexandre*, trad. P. Savinel, Paris, 1984, pp. 330 ss.

2. Voir P. Pédech, *Historiens compagnons d'Alexandre*, Paris, 1984.

au Ier siècle av. J.-C.[1] Mais comme les autres historiens grecs d'Alexandre, il ne sera redécouvert par la littérature occidentale qu'à partir de la Renaissance. Son influence, comme celle de Plutarque ou d'Arrien, est donc nulle sur le monde médiéval. Quinte-Curce, en revanche, l'un des historiens romains les plus lus au Moyen Age, est l'auteur de la seule biographie latine d'Alexandre, l'*Histoire d'Alexandre le Grand (Res gestae Alexandri magni)*, rédigée vers 40 ap. J.-C. Elle sera souvent copiée, traduite et adaptée au Moyen Age. Ainsi une adaptation farcie d'interpolations fait partie des sources du premier roman français d'Alexandre, celui d'Albéric de Pisançon. Au IIe siècle, Plutarque, dans ses *Vies parallèles*, place César face à Alexandre[2]. Vers les IIe-IIIe siècles, Justin résume les *Histoires Philippiques* de Trogue-Pompée (un Gaulois contemporain d'Auguste) dans une *Histoire universelle* qui figurera parmi les sources antiques des récits médiévaux consacrés au Macédonien[3].

Le second courant est issu de l'autobiographie de Ptolémée et de l'œuvre d'Aristobule, autre contemporain d'Alexandre, dont on conserve quelques fragments, presque tous tirés d'Arrien, auteur de l'*Anabase d'Alexandre le Grand*, au IIe siècle de notre ère. Pris entre deux mondes, selon la formule de P. Vidal-Naquet, Arrien l'Athénien, qui fit une carrière militaire sous Hadrien avant de se retirer à Athènes pour écrire, est représentatif de la seconde captation d'Alexandre, la captation romaine. Le monde peint par Arrien dans l'*Anabase d'Alexandre* est dominé par deux forces, «Macédoniens et Perses, la force conquérante et l'aristocratie des vaincus», tout comme le monde romain du IIe siècle, face aux Grecs[4]. Le mythe hellénistique poursuit sa carrière dans le monde romain, où Alexandre apparaît comme le grand capitaine que tous les dirigeants romains rêvent d'égaler. Pompée, César, Antoine (qui nomme Alexandre le fils qu'il a de Cléopâtre), Auguste

1. Diodore de Sicile, *Bibliothèque historique*, livre XVII, éd. et trad. P. Goukowsky, Paris, 1976.

2. Plutarque, *Vie d'Alexandre*, éd. et trad. R. Flacelière et E. Chambry, Paris, 1975.

3. *Marci Iuniani Iustini Epitome Historiarum Philippicarum Pompei Trogi*, éd O. Seel, Leipzig, Teubner, 1935, livres XI et XII.

4. P. Vidal-Naquet dans Arrien, *Histoire d'Alexandre*, p. 383.

cherchent à imiter le conquérant. Au IIe siècle, l'idéologie impériale romaine qui domine le texte d'Arrien est sous le signe d'Alexandre. On la retrouve un siècle plus tard dans le Pseudo-Callisthène.

Le premier Roman d'Alexandre : *le Pseudo-Callisthène et sa postérité.*

A la fin du IIIe siècle, toujours à Alexandrie, naît la première biographie romanesque consacrée à Alexandre : *La Vie et les hauts faits d'Alexandre de Macédoine*[1]. Alexandre y devient un héros de roman. Or ce texte, qui combine des sources historiques et légendaires d'origine grecque et égyptienne, aura au Moyen Age une sphère de diffusion plus vaste que celle de la Bible. Callisthène, parent d'Aristote et compagnon d'Alexandre, n'en est pas l'auteur, bien que le texte lui soit attribué dans la version byzantine. Il est mort en 327 sur l'ordre du roi, compromis pour son appartenance au parti pro-hellène et son refus de la métamorphose du roi de Macédoine en Grand Roi divinisé à la mode perse. Il était connu comme l'auteur d'une *Histoire d'Alexandre*, dans laquelle il faisait du roi de Macédoine le successeur d'Achille, le vengeur de la Grèce. Le texte lui a donc été attribué par souci d'authentifier le récit sous la signature d'un proche d'Alexandre, qui était en même temps son historiographe. Du texte original, disparu, subsistent trois versions, représentées par des textes rédigés dans des langues différentes, à des époques différentes. L'ordre des épisodes varie d'une version à l'autre. Certaines versions insèrent des épisodes qui auront un grand retentissement au Moyen Age : la *Lettre d'Alexandre à Aristote sur les merveilles de l'Inde*, qui circulera comme écrit indépendant, la visite d'Alexandre à Jérusalem et sa conversion au dieu des Hébreux, ou son débat avec les gymnosophistes. La présence de nombreuses lettres insérées dans le récit (lettres échangées par Darius et Alexandre, lettres d'Alexandre à Olympias et à Aristote) donne à penser que la charpente du récit serait constituée par un roman épistolaire, peu à peu augmenté de matériaux d'origines

---

1. On trouvera dans la bibliographie de la traduction de G. Bounouré et B. Serret les éditions des diverses versions du texte.

diverses. La division en trois livres ressurgira dans les textes postérieurs : le premier livre conte les enfances d'Alexandre (c'est à dire ses premiers exploits) en Grèce, en Egypte et en Asie Mineure. Le deuxième est centré sur la conquête de l'Empire perse, et le troisième sur l'exploration des lointains fabuleux de l'Inde, voyage dans l'au-delà du monde connu qui se clôt sur la mort du héros. Le récit s'ouvre en Egypte, avec la fuite du dernier pharaon, Nectanébo, le véritable père d'Alexandre, et se clôt en Egypte, avec le retour du cadavre royal à Alexandrie.

Alexandre est le fils de Nectanébo, le dernier des pharaons d'Egypte et le plus habile des magiciens qui, chassé de son pays par l'invasion perse, trouve refuge à Pella. Epris de la reine Olympias, il lui fait croire qu'elle va recevoir la visite du dieu Ammon sous une forme animale et, sous un déguisement, s'unit à elle. Il mourra, selon sa propre prédiction, de la main même de son fils, après lui avoir révélé sa véritable origine. Un songe révèle à Philippe l'avenir glorieux du héros, dont il confie l'éducation à Aristote. Alexandre dompte Bucéphale et triomphe aux Jeux Olympiques de Nicolas, roi d'Acarnanie. Il fait obstacle au projet de Philippe de répudier Olympias pour épouser Cléopâtre. A l'arrivée des envoyés du Grand Roi, Darius, qui viennent exiger un tribut de la Grèce, le faible Philippe se soumettrait volontiers. Mais Alexandre renvoie les messagers avec un défi pour Darius. Philippe meurt assassiné par Pausanias et Alexandre lui succède. Il convoque ses troupes dans toute la Macédoine et la Grèce et se fait le champion des Grecs contre les Barbares. Thèbes révoltée est rasée. L'armée grecque débarque en Asie, remporte la victoire du Granique contre les Perses et soumet l'Asie Mineure. Le héros se rend au sanctuaire d'Ammon en Egypte et fonde Alexandrie. A Memphis, il découvre une statue de Nectanébo et se fait reconnaître comme le fils du pharaon et le libérateur des Egyptiens. En Syrie, il s'empare de Tyr et de Gaza. Darius lui signifie son mépris en lui adressant trois objets symboliques : un fouet (pour le corriger), une balle (pour jouer comme les enfants de son âge), une cassette pleine d'or (pour payer ses troupes et les renvoyer). Mais Alexandre retourne le sens du message en interprétant le fouet comme le présage de sa victoire sur les

Perses, la balle comme le signe de sa domination du monde et l'or comme la préfiguration du tribut que Darius devra lui verser. La bataille d'Issos lui donne raison. Il y capture la mère, la femme et les filles du Grand Roi et les traite avec honneur.

Le Livre II confirme le triomphe d'Alexandre, qui étend sa domination sur toute la Perse. S'étant baigné imprudemment dans les eaux glacées du Cydnos, le héros tombe malade et son général Parménion tente (en vain) de le persuader de la trahison de son médecin. Alexandre se rétablit et s'empare de Persépolis. Darius est assassiné par ses satrapes Bessos et Ariabarzanès et meurt dans les bras d'Alexandre, en lui offrant sa fille Roxane et son royaume. Alexandre procède aux funérailles, attire par une ruse les assassins et leur inflige un châtiment exemplaire. Il épouse Roxane. Puis il s'enfonce dans le désert, commence à découvrir les merveilles de l'Orient, parmi lesquelles la fontaine dont l'eau ressuscite les morts. S'attaquant ensuite à la dimension verticale de l'espace, il se fait construire un vase de verre pour explorer les fonds sous-marins et s'envole vers le ciel, dans une nacelle portée par des oiseaux.

Avec le Livre III, le héros quitte le monde connu et habité pour s'enfoncer dans les déserts inexplorés de l'Inde fabuleuse et affronter son roi, Poros. Après un premier choc à l'issue douteuse, au cours duquel tombe Bucéphale, un combat singulier met aux prises les deux hommes : Poros y trouve la mort. Alexandre pénètre dans le pays des Brahmanes et s'entretient avec leur sage roi Dindyme. Les arbres du Soleil et de la Lune lui prédisent une mort imminente. Il rencontre la reine Candace, reçoit le tribut des Amazones avant de regagner Babylone. Mais une femme a donné naissance à un monstre, dont le haut du corps est celui d'un enfant mort, alors que le bas est constitué de mufles d'animaux sauvages qui s'entredévorent. C'est un présage de la mort d'Alexandre et des divisions qui suivront. Une conspiration s'ourdit en effet et Antipater envoie à Babylone son fils, porteur d'un poison que l'on verse dans la coupe du roi. A l'agonie, Alexandre confie l'exécution de son testament à Perdiccas. Un oracle de Zeus ordonne de transporter le corps en Egypte, à Memphis, mais c'est finalement à Alexandrie que Ptolémée fait édifier un somptueux tombeau.

Trois traditions légendaires sont issues du roman grec[1]. La première, orientale, est principalement représentée par une version arménienne et une version syriaque, qui donneront naissance à la figure d'Alexandre « le bicornu » (Zul-Qarnain) dans les littératures orientales. Zul-Qarnain apparaît aussi dans le *Coran* comme celui qui enferme les peuples de Gog et Magog derrière une muraille de métal. La deuxième tradition est byzantine et touche les domaines grec et slave. Enfin la tradition latine a permis à Alexandre de se livrer à une nouvelle conquête : celle de la littérature occidentale du Moyen Age. Julius Valerius, identifié à un Julius Valerius Alexander Polemius, consul en 338 ap. J.-C., rédige une traduction latine d'un texte de la version A du Pseudo-Callisthène, qui inclut la lettre d'Alexandre à Aristote, sous le titre de *Res gestae Alexandri Macedonis*[2]. Ce texte n'est conservé que dans deux manuscrits. Mais au IXe siècle, un abrégé connu sous le nom d'*Epitome Julii Valerii* connaît un énorme succès : il constitue la source principale des romans français d'Alexandre au XIIe siècle[3]. Vers le milieu du Xe siècle, un certain archiprêtre Léon est envoyé de Naples à Byzance en mission diplomatique. Il trouve un manuscrit grec du Pseudo-Callisthène et en rapporte une copie à Naples. Peu après 952, il le traduit en latin à la demande de son maître, le duc Jean III de Naples, sous le titre de *Nativitas et victoria Alexandri Magni regis*. Ce texte est conservé par plusieurs adaptations. Au XIe siècle (pour la première version, I1), on en tire un texte développé et interpolé, sous le titre *Historia de preliis Alexandri Magni* ou *Historia de preliis* (*Histoire des combats*). Le texte du XIe siècle est lui-même encore amplifié dans la seconde moitié du XIIe siècle (I2), et suivi d'un troisième remaniement (I3), à la fin du XIIe ou au début du XIIIe siècle[4].

1. Sur les textes issus du Pseudo-Callisthène et l'ensemble de la littérature médiévale d'Alexandre, voir D.J.A. Ross, *Alexander historiatus*, rééd. Francfort, 1988, qui s'intéresse particulièrement aux manuscrits illustrés.

2. Julius Valerius, *Res gestae Alexandri Macedonis*, éd. B. Kuebler, Leipzig, Teubner, 1888.

3. *Julii Valerii Epitome*, éd. J. Zacher, Halle 1867.

4. *Die Historia de preliis Alexandri Magni*, synoptische Edition der Rezensionen des Leo Archipresbyter und der interpolierten Fassungen J, J2, J3 , éd. H.J. Bergmeister, Meisenheim am Glan, 1975, Beiträge zur klassischen Philologie, 65.

Les clercs médiévaux connaissent d'autres légendes, qui circulent sous la forme d'écrits indépendants. La *Lettre d'Alexandre à Aristote sur les merveilles de l'Inde*, contenue dans la version A du Pseudo-Callisthène, est une lettre qu'Alexandre est supposé écrire à Aristote pour lui raconter son expédition en Inde[1]. Elle existait vraisemblablement indépendamment du Pseudo-Callisthène et a fait ensuite l'objet d'une interpolation. Plusieurs textes évoquent en outre la rencontre d'Alexandre et des Brahmanes (ou gymnosophistes)[2]. On trouve aussi un récit d'origine talmudique qui fait voyager Alexandre jusqu'au paradis terrestre, l'*Iter ad Paradisum*[3].

Alexandre dans la littérature française du Moyen Age

L'aube du XIIe siècle voit se développer la classe chevaleresque et, parallèlement, une littérature en langue vernaculaire destinée aux laïcs, ignorants du latin. Cette littérature trouve sa matière dans les légendes guerrières et chrétiennes des débuts de la société médiévale (chansons de geste), mais aussi dans la « mise en roman », c'est à dire la traduction en français des textes de l'Antiquité latine : c'est la naissance du genre romanesque[4]. Vers 1150, l'auteur du *Roman de Thèbes* proclame la nécessité de transmettre son savoir aux siècles futurs, comme l'ont fait avant lui « danz Omers et danz Platons, et Virgiles et Quicerons » (Cicéron). Il conte donc, en couplets d'octosyllabes, d'après la *Thébaïde* de Stace, l'histoire de deux nobles frères, Ethyoclés et Pollynicés, fils d'Eduppus, une histoire réservée aux clercs et aux chevaliers, seuls dignes de l'entendre. C'est le premier roman français, au sens médiéval du terme (texte traduit du latin en français), mais aussi au sens moderne, par son alliance des armes et de l'amour, par son inscription du mythe d'Œdipe en avant-texte, pour justifier la

1. *Epistula Alexandri ad Aristotelem*, éd. M. Feldbusch, synoptische Edition, Meisenheim 1976. On trouve une traduction française de cette lettre dans Pseudo-Callisthène, trad. cit., appendice 1, pp. 123-146.

2. Voir D. Ross, *Alexander historiatus*, pp. 30-33.

3. *Iter ad Paradisum*, éd A. Hilka dans *La Prise de Defur et Le Voyage d'Alexandre au Paradis terrestre*, éd. Peckham-La Du, Princeton, 1935, pp. XLI-XLVIII.

4. Voir A. Petit, *Naissances du roman*, Paris, 1985.

malédiction qui pèse sur les deux frères[1]. Vers 1160, le *Roman d'Enéas* transpose l'*Enéide* de Virgile[2] et vers 1165, Benoît de Sainte-Maure place son *Roman de Troie* sous l'autorité de deux textes-sources, le *De excidio Trojae* de Darès le Phrygien et l'*Ephemeris belli Trojani* de Dictys, eux-mêmes élaborés à partir de l'*Iliade* et de l'*Odyssée*. Il explique, dans le long prologue qui ouvre le roman, que Darès, qui prit part à la guerre de Troie dans les rangs des Troyens, écrivait son journal tous les soirs. Plus tard, le savant Cornelius traduisit le récit du grec en latin. Enfin vint Benoît, avec sa traduction du latin en français : « Mon intention, si j'en ai la capacité et la force, est de traduire [cette histoire] en français, afin que ceux qui ne comprennent pas le latin puissent trouver quelque plaisir dans le texte français[3]. » Le roman français est né de cette pratique de la *translatio*, de l'adaptation de textes latins en couplets d'octosyllabes à rimes plates. L'élaboration, tout au long du XIIe siècle, du vaste ensemble en vers du *Roman d'Alexandre*, qui a pour sources principales Julius Valerius et son *Epitome*, s'inscrit dans ce mouvement littéraire et constitue « un excellent témoin des modes de l'écriture médiévale : s'y manifestent la tendance à structurer le récit selon le déroulement chronologique d'une biographie, tendance dont les romans de Tristan sont au XIIe siècle un autre exemple », mais aussi « le travail des écrivains pour refondre, assembler, compiler [...] tous les matériaux hérités [...] afin de produire [...] un livre total, une somme », parallèlement au développement des cycles épiques ou des cycles arthuriens en prose au cours du XIIIe siècle[4]. La première strate en est constituée par un fragment de 105 octosyllabes en laisses monorimes, écrit dans un dialecte du sud de la France, pendant le premiers tiers du XIIe siècle, par Albéric de Pisançon. On peut se faire une idée du texte par l'adaptation

---

1. *Le Roman de Thèbes*, éd. G. Raynaud de Lage, Paris, 1966-1968, trad. A. Petit, Paris, 1990.

2. *Le Roman d'Enéas*, éd. J.J. Salverda de Grave, Paris, 1925-1929, trad. M. Thiry-Stassin, Paris, 1985.

3. Benoît de Sainte-Maure, *Le Roman de Troie*, éd. L. Constans, Paris, 1904-1912, vv. 33-39, trad. E. Baumgartner, Paris, 1987, p. 36.

4. E. Baumgartner, « La fortuna di Alessandro nei testi francesi medievali del secolo XII et l'esotismo nel *Roman d'Alexandre* », à paraître en introduction à la reproduction en fac-similé du manuscrit B de Venise du *Roman d'Alexandre*.

allemande qu'en fait Lamprecht vers 1155, dans son *Alexan-derlied*[1]. Le fragment conservé ne rapporte que la naissance et l'éducation d'Alexandre. Le récit de Lamprecht s'arrête sur la victoire du Granique et les préparatifs de Darius pour sa revanche. Cette première version du roman se limitait donc vraisemblablement aux enfances du héros. Bien avant le *Roman de Thèbes*, le récit médiéval en « roman » s'attache à un autre type de héros : délaissant le saint ou le chevalier qui met sa prouesse au service de la chrétienté, il choisit dans le monde antique un héros païen. Après un prologue qui instaure l'Anti-quité au rang des sujets les plus nobles et célèbre la gloire immortelle du plus grand de ses rois, Alexandre, Albéric relate les premières années du héros, autour d'un portrait, unique dans les différentes versions du roman, qui est le seul à reprendre à la tradition historique la double couleur des yeux d'Alexandre :

> « Saur ab lo peyl cum de peysson,
> Tot cresp cum coma de leon ;
> L'un uyl ab glauc cum de dracon
> Et l'altre neyr cum de falcon[2]. »

(Ses cheveux blonds brillaient comme les écailles d'un poisson, et ils étaient crépus comme la crinière d'un lion ; un de ses yeux était glauque comme un œil de dragon et l'autre noir comme un œil de faucon.)

Entre l'or, le noir et le glauque, le lion, le faucon et le dragon, la symbolique des couleurs et du bestiaire souligne à la fois la grandeur d'Alexandre et l'ambivalence du personnage, inséparable de son origine païenne. Refusant les demi-teintes, l'auteur de l'*Alexandre décasyllabique* donnera à son héros des yeux « vairs comme ceux d'un faucon mué[3] ». Les principaux thèmes des romans français sont annoncés dès cette première mise en forme : la supériorité éclatante d'Alexandre, dans les

1. On trouvera la présentation, le texte et la traduction de ce fragment, avec la traduction de l'*Alexanderlied* dans le volume III du *Medieval French Roman d'Alexandre* (MFRA), éd. A. Foulet, rééd. New York, 1965, pp. 2-8 et 37-60.

2. Albéric, vv. 60-63, MFRA III, p. 40. L'éditeur du Pseudo-Callisthène, H. Van Thiele, précise que « toute caractéristique asymétrique était un signe de pouvoir et de don particulier dans le domaine de la magie » (remarque citée dans la traduction, p. 232).

3. *Alexandre décasyllabique*, archétype, v. 71, MFRA III, p. 65.

domaines de la prouesse et de la clergie, sur tous les rois passés
et à venir, sa prédestination à une gloire supra-humaine, signi-
fiée dès sa naissance par des signes surnaturels. Mais intervient
aussi la tache qui marquera le destin médiéval du Macédonien
et que les romanciers tenteront vainement d'effacer : l'accusation de bâtardise.

> « Dicunt alquant estrobatour
> Que.l reys fud filz d'encantatour.
> Mentent, fellon losengetour.
> Mal en credreyz nec un de lour,
> Qu'anz fud de ling d'enperatour
> Et filz al rey macedonor[1]. »

*(Certains faiseurs de contes prétendent qu'Alexandre était fils
d'un enchanteur. Ils mentent, les félons calomniateurs. A tort
vous en croirez aucun d'eux, car au contraire il était de race
impériale, le fils du roi de Macédoine.)*

La filiation avec le dieu Ammon, sur laquelle Alexandre, de
son vivant, avait bâti son mythe, et avec Nectanébo, le dernier
des pharaons, dans la légende alexandrine dont le Pseudo-
Callisthène se fait l'écho, ne faisait que rehausser la gloire du
héros dans le monde antique, lui attachant cette origine surna-
turelle qui caractérise, dans toutes les mythologies, la naissance
du héros. Mais dans l'imaginaire médiéval, la figure royale ne
peut être souillée par le soupçon de bâtardise. Albéric ne mentionne la légende que pour la reléguer aussitôt parmi les mensonges des *losengetour*, les *losengiers* de la poésie lyrique, ces
calomniateurs ennemis de la courtoisie, qui s'en prennent à
l'honneur des dames. Il tire argument, et ses continuateurs à sa
suite, du meurtre de Nectanébo par Alexandre, qui, dans le
Pseudo-Callisthène, précipite l'astrologue dans un puits pour se
moquer de son imprévoyance et apprend du mourant qu'il vient
de tuer son père. Comment, protestent Albéric et ses continuateurs, Alexandre aurait-il pu tuer son père ? Cependant Thomas
de Kent et l'auteur du *Roman d'Alexandre* en prose n'hésitent
pas à ternir quelque peu l'image du héros en reprenant avec
force détails l'épisode du Pseudo-Callisthène : la ruse de Nectanébo qui, épris d'Olympias, lui fait croire, par ses sortilèges,

---

1. Albéric, vv. 27-32, MFRA III, pp. 38-39.

à une visite du dieu Ammon et, sous un déguisement animal, engendre Alexandre.

Vers 1160, un clerc poitevin adapte en laisses de décasyllabes l'œuvre d'Albéric : il s'agit encore d'un livre des enfances d'Alexandre, dont on n'a conservé que le début, jusqu'à la défaite et la mort du roi Nicolas de Césarée. Il survit dans deux manuscrits, le manuscrit de l'Arsenal (Arsenal 3472, A dans la classification de Paul Meyer), et le manuscrit de Venise (Museo civico, VI, 665, B dans la même classification), qui juxtaposent une première partie du récit en décasyllabes, et le reste du roman en dodécasyllabes d'Alexandre de Paris[1]. Les 800 vers conservés rapportent trois jours dans la vie du Macédonien : le premier jour, le dressage de Bucéphale, le cheval fabuleux qui tue tous les hommes qui osent l'approcher jusqu'à sa rencontre avec Alexandre, en qui il reconnait spontanément son maître ; le fastueux adoubement qui scelle la métamorphose du héros antique en parfait chevalier, et le défi à Darius et à Nicolas. Déjà se manifeste la soif inextinguible de conquête du héros, quand Alexandre refuse le titre de roi, qu'il n'a pas encore mérité :

> « Segnor baron, por qué m'apelez rei
> Quant ge de terre nen aï travers mon dei ?
> Mas g'en avrai encors, si cum ge crei,
> Si Deus garist les donceus que ci vei[2]. »

(« *Seigneurs barons, pourquoi m'appeler roi, quand je ne possède pas la longueur de mon doigt de terre ? Mais je posséderai des terres, j'en suis sûr, si Dieu protège les jeunes gens qui m'entourent !* »)

Le deuxième jour, Alexandre rencontre Samson, neveu rebelle de Darius, qui se déclare son vassal ; enfin le troisième jour est marqué par la victoire sur Nicolas, en combat singulier, et la prise de Césarée.

Dans les années 1170, trois nouveaux poèmes français en

---

1. Sur les manuscrits du *Roman d'Alexandre*, voir P. Meyer, *Romania* 11, 1882, pp. 213-332. Les manuscrits A et B (Arsenal et Venise) sont édités dans le MFRA tome I. Voir également la reconstitution de l'archétype de l'*Alexandre décasyllabique*, MFRA III, pp. 61-100. Un troisième manuscrit, L (BN fr. 789) combine des éléments de l'*Alexandre décasyllabique*, de l'*Alexandre* dodécasyllabique et des additions individuelles : voir MFRA III, pp. 101-154.

2. *Alexandre décasyllabique*, vv. 318-321, MFRA III, p. 78.

dodécasyllabes voient le jour. On ne les possède plus sous leur forme originelle. Le premier, dû à un certain Eustache, est *Le Fuerre de Gadres (Le Fourrage de Gaza)*. Durant le siège de Tyr, Alexandre envoie une troupe de sept cents chevaliers faire une razzia dans la vallée de Josaphat, sous le commandement d'Emenidus, l'un des douze pairs. Les fourriers sont attaqués par le duc Bétis de Gadres et trente mille hommes. Emenidus veut demander du renfort à Alexandre mais l'un après l'autre, les pairs refusent de quitter le champ de bataille. Les Grecs sont en mauvaise posture. Aridès transmet enfin le message à Alexandre, qui vole au secours de ses hommes. Ce récit construit sur l'opposition de prouesse et de sagesse, a une tonalité résolument épique. Parallèlement, Lambert le Tort de Châteaudun prolonge l'histoire d'Alexandre au-delà de sa lutte contre Darius. Il conte, à partir de l'*Epitome* de Julius Valerius et de la *Lettre d'Alexandre à Aristote*, l'expédition en Inde contre le roi Porus, la traversée des déserts et la découverte des merveilles de l'Orient. Enfin un troisième poème indépendant rapporte la mort d'Alexandre, traîtreusement empoisonné, les plaintes prononcées sur son corps et ses funérailles. Très vite ces textes ont été rassemblés et joints aux enfances d'Alexandre pour constituer une biographie complète du héros. Les versions composites conservées par les manuscrits de l'Arsenal et de Venise, ainsi que par le manuscrit L (BN 789) en portent témoignage.

Il revenait à Alexandre de Paris, né à Bernay en Normandie, de donner à tous ces contes disparates une véritable unité, peu après 1180, en compilant et en réécrivant les textes antérieurs pour créer un long roman de 16 000 vers en laisses d'alexandrins monorimes, qui constitue la vulgate du *Roman d'Alexandre*[1]. L'auteur de ce *patchwork* ne cherche pas à cacher les coutures du tissu narratif :

« D'Alixandre vos veul l'estoire rafreschir. »

« L'estoire d'Alixandre vos veul par vers traitier
En romans qu'a gent laie doive auques porfitier,

---

1. Le tome II du MFRA donne le texte du manuscrit M (BN fr. 24365) pour la branche I, et celui du manuscrit G (BN fr. 25517) pour les trois autres branches (le texte de G pour la branche I figure au tome III du MFRA). Le texte ici présenté est celui du manuscrit G pour l'ensemble du roman.

Mais tels ne set finer qui bien set commencier,
Ne mostrer bele fin pour s'ovraigne essaucier. »
« Cil troveor bastart font contes avillier [...]
Et qant il ont tout dit, si ne vaut un denier,
Ains convient la leur oevre par peniaus atachier[1]. »
*(Je veux renouveler pour vous l'histoire d'Alexandre [...]. Je
veux vous conter l'histoire d'Alexandre en vers et en français,
pour en faire profiter les laïcs. Mais tel sait bien commencer
son poème qui est incapable de le finir et de terminer sur une
belle conclusion pour rehausser son ouvrage [...]. Ces poètes
bâtards rabaissent les récits [...] et quand ils ont tout dit, leur
conte ne vaut pas un denier ; il faut rafistoler les lambeaux de
leur œuvre.)*

Les deux premières laisses d'Alexandre de Paris multiplient
les lieux communs caractéristiques des prologues des chansons
de geste et des romans en vers du XIIe siècle : revendication de
la valeur didactique de l'œuvre, de sa supériorité éclatante sur
celle des poètes qui traitent (mal) le même sujet. Comme
Benoît de Sainte-Maure dans le long prologue du *Roman de
Troie*, l'auteur se pose en traducteur d'un texte latin qu'il « met
en roman » et en vers, pour le mettre à la portée des laïcs
ignorants du latin. Cependant cette attaque en règle des jon-
gleurs qui racontent par lambeaux l'histoire d'Alexandre, qu'il
faut renouveler, est aussi une allusion au travail d'Alexandre de
Paris sur les textes de ses précédesseurs. La version qu'il donne
vers 1180 repose sur la réunion des récits antérieurs, leur inser-
tion dans un plan d'ensemble qui évoque les étapes successives
de la biographie du héros : les enfances, la conquête de
l'Empire perse, la victoire sur Porus et la découverte des merveilles de l'Inde, enfin la mort d'Alexandre. Ces quatre étapes
correspondent aux quatre branches du roman. La division en
branches a été introduite par Paul Meyer, qui appuie cette arti-
culation sur le contenu narratif, les allusions d'Alexandre de
Paris à ses sources (Eustache pour le *Fuerre de Gadres*, devenu
la branche II, Lambert pour l'*Alexandre en Orient*, devenu la
branche III), ainsi que sur des critères codicologiques[2].
L'*Alexandre décasyllabique* est mis en alexandrins et amplifié

1. Alexandre de Paris, Branche I, vv. 11, 30-33, 37-41.
2. P. Meyer, art. cit., pp. 214-219.

pour constituer une première branche, les enfances d'Alexandre. On y retrouve la naissance et l'éducation du héros, complétées par un songe (issu de l'*Epitome*). A l'âge de cinq ans, Alexandre rêve qu'il mange un œuf et le brise sur le sol : de l'œuf sort un serpent qui fait trois fois le tour du lit avant de vouloir regagner la coquille de l'œuf et tomber mort. Seul Aristote saura voir dans ce rêve la désignation d'Alexandre comme le futur maître de l'univers. Après le dressage de Bucéphale et l'adoubement du héros, vient la guerre contre Nicolas, le défi à Darius et le début de l'expédition en Asie : le siège est mis devant Tyr. La branche II, placée sous l'autorité d'Eustache[1], insère *Le Fuerre de Gadres* dans les péripéties du siège de Tyr, suivi de la bataille des Prés de Paile (Issos). Elle se clôt sur la double mention des noms d'Alexandre de Paris et de Lambert :

> « Alixandres nos dist, qui de Bernai fu nes
>   Et de Paris refu ses sornons apelés,
>   Que ci a les siens vers o les Lambert jostés[2]. »

(Alexandre nous dit, lui qui est né à Bernai et qui est sur-nommé Alexandre de Paris, qu'ici il a joint ses vers à ceux de Lambert.)

Cette mention est précisée dès le début de la branche III :

> « Or entendés, segnor, que ceste estoire dist.
> De Dayre le Persant qu'Alixandres conquist,
> De Porron le roi d'Ynde qu'il chaça et ocist
> Et de la grant vermine qu'es desers desconfist
> Et des bonnes Artu qu'il cercha et enquist,
> De Gos et de Magos que il enclost et prist,
> Que ja mais n'en istront jusqu'au tans Antecrist,
> Ainsi com Apellés s'ymage contrefist,
> Du duc de Palatine qu'il pendi et deffist,
> La roïne Candace qu'en sa chambre le mist
> Et de la vois des arbres qui de sa mort li dist,
> Ainsi com Aristotes l'entroduist et aprist,
> La verté de l'estoire, si com li rois la fist,

---

1. AdP, II, v. 1777.
2. *Ibid.*, II, vv. 3098-3100.

       Uns clers de Chastiaudun Lambers li Tors, l'escrist,
       Qui du latin la traist et en romans la mist[1]. »

*(Ecoutez donc, seigneurs, ce que dit cette histoire. Elle parle
de Darius le Perse, qu'Alexandre vainquit, de Porus le roi
d'Inde, qu'il chassa et tua, des grands serpents qu'il détruisit
aux déserts, des bornes d'Arthur qu'il chercha à trouver, de
Gog et de Magog qu'il mit dans une prison dont ils ne sortiront
qu'à la venue de l'Antéchrist. Elle dit comment Apelle entreprit
son portrait, comment il vainquit et fit pendre le duc de Palatine, fut introduit dans la chambre de la reine Candace, apprit
sa propre mort de la voix des arbres, et conte l'enseignement
et les conseils d'Aristote. L'histoire vraie, telle que le roi
l'accomplit, un clerc de Châteaudun, Lambert le Tort, l'a
écrite : il l'a traduite du latin et mise en français.)*

   Il s'agit là d'un sommaire de la troisième branche, qui à elle
seule occupe la moitié du roman : les triomphes sur Darius le
Perse et Porus l'Indien ; la découverte des merveilles de
l'Orient (symbolisées par la lutte contre les reptiles des déserts,
le franchissement des bornes d'Hercule, l'emprisonnement de
Gog et de Magog), la rencontre de la reine Candace, la prophétie des arbres du Soleil et de la Lune, qui annoncent à
Alexandre sa mort prochaine, enfin l'enseignement d'Aristote.
Or toute cette partie du récit est clairement attribuée à Lambert
le Tort, qui l'a « mise en roman », et Alexandre de Paris se
donne comme le coordonnateur des différentes branches de
l'œuvre. Il se nomme une dernière fois, à la fin de la quatrième
branche, consacrée à la mort d'Alexandre, aux plaintes des
douze pairs, au transport du cadavre en Egypte et à la construction du tombeau. Alexandre de Macédoine dort à jamais dans
son somptueux tombeau, tandis que son homonyme achève son
récit et médite sur les tours de la Fortune :

       « Ci fenissent li ver, l'estoire plus ne dure.
       Ce raconte Alixandres de Bernai vers Eüre,
       Qui onques nen ot jor longement aventure ;
       S'un jor la trova blanche, l'endemain l'avoit sure[2]. »

*(Là s'arrêtent les vers, l'histoire ne va pas au-delà. Voilà ce
que raconte Alexandre de Bernay vers l'Eure, à qui le destin*

---

1. *Ibid.*, III, vv. 1-15.
2. *Ibid.*, IV, vv. 1698-1701.

*ne fut jamais longtemps favorable : un jour blanc, l'autre noir
et amer.*)

Dès les années 1170, les romans d'Alexandre utilisent le
vers dodécasyllabique, qui apparaît d'ailleurs dès le milieu du
XIIe siècle dans *Le Pèlerinage de Charlemagne* et, en 1174,
dans la *Vie de saint Thomas Becket* de Guernes de Pont-Sainte-
Maxence. Mais c'est vraisemblablement le succès du roman
d'Alexandre de Paris, joint au renouveau du mythe littéraire
d'Alexandre au XVe siècle, autour de la cour de Bourgogne, qui
incitera les auteurs des traités de seconde rhétorique à inventer
pour le dodécasyllabe un nom emprunté à celui d'Alexandre,
l'alexandrin. Le terme apparaît pour la première fois dans les
Règles anonymes de la seconde rhétorique en 1411 et 1432 :
« Rime alexandrine, pour faire rommans, est pour le present de
douse silabes chascune ligne en son masculin et de XIII ou
feminin. » Et Baudet Herenc précise dans le *Doctrinal de
seconde rhétorique* (1432) : « Sont dites lignes alexandrines
pour ce que une ligne des fais du roy Alexandre fu faite de
ceste taille[1]. »

Alexandre de Paris a mis en cycle les différents récits qui
circulaient sur Alexandre, pour en tirer une biographie
complète du héros, de sa naissance à sa mort ; et après lui des
continuations et des interpolations ont complété le cycle
d'Alexandre. Dans la branche IV, Alexandre mourant réclame
vengeance et déplore la fuite des deux traîtres qui l'ont empoisonné ; Aristote appelle sur eux les pires supplices[2]. Le manuscrit de Venise offre même cette conclusion attendue. Antipater
et Divinuspater sont privés de nourriture pendant huit jours
puis, mis en présence l'un de l'autre, s'entredévorent sous les
yeux du peuple, avant d'être emportés en Enfer par les
démons[3]. Mais dès la fin du XIIe siècle, avant 1191, le thème de
la vengeance d'Alexandre donne naissance à deux continuations : la *Venjance Alixandre* de Jean le Nevelon et le *Venge-*

---

1. M.E. Porter, « The Genesis of Alexandrin as a metrical term », *Modern
Language Notes*, 51, 1936, pp. 528-535.
2. AdP, IV, vv. 586-595 et 1047-1058.
3. MFRA I, pp. 485-489, laisses 572-574.

ment Alixandre de Guy de Cambrai[1]. Plusieurs manuscrits joignent au texte d'Alexandre de Paris, outre une *Vengeance d'Alexandre*, des interpolations : le *Voyage d'Alexandre au Paradis terrestre*, le *Duc Melcis* ou la *Prise de Defur*, ainsi que les *Vœux du paon* de Jacques de Longuyon (1312), avec ses deux propres continuations, le *Restor du paon* de Jean Brisebarre (avant 1338) et le *Parfait du paon* de Jean de la Mote (1340)[2]. Dans ces trois chansons de geste, seuls les personnages ont quelque rapport avec le *Roman d'Alexandre*. Le XVe siècle verra naître des mises en prose du cycle romanesque en vers : les *Fais et conquestes du noble roy Alexandre*, l'*Histoire du bon roy Alixandre* de Jehan Wauquelin, composée avant 1448 pour Jean de Bourgogne, comte d'Etampes[3].

Mais la littérature narrative consacrée à Alexandre ne se limite pas au cycle romanesque constitué autour d'Alexandre de Paris. Entre 1174 et 1200, le poème anglo-normand de Thomas de Kent, le *Roman de toute chevalerie*, conte les aventures d'Alexandre, toujours en laisses d'alexandrins, à partir de l'*Epitome* et de la *Lettre d'Alexandre à Aristote* ; son évocation des monstres et des merveilles de l'Orient, fondée sur les traités anciens, tel celui de Solin, donne à l'expédition en Inde une allure plus encyclopédique que romanesque[4]. L'*Histoire ancienne jusqu'à César*, au début du XIIIe siècle, raconte la vie d'Alexandre à partir de l'*Epitome*, de la *Lettre à Aristote* et de l'*Historia adversus paganos* d'Orose[5]. En outre, l'*Historia de preliis* a donné naissance, au XIIIe siècle, à un *Roman d'Alexandre* en prose[6]. Enfin entre 1184 et 1187, Gautier de Châtillon compose son épopée latine, l'*Alexandreis*, à partir de l'*Histoire d'Alexandre* de Quinte-Curce, qui sera tra-

---

1. Guy de Cambrai, *Le Vengement Alixandre*, éd. B. Edwards, Princeton, 1928 ; Jean le Nevelon, *La Venjance Alixandre*, éd. E.B. Ham, Princeton, 1931.

2. R. Blumenfeld-Kosinski, « The Poetics of Continuation in the Old-French Paon-cycle », *Romance Philology*, 39, 1986, pp. 437-447.

3. *Les Faits et conquestes du noble roy Alexandre*, éd. du ms 836 de la BM de Besançon par R. Nicolet-Liscinsky, Ann Arbor, 1980. Voir Ross, *Alexander*, p. 17.

4. Thomas de Kent, le *Roman de toute chevalerie*, éd. B. Foster et I. Short, Londres, 1977.

5. D.J.A. Ross, « The History of Macedon in the *Histoire ancienne jusqu'à César* », *Classica et Medievalia*, 24, 1963, pp. 181-231.

6. Le *Roman d'Alexandre* en prose, éd. A. Hilka, Halle, 1920.

duite en français par Vasque de Lucène en 1468 pour Charles le Téméraire, nouvelle preuve de l'importance du mythe d'Alexandre à la cour de Bourgogne au xvᵉ siècle[1]. Ce rapide panorama ne tient compte ni de l'utilisation de la figure d'Alexandre dans la littérature philosophique, qui assombrit l'image du conquérant, ni de la diffusion de la légende dans toute l'Europe médiévale[2].

Chanson de geste ou roman ?

L'une des chansons de geste tardives du cycle de Guillaume d'Orange, les *Enfances Guillaume*, s'ouvre sur ces vers :

> « Chanson de geste pleiroit vos a entendre ?
> Tels ne fu faite de lo tens Alixandre[3]. »

Le prologue d'*Aymeri de Narbonne* annonce la chanson « del plus preudome qui fust puis Alixandre[4] ». Cette association laisse entendre que les exploits d'Alexandre relèvent de la matière épique. L'*Alexandre* décasyllabique s'ouvre effective-ment, dans le manuscrit de l'Arsenal, sur ces vers :

> « Chançon voil faire per rime et per lioine
> Del fil Felip lo rei de Macedoine[5]. »

(Je veux composer en rimes léonines la chanson du fils de Philippe, le roi de Macédoine.)

Alexandre de Paris désigne lui-même son œuvre comme « la chanson d'Alexandre » :

> « Li gentil chevalier et li clerc sage et bon,
> Les dames, les puceles qui ont clere façon,
> Qui sevent de service rendre le guerredon,
> Cil doivent d'Alixandre escouter la chançon[6]. »

(Les nobles chevaliers, les clercs pleins de sagesse et de vertu,

---

1. Gautier de Châtillon, *Alexandreis*, éd. M. Colker, Padoue, 1976, trad. T. Pritchard, Toronto 1986. R. Bossuat, « Vasque de Lucène traducteur de Quinte-Curce », *Bibliothèque d'Humanisme et Renaissance* 8, 1946, pp. 197-245.

2. Sur les textes philosophiques, voir G. Cary, *The Medieval Alexander*, Cambridge, 1956. Sur la diffusion de la légende dans l'ensemble du monde médiéval, voir Ross, *Alexander historiatus*.

3. Les *Enfances Guillaume*, éd. P. Henry, Paris, 1935.

4. *Aymeri de Narbonne*, éd. L. Demaison, Paris, 1887, v. 10.

5. MFRA I, p. 2, vv. 1-2. Toutefois le manuscrit de Venise remplace *chanson* par *conte*.

6. AdP, IV, vv. 1652-1655.

les dames, les jeunes filles au clair visage qui savent récom-
penser les efforts accomplis : voilà ceux qui doivent écouter la
chanson d'Alexandre !)

Les romans français d'Alexandre relèvent bien de l'esthé-
tique épique[1]. On y trouve les marques de l'oralité qui caracté-
risent la chanson de geste, destinée, jusqu'au XIIIe siècle, à être
récitée. A. Roncaglia a relevé « la solidarité technique entre
l'*Alexandre* d'Albéric, les poèmes religieux et les premières
chansons de geste[2] ». De la laisse d'octosyllabes, on passe au
décasyllabe, le vers épique par excellence jusqu'à la fin du
XIIe siècle. Et dans les années 1170-1180, alors que les romans
d'*Enéas* et de *Troie*, après le *Brut* de Wace et le *Roman de*
Thèbes, font du couplet d'octosyllabes la forme spécifique du
genre romanesque à ses débuts, Lambert le Tort et Alexandre
de Paris demeurent fidèles à la laisse épique, cette fois en
alexandrins. Cette laisse, c'est à dire une strophe qui contient
un nombre variable de vers de même longueur reliés par la
même rime, a une réalité musicale qui se traduit par des
timbres d'intonation et de conclusion. Au vers d'intonation,
revient souvent le nom du sujet de l'action dans la laisse, qui
peut se combiner avec le procédé de l'inversion épique :
« Grans fu l'eaue et parfonde et li marés fu maus[3]. » Voici par
exemple l'ouverture des laisses qui content le dressage de
Bucéphale (Branche I, laisses 18-21) :

« Alixandres s'aloit par un jor deporter. »

« Alixandres apele un sien dru Festion. »

« Del reson du cheval fu Alixandres liés. »

« Molt fu liés Alixandres qant il vit le cheval. »

Les vers de conclusion, dans les mêmes laisses, expriment
un commentaire sur l'action qui vient de se dérouler, une attitude à valeur conclusive, ou encore une anticipation, tel le vers
qui, après l'adoubement d'Alexandre, annonce la guerre contre
Nicolas :

« Ains qu'il lievent des tables, es vos un messagier

---

1. Voir J. Rychner, *La Chanson de geste, Essai sur l'art épique des jon-*
gleurs, Genève, Lille, 1955 ; D. Boutet, *La Chanson de geste*, Paris, 1993 ;
F. Suard, *La Chanson de geste*, Paris, 1993 (collection Que sais-je ?).

2. « L'*Alexandre* d'Albéric et la séparation entre chanson de geste et roman »,
Chanson de geste und höfischer Roman, Heidelberg, 1963, pp. 37-52 (p. 49).

3. AdP, III, v. 1107.

Qui conta tel parole, sans point de mençoignier,
Dont morurent as armes maint gentil chevalier[1]. »
*(Mais avant même la fin du repas, voici un messager dont les
paroles, sans mentir, devaient causer la mort de maint bon
chevalier.)*

De la même rhétorique relève l'enchaînement des laisses,
qui « consiste à reprendre dans le ou les premiers vers d'une
laisse, soit le contenu et/ou les formules du ou des derniers vers
de la laisse précédente, soit des éléments choisis, épars ou non,
de cette laisse, avec, bien entendu, un changement d'assonance
ou de rime qui impose un minimum de variations[2] ». Ce parallélisme des laisses est particulièrement marqué dans la branche
II, le *Fuerre de Gadres*, la plus épique des quatre branches. Les
fourriers envoyés en razzia près de Gaza sous la direction
d'Emenidus sont surpris par l'armée du duc Betis de Gadres et
un conflit s'instaure, comme dans la *Chanson de Roland*, entre
la sagesse incarnée par Emenidus, qui veut appeler Alexandre
à l'aide, et ses compagnons qui, au nom de la prouesse, refusent de quitter le combat. Les laisses 9-22 sont construites sur
un parallélisme des intonations :

« Emenidus esgarde vers les puis d'Anemonde
Et voit la gent de Gadres dont tos li vaus soronde ;
N'a mie par grant vent en haute mer tante onde
Com il vienent espés la valee parfonde. » (Laisse 9.)

« Emenidus a dit : "Car i alés, Filote,
Et dites Alixandre que toute terre est mote
Et venue sor nos de Gadre et d'Amiote,
Et sont trente milliers de gens en une flote." » (Laisse 10.)

« Emenidus esgarde vers les puis de Nimoie
Et voit la gent de Gadres dont li païs ondoie,
Qui plus vienent espés qu'espie ne sont en moie. »
(Laisse 11.)

Le *Roman d'Alexandre* retrouve l'écriture stéréotypée de la
chanson de geste, avec ses motifs et ses formules. Les motifs,
selon la distinction de J.P. Martin, sont à la fois des stéréotypes

---

1. Id., I, vv. 580-582.
2. D. Boutet, *op. cit.*, p. 82.

de diégèse (motifs narratifs) et des stéréotypes d'expression (motifs rhétoriques)[1]. Parmi les motifs narratifs, « séquences narratives englobant une série ordonnée et autonome d'actions », l'adoubement est constitué des éléments ou clichés narratifs suivants : 1) bain rituel, 2) don des armes, 3) paumée, 4) essai du cheval, 5) veillée et messe, 6) épreuve (quintaine ou bataille). Plusieurs de ces éléments surgissent dans la grande scène de l'adoubement d'Alexandre : les éléments 1, 2, 4, 6[2]. L'essai du cheval (le dressage de Bucéphale) constitue, avant l'adoubement, l'épreuve initiatique qui marque l'entrée du jeune homme dans l'âge adulte. L'épreuve est double : quintaine et bataille (contre Nicolas). Dans le motif du duel se succèdent 1) la provocation, 2) l'échange de gages ou d'otages, 3) la nuit de veille, 4) la messe, 5) l'armement, 6) le serment sur les reliques, 7) le combat proprement dit (échange de coups à cheval puis à pied), 8) les tentatives du traître. On retrouve en grande partie cette séquence dans les scènes de duel qui opposent Alexandre à Nicolas (éléments 1, 2, 5, 7), et à Porus (avec deux affrontement successifs) : éléments 1, 5, 7 puis 1, 2, 5, 7, 8 (intervention de l'armée de Porus)[3]. On voit disparaître les rites chrétiens que sont la veillée et la messe, le serment sur les reliques n'ayant pas sa place dans un contexte étranger au duel judiciaire. Autre motif fréquent dans les chansons de geste comme dans le *Roman d'Alexandre* : la bataille, avec la mobilisation, l'armement, le tableau des troupes, les combats singuliers et les mêlées. La tactique qui domine dans le roman est l'assaut échelonné par les différents corps de bataille, avec pour finir le combat des chefs.

Le motif rhétorique est un ensemble structuré de formules, la formule étant « l'expression d'une idée simple dans les mots qui conviennent à certaines conditions métriques[4] ». Plusieurs formules expriment l'idée « éperonner son cheval ». Ainsi dans la *Chanson de Roland* :

1. J.P. Martin, *Les Motifs dans la chanson de geste*, Lille, 1992 : voir à la fin de l'ouvrage l'index des motifs narratifs et rhétoriques, qui complète la liste établie par J. Rychner.

2. J.P. Martin, *op. cit.*, p. 352 ; Alexandre de Paris, I, vv. 521-581.

3. J.P. Martin, pp. 80-90, 355 ; AdP, I, vv. 1422-1615, III vv. 3970-4277.

4. J. Rychner, *op. cit.*, p. 147.

« Sun cheval brochet, laiset curre a esforz. »

« Brochet le bien des aguz esperuns. »

« Le cheval brochet des esperuns d'or mer. »

« Puint le ceval, laisset curre ad espleit[1]. »

Voici la transposition de ces formules en alexandrins, dans la bataille de Babylone :

« Le cheval point et broche des esperons d'or mier. »

« Il broche le cheval que on claime Pertris. »

« Il broche le cheval par fiere contenance. »

« Des esperons hurta le destrier espanois. »

« Le cheval point et broche par mi un pré herbous. »

« Et broche le cheval qui de corre s'argüe. »

« Lors broche le destrier, ne cuit que mais remaigne. »

« Lors broche le cheval, vers aus est eslaissiés. »

« Il broche le cheval et o lui mil dansel. »

« Le cheval point et broche, ne laira nes asaille. »

« Et broche le cheval des esperons agus. »

« Macabruns esperone le destrier de Castele. »

« Le cheval point et broche des esrons dorés[2]. »

Ces formules appartiennent au motif rhétorique du « combat à la lance », qui les réunit autour de sept éléments : 1) éperonner son cheval, 2) brandir sa lance, 3) frapper, 4) briser l'écu de l'adversaire, 5) rompre son haubert ou sa brogne, 6) lui passer la lance au travers du corps ou alors le manquer, 7) l'abattre à bas de son cheval, le plus souvent mort[3]. C'est ainsi qu'Alexandre de Paris évoque le combat de Tholomé, l'un des douze pairs, contre Macabrun, vassal de l'émir de Babylone :

> Qant Tholomés oï que il fu rampronés,
> Le cheval point et broche des esperons dorés.
> Li espiés que il porte fu Macabrun privés,
> Que ses escus en est et frais et estroués,
> Li haubers de son dos et rompus et fausés.
> La lance li a mise par ansdeus les costés,

---

1. *La Chanson de Roland*, éd. et trad. J. Dufournet, Paris, 1993, vv. 1197, 1573, 1738, 3547 ; J. Rychner, pp. 141-143.

2. AdP, III, vv. 6520, 6563, 6573, 6690, 6724, 6754, 6771, 6788, 6833, 6899, 6982, 6991, 7008.

3. J. Rychner, pp. 139-148. Voir par exemple les vers 1196-1205 du *Roland*.

Enpaint le de vertu, Macabrins est versés ;
Por la plaie qu'il ot s'est quatre fois pasmés[1]. »
*(Quand Tholomé entend cette raillerie, il pique son cheval de
ses éperons dorés. De son épieu, il atteint si bien Macabrun
qu'il troue son écu et le met en pièces, et lui rompt les mailles
de son haubert. Il lui enfonce sa lance dans les flancs et frappe
si violemment que Macabrun tombe de cheval : il est si grièvement blessé qu'il s'évanouit quatre fois de suite.)*

L'armement du chevalier, le combat à l'épée, la mêlée générale, le campement, la poursuite, le repas figurent aussi parmi
les motifs rhétoriques les plus courants, ainsi qu'un motif descriptif comme la reverdie ou lyrique comme la plainte funèbre,
tous abondamment représentés dans le roman. D'autres
formules invitent l'auditeur des chansons de geste à entrer dans
l'action : « Lors veïssiés » (vous auriez vu alors), « lors oïssiés » (vous auriez entendu alors), « es vos » (voici). On les
retrouve constamment dans le *Roman d'Alexandre*, qui ne les
réserve pas aux épisodes guerriers[2].

La matière du roman est aussi en partie modelée sur celle de
la chanson de geste. La thématique amoureuse est quasiment
absente (à l'exception de l'épisode courtois des Amazones et
de la rencontre si peu courtoise d'Alexandre et de Candace),
entièrement supplantée par celle de la guerre. Et loin de célébrer les exploits du seul Alexandre, les poètes présentent des
combats collectifs qui mettent en valeur la vaillance du roi
mais aussi celle de ses compagnons. La construction des
combats est la même dans le *Roman d'Alexandre* et dans la
Chanson de Roland : le roi de Macédoine oppose ses
« échelles » à celles des Perses ou des Indiens, tout comme
Charlemagne range ses compagnies devant celles de l'émir
Baligant. Le romancier oublie d'ailleurs souvent que son héros
est aussi païen que ses ennemis. Les Perses sont assimilés aux
Sarrasins. Ils ont les mêmes dieux : l'émir de Babylone adore

---

1. AdP, III, vv. 7007-7015.

2. « es vos », « ez vos », « estes vos », vv. I 1074, I 1112, I 1139, I 1142,
I 1323, III 1290, III 1360, III 1389, etc. ; « ilueques veïssiés », I 1038, I 1117,
I 1174, etc. ; « la veïssiés », I 1106, I 1141, I 1152, etc. ; « la oïssiés », I 1093,
etc. ; « la peüssiez veoir », I 1350, etc.

Mahomet et Apollin, qui composent avec Tervagan, dans les chansons de geste, la triade des dieux sarrasins[1]. Ils ont, comme les Sarrasins de la *Chanson de Roland*, des noms formés « autour de préfixes à valeur péjorative ou/et descriptive (mar-, mal-, fal-, cors-, val-)[2] » : Balot de Valage, Brian de Valquaire, Corbas, Corberias, Malatous, Margos, auxquels on peut ajouter une série formée autour du préfixe « sal » : Salatiel, Salatri, Saligos, Salos. En face d'eux, l'armée grecque se regroupe autour de l'oriflamme, bannière des rois de France, et des douze pairs. Les douze pairs font écho aux *hetairoi* d'Alexandre. D'ailleurs, plusieurs de leurs noms sont calqués sur ceux de compagnons du Macédonien[3]. L'importance accordée à Tholomé, Clin (ou Cliçon) et Emenidus, le gonfalonnier, correspond au rôle qu'ils ont joué auprès d'Alexandre. Ptolémée « fut le fondateur de la dernière dynastie des pharaons d'Egypte et le plus véridique des historiens d'Alexandre ». Cleitos sauva la vie d'Alexandre à Granique. Emenidus « serait le diadoque Eumène de Cardie ». « Le couple des deux frères Licanor et Filote correspond à Nicanor et Philotas ». Perdicas « est connu comme l'inter-roi après la mort d'Alexandre ». Lioine « désignerait Leonnatos, un des écuyers ». Antigonus « est le diadoque Antigonos Gonatas, le fondateur de la dernière dynastie macédonienne ». Aridés « se rapporterait peut-être au demi-frère d'Alexandre, Arridaios ». Aristé « reste sans correspondant dans la réalité, à moins qu'il ne s'agisse du triérarque Aristonus ». Caulon ou Caulus « pourrait se rapporter à Coenos, un des plus proches compagnons d'Alexandre ». Antiocus, « fondateur de la fameuse Antioche, ne pouvait pas manquer d'y figurer, quoique ce ne fût pas lui le compagnon d'Alexandre, mais son père Seleucos ». Mais l'influence prépondérante est celle des douze pairs de Charlemagne, « les grands du royaume, égaux entre eux par leurs titres de noblesse, qui n'étaient unis au roi par aucun lien particulier de service », et qui renvoient eux-mêmes aux douze

1. AdP, III, vv. 358, 6074.

2. J. Dufournet, dans son introduction à la *Chanson de Roland*, p. 26.

3. A. Cizek, « Alexandre le grand et "li douze pers de Gresce" du roman français d'Alexandre dans une perspective comparatiste », *La Représentation de l'Antiquité au Moyen Age*, Vienne 1982, pp. 169-201.

apôtres[1]. D'ailleurs l'influence de la *Chanson de Roland* est sensible dans tout le roman. Les prodiges qui saluent la naissance d'Alexandre renvoient à la fois à la mort du Christ et à celle de Roland. Dans le *Fuerre de Gadres*, le refus obstiné des pairs de quitter leur poste pour appeler à l'aide Alexandre, malgré l'écrasante supériorité de l'armée de Gadres, est calqué sur l'attitude de Roland à Roncevaux et l'opposition entre la sagesse d'Emenidus, le chef des fourriers, et la prouesse de ses hommes, reproduit l'opposition entre Olivier et Roland : « Rollant est proz e Oliver est sage » (v. 1093). L'évocation de l'émir de Babylone, siégeant dans son jardin royal, rappelle celle du roi Marsile[2]. Des formules comme « Li val furent parfont et li tertres aguz », « Li pui de Tus sont haut envers le ciel tout droit », rappellent le fameux vers d'intonation du *Roland* : « Halt sunt li pui et li val tenebrus[3] ». La *Terre Major* du *Roland*, que l'on peut interpréter comme la *Grande Terre* (Terra Major) ou la *Terre des Aieux* (Terra Majorum), ressurgit dans le *Roman d'Alexandre*[4]. Après la mort de Roland, un miracle permet à Charlemagne d'accomplir sa vengeance contre les Sarrasins : Dieu arrête le soleil dans sa course :

> « Pur Karlemagne fist Deux vertuz mult granz. »

Après les souffrances inhumaines endurées dans les déserts persans, le romancier présente l'arrivée en Bactriane comme un miracle, dans un alexandrin très proche du décasyllabe :

> « Cel jor por Alixandre firent li dieu vertus[5]. »

Enfin à deux reprises, Alexandre est présenté comme un prince et un chevalier parfaits à qui n'a manqué que la foi chrétienne :

> « Onques teus rois ne fu, s'en Dieu eüst creance. »
> « Se il fust crestiens, onques ne fu teus ber. »

---

1. J. Dufournet, dans *La Chanson de Roland*, note pp. 388-389. Le *Roland* mentionne à plusieurs reprises les douze pairs, qui meurent à Roncevaux, (vv. 263, 325, 858, etc.), opposés à douze pairs sarrasins (v. 990).

2. *Roland* vv. 11-12 : « Alez en est en un verger suz l'umbre, / Sur un perrun de marbre bloi se culchet ». AdP, III vv. 6071-6072 : « L'amiraus se seoit sor un perron marbrin / Dedevant son palais, desous l'ombre d'un pin. »

3. AdP, I, v. 2559, III v. 2176, *Roland*, vv. 814, 1830, 2271.

4. *Roland*, vv. 600, 818, 952, 1489, 1616, 1784 ; AdP, III v. 3611.

5. *Roland*, v. 2458 ; AdP, III v. 1492.

C'est un écho du vers consacré à Baligant :
« Deus ! quel baron, s'oüst chrestientet ![1] »

La ressemblance du *Roman d'Alexandre* avec la chanson de geste est donc indéniable. Mais s'il est vrai que la frontière est bien floue au XIIe siècle entre chanson de geste et roman, les récits français consacrés à Alexandre, qui ont la couleur de la chanson de geste sans en avoir le goût, peuvent aider à cerner les contours de la nouvelle forme littéraire qui naît alors en France et qui en vient peu à peu à répondre aux définitions modernes du roman. Dans le prologue épique, le jongleur qui chante de geste ne se confond pas avec le scripteur. Dans le *Roman d'Alexandre*, l'instance énonciative est aussi l'auteur, qui revendique la paternité de son œuvre :

« L'estoire d'Alixandre vos veul par vers traitier
En romans qu'a gent laie doive auques porfitier[2]. »
(Je veux vous conter l'histoire d'Alexandre en vers et en français, pour en faire profiter les laïcs.).

Cette première opposition permet de définir comme romans des textes de forme épique comme les romans d'Alexandre, mais aussi *Gautier d'Aupais*, un poème courtois du XIIIe siècle en laisses d'alexandrins, ou le *Roman d'Aubéron*, prologue de *Huon de Bordeaux* en laisses de décasyllabes[3].

Vers 1170, Chrétien de Troyes proclame, dans le prologue d'*Erec et Enide*, sa volonté de créer, à partir d'un « conte d'aventures », « une moult bele conjointure », un récit dont le sens est à chercher dans l'architecture même. Ce récit s'attache à une aventure individuelle et, au-delà, se veut quête d'une transcendance qui met en cause les valeurs du monde chevaleresque. Le héros ne lutte pas avec son lignage pour une cause supérieure, mais seul, pour une certaine idée de lui-même[4].

---

1. AdP, III v. 5158 et IV, v. 1679 ; *Roland*, v. 3164.
2. Id., I, vv. 30-31.
3. Voir E. Baumgartner, « Texte de prologue et statut du texte », *Essor et fortune de la chanson de geste dans l'Europe et l'Orient latin*, Modène, 1984, pp. 465-473, ici p. 469.
4. Sur cette distinction entre l'idéologie communautaire de la chanson de geste et l'individualisme du roman, voir E. Köhler, « Quelques observations d'ordre historico-sociologique sur les rapports entre la chanson de geste et le roman courtois », *Chanson de geste und höfischer Roman*, Heidelberg, 1963, pp. 21-30.

Loin de se soucier du sort de la Grèce, Alexandre réalise à travers ses conquêtes son destin personnel. Les étapes de ce destin sont soigneusement scandées, chacune d'elles marquée par une victoire et la mort ou la soumission d'une figure royale :

– les enfances et la victoire sur Nicolas, roi de Césarée ;

– la conquête de la Perse, c'est à dire de l'Orient connu et la défaite de Darius ;

– l'entrée dans l'autre monde indien, espace de l'inconnu, et la victoire sur son roi Porus ;

– le retour en Perse, la conquête de Babylone et la mort de l'émir ;

– la soumission de la reine des Amazones.

Cette vie surhumaine s'ouvre sur des prodiges :

> « Ce fu senefiance que Dieus fist esclarcir
> Por mostrer de l'enfant q'en devoit avenir
> Et com grant segnorie il avroit a baillir[1]. »

(Car Dieu voulait par là signifier à tous le destin de l'enfant et révéler ainsi qu'il régnerait un jour sur un très grand empire.)

Elle se clôt sur un autre signe surnaturel : la naissance d'un monstre dont le haut du corps, humain, est privé de vie, alors que la partie inférieure est composée de mufles de bêtes qui s'entredévorent, présage à la fois de la mort du héros et des luttes que se livreront les douze pairs pour prendre le pouvoir. Dans la branche III, qui constitue à elle seule la moitié du roman, l'errance fantastique d'Alexandre dans les déserts de l'Inde est encadrée par deux épisodes symétriques : le voyage sous la mer (laisses 18-29) et le voyage dans les airs (laisses 274-283). L'exploration de l'espace horizontal, menée jusqu'aux frontières de l'au-delà (les bornes d'Hercule) est ainsi associée à celle de l'espace vertical, et la symbolique de l'espace est liée à la démesure du héros[2]. Le récit ne se contente pas de suivre les étapes d'une biographie, il épouse les méandres d'une quête, comme les romans de Chrétien de Troyes. Alexandre est bien un personnage de roman. A la dif-

---

1. AdP, I, vv. 27-29.
2. Voir F. Dubost, *Aspects fantastiques de la littérature narrative médiévale*, Paris, 1991, chap. 11, « Le *Roman d'Alexandre* et le fantastique des espaces exotiques ».

férence du héros épique, il n'est pas réductible à ses exploits guerriers. C'est bien sûr un parangon de chevalerie, et les romanciers ne se lassent pas de conter ses prouesses dans la mêlée, ses duels (contre Nicolas, Porus, l'émir de Babylone), sa folle témérité (quand il saute le premier sur les murailles de Tyr). Mais il incarne surtout les valeurs nouvelles de la civilisation du XIIe siècle, les valeurs « courtoises » dont les clercs imprègnent les romans qu'ils composent pour les cours seigneuriales. « Le personnage d'Alexandre paraît se situer dans une cohérence exemplaire, et parfaitement fictive, entre les trois attributs hyperboliques qui lui sont donnés : conquête, savoir, générosité universels[1]. » Le nouvel idéal s'exprime d'abord par l'alliance de la clergie et de la chevalerie, du savoir et du pouvoir laïque, symbolisée par le couple Aristote-Alexandre, mais aussi par Alexandre lui-même, dont l'éducation s'est étendue à tous les domaines de la connaissance. L'histoire du prince grec s'inscrit dans le double mouvement par lequel les intellectuels du Moyen Age voient l'évolution de l'humanité et qui est magnifiquement défini dans le prologue du *Cligès* de Chrétien de Troyes : une progression, de l'est vers l'ouest, du pouvoir (*translatio imperii*) et du savoir (*translatio studii*)[2]. La puissance grecque, supplantée par la puissance romaine, elle-même disparue, revit au XIIe siècle dans l'Europe médiévale. La science antique a été transmise à l'Occident par des traductions du grec en latin puis du latin en roman. Il est d'ailleurs significatif que dans le prolongement de ce prologue, Chrétien nomme Alexandre le père de son héros. Le lien étroit entre clergie et chevalerie, entre la connaissance et la conquête apparaît clairement dans la description de la tente d'Alexandre et des peintures qui en ornent intérieurement les quatre pans[3].

1. F. Suard, « Alexandre est-il un personnage de roman ? », *Bien dire et bien aprandre*, 7, 1989, pp. 77-87 (p. 84).

2. E. Köhler, « Chevalerie et clergie », dans *L'Aventure chevaleresque, Idéal et réalité dans le roman courtois*, trad. fr., Paris 1974, pp. 44-76.

3. Voir E. Baumgartner, « Peinture et écriture : la description de la tente dans les romans antiques au XIIe siècle », *Mélanges offerts à W. Spiewok*, Université de Picardie, 1988, pp. 3-11 ; A Petit, « Le pavillon d'Alexandre dans le *Roman d'Alexandre* », *Bien dire et bien aprandre*, 6, 1988, pp. 77-96 (cet article s'attache au texte du manuscrit de Venise) ; M.M. Castellani, « La tente du roi Bilas dans *Athis et Prophilias* », *Hommage à J. Dufournet*, Paris, 1993, pp. 327-339.

Le premier pan représente les saisons, les mois de l'année et les astres. La deuxième tenture est une mappemonde en trois parties, avec l'Asie, l'Europe et l'Afrique. Elle suscite l'appétit de conquête d'Alexandre, qui veut conquérir le monde entier, tout en déplorant sa petitesse :

> « Et quant porpensés s'est, si commence a jurer
> Que molt fist Dieus poi terre por un home honorer ;
> Deus tans en peüst bien uns preudoms governer.
> Et puis a dit aprés : "Se longes puis durer,
> Seur tant com il en est vaurai je segnorer."[1] »

(Il médite et se met à jurer que Dieu a créé une terre trop petite pour l'honneur d'un homme : un seul preux pourrait gouverner deux fois plus d'espace. Et d'ajouter : « Si je peux vivre assez longtemps, je veux étendre mon empire sur toutes les terres existantes ! »)

La présence d'Hercule sur la troisième tenture est révélatrice : Hercule, parvenu jusqu'aux limites occidentales et orientales du monde, et qu'Alexandre voudra imiter et même surpasser.

> « Alixandres li rois i esgarde souvent,
> Et qant l'a esgardé, jure son sairement,
> Se il puet longes vivre, qu'il fera ensement :
> Ses bonnes metera par devers Orïent[2]. »

(Le roi Alexandre contemple souvent ces images et après les avoir contemplées, prête le serment que s'il vit assez longtemps, il fera comme Hercule : lui aussi fixera ses bornes en Orient.)

Enfin le quatrième pan, qui montre la guerre de Troie, suscite en Alexandre le désir de renouveler les exploits des guerriers grecs contre les Barbares d'Asie. « La description tend ici à légitimer l'expédition entreprise tout en annonçant ce qui est peut-être la fonction essentielle d'Alexandre dans cette version, et tout particulièrement dans la branche III : explorer le monde, briser l'espace étroit, clos sur lui-même, que délimite et représente la tente, et en repousser les bornes jadis imposées par les dieux[3]. »

---

1. AdP, I, vv. 2031-2035.
2. Id., I vv. 2048-2051.
3. E. Baumgartner, « Peinture et écriture », p. 6.

Au Macédonien s'attache une troisième valeur, qui devient au cours du XIIᵉ siècle indissociable du personnage romanesque : la largesse. La générosité d'Alexandre n'est pas simple libéralité royale : elle implique la conquête. Le héros conquiert terre sur terre pour les distribuer aussitôt à ses amis, cessant de s'intéresser à une terre dès qu'il l'a conquise pour se tourner vers les pays qui ne connaissent pas encore sa loi. Porus exprime ainsi ce cycle incessant du prendre et du donner :

> « Ce que tu as conquis par force et par barnage
> Dones tu volentiers, n'en fais nului salvage ; [...]
> Onques si larges hom ne fu de nul parage[1]. »

(Ce que tu as conquis par ta force et ton courage, tu le donnes volontiers, tu n'en prives personne. On n'a jamais vu naître homme d'une telle largesse.)

L'Alexandre du roman de *Cligès* partage d'ailleurs avec son homonyme la largesse qui est indissociable de son nom[2]. Et le prologue du *Conte du Graal*, fondé sur l'opposition d'Alexandre le Grand et du comte Philippe de Flandre, répond à celui de *Cligès*. Si le comte « vaut mieux que ne fit Alexandre, lui dont on dit qu'il eut tant de valeur », c'est que tous deux incarnent deux types de largesse opposés. Le comte de Flandre

> « [...] est plus larges quë en ne set,
> Qu'il done selonc l'evangile
> Sanz ypocrisie et sanz guile
> Qui dit : ne saiche la senestre
> Lo bien quant le fera la destre. [...]
> La senestre selonc l'estoire
> Senefie la vaine gloire
> Qui vient par fause ypocresie.
> Et la destre, que senefie ?

---

1. AdP, III, vv. 2234-2237. On retrouve le même idéal de largesse dans le *Roman de Florimont* d'Aimon de Varennes, conçu comme un prologue au *Roman d'Alexandre*. Parmi les sept types de largesse évoqués par Floquart (double d'Aristote), le maître de Florimont, la seule largesse digne de ce nom est celle qui unit la conquête et le don : voir L. Harf, « Le *Florimont* d'Aimon de Varennes, un prologue du *Roman d'Alexandre* », *Cahiers de civilisation médiévale* 37, 1994, pp. 241-253.

2. Chrétien de Troyes, *Cligès*, éd. A. Micha, Paris, 1957, vv. 180-213 (éloge de la largesse) et 398-411 (mise en pratique).

> Charité, qui de sa bone oevre
> Pas ne se vante, ançois se coevre
> Si qu'il ne la set se cil non
> Qui Dex et charitez a non[1]. »

(Il est plus généreux qu'on ne peut le savoir, car il donne sans hypocrisie ni calcul, conformément à l'Evangile qui dit : « Que ta main gauche ignore le bien que fera ta main droite ! [...] La gauche, dans la tradition, veut dire l'ostentation qui vient d'hypocrite fausseté. Et la droite, que veut-elle dire ? La charité, qui de ses bonnes œuvres ne se vante pas, mais qui se cache, si bien que personne ne le sait, sinon Celui qui a nom Dieu et Charité.)

Alexandre le païen en vient ainsi à représenter la largesse mondaine, inséparable de la vaine gloire et hermétiquement étrangère à la charité chrétienne. Mais s'il fait figure de contre-exemple dans le dernier roman de Chrétien de Troyes, c'est qu'il incarne bel et bien le modèle chevaleresque mondain que le romancier veut flétrir, tout comme Gauvain face à Perceval.

Dans cette figure exemplaire, une seule faille : l'accusation de bâtardise, qui poursuit Alexandre tout au long de sa carrière et joue, comme élément déstabilisateur, le rôle de la passion amoureuse qui frappe par son absence. Curieusement en effet, cette accusation, rejetée au début du roman comme une calomnie, ressurgit dans la bouche de Porus et, surtout, dans la prophétie des arbres du soleil et de la lune, qui annoncent en même temps au héros sa mort prochaine et le déshonneur de sa mère :

> « Ta mere fist ton pere hontes et deshonors,
> De laide mort morra, de li n'iert dels ne plors,
> Toute dessevelie gerra es quarrefors,
> Na la verra cil hom qui n'en pregne paors,
> Nis li oisel de l'air la mangeront et ors[2]. »

(Ta mère a couvert ton père de déshonneur et d'opprobre : elle mourra ignominieusement et ne sera pas pleurée ; on l'exposera sans sépulture à la croisée des chemins, pour inspirer la

---

1. Chrétien de Troyes, *Le Conte du Graal*, éd. et trad. C. Méla, coll. Lettres gothiques, vv. 28-44.

2. Alexandre de Paris, III, vv. 3817-3821.

*crainte à tous les passants ; elle sera dévorée par les oiseaux
et les ours.)*

Dans tous les textes, l'accusation de bâtardise, explicite ou
masquée, pèse comme une malédiction sur le héros. L'oscilla-
tion d'Alexandre entre trois figures paternelles, Philippe, Aristote et Nectanébo, la quête éperdue des limites du monde, sur
les pas d'Hercule, l'ancêtre mythique, dessinent à coup sûr les
contours d'un destin romanesque. Si l'on s'en tient à la date du
récit d'Albéric, composé dans le premier tiers du XII⁰ siècle,
Alexandre est à la fois le héros du premier texte français à
caractère profane et le premier héros de roman de la littérature
française.

Comme dans les romans de *Thèbes*, d'*Enéas* et de *Troie*, la
représentation de l'Antiquité que donne le *Roman d'Alexandre*,
modelée sur les réalités de la société féodale du XII⁰ siècle, est
anachronique[1]. Mais les clercs du XII⁰ siècle, nourris de littérature antique, sont parfaitement conscients des différences qui
séparent leur univers social et mental de celui de l'Antiquité, la
principale résidant dans la coupure qu'instaure l'Incarnation
dans le temps : le monde antique, situé avant cette coupure, est
fondamentalement différent. L'anachronisme médiéval relève
plutôt d'une transposition volontaire. Il se traduit par la double
volonté d'assimiler le monde antique au monde médiéval mais
aussi de marquer des différences. Ainsi Alexandre est solennellement adoubé et reçoit les armes du chevalier (le haubert, le
heaume, l'écu et l'épée), avant de se distinguer à la quintaine,
un jeu d'escrime consistant à frapper un mannequin de la lance.
Durant la guerre contre Nicolas, il reçoit de Samson l'hom-
mage-lige, celui qui prime sur les autres en cas de pluralité
d'engagements vassaliques. Darius, Porus sont également présentés comme des seigneurs féodaux qui convoquent, pour
faire la guerre, le ban et l'arrière-ban de leurs vassaux. Mais
l'ambiguïté de l'anachronisme est sensible dans le domaine
religieux. Alexandre est bien un prince païen, qui « jure sur ses

1. G. Raynaud de Lage, « Les romans antiques et la représentation de l'Antiquité », *Le Moyen Age*, 1961, pp. 247-291 ; J. Frappier, « Remarques sur la
peinture de la vie et des héros antiques dans la littérature française du XII⁰ et du
XIII⁰ siècles », *L'Humanisme médiéval aux XII⁰ et XIII⁰ siècles*, pp. 13-54 ; A. Petit,
L'Anachronisme dans les romans antiques, Lille, 1985.

dieux, Jupiter et Cahu » (c'est à dire un dieu du panthéon romain et un démon sarrasin des chansons de geste) et qui, à sa mort, gagnera le repos éternel « dans les Champs Elysées, qui sont remplis de fleurs, de roses et de lis[1] ». Mais il alterne les prières aux dieux et à Dieu[2]. Il impose aux princes indiens un serment d'allégeance sur les reliques des saints. Il n'a que mépris pour le culte rendu aux statues d'Hercule et de Liber[3]. Prisonnier du vallon magique, « il invoque Dieu, qui est au paradis ». A l'heure de sa mort, il prie pour que son âme aille en paradis, tandis que les douze pairs supplient Dieu de le protéger de Satan[4]. L'amalgame est fréquent : un prêtre chante la messe dans le temple de Jupiter[5]. Il peut donner lieu à des distorsions étonnantes. Ainsi dans la plainte qu'il profère sur le corps d'Alexandre, Aristote en vient au blasphème :

> « Alixandre, de toi nos ont li dieu traïs ;
> Se tu peüsses vivre seul dis ans acomplis,
> Tu fuisses dieus en terre aourés et servis,
> Et te feïsons temples, auteus et crucifis.
> Ahi ! Dieus, molt par es envious et faillis,
> Qui les malvais espargnes et les bons nos ocis. »
> Or deïst ja mervelles qant il fu acuellis,
> Qant doi autre gramaire, Varo et Egesis,
> Li senerent de loins que trop iert esbahis,
> Qant il des dieus mesdist, trop est de sens maris[6]. »

(*« Alexandre, les dieux nous ont trahis en t'enlevant à nous : si tu avais pu vivre ne serait-ce que dix ans de plus, tu serais adoré et servi comme un dieu sur terre, nous te ferions des temples, des autels, des crucifix. Hélas ! Dieu, que tu es envieux et cruel d'épargner les méchants, et de nous tuer les bons !* » Il aurait dit encore des prodiges, quand on l'arrêta, quand deux autres grammairiens, Varron et Egesis, lui firent signe de loin que dans son bouleversement, il médisait des dieux et perdait le sens.)

L'alternance, dans le discours d'Aristote, des dieux et de

1. AdP, I, v. 1940 et IV, v. 982.
2. Id., III v. 5103 et IV, vv. 561, 675.
3. Id., III, v. 984 et 2363-2367.
4. Id., III, v. 2550, IV vv. 266, 561, 1223.
5. Id., IV, vv. 1436-1440.
6. Id., IV vv. 1064-1073.

Dieu, donne à cette adresse une double valeur : rappel de l'apothéose d'Alexandre, aussitôt après sa mort, mais aussi blasphème, puisqu'Alexandre est identifié au Christ. Perdicas va plus loin encore, quand dans sa plainte, il propose, après la mort de Dieu, d'attribuer à Alexandre, la seigneurie du ciel[1]. L'anachronisme n'est donc pas gratuit : il contribue à la glorification du héros. La visite d'Alexandre à Jérusalem (branche II, laisse 111) prend la même valeur. Il ne s'agit pas, cette fois, d'une invention des romanciers médiévaux. Une légende semble être née vers le Ier siècle avant notre ère, selon laquelle Alexandre aurait visité Jérusalem et offert un sacrifice au dieu des Juifs. On la trouve chez Flavius Josèphe, dans une variante du Pseudo-Callisthène et dans un texte rabbinique[2]. Mais insérée dans le roman français, elle prend une tout autre résonance : l'entrée du prince grec à Jérusalem, tout comme les combats de Gaza et de Tyr contre des Perses assimilés à des Sarrasins, préfigure la croisade. L'anachronisme, conscient, correspond à une appropriation de l'Antiquité et, mis au service de la gloire d'Alexandre, soutient l'idéologie à l'œuvre dans le roman.

Un héros ambivalent

La littérature médiévale consacrée à Alexandre dépasse largement le cadre romanesque. Pour rendre compte du mythe médiéval d'Alexandre, il faudrait s'attacher à l'ensemble des textes, romanesques, historiques et philosophiques, dans l'Occident comme dans l'Orient du Moyen Age. G. Cary distingue ainsi quatre visions très différentes du Macédonien : celle des philosophes, qui tirent de l'histoire d'Alexandre des anecdotes moralisantes et des réflexions politiques, celle des théologiens, qui commentent les allusions bibliques à Alexandre, celle des prédicateurs, qui tirent de la légende des *exempla* ou anecdotes édifiantes, enfin celle des auteurs profanes, qui dotent le conquérant des vertus courtoises et privilégient les aventures fantastiques[3]. Dès l'Antiquité, s'opposent

---

1. Id, IV, vv. 1194-1196.

2. A. Momigliano, « Flavius Josephus and Alexander's visit to Jerusalem », *Athenaeum*, NS 57, 1979, pp. 442-447.

3. G. Cary, *The Medieval Alexander*, Cambridge, 1956, pp. 79 ss.

une « légende noire » et une « légende rose » d'Alexandre[1]. La critique stoïcienne (Sénèque, Lucain) condamne en Alexandre un ivrogne et un fou criminel. Dans les textes bibliques, Alexandre n'est qu'un instrument de mort et de désolation : dans le *Livre de Daniel*, il est le bouc venu d'Occident qui tue le bélier perse mais dont le « royaume sera brisé et partagé aux quatre vents du ciel ». Dans le premier *Livre des Maccabées*, il est le conquérant devant qui la terre se tait : « Le cœur d'Alexandre s'exalta et s'enfla d'orgueil ; il rassembla une armée très puissante, soumit provinces, nations, dynastes et en fit ses tributaires. Après cela il dut s'aliter et connut qu'il allait mourir[2]. » La grandeur du *Roman d'Alexandre* est de conjuguer légende rose et légende noire pour restituer le mythe dans toute son ambivalence.

Un mythe littéraire s'est constitué autour d'Alexandre dans les romans médiévaux. Il répond à la définition qu'en propose Philippe Sellier en offrant les trois éléments indispensables à l'existence d'un mythe littéraire : la saturation symbolique, l'éclairage métaphysique et une trame serrée que l'on retrouve d'un texte à l'autre[3]. Il relève, comme ceux de César, de Louis XIV, de Napoléon, des mythes politico-héroïques : « avec ces grands mythes politiques fonctionne toujours de façon prévalente le modèle héroïque de l'imagination : rêverie du ou des surhommes, affrontés à toutes sortes d'épreuves (monstres, ennemis innombrables) et promis – malgré la mort – à l'apothéose[4] ». Alexandre donne d'abord une image de la royauté idéale. Il a survécu à l'époque moderne comme la figure emblématique du conquérant, et l'on sait que Napoléon, « le petit caporal », était hanté par l'exemple du Macédonien, « le petit jeune homme » dont tous les textes mentionnent avec étonnement la petite taille. Mais le *Roman d'Alexandre* entend surtout proposer un modèle de gouvernement, un « miroir du

1. Voir P. Vidal-Naquet, « Les Alexandres », préface de C. Grell et C. Michel, *L'Ecole des princes ou Alexandre disgrâcié*, Paris, 1988, p. 17.

2. *Daniel* 8, 5-8 et 11, 4 ; *Maccabées* I, 1, 3-5 (traduction de l'Ecole biblique de Jérusalem).

3. P. Sellier, « Qu'est-ce qu'un mythe littéraire ? », *Littérature*, 1984, pp. 112-126.

4. Id., *ibid.*, p 117.

prince » comme ceux qui fleurissent tout au long du Moyen
Age et dont le plus célèbre, au XIIᵉ siècle, est le *Policraticus* de
Jean de Salisbury (1159). Alexandre de Paris souligne dans son
prologue ses intentions didactiques :

> « Qui vers de riche estoire veut entendre et oïr,
> Por prendre bon essample de proëce acuellir,
> De conoistre raison d'amer et de haïr,
> De ses amis garder et chierement tenir,
> Des enemis grever q'uns n'en puist eslargir,
> Des laidures vengier et des biens fais merir,
> De haster qant lieus est et a terme souffrir,
> Oiés dont le premier bonement a loisir.[1] »

*(Si vous voulez entendre une belle histoire en vers, pour y
trouver l'exemple de la prouesse, pour savoir ce qu'il faut
aimer et haïr, comment garder ses amis et les chérir, causer à
ses ennemis des pertes irrémédiables, se venger des offenses et
rendre les bienfaits, savoir quand se hâter et quand temporiser, écoutez avec bienveillance le début de ce récit !)*

Alexandre est effectivement un modèle de prouesse, mais
aussi de largesse (c'est la qualité qui lui attache ses amis) et de
justice : il sait récompenser le bien et punir le mal[2]. De multiples anecdotes illustrent ces traits. Il attire par une ruse les
meurtriers de Darius et les tue sans pitié, mais sans manquer à
sa parole : pendus au gibet, ils sont effectivement placés,
comme promis, au-dessus de tous les autres. Dans la traversée
du désert, il préfère souffrir de la soif avec ses hommes et jeter
l'eau qu'un soldat a trouvée dans le creux d'un rocher et lui a
offerte ; mais il récompense magnifiquement ce geste. Magna-
nime et clément, il épargne Porus et lui rend son royaume en
lui faisant une leçon de morale politique : la véritable richesse
des princes ne réside pas dans les trésors qui moisissent dans
leurs caves mais dans l'amour de leurs hommes.

> « Avers hom ne puet mie conquerre autrui regné,
> Ains pert molt de sa terre, q'ainsi veulent li dé.
> Ses com m'aiment mi home par ma grant largeté ?
> De ma volenté faire se sont tous jors pené,

1. AdP, I, vv. 1-8.

2. Voir M. Gosman, « Les derniers jours d'Alexandre », *Alexander the Great
in the Middle Ages*, Nimègue 1978, pp. 170-201.

Et jou ai a chascun itant du mien doné
Que mieus vaudroient estre trestuit ars et venté
Que riens eüssent fait contre ma volenté[1]. »

(L'homme cupide ne saurait conquérir un royaume : c'est lui qui perd sa terre, ainsi le veulent les dieux. Si tu savais l'amour que me vaut ma largesse ! Mes hommes se mettent en peine de faire ma volonté et j'ai si bien donné de mon bien à chacun qu'ils préféreraient être brûlés, leurs cendres répandues au vent, que faire quoi que ce soit contre ma volonté.)

De son séjour au fond des eaux, le Macédonien tire également un enseignement : la loi qui règne sous la mer comme sur la terre est celle du plus fort (les gros poissons mangent les petits) et là où la force échoue, la ruse l'emporte. Le héros s'en souviendra sur le champ de bataille. Alexandre est aussi un fondateur de villes et le roman, à la suite du Pseudo-Callisthène, de Julius Valerius et de l'*Epitome*, mentionne la fondation de douze Alexandrie. Mais la principale leçon politique du roman, scandée comme un leitmotiv, est une mise en garde contre le danger de déléguer le pouvoir à des serviteurs non nobles, qualifiés de serfs. Tout enfant, Alexandre refuse de se laisser approcher par une simple servante : il lui faut une jeune fille noble pour le servir et une noble dame pour l'allaiter. Aristote le conforte par son enseignement dans cette répulsion instinctive pour les vilains :

« Et en aprés li mostre un bon chastïement :
Que ja sers de put aire n'ait entor lui sovent,
Car maint home en sont mort et livré a torment,
Par losenge et par murdre, par enpoisonement[2]. »

(Pour finir, il lui donne un conseil judicieux : ne jamais s'entourer de serfs, de gens mal nés, car bien des hommes en sont morts, torturés, calomniés, assassinés, empoisonnés.)

Ces vers prédisent une double mort : celle de Darius, défait et tué pour avoir donné le pouvoir à ses serfs et humilié ses nobles vassaux, et celle d'Alexandre lui-même, mort empoisonné par les deux serfs à qui il a eu le tort de faire confiance[3].

---

1. AdP, III, vv. 2242-2248.
2. Id., I, vv. 343-346.
3. Cf. id., I vv. 834-838, III vv. 31-39, 52-77, 172-198, 229-308, IV vv. 137-140, 1659-1667.

Le romancier confronte d'ailleurs successivement Alexandre à plusieurs figures royales qui ont une fonction de contre-exemple : Philippe, le roi faible qui préfère vivre « à aise et en repos » avec sa femme, qui céderait à Nicolas et à Darius sans l'intervention de son fils ; Nicolas l'orgueilleux et le traître, qui cherche à soudoyer le messager d'Alexandre ; Darius, victime des mauvais serviteurs à qui il a confié le pouvoir ; Porus, attaché à ses richesses ; l'émir de Babylone, qui se fie à tort à ses mauvais dieux. Face à ces mauvais rois, deux figures idéa-lisées : Salomon, sous l'autorité biblique duquel sont placées les leçons de morale politique, et Alexandre lui-même[1]. Pour-tant le sage Salomon a été victime de la perfidie d'une femme et Alexandre, qui rejetait les serviteurs de basse naissance, meurt de la main de deux d'entre eux. Cette antipathie pour les vilains de l'auteur et, derrière lui, du public aristocratique pour lequel il écrit, a bien sûr un arrière-plan historique. Dans la société féodale, le seigneur, en dehors du système vassalique, a des serviteurs non nobles et parfois de statut servile, les ser-gents, chargés d'administrer le domaine[2]. La frontière entre les offices réservés aux vassaux et les offices attribués aux sergents est fluctuante et les seigneurs se fient plus aux ser-viteurs non nobles, plus proches et plus dociles. La littérature rend compte de ce conflit entre nobles et vilains[3]. Mais l'insis-tance est telle dans le roman que le topos devient le trait prin-cipal auquel se reconnaît le bon roi : se garder des officiers non nobles.

L'épilogue définit d'ailleurs clairement le public à l'inten-tion duquel est dessiné ce programme :

« Li rois qui son roiaume veut par droit governer
     Et li prince et li duc qui terre ont a garder
     Et cil qui par proëce veulent riens conquester,
     Cil devroient la vie d'Alexandre escouter[4]. »
(Le roi qui veut gouverner son royaume selon la justice, les

---

1. Voir A. Cizek, « La rencontre de deux sages, Salomon le pacifique et Alexandre le grand », *Senefiance* 11, 1982, pp. 75-99.

2. Marc Bloch, *La Société féodale*, rééd. Paris, 1970, « Sergents et chevaliers serfs », pp. 467-478.

3. Cf. *Le Couronnement de Louis*, éd. Y. Lepape, Genève, 1978, réd. AB, vv. 205-209.

4. AdP, IV vv. 1675-1678.

princes et les ducs qui ont une terre à défendre et ceux qui
veulent faire des conquêtes grâce à leur prouesse, voilà ceux
qui doivent écouter la vie d'Alexandre.)

Comparant le mythe d'Alexandre à ceux de Charlemagne et
d'Arthur, D. Boutet remarque cependant qu'Alexandre, s'il
« incarne [...] un idéal complexe d'impérialisme et de quête du
savoir », demeure un « simple roi littéraire », qu'il ne fait pas
l'objet d'un mythe royal comme Charlemagne et Arthur[1]. Il est
vrai que la figure d'Alexandre n'est pas, comme celle des deux
autres grandes figures royales de la littérature française du
XIIᵉ siècle, porteuse d'interrogations sur le fonctionnement de
la société et la place de la royauté dans ce système. Charlemagne et Arthur sont des rois plus que des héros. Alexandre est
un héros plus qu'un roi. L'imaginaire médiéval s'est cristallisé
autour d'un trait qui définit Alexandre : la démesure,
« l'outrage ». Dès les premiers témoignages littéraires, le Macédonien est présenté comme possédé par l'*hybris*, cet orgueil
démesuré qui pousse les mortels, pour leur malheur, à vouloir
rivaliser avec les dieux. Le Pseudo-Callisthène mentionne à
maintes reprises le *pothos* d'Alexandre, ce désir de découverte
qui le pousse à « voir la fin de la terre » et qui lui vaut des
avertissements divins[2]. Au cours du voyage en Inde, un oiseau
reproche au héros sa démesure : « Alexandre, cesse donc
désormais de te poser en rival des dieux, retourne-t'en vers ta
propre demeure, et renonce à monter témérairement à l'assaut
de chemins du ciel ![3] ». Dans le roman français, cette démesure
est exprimée par la récurrence d'une séquence narrative :
– Le héros décide de se lancer dans une aventure surhumaine.
– Ses hommes cherchent en vain à l'en dissuader.
– On le voit déjà mort et le deuil est général.
– Alexandre revient en triomphateur.
Ce schéma s'applique à trois épisodes célèbres : le dressage de
Bucéphale, l'exploration des fonds sous-marins, le voyage dans
les airs. Plusieurs motifs sont également liés à la démesure.

1. D. Boutet, *Charlemagne et Arthur ou le roi imaginaire*, Paris, 1993,
p. 8.
2. Pseudo-Callisthène, II 37, 4 ; II 39, 7 ; II 41, 7 ; II 41, 8.
3. *Ibid.*, III 28, 7, p. 113. Voir également pp. 85, 87.

D'abord l'affirmation, fréquente dans la bouche du héros, que le monde est trop petit pour satisfaire son appétit de conquête :

> « "Mais d'une riens me poise dont me sui porpensés
> Q'en si estroite roche est li mondes formés ;
> Dieus a fait trop poi terre a un prodome assés."
> De ceste chose rirent Caulus et Aristés ;
> N'a home en sa compaigne qui n'en soit effreés[1]. »

(« *Mon seul regret est que le monde soit limité à cette étroite roche : Dieu a fait trop peu de terre pour un homme de valeur !* » *De ce mot Caulus et Aristé ne firent que rire, mais tous les autres en furent effrayés.*)

Le romancier exprime ainsi le malaise que suscite l'orgueil du héros parmi ses hommes. Alexandre va jusqu'à défier les dieux. Parvenu aux bornes orientales du monde, établies par Hercule et Liber, il raille le culte rendu aux deux statues des dieux et franchit la frontière qu'elles défendent en se moquant de leur impuissance. Il doit cependant revenir sur ses pas, incapable d'aller plus avant dans une terre qui se dérobe sous ses pas[2]. Quand plus tard, emprisonné dans le val périlleux, il se heurte à la colère divine, il n'exprime que révolte et désir de vengeance contre les dieux :

> « Se g'iere en ingal cort et mes armes avoie,
> De laide traïson trestous les proveroie,
> De l'ire que j'en ai sor aus me vengeroie[3]. »

(*Si je pouvais prendre les armes contre eux en combat loyal, je les convaincrais tous de lâche trahison et je me vengerais d'eux pour assouvir ma colère !*)

Mais le symbole même de la démesure d'Alexandre, c'est Babylone-Babel (l'identification est explicite dans la longue description que donne le manuscrit de Venise), l'horizon de toutes les errances, la ville qui verra le couronnement et la mort du héros, comme le révèlent les arbres du Soleil et de la Lune[4]. Aussitôt après l'ascension dans les airs, dès l'arrivée devant les

---

1. AdP, II vv. 3085-3089. Cf. vv. I 515-517, I 701-702, I 2031-2035, II 2685, III 576, III 2770.
2. Id., III vv. 2363-2368, 2380-2384, 2412-2422.
3. Id., III vv. 2780-2782.
4. Voir la description de Babylone dans le manuscrit B, MFRA tome I, pp. 361-373 et, sur ce texte, l'article à paraître de C. Croizy-Naquet (*Bien dire et bien aprandre*).

murs de Babylone, le mythe de la tour de Babel affleure dans
le récit que fait le jongleur Elinant de la révolte des géants
contre les dieux de l'Olympe :

> « Cil commence a noter ensi com li gaiant
> Vaurent monter el ciel comme gent mescreant,
> Entre les dieus en ot une bataille grant ;
> Se ne fust Jupiter o sa foudre bruiant,
> Qui tous les desrocha, ja n'eüssent garant[1]. »

(Le jongleur se met à chanter l'histoire des géants qui voulu-
rent monter jusqu'au ciel, les mécréants, et livrèrent une
grande bataille aux dieux : sans Jupiter et sa foudre gron-
dante, qui les précipita du haut de leurs rochers, les dieux
étaient perdus.)

L'assimilation est bientôt explicite entre la guerre des géants
contre Jupiter et le fol orgueil qui pousse les hommes à
construire une tour jusqu'au ciel : Alexandre identifie l'édifice
construit par les géants pour atteindre l'Olympe à la tour de
Babel.

> « Je ne m'en irai mie, ne je ne mi dansel,
> Devant que j'aie prise la fort tor de Babel
> Que firent li gaiant de chaus et de quarrel[2]. »

(Jamais je ne partirai, ni moi, ni mes guerriers, avant d'avoir
pris la puissante tour de Babel, la tour de chaux et de pierre
édifiée par les géants.)

La juxtaposition du voyage aérien d'Alexandre et du siège
de Babel-Babylone rapproche d'ailleurs le Macédonien d'une
autre figure de l'*hybris* : Nemrod, maître de Babel, « le premier
potentat sur la terre » (*Genèse* 10, 8), aurait, selon certaines
légendes orientales, construit la tour de Babel pour atteindre
Dieu, puis serait, dans le même but, monté au ciel dans un
coffre soulevé par quatre oiseaux.

La mort d'Alexandre donne lieu à un retournement tragique
de ces motifs. Aristote ne rappelle l'ambition du héros que pour
souligner le peu d'espace qu'il occupe désormais sur cette
terre :

> « Maines rois, qui la gis mors et descoloris,
> Com tiens or peu de terre et com est briés tes lis !

---

1. AdP, III vv. 6019-6023.
2. Id., III vv. 6237-6239. Cf III vv. 6273-6274 et 7217-7218.

Et si deïs tu ja, sor Dunoe a Brandis
Que tous cis mons estoit a un home petis[1]. »
(*« Grand roi, toi qui gis, là, mort et décoloré, comme tu tiens
peu de place, comme ton lit est petit ! Tu disais pourtant, sur le
Danube, à Brandis, que tout ce monde était petit pour un seul
homme ».*)

De la tour de Babel, perdue aussitôt que conquise, ne reste
au héros mort que l'image, reproduite par son tombeau, la
pyramide élevée si haut vers le ciel qu'un carreau d'arbalète ne
saurait en atteindre le sommet. Et curieusement l'épilogue du
roman, qui semble à première lecture voué à la glorification du
héros, contient des notes discordantes, comme si la mort
d'Alexandre était un juste châtiment. Le terme de démesure
apparaît d'ailleurs dans les derniers vers, comme pour remettre
en cause les louanges hyperboliques qui précèdent :

Hom qui tent a honor, il n'i puet pas faillir,
Mais q'en tel lieu entende ou il puisse avenir ;
Cil qui se desmesure si puet molt tost chaïr[2].
(*Qui recherche l'honneur ne peut manquer d'y parvenir, à
condition de fixer une limite à son ambition : la démesure pro-
voque bientôt la chute.*)

Ainsi Fortune, qui « l'a placé tout en haut de sa roue », l'a
aussi précipité tout en bas pour punir son orgueil[3]. Et le rappel
des vertus d'Alexandre perd singulièrement de sa force, suivi
d'une restriction de taille amenée par deux proverbes :

Hardis fu Alixandres et plus fiers d'un lion
Et sages de parler, larges por doner don,
De droit sot et de tort faire division ;
Por ce ot tout le mont en sa subjection.
Qui trestout veut tenir tout pert a abandon ;
Souvent i pert grant chose par malvaise achoison[4].
(*Alexandre était brave et plus fier qu'un lion, sage dans ses
paroles, généreux dans ses dons, il savait distinguer le droit et
le tort : voilà pourquoi il eut le monde entier en son pouvoir.*

---

1. Id., IV vv. 1027-1030.
2. Id., IV vv. 1640-1642.
3. Id., III v. 7359.
4. Id., IV vv. 1669-1674.

*Qui veut tout tenir a tôt fait de tout perdre ; souvent on perd
beaucoup par sa faute.)*

Cette remise en perspective finale amène à reconsidérer la
valeur du songe d'Alexandre enfant et des diverses interpré-
tations qu'en proposent plusieurs sages. Les deux premiers
devins, Astarus le Grec et Saligot de Ramier le Sarrasin, y
voient l'annonce des conquêtes d'Alexandre mais aussi de son
échec final :

> « Li oés est vaine chose si brise de legier ;
> Li serpens qu'en issoit, qu'il vit felon et fier,
> C'est uns hom de fol cuer, qui vaudra guerroier
> Et le païs conquerre et par force regnier
> Et les sauvages terres desous lui abaissier ;
> Mais ja de riens qu'il vuelle ne porra esploitier,
> Car tuit cil li faudront qui li devront aidier,
> Et molt malvaisement l'estovra repairier,
> Si com fist li serpens qui retorna arrier[1]. »

*(« L'œuf est une faible chose qui se casse facilement ; le ser-
pent qui en sort, si félon et farouche, c'est un fou qui voudra
faire la guerre, conquérir les pays, y régner par la force et
placer sous sa coupe toutes les terres sauvages. Mais nul de
ses désirs ne se réalisera, ceux qui devaient l'aider viendront
à lui manquer, et misérablement il devra s'en retourner, tout
comme le serpent qui revint en arrière. »)*

Vient ensuite Aristote pour prédire la domination qu'exer-
cera Alexandre sur le monde, représenté par l'œuf, et le retour,
mort ou vif, du héros en terre de Macédoine. Il n'y a en fait
aucune contradiction entre les trois prophéties, qui toutes trois
annoncent, en se complétant, les succès et la mort du conquérant. Seul diffère l'éclairage, qui explique le désespoir de Philippe devant les deux premiers sages et sa joie à écouter Aristote.

Le roman se clôt donc sur une double image du héros : celui
qui a incarné toutes les vertus chevaleresques mais qui a aussi
tout perdu par sa démesure. La condamnation qui affleure ici
est d'ailleurs explicite dans l'*Alexandreis* de Gautier de Châtillon, contemporaine du roman d'Alexandre de Paris : devant

---

1. Id., I vv. 300-308. Cf. la prophétie d'Astarus à la laisse précédente, vv. 284-292.

l'orgueil d'Alexandre, qui affirme que la terre ne lui suffit plus, Nature, effrayée, décide la perte du héros et envoie Proditio (Trahison) guider le bras d'Antipater et verser le poison[1]. On peut ainsi, à la suite de Francis Dubost, rapprocher Alexandre de Don Juan : « Alexandre est comme Don Juan. [...] Don Juan désire sans fin la possession de la créature ; Alexandre désire sans fin la possession de la création. [...] Tous deux passent les bornes. [...] L'une et l'autre tentative, chacune à sa manière attentatoire au sacré, trouve son inévitable sanction dans la mort[2]. »

Alexandre et les merveilles de l'Orient

L'Inde est pour les Grecs, depuis Hérodote, une terre de merveilles[3]. La conquête de l'Inde par Alexandre devait donc amener tout naturellement à intégrer à l'histoire du Macédonien la description de l'Inde et de ses prodiges. Mais Alexandre n'est pas un précurseur de Christophe Colomb. L'historiographie ancienne a volontairement déformé la réalité en faisant du héros le découvreur de l'Inde et en passant sous silence les expéditions précédentes de Cyrus et de Darius I[er4]. Le livre VIII de l'*Anabase* d'Arrien, consacré à l'Inde, donne une description très factuelle de la géographie et de la société indiennes, dépourvue de merveilleux. Quinte-Curce fait de l'Inde une terre de luxe et de richesse et évoque la vigne d'or du palais royal[5]. Il existe dans la littérature latine une tradition légendaire des merveilles de l'Inde, représentée en particulier par Pline l'ancien (Ier siècle ap. J.-C.) et le livre VI de son *Histoire Naturelle*, et les *Collectanea rerum memorabilium* de Solin au IIIe siècle[6]. Ces légendes sont répandues au Moyen Age par de nombreux écrits : les encyclopédies, à la suite des *Etymologiae* d'Isidore de Séville, mais aussi la *Lettre à Hadrien sur les merveilles de l'Orient*, et surtout la fameuse lettre

1. Voir M. Perez, « Alexandre le Grand dans l'*Alexandréide* », *Bien dire et bien aprandre* 6, 1988, pp. 75-76.
2. F. Dubost, *op. cit.*, p. 281.
3. Voir Ctésias, *Histoires de l'Orient*, trad. J. Auberger, Paris, 1991.
4. Voir P. Briant, *Alexandre le Grand*, Paris, rééd. 1987, pp. 23-24 et 36-39.
5. Quinte-Curce, *Histoire d'Alexandre*, VIII, 5, 3 ; VIII 9, 1-37, VIII 9, 26.
6. Solin, *Collectanea rerum memorabilium*, éd. Mommsen, Berlin, 1895.

qu'Alexandre est supposé écrire à Aristote pour lui raconter sa campagne contre Porus et sa découverte de l'Inde[1]. L'*Epistola Alexandri ad Aristotelem de mirabilibus Indiae*, rédigée autour du IXᵉ siècle, intégrée au Pseudo-Callisthène dans plusieurs versions, a circulé tout au long du Moyen Age sous la forme d'un écrit indépendant dont on conserve de nombreux manuscrits. Elle est également insérée dans l'*Epitome* de Julius Valerius dans 49 des 67 manuscrits subsistants et a été traduite du XIᵉ au XVIIᵉ siècle dans toute l'Europe[2]. Elle se présente comme un texte encyclopédique : «Conservant toujours ton souvenir, même dans les incertitudes et les dangers de nos combats, maître très cher, et, après ma mère et mes sœurs, le plus estimé, et comme je connaissais ton attachement à la philosophie, j'ai jugé nécessaire de te faire une relation écrite des régions de l'Inde, de son climat et de ses espèces innombrables de serpents, d'hommes et d'animaux sauvages, afin que la connaissance de réalités nouvelles puisse contribuer aux progrès de l'étude et de l'esprit[3].» L'Inde est un pays de richesses fabuleuses et le palais de Porus n'est qu'or, ivoire, perles et pierreries. Mais les déserts sont infestés d'animaux sauvages et de monstres que l'armée grecque devra affronter devant un lac où tous viennent se désaltérer : serpents à cornes, serpents des sables, «serpents indiens surmontés de têtes à crête doubles ou triples, épais comme des colonnes», lions blancs, tigres et panthères, souris indiennes grosses comme des renards, à la morsure mortelle, griffons, et le «tyran denté», le *dentityrannus*, «bête d'une espèce encore inconnue, plus grosse qu'un éléphant, armée de trois cornes sur le front et portant une tête de couleur noire, ressemblant à celle d'un cheval», qui semble désigner le rhinocéros. On trouve aussi des troupeaux d'éléphants et des fauves au dos armé de dents et à la double tête de lion et de crocodile. Les humains sont aussi monstrueux que les animaux : les Ichtyophages, couverts de poils, les Cynocéphales, et ces naïades à la beauté merveil-

1. E. Faral, « Une source latine de l'Histoire d'Alexandre : *la* Lettre sur les merveilles de l'Inde », Romania *42, 1914, pp 199-215 et 332-370 ;* Epistola Alexandri ad Aristotelem, *éd. M. Feldbusch, Meisenheim 1976 ; traduction française dans le* Pseudo-Callisthène, op. cit., *appendice I.*

2. Ross, *Alexander,* pp. 9, 27-30 et note 39 p. 86.

3. *Lettre à Aristote,* Pseudo-Callisthène, p. 123.

leuse, qui attirent les hommes pour les noyer[1]. Là aussi s'élève le sanctuaire des arbres du Soleil et de la Lune, qui révèlent à Alexandre l'imminence de sa mort.

Au Moyen Age, l'océan Indien est « l'horizon onirique des Occidentaux du Moyen Age », qui le voient comme un fleuve circulaire entourant le monde : « Occeanon qui tout le mont açaint[2] ». L'Inde désigne un espace mythique qui recouvre une grande partie de l'Asie : si l'Inde Majeure correspond à peu près à l'Inde actuelle, l'Inde Supérieure englobe toute l'Asie du Nord, l'Inde Mineure correspond aux péninsules du Sud-Est asiatique et l'Inde Méridienne à la fois à l'Ethiopie et à la côte du Sud-Ouest asiatique. Le *Roman d'Alexandre* retrouve cette représentation traditionnelle des merveilles de l'Inde qui, selon J. Le Goff, oscille entre rêve et cauchemar. Rêve de luxes et de richesses infinis : le palais de Porus avec sa vigne d'or, les trésors que le roi indien offre à Alexandre pour se voir dédaigneusement repousser ; le mythe du bon sauvage, avec la rencontre des gymnosophistes. Cauchemar des déserts sans fin où l'armée endure les pires souffrances : l'hostilité d'hommes et d'animaux monstrueux mais aussi des éléments, qui privent les hommes d'eau ou les noient sous des torrents de neige et de boue. Voici l'un des premiers textes exotiques de la littérature française. Mais pour Alexandre de Paris (et Lambert le Tort), l'Inde est surtout l'espace de l'initiation du héros à son destin et à sa mort. Les principales aventures indiennes d'Alexandre sont étrangères à la tradition des merveilles de l'Orient. Après avoir fait demi-tour devant les bornes d'Hercule, l'armée se trouve emprisonnée dans le val périlleux, d'où elle ne pourra sortir que par le sacrifice d'un seul. Alexandre exige de rester en otage et découvre le secret du val : un démon y est empri-

---

1. Voir P. Ménard, « Femmes séduisantes et femmes malfaisantes ; les filles-fleurs de la forêt et les créatures des eaux dans le *Roman d'Alexandre* », *Bien dire et bien aprandre*, 7, 1989, pp. 5-17. Sur les monstres et merveilles de l'Inde, voir A. Cizek, « Ungeheuer und magische Lebewesen in der *Epistola Alexandri ad magistrum suum Aristotelem de situ Indiae* », *Third International Beast Epic, Fable und Fabliau Colloquium*, éd. J. Goossens, Cologne, 1981, pp. 78-94 ; C. Kappler, *Monstres, démons et merveilles à la fin du Moyen Age*, Paris 1980 ; C. Lecouteux, *Les Monstres dans la pensée médiévale européenne*, Paris, 1993 ; R. Wittkower, *L'Orient fabuleux*, Londres 1991.

2. J. Le Goff, « L'Occident médiéval et l'océan Indien : un horizon onirique », *Pour un autre Moyen Age*, Paris, 1977, pp. 280-298 ; AdP III, v. 3121.

sonné sous une pierre et lui révèle, contre sa propre liberté, le
sentier dérobé qui lui permettra de rejoindre ses hommes[1]. Ce
curieux épisode évoque à la fois le motif folklorique oriental du
génie enfermé dans une bouteille et la muraille d'air qui, dans
les romans bretons, protège l'autre monde (comme dans le
verger enchanté de la Joie de la Cour, dans *Erec et Enide*)[2].
Microcosme de la terre indienne, le val périlleux est un espace
placé sous le signe du démoniaque et Alexandre ne s'en
échappe qu'en acceptant de mourir pour ses hommes, devenant
ainsi un héros rédempteur[3]. Alexandre n'est cependant sauvé ni
par sa prouesse ni par sa vertu, mais bien par sa science et sa
ruse, qui triomphent de celles du démon. La découverte des
trois fontaines magiques est une nouvelle confrontation avec la
mort. De ces trois fontaines, l'une ressuscite les morts, l'autre
redonne la jeunesse, la troisième confère l'immortalité[4]. Le
héros découvre sans peine la fontaine de résurrection et la fontaine de jouvence. Mais la seule qui lui importe, la fontaine
d'immortalité, lui demeure inaccessible. Elle n'apparaît qu'un
jour par an et se montre à un Grec, Enoc, qui se plonge dans
ses eaux et paiera cher sa présomption : devenu immortel, il est
« entombé » vivant, scellé dans un pilier pour l'éternité. Et
l'immortalité échappe à Alexandre. Enfin le verger enchanté
des filles-fleurs est lui aussi placé sous le signe de la précarité
et de la mort[5]. Ce paradis terrestre n'est pas gardé par des anges
mais par deux automates, qui en barrent l'accès. Les deux
vieillards indiens qui guident l'armée grecque brisent l'enchantement, mettant en évidence son caractère diabolique : l'un des
automates tombe à l'eau et se fait dévorer par un poisson ;
l'autre est emporté par un démon. Après trois jours et trois
nuits de délices auprès des belles habitantes du verger, les

1. AdP, III, laisses 148-163.

2. Il ressurgira au début du XIIIe siècle dans le *Lancelot* en prose, avec l'aventure du val sans retour (éd. A. Micha, tome III, pp. 175-189).

3. E. Baumgartner, « L'Orient d'Alexandre », *Bien dire et bien aprandre*, 6,
1988, pp. 7-15 (ici p. 14).

4. Ces trois fontaines ne sont pas mentionnées dans Julius Valerius ni dans
la *Lettre à Aristote*. Mais dans le Pseudo Callisthène, un cuisinier découvre les
propriétés d'une source en voyant un poisson salé y reprendre vie. Il partage
cette eau avec sa compagne. Alexandre chasse la femme dans le désert et jette
l'homme à l'eau, une pierre attachée au cou (Pseudo-Callisthène, p. 84-86).

5. Voir P. Ménard, art. cit., pp. 6-11.

Grecs quittent la forêt qui l'abrite. Alexandre veut emmener sa belle mais apprend sa véritable nature :

« A l'entree d'yver encontre la froidure
Entrent toutes en terre et müent lor faiture,
Et quant estés revient et li biaus tans s'espure,
En guise de flors blanches vienent a lor droiture[1]. »

(*A l'entrée de l'hiver, pour résister au froid, elles entrent toutes en terre et se métamorphosent. Et quand l'été revient, avec le beau temps, elles renaissent sous forme de fleurs blanches, selon leur usage.*)

Les filles-fleurs meurent dès qu'elles franchissent les ombres des arbres de la forêt enchantée. Alexandre ne saurait leur ravir le secret de l'immortalité : « L'Orient ne peut être "transplanté" ni s'ouvrir à la pleine lumière. Il reste la part d'ombre où l'homme a quelque chance sans doute d'assouvir ses désirs, mais sans jamais les perpétuer et les enraciner ailleurs[2]. » Au terme de sa quête, le héros entendra des deux arbres magiques un verdict sans appel : la mort à Babylone. Le voyage en Inde fait donc figure de folle errance en quête de l'immortalité, s'achevant sur une prophétie qui consacre l'inanité des efforts du héros et introduit dans le roman le tragique, qui va dominer la dernière branche.

A l'automne du Moyen Age, Alexandre figure en bonne place parmi les neuf preux qui incarnent l'idéal de la chevalerie. Les huit autres preux semblent même destinés, à l'origine, à lui servir de faire-valoir, puisque la première mention du thème est un passage d'un roman d'Alexandre, les *Vœux du paon* de Jacques de Longuyon (1312), qui présente les neuf héros dans l'ordre qu'ils garderont par la suite : trois héros païens, Hector, Alexandre et César ; trois héros juifs, Josué, David et Judas Macchabée ; trois héros chrétiens, Arthur, Charlemagne et Godefroy de Bouillon :

« Alixandre le large, dont je vois ci parlant,
Qui vainqui Nicholas et Daire le Persant
Et occist la vermine des desers d'Oriant
Et saisi Babyloine, la fort cité plaisant,

---

1. AdP, III, vv. 3531-3534.
2. E. Baumgartner, « L'Orient d'Alexandre », p. 12.

> Ou il morust aprés par enpoisonnement,
> Reconquist en XII anz trés viguereusement
> Quanque l'en puet trouver dessouz le firmament ;
> N'encor ne li plut mie, ainz dist apertement
> A ses barons, .I. jor qu'il tenoit parlement,
> Qu'il avoit poi de terre en son gouvernement[1]. »

On retrouve les traits caractéristique de la « prouesse »
d'Alexandre : largesse, valeur guerrière et soif démesurée de
conquête. Dès la fin du xve siècle, un jeu de cartes use pour la
première fois, pour les rois, des noms qui seront adoptés dura-
blement à partir du xvıı^e siècle : David, César, Charlemagne...
et Alexandre[2].

1. Passage édité par P. Meyer, « Les neuf preux », *Bulletin de la Société des
anciens textes français*, 9, 1883, p. 50.
2. J.M. Mehl, *Les Jeux au royaume de France du xıı^e au xvı^e siècle*, Paris,
1990, pp. 167-169.

ANALYSE DU ROMAN

BRANCHE II : *La victoire sur Darius.*

Laisses

1-79 : La razzia de Gadres.

80-85 : Prise de Tyr.

86-90 : Prise d'Araine.

91-109 : Prise de Gadres.

110 : Entrée à Ascalon.

111 : Entrée à Jérusalem.

112-117 : Don symbolique de grain de Darius et réplique d'Alexandre.

118-143 : Bataille des Prés de Paile.

　　　　121-126 : Alexandre refuse avec hauteur toute idée d'alliance avec Darius, contre l'avis de Perdicas.

144-148 : Magnanimité d'Alexandre envers la famille de Darius, tombée en son pouvoir.

149 : Alexandre se lance à la poursuite de Darius.

BRANCHE III : *Les merveilles de l'Orient.*

Laisses

1 : Prologue.

2-5 : Recommandations d'Aristote.

6-17 : Mort de Darius, vengé par Alexandre.

18-29 : Voyage sous-marin.

30-47 : Première défaite de Porus.

48-51 : Les merveilles du palais de Porus.

52-86 : La traversée du désert indien.

　　　　56 : Alexandre répand sur le sol la coupe d'eau offerte par Zéphirus.

　　　　59-61 : Les hippopotames.

　　　　64-85 : Les monstres de l'Inde.

87-97 : Alexandre joue un tour à Porus.

98-123 : Deuxième défaite et reddition de Porus.

124-128 : Alexandre fait construire une muraille pour emprisonner Gog et Magog derrière les monts de Tus.

129-136 : Leçon d'Alexandre à Porus sur les devoirs d'un roi.

137-147 : Les bornes d'Hercule.

148-163 : La vallée périlleuse.

164-166 : Les filles de l'eau.

167-178 : Les trois fontaines de jouvence, d'immortalité et de résurrection.

179-186 : Colère des dieux. Rencontre de deux vieillards qui proposent de mener Alexandre aux arbres prophétiques du Soleil et de la Lune.

187-200 : La forêt des filles-fleurs.

201-206 : La fontaine de jouvence.

207-216 : Les arbres du Soleil et de la Lune annoncent la mort d'Alexandre.

217-240 : Rébellion et mort de Porus.

241-245 : Premier complot d'Antipater et Divinuspater.

246-271 : Alexandre et la reine Candace.

272-273 : Départ pour Babylone.

274-282 : Voyage aérien.

283-344 : Première bataille de Babylone.

345-424 : Seconde bataille de Babylone et mort de l'émir.

425-450 : Alexandre et les Amazones.

451-457 : Second complot d'Antipater et Divinuspater.

BRANCHE IV : *La mort d'Alexandre.*

Laisses

1-3 : Naissance d'un monstre à Babylone.

4-11 : Empoisonnement d'Alexandre.

12-33 : Alexandre partage son empire entre les douze pairs avant de mourir.

34-59 : Plaintes de Roxane, des douze pairs et d'Aristote.

60-63 : Transport du corps à Alexandrie.

64-70 : Description du tombeau.

71-75 : Epilogue.

INDICATIONS BIBLIOGRAPHIQUES

La tradition antique

ARRIEN, *Histoire d'Alexandre. L'Anabase d'Alexandre et l'Inde*, trad. du grec par P. Savinel, suivi de « Flavius Arrien entre deux mondes », par P. Vidal-Naquet, Paris, Ed. de minuit, 1984.

DIODORE DE SICILE, *Bibliothèque historique*, livre XVII, éd. et trad. P. Goukowsky, Paris, Belles Lettres, 1976.

JULIUS VALERIUS, *Res gestae Alexandri Macedonis*, éd. B. Kuebler, Leipzig, Teubner, 1888.

Julii Valerii Epitome, éd. J. Zacher, Halle 1867.

JUSTIN, *Marci Iuniani Iustini Epitome Historiarum Philippicarum Pompei Trogi*, éd. O. Seel, Leipzig, Teubner, 1935.

PLUTARQUE, *Vie d'Alexandre*, éd. et trad. R. Flacelière et E. Chambry, Paris, Belles Lettres, 1975.

PSEUDO-CALLISTHENE, *Le Roman d'Alexandre*, trad. G. Bounouré et B. Serret, Paris, Belles Lettres, 1992.

PSEUDO-CALLISTHENE, *Le Roman d'Alexandre*, trad. A. Tallet-Bonvalot, Paris, GF-Flammarion, 1994.

PSEUDO-CALLISTHENE, *Alexandre le Grand.* La vie légendaire, traduite du grec, présentée et commentée par J. Lacarrière, avec une étude de C. Raynaud sur les enluminures du manuscrit fr. 9342 de la Bibliothèque nationale de Paris, Paris, Ed. du Félin, 1993.

QUINTE-CURCE, *Histoire d'Alexandre*, éd. et trad. H. Bardon, Paris, Belles Lettres, 1948.

Les textes médiévaux

Les Faits et conquestes du noble roy Alexandre, éd. du ms 836 de la B. M. de Besançon par R. Nicolet-Liscinsky, Ann Arbor, Monographs Publ. Sponsor Studies, 1980.

GAUTIER DE CHATILLON, *Alexandreis*, éd. M. Colker, Padoue, 1976.

–, trad. angl. T. Pritchard, Toronto, 1986.

GUY DE CAMBRAI, *Le Vengement Alixandre*, éd. B. Edwards, Princeton, 1928.

Historia de preliis Alexandri Magni, synoptische Edition der Rezensionen des Leo Archipresbyter und der interpolierten Fassungen J1, J2, J3, éd. H. J. Bergmeister, Meisenheim am Glan, 1975, Beiträge zur klassischen Philologie 65.

Historia de preliis Alexandri Magni, Rezension J3, éd. K. Steffens, Meisenheim, 1975, B.z.k.P. 73.

Historia de preliis Alexandri Magni, Rezension J2, éd. A. Hilka, Meisenheim, 1976, B.z.k.P. 79.

Historia de preliis Alexandri Magni, Rezension J1, éd. A. Hilka et K. Steffens, Meisenheim, 1979, B.z.k.P. 107.

JEAN LE NEVELON, *La Venjance Alixandre*, éd. E.B. Ham, Princeton, 1931.

Lettre d'Alexandre à Aristote :

Epistola Alexandri ad Aristotelem, éd. W. W. Boer, Meisenheim, 1973, B.z.k.P. 50.

Epistola Alexandri ad Aristotelem. Der Brief Alexanders an Aristoteles, éd. M. Feldbusch, synoptische Edition, Meisenheim, 1976.

Alexander's Letter to Aristotle about India, trad. angl. L.L. Gunderson, Meisenheim, 1980.

Lettre d'Alexandre à Aristote, trad. fr. de G. Bounouré et B. Serret dans Pseudo-Callisthène, *Le Roman d'Alexandre*, appendice 1, pp. 123-146.

The Medieval French Roman d'Alexandre, edited by E.C. Armstrong et al., Princeton, Elliot Monographs :

Volume I : Text of the Arsenal and Venice Versions, prepared with an introduction and a commentary by M.S. La Du, Princeton, 1937, Elliott Monographs 36, rééd. New York, Kraus Reprints, 1965.

Volume II : Version of Alexandre de Paris. Text, edited by E.C. Armstrong, D.L. Buffum, Bateman Edwards, L. F. H. Lowe, Princeton, 1937, Elliott Monographs 37, rééd. New York, Kraus Reprints, 1965.

Volume III : Version of Alexandre de Paris. Variants and Notes to Branch I, prepared by Alfred Foulet, Princeton, 1949, Elliott Monographs 38, rééd. New York, Kraus Reprints, 1965.

Volume IV : *Le Roman du Fuerre de Gadres* d'Eustache. Essai d'établissement de ce poème tel qu'il a existé avant d'être incorporé dans le *Roman d'Alexandre*, avec les deux récits latins qui lui sont apparentés, par E.C. Armstrong et Alfred Foulet, Princeton, 1942, Elliott Monographs 39, rééd. New York, Kraus Reprints, 1965.

Volume V : Version of Alexandre de Paris. Variants and Notes to Branch II, with an introduction by Frederick B. Agard, Princeton, 1942, Elliott Monographs 40, rééd. New York, Kraus Reprints, 1965.

Volume VI : Version of Alexandre de Paris. Introduction and Notes to Branch III, prepared by Alfred Foulet, Princeton, 1976, Elliott Monographs 42.

Volume VII : Version of Alexandre de Paris. Variants and Notes to Branch IV, with an introduction by Bateman Edwards and Alfred Foulet, Princeton, 1955, Elliott Monographs 41, rééd. New York, Kraus Reprints, 1965.

La Prise de Defur et le Voyage au Paradis terrestre, éd. L.P.G. Peckham et M.S. La Du, Princeton, 1935, Elliott Monographs 35.

Le Roman d'Alexandre, fac-similé du manuscrit Bodley 264, éd. M.R. James, Oxford, 1933.

Le Roman d'Alexandre, Versione del ms. Venezia Biblioteca Museo Correr (fac-similé), Udine, 1994.

Le Roman d'Alexandre en prose, éd. A. Hilka, Halle, 1920.

Li Romans d'Alexandre par Lambert li Tors et Alexandre de Bernay, éd. H. Michelant, Stuttgart, 1846.

The Romances of Alexander, trad. angl. D.M. Kratz, New York, 1990.

THOMAS DE KENT, *The Anglo-Norman Alexander (Le Roman de*

toute chevalerie), éd. B. Foster et I. Short, Londres, Anglo-Norman Text Society, 1976-1977, 2 vol.

La Venjance Alixandre, éd. E.J. Ham *(Five Versions of the Venjance Alixandre)*, Princeton, 1935, Elliot Monographs 34.

Les manuscrits

P. MEYER, « Etude sur les manuscrits du *Roman d'Alexandre* », *Romania* 11, 1892, pp. 213-332.

Alexandre et sa légende

P. BRIANT, *Alexandre le Grand*, Paris, Que sais-je ?, 1977.

J.G. DROYSEN, *Alexandre le Grand*, trad. J. Benoist-Méchin, Bruxelles, 1981.

P. FAURE, *Alexandre le Grand*, Paris, 1985.

P. GOUKOWSKY, « Alexandre », dans *Le Monde grec et l'Orient* (éd. E. Will, C. Mossé, P. Goukowsky), Paris, PUF, 1975, pp. 247-333.

–, *Essai sur les origines du mythe d'Alexandre*. Tome I, « Les origines politiques », Nancy, 1978. Tome II, « Alexandre et Dionysos », Nancy, 1981.

E. MEDERER, *Die Alexanderlegenden bei den ältesten Alexanderhistorikern*, Stuttgart, 1938.

F.P. MAGOUN, *Gests of King Alexander of Macedon*, Cambridge (Mass.), 1929.

R. MERKELBACH, *Die Quellen des griechischen Alexanderromans*, 2ᵉ éd., Münich, 1977.

G. RADET, *Alexandre le Grand*, Paris, 1931.

Sur les romans d'Alexandre

A. ABEL, *Le Roman d'Alexandre*, Bruxelles, 1955.

E. BAUMGARTNER, « La fortuna di Alessandro nei testi francesi medievali del secolo XII et l'esotismo nel *Roman d'Alexandre* », dans *Le Roman d'Alexandre*, Versione del ms. Venezia Biblioteca Museo Correr, Udine, 1994.

–, « L'Orient d'Alexandre », *Bien dire et bien aprandre* 6, 1988, pp. 7-15.

–, « Peinture et écriture : la description de la tente dans les romans antiques au XIIᵉ siècle », *Mélanges offerts à W. Spiewok*, éd. D. Buschinger, Univ. de Picardie, 1988, pp. 3-11.

–, « Tombeaux pour guerriers et amazones : sur un motif descriptif de l'*Enéas* et du *Roman de Troie* », *Michigan Romance Studies* VIII, 1989, pp. 37-50.

G. CARY, *The Medieval Alexander*, Cambridge, 1956.

A. CIZEK, « Alexandre le Grand et "li douze pers de Gresce" du roman français d'Alexandre dans une perspective comparatiste », *La Représentation de l'Antiquité au Moyen Age*, Vienne, 1982, pp. 169-201.

–, « La rencontre des deux sages, Salomon le pacifique et Alexandre le Grand dans la légende hellénistique et médiévale », *Senefiance* 11, 1982, pp. 75-99.

–, « Ungeheuer und magische Lebewesen in der *Epistola Alexandri ad magistrum suum Aristotelem de situ Indiae* », *Third International Beast Epic, Fable and Fabliau Colloquium*, éd. J. Goossens, Cologne, 1981, pp. 78-94.

–, « Considérations sur la réception du thème d'Alexandre au Moyen Age », *Littérature et société au Moyen Age*, Amiens, 1978, pp. 201-230.

C. CROIZY-NAQUET, « La description de Babylone dans le manuscrit de Venise du *Roman d'Alexandre* », à paraître dans *Bien dire et bien aprandre*.

J. DE WEEVER, « Candace in the Alexander romances : variations on the portrait theme », *Romance Philology*, 43, pp. 529-546.

F. DUBOST, « *Le Roman d'Alexandre* et le fantastique des espaces exotiques », *Aspects fantastiques de la littérature narrative médiévale*, Paris, Champion, 1991, chap. 11, pp. 256-282.

E. FARAL, « Une source latine de l'*Histoire d'Alexandre*, la *Lettre sur les merveilles de l'Inde* », *Romania* 1914, pp. 199-215 et 325-370.

J. FRAPPIER, « Le *Roman d'Alexandre* », *Grundriss der romanischen Literatur des Mittelalters*, IV/1, pp. 149-167.

C. SETTIS-FRUGONI, *La fortuna d'Alessandro Magno dell'antichita al Medioevo*, Florence, 1976.

–, *Historia Alexandri elevati per gryphos ad aerem*, Rome, 1973.

C. GAULLIER, « La reine Candace dans le *Roman d'Alexandre* », à paraître dans *Romania*.

M. GOSMAN, « Les derniers jours d'Alexandre dans le *Roman d'Alexandre* : fin d'une vie exemplaire », *Alexander the Great in the Middle Ages*, Nimègue, 1978, pp. 170-201.

–, « L'élément féminin dans le *Roman d'Alexandre* : Olympias et Candace », *Court and Poet*, éd. G. Burgess, Liverpool, 1981, pp. 167-176.

–, « Le *Roman d'Alexandre* et les juvenes, une approche sociologique », *Neophilologus*, 66, 1982, pp. 328-339.

–, « Alexandre le Grand et le statut de la noblesse, ou le plaidoyer pour la permanence », *Mélanges W. Noomen*, éd. M. Gosman, Groningue, 1984, pp. 81-93.

–, « Le *Roman d'Alexandre* en prose : un remaniement typique », *Neophilologus*, 69, 1985, pp. 332-341.

–, « *Le Roman de toute chevalerie* et le public visé. La légende au service de la royauté », *Neophilologus*, 72, n° 3, juillet 1988, pp. 335-343.

–, « La genèse du *Roman d'Alexandre* », *Bien dire et bien aprandre* 6, 1988, pp. 25-44.

–, « Pourquoi il fallait venger Alexandre », *Bien dire et bien aprandre* 9, 1991, pp. 101-114.

A. HENRY, « De quelques allusions historiques contenues dans le *Roman d'Alexandre* », *Archivum romanicum* XIX, 1935, pp. 341-358.

–, « Pierre de Saint-Cloud et le *Roman d'Alexandre* », *Romania* 62, 1936, pp. 102-116.

–, « Etude sur les sources du *Roman d'Alexandre* de Lambert li Tors et Alexandre de Bernay », *Romania* 62, 1936, pp. 433-480.

P. MENARD, « Femmes séduisantes et femmes malfaisantes ; les filles-fleurs de la forêt et les créatures des eaux dans le *Roman d'Alexandre* », *Bien dire et bien aprandre* 7, 1989, pp. 5-17.

P. MEYER, *Alexandre le Grand dans la littérature française du Moyen Age*, Paris, 1886, Genève, Slatkine Reprints, 1970.

J.C. PAYEN, « Les continuations du *Roman d'Alexandre* »,

Grundriss der romanischen Literatur des Mittelalters, IV 1, pp. 484-487.

A. PETIT, *L'Anachronisme dans les romans antiques*, Lille, 1985.

–, *Naissances du roman. Les techniques littéraires dans les romans antiques du XIIᵉ siècle*, Paris, Champion, 1985.

–, « Le pavillon d'Alexandre dans le *Roman d'Alexandre* (ms B., Venise, Museo Civico, VI, 665) », *Bien dire et bien aprandre*, 6, 1988, pp. 77-96.

–, « Le *Roman d'Alexandre*, suppléments bibliographiques », *ibid.*, pp. 97-110.

–, « Le traitement courtois du thème des Amazones », *Le Moyen Age*, 89, 1983, pp. 63-84.

F. PFISTER, *Kleine Schriften zum Alexanderroman*, Meisenheim am Glan, 1976, Beiträge zur klassischen Philologie 61.

C. RAYNAUD, « Les représentations du pouvoir royal du XIIIᵉ au XVᵉ siècle : le cas d'Alexandre », *Images de l'Antiquité dans la littérature française, le texte et son illustration*, éd. E. Baumgartner et L. Harf-Lancner, Paris, Presses de l'Ecole Normale Supérieure, 1993, pp. 59-71.

A. RONCAGLIA, « L'*Alexandre* d'Albéric et la séparation entre chanson de geste et roman », *Chanson de geste und höfischer Roman*, Heidelberg, 1963, pp. 37-52.

D.J.A. ROSS, *Alexander Historiatus, a Guide to medieval illustrated Alexander Literature*, London, Warburg Institute, 1963, 2ᵉ éd. Frankfurt am Main, Athenäum, 1988.

–, « The Printed Editions of the French Prose *Alexander Romance* », *Studies in the Alexander Romance*, Londres, 1985, pp. 194-197.

–, « Some notes on the Old French *Alexander Romance* in Prosa », *ibid.*, pp. 171-183.

–, « The History of Macedon in the *Histoire ancienne jusqu'à César* », *ibid.*, pp. 198-248.

–, « A funny name for a horse. Bucephalus in Antiquity and the Middle Ages », *Bien dire et bien aprandre* 7, 1989, pp. 51-76.

K. SNEYDERS DE VOGEL, « L'éducation d'Alexandre le Grand », *Neophilologus* 28, 1943, pp. 161-171.

F. SUARD, « Alexandre est-il un personnage de roman ? », *Bien dire et bien aprandre* 7, 1989, pp. 77-87.

LE ROMAN D'ALEXANDRE

Dans le volume II du *Medieval French Roman d'Alexandre*, consacré au texte d'Alexandre de Paris, les éditeurs américains ont choisi deux manuscrits de base. Pour les branches II, III et IV, ils ont adopté le manuscrit G (BN fr. 25517), de la seconde moitié du XIII° siècle, « qui est l'œuvre d'un clerc intelligent et bien entraîné, qui s'abstient d'altérations importantes, transcrit avec soin, qui est remarquablement constant dans son orthographe et son système flexionnel, et écrit très lisiblement » (MFRA II, p. XXI). Mais pour la branche I, le manuscrit G a été repoussé en raison de son modèle défectueux, en faveur d'un manuscrit du premier quart du XIV° siècle, le manuscrit M (BN fr. 24365). Cependant le volume III du MFRA, qui apporte les variantes et les notes de la branche I du roman d'Alexandre de Paris, offre également, pour cette branche, le texte du manuscrit G. Dans un souci d'homogénéité, on a choisi de présenter ici l'ensemble du roman d'Alexandre de Paris dans le texte du manuscrit G.

Quelques coupures ont été opérées. On trouvera ci-dessous la branche I (laisses 1-129), la branche II (laisses 111-fin), la branche III (à l'exception des laisses 290-344) et la branche IV. La numérotation des vers de l'édition Armstrong a été conservée.

BRANCHE I

1

Qui vers de riche estoire veut entendre et oïr,
Por prendre bon essample de proëce acuellir,
De conoistre raison d'amer et de haïr,
4 De ses amis garder et chierement tenir,
Des enemis grever q'uns n'en puist eslargir,
Des laidures vengier et des biens fais merir,
De haster qant lieus est et a terme souffrir,
8 Oiés dont le premier bonement a loisir.
Ne l'orra gaires hom cui ne doive plaisir,
Ce est du mellor roi que Dieus laissast morir.
D'Alixandre vos veul l'estoire rafreschir,
12 Cui Deus dona fierté et el cors tel aïr
Que par mer et par terre osa gent envaïr
Et fist a son commant tout le pueple obeïr
Et tant roi orgellous a l'esperon servir.
16 Qui service li fist ne s'en dut repentir,
Car tous iert ses corages en lor bons acomplir ;
Et il i parut bien as durs estors souffrir,
Car au destroit besoing ne li vaut nus faillir.
20 Qui servir nel degna nel pot tors garantir
Ne desers ne mals pas, tant seüst loins fuïr.
A l'eure que li enfes dut de sa mere issir
Demostra Dieus par signes qu'il se feroit cremir,
24 Car l'air estut müer, le firmament croissir
Et la terre croller, la mer par lieus rougir
Et les bestes trambler et les homes fremir ;

BRANCHE I

1

Si vous voulez entendre une belle histoire en vers,
pour y trouver l'exemple de la prouesse,
pour savoir ce qu'il faut aimer et haïr,
comment garder ses amis et les chérir,
causer à ses ennemis des pertes irrémédiables,
se venger des offenses et rendre les bienfaits,
savoir quand se hâter et quand temporiser,
écoutez avec bienveillance le début de ce récit !
Il ne pourra que plaire à tous les hommes :
il parle du meilleur roi que Dieu ait jamais laissé mourir.
Je veux renouveler pour vous l'histoire d'Alexandre,
lui à qui Dieu donna tant de fierté et de force
que ni terre ni mer n'arrêtèrent l'audace de ses attaques,
qu'il soumit tous les peuples à sa volonté,
amena à ses pieds bien des rois orgueilleux.
Nul n'eut à se repentir de l'avoir servi,
car il ne songeait qu'à récompenser ses amis.
On s'en aperçut bien dans les plus durs combats,
car à l'heure du danger, nul ne lui fit défaut.
Mais ceux qui refusèrent de le servir, nulle tour ne put les
[protéger,
ni la fuite dans les déserts périlleux les plus inaccessibles.
A l'heure où l'enfant devait sortir du ventre de sa mère,
Dieu montra par des signes qu'il saurait se faire craindre :
on vit l'air s'agiter, le ciel se déchirer,
et la terre vibrer, la mer devenir rouge,
et les bêtes trembler et les hommes frémir.

Ce fu senefiance que Dieus fist esclarcir
28 Por mostrer de l'enfant q'en devoit avenir
Et com grant segnorie il avroit a baillir.

2

L'estoire d'Alixandre vos veul par vers traitier
En romans qu'a gent laie doive auques portifïer ;
32 Mais tels ne set finer qui bien set commencier,
Ne mostrer bele fin por s'ovraigne essaucier,
Ains resamble l'asnon en son versefïer,
Qui biaus est quant il naist et mainte gent l'ont chier,
36 Com plus croist, plus laidist et resamble avresier.
Cil troveor bastart font contes avillier
Si se veulent en cort sor les mellors proisier,
Ne conoissent bons mos et si veulent jugier,
40 Et qant il ont tout dit, si ne vaut un denier,
Ains convient la lor oevre par peniaus atachier.
Mais encontre ces vers doit la teste drecier
Qui veut de bones mors son cuer asousploier
44 Et savoir qu'il doit faire et quel chose laissier,
Com il doit ses amis et blandir et proier,
46 Ciaus qu'il a fais tenir et autres porchacier,
48 Ses enemis grever et si estoutoier
Que uns seus envers lui n'ost mostrer samblant fier,
Plus le tiegne cremeus que aloe en gibier
Qant el voit de la main departir l'esprevier.
52 Mais ne soit mie avers, s'onor veut essaucier,
Car ainc par averté ne vi riens gaaignier ;
Qui trop croit en tresor trop a le cuer lanier,
Ne puet conquerre honor ne terre justicier.
56 Je ne vos commens mie de Landri ne d'Auchier,
Ains vos commens les vers d'Alixandre d'Alier,

---

1. Landri et Auchier sont les héros d'une chanson de geste aujourd'hui perdue : A. Henry, « De quelques allusions historiques et littéraires contenues dans le *Roman d'Alexandre* », *Archivum Romanicum*, 19, 1935, pp. 351-353.

2. Alier est le lieu d'origine d'Alexandre. L'apparition la plus ancienne en est dans le *Fuerre de Gadres* d'Eustache, devenu la branche II du roman

Dieu voulait par là signifier à tous
le destin de l'enfant et révéler ainsi
qu'il régnerait un jour sur un très grand empire.

2

Je veux vous conter l'histoire d'Alexandre en vers
et en français, pour en faire profiter les laïcs.
Mais tel sait bien commencer son poème qui est incapable de le
et de terminer sur une belle conclusion pour rehausser   [finir
ses vers ressemblent à l'ânon   [son ouvrage :
qui, gracieux à sa naissance, suscite l'affection,
mais qui, en grandissant, devient laid comme un démon.
Ces poètes bâtards rabaissent les récits,
et veulent pourtant passer à la cour avant les meilleurs ;
sans connaître les finesses de la langue, ils veulent en juger,
mais quand ils ont tout dit, leur conte ne vaut pas un denier ;
il faut rafistoler les lambeaux de leur œuvre.
Oui, mais devant mes vers, il doit dresser la tête,
celui qui veut plier son cœur aux nobles agissements,
savoir choisir le bien et délaisser le mal,
comment solliciter et charmer ses amis,
conserver ceux qu'il a, s'en faire de nouveaux,
abattre ses ennemis, les accabler si bien
qu'aucun d'eux n'ose alors lui montrer fier visage,
qu'ils aient plus peur de lui que l'alouette à la chasse,
quand elle voit l'épervier quitter la main du maître.
Qu'il ne soit pas avare, s'il veut croître en honneur :
jamais par avarice je n'ai rien vu gagner.
Qui aime trop les trésors, n'a que le cœur d'un lâche,
il ne peut conquérir ni gouverner les terres.
Je ne vous parle pas de Landri ni d'Auchier[1] :
mon poème est dédié à Alexandre d'Alier[2],

---

d'Alexandre de Paris (II, v. 428). Alexandre de Paris en fait un pays. L'expression ressurgit dans des versions postérieures à Alexandre de Paris : MFRA IV,
pp. 34-35.

De cui sens et proëce furent gonfanonier ;
A lui pregne regart qui se veut afaitier
60 Et de bones costumes estruire et ensegnier,
Si m'oie bonement et sans contralïer.

3

La vie d'Alixandre, si comme ele est trovee
En pluisors lieus escrite et par bouche contee,
64 El fu a sa naissance par signe demostree,
Q'apercevoir s'en pot toute chose senee
Que large segnorie iert en cele eure nee.
Por ce mua li airs, c'est verités provee,
68 Et parurent esclistre sous la noire nüee, –
Li firmamens croissi, dont gens fu estonee, –
Qu'il esmouvroit tel noise et de cors tel sounee
Qant il chevalcheroit en parfonde valee
72 Que li tertre sovrain orroient la menee ;
Et la voie du ciel refu par lui tentee,
Qant sa chaiere d'or en fu la sus portee
Par les quatre grifons a qui fu acouplee ;
76 Et fu d'astronomie sa pense enluminee,
Que de toutes estoiles conut la compassee.
Por ce craula la terre en icele jornee
Q'en cele eure naissoit la persone doutee
80 A la qui poësté el fu puis aclinee.
Et la mers enrougi par cele destinee
Que en li prist l'enging de la gerre aduree
Et d'enbuschier agais dedens selve ramee,
84 Dont sans fu espandus par tant mainte contree.

_____

3. Le gonfanon est un étendard ou une banderole à deux ou trois queues,
porté par les cavaliers sous le fer de la lance. Le gonfanon royal a été l'oriflamme de Saint-Denis et suivant l'ordre des dignités, le gonfanon des comtes
et chefs de corps d'armée passe dans la main des barons, alors que le pennon
demeurait à la fin du XIIᵉ siècle l'enseigne des chevaliers (V. Gay, *Glossaire
archéologique du Moyen Age*).

4. Voir *infra*, branche III, laisses 276-281.

dont Sagesse et Prouesse portaient le gonfanon[3].
Qu'on prenne modèle sur lui, si l'on veut se former
dans l'apprentissage des bonnes coutumes,
et qu'on m'écoute en paix sans faire de tapage !

3

La vie d'Alexandre, telle qu'on peut la trouver
dans bien des livres et des récits qu'on raconte,
fut, dès sa naissance même, liée à des prodiges
qui venaient révéler à ceux qui étaient sages
qu'un très puissant seigneur était venu au monde.
On vit l'air s'agiter, c'est vérité prouvée,
des éclairs apparurent sous les nuages noirs,
le ciel se déchira, épouvantant les foules,
annonçant le fracas des cors qui sonneraient,
quand il chevaucherait dans les vallées profondes,
jusqu'à se faire entendre des plus hautes montagnes.
Il explora encore jusqu'aux chemins du ciel,
se faisant enlever dans son grand trône d'or
par les quatre griffons qui y étaient attachés[4].
Il possédait aussi les lumières de l'astronomie
et savait mesurer le cours de toutes les étoiles.
Voilà pourquoi, ce jour-là, la terre annonça par son
Que naissait à cette heure le héros redouté   [tremblement
Sous le pouvoir de qui elle devait s'incliner.
Et la mer devint rouge pour montrer qu'elle devait
lui apprendre les ruses de la guerre terrible
et des embuscades dans les forêts ombreuses,
qui devaient verser le sang dans de nombreux pays

Et li home en tramblerent sans nule recelee
Por ce que mainte force fu par le roi matee
Et de maint orgellous abati la posnee.
88 Les bestes en fremirent qui sorent la nomee,
Que maniere de char n'iert el monde formee
Dont aucune ne fust par le roi sormontee,
L'une por lui servir del tout abandonee,
92 Et l'autre por nuisir encontre revelee
Si comme li serpens en la terre eschaudee
Dont grant masse de l'ost fu puis envenimee.
A l'eure qu'il nasqui fu joie recovree
96 Et barnages creüs et bontés ravivee,
Qui par malvais segnors iert si anïentee
Que nus hom ne donoit vaillant une denree
Ne seul tant qui montast une pome paree
100 S'ains ne seüst de quoi li fust guerredonee.
Mais puis dona li enfes et ot chiere levee,
Car la sieue maniere li fu si esmeree
Et la sieue bontés des autres dessevree
104 Qui chose li rova ainc ne li fu veee ;
Oisiaus donoit et chiens et mainte chose amee,
Mainte pelice grise et hermine engoulee
Et maint henap d'argent, mainte coupe doree,
108 Maint cheval bel et cras, mainte mule afeutree,
Ducheés et roiaumes, puis qu'il ot çaint espee.
Et por ce fu sa gent si bien entalentee
De conquerre s'onor en bataille jostee,
112 Des puis qu'il iert armés et sa gent conreee,
Nus regnes envers lui n'ot nule contrestee.
Ainsi va de segnor o maisnie honoree ;
Qant tant a esploitié que il l'a assamblee,
116 Adont li fait honor et ce qu'il li agree,

---

5. Allusion au voyage sous-marin d'Alexandre, au cours duquel il voit les plus gros poissons manger les petits : voir *infra*, branche III, laisses 19-27.

6. La traduction suit pour ce vers les manuscrits C, I et K, qui donnent plus logiquement le pluriel *li serpent*.

7. Cette expression est régulièrement employée pour désigner une valeur minimale. *Cf. infra*, I, v. 2266.

et faire trembler les hommes sans qu'ils pussent s'en cacher[5].
C'est que bien des puissants furent par le roi défaits
et bien des orgueilleux perdirent leur arrogance.
Les bêtes en frémirent, sachant que le destin
voulait qu'il ne fût pas une créature au monde
qui ne dût être dominée par le roi,
les unes pour se mettre toutes à son service,
les autres destinées à lui faire du mal,
comme les serpents de la terre brûlante[6],
qui devaient empoisonner une grande partie de l'armée.
A l'heure de sa naissance, la joie fut retrouvée,
le courage ranimé, la bonté ravivée,
que de mauvais seigneurs avaient anéantie,
en refusant à tous le moindre pauvre don,
pas même la valeur d'une pomme pelée[7],
s'ils n'en avaient d'abord leur propre récompense.
Mais le jeune homme, par ses dons, garda la tête haute,
car sa conduite était si parfaite
et sa bonté surpassait tant celle des autres
qu'il ne repoussa jamais la moindre demande.
Il donnait les oiseaux et les chiens, tous les présents de prix,
pelisses de petit gris et collets d'hermine,
hanaps d'argent et coupes d'or,
de beaux chevaux robustes, des mules bien harnachées,
duchés et royaumes conquis à la pointe de l'épée.
Grâce à cette largesse, ses hommes ne songeaient
qu'à défendre son honneur sur le champ de bataille.
Du jour où il fut adoubé et ses hommes équipés,
nul royaume ne put tenir contre lui.
Telle est la conduite d'un seigneur qui honore les siens :
quand il les rassemble autour de lui,
il cherche à les honorer et à leur plaire,

Ne chose ne li dit dont au cuer soit grevee,
Ains vait tous premerains, la targe enchantelee,
Ses enemis requerre o la lance aceree,
120 Dont est la sieue ensegne hautement escrïee
Et cele gent haitie qui si est commandee.
Honors de segnorie fu en cestui plantee,
Mais cil qui sont remés chantent la descordee,
124 La cuellent malvaistié ou bontés fu semee.
Li avoirs qu'il dona li fist tel presentee
Et li riches corages o la fiere pensee
Que par tout Orïent fu sa force mostree ;
128 Jusq'as bonnes Artu fu s'ensegne portee,
Et il les trespassa plus d'une arbalestee
Et lança son espié tout outre une rüee.
Trestoute eüst la terre qui puet estre abitee
132 Se ne li fust si tost la poison destrempee
Par coi sa bele chars fu morte et enterree
Qant prise ot Babilone, que tant ot desirree.
Mains de trente ans vequi, ce fu corte duree,
136 Mais nus hom entretant ne fist tel conquestee,
Ne Julïus Cesar ne Crassus ne Ponpee.
Aprés refu la terre a martire livree,
Par l'orguel des barons gastee et desertee,
140 Car l'estache iert froissie ou ele estoit fremee ;
Perte de bon segnor n'est pas tost recovree,
De toutes bones gens devroit estre ploree ;
Ains pui terre ne fu a si bon commandee.
144 Or commencent li ver ou sa vie iert mostree.

---

8. La targe est un bouclier rond. Le bouclier rond de l'époque carlovingienne est remplacé vers le Xe siècle par l'écu à sommet arrondi de forme allongée, et dont les dimensions jusqu'à la fin du XIIe siècle varient de 80 à 150 cm (Gay).

9. La traduction suit le manuscrit M, qui donne *honte* à la place de *bontés*.

10. L'expression *bornes* ou *bonnes Artu* désigne les limites orientales du monde, fixées par Hercule. Dans l'imagination populaire médiévale, le roi Arthur s'est substitué à Hercule (R. Weeks, « Bornes Artu », *Mélanges E. Picot*, Paris 1913, pp. 209-213). Ces limites fixées, selon la tradition antique, par Hercule (et Dionysos) au monde oriental font écho aux bornes du monde occidental que sont les colonnes d'Hercule (nom donné par les Anciens à Gibraltar).

évite de leur dire des paroles blessantes.
Il marche le premier, sa targe levée[8],
attaque ses ennemis de sa lance acérée ;
son cri de ralliement résonne alors partout
et ses hommes sont heureux d'être ainsi commandés.
L'honneur de seigneurie avait pris racine en Alexandre.
Mais les seigneurs d'aujourd'hui ne chantent que discordance,
ils sèment la honte et récoltent le mal[9].
La largesse d'Alexandre fut bien récompensée,
tout comme sa noblesse et son courage,
car dans tout l'Orient il affirma sa force ;
on porta son enseigne jusqu'aux bornes d'Arthur[10] :
il les franchit de la distance d'un jet d'arbalète
et lança au-delà son épieu le plus loin possible.
Il aurait possédé toute la terre habitable,
si l'on n'avait si tôt préparé le poison
qui provoqua sa mort dans toute sa beauté,
après la prise de Babylone, qu'il avait tant désirée.
Il vécut peu de temps, pas même trente années,
mais nul homme si vite ne fit tant de conquêtes,
pas même Jules César, ni Crassus, ni Pompée.
Après lui la terre retomba dans le chaos,
dévastée, ravagée par l'orgueil des barons[11],
car le pilier qui la soutenait était brisé.
La perte d'un bon seigneur est longue à réparer
et tous les gens de bien devraient s'en affliger.
Jamais, depuis, la terre ne connut un tel chef.
Voici donc maintenant le récit de sa vie[12].

---

11. Dans l'univers épique, Les barons sont de grands seigneurs, les plus puissants vassaux du roi. Le terme glisse ensuite du sens social au sens moral, désignant celui qui possède les qualités (surtout guerrières) qu'on attend d'un baron. Le substantif peut devenir adjectif, synonyme de *vaillant* : I, v. 693.

12. Les laisses 1-3 rassemblent plusieurs *topoi* des prologues des chansons de geste et des romans du XIIe siècle : l'affirmation de la fonction didactique du texte (vv. 1-8, 42-61), de sa supériorité littéraire sur les œuvres des autres trouvères (vv. 32-41), la *référence à une source écrite* (ici complétée par une tradition orale) et la volonté d'écrire *en romans* pour un public de laïcs (vv. 30-31, 63).

4

    Li rois qui Mascedoine tenoit et Alenie
    Et Gresce en son demaine et toute Esclavonie,
    Cil fu pere a l'enfant dont vos orrés la vie ;
148 Phelippes ot a non, rois de grant segnorie.
    Une dame prist bele et gente et eschevie,
    Olimpias ot non, fille au roi d'Ermenie,
    Qui riches iert d'avoir, d'or et de manandie,
152 De terres et d'onors et de gent molt hardie ;
    Et la dame fu preus et de grant cortoisie
    Si ama biaus deduis de bos, de chacerie,
    Rote, harpe et vïele et gigue et simphonie
156 Et autres estrumens o douce melodie ;
    Cil iert privés de li, si ne s'en couvroit mie,
    Qui par armes queroit pris de chevalerie,
    Et li donoit biaus dons, car de biens iert garnie,
160 Les biaus chevaus d'Arrabe et les muls de Surie,
    Les riches garnemens, palefrois de Hongrie,
    Les siglatons d'Espaigne, les pailes d'Aumarie
    Et cendaus et tirés et le vair de Rossie,
164 Diaspres d'Antioche, samis de Romenie,
    Les chainsis d'Alemaigne, qu'ele avoit en baillie.
    Puis li fu sa bone oevre a grant mal revertie,
    Car la malvaise gent qu'ele avoit enhaïe
168 Et de cui el n'avoit soulas ne compaignie
    L'orent en traïson de maldire acuellie,
    Dirent qu'ele faisoit de son cors lecherie,
    Ne gardoit pas la foi qu'ele ot au roi plevie,
172 Car a pior de lui se conissoit amie

---

13. La *rote* et la *gigue* sont des instruments à cordes. Il y a deux types de *rotes*, l'une à cordes pincées, l'autre à cordes frottées. La *gigue* (en allemand *geige*) est un instrument à cordes frottées, plus petit que la vielle. La *symphonie* est un tambour. Voir T. Gérold, *La Musique française au Moyen Age*, Paris, 1932, pp. 368-423 (les instruments de musique). Sur les séries instrumentales dans les textes littéraires, voir P. Bec, *Vièles ou violes*, Paris, 1992, pp. 119-151.
14. Le *palefroi* est monté par les chevaliers et par les dames pour la route. Le *siglaton* est un manteau rond en brocard d'Orient (originairement des Cyclades). Le *vair* est une fourrure dans laquelle alternent des dos (gris) et des

4

Le père de cet enfant dont je conte la vie
était roi de Macédoine et d'Alenie ;
il possédait la Grèce, toute l'Esclavonie,
et se nommait Philippe, c'était un puissant roi.
Il épousa une dame belle, noble et gracieuse,
du nom d'Olympias, fille du roi d'Arménie,
qui était riche en biens, en or et en domaines,
en terres et en provinces, en hommes de grand courage.
La dame, pleine de valeur et de courtoisie,
aimait tous les plaisirs de la chasse,
la harpe et la rote, la vielle, la gigue, la symphonie,
et la douce mélodie des autres instruments[13].
Elle ne se cachait pas d'aimer avoir près d'elle
ceux qui cherchaient la gloire de la chevalerie,
leur faisait de beaux dons sur ses grandes richesses :
de beaux chevaux arabes, des mules de Syrie,
de riches vêtements, des palefrois de Hongrie,
et des soieries d'Espagne, des brocards d'Aumarie,
taffetas et étoffes de Tyr, le vair de Russie,
tissus diaprés d'Antioche et soies de Byzance,
toiles de lin d'Allemagne, sur laquelle elle régnait[14].
Mais ses bonnes actions lui furent reprochées comme une
car les mauvaises gens qu'elle haïssait fort,   [faute,
dont elle refusait l'amitié et la compagnie,
se mirent à médire d'elle par trahison,
à prétendre qu'elle se livrait à la débauche,
qu'elle manquait à la foi jurée au roi
en donnant son amour à un homme de rang inférieur,

---

ventres (blancs) d'écureuils de l'espèce petit-gris. *Le cendal* est une étoffe de
soie unie et légère, proche du taffetas. *Le samit* est une étoffe de soie tissée à
six fils. Quant à la *Romenie*, on désignait au XIIe siècle, sous le nom de *Romania*,
l'empire byzantin, Constantinople étant désignée, après la chute de Rome, par
les écrivains grecs, comme la nouvelle Rome. Après la prise de Constantinople
par les Croisés, en 1204, on garda ce nom pour l'empire latin de Constantinople : voir G. Paris, « Romani, Romania », *Romania* 1, 1872, pp. 14-15 et R.L.
Wolff, « Romania, the Latin Empire of Constantinople », *Speculum* 23, 1948,
pp. 1-34.

Et de cors et d'avoir li otrioit partie.

Autresi sont encor li garçon plain d'envie :

N'est dame, se tant fait qu'ele se jut ne rie

176 Ne mostre bel samblant, qu'el ne soit envaïe ;

Qui mal lor quiert a tort Damedieus les maldie !

De bouches mesdisans iert la maisons enplie

Ou li diables regne o sa laide ost banie,

180 Car li siecles est plains de la losengerie,

Si ne commence or pas, ains muet d'anciserie.

La reïne le sot, qui tant en fu laidie,

Car neïs de l'enfant dirent il vilonie :

184 Que il estoit bastars, nes par enchanterie.

El tans que il fu nes, ci com l'estoire crie,

Ert uns hom en la terre, plains de molt grant voisdie,

Nectanabus ot non en la terre arrabie ;

188 Au naistre aida l'enfant, que que nus vos en die,

Q'il fu nes pres du punct qui done segnorie.

Et s'il eüst un poi cele nuit devancie,

Q'il fust nes en l'espasse que il avoit choisie,

192 Ne fust mie si tost sa proëce faillie

Ne par venim mortel sa valor aconplie,

Plus regnast longement et plus eüst baillie.

5

Molt fu li vallés larges et preus de toutes riens ;

196 Qui du sien demanda du veer ne fu giens,

Car de lui commença li doners et li biens.

Il conquist les Hermins, Persans et Surïens

---

15. Les *losengiers*, calomniateurs, sont les ennemis traditionnels des amants et de la courtoisie dans la poésie lyrique et le roman.

16. Dans le Pseudo-Callisthène et les textes latins qui en sont issus et constituent la principale source des romanciers français (Julius Valerius et l'*Epitome*), Alexandre est le fils du pharaon Nectanébo, qui se fait passer pour le dieu Ammon auprès d'Olympias : Pseudo-Callisthène, *Le Roman d'Alexandre*, trad. G. Bounouré et B. Serret, Paris, 1992, pp. 6-7 ; Julius Valerius, *Res gestae Alexandri Macedonis*, éd. B. Kuebler, Leipzig, Teubner, 1888, I 4 ; *Julii Valerii Epitome*, éd. J. Zacher, Halle 1867, I 7. Thomas de Kent, *Le Roman de toute chevalerie*, éd. B. Foster et I. Short, Londres, 1977, vv. 250-279 ; *Roman d'Alexandre* en prose, éd. A. Hilka, Halle, 1920, I p. 24. Alexandre de Paris suit

à qui elle prodiguait et son corps et son bien.
Les vauriens de nos jours montrent la même envie :
nulle dame ne peut se distraire ni rire,
ni se montrer aimable, sans être accusée.
Ces ennemis injustes, Dieu veuille les maudire !
La maison était pleine de bouches médisantes,
où règne le diable avec l'horrible armée qui suit sa bannière ;
le monde est envahi par la calomnie,
et ce n'est pas nouveau, ce fut toujours ainsi[15].
La reine le vit bien devant les accusations qui la salissaient,
les outrages qui atteignaient même l'enfant :
on le disait bâtard et né d'un enchanteur[16].
Au moment de sa naissance, comme l'histoire le dit,
vivait dans le pays un homme plein de ruse,
nommé Nectanabus dans la terre d'Arabie.
Il présida, c'est sûr, à la naissance de l'enfant,
qui fut presque placée sous le signe du pouvoir suprême.
Et si Alexandre était né un peu avant cette nuit-là,
au moment précis désigné par l'enchanteur,
sa prouesse n'aurait pas connu une fin si rapide,
le poison mortel n'aurait pas mis un terme à son destin,
il aurait régné plus, sur un plus grand empire.

5

Il était généreux, doué de toutes les vertus,
ne refusant jamais un don qu'on lui demandait.
C'est lui qui instaura la générosité et le bien.
Il conquit Arméniens, Perses et Syriens,

---

ses prédécesseurs français dans son refus de cette légende : Albéric de Pisançon,
vv. 27-29 : « Dicunt alquant estrobatour / Quel reys fud filz d'encantatour. /
Mentent, fellon losengetour. » (MFRA III, p. 38). *Alexandre* décasyllabique (ms
Arsenal), vv. 61-68 : « Neptanebus ot non, men escient. / Per le rëaune o desïent
la gent / Que Alix.' ert sis filz veirement ; / Plusor o distrent, mas il ne fu nïent.
/ Li reis Felis l'engendra veirement, / Pois l'enpeinst Al'x. d'un mur au funda-
ment ; / Pois l'en pesa, si'n ot lo cur dolent, / Forment lo regreta, mas ne valut
nïent. » (MFRA I, p. 4 ; *cf.* ms de Venise, *ibid.*, p. 7, vv. 77-83).

Et la gent d'Orïent et les fiers Yndïens,
200 Ciaus d'Aufrique, les noirs et les Egyptïens,
Et ciaus de Babilone aprés les Tyrïens ;
Ce conte l'escripture tous li mondes fu siens.
Enprés sa mort le dist Cesaires Julïens
204 Que ce fu tous li mieudres des princes terrïens.

6

Grant joie vint en Gresse le jor que il fu nes.
Ja estoit tous li siecles issi anoiantés
Et doners renoiés et creüe avertés,
208 Avarisses estoit en si haut bruit montés
Qui avoit le tresor ja mais ne fust mostrés,
Ains iert sempres en terre et repus et boutés,
Encor en a en terre cinc cens somiers torsés
212 Qui ja mais ne sera ne veüs ne trovés.
Mais puis fu par le roi mains tresors effondrés
Et as frans chevaliers departis et donés
Par cui prist les chastiaus et brisa les cités
216 Et fu par tout le mont rois et sires clamés.
Et puis en fu Porrus griement araisonés
Sor l'eaue de Gangis ou il fu encontrés ;
A plus de vint mil homes i ot les chiés caupés,
220 Et li siens cors meïsmes retenus et matés.
Molt fu fiers Alixandres et hardis ses pensés,
Car se nus li mostra ne orguel ne fiertés,
Onques nel pot garir chastiaus ne fremetés
224 Que il nel sieuïst tant qu'il fust desiretés.
Mais ançois qu'il eüst quarante mois passés,
Fu ses cors de noblece ainsi enluminés
Onques sers de put aire ne devint ses privés,
228 Mais a la franche gent vaut faire tos lor ses ;
Vilaine ne ancele nel pot servir a gres.

7

L'enfance d'Alixandre fu molt gentieus et bele,
Biau samblant fait et rit a chascun qui l'apele,

les peuples d'Orient et les fiers Indiens,
et les noirs Africains et les Egyptiens,
et les Babyloniens, après les Tyriens.
Comme le dit l'écrit, le monde entier lui appartint.
Et, après sa mort, Jules César affirma
qu'il était le meilleur des princes de la terre.

6

Sa naissance apporta une grande joie à la Grèce.
Le monde était déjà tout réduit à néant,
la générosité reniée, la ladrerie puissante.
L'avarice jouissait de tant de prestige
que le possesseur d'un trésor, bien loin de le montrer,
s'empressait de l'enfouir, de le cacher en terre.
La terre renferme encore la charge de cinq cents chevaux,
qui ne sera plus jamais revue ni retrouvée.
Mais le roi, par la suite, distribua maint trésor,
qu'il répartit entre les nobles chevaliers
qui lui avaient permis de prendre les châteaux, de subjuguer les
                                                    [cités,
de recevoir dans le monde entier le titre de roi et seigneur.
Plus tard le roi Porus endura ses attaques
sur la rive du Gange où il le rencontra ;
plus de vingt mille hommes y eurent la tête coupée
et Porus fut lui-même vaincu et capturé.
Alexandre était fier et plein de hardiesse :
celui qui se montrait envers lui fier et orgueilleux,
avait beau chercher le refuge d'une forteresse,
le roi le poursuivait jusqu'à ce qu'il l'eût privé de sa terre.
Avant même qu'il eût plus de quarante mois,
la noblesse déjà enluminait son cœur :
nul serf de vile naissance ne pouvait l'approcher,
c'est aux gens bien nés qu'il réservait ses faveurs ;
il refusait les services d'une simple servante.

7

L'enfance d'Alexandre fut pleine de noblesse :
il est aimable et rit à tous ceux qui l'appellent,

232 Onques nel pot servir vilaine ne ancele,
    Ains le convint tous jors norrir une pucele,
    Et d'une franche dame alaitoit la mamele.
    Desi q'en Occident en ala la novele ;
236 Nus hom ne l'oï dire, qui la merveille espele,
    Q'il ne cuit, s'il vit tant qu'il puist monter en sele,
    Que ce ert Alixandres qui tout le mont chaele,
    Tout avra desous lui, com faus la torterele.

8

240 Qant li rois Alixandres fu nes en icel jor,
    Aveuc lui furent né trente fil de contor
    Qui furent gentil home et bon conquereor ;
    De la terre de Gresce estoient li pluisor
244 Et tuit li autre estoient gentil Mascedonor.
    Cil soufrirent o lui mainte ruiste dolor
    En la terre eschaudee ou n'ot onques froidor,
    Tous jors vesquirent d'armes, itel fu lor labor.
248 Par ciaus et par les autres conquist il grant honor,
    Car de par toutes terres le tint on a segnor.

9

    En l'aé de cinc ans, ce conte l'escripture,
    Se dormoit Alixandres en un lit a painture ;
252 D'un chier paile d'orfrois estoit la couverture,
    De martrines dedens estoit la foreüre.
    La nuit songa un songe, une avison oscure,
    Que il mangoit un oef dont autres n'avoit cure,
256 A ses mains le roloit par mi la terre dure,
    Si que li oés brisoit par mi la pareüre ;
    Uns sarpens en issoit d'orgelleuse nature,
    Onques hom ne vit autre de la sieue figure ;
260 Son lit avironoit trois fois tout a droiture,

---

17. L'orfroi est une broderie d'or souvent utilisée pour border un vêtement.

mais refuse les services d'une simple servante :
une jeune fille de la cour lui consacre ses soins
et une noble dame le nourrit de son lait.
La renommée en vint jusqu'en Occident,
et chacun de penser, déchiffrant ce prodige,
que s'il vit assez longtemps pour monter en selle,
Alexandre sera celui qui dominera le monde,
et le tiendra sous lui, comme le faucon tient la tourterelle.

8

Le jour même de la naissance du roi Alexandre,
naquirent en même temps trente fils de comtes,
qui devinrent de nobles chevaliers et de bons guerriers.
Beaucoup étaient issus de la terre de Grèce,
et les autres étaient de nobles Macédoniens.
Ils subirent avec lui maintes vives souffrances
dans la terre brûlante qui ignore le froid,
ne vivant que pour les armes : tel était leur office.
Avec eux et bien d'autres il conquit mainte terre,
et dans le monde entier on le tint pour seigneur.

9

A l'âge de cinq ans, comme le dit l'écrit,
Alexandre dormait dans un lit richement peint ;
une soierie brodée d'or formait sa couverture,
toute fourrée de martres[17].
La nuit il eut un songe, une vision obscure :
il allait manger un œuf dont nul autre ne voulait,
le faisait rouler dans ses mains sur le sol dur,
et la coquille de l'œuf se brisait.
Il en sortait un terrible serpent,
le plus redoutable qu'on eût jamais vu ;
par trois fois il faisait le tour du lit

Puis repairoit ariere droit a sa sepulture,
A l'entrer chaï mors, ce fu grans aventure.

10

Qant li chambellens vit qu'Alixandres s'esveille,
264 Effreés de son songe, qu'il ne dort ne someille,
Ses garnemens li done, gentement l'aparelle,
Et qant il fu vestus a Phelippon conseille.
Qant li rois l'entendi, durement s'en mervelle ;
268 La ou il sot sage home jusq'a la mer Vermelle
Por espondre le songe ses messages travelle.

11

Phelippes a mandé la sage gent lointaigne,
Les bons devineors fait querre par le raigne,
272 Devins et sages clers communement amaine ;
Primes i est venus Aristotes d'Athaine.
Qant furent assemblé, une chambre i ot plaine.
Tot le songe lor conte et chascuns d'aus se paine
276 De respondre par sens bone raison certaine.

12

Uns Grieus parla premiers qui cuidoit estre flors
de maintes sapïences et des sortisseors
Et de l'art de gramaire et des devineors ;
280 Por ce ot non Astarus que il sot tous les cors
Des estoiles del ciel et del sens des actors.
« Or m'entendés, fait il as grans et as menors,
De vostre songe espondre serai maistres doctors.

---

18. Dans le Pseudo-Callisthène (I 11), le texte de Julius Valerius (I 5) et l'*Epitome* (I 11), Philippe voit un oiseau pondre dans son poitrail ; l'œuf tombe sur le sol et se brise. Un serpent en sort, qui s'enroule autour de l'œuf et meurt en voulant s'y introduire à nouveau. La comparaison de l'univers à un œuf est courante dans les *Images du monde* des XIIᵉ et XIIIᵉ siècles : voir C. Deluz, « Un ciel mieux étudié que la terre », *Senefiance* 13, 1983, pp. 94-95.

puis retournait tout droit vers l'œuf, sa sépulture,
et tombait mort en y entrant, par un grand prodige[18].

10

Quand le chambellan voit qu'Alexandre s'éveille,
effrayé de son songe, qu'il ne peut plus dormir,
il lui donne ses vêtements, l'habille richement,
et quand il est vêtu, prend conseil de Philippe.
Le roi, à cette nouvelle, est tout émerveillé ;
pour expliquer le songe, il envoie ses messagers
quérir tous les sages qu'il connaît, jusqu'à la mer Rouge.

11

Philippe a appelé les sages des pays lointains,
il fait chercher dans le royaume tous les bons devins ;
et les magiciens, les plus grands savants.
Le premier à venir fut Aristote d'Athènes.
Quand ils furent assemblés, ils remplissaient la salle.
Le roi leur dit le songe et chacun d'eux s'efforce
d'en donner par sa science le véritable sens.

12

Un Grec prit la parole : il se croyait le maître
de toutes les sciences et de l'art de magie,
et de tous les sorciers, et de tous les devins ;
il se nommait Astarus, car il connaissait le cours
des étoiles du ciel et possédait la sagesse des auteurs anciens.
« Ecoutez-moi ! dit-il aux grands et aux petits,
je suis le seul capable d'expliquer votre songe.

284 Li oés est vaine chose, petite est sa vigors ;
      Li serpens qu'en issoit, fiers et de fieres mors,
      C'est uns hom orgellous qui movra mains estors
      Et vaudra sormonter rois et empereors
288 Et metre desous lui et princes et contors
      Et conquerre par force les chastiaus et les tors
      Et prendre et retenir et terres et honors,
      Mais nel porra pas faire, petite iert sa labors,
292 Lors tornera arriere si charra sa valors. »
      Qant Phelippes l'entent, d'ire mua colors,
      Et cuide d'Alixandre qu'il soit malvais oirs sors.

13

      Aprés cestui parla Saligos de Ramier,
296 Sages hom de sa loi, assés sot du mestier.
      « Oés, segnor, fait il, dont vos veul acointier :
      De chose qui en songe peçoie de legier
      Ne m'est vis que nus hom puisse preu esploitier.
300 Li oés est vaine chose si brise de legier ;
      Li serpens qu'en issoit, qu'il vit felon et fier,
      C'est uns hom de fol cuer, qui vaudra guerroier
      Et le païs conquerre et par force regnier
304 Et les sauvages terres desous lui abaissier ;
      Mais ja de riens qu'il vuelle ne porra esploitier,
      Car tuit cil li faudront qui li devront aidier,
      Et molt malvaisement l'estovra repairier,
308 Si com fist li serpens qui retorna arrier. »
      Cil respons fist Phelippe durement esmaier.

14

      Aprés ces deus parla Aristotes d'Athaine,
      En piés s'en est levés, de bien dire se paine.
312 « Oiés, segnor, fait il, une raison certaine.
      Li oés dont il parolent n'est mie chose vaine,
      Le monde senefie et la mer et l'araine,
      Et li moieus dedens est terre de gent plaine ;
316 Del serpent qui'n issoit vos di par sainte Elaine

L'œuf n'est qu'une faible chose, sans la moindre vigueur ;
Le serpent qui en sort, si cruel et farouche,
c'est un homme orgueilleux qui livrera mainte bataille
et voudra triompher des rois, des empereurs
et placer sous sa coupe les princes et les comtes,
conquérir de haute lutte les châteaux, les donjons,
et s'emparer des terres, posséder les domaines.
Mais il va échouer, son effort sera vain,
il fera demi-tour et perdra sa valeur. »
A ces mots, de chagrin, Philippe change de couleur
et croit qu'Alexandre est indigne de son héritage.

13

Après lui vint parler Saligot de Ramier,
un sage pour un homme de sa religion, habile dans son domaine.
« Ecoutez bien, seigneurs, mon interprétation :
une chose qu'en songe on voit se briser si facilement
ne saurait avoir une signification favorable.
L'œuf est une faible chose qui se casse facilement ;
le serpent qui en sort, si félon et farouche,
c'est un fou qui voudra faire la guerre,
conquérir les pays, y régner par la force
et placer sous sa coupe toutes les terres sauvages.
Mais nul de ses désirs ne se réalisera,
ceux qui devaient l'aider viendront à lui manquer,
et misérablement il devra s'en retourner,
tout comme le serpent qui revint en arrière. »
Cette réponse plonge Philippe dans l'effroi.

14

Après eux vint parler Aristote d'Athènes.
Il se dresse et choisit soigneusement ses mots.
« Ecoutez-moi, seigneurs, je puis vous affirmer
que cet œuf dont ils parlent n'est pas une faible chose.
Il signifie le monde, avec la mer, le sable,
et le jaune au milieu, c'est la terre peuplée d'hommes.
Le serpent qui en sort, je dis, par sainte Hélène,

Que ce est Alixandres qui souffrira grant paine
Et iert sires du mont, ma parole en iert saine,
Et si home aprés lui le tendront en demaine,
320 Puis torra mors ou vis en terre mascedaine,
Si com fist li serpens qui vint a sa chievaine. »
Qant Phelippes l'entant, molt grant joie en demaine.

15

Phelippes ot grant joie du songe qui bien prent,
324 Molt ama Aristote et le tint chierement,
Tout li abandona son or et son argent.
Alixandres fu preus et de bon ensïent ;
Ce conte l'escripture, se la letre ne ment,
328 Que plus sot en set ans que uns autres en cent.
La novele est alee desi q'en Occident ;
Ne sai de quantes terres i sont venu la gent,
Li maistre des escoles, li bon clerc sapïent,
332 Qui voloient conoistre son cuer et son talent.
Aristotes d'Athaines l'aprist honestement ;
Celui manda Phelippes trestout premierement.
Il li mostre escripture et li vallés l'entent,
336 Greu, ebreu et caldeu et latin ensement
Et toute la nature de la mer et du vent
Et le cours des estoiles et le compassement
Et si com li planete hurtent au firmament
340 Et la vie du siecle, qanq'a lui en apent,
Et conoistre raison et savoir jugement,
Si comme restorique en fait devisement ;
Et en aprés li mostre un bon chastïement :
344 Que ja sers de put aire n'ait entor lui sovent,
Car maint home en sont mort et livré a torment,
Par losenge et par murdre, par enpoisonement.
Li maistre li ensaigne et li vallés aprent ;

---

19. Les planètes sont entraînées dans le mouvement du firmament d'Orient vers l'Occident, mais leur cours naturel est en sens inverse : C. Deluz, art. cit., pp. 98-99.
20. Ces vers annoncent à la fois la mort de Darius et celle d'Alexandre.

que c'est bien Alexandre, qui souffrira grand-peine
et sera, je vous le certifie, le maître du monde,
que ses hommes après lui gouverneront encore.
Puis il s'en reviendra, mort ou vif, en terre de Macédoine,
tout comme le serpent de retour dans sa retraite. »
A ces paroles, Philippe se sent rempli de joie.

15

Philippe, joyeux de voir que le songe est favorable,
comble Aristote de son amitié et de ses bienfaits,
lui livrant à foison son or et son argent.
Alexandre était sage tout autant que brave ;
l'écrit nous raconte, s'il dit la vérité,
qu'en sept ans il en savait plus qu'un autre en cent ans.
La nouvelle est allée jusqu'en Occident ;
d'innombrables pays s'en sont venus les gens,
les maîtres des écoles, et les bons clercs savants,
qui voulaient tous connaître son caractère et ses sentiments.
Aristote d'Athènes l'éduqua noblement ;
c'est le premier maître que Philippe lui avait choisi.
Il lui fait lire les textes, le jeune homme comprend vite ;
il lui enseigne le grec, l'hébreu, le chaldéen, le latin,
et tout ce que l'on sait de la mer et du vent,
et le cours des étoiles et sa mesure,
et comme les planètes s'opposent au mouvement du
et la vie de ce monde sous toutes ses formes.   [firmament[19],
Il lui apprend à user de sa raison et de son jugement,
comme la rhétorique l'explique.
Pour finir, il lui donne un conseil judicieux :
ne jamais s'entourer de serfs, de gens mal nés,
car bien des hommes en sont morts, torturés,
calomniés, assassinés, empoisonnés[20].
Le maître enseigne et son élève apprend :

348 Il en jure le ciel et qanq'a lui apent
      Que ja mais sers par lui n'ara essaucement.

16

      Une grant piece aprés q'Alixandres fu nes,
      Vint uns hom en la terre de grant sens esprovés,
352 Nectanabus ot non, d'engien estoit parés.
      Cil fu puis Alixandre et maistres et privés,
      Cil li mostra de l'air toutes les oscurtés
      Et par com faite guise li solaus est posés
356 Et si comme la lune remue ses clartés
      Et le cours des estoiles qant li airs est troblés ;
      Mais tant lut ningremance et tant en fu usés
      Que si bons enchanterres ne fu onques trovés.
360 S'il eüst devant vous cinc cens homes armés,
      Vous samblast qu'il feïst de tous arbres ramés,
      Et d'une eaue courant quatorze arpens de pres
      Et meïst en sa borse les tors de deus cités.
364 De lui fu Alixandres mescreüs et blasmés ;
      Por ce que de sa mere et de lui fu privés,
      Dïent qu'il iert ses fieus et de lui engenrés.
      Un jor le prist as mains, d'un tertre u iert montés
368 Sel bouta contre val que sempres fu tüés.

17

      Molt fu preus Alixandres qant ot passé dis ans ;
      De par toutes les terres a mandé les enfans,
      Les fieus as gentieus homes et tous les plus vaillans ;
372 Assés en poi de terme en ot aveuc lui tans

---

21. Selon Isidore de Séville, la terre est entourée des trois autres éléments :
eau, air, feu. La sphère de l'air se dédouble en pur air (mêlé au feu) et air
troublé (mêlé à l'eau), où se produisent les phénomènes météorologiques :
C. Deluz, « La sphère de l'air troublé », in *Observer, lire, écrire le ciel au
Moyen Age*, B. Ribémont éd., Paris, 1991, pp. 87-99.
  22. Cet épisode appartient à la fable de l'astrologue qui, la tête dans les
étoiles, ne voit pas le puits qui est devant lui. Dans le *Théétète* de Platon (174),
elle est liée au mathématicien Thalès : cf. La Fontaine, « L'astrologue qui se

il prête sur le ciel et sur tout l'univers
le serment de ne jamais faire la fortune d'un serf.

16

Longtemps après la naissance d'Alexandre,
s'en vint dans le pays un homme plein de sagesse,
et d'une grande habileté, nommé Nectanabus.
Il devint le maître et l'ami d'Alexandre,
il lui révéla tous les mystères de l'air,
de quelle manière le soleil est placé,
comment la lune perd et retrouve sa clarté,
et le cours des étoiles dans l'air troublé[21].
Il avait tant lu et tant pratiqué la magie
qu'il n'était pas meilleur enchanteur au monde.
Il vous aurait fait voir cinq cents hommes d'armes
sous la forme d'arbres feuillus
et fait passer un fleuve pour quatorze arpents de prés.
Vous l'auriez vu mettre dans sa bourse les tours de deux cités.
Il valut à Alexandre bien des reproches et des blâmes
car, comme il était son ami et celui de sa mère,
on disait qu'Alexandre était son fils.
Un jour Alexandre le poussa du haut d'une montagne,
et le tua en le précipitant dans le vide[22].

17

A l'âge de dix ans, Alexandre était plein de vaillance.
De par toute la terre il mande les jeunes garçons,
les fils des nobles hommes et les plus valeureux ;
en peu de temps il en avait rassemblé tout autant

---

laisse tomber dans un puits », *Fables*, II, 13. Dans le Pseudo-Callisthène et ses adaptations, une nuit que Nectanébo et Alexandre contemplent les étoiles, Nectanébo prédit qu'il mourra de la main de son fils. Alexandre le précipite dans le vide et se moque de l'astrologue qui, « sans savoir ce qu'il y a sur la terre, va chercher ce qu'il y a dans le ciel » (p. 14). Mais Nectanébo lui répond qu'il meurt effectivement de la main de son fils, révélant ainsi à Alexandre le secret de sa naissance. La morale de la fable est ici inversée. *Cf.* Julius Valerius, I 8 ; *Epitome* I 14. Thomas de Kent reprend fidèlement cet épisode (laisses 22-24).

Com s'il eüst la terre a quatorze amirans.
Largement lor donoit et faisoit lor talans :
Chevaus et muls d'Espagne et palefrois amblans,
376 Tirés et dras de soie et pailes aufriqans.
Ses osteus resambloit foire de marcheans,
Tant avoit entor lui de petis et de grans.
Ne prenoit pas conseil as malvais recreans,
380 Mais a ses gentieus homes, a tous les plus vaillans,
A ciaus que il savoit hardis et combatans.
La parole est bien voire et si est conoissans
Que li bons fait le bien et si est conseillans ;
384 Ja de male racine n'iert arbres bien portans.

18

Alixandres s'aloit par un jor deporter
Entre les murs d'araine et la greve de mer ;
La contree fu belle et li solaus luist cler.
388 Tout entor lui commence le regne a resgarder ;
Environ lui aloient tel troi cens bacheler
N'i a cel ne soit fieus a demaine ou a per
Ou a prince de terre que li rois doit amer.
392 Alixandres les fist par ses letres mander,
Por ce que, qant il iert au terme d'adouber,
Aveuc lui les fera richement conreer ;
Puis lor covint o lui mainte paine endurer
396 Et mainte nuit vellier et maint jor jeüner
Par les terres salvages que il vaut conquester.
Alixandres s'estut si prist a escouter,
Desor toute la vile oï un cri crïer,
400 A tous ciaus qui l'oïrent covint le sanc müer,
Ainc n'i ot si hardi qui n'esteüst trambler.
Alixandres les lui vit un sien maistre ester,
Du cri qu'il ot oï li prist a demander,

---

23. Au XIIᵉ siècle, *bacheler* désigne un jeune garçon. A partir de la fin du XIIᵉ siècle, le prestige acquis par la chevalerie lui donnera la valeur aristocratique d'*apprenti-chevalier* : J. Flori, « Qu'est-ce qu'un bacheler ? », *Romania* 96, 1975, pp. 290-314.

que s'il avait eu la terre de quatorze émirs.
Il multipliait les largesses et s'empressait de leur plaire :
chevaux et mules d'Espagne, palefrois allant l'amble,
soieries de Tyr et riches étoffes d'Afrique ;
son logis avait tout d'une foire de marchands,
tant il y recevait de petits et de grands.
Il ne demandait pas conseil aux mauvais lâches,
mais à ses nobles compagnons et aux plus valeureux,
à ceux dont il connaissait la hardiesse et la bravoure.
C'est une parole pleine de vérité et de sagesse qui dit
que l'homme bon fait le bien et est de bon conseil :
jamais mauvaise racine n'a produit de bon arbre.

18

Alexandre allait un jour se promenant
entre les murs de grès et le bord de la mer.
Le paysage est beau et le soleil brillant ;
il contemple autour de lui son royaume.
Trois cents jeunes gens l'accompagnent[23],
tous sans exception fils de seigneur, de pair
ou de prince, et bien dignes de l'amitié d'un roi.
Alexandre les a appelés à sa cour
car quand viendra le temps de son adoubement,
ils recevront, comme lui, un riche équipement.
Ils devaient, par la suite, endurer bien des peines avec lui,
veiller bien des nuits, jeûner bien des jours
dans les terres sauvages qu'il voulait conquérir.
Alexandre soudain se mit à écouter
un cri qui résonnait de par toute la ville,
et qui glaçait le sang à ceux qui l'entendaient :
le plus hardi ne pouvait s'empêcher de trembler.
Alexandre, voyant près de lui l'un de ses maîtres,
s'enquiert du cri qu'il a entendu,

404 Car n'a soing qu'il li doive grant mervelle celer.
     Li maistres li commence autre chose a mostrer,
     Por ce que ceste chose li veut faire oublïer,
     Car il set son corage si felon a donter
408 Que ja de riens qu'il vuelle nel porra nus torner.
     De Nicolas le roi li commence a mostrer,
     Qui guerroie son pere por lui desireter
     Et veut toute sa terre essillier et gaster,
412 Car treü li demande qu'il ne li doit doner.
     Alixandres ot ire si commence a penser,
     Après li respondi : « Nel puis or amender !
     Tant com je sui en mue, me convient endurer,
416 Et qant jou avrai eles, si m'estovra voler ;
     Tieus me veut or mal faire bien le puet comparer. »

19

     Alixandres apele un sien dru Festion,
     De Dieu le conjura selonc s'entencion
420 Que du cri qu'il oï li die la raison,
     Et li quens respondi : « N'en dirai se voir non,
     Por qant c'est grans folie que nos le vos dison.
     Une beste est molt fiere, ains tele ne vit on,
424 Felenesse et hideuse, cheval l'apelë on ;
     En un jor fustes né, que de fi le set on.
     La roïne d'Egipte le tramist Phelippon,
     Assés de povre aage, petitet et faon ;
428 Or n'a en tout le siecle cheval issi felon.
     Onques hom ne vit beste de la sieue façon :
     Les costés a bauçans et fauve le crepon,
     La qeue paonnace, faite par divison,
432 Et la teste de buef et les ieus de lion
     Et le cors de cheval, por ç'a Bucifal non.

---

24. Bucéphale apparaît ainsi comme le double animal d'Alexandre. Le lien entre le cheval et la royauté remonte à la mythologie indo-européenne : voir G. Milin, *Le Roi Marc aux oreilles de cheval*, Genève, 1991, pp. 145-173.

25. Voir D.J.A. Ross, « A funny name for a horse : Bucephalus in Antiquity and the Middle Ages », *Bien dire et bien aprandre* 7, 1989, pp. 51-76.

car il ne veut pas qu'on lui dissimule ce prodige.
Le maître se met à parler d'autre chose,
pour lui faire oublier sa question,
car il connaît ce caractère indomptable
que nul ne peut détourner de sa volonté.
Il se met donc à parler du roi Nicolas
qui fait la guerre à son père pour le détrôner
et veut dévaster et ruiner toute sa terre,
pour un tribut qu'il réclame injustement.
Alexandre, courroucé, se met à réfléchir
et répond : « Je n'y puis rien maintenant ;
comme un oiseau en mue, je dois tout endurer.
Mais quand j'aurai des ailes, il me faudra voler :
on me paiera alors le mal que l'on me fait ! »

19

Alexandre appelle son ami Festion,
et le conjure au nom de Dieu
de lui dire l'origine de ce cri.
Le comte lui répond : « Je vous dirai la vérité,
même si c'est une folie de vous la révéler.
C'est une terrible bête dont on n'a jamais vu la pareille,
farouche et horrible, il paraît que c'est un cheval :
vous êtes nés le même jour, c'est une chose sûre[24].
Quand Philippe l'a reçu de la reine d'Egypte,
c'était un jeune poulain qui venait de naître ;
il n'est pas maintenant de cheval plus farouche.
Nul homme n'a jamais vu bête de cette sorte :
les flancs tachetés, la croupe fauve,
la queue violette comme celle d'un paon, par les soins de
[Nature,
la tête d'un bœuf, les yeux d'un lion, le corps d'un cheval :
voilà pourquoi on le nomme Bucéphale[25].

Clos est en une vaute et murés environ,
Ja ne veut veoir home en la sieue maison,
436   Ains en toute sa vie n'ot soing de compaignon.
Qant on prent en cest regne traître ne larron,
Ja nus hom n'en fera justice se il non ;
A la beste le livrent s'en fait destrusion ;
440   Il en ocirroit bien quatre vins d'un randon.
N'a cent homes en Grece, si comme nos cuidom,
Qui osassent geter Bucifal de prison. »
Lors respont Alixandres a guise de baron
444   Et jure cel segnor qui fist Occeanon
Q'il savra a cort terme se ce est voirs ou non ;
A cest mot le saisirent et prirent environ.
Il en jure son chief et met sa main en son
448   Que, se nus le tient mais, ja n'avra garison
Du poing ou du pié perdre sans nule raençon ;
Ainc puis n'i ot un seul ne li feïst bandon.

20

Del reson del cheval fu Alixandres liés,
452   Ja mais jor n'avra joie si s'i iert acointiés,
Assés plus le desirre que famelleus daintiés.
N'a home en sa compaigne qui molt n'en soit iriés,
Car il ne gardent l'eure que il soit depeciés
456   Et les menbres du cors derompus et sachiés,
Et chascuns en cuide estre destruis et essilliés.
Droitement a la vaute est venus eslaissiés,
A l'uis est arestés si a feru des piés
460   Et d'un mail qu'il trova que tous est debrisiés.
Li chevaus vit son maistre si s'est humeliés ;
Segnorie li mostre si s'est agenolliés,
Plus se tint cois et mus qu'esmerillons en giés.
464   Alixandres l'esgarde, molt en devint haitiés,
Sempres li a la croupe, les crins aplaniés ;
Hui istra de prison, ou tant a esté viés.

---

26. Sur *baron*, voir *supra*, note 11.
27. L'émerillon est un petit rapace de la race des faucons.

Il est enfermé dans une salle voûtée entièrement close
et ne veut voir nul homme dans son logis ;
il n'a jamais voulu la moindre compagnie.
Les voleurs et les traîtres qu'on prend dans le royaume,
on lui laisse le soin d'en faire bonne justice :
on les livre à la bête, qui les met à mort
et pourrait en tuer quatre-vingts à la fois.
Il n'est, à mon avis, pas cent hommes en Grèce
qui oseraient sortir Bucéphale de prison. »
La réponse d'Alexandre est d'un hardi baron[26] :
il jure sur le Seigneur qui créa l'Océan
qu'il va vite savoir si tout cela est vrai.
A ces mots, tout autour, on le prend, on le tient,
mais il jure sur sa tête, la main levée,
que si nul le retient, il sera condamné
à y laisser un poing ou un pied sans recours ;
aussitôt on s'empresse de lui laisser le champ libre.

20

Cette nouvelle réjouit Alexandre :
il ne sera joyeux que s'il apprivoise le cheval ;
il le désire plus que l'affamé un festin.
Mais tous ses compagnons sont plongés dans le deuil,
car tous s'attendent à le voir mis en pièces,
tous les membres brisés et rompus,
et tous se voient déjà perdus et massacrés.
Il s'élance tout droit vers la salle voûtée ;
arrêté par la porte, il donne des coups de pied
et l'a vite brisée à grands coups de maillet.
Le cheval voit son maître, s'incline devant lui ;
en signe de soumission, il s'est agenouillé,
il est plus calme et doux qu'un émerillon dans les liens[27].
Alexandre le contemple, tout heureux,
lui caresse longuement la croupe et la crinière ;
Bucéphale quittera aujourd'hui la prison où il a tant souffert.

21

Molt fu liés Alixandres, qant il vit le cheval
468   Qui vers lui s'umelie, onques ne li fist mal ;
La croupe li planie et les crins contre val,
Qui plus estoient cler que pierre de cristal,
Et le front li essue du pan de son cendal,
472   El chief li mist le fraim a or et a esmal ;
Au plus tost que il pot monta sor Bucifal
Et issi de la vaute dont fort sont li mural ;
En mi lieu de la sale s'areste et prent estal.
476   De toutes pars le fuient, ainc n'i ot si vassal
Qui osast arester, tant le tienent a mal,
Car ne sai a qans homes a fait felon ostal.
Alixandres descent devant le dois roial,
480   Tholomé le commande, cil le rent a Cerbal,
A un homme le roi, son privé mareschal.
Li grant et li petit crïent tuit communal :
« Icist fait bien enseigne de roi emperial ! »

22

484   Tuit ont ceste mervelle oïe et entendue,
Qu'Alixandres a trait Bucifal de la mue ;
Onques n'ot en cest siecle tant fiere beste mue.
Qant le virent venir, s'ont tel paor eüe
488   Et la gens environ en est si esperdue
Cil se tient a gari qui premiers se remue.
Tost fu par tout le mont la novele espandue ;
Grieu et Mascedonois en ont grant joie eüe
492   Et dïent que leur terre iert par lui secorue
Et la dant Nicholas gastee et confondue.

23

Molt fu de ceste chose joians li rois Phelis
Que tant est Alixandres preus et volenteïs ;
496   Onques en icest siecle ne nasqui si bons Gris.
La roïne en fu lie, qui le sien i ot mis,

21

Alexandre se réjouit quand il voit le cheval
s'incliner devant lui sans lui faire de mal ;
il lui brosse la croupe et lisse sa crinière,
qui luit plus clair que le cristal.
Il lui essuie le front d'un pan de sa tunique,
lui place dans la bouche un frein d'or et d'émail ;
il s'empresse aussitôt de monter Bucéphale,
sort de la salle voûtée aux épaisses murailles.
Il s'arrête au milieu de la salle du palais.
On fuit de toutes parts, pas un seul assez courageux
pour oser s'arrêter, tant on craint le cheval,
car bien des hommes ont eu à en souffrir.
Alexandre met pied à terre devant la table royale,
confie sa monture à Tholomé, qui la remet à Cerbal,
un serviteur du roi, chargé de ses chevaux.
Les grands et les petits de crier tous ensemble :
« Un tel exploit est bien digne d'un empereur ! »

22

Tout le monde a appris l'histoire de ce prodige :
Alexandre a sorti Bucéphale de prison,
la plus terrible bête qu'il y eut jamais au monde.
Quand on le voit venir, c'est une telle peur,
et la frayeur est telle chez tous les assistants
que c'est à qui fuira le plus vite !
La nouvelle partout s'est déjà répandue :
Grecs et Macédoniens sont tous remplis de joie
et disent qu'Alexandre protégera leur terre
et ira dévaster celle du roi Nicolas.

23

Le roi Philippe se sent comblé de joie
de voir Alexandre si preux et plein d'audace ;
jamais meilleur Grec n'est venu au monde.
La reine s'en réjouit, elle prend sur ses biens

Son or et son argent et son vair et son gris,
Q'Alixandres donoit as damoisiaus de pris,
500 As fieus as nobles homes de par tout le païs
Tant que par tout le mont est si montés ses pris
Qu'on ne cuidoit qu'el siecle fust autreteus hom vis.
A treze ans et cinc mois fu ses termes assis
504 Que chevaliers doit estre, li congiés en est pris.
Li baron vont au roi, a raison l'en ont mis :
« Une rien pöés croire et si en soiés fis
Que il a son corage de grant fierté espris
508 Et tant cuide conquerre deseur ses enemis
Q'au partir en sera li plus riches mendis ;
Et vos soiés a aise, en repos soiés mis
Aveuc vostre mollier, qui molt a cler le vis,
512 Et alés en riviere o vos faucons volis,
Et il soit chevaliers si deviegne penis
Et conquiere les terres sus tous ses enemis.
Dieus a fait petit terre, si com nous est avis,
516 Car se il en estoit sires et pöestis,
Toute l'avroit donee desi a quinze dis.
Cestui plait conperront li croupier riche assis
Qui les frans chevaliers ont fais povres mendis
520 Et ont les grans tresors et les chiers pailes bis
Dont li regnes de Gresce est vestus et porpris. »

24

Entor le roi estoient li demaine et li per ;
D'Alixandre li prïent nel face demorer,
524 Car bien est de l'aage q'il doie armes porter.
La roïne de Gresce en vait au roi parler ;
Li rois ot la parole et le terme nomer,
Puis dist a la roïne : « Or vos estuet penser
528 De dras de mainte guise por lor cors conreer,
Et je m'entremetrai de bons conrois doner,

---

28. Ce motif de la terre trop petite, lié à la démesure d'Alexandre, est récurrent dans le roman : *cf.* vv. I 2032, II 3087, III 2770.

de l'or et de l'argent, du vair, du petit-gris,
qu'Alexandre dispense aux jeunes gens de renom,
aux fils de tous les nobles qui sont dans le pays.
Sa renommée grandit si bien dans le monde entier
qu'on ne lui connaît pas d'égal parmi les vivants.
A treize ans et cinq mois, le moment est venu
de le faire chevalier, tout le monde s'y accorde.
Les barons s'en viennent dire au roi :
« Vous pouvez être sûr et certain
que le cœur d'Alexandre est fier
et qu'il veut conquérir tant de terres sur ses ennemis
qu'après son départ, le plus riche ne sera qu'un mendiant.
Reposez-vous sur lui, menez une vie paisible
auprès de votre épouse, la reine au clair visage,
chassez le gibier d'eau avec vos faucons rapides !
Qu'il devienne chevalier, s'endurcisse à la tâche
et conquière des terres sur tous ses ennemis !
La terre créée par Dieu est petite pour lui,
car s'il en était maître et s'il la possédait,
il l'aurait distribuée en moins de quinze jours[28] !
Il fera payer les fainéants assis sur leurs richesses,
qui ont réduit à la mendicité les nobles chevaliers,
et qui possèdent les grands trésors et les précieuses soies grises
dont les nobles de Grèce aiment se revêtir. »

24

Le roi est entouré des seigneurs et des pairs ;
ils le prient de ne pas attendre plus longtemps,
car Alexandre a l'âge de porter les armes.
La reine de Grèce s'en vient parler au roi,
qui l'écoute et décide avec elle d'une date.
Il lui dit : « C'est à vous maintenant de songer
à tous les vêtements qu'il faudra leur donner ;
moi, je m'occuperai de leur équipement :

Si en ferai trois cens por s'amor adouber. »
La roïne en fu lie, qui molt s'en vaut pener,
532 Car c'est la riens el siecle qu'ele puet plus amer.
A icest mot commence li baniers a crïer :
Por les vallés baignier facent l'eaue aporter.
Alixandres l'ot dire si respont comme ber
536 Et jure le segnor qui fait le soleil cler
Seoir el firmament por le monde alumer
Que j'a n'i avra eaue fors la sause de mer.
Le soir d'une grant feste qu'il durent celebrer
540 Sont venu a la rive por lor cors eslaver ;
Ilueques veïssiés baignier tant bacheler
Et courre par cele eaue et saillir et noër ;
Icel jor les alerent mainte gent regarder.

25

544 Dementres qu'Alixandres estoit alés baignier,
La roïne de Gresse fist deus somiers charchier
De riches dras de soie qui molt estoient chier,
Droitement a la rive les a fait envoier.
548 Li noviaus rois de Gresse, qui le corage ot fier,
Qui onques nen ama traïtor losengier,
A fait ses compaignons devant aparellier
Et dist que li plus povre soient vestu premier,
552 S'ait chascuns bones armes et bon courant destrier.
Les conrois Alixandre ne saroit nus prisier ;
Toutes les vesteüres ne vos sai desraisnier :
Ses haubers fu ouvrés en l'isle de Durier,
556 Li pan sont a argent, la ventaille d'or mier,
La maile ne crient lance ne caup d'arbalestier,
Oncques de sa bonté ne vit on si legier ;

---

29. Jusqu'en 1180 environ, *adouber* signifie « donner des armes », « équiper un chevalier » ; après cette date, le verbe signifie principalement « faire chevalier » : J. Flori, « Le verbe *adouber* dans les chansons de geste du XII° siècle », *Annales* 1976, pp. 915-940 et « L'adoubement dans les romans de Chrétien de Troyes », *Romania* 100, 1979, pp. 21-52.

30. Le destrier (que l'écuyer conduit de la main droite, *destre*, quand il n'est

pour l'amour d'Alexandre, trois cents autres seront
La reine se réjouit d'avoir cette mission,   [adoubés[29] ! »
car elle aime Alexandre plus que tout être au monde.
Sur ces mots, on fait crier l'ordre d'apporter
l'eau destinée au bain des jeunes gens.
Alexandre, à cet ordre, répond noblement
et jure par le Seigneur qui donne au soleil clair
sa place au firmament pour éclairer le monde,
qu'il n'aura pas d'autre eau que celle de la mer.
Le soir même, on célèbre une très grande fête.
Les jeunes gens sont venus se laver au rivage ;
là on pouvait les voir se baigner en grand nombre,
et courir et sauter et nager dans la mer.
Ce jour-là bien des gens vinrent les regarder.

25

Cependant qu'Alexandre s'était allé baigner,
la reine de Grèce avait fait charger deux chevaux
de précieux vêtements de soie,
qu'elle avait envoyés tout droit au rivage.
Le nouveau roi de Grèce, au cœur plein de fierté,
qui n'aima jamais les traîtres ni les flatteurs,
a d'abord veillé à l'équipement de ses compagnons :
il veut que les plus pauvres soient vêtus les premiers,
et que chacun reçoive de bonnes armes et un destrier rapide[30].
Le prix de ce qu'il porte est inestimable.
Je ne saurais vous décrire tout son armement :
son haubert vient tout droit de l'île de Durier,
les pans en sont d'argent, la ventaille d'or pur[31],
les mailles sont résistantes aux lances, aux arbalètes,
jamais on n'en a fait de si bon ni de si léger.

---

pas monté), est la monture de combat du chevalier. C'est un cheval de prix,
robuste et fougueux.
   31. Le haubert est une cotte de mailles. La ventaille est une bavière de
mailles qui protège le bas du visage et le cou. Elle se lace ou se boutonne à la
coiffe, capuchon du haubert.

Le cercle de son hiaume ne peüst esligier
560 Li rois de Maceline por or ne por denier,
Douze pierres i ot que fols ne doit baillier,
Devant sor le nasel un escharboucle chier ;
Ses escus de sinople et ses brans fu d'acier,
564 Quatre mois et demi mist Bilés au forgier,
Les renges sont de soie faites par eschequier.
Devant lui amenerent Bucifal le legier,
Alixandres i monte par son estrier d'or mier.
568 La veïssiés grant joie a l'issir du gravier,
Et furent bien troi cens tout novel chevalier ;
Chascuns point le cheval, qui le vaut eslaissier.
Li rois Phelis commande la quintaine a drecier,
572 A cel tans iert costume, por ce nel vaut laissier ;
Icel jor i ferirent li novel saudoier.
A la palestre jüent trestout li escuier,
Et Phelippes meïsmes s'i vait esbanoier ;
576 Li auqant se deduient a traire et a lancier.
Aprés trestous les gieus ala li rois mangier ;
Ilueques veïssiés tant conte et tant princier,
De la terre de Gresse i furent li guerrier.
580 Ains qu'il lievent des tables, es vos un messagier
Qui conta tel parole, sans point de mençoignier,
Dont morurent as armes maint gentil chevalier.

26

Molt fu bele la cors en la sale a lambrus.
584 Por l'amor Alixandre servi Antigonus,
Dans Clins et Tholomés, Aristés et Festus,
Perdicas et Lioines, Abilas et Caulus,
Licanor et Filotes et dans Emenidus ;

---

32. Sur le heaume, le cercle est une sorte de cordon aux couleurs du blason,
ou une couronne héraldique

33. Le nasal est une pièce du casque qui couvre le nez.

34. *Sinople* (*sinopis*, rouge, formé sur le nom d'une ville d'Asie mineure,
Sinopa, où la terre était ocre rouge), désigne en héraldique la couleur rouge
jusqu'au XIVe siècle, puis la couleur verte (M. Pastoureau, *Traité d'héraldique*,
Paris, 1979, p. 103).

Quant au cercle du heaume, le roi de Maceline,
malgré tout son trésor, ne pourrait l'acheter[32] :
il porte douze pierres qu'on ne donnerait pas à un fou ;
devant, sur le nasal, une précieuse escarboucle[33].
Près de l'écu de sinople, l'épée d'acier
a demandé quatre mois et demi de travail au forgeron Bilès[34].
L'étoffe du baudrier est de soie tachetée.
On lui amène alors Bucéphale le rapide ;
Alexandre monte en selle par l'étrier d'or pur.
On mène grand-joie quand on quitte la grève ;
ils étaient bien trois cents tout nouveaux chevaliers :
chacun pique des éperons et se lance au galop.
Le roi Philippe ordonne de dresser la quintaine :
telle était la coutume qu'il voulait respecter ;
et les nouveaux guerriers viennent s'y affronter[35].
Tous les écuyers jouent à la lutte,
et Philippe lui-même va s'y divertir ;
d'autres s'amusent à lancer quelques traits.
Puis, après tous ces jeux, le roi alla dîner.
On pouvait voir ici bien des comtes et des princes,
ainsi que les guerriers de la terre de Grèce.
Mais avant même la fin du repas, voici un messager
dont les paroles, sans mentir,
devaient causer la mort de maint bon chevalier.

26

La cour était brillante dans la salle lambrissée ;
pour l'amour d'Alexandre, Antigonus servait à table,
avec sire Clin, Tholomé, Aristé et Festion,
Perdicas et Lioine, Abilas et Caulus,
Licanor et Filote et sire Emenidus ;

---

35. La quintaine est un écu de bois, un jacquemart ou une figure d'homme armé, qu'il faut frapper de sa lance assez adroitement pour éviter que le jacquemart mal attaqué ne tourne en assénant au joueur un coup de bâton ou d'épée (V. Gay, *Glossaire*, II, p. 282).

588 Devant le maistre dois servoit Antiocus.
A tant es vos un mes que on claime Cebus,
Le roi Phelippe apele oiant contes et dus :
« Rois Nicholas te mande que li rendes treüs
592 De toi et de ta terre, ne li demorer plus ;
Et se tu nel veus faire, d'une chose t'encus :
En ta terre venra o Hermins et o Turs ;
Ne te garra chastiaus ne cités ne fors murs
596 Que tant ne te guerroit qu'il venra au desus,
Si que par vive force te metra en renclus. »
Qant Phelippes l'entent, plus dolens ne fu nus ;
Il ne li pot respondre, ains baissa le chief jus.

27

600 Iriés fu Alixandres, qant il vit le message
Qui li a raconté son duel et son damage,
De maltalent noirci et mua son visage.
Voiant toute la cort se drece en son estage,
604 Sor l'espaulle s'apuie Emenidon d'Arcage,
Le mesagier apele si li dist son corage :
« Je mant a ton segnor trop a fait grant outrage
Qui del regne de Gresce demande treüage ;
608 A brief terme l'avra, se je puis, si sauvage
Que molt li tornera a perte et a damage.
Ja pour tant que je vive ne li donrai ostage ;
Ja n'avra, se je vif, fermeté ne estage
612 Qui le puist garantir, tant i ait fier passage ;
615 Or m'en irai sor lui prover mon vasselage ;
616 Ja n'avrai mais grant joie en trestout mon eage
Tant qu'il m'ait ceste honte amendé par son gage,
Si que le chief de lui en avrai en ostage. »

36. Chez Julius Valerius et dans l'*Epitome* (comme dans le Pseudo-Callis-thène), Nicolas, roi des Acarnaniens, insulte Alexandre aux Jeux Olympiques. Alexandre le vainc à la course de chars : Julius Valerius I, 11-12 ; *Epitome* I 18.

à la table royale servait Antiocus.
Voici un messager, il se nomme Cebus ;
il parle au roi Philippe devant comtes et ducs :
« Le roi Nicolas t'ordonne de lui rendre tribut
pour toi et pour ta terre, et ce sans plus tarder.
Si jamais tu refuses, écoute mon défi :
il viendra sur tes terres, avec les Arméniens et les Turcs.
Ni château ni cité ni remparts ne l'empêcheront
de te faire la guerre jusqu'à ce que tu sois vaincu
et jeté en prison par la force des armes[36] ! »
Quand Philippe l'entend, il est désespéré ;
sans pouvoir lui répondre, il baisse le visage.

27

Alexandre, furieux de voir le messager
qui ose lui prédire et malheur et défaite,
a blêmi de colère et changé de visage.
Devant toute la cour, il se lève tout droit,
et s'appuie sur l'épaule d'Emenidus d'Arcage,
appelle le messager, lui dit son sentiment :
« Je dis à ton seigneur qu'il passe la mesure
en osant exiger un tribut de la Grèce ;
il le recevra vite, si je puis, mais si cruel
que ce tribut sera sa perte et son malheur,
car jamais de ma vie je ne lui verserai de rançon !
Si je vis, il n'aura demeure ni place forte,
même inaccessibles, qui puissent le protéger.
Je m'en vais l'affronter pour prouver ma vaillance ;
je ne connaîtrai plus la joie de toute ma vie
avant de lui avoir fait payer cette honte
par le seul gage que j'accepte de lui : sa tête ! »

28

Li mes ot la parole si se met el repaire ;
620 Ainc ne fina d'esrer tant qu'il vint a Cesaire.
Et au roi Nicholas raconta son afaire,
Et conte d'Alixandre, qui a fier le vïaire
Et plus hardi le cuer que lions c'on ot braire :
624 « Ainc ne nasqui tels princes por bone gent atraire ;
A ciaus qui sont o lui est frans et de bon aire,
Et vers ses enemis est fel et de put aire.
Ne vos cuide laissier ne chastel ne repaire,
628 Ains vos en cuide bien par vive force traire. »
Qant Nicholas l'entent, sachiés ne li pot plaire ;
Il en jure son col et sa pelice vaire,
S'as poins le puet baillier, il li fera contraire :
632 « Je li cuit destremper si felon laituaire
Nel donroit son parent, s'il li veoit l'uel traire. »
Li mes dist en riant a Brian de Valquaire :
« De loins le maneciés, il ne vos prise gaire. »

29

636 Mervelle ot Alixandres, qant il ot de la guerre,
Que li rois Nicholas veut treü de sa terre.
Par les lointains païs fait les bachelers querre,
Les povres chevaliers qui n'ont mie grant terre :
640 Or viegnent cil a lui qui ont oés de conquerre.
Li noviaus rois de Gresce les grans tresors desserre
C'uns n'en puet remanoir en huge ne en serre ;
A ciaus le fait doner cui la povretés mere,
644 Qui iront aveuc lui les grans paines souferre.

30

De ce fist Alixandres que gentieus et que fiers,
Que frans rois debonaires, que nobles chevaliers :
Qant ot par les contrees mandé les saudoiers,

---

37. Un électuaire est une préparation pharmaceutique composée de substances diverses incorporées à du miel ou à un sirop.

28

Le messager l'écoute, puis retourne chez lui ;
il chemine sans trêve jusqu'à Césarée
et raconte l'affaire au roi Nicolas,
lui parle d'Alexandre qui a le visage fier
et le cœur plus hardi que le lion rugissant :
« Jamais on n'a vu prince aussi bien fait pour attirer les gens de
Avec ses alliés il est loyal et doux,   [bien.
mais pour ses ennemis cruel et malveillant.
Il ne compte vous laisser ni château ni domaine,
mais compte bien vous en chasser de vive force. »
Nicolas, à ces mots, est rempli de fureur,
il jure sur sa tête et sa pelisse de vair
que si Alexandre tombe entre ses mains, il le regrettera :
« Je vais lui préparer un électuaire si amer
qu'il préférerait voir arracher un œil à un parent plutôt que le
                                                    [lui faire boire[37] ! »
Le messager dit en riant à Brian de Valquaire :
« En le menaçant de loin, vous ne lui faites pas peur ! »

29

Alexandre, ébahi du tribut exigé pour sa terre
par le roi Nicolas qui veut lui faire la guerre,
par les pays lointains appelle les jeunes nobles,
les pauvres chevaliers qui n'ont que peu de terres :
qu'ils viennent auprès de lui, s'ils veulent en conquérir !
Le nouveau roi de Grèce répand ses grands trésors,
et n'en laisse pas un sous clé, dans un coffre :
il les fait donner à ceux qui souffrent de pauvreté
et qui vont avec lui affronter bien des peines.

30

Alexandre agit avec noblesse et fierté,
comme un roi valeureux et un bon chevalier :
il a par les pays appelé les soldats,

648 Par le congié son pere a pris les useriers,
    Les sers de put afaire, les felons pautoniers,
    Qui les tresors avoient et les mons de deniers
    Q'il laissoient moisir a muis et a sestiers ;
652 Tos les a departis as povres chevaliers,
    As povres bachelers cui il estoit mestiers ;
    Il les a atornés d'armes et de destriers,
    De riches vesteüres et de garnemens chiers ;
656 Il n'i a nul si povre qui n'ait quatre escuiers,
    Sergans ot a cheval et bons arbalestiers.
    Por ce q'est preus et sages et tous jors costumiers
    De conquerre les terres et les regnes pleniers,
660 De tous ses enemis veut estre justiciers ;
    Et qant vint en bataille, tous jors fu li premiers.
    Qant furent assamblé par les plains d'Aliers,
    Plus en ot Alixandres de soissante milliers ;
664 Emenidus d'Arcage fu ses gonfanoniers.

31

    Oncques n'issi de Gresce tant gent por Phelippon
    Com Alixandres ot es plaines de Valbon.
    En la terre d'Alier dont il ot le sornon
668 La veïssiés tendu maint riche pavellon.
    Aristotes se jut sor un paile esclavon
    Qui fu orlés d'orfrois et broudés environ ;
    Sous ciel nen a samblance d'oisel ne de poisson
672 Dont ilueques ne soit escrite la façon.
    Alixandre en apele si l'a mis a raison :
    « Eslisiés douze pers qui soient compaignon,
    Qui menront vos batailles toutes par devison,

---

38. Par opposition à *chevalier*, *sergent* désigne le combattant à pied. Mais
on trouve aussi des sergents à cheval : ce sont « les cavaliers qu'une naissance
trop obscure, une fortune trop précaire avaient empêchés de devenir chevaliers »
(P. Contamine, *La Guerre au Moyen Age*, Paris, 1980, p. 163).

39. Le pavillon est une tente de forme conique et terminée en pointe. La
tente est carrée. Le tref est une tente en forme de parallélogramme terminé par
un faîtage horizontal. Les trois termes sont en fait employés concurremment.
Voir A. Eskénazi, « *Tref, pavellon, tante* dans les romans de Chrétien de

et, avec la permission de son père, il s'est emparé des usuriers,
des serfs de sale engeance, des misérables gueux
qui avaient les trésors, les montagnes de deniers
qu'ils laissaient tous moisir.
Il les a distribués aux pauvres chevaliers,
aux jeunes nobles pauvres qui en avaient besoin ;
il les a bien fournis en armes, en destriers,
les a bien équipés de riches vêtements ;
le plus pauvre d'entre eux a ses quatre écuyers.
Il y a aussi des sergents à cheval et de bons arbalétriers[38].
Comme il est preux et sage et a pour habitude
de conquérir les terres et les vastes royaumes,
de tous ses ennemis il veut être le maître.
Sur le champ de bataille, il fut toujours le premier.
Quand l'armée s'assembla dans les plaines d'Alier,
Alexandre menait plus de soixante mille hommes ;
Emenidus d'Arcage portait son gonfanon.

31

Jamais Philippe n'avait fait sortir de Grèce
autant d'hommes qu'Alexandre dans les plaines de Valbon.
En la terre d'Alier qui lui vaut son surnom,
on pouvait voir dresser maint riche pavillon[39].
Aristote, étendu sur une soierie slave
toute galonnée d'or, où l'on avait brodé
tous les oiseaux et les poissons
que l'on connaissait en ce monde,
appelle Alexandre et lui tient ce discours :
« Choisissez douze pairs pour être vos compagnons,
pour commander vos bataillons en bon ordre,

Troyes », *Hommage à Jean Dufournet*, Paris, 1993, pp. 549-562: « *Tref* réfère à
un appartement portable dont la vocation est d'abriter une personne, et *pavellon*
à un appartement portable dont la vocation est d'abriter plus d'une personne. Au
contraire, *tante* désigne un abri sans vocation spécifique, un volume dont les
parois sont faites de toile tendue. [...] Cette opposition [...] se double d'une
opposition strictement linguistique : *tref* et *pavellon* fonctionnent comme hypo-
nymes, l'un absolu, l'autre relatif, de *tante*, hyperonyme absolu » (p. 560).

676 Et amés tous vos homes et lor faites grant don.
    Ce sachiés : qui bien done, volentiers le sert on,
    Par doner puet on bien amolïer felon ;
    Qui tout veut trestout pert, des auquans le dist on.

680 Se volés larges estre, plus en serés preudom
    Et conquerrés la terre jusq'en Occeanon ;
    Ja n'avra rois ne princes vers vos deffension
    N'autre gent en bataille a la vostre foison. »

684 Qant l'entent Alixandres, si dreça le menton :
    « Vostre merci, biaus mestres, ci a bone raison,
    A maint home est il mieus de la vostre aprison ;
    Eslisiés vos meïsmes de cui nos les ferom.

688 – Premerain i metés Tholomé et Cliçon,
    Licanor et Filote et dant Emenidon,
    Perdicas et Lioine aveuc Antigonon,
    Et le conte Aridés, Aristé et Caulon,

692 Antiocus aveuc, é les vos tous par non ;
    Icist sont tuit preudome et chevalier baron.
    Emenidus d'Arcage port vostre gonfanon. »
    Et respont Alixandres : « A Dieu beneïçon. »

32

696 En icel jor que furent eslit li douze per,
    Que li rois Alixandres les ot fait deviser,
    A fait monter sa gent et ses graisles soner ;
    El regne Nicholas vaudra des or entrer.

700 Emenidon commande son gonfanon porter ;
    Ja mais ne finera si vendra a la mer
    Dont Dieus a clos la terre por le ciel deviser.
    Devant ses ieus encontre li rois un bacheler

704 Qui les cheveus ot blons et le vïaire cler ;
    Son samblant ne sa face ne vos sai deviser,

---

40. Les douze pairs d'Alexandre rappellent à la fois les *hetairoi* ou compagnons d'armes d'Alexandre et les douze pairs de Charlemagne. Voir l'introduction, *supra*, et A. Cizek, « Alexandre le Grand et "li douze pers de Gresce" du roman français d'Alexandre dans une perspective comparatiste », *La Représentation de l'Antiquité au Moyen Age*, Vienne 1982, pp. 169-201.

et montrez votre attachement à vos hommes par de riches
Sachez-le, on sert volontiers un homme généreux,   [présents !
et les dons attendrissent les cœurs les plus farouches.
Mais qui veut tout garder perd tout, on l'a dit de beaucoup.
Pratiquez la largesse, vous n'en vaudrez que mieux,
et conquerrez la terre jusqu'à l'Océan !
Ni les rois ni les princes ne pourront se défendre
et nulle armée ne pourra résister à la vôtre ! »
A ces mots Alexandre a redressé la tête :
« Grand merci, mon cher maître, vous avez bien parlé,
bien des hommes se trouvent mieux de votre enseignement.
Choisissez donc vous-même les douze futurs pairs !
– Vous prendrez donc d'abord Tholomé avec Clin,
Licanor et Filote, et sire Emenidus,
Perdicas et Lioine avec Antigonus,
et le comte Aridès, Aristé et Caulus,
avec Antiocus, les voilà tous nommés :
ils sont tous valeureux, de nobles chevaliers.
Qu'Emenidus d'Arcage porte votre gonfanon ! »
Alexandre répond : « Que Dieu en soit loué[40] ! »

32

Le jour même où l'on a choisi les douze pairs,
où le roi Alexandre les a fait désigner,
il fait sonner le signal du départ et tous montent en selle ;
il veut maintenant envahir le royaume de Nicolas.
Il ordonne à Emenidus de porter son gonfanon ;
il ne s'arrêtera plus avant d'avoir gagné la mer
dont Dieu a entouré la terre pour la séparer du ciel.
Le roi voit devant lui un jeune homme
aux cheveux blonds et au visage clair :
son allure et son visage, je ne saurais vous les dépeindre,

De plus gentil dansel n'orrés ja mais parler.
Affublés d'une guite, nus piés et sans sauller,
708 A ciaus devant commence le roi a demander.
Uns dansiaus l'esgarda si li ala mostrer ;
Bonement commença le roi a salüer :
« Sire, oies ma parole, bien la dois escouter ;
712 Ne m'aies por ce vil que me vois povre aler,
Je me peüsse mieus vestir et atorner,
Mais teus hom me fait querre, s'il me pooit trover,
Qui me feroit le bus de la teste sevrer.
716 Je sui niés le roi Daire, ne le te quier celer,
Fieus sui de sa seror, molt me deüst amer,
Mais il me taut ma terre pour moi desireter.
Or sui venus a toi, que j'ai oï conter
720 Que tu retiens les povres qui ont oés d'amender,
Et plus povre de moi ne pués tu esgarder,
Car je n'ai tant d'avoir ou je prengne un disner. »
A icest mot a fait maint chevalier plourer ;
724 Alixandres meïsmes commence a souspirer,
Après li demanda comment se fait nomer.
« Sire, je ai non Sanses, fieus sui le roi Omer ;
Li rois Dayres, mes oncles, le fist enpoisoner
728 Et moi fist de son regne essillier et geter ;
Tyr me taut et ma terre qui est selonc la mer
Plus c'uns hom ne porroit en quatre jors aler.
El roiaume de Perse t'oï forment loër ;
732 Onques enjusque ci ne me voil arester.
Hui devieng tes hom liges, molt me vaudrai pener
De faire ton servise, bien t'i porras fïer. »
Li rois en ot grant joie, quant si l'oï parler ;
736 A pié descent sel baise, por lui plus honerer.

---

41. *Guite* semble désigner ici un manteau de mauvaise qualité. Pour E.
Goddard (*Women's Costume in French Texts of the XIth and XIIth Centuries*,
Baltimore, 1927, p. 30), il s'agit d'une cape. Pour T.A. Jenkins (« Vitremyte »,
Mélanges A. Jeanroy, Paris, 1928, p. 144), *guite* (de *vitta*) désigne un voile de
femme.

42. L'hommage lige est celui qui prime sur les autres, quand il y a plusieurs
engagements vassaliques.

mais jamais vous ne verrez plus gracieux jouvenceau
Vêtu d'une cape, les pieds nus, sans souliers,
il demande à l'avant-garde où est le roi,
qu'un jeune homme, à sa vue, lui a montré[41].
Il salue courtoisement le roi :
« Seigneur, écoute-moi, je le mérite bien :
ne méprise pas mon pauvre accoutrement !
Je pourrais mieux me vêtir et me parer,
si je n'étais recherché par un homme
qui me couperait la tête, s'il pouvait me trouver.
Je suis neveu du roi Darius, pourquoi te le cacher ?
Je suis fils de sa sœur, il devrait me chérir ;
mais il me prend ma terre et me prive de mon héritage.
Je suis venu à toi car j'ai entendu dire
que tu accueilles les pauvres qui sont dans le besoin :
tu ne saurais trouver plus pauvre que moi,
car je n'ai pas même de quoi manger ! »
Ces mots font venir les larmes aux yeux de maints chevaliers ;
Alexandre lui-même se met à soupirer,
puis lui demande son nom.
« Seigneur, je me nomme Samson, le fils du roi Omer,
que le roi Darius, mon oncle, a fait empoisonner,
avant de m'exiler et de me chasser de son royaume.
Il m'a pris Tyr et ma terre qui s'étend sur la côte
sur une distance qu'on ne pourrait franchir en quatre jours.
Au royaume de Perse, j'ai entendu chanter tes louanges :
j'ai marché sans arrêt pour te rejoindre.
Je deviens aujourd'hui ton homme lige et mettrai tout mon zèle
à te servir, tu peux te fier à moi[42] ! »
Le roi est tout joyeux d'entendre ces paroles :
il met pied à terre pour l'embrasser et lui faire honneur.

Son maistre chamberlenc fait li rois apeler,
De riches dras de soie le fist bien conreer,
Cheval et bones armes li commande a doner,
740 Si li rendra sa terre, s'il la puet conquester,
Et donra de la soie, s'il le sert sans fauser,
Dont bien pora en ost dis mil homes mener ;
Et Sanses chierement l'en prist a mercïer.

33

744 Bel home ot en Sanson quant il fu bien vestus ;
Ses mantiaus fu d'ermine, par deseure volus
D'un samit de Palerne vermel, ovrés menus,
Li tassel sont a pierres, li ors i est batus,
748 Chauces ot de brun paile et esperons agus.
En riant dist au roi : « Tels amis t'est creüs
Qui ja ne te faura tant com durt sa vertus. »
Voiant les douze pers est ses hom devenus
752 Et il fu d'Alixandre volentiers receüs ;
De terre a dis mil homes li est ses fiés creüs.
« Sire, ce a dit Sanses, grans biens m'est avenus,
Encore cuit veoir l'eure que Dayres iert vaincus ;
756 Vous en avrés la terre et il iert confondus.
Qant j'eschapai de Perse et j'en fui fors issus,
Assés fui de maint home por occire seüs ;
Par Cesaire la Grant m'en ving tos irascus
760 Mais onques par nul home n'i fui reconeüs.
La trovai Nicholas qui iert d'ire esmeüs,
Ausi manace Gresse a ardoir comme fus,
Por ce que ne l'en est aportés li treüs. »
764 Lors respont Alixandres sans conseil de ses drus :
« Vos irés a Cesaire, qui en estes venus,
Et dirés Nicholas que je sui ja meüs,
Treüage li port a tot cent mile escus ;

---

43. *Tassel* désigne le bouton ou la plaque qui maintient l'agrafe du manteau :
voir E.R. Goddard, *Women's Costume*, pp. 209-214. L'or battu est de l'or réduit
en feuilles pour la dorure.

Le roi fait appeler son grand chambellan :
il fait vêtir Samson de riches soieries
et ordonne qu'on lui fournisse un cheval et de bonnes armes.
Il lui rendra sa terre, s'il peut la conquérir,
et lui en donnera d'autres, s'il le sert fidèlement :
il pourra ainsi mener dix mille hommes au combat.
Et Samson le remercie avec effusion.

33

Quel beau chevalier que Samson, une fois bien vêtu !
Son manteau doublé d'hermine était coupé
dans une fine soie de Palerme, vermeille,
ornée de boutons de pierres précieuses et d'or battu[43].
Il porte des chausses de soie brune et des éperons aiguisés.
Il dit au roi en riant : « Tu t'es enrichi d'un ami
qui ne te fera défaut que quand il perdra ses forces ! »
Devant les douze pairs, il a prêté son hommage à Alexandre,
qui l'a reçu avec joie
et a enrichi Samson d'un fief de dix mille hommes.
« Seigneur, lui dit Samson, je suis un homme heureux.
Je vois déjà venir l'heure de la défaite pour Darius :
vous lui prendrez sa terre, et il sera défait.
Quand je me suis échappé de Perse,
bien des hommes m'ont poursuivi pour me tuer.
Je suis arrivé, effrayé, à Césarée la grande,
sans être reconnu de personne.
J'y ai vu Nicolas dans une grande colère,
il menace de mettre le feu à toute la Grèce,
qui lui a refusé son tribut. »
Alexandre répond, sans demander conseil à ses amis :
« Vous retournerez à Césarée, d'où vous venez,
pour dire à Nicolas que je me suis mis en route
et lui apporte son tribut avec cent mille hommes.

768 Se par tans nel vient querre, a son oés est perdus.
     Mais avant li dirés de par moi tels salus :
     Que je serai ains mors ou il sera vaincus
     Que ja cis treüages li soit par moi rendus.
772 La bataille li mant, ou soit armés ou nus,
     Et cil qui vaincus iert sera rois abatus ;
     Ne doit terre tenir joenes hom recreüs. »

34

     Sanses ot la parole si monte el bai de pris.
776 A Cesaire est venus ains que fust li tiers dis
     Et trova Nicholas en son palais assis ;
     Molt ot entor lui princes, demaines et marchis.
     Son message li conte devant en mi le vis :
780 « Alixandres te mande, li rois poësteïs,
     Que de mort te desfie si n'est pas tes amis.
     Por ce que de sa terre as treüage quis,
     Fierement le t'aporte a tout cent mile Gris ;
784 En ta terre est entrés, por voir le te plevis
     Que ja mais n'en istra por home qui soit vis
     Tant que seras vaincus ou il sera ocis.
     Ne veut que autres hom en soit mors ne malmis.
788 La bataille te mande et je la te devis :
     Ambedui cors a cors sor les chevaus de pris,
     Et cil qui vaincus iert sera cheüs ses pris. »
     Lors s'enbroncha li rois, d'ire plains et pensis ;
792 Aprés li respondi comme maltalentis :
     « Messagiers, com as non ? – Sire, Sanses de Tyrs,
     Et sui niés le roi Dayre, mais or en sui eschis.
     A tort me deserite, mais a tel me sui pris
796 Qui me rendra ma terre et plus m'en a promis,
     Dont puis mener en ost set mil homes et dis ;
     C'est tous li mieudres rois, li plus volenteïs,
     D'amor et de bon cuer et de doner espris,
800 Qui nasquist puis q'Adans issi de Paradis.
     S'il te trueve en bataille, de ce soies tous fis
     Qu'en remandras vaincus et tes regnes conquis.

S'il ne vient pas bientôt le chercher, tant pis pour lui !
Mais vous lui transmettrez d'abord ce salut de ma part :
il faudra que je sois mort, ou lui vaincu,
avant que je lui livre ce tribut !
Je le défie au combat, avec ou sans armure,
et le vaincu sera un roi déchu :
un chevalier indigne ne doit pas gouverner une terre ! »

34

A ces mots, Samson enfourche un cheval bai de prix.
Il arrive à Césarée deux jours plus tard
et trouve Nicolas siégeant dans son palais,
entouré de nombreux princes, seigneurs et marquis.
Il répète son message en face du roi :
« Alexandre te fait dire, le puissant roi,
qu'il ne t'aime pas et te lance un défi à mort.
Tu as exigé de lui un tribut sur sa terre :
il te l'apporte fièrement, avec cent mille Grecs.
Il a pénétré dans tes terres, et je te garantis
que nul homme mortel ne l'en fera sortir
avant que tu ne sois vaincu ou qu'il n'ait trouvé la mort.
Il ne veut pas qu'un autre homme soit tué ou blessé ;
il te propose une bataille à ces conditions :
tous les deux, corps à corps, sur vos chevaux de prix,
et le vaincu perdra sa renommée. »
Le roi baisse la tête, courroucé et furieux,
et lui répond avec colère :
« Qui es-tu, messager ? – Seigneur, Samson de Tyr,
neveu du roi Darius, mais il m'a exilé.
Il a eu tort de me prendre mon héritage : j'ai un autre seigneur
qui me rendra ma terre et m'a promis de l'accroître d'un fief
qui me permettra de mener plus de sept mille hommes au
                                                    [combat.
De tous les rois nés depuis qu'Adam a été chassé du Paradis,
c'est le meilleur, le plus empressé à bien faire !
Il est plein d'amitié, de bienveillance et de largesse.
S'il te rencontre sur le champ de bataille, sois sûr
que tu seras vaincu et perdras ton royaume !

Sor le fer de sa lance est jugiés tes juïs,
804 Ja mais ne finera tant qu'il t'ait mort ou pris. »
Qant l'entent Nicholas, de faintié fait un ris :
« Va, si di ton seignor ses morteus enemis
Le semont de bataille d'ui en quarante dis,
808 Se il veut cors a cors ou gent contre gent mis. »

35

Qant Nicholas entent le dit du messagier,
Quel manace Alixandres de la teste a trenchier
Et sor tous autres homes le vaudra enpirier,
812 Le message commence forment a losengier ;
A soi le vaudra traire, se il puet esploitier :
« Amis, ce dist li rois, je te veul acointier.
Des que tu es niés Daire, je te veul mieus prisier,
816 Mes parens es molt pres, ne me dois esloingnier ;
Molt en laidist sa face qui son nes fait trenchier,
Qui honist son lignage nel doit on avoir chier,
Mais guerpis Alixandre et si me vien aidier ;
820 Donrai toi de mon regne, se toi plaist, un qartier
Et te ferai vers Daire, ton oncle, rapaier,
Et te rendra ta terre toute sans chalengier.
Or veus celui servir qui me veut guerroier ;
824 Se treü ne m'aporte, jel veul si chastïer
Et de l'orguel qu'il a si durement plaissier
Nel vaudroient veoir cil qui or l'ont plus chier.
 — Or oi plait, ce dist Sanses, qui bien fait a laissier.
828 Celui qui bien me fait me rueves tu changier ?
Ja, tant comme jou aie le cuer du ventre entier,
Nel guerpirai por home, por les menbres trenchier.
Comment garra autrui qui soi ne puet aidier ?
832 Toi meïsmes cuide il destruire et essillier,
Par tans te cuide ocirre ou de terre chacier ;
Ce n'est mie Rois Dayres o le cuer pautonier,

44. *Cf.* J. Morawski, *Proverbes français antérieurs au XVe siècle*, Paris, 1925, n° 2148 : « Qui son nés cope sa face enledist ».

Le fer de sa lance a déjà prononcé ton jugement :
il n'aura de cesse qu'il t'ait tué ou conquis ! »
Nicolas, à ces mots, grimace un faux sourire :
« Va, dis à ton seigneur que son ennemi mortel
l'appelle à la bataille d'ici à quarante jours,
corps à corps ou armée contre armée, à son gré. »

35

Quand Nicolas entend le messager lui dire
qu'Alexandre menace de lui trancher la tête,
et de faire de lui le plus malheureux des hommes,
il se met à le couvrir de flatteries
pour tenter de le gagner à sa cause :
« Ami, lui dit le roi, laisse-moi donc t'instruire !
Tu es le neveu de Darius, je ne t'en estime que mieux !
Tu es mon proche parent, ne t'écarte pas de moi :
il enlaidit sa face, celui qui se tranche le nez[44] !
On ne doit pas chérir celui qui honnit son lignage.
Abandonne Alexandre et viens de mon côté :
tu auras, si tu veux, un quart de mon royaume !
Je te réconcilierai avec Darius, ton oncle,
qui te rendra toute ta terre sans disputer.
Mais te voilà qui sers celui qui me fait la guerre :
s'il ne remet pas son tribut, je le châtierai
et j'abattrai si bien son orgueil
que ses plus chers amis ne voudront plus le voir !
– Voilà, dit Samson, une proposition peu avantageuse !
Tu me demandes de laisser celui qui me fait du bien ?
Jamais, tant que mon cœur battra dans ma poitrine,
je ne l'abandonnerai pour un autre seigneur, dussé-je y trouver
Comment protégerait-il autrui, celui qui ne peut rien   [la mort !
                                                    [pour lui-même ?
Alexandre compte bien t'abattre et te mettre à mort,
il compte bientôt te tuer ou te chasser de ta terre.
Il n'a rien de Darius, le roi au cœur de lâche

Qui d'un serf rachaté a fait son conseillier ;
836　Ja devant Alixandre n'oseront aprochier :
S'uns l'en disoit losenge por nului enpirier,
Li rois le feroit pendre ou tout vif escorchier ;
De lui et de ses homes te convient acointier. »
840　Qant il l'ot deffié, si monte en son destrier ;
Jusq'au tref Alixandre ne se vaut atargier.

36

Qant Alixandres vit son messagier venir,
Encontre va sel baise, ne s'en pot astenir.
844　Noveles li demande, car molt les veut oïr :
« Que mande Nicholas ? Cuide s'en il fuïr
Ou se vaura vers moi en bataille tenir ? »
Et cil li respondi : « Molt est de grant aïr.
848　Par mon chief, ce dist Sanses, il vos cuide honir ;
Ainc mais ne vi si home de bataille aatir.
Il me cuida de vos par losenge partir,
Mais je n'ai pas corage de mon segnor traïr.
852　Le treü vos demande, ne s'en veut pas soufrir. »
Qant l'entent Alixandres, d'ire gete un souspir
Et jure le segnor qui soleil fait luisir
Que par tans en covient l'un des deus a morir.
856　A cest mot s'en alerent as herberges gesir.
Au matin quant il virent le soleil esclarcir,
Lors fait monter ses homes et ses tentes cuellir.
Ja mais ne se vaura por home retenir
860　Desi que de Cesaire puisse les tors choisir.

37

Dolens fu Nicholas et pensis du respons
Qu'Alixandres manda, orguellos et felons,
Que nel garra vers lui fermetés ne dongons.
864　De par toutes ses terres a mandé ses barons.
« Or lor convient laissier deduis d'esmerillons
Et la chace des chiens et le giet des faucons,
Et facent rafreschir de novel lor blasons,

qui a pour conseiller un serf affranchi.
Les serfs n'oseraient pas s'approcher d'Alexandre :
si l'un d'eux calomniait quelqu'un pour lui nuire,
le roi le ferait pendre ou écorcher tout vif.
Tu vas faire sa connaissance et celle de ses hommes ! »
Après ce défi, il remonte à cheval
et gagne sans s'arrêter la tente d'Alexandre.

36

Voyant son messager de retour,
Alexandre vient à sa rencontre et l'embrasse.
Il lui demande des nouvelles, il a hâte de savoir :
« Que fait dire Nicolas ? Compte-t-il donc s'enfuir
ou soutenir une bataille contre moi ?
– Il est plein de colère, lui répond Samson.
Sur ma tête, il compte bien vous couvrir de honte.
Jamais je n'ai vu homme si pressé de se battre.
Il croyait, par ses flatteries, me séparer de vous,
mais je n'ai pas un cœur à trahir mon seigneur.
Il exige le tribut, refuse d'y renoncer. »
Alexandre, à ces mots, soupire de colère
et jure sur le Seigneur qui fait luire le soleil
que bientôt l'un des deux devra mourir.
Sur ces paroles, ils vont se reposer dans leurs logis.
Au matin, dès qu'il voit le soleil éclairer le ciel,
il fait plier les tentes, les hommes montent en selle.
Il ne se laissera plus arrêter par personne
avant d'avoir vu les tours de Césarée.

37

Nicolas est soucieux et courroucé de la déclaration
orgueilleuse et cruelle d'Alexandre, qui l'avertit
que ni forteresse ni donjon ne le protégeront de lui.
De toutes ses terres il convoque ses barons :
« Qu'ils cessent de se divertir avec leurs émerillons,
de suivre leurs chiens à la chasse, de lancer leurs faucons !
Qu'ils fassent plutôt repeindre leurs boucliers,

868 Et aient chieres armes et bons destriers gascons,
Frains nués et seles nueves et escus a lions,
Et viegnent a Cesaire a coite d'esperons,
Apareillié de guerre, car aparmain l'avrons. »

872 Tout semont le païs, qui fu larges et lons,
Tresq'el regne d'Egypte en ala li renons ;
Il en jure ses dieus cui il fait orisons
Que se il i remaint chevaliers ne paons

876 Qui puisse porter armes ne seoir en arçons,
Qu'il en fera justice voiant tous ses barons.
Qant furent assamblé et il les ot semons,
Plus sont de deus cens mile, si comme nos cuidons ;

880 Ilueques veïssiés tans vermaus gonfanons,
Vers et indes et gaunes et de toutes façons.
Sor l'eaue de Barsis tendent lor pavellons.

38

Qant li rois Nicholas ot s'ost a soi mandee,
884 Sor l'eaue de Barsis en la plaigne assamblee,
Plus durerent les loges de demie louee ;
Ne cuide que par home soit ja desbaretee,
Mais ja ains ne verra la quinsaine passee

888 Que tels a grant orguel qui perdra sa posnee.
Alixandres chevalche, l'oriflambe levee,
O sa grant compaignie d'une gent aduree,
Qui sera en bataille essaïe et provee.

892 Ja mais ne verrés gent qui mieus soit porpensee,
De bon segnor garnie et bien enluminee,
Que tout fait quanqu'il veulent et quanqu'il lor agree ;
Et ele rest por lui ensi entalentee

896 Que set tans d'autre gent n'aroit vers li duree.
La terre Nicholas ont ja par lieus gastee
Et chevauchent a force tres par mi la contree.

---

45. La *loge* est un abri de feuillages, une cabane.
46. L'oriflamme, bannière du roi de France, est également attribuée à d'autres rois, même paiens : voir P. Contamine, *Annales de l'est*, 25, 1973, pp. 179-245 et *L'Oriflamme de Saint-Denis aux XIV* et XV* siècles*, Nancy, 1975.

qu'ils rassemblent armes de prix et bons destriers gascons,
selles et brides neuves, écus peints de lions !
Qu'ils ne fassent qu'un galop jusqu'à Césarée,
prêts pour la guerre, qui commence dès maintenant ! »
Il mobilise dans tout le pays, qui est large et long ;
l'appel est transmis jusqu'au royaume d'Egypte.
Il jure sur les dieux à qui il adresse ses prières
que s'il reste en arrière chevalier ou fantassin
capable de porter les armes et de tenir en selle,
il en fera justice devant tous ses barons.
Quand tous les hommes mobilisés furent rassemblés,
ils étaient plus de deux cent mille, je crois :
on pouvait voir maint gonfanon vermeil,
vert, bleu et jaune, aux formes les plus variées.
Sur les rives du Barsis, ils dressent leurs pavillons.

38

Quand le roi Nicolas eut convoqué ses hommes,
qu'ils furent rassemblés dans la plaine, sur les rives du Barsis,
le camp s'étendait sur plus d'une demi-lieue[45] ;
il se croit invincible, et pourtant
dans moins de quinze jours,
l'orgueilleux perdra son arrogance.
Alexandre chevauche, l'oriflamme levée[46],
entouré d'une foule de soldats aguerris,
dont la bataille éprouvera la valeur.
On ne saurait trouver guerriers plus décidés :
c'est qu'ils ont un bon chef, l'âme de leur armée,
qui fait tout ce qu'ils veulent et qu'ils peuvent souhaiter ;
et lui sait bien aussi qu'ils lui sont si dévoués
que sept fois plus d'ennemis ne pourraient leur résister.
Déjà ils ont commencé à dévaster la terre de Nicolas
et chevauchent sans trêve à travers la contrée.

Tholomés regarda vers une plaine lee,
900 Des loges Nicholas a choisi la fumee
Et vit mil pavellons el fons d'une valee
Sor l'eaue de Barsis ou ele est arestee.
Li uns des Grieus a l'autre a l'ost au doit mostree,
904 Et dïent en riant : « Ja mais ne çaingne espee
Qui de ces partira s'en iert targe effondree.
La richece Alixandre, qui tant nos est privee,
Doit bien estre a icés premerains comparee. »
908 Ja fust l'ost des Grigois a cest mot escrïee,
Mais li rois Alixandres a sa teste juree
Que mar s'en movra uns s'iert sa gent ordenee
Et chascune bataille sagement devisee ;
912 Que puis que si grans gent iert ensamble jostee,
Sous ciel n'a home en terre par cui fust dessevree
Desi que mainte teste en esteroit caupee
Et chevaliers cheüs et sele reversee.
916 Par la geude de pié commença la meslee.

39

Qant de deus pars se sont les os reconeües
Et les geudes a pié, qui aprés sont venues,
Ont de l'ost Nicholas les herberges veües,
920 Tentes et pavellons et aucubes tendues,
De porpre, de colors, estelees menues,
Et ont les grans richeces de l'ost aperceües
Et n'orent les deffenses Alixandre entendues,
924 Cele part vont courant, n'i ont resnes tenues,
Grans caus se vont doner de lor lances agües ;
Li dart que li Grieu lancent et saietes molues
Voloient plus espés qu'en mai pluies menues,
928 Et cil se redeffendent o les espees nues.
Ains q'en ait Alixandres les noveles eües,
I ot sanc et cerveles de deus pars espandues.

---

47. L'aucube est une petite tente basse en forme de parallélogramme (Gay).
Sur tente, tref et pavillon, voir *supra*, I, v. 668.

Tholomé dirige son regard vers une large plaine,
aperçoit la fumée du camp de Nicolas,
et découvre mille pavillons au fond d'une vallée,
sur les bords du Barsis, où on les a dressés.
Les Grecs se désignent du doigt les ennemis
et disent en riant : « Puisse-t-il ne plus ceindre l'épée,
celui qui les quittera avant d'avoir sa targe défoncée !
Il est temps maintenant de mériter contre eux
les largesses d'Alexandre, dont nous sommes comblés ! »
Déjà l'armée grecque allait se rallier à ces paroles,
mais, le roi Alexandre l'a juré sur sa tête,
malheur à qui bougera avant qu'il les ait rangés en ordre de
et que les bataillons soient soigneusement disposés ;   [bataille
car il a rassemblé une armée si immense
que si un seul d'entre eux venait à en rompre l'ordre,
on verrait aussitôt bien des têtes coupées,
des chevaliers à terre, des selles retournées.
Mais les troupes à pied devaient engager la mêlée.

39

Des deux côtés les armées se sont reconnues :
les troupes à pied, venues après les autres,
ont vu le campement de l'armée de Nicolas,
les pavillons, les tentes, les abris installés,
pourpres, de couleurs vives, tout parsemés d'étoiles[47] ;
elles ont découvert les immenses richesses de l'armée.
N'ayant pas entendu la défense d'Alexandre,
elles se lancent à l'assaut sans la moindre retenue.
On échange de grands coups des lances acérées ;
les javelots des Grecs, les flèches émoulues
volent plus dru qu'en mai les averses légères ;
et les autres ripostent avec leurs épées nues.
Avant même qu'Alexandre n'apprenne la nouvelle,
on répand des deux côtés le sang et la cervelle.

« Sire, dist Tholomés, les os sont esmeües,
932 Ja i a de deus pars maintes testes tolues.
Faites armer vos gens par ces plaines herbues
Et joster vos batailles, quant ierent fervestues,
Que ne soient anqui folement enbatues ;
936 S'ierent ces trois batailles Nicolas bien ferues
Que je voi la armees les ces bruelles foillues,
Si que soient anqui laidement derrompues,
Ja mais toutes les autres ne seroient tenues. »

40

940 Qant Nicholas voit l'ost des Grigois en la plaine
Et la geude de pié qui paient lor bargaigne, –
Tels i ala tous sains qui percie a l'entraigne, –
Lors commande li rois a armer sa compaigne
944 Et fait le harnois traire vers les puis d'Aliaigne,
Se vient au desconfire, q'aient large champaigne.
Molt bien les amoneste et durement ensaigne,
Chascun prie par soi que nus d'eus ne se faigne,
948 Ne se desroit pas l'ost, mais ensamble se taigne :
« Alixandres est fiers et sa gens est grifaigne ;
Ne vos esmaiés mie, se l'uns l'autre mehaigne.
Au departir du champ verra on la gaaigne ;
952 Ja mais ne sera jors que li uns ne s'en plaigne ;
Mieus vaudroie estre mors que ma terre porpraingne. »
Abilas de Laserre a commandé s'ensegne ;
Ne cuide que tel home ait tant com la mers çaingne.

41

956 Qant Alixandres vit de l'ost la commençaille
Et les geudes a pié qui muevent la bataille,
Uns Grius s'en est partis, ferus par mi l'entraille,

---

48. *Grifaigne* aurait d'abord désigné la terre des griffons avant de signifier
« sauvage, féroce, orgueilleux », puis « grec » (U. Holmes, « Old French *grifaigne* and *grifon* », *Studies in Philology*, 43, 1946, pp. 586-594). *Cf.* deux autres
emplois de ce terme, *infra*, III 679 et III 1687.

« Seigneur, dit Tholomé, les troupes sont aux prises,
déjà des deux côtés bien des têtes sont tombées.
Faites armer vos hommes dans les plaines herbeuses ;
quand ils auront endossé leur costume de fer, lancez vos
[bataillons,
avant qu'ils ne se précipitent dans une folle aventure !
Ils sauront bien frapper les trois bataillons de Nicolas,
que je vois là, en armes, près de ce bois touffu :
ils les mettront en pièces et les humilieront si bien
que tous les autres ne pourront plus résister ! »

40

Lorsque Nicolas voit l'armée grecque dans la plaine,
et les troupes à pied qui paient leur faute
(quelques-uns ont déjà les entrailles transpercées),
le roi commande aux siens de revêtir leurs armes ;
il fait transporter les bagages jusqu'aux monts d'Aliaigne :
s'ils sont vaincus, ils auront ainsi le champ libre.
Il harangue ses hommes, les exhorte instamment,
un par un, à garder leur courage,
à éviter le désordre et à se tenir ensemble.
« Alexandre est fier, ses hommes sont féroces[48].
Mais n'ayez pas peur des blessures :
à la fin du combat, vous compterez vos gains,
aucun de vous jamais n'aura lieu de se plaindre !
J'aimerais mieux mourir que lui céder ma terre ! »
Abilas de Laserre lui porte son enseigne ;
il n'a pas son pareil sur toute la surface de la terre.

41

Quand Alexandre voit que l'affrontement commence,
que les troupes à pied engagent la bataille,
qu'un Grec quitte le combat, les entrailles percées,

Li sans qui du cors ist sor son arçon li caille.
960 Alixandres li dist : « Ce n'est pas devinaille. »
Et dist par maltalent : « Ja Dieus ne m'ait en baille,
Se ja de l'assambler i a mais desevraille.
Sa chape gart chascuns, tout est a communaille. »
964 Douze eschieles devise et molt bien aparaille.
Emenidon commande la premiere sans faille
Et dist que bien les maint et sagement i aille
Et gart ne se desroit ne nus des rens ne saille,
968 Car a si fier besoing ne a tel assamblaille
Ne puet nus hom bien faire, se molt ne se travaille.
Emenidus respont : « Ja tant com j'avrai maille
El hauberc de mon dos, pan entier ne ventaille,
972 Et mes harnois vaura le pris d'une maaille,
Ne j'aie escu entier ne espee qui taille,
Por doutance de mort ne fera mes cors faille,
Ainsi i serai ferus tres par mi la coraille
976 Et m'estovra le cors bender d'une touaille. »
Li rois dist en riant a Garsil de Biaille :
« Preus est Emenidus, ne cuit que nus le vaille. »
Lors veïssiés les Grieus liés et de grant gazaille,
980 Qui mieus nel cuide faire ne se prise une escaille.

42

La premiere bataille conduist Emenidus,
Perdicas la seconde et la tierce Caulus
Et la qarte Lioines, la quinte Antigonus ;
984 En la siste bataille estoit Antiocus.
En icelle ot assés de princes et de dus,
Qui feront a la gent Nicholas tel pertrus,
Ses truevent en estor, bien iront a reüs,
988 Ne cuit q'au departir s'en puisse gaber nus ;
Et les autres batailles se retraient en sus,
Qui bien vaudront ancui deffendre lor treüs.

---

49. *gazaille* semble signifier « enjouement » : MFRA V, p. 239. *Cf. infra*, II,
v. 2875.

et que le sang s'écoule jusque sur ses arçons,
il lui déclare alors : « Voilà une vraie blessure ! »
Il dit avec colère : « Puisse Dieu m'abandonner
si désormais j'arrête le combat !
Que chacun veille sur soi ! La bataille est maintenant
Il divise ses troupes en douze compagnies.   [générale ! »
Il remet la première aux mains d'Emenidus,
lui dit d'être un bon chef, d'agir avec prudence,
d'éviter le désordre et d'empêcher les siens de sortir des rangs,
car dans une telle extrémité, un si grand affrontement,
c'est le plus acharné qui aura la victoire.
Emenidus répond : « Tant qu'il me restera une maille
ou un pan de mon haubert, ma ventaille
et mon écu entier et une épée qui taille,
tant que mes armes vaudront encore une maille,
je ne reculerai pas par crainte de la mort,
avant d'avoir le cœur transpercé
ou le corps couvert de blessures ! »
Le roi dit en riant à Garsil de Biaille :
« Emenidus est preux, nul ne le vaut, je crois ! »
On pouvait voir les Grecs gais et pleins d'enjouement[49] :
chacun est convaincu de faire mieux que les autres.

42

Emenidus conduit le premier bataillon,
Perdicas le deuxième, le troisième Caulus,
le quatrième Lioine, le cinquième Antigonus ;
Au sixième bataillon se tenait Antiochus.
On y trouve en grand nombre des princes et des ducs
qui feront de tels trous parmi les hommes de Nicolas,
au moment du combat, qu'ils les contraindront à reculer,
et que nul à la fin ne songera à rire.
Les autres bataillons se placent à l'arrière ;
ils veulent eux aussi s'acquitter de leur dû.

43

Molt fu preus Alixandres et de sens esprové,
992   Et les autres batailles a il bien commandé ;
Li autre per les mainent sagement par fierté,
Onques n'i ot desroi ne outrage mené.
Dans Clins maine la sesme, l'uitisme Tholomé, –
996   Cil dui ne furent onques en lor vie sevré,
Assés d'un aage ierent et pres d'un parenté,
D'un samblant, d'une guise et d'une volenté.
De toute l'ost de Gresce furent li plus douté,
1000 Fors seul Emenidon au courage aduré,
Ainc d'estor ne fuïrent quatre toises de lé,
Por tant q'estre i peüssent a nule sauveté, –
La nuesme Licanors, la disime Aristé ;
1004 Cil dui resont hardi et vassal aduré.

44

L'onsime des batailles conduit dans Filotés,
En la dosime eschiele estoit dans Aridés.
Alixandres revient o sa grant gent aprés,
1008 Qui en l'aspre besoigne souffriront greignor fes.
Le jor fist Alixandres que de roi n'oï mes,
Que toutes les batailles a outrees en pes,
En la premiere eschiele est venus a eslés,
1012 As premiers vaura poindre li rois mascedonés ;
Ancui le troveront si enemi engrés,
Onques nen acointierent si mal voisin de pres.

45

En la premiere eschiele, que Emenidus maine,
1016 Fu li rois Alixandres sor Bucifal demaine,
Qui des premieres jostes vaudra avoir l'estraine,
Assez plus le desirre que douç chant de seraine.
Estes vos de Cesaire l'eschiele premeraine ;
1020 Devant trestous les autres vint li dus de Betaine
Et sist sor un destrier qui plus cort d'une alaine

43

Alexandre est aussi sage que preux :
il a bien réparti les autres bataillons ;
les autres pairs les dirigent avec prudence et courage,
sans le moindre désordre ni le moindre excès.
Sire Clin mène le septième, Tholomé le huitième :
ils n'avaient jamais été séparés de leur vie,
ils étaient du même âge, de la même famille,
ils se ressemblaient, avaient le même caractère ;
de toute l'armée grecque, c'étaient les plus redoutés,
hormis Emenidus au courage éprouvé.
On ne les vit jamais fuir le combat de plus de quatre toises,
ils y restaient toujours le plus longtemps possible.
C'est Licanor qui mène le neuvième bataillon, le dixième
tous deux sont de hardis chevaliers aguerris.   [Aristé ;

44

Le onzième bataillon suit sire Filote,
le douzième revient au seigneur Aridès.
Alexandre vient ensuite avec le reste de l'armée,
qui dans l'âpre bataille soutiendra le plus grand poids.
Ce jour-là Alexandre éclipsa tous les rois,
car dépassant en silence les autres bataillons,
il s'en vint au galop rejoindre le premier.
Le roi de Macédoine veut être parmi les premiers à se battre :
aujourd'hui ses ennemis le verront si terrible
qu'ils n'auront jamais approché plus cruel adversaire.

45

Dans la première compagnie, que mène Emenidus,
Alexandre monte son cheval Bucéphale :
il veut étrenner les premières joutes,
plus douces pour lui que le chant des sirènes.
Voici de Césarée la première compagnie :
loin devant tous les autres vient le duc de Béthanie,
montant un destrier qui, d'un souffle, va plus loin

Q'esmerillons ne vole quant l'aloe a prochaine ;
Il ot un costé noir et l'autre blanc com laine,
1024 Ses covertures furent d'un cendal de Miçaine.
Qant le vit Alixandres, de bien faire se paine,
Bucifal esperone si li lasche la raisne ;
Ja orrés d'ambes pars une joste certaine.
1028 Li dus ala ferir Alixandre demaine
Que sa lance peçoie sor le roi mascedaine,
Et li rois feri lui sor l'escu d'Aquitaine,
Que tout li a percié et la broine clavaine
1032 Fausee a sor le pis, la ou ele iert plus saine ;
A trois doie du cuer li a trenchié la vaine ;
Toute plaine sa lance l'abat mort en l'araine.
Les deus batailles hurtent et la tierce fu saine ;
1036 Cil qui bien s'encontrerent n'ont mestier de quintaine.

46

Au joster des batailles chaïrent maint vassal ;
Ilueques veïssiés un estor communal,
Tant escu detrenchier, tant elme, tant nasal,
1040 La sanc et les cerveles chaoir encontre val ;
Li couart s'espoëntent et guerpissent estal,
En toutes les besoignes soffrent li preu le mal.
Et Alixandres poinst, qui sist sor Bucifal ;
1044 El chief de la bataille va joindre a Nabigal,
Par mi le cors li passe l'ensegne de cendal,
Si l'abat a la terre que rompent li poitral,
Puis a traite l'espee au poing d'or a cristal ;
1048 Au torner de la joste ala ferir Coustal,
Que tot le pis li trenche et la vaine coral.
Emenidus l'esgarde si apela Hunbal
Et dist c'onques teus princes ne monta sor cheval :
1052 A ses enemis joste, mais si caup sont mortal,
Ne lor laira de terre, se il vit, un jornal.

---

50. La broigne est une longue tunique en peau ou en forte toile sur laquelle
on cousait un revêtement de mailles. Elle a donné naissance à la cotte de mailles
appelée haubert. Dans le *Roman d'Alexandre* comme dans beaucoup de
chansons de geste, les deux termes sont employés indifféremment.

que l'émerillon près d'atteindre l'alouette ;
l'un des flancs du cheval est noir, l'autre blanc comme laine,
sa housse est en soie de Mycènes.
Alexandre voit le duc, il veut se surpasser,
éperonne Bucéphale et lui lâche la bride ;
des deux côtés la joute se prépare.
Le duc s'en vient frapper le roi de Macédoine,
mais sa lance se brise sur le corps d'Alexandre.
Et le roi l'a frappé sur l'écu d'Aquitaine
qu'il lui a transpercé ; la broigne aux lames de fer[50],
il l'a rompue à la poitrine, où elle était la plus solide ;
à trois doigts du cœur, il lui tranche la veine,
et de toute la longueur de sa lance, l'abat mort sur le sable.
Les deux bataillons s'affrontent et les autres attendent ;
les combattants n'ont plus besoin d'une quintaine.

46

Au choc des bataillons tombèrent bien des guerriers ;
au cœur de la mêlée on pouvait voir
trancher les écus, les heaumes avec leur nasal,
le sang et les cervelles tomber de tous côtés.
Les couards, épouvantés, abandonnent leur poste,
mais les preux, dans l'épreuve, endurent la souffrance.
Alexandre pique des deux, monté sur Bucéphale ;
au cœur de la mêlée, il attaque Nabigal,
lui enfonce dans le corps son enseigne de soie
et le renverse à terre, brisant le plastron de son cheval.
Puis il tire son épée à la poignée d'or et de cristal ;
il se retourne et va frapper Coustal,
lui pourfend la poitrine et la veine du cœur.
Emenidus le contemple, il appelle Hunbal
et lui dit que jamais on ne vit pareil prince :
quand il affronte ses ennemis, ses coups sont mortels ;
lui vivant, ils ne garderont pas une parcelle de terre.

47

Emenidus chevalche un destrier aragon
Et va par la bataille a coite d'esperon,
1056 Iriés desous son hiaume, s'ot regart de lion ;
El chief de la bataille vait joster a Jaidon,
Hom estoit Nicholas et bien de sa maison
Et tint toute la terre qui fu au roi Sanson ;
1060 El cors li mist le fer a tout le gonfanon,
Si l'abat du cheval q'en vuident li arçon.
Aspiros de Calice sist sor Valerion,
Un sor destrier d'Espaigne de molt gente façon,
1064 En l'eschiele derriere ala joindre a Lion,
Toute plaine sa lance l'abat mort du gascon.
Forment poise Alixandre de la mort son baron,
Et dist : « Vos m'avrois sempres molt pres a
1068 Au torner que il fist le fiert si de randon,   [compaignon. »
La coiffe estoit cheüe et rompu li boton,
Que la teste li trenche par desous le menton.
Cil de Cesaire dïent : « Enevois i perdrom ;
1072 S'ainsi nos vont menant, ja n'avrons garison ;
Ja de combatre as Grieus ne venra se maus non. »

48

E vos par mi l'estor sor un destrier venir
Sanson, le neveu Daire, qui fut getés de Tyr.
1076 Li vassaus vint armés et li chevaus d'aïr,
En mi la gregnor presse ala un duc ferir,
Qui ot de Nicolas molt grant terre a tenir,
Que l'escu de son col li fait fendre et croissir,
1080 Si l'abat contre terre que l'ame en fait partir ;
Puis a traite l'espee, vers aus prist a guenchir,
Abilas d'Amilas ala le chief tolir.
Alixandres l'esgarde, si li vint a plaisir
1084 Et dist : « Molt doit on bien tel vassal retenir,

---

51. La coiffe est le capuchon du haubert, posé sous le heaume.

47

Emenidus monte un destrier d'Aragon
et va dans la mêlée, piquant des éperons,
farouche sous son heaume, le regard d'un lion ;
au cœur de la mêlée il attaque Jaidon,
vassal de Nicolas, l'un de ses familiers,
qui tient toute la terre qui fut au roi Samson.
Il lui plonge dans le corps son fer avec le gonfanon,
et l'abat de son cheval dont il vide les arçons.
Aspiros de Calice monte Valerion,
beau destrier d'Espagne à la robe fauve ;
à l'arrière de la compagnie, il attaque Lion,
de toute la longueur de sa lance, il l'abat mort de son cheval
Alexandre, peiné de voir tuer son baron,   [gascon.
lui dit : « Vous allez maintenant me voir de plus près ! »
Il se retourne et frappe avec une telle violence
qu'il fait tomber sa coiffe dont il rompt les boutons,
et lui coupe la tête juste sous le menton[51].
Les gens de Césarée disent : « Nous sommes perdus !
S'ils nous mènent ainsi, la défaite est certaine ;
la guerre contre les Grecs sera notre malheur ! »

48

Voici venir au combat, monté sur son destrier,
Samson, le neveu de Darius, qu'on a chassé de Tyr.
Le chevalier, en armes, lance son cheval au galop
pour attaquer au cœur de la mêlée un duc
qui tenait un grand fief de Nicolas :
il lui fend son écu, qui tombe en pièces,
et l'abat au sol ; son âme quitte son corps.
Puis il dégaine l'épée, se tourne vers l'ennemi,
s'en va trancher la tête d'Abilas d'Amilas.
Alexandre prend plaisir à le regarder
et dit : « On doit bien garder à son service pareil vassal,

Qui en si fiere coite set son segnor servir ;
Qui tel home taut terre, bien l'en doit maus venir. »
La compaigne Alixandre les va si envaïr
1088 Que la premiere eschiele nes pot onques soufrir ;
A tous les premerains ont fait estal guerpir.

49

Es vos l'autre bataille, que conduist Perdicas ;
A la seconde eschiele des homes Nicolas
1092 Se josta com ains pot, assés plus que le pas ;
La oïssiés brisier tante lance de saps,
Tant hiaume et tant escu veïssiés iluec quas,
Tant chevalier armé gesir a terre en bas.
1096 Sor le vair d'Oliferne sist armés Elyas ;
Cil estoit nes de Grece et parens Eneas,
Qui eschapa de Troies quant li païs fu ars ;
El chief de la bataille va joindre a Josias,
1100 Un baron de Cesaire et né de Cayphas
Et tint toute la terre jusques vers Belinas,
Que l'eschine li trenche outre par mi les dras,
Toute plaine sa lance l'abat du cheval cras.
1104 Abilas de Laserre a ocis Amidas,
Un chevalier de Gresce et parent Filotas.
La veïssiés combatre Grieus et Mascedonas ;
La compaigne Alixandre, qui nes espairgne pas,
1108 As espees trenchans les vont ferir el tas.
Le jor les abevrerent a si felons henas
C'onques de cele eschiele, nel tenés mie a gas,
Par le mien ensïent cent n'en estordrent pas.

---

52. Cayphas et Belinas sont deux villes de Palestine mentionnées par Guillaume de Tyr (éd. P. Paris, 1879, X, 6 et 9, XIV 16, XV 7, 9, 11, XVII, 2, 26, XVIII 12, 15, XIX 9, XX 24, 30). Belinas est l'ancienne Paneas, aujourd'hui Baniyas en Syrie.

qui sait servir son seigneur dans un si cruel assaut !
Celui qui vole sa terre à pareil homme mérite d'être châtié ! »
La troupe d'Alexandre lance une attaque si violente
que la première compagnie ennemie ne peut soutenir le choc
et abandonne ses positions.

49

Le deuxième bataillon, mené par Perdicas,
rencontre la deuxième compagnie de Nicolas :
il l'attaque aussitôt au grand galop.
On entendait se briser bien des lances de sapin,
on voyait bien des heaumes, des écus en pièces,
et bien des chevaliers armés gisant à terre.
Voici, monté sur son cheval pommelé d'Oliferne,
Elyas, natif de Grèce et parent d'Enéas,
qui s'échappa de Troie quand on brûla la ville :
au cœur de la bataille il attaque Josias,
baron de Césarée, natif de Haïfa,
et maître de la terre jusques à Baniyas[52].
Il lui tranche l'échine à travers sa cuirasse ;
de toute la longueur de sa lance, il l'abat de son cheval robuste.
Abilas de Laserre a tué Amidas,
un chevalier de Grèce, un parent de Filote.
On pouvait voir combattre Grecs et Macédoniens :
les hommes d'Alexandre n'épargnent pas les ennemis,
de leurs épées tranchantes ils frappent dans le tas.
Ce jour-là ils leur servent un plat de leur façon,
et de cette compagnie, je ne plaisante pas,
ils furent moins de cent, je crois, à s'échapper.

50

1112 Es vous la tierce eschiele, que Caulus li quens guie,
   Qui maint bon chevalier ot en sa compaignie ;
   Josta a la bataille Clariel d'Estorie.
   L'une gent envers l'autre se porte grant envie,
1116 Durement s'entrefierent, car tous jors s'est haïe ;
   Ilueques veïssiés mainte targe croissie
   Et maint bon chevalier abatre sans la vie.
   Caulus point le cheval ou durement se fie,
1120 Va ferir Samadon sor la targe flourie,
   Qu'il li fraint et estroue, ne li vaut une alie ;
   Par mi le cors li passe l'ensegne d'Aumarie,
   Sor l'arçon deesrain l'enverse tout et plie ;
1124 Outre passe poingnant, mais son branc n'i oublie,
   Del fuerre le sacha qant la lance est faillie ;
   Au tour grigois fiert l'autre sor l'elme qui burnie,
   Mais par devant l'escu est l'espee guenchie,
1128 Que l'espaulle senestre li a du cors partie ;
   Li bras a tout l'escu chiet en la praerie,
   Cil s'esmaia du caup s'a la sele guerpie,
   Quatre fois s'est pasmés sor l'erbe qui verdie ;
1132 Caulus prist par la resne le destrier de Surie,
   Batant l'en maine au plat de l'espee forbie,
   A un Grieu le rendi qui du sien n'avoit mie.
   Nus ne voit cele joste qui de cuer ne s'en rie.
1136 A grant bien li atornent cele chevalerie ;
   La bataille as Grigois a si l'autre envaiie
   Que plus de vint arpens est arriere sortie.

51

   Es vos l'autre bataille, que conduisoit Lioine,
1140 Joint a la quarte eschiele Nicholas sans essoine ;

---

53. On trouve souvent dans l'épopée l'expression *au tour françois*, évolution qui consiste, dans une joute, en un retour offensif du cavalier après une fuite simulée : voir J. Wathelet-Willem, *Recherches sur la Chanson de Guillaume*, Paris, 1975, I, p. 380, n. 522. *Cf. infra*, branche III, v. 4011, *faire le tor roial*.

50

La troisième compagnie suit le comte Caulus,
qui a parmi les siens bien des bons chevaliers ;
il rencontre le bataillon de Clariel d'Estorie.
Les deux troupes ne ressentent que haine l'une pour l'autre ;
elles s'affrontent violemment, elles se détestent fort.
On pouvait voir bien des targes en pièces,
bien des bons chevaliers renversés et tués.
Caulus éperonne son fidèle destrier,
il frappe Samadon sur sa targe à fleurs peintes,
qui, brisée et trouée, n'est plus d'aucun secours,
lui enfonce dans le corps l'enseigne d'Aumarie
et le renverse en arrière sur son arçon.
Puis il poursuit sa course, sans oublier son épée,
qu'il tire du fourreau pour remplacer sa lance.
Après une volte à la grecque[53], il frappe son adversaire sur son
mais l'épée, déviant de sa course sur l'écu,   [heaume brillant,
sépare du corps l'épaule gauche :
le bras tombe avec l'écu dans la prairie.
Samadon, défaillant, s'affaisse de son cheval,
et se pâme quatre fois sur l'herbe qui verdoie.
Caulus prend par la bride le destrier de Syrie,
qu'il emmène en le frappant du plat de son épée fourbie,
et remet à un Grec privé de sa monture.
Ceux qui voient cette joute en ont le cœur réjoui
et couvrent de louanges Caulus pour cet exploit.
Le bataillon grec a si bien enfoncé son rival
qu'il l'a fait reculer de plus de vingt arpents.

51

Voici l'autre bataillon, que dirige Lioine :
il attaque sans retard la quatrième compagnie de Nicolas.

La veïssiés percier maint escu de Blioine.
A tant es vos poingnant Damprundé de Sidoine ;
Cil iert hom Alixandre et tint Escalidoine
1144 Et sist sor un cheval c'on apeloit Pioine ;
En l'escu de son col ala ferir Antoine,
Un baron Nicholas, né devers Babiloine,
Que sa lance peçoie com un raim de pioine ;
1148 Puis a traite l'espee au poing d'or a sardoine,
A mont le fiert en l'elme ou siet la calcedoine,
Que il li trenche et fausse et la coiffe et la broine,
El cervel li enbat le branc nu sans ensoine.
1152 La veïssiés combatre la flor de Mascedoine.

52

1154 Qant la premiere eschiele, qui as Grieus est jostee,
Vit la gent Alixandre tant fiere et aduree
1156 Et duite de bataille et si bien porpensee
Q'ainc si hardie gent ne fu de mere nee
Et ont l'autre compaigne Alixandre esgardee –
Chascune des batailles vient par soi devisee
1160 Si com li maines rois l'avoit toute ordenee –
Et virent la lor gent pres d'aus desbaretee, –
Tel quatre cens des lor en gisent en la pree
Trestous li plus hailiegres a la teste coupee, –
1164 La premiere bataille en est si effreee
Que la seconde aprés en est toute esgaree
Et la tierce formie et la quarte branlee,
Si que l'une bataille est a l'autre hurtee.
1168 Qant la gent Nicholas, qui vint aprés armee,
Vit cele de devant si forment effreee,
Et est toute sor aus en fuiant reversee,
Lors fu si de bien faire enfin destalentee
1172 Que l'une gent por l'autre est en fuies tornee.
Alixandres les sieut o ciaus de sa contree ;
Ilueques veïssiés mainte ensegne bendee
En cors de chevalier tainte et ensanglentee
1176 Et a tant bon vassal tante teste coupee ;
En icele chace ot mainte targe effondree.

On pouvait voir percer maint écu de Blioine.
Voici, piquant des deux, Damprundé de Sidon,
un homme d'Alexandre, qui tient Chalcédoine
et monte un destrier qu'on appelle Pivoine ;
il va frapper l'écu d'Antoine,
baron de Nicolas, né près de Babylone,
qu'il brise de sa lance comme la tige d'une pivoine.
Il tire son épée à la poignée d'or et de sardoine,
le frappe sur son heaume orné d'une calcédoine ;
il tranche la coiffe et rompt les mailles de la broigne,
enfonce sans retard sa lame dans la cervelle.
C'est ainsi que combat la fleur de Macédoine.

52

La première compagnie qui affronte les Grecs,
voit les hommes d'Alexandre farouches et aguerris,
si rompus au combat et si bien résolus
que jamais l'on n'a vu de troupe plus hardie.
Ils observent aussi le reste de l'armée grecque,
chacun des bataillons arrivant en bon ordre,
selon la disposition décidée par le grand roi.
Ils voient leurs propres troupes en déroute,
quatre cents des leurs gisant dans le pré,
dont le plus vif a la tête coupée.
Ce premier bataillon est si effrayé
que sa peur a tôt fait de gagner le deuxième,
le troisième frémit, le quatrième est ébranlé,
si bien qu'ils se heurtent l'un l'autre.
Quand le reste de l'armée de Nicolas, qui venait à leur suite,
voit l'avant-garde frappée d'une telle frayeur
qu'elle revient vers eux dans sa fuite,
ils ont perdu toute ardeur au combat
et ne savent qu'imiter les autres dans leur fuite.
Alexandre les poursuit avec les soldats grecs.
On pouvait voir alors mainte enseigne à bandes
toute teinte du sang des chevaliers,
et bien des bons guerriers ont la tête coupée.
Cette poursuite vit bien des targes défoncées.

Jusqu'au pui d'Alïerne n'i ot resne tiree,
Ou li harnois estoit et l'autre gent alee,
1180 Assés pres de Cesaire a mains d'une louee ;
Deus lieues et demie a la fuite duree.
Ça defors la cité au destroit d'une entree
S'est la gens Nicholas de fuïr arestee.
1184 Abilas de Laserre a s'ensegne escrïee ;
Iluec vaudront hui mais maintenir la meslee.

53

Les deus os sont jostees el destroit de Cesaire,
Durement s'entrefierent, que ne s'amerent gaire ;
1188 Maint gentil chevalier veïssiés iluec braire
Et tant baron a terre gesir mort sans suaire.
Emenidus se sist sor Ferrant de Biaire,
Qui iert bons chevaliers et preus et de bon aire,
1192 De toute l'ost de Gresse ne pot on mellor traire ;
Sor l'escu de son col fiert le duc de Navaire,
La broigne c'ot vestue ne li vaut une haire ;
Le cuer li a trenchié sos la pelice vaire.
1196 Quant le vit Nicholas, molt li vint a contraire,
Car cil estoit ses niés, de riens ne li pot plaire ;
Le cheval esperone por vengier cel afaire.

54

Nicholas esperone le bon destrier movant.
1200 Quant vit le duc morir a la terre sanglant,
Molt durement l'en poise, le cuer en a dolant,
Ce n'est mie mervelle, car il l'amoit formant,
Et si estoit ses niés, fius son frere Persant,
1204 En toute sa compaigne n'avoit un plus vaillant.
En la targe flourie ala ferir Balant
Que il li a percié le hauberc jaserant,
Desrompu douze mailes trestot en un tenant ;
1208 Dejoste le costé va li aciers colant,
En char l'a entamé, ne l'a pas mort por tant,
Mais jus l'a abatu, quel virent li auquant.

Les Grecs galopent jusqu'au mont d'Alierne,
où se trouvent les fuyards avec leurs bagages,
tout près de Césarée, à moins d'une lieue ;
la poursuite a duré sur deux lieues et demie.
Mais près de la cité, devant un défilé,
l'armée de Nicolas a cessé de fuir.
Abilas de Laserre lance son cri de ralliement :
ils veulent désormais résister à l'assaut.

53

Les deux armées se rencontrent dans le défilé de Césarée,
elles s'affrontent violemment car elles ne s'aiment guère ;
on entend crier maint noble chevalier,
et bien des barons gisent morts sans suaire.
Emenidus, monté sur Le Gris de Biaire,
est un bon chevalier, preux et de bonne race,
il n'en est de meilleur dans toute l'armée grecque.
Il frappe sur l'écu le duc de Navarre,
dont la broigne le protège aussi peu qu'une haire :
il lui perce le cœur sous sa pelisse de vair.
Ce spectacle est insupportable pour Nicolas,
car c'était son neveu : il ne peut accepter cette mort
et éperonne son cheval pour courir le venger.

54

Nicolas éperonne son bon destrier rapide.
Quand il voit le duc mort, gisant sanglant à terre,
son cœur est plein de douleur et de tristesse ;
ce n'est pas surprenant, car il l'aimait beaucoup :
il était son neveu, fils de son frère Persant,
de toute son armée c'était le plus vaillant.
Sur sa targe à fleurs peintes, il va frapper Balant,
dont il a transpercé le haubert aux mailles d'Alger,
il brise douze mailles d'un seul coup.
La lame d'acier se glisse le long du flanc,
elle entame la chair sans le tuer pour autant,
mais Balant est renversé sous les yeux de tous.

Puis a traite l'espee si resgarde le branc,
1212 .Un chevalier de Gresse feri en trespassant
Par desous la ventaille, si que le chief en prant.
Tholomés esperone si li vient au devant,
Si grant caup li dona sor son hiaume luisant
1216 Que trestout l'adenta sor son arçon devant ;
De l'espee li done tels trois coups maintenant
Que si l'a estoné qu'a riens n'est entendant.
Par la resne le prist si l'en maine batant,
1220 Puis li dist par contraire trois mos en ramposnant :
« Hui avrés le treü qu'aliés demandant. »
Ja fust Nicholas pris et si home fuiant,
La bataille vaincue et li lor recreant,
1224 Qant li quens Abilas i est venus poignant.
Ja orrés d'ambes pars une mellee grant ;
Li vassal s'entrefierent, li rois s'en part a tant,
Car de sa compaignie n'avra hui mais talant.

55

1228 Abilas sist armés el destrier missaudor
Et feri Tholomer par mi son elme a flor,
Que il en abati le maistre cuing hautour.
Et Tholomés fiert lui el hiaume de coulor
1232 Que il li a trenchié tout le cercle d'entor ;
Li cols chiet sor l'escu s'en a fendu un dor.
De l'espee li done tels trois cops par iror
Que sor le col l'adente del destrier missaudor.
1236 De l'escu le hurta si l'abat a son tor,
Contre terre le fiert, mort l'eüst a dolor,
Qant tot cil de Cesaire l'encloënt tot entor.
Sor Tholomer s'arestent tel trente fereor
1240 Qui aus brans li estoient de mort presenteor,
Desous lui li ocïent son bon cheval le jor ;
Mais li vassaus fu preus et plains de grant valor,

---

54. *Missaudor* est une épithète courante de destrier et désigne un cheval de prix, de la valeur de mille sous.

Nicolas tire l'épée, en contemple la lame,
sur son passage il frappe un chevalier de Grèce
par-dessous la ventaille, et lui coupe la tête.
Tholomé éperonne son cheval pour venir à sa rencontre,
lui donne un si grand coup sur son heaume luisant
qu'il le renverse sur l'arçon de devant ;
il lui redonne alors trois coups d'épée si forts
que le roi, étourdi, est privé de conscience.
Puis il saisit ses rênes et l'entraîne en hâte
avec des menaces et des moqueries, disant :
« Vous allez recevoir le tribut demandé ! »
Nicolas était déjà prisonnier et ses hommes en fuite,
la bataille perdue et son armée défaite,
quand le comte Abilas débouche au grand galop.
Des deux côtés s'engage une mêlée terrible.
Les guerriers s'affrontent, le roi s'éloigne :
il ne veut plus de la compagnie de Tholomé !

55

Abilas est monté sur son destrier de prix[54] ;
il frappe Tholomé sur son heaume à fleurs peintes
et en abat la partie supérieure.
Mais Tholomé le frappe sur son heaume aux couleurs vives,
il en a tranché le cercle tout autour :
le coup tombe sur l'écu, qu'il fend légèrement.
De l'épée il lui donne trois coups si furieux
qu'il le renverse sur le col de son destrier de prix.
Il le frappe de son écu, l'abat de son cheval,
le jette à terre et l'aurait bientôt tué,
quand il est encerclé par tous les hommes de Césarée.
Tholomé est attaqué par trente guerriers
qui lui offrent la mort au bout de leur épée ;
ils tuent sous lui son bon cheval.
Mais le preux chevalier, parangon de vaillance,

Durement se deffent a son branc de coulor.
1244 Ja fust mors Tholomés, ce content li auctor,
Qant dans Clins, ses compains, se feri en l'estor
Et connut Tholomé a pié entre les lor ;
Le destrier esperone s'est venus au secor,
1248 Et poingnent aveuc lui maint bon combateor
Des homes Alixandre, Grieu et Mascedonor.
Ja orrés de deus pars un mervelleus estor ;
Durement s'entrefierent, car n'i a point d'amor.

56

1252 Dans Clins fiert le premier qui tenoit Tholomé,
Mervelleus caup li done sor son hauberc safré,
Que par desous le pis li a frait et faussé
Et le cuer c'ot el ventre en deus moitiés caupé.
1256 Par les resnes a or a le cheval coubré,
Tholomé qu'iert a pié l'a Dans Clins presenté,
Et li quens i monta par son estrier doré.
Emenidus fiert l'autre du branc a or letré,
1260 Par desus les espaulles li a le chief caupé,
Et Perdicas le tierç et le quart Aristé ;
Licanors fiert le quint, si com l'a encontré,
Que tout le henepier li a du chief osté,
1264 Par desus les oreilles et tondu et rasé ;
Teus n'a si grant coroune de cui on fait abbé,
Onques mais ne vi home si vilment coroné.
Li douze per de Gresce sont entr'aus aresté,
1268 Qui sont en mainte coite et cremu et douté,
Le jor i veïssiés bien aidier Tholomé ;
Com il cerche les rens a son branc aceré,
1271 Un prince de Corinte lor i a mort geté,
1273 Et Dans Clins les enchauce au corage aduré
Et tuit li douze per, ques ont cuelli en hé.

57

La meslee est partie et Tholomés resqous,
1276 Et li besoins fu fiers et forment perillous.

se défend fièrement de son épée colorée.
Tholomé serait mort, les livres nous l'affirment,
si son compagnon, sire Clin, ne s'était jeté dans la mêlée :
il reconnaît Tholomé, à pied au milieu des ennemis,
éperonne son destrier pour venir à son secours,
suivi de nombreux hommes d'Alexandre,
de bons guerriers grecs et macédoniens.
Des deux côtés l'affrontement est terrible ;
les coups sont violents, car les adversaires ne s'aiment pas.

56

Sire Clin frappe le premier assaillant de Tholomé,
lui assène un coup si prodigieux sur son haubert damasquiné
qu'il lui a transpercé la poitrine
et lui a tranché le cœur en deux.
Il empoigne les rênes incrustées d'or du cheval
et l'offre à Tholomé, qui se trouvait à pied ;
le comte monte en selle par l'étrier doré.
Emenidus frappe le deuxième assaillant, de sa lame incrustée
au-dessus des épaules, et lui coupe la tête.   [d'or,
Perdicas attaque le troisième, Aristé le quatrième ;
Licanor attaque le cinquième et l'a si bien frappé
qu'il lui a entièrement détaché le haut du crâne
en le rasant au-dessus des oreilles :
jamais à un abbé on n'a fait telle tonsure !
jamais homme n'a reçu une si vile couronne !
Les douze pairs de Grèce se dressent au milieu des ennemis ;
ils sont dans la mêlée bien craints et redoutés.
Ce jour-là Tholomé reçut un bon secours.
Parcourant les rangs ennemis avec sa lame acérée,
il met à mort un prince de Corinthe.
Sire Clin, au courage aguerri, pourchasse les ennemis
avec les autres pairs, qui les détestent fort.

57

Les ennemis dispersés, Tholomé est sauvé,
mais la bataille fait rage et le danger est grand.

Li quens Aridés point contre val un herbous
Et sist sor un cheval courant et ravinous,
En l'escu de son col va ferir Malatous,
1280 Un baron Nicholas, felon et orgellous,
Toute plaine sa lance l'abat del destrier rous ;
Et cil resaut en piés, qui du caup fu hontous,
Le branc tint en sa main, vers lui vint tous irous,
1284 De la lance qu'il tint li a fait quatre trous,
Par devant les oreilles feri le bai guignous,
Le cheval ou il sist, que del chief le fait blous.
Aridés saut en piés com fiers et coragous
1288 Et fu de lui requerre durement covoitous ;
Se l'uns vassaus fu preus, l'autres fu orgellous.
O les brans s'entredonent grans caus et mervellous ;
Ne puet mais remanoir la mellee d'aus dous
1292 Desi la que li uns en sera coureçous.

58

Malatous tint le branc, vers le Grieu vint a hait
Sel feri par mi l'elme que en deus li a frait ;
Aridés refiert lui, qui le suen avoit trait ;
1296 Durement se combatent les le chief d'un garait.
Li Hermines li a tout son escu deffait,
El cors sous son hauberc l'eüst mort par agait,
Quant cil contre le caup a l'escu avant trait.
1300 Iluec li a doné si grant cop au retrait
Que l'os du bras li trenche et cil geta un brait :
« Por Dieu, merci ! » li crie, de sa vie quiert plait ;
Tant li donra avoir com li venra a hait,
1304 D'or fin li charchera sis somiers entresait.
Cil entent la parole, por tant vivre le lait,
Par son escu le prent et cil o lui s'en vait ;
Alixandre le rent, qui desarmer le fait.
1308 Il ot le chief plus blanc que ne soit glous de lait ;
Et cil demande mires et prie qu'il en ait ;

---

55. *guignous* est un hapax qui semble désigner une couleur.

Monté sur un cheval rapide et impétueux,
Le comte Aridès se lance au galop dans un pré ;
sur l'écu il vient frapper Malatous,
baron de Nicolas, cruel et orgueilleux :
de toute la longueur de sa lance il l'abat de son destrier roux.
L'autre saute sur ses pieds, honteux du coup reçu ;
la lame brandie, il vient vers Aridès, furieux ;
de sa lance dressée il le perce de quatre coups,
et atteint aux oreilles son cheval bai[55],
dont il coupe la tête.
Aridès saute sur ses pieds avec fierté et courage,
ardemment désireux de lui rendre ses coups ;
l'un des adversaires est preux et l'autre orgueilleux.
Les coups d'épée sont d'une force inouïe ;
la mêlée ne pourra pas durer bien longtemps
sans tourner au dommage de l'un d'eux.

58

Brandissant sa lame, Malatous s'élance sur le Grec
et le frappe sur le heaume qu'il a fendu en deux ;
Aridès tire son épée et le frappe à son tour ;
ils s'affrontent violemment au bord d'un guéret.
L'Arménien a brisé l'écu d'Aridès ;
il comptait bien l'atteindre sous son haubert et le tuer,
si Aridès n'avait opposé son écu aux coups.
En retour, il assène lui-même un coup d'une telle force
qu'il lui tranche le bras ; Malatous jette un cri :
« Au nom de Dieu, pitié ! » ; il veut sauver sa vie.
Il offre à Aridès la rançon de son choix,
il promet aussitôt six chevaux chargés d'or.
Aridès, à ces mots, lui accorde la vie,
le fait prisonnier en prenant son écu, et l'amène
à Alexandre, qui le fait désarmer.
Il a la tête plus blanche qu'une gorgée de lait.
Il demande instamment qu'on lui donne des médecins ;

Se raiembre le vcut et respasser le lait,
D'or fin li rasera toute plaine une mait.

59

1312   « Malatous, dist li rois, vos estes mes prisons.
— Voire, dist li Hermins, grans iert la raençons ;
Faites moi bien garder, ne sui mie garçons,
Encor tieng jou de Dayre cent chastiaus et dongons
1316   Dont je maing bien en ost cent mile compaignons
Qui tuit vienent a moi quant je les ai semons.
Por ce qu'il est de vos tels los et tels renons,
Devenrai vostre hom liges sans point de traïsons. »
1320   Alixandre atalente molt tres bien cil sermons.
Deus siens mires li baille, Ametis et Gassons,
Et cil li covenencent : « Tout sain le vos rendrons. »
A tant estes vos deus des douze compaignons :
1324   Li uns fu Tholomés et li autres Cliçons.
Cil ont en la bataille conquis tels deus prisons,
Des homes Nicholas, de ses mellors barons,
Alixandre les rendent ansdeus par les blasons ;
1328   S'il en veut raençon, molt en iert biaus li dons,
Et li rois les commande mener as pavellons.

60

Alixandres commande ses prisons a garder.
Grans iert la raençons, s'en veut plait escouter ;
1332   Chascuns s'offre set fois de fin or a peser,
O les autres loiers qu'il en vauront doner.
Li rois desous son hiaume commence a regarder
Et vit de la bataille un Grigois retorner.
1336   Ferus fu d'un espié el cors au traverser,
Tant ot perdu de sanc ne pot avant aler,
Sor le col du cheval le convint a pasmer.
Alixandres l'esgarde, nel pot plus endurer,
1340   Bucifal esperone si va a aus joster,
Sempres le convenra qui que soit comparer ;
Set fois cerche les rens, n'i trueve q'encontrer.

si le roi accepte sa rançon et le laisse guérir,
il lui offrira un coffre rempli d'or fin jusqu'à ras bord.

59

« Malatous, dit le roi, vous êtes mon prisonnier !
– C'est vrai, dit l'Arménien, je paierai une bonne rançon ;
Faites-moi bien garder, je ne suis pas un vilain,
je tiens de Darius cent châteaux et donjons
et conduis à la guerre cent mille compagnons
qui tous répondent à mon appel.
Votre renom et votre réputation sont tels
que je veux devenir votre homme lige en toute loyauté ! »
Alexandre, séduit par ces paroles,
lui envoie ses deux médecins, Ametis et Gasson,
qui promettent de lui rendre le malade sain et sauf.
Voici venir alors deux des douze compagnons :
c'étaient Tholomé et Clin,
qui avaient fait dans la bataille deux prisonniers,
deux vassaux de Nicolas, parmi ses meilleurs barons.
Ils les livrent à Alexandre par les boucliers armoriés ;
il pourra prendre d'eux une riche rançon.
Le roi les fait mener jusqu'aux pavillons.

60

Alexandre commande qu'on garde ses prisonniers.
La rançon sera grande, s'il veut y consentir ;
chacun d'eux lui offre sept fois son poids d'or fin,
sans compter les autres dons qu'ils veulent lui faire.
Sous son heaume, le roi regarde autour de lui
et voit un Grec revenir du combat.
Blessé d'un coup de lance qui lui a traversé le corps,
il a perdu tant de sang qu'il ne peut plus avancer
et tombe évanoui sur l'encolure de son cheval.
Alexandre ne peut endurer ce spectacle,
il éperonne Bucéphale et retourne se battre ;
il va trouver quelqu'un à qui faire payer sa colère.
Il parcourt sept fois les rangs sans trouver d'adversaire.

Un chevalier de Perse feri si au torner
1344 Que desus les espaulles li fait le chief voler ;
Ainc mais de si fier prince n'oï nus hom parler.
Li rois crie s'ensegne por sa gent rassambler,
Trestoute la bataille fait devant lui trambler ;
1348 Environ lui s'arestent trestout li douze per.

61

Li douze per s'arestent tout environ le roi.
La peüssiez veoir un mervelleus desroi,
La n'avoient li conte nul talent de dosnoi,
1352 Li couart vanteor sous les hiaumes sont qoi
Cil de Cesaire voient l'orguel et le boufoi
De la gent Alixandre qui vers aus nen ont foi,
Dïent : « C'or penst chascuns de sa vie endroit soi,
1356 Car de l'estor soufrir n'i a mais nul conroi. »
Les dos lor ont tornés, si laissent le tornoi,
Vers Cesaire s'en fuient trestout a grant desroi.

62

La bataille est finee, cil ont torné les dos,
1360 Vers Cesaire s'en fuient, les gonfanons destors ;
Et li Grieu les enchaucent, qui par tout ont bon los,
Les eschines lor trenchent par derriere les dos,
Si que par vive force les ont lai ens enclos.
1364 Cil serrent les portes dont li flael sont gros,
Puis ne criement asaut quatre testes de chos ;
Tant sont fort li mural dont li bours est enclos
Que li rois nel puet prendre, molt en a le cuer gros ;
1368 Defors se hebregierent par les plains d'Abilos.
Cel soir prirent li Grieu en lor tentes repos.

63

Es plains desous Cesaire sont hebergié li Gré ;
Mais la vile est si fors que ne crient home né :
1372 Li mur estoient haut et parfont li fossé

A son retour, il frappe un chevalier de Perse
au-dessus des épaules et fait voler sa tête :
jamais encore on n'a vu si fier prince.
Le roi lance son cri de ralliement pour rassembler ses hommes,
et tout le bataillon devant lui se met à trembler ;
autour de lui se dressent les douze pairs.

61

Les douze pairs se dressent autour du roi.
Dans la terrible confusion qui règne,
les comtes ne songent guère à se divertir,
les couards et les vantards restent muets sous leur heaume.
Les gens de Césarée voient l'orgueil et l'arrogance
des hommes d'Alexandre, qui ne leur veulent que du mal.
Ils disent : « Que chacun maintenant songe à sauver sa vie,
car la résistance est désormais inutile ! »
Ils renoncent à combattre et tournent le dos à l'ennemi,
s'enfuient vers Césarée dans une totale confusion.

62

La bataille est finie, ils ont tourné le dos,
ils fuient vers Césarée, les gonfanons au vent,
et les Grecs, dont la gloire s'étend loin, les pourchassent ;
les frappant par-derrière, ils leur tranchent l'échine,
et les ont enfermés à l'intérieur de la ville.
Les autres verrouillent les portes aux épaisses barres de fer ;
ils redoutent l'assaut autant que quatre choux,
car le bourg est enclos de murailles si fortes
que le roi ne peut le prendre, ce qui le désole.
Les Grecs montent leur camp dehors, dans la plaine d'Abilos.
Ce soir-là ils se sont reposés dans leurs tentes.

63

Les Grecs ont monté leur camp dans la plaine, sous Césarée,
mais la ville est si forte qu'elle ne craint nul mortel :
les murs sont élevés et les fossés profonds.

Et les tors batellies de brun marbre listé,
Li quarrel en estoient tout a plom seelé.
Deus lieues environ n'a montaigne ne pré
1376 Ou li Grigois ne soient logié et ostelé.
La bataille est vaincue, cil dedens sont maté.
Molt fu grans li eschés que Grieu ont conquesté ;
Li rois l'a a ses homes departi et doné,
1380 Onques n'i ot baron, malade ne navré,
Que il nen ait le jor bonement regardé.
Quant li rois ot mangié, si s'asist en son tré ;
Environ lui apele Cliçon et Tholomé
1384 Et tous les autres pers, si lor a devisé :
« Segnor, dist Alixandres, la merci Damedé,
De ceste premiere oevre nos est bien encontré ;
Bien se sont hui li Grieu en bataille prové.
1388 Un don vos prametrai et tenrai en verté
Que ja ne conquerrai ne chastel ne cité
Qui ne soient trestout a vostre volenté.
Ja mais ne finerai en trestout mon aé
1392 Tant que chascun de vos ferai roi coroné. »
Li douze per l'entendent si l'en ont mercïé.
Lors commande li rois que troi mil home armé
Eschiergaitassent l'ost, qant il iert avespré,
1396 Que cil dedens n'en issent coiement a celé.

64

1398 Alixandres commande l'ost a eschiergaitier,
Que cil dedens n'en issent por sa gent enpirier.
1400 Mais li rois de Cesaire ne se vaut atargier,
La dedens a ses homes se prist a conseillier :
« Segnor, dist Nicholas, com porrai esploitier ?
Alixandres me cuide destruire et essilier ;
1404 Li rois est orgelleus et li Grieu sont molt fier ;
Ne chastel ne cité ne me cuide laissier. »
Abilas de Laserre et Salos de Valier
Entendent la parole si respondent premier :
1408 « Rois, fai mander tes hommes jusq'as pors de Brïer
Et jusq'en la montaigne ou on cerche l'or mier,

Les tours sont crénelées, en marbre brun peint à bandes ;
les blocs en sont tous scellés de plomb.
A deux lieues alentour il n'est pré ni montagne
où les Grecs ne se soient logés et installés.
La bataille est finie, les assiégés vaincus.
Les Grecs ont conquis un butin immense
que le roi a réparti entre ses hommes :
il n'est un seul baron malade ou blessé,
qu'il n'ait bien secouru ce jour-là.
Quand le roi a dîné, il s'assied sous sa tente ;
il appelle près de lui Clin et Tholomé
avec les autres pairs et leur tient ce discours :
« Seigneurs, dit Alexandre, rendons grâces à Dieu !
Notre première tâche a été bien remplie ;
les Grecs se sont aujourd'hui vaillamment comportés.
Je vous fais la promesse, et saurai la tenir,
que je ne conquerrai nul château, nulle cité,
dont je ne vous fasse présent.
De toute ma vie, je ne cesserai mes conquêtes
que quand je vous verrai tous rois couronnés ! »
Les douze pairs l'écoutent et l'ont remercié.
Le roi commande alors que trois mille hommes armés
montent la garde dans l'armée, à la nuit tombée,
pour empêcher les assiégés de sortir en secret.

64

Alexandre commande que l'on monte la garde,
pour empêcher les assiégés de sortir attaquer ses troupes.
Mais le roi de Césarée, qui ne veut plus attendre,
prend conseil de ses hommes dans la ville :
« Seigneurs, dit Nicolas, que puis-je faire ?
Alexandre veut ma perte et mon malheur.
Le roi est orgueilleux et les Grecs sont farouches ;
il ne veut me laisser ni château ni cité. »
Abilas de Laserre et Salot de Valier
écoutent ce discours et répondent aussitôt :
« Roi, fais mander tes hommes jusqu'aux défilés de Brier,
et jusqu'à la montagne où l'on cherche l'or pur :

Que onques n'i remaigne sergant ne paounier
Ne franc home a cheval ne bon arbalestier
1412 Qu'a Cesaire ne viegnent por lor segnor aidier,
Et cil qui remandront seront tuit servagier ;
Ne lor laissiés tenir ne terre ne mollier.
– Cest plait, dist Nicholas, ne pris je un denier.
1416 Tuit li home du siecle, sergant ne chevalier,
Ne garroient as Grieus, tant sont hardi et fier ;
D'iable il ne fuiroient por aus tous depecier ;
Nule riens ne durroit encontre lor acier.
1420 Autre chose ai pensee, dont vos veul acointier :
Demain me combatrai armés sor mon destrier,
Cors a cors en bataille, contre le roi d'Alier.
Se jel pooie ocirre et la teste tranchier,
1424 Puis en seroient cuite mi home et mi terrier.
En nule autre maniere ne m'en puis mieus vengier,
Mais ains convient cest plait de deus pars ostagier.
– Li dieu, dïent si home, vos en puissent aidier. »

65

1428 Au matin par son l'aube, quant li jors aparoit,
Nicholas prist un mes que il forment creoit
Et set que son message si bien li conteroit
Que ja por paor d'ome nule riens n'i lairoit.
1432 Alixandre l'envoie a son tref ou estoit :
Bons ostages avra et les siens li renvoit,
De tous les mellors trente que eslirre i porroit.
Li mes descent a pié quant Alixandre voit,
1436 Et conte son message, si comme il le savoit :
« Nicolas te semont de bataille or endroit,
Cors a cors par vous deus, issi l'otrïeroit.
Ne veut que autre gent ja mais malmise en soit. »
1440 Alixandres respont que molt par li plaisoit.
Tant forment le desirre que encor l'en mescroit,
Molt durement le haste, car il crient qu'il refroit.

qu'il ne reste sergent à cheval ni fantassin,
ni noble chevalier, ni bon arbalétrier
qui ne viennent à Césarée au secours de leur seigneur !
Et ceux qui refuseront seront réduits au servage :
ne leur laissez plus rien, ni terre ni épouse !
– Ce discours, dit Nicolas, ne vaut pas un sou.
Tous les guerriers du monde, gens de pied ou chevaliers,
ne sauraient résister aux Grecs hardis et fiers.
Le diable ne ferait pas fuir ces gens-là, dussent-ils être mis en
Nul ne peut résister à leur lame d'acier.   [pièces !
J'ai un autre projet, dont je veux vous parler :
demain je combattrai, à cheval et armé,
corps à corps, en bataille, contre le roi d'Alier.
Si je pouvais le tuer et lui trancher la tête,
je libérerais ainsi mes hommes et mes vassaux.
C'est la seule façon que j'ai de me venger ;
mais d'abord il nous faut échanger des otages.
– Que les dieux, disent ses hommes, veuillent vous venir en
                                                   [aide ! »

65

De bon matin, dès l'aube, quand le jour apparaît,
Nicolas convoque un messager en qui il a confiance,
et dont il sait qu'il transmettra si bien son message
que la peur ne lui en fera pas oublier un mot.
Il l'envoie à la tente d'Alexandre dire
qu'il lui donnera de bons otages et attend les siens en échange,
les trente meilleurs chevaliers qu'il pourra choisir.
Le messager met pied à terre en voyant Alexandre
et répète son message, tel qu'il l'a appris :
« Nicolas te défie en bataille dès maintenant,
et propose un duel, c'est tout ce qu'il accepte ;
il refuse que d'autres subissent un dommage. »
Alexandre répond que la proposition lui plaît fort,
qu'il n'a pas plus cher désir et n'ose pas le croire.
Il presse le messager, car il craint que l'ardeur de Nicolas ne se
                                                   [refroidisse.

Li rois dist a ses homes : « Faus ne crient si reçoit ;
1444 Orgellous ne prise autre tant que la mort en boit ;
Tels cuide autre destruire qui la mort en reçoit. »
Lors veïssiés le roi en piés saillir tout droit ;
Tholomé apela, que il molt aime et croit :
1448 « Faites moi Bucifal amener a esploit,
Deci que en la terre tous couvers de fer soit,
A grans bendes de paile, a boutons d'or estroit ;
Molt avroie grant ire, se on le m'ocioit.
1452 Ancui pens de Cesaire recouvrer le destroit ;
Tholomé le donrai, a son oés i claim droit. »
Ce respondent si home : « Et Dieus le vos otroit. »

66

« Rois, oies, dist li mes, que te mande mes sire,
1456 Escoute ma parole, si com je la voil dire.
Ne veut mais que li pueples soit livrés a martire,
Les ostages demande de ciaus de ton empire,
Et se il te puet vaintre, detrenchier et ocirre,
1460 Que ti home s'en aillent, de qui sa terre est pire,
Et se tu le pués vaintre et en bataille aflire,
Sa terre sera toie jusq'a la mer de Tyre ;
Tuit vos en serviront, et li mieudre et li pire.
1464 De ce avras ostages, teus com vauras eslire. »
Qant l'entent Alixandres, de joie prent a rire ;
Au messagier a fait unes letres escrire.
Cil les rent son segnor ; Nicholas les fait lire.

67

1468 Li mes s'en est tornés a coite d'esperon,
Nicholas a conté et dite sa raison :
« Alixandres te mande, qui a cuer de lion,

---

56. *Cf.* Morawski 788 : « Fous ne crient devant qu'il prent », et 789 : « Fous ne doute tant que il prent ».
57. *Cf.* Morawski 2338 : « Tel quide autre enguiner ki enguine sei meïmes ».

Le roi dit à ses hommes : « Le fou ne craint pas les coups tant
          [qu'il ne les a pas reçus[56].
L'orgueilleux méprise autrui, jusqu'à ce qu'il en reçoive la
Tel croit tuer son ennemi qui est tué par lui[57]. »   [mort.
On voit alors le roi se dresser sur ses pieds ;
il appelle Tholomé, qui a toute son amitié :
« Faites-moi vite amener Bucéphale,
bardé de fer jusqu'au sol,
couvert de bandes de soie fixées par des attaches d'or :
je serais bien malheureux si on me le tuait.
Je compte aujourd'hui m'emparer du défilé de Césarée,
que je donnerai à Tholomé, j'y prétends en son nom. »
Ses hommes lui répondent : « Dieu veuille vous entendre ! »

66

« Roi, dit le messager, écoute ce que te dit mon seigneur,
prends bien garde aux paroles que je vais prononcer !
Nicolas ne veut pas que le peuple soit livré au tourment,
il demande pour otages des hommes de ton empire.
S'il réussit à te vaincre et à te mettre à mort,
que tes hommes s'en aillent et cessent de désoler sa terre !
Si c'est toi qui le vaincs et gagnes la bataille,
sa terre t'appartiendra jusqu'à la mer de Tyr ;
tous ses sujets te serviront, les petits et les grands.
En garantie tu recevras les otages que tu choisiras. »
Ces paroles remplissent Alexandre d'allégresse ;
il fait remettre une lettre au messager,
qui la rapporte à son seigneur : Nicolas la fait lire.

67

Le messager repart en éperonnant son cheval,
il rend compte à Nicolas de sa mission :
« Alexandre au cœur de lion vous fait savoir

        Q'il otroie cest plait si com nos devison.
1472 Mais onques en cest siecle ne nasqui uns teus hom :
        Le cors a il petit, mais fiere a la façon ;
        Ne vos cuide laissier ne chastel ne dongon,
        De toute vostre terre a il ja fait le don,
1476 Voiant moi la dona Tholomé son baron,
        Ne penroit de ta teste nisune raençon. »
        Et respont Nicholas : « Teus est dis de bricon ;
        Entre fait et parole a grant division ;
1480 Ançois en sera mors l'uns de nos el sablon.
        Se bien ne la deffeng, dont est ele a garçon ;
        Onques mais n'acointa un voisin si felon.
        Aportés moi mes armes, ce m'est vis que tardon,
1484 Et couvrés jusq'en terre le bon destrier gascon. »
        Abilas de Laserre apela par son non :
        « Ensemble o moi venrés et trente compaignon,
        Et donrons nos ostages et les lor reprendrom. »
1488 Et cil li respont : « Sire, bien est, si l'otriom. »

68

        Nicholas s'est armés d'un hauberc jaserant
        Qui ot la maile blanche et serree et tenant ;
        Onques de sa bonté ne vit ont mains pesant,
1492 Ne doute caup de lance ne quarrel d'arc traiant.
        La ventaille li lacent dui dansel en plourant ;
        El chief li ont assis un vert elme luisant,
        A las d'or et de soie li vont entor nouant ;
1496 Et ot une escharboucle ens el nasel devant.
        Et a çaint par les renges une espee trenchant ;
        Ses esperons li chaucent dui neveu l'amirant,
        Devant lui amenerent le bon destrier corant ;

---

58. La petite taille d'Alexandre est mentionnée dans les textes antiques. *Cf.* Pseudo-Callisthène II 15, p. 62 : « Les Perses fixaient leurs regards sur Alexandre en s'étonnant de sa petite taille, mais ils ignoraient que dans un petit vase résidait la gloire d'une fortune céleste. » *Cf. infra*, I, v. 1515, III, v. 4087, III, v. 4748, III, v. 4818.

59. *Cf.* Morawski 695 : « Entre faire et dire a moult ».

qu'il accepte votre proposition.
Jamais pareil homme n'est venu au monde :
il est de petite taille mais de fière apparence[58].
Il ne compte vous laisser ni château ni donjon,
il a déjà fait don de toute votre terre :
devant moi il l'a donnée à Tholomé, un de ses barons.
Il n'accepterait aucune rançon contre votre vie. »
Nicolas lui répond : « Il parle comme un fou ;
entre les actes et les paroles il y a une grande différence[59].
L'un de nous doit d'abord tomber mort dans le sable.
Si je ne défends pas bien ma terre, c'est qu'elle appartient à un
[homme de peu !
Il n'a jamais rencontré d'adversaire plus coriace !
Apportez-moi mes armes, je crois que nous tardons,
et couvrez jusqu'aux pieds mon bon destrier gascon ! »
Il s'adresse nommément à Abilas de Laserre :
« Vous viendrez avec moi et trente compagnons,
nous remettrons nos otages et recevrons les leurs. »
Celui-ci lui répond : « Seigneur, je suis à vos ordres ! »

68

Nicolas a revêtu un haubert d'Alger
aux mailles blanches, serrées et solides ;
il n'en était pas de meilleur ni de plus léger,
il ne craint ni coup de lance ni flèche.
Deux écuyers en pleurs lui lacent sa ventaille ;
ils placent sur sa tête un heaume vert et brillant,
qu'ils fixent par des lacets d'or et de soie ;
une escarboucle luisait sur le nasal.
Il ceint son baudrier où pend une épée tranchante.
Deux neveux de l'émir lui chaussent les éperons
et lui amènent son bon destrier rapide ;

1500 Li rois i est montés par son estrier pendant.
     A son col li pendirent un escu d'olifant,
     Hanste ot roisde de fraisne et gonfanon pendant.
     Par mi la maistre porte s'en issi galopant,
1504 La lance sor le fautre, et l'escu tint avant ;
     Quatre vins chevalier le vont au dos sieuant ;
     Et vait par mi la plaine son cheval eslaissant,
     A destre et a senestre le vait souvent tornant,
1508 Trusque devant les tentes se va ademetant.
     Devant le maistre tref s'en est venus errant,
     Son cheval fait restraindre et le poitral devant
     Et rechange son fraim a un plus destraignant
1512 Por ce que son destrier trova un poi tirant,
     Et redrece son hiaume, qui li va enclinant.
     Ja mais ne verrés home armé plus avenant,
     Et ot bien d'Alixandre le cors deus piés plus grant ;
1516 S'il ne fust orgellous, fors le roi conquerant
     N'eüst un mellor prince desi q'en Oriant.
     Par compaignes le vont li Grigois esgardant ;
     S'il fust bien d'Alixandre, volentiers l'amissant.

69

1520 Dedens son tref demaine se rest li rois armés
     Et vesti un hauberc qui iert fors et serrés,
     A mailles de fin or estoit par lieus ouvrés ;
     Devant en mi le pis et entor les costés
1524 Estoit li haubers doubles et richement clavés.
     Uns hiaumes de haut coing li fu el chief fremés,
     A las d'or et de soie atachiés et noués,
     Devant ot un topasce qui bien fu esprovés ;
1528 Et a çainte une espee dont li brans fu letrés
     Et de molt bone guise trenchans et acerés.
     Ses esperons li chaucent Caulus et Aristés.
     Devant lui fu covers Bucifal amenés ;
1532 Par son estrier a or i est li rois montés.

---

60. Le talon de la lance est appuyé sur un tapis de selle débordant l'arçon.

le roi met le pied à l'étrier et monte en selle.
Puis on pend à son cou un écu d'ivoire ;
il porte une lance de frêne rigide où pend son gonfanon.
Il sort au galop de la plus grande porte de la ville,
la lance en arrêt[60], son écu devant lui ;
quatre-vingts chevaliers viennent derrière lui.
Il lance son cheval au milieu de la plaine,
le faisant tourner à droite et à gauche,
se précipitant jusqu'aux tentes des Grecs.
Il arrive aussitôt à la plus grande tente,
fait resserrer le harnais sur la poitrine de son cheval
et change le frein contre un autre, plus serré,
parce qu'il a trouvé l'animal un peu rétif.
Il redresse son heaume, qui était abaissé sur son visage.
On ne verra jamais un plus beau chevalier :
il dépasse Alexandre de plus de deux pieds.
Sans son orgueil, il n'y aurait meilleur prince,
hormis le roi conquérant, d'ici jusqu'en Orient.
Les Grecs viennent en foule le regarder ;
s'il était allié d'Alexandre, ils l'aimeraient volontiers.

69

Le roi s'est à son tour armé dans sa tente ;
il revêt un haubert solide, aux mailles serrées
et par endroits enchâssées à des mailles d'or fin ;
devant, sur la poitrine, ainsi que sur les flancs
il y avait une double épaisseur de mailles d'un riche travail.
Sur la tête on lui fixe un heaume au sommet pointu,
attaché par des lacets d'or et de soie ;
sur le devant brille une topaze précieuse.
Il a ceint une épée à la lame gravée,
tranchante et acérée à souhait.
Caulus et Aristé lui chaussent les éperons.
On amène Bucéphale bien couvert de sa housse ;
le roi met le pied à l'éperon d'or et monte en selle.

Hanste ot roisde de fraisne, li fers fu bien temprés,
Desi q'as poins li bat uns gonfanons fresés.
« A Dieu, dïent si home, soiés vos commandés,
1536 Qui hui vos doingne faire toutes vos volentés. »
Bons ostages a pris et bons les a donés,
De tous les mellors trente que on li a només,
Et li plais fu tenus si com fu devisés.
1540 Aprés fu li uns rois de l'autre deffiés ;
Ambedui s'esloignierent la costiere d'uns pres.
1542 Ja orrés la bataille, mais que bien l'escotés.

70

1545 Li pres fu biaus et lons et l'erbe fu deugie
Et la joste des rois durement aprochie ;
Onques jusqu'au ferir n'i ot resne sachie.
1548 Nicholas fiert le roi que sa lance a brisie,
Car de molt grant vertu la portoit alongie,
Et li rois refiert lui, qui sa lance ot baissie,
Que la targe li a estrauee et percie,
1552 La maile del hauberc fausee et depecie,
Mais ne l'a pris en char a icele feïe,
Car la lance li est ens es poins esclicie ;
Por qant si l'a enpaint que l'eschine a pliie
1556 Et la sele derriers en est molt enpirie ;
L'un des estriers li taut, la coroie est laschie,
Por poi que Nicholas n'a la sele vuidie ;
La maistre des coroies du hiaume est deslacie
1560 Et la ventaille a or estendue et ploïe.
S'Alixandres n'eüst sa lance peçoïe,
Ja fust de Nicholas la praele jonchie.

71

Nicholas fu honteus de ce qu'il fu ploiés,
1564 Molt par fu tost ressours si s'est bien afichiés ;
Se del roi ne se venge, vieus est et vergoigniés.
Le cheval esperone, vers lui s'est eslaissiés ;
Le branc nu en sa main, cele part vint iriés,

Il tient une rigide lance de frêne, au fer bien trempé,
son gonfanon brodé lui descend jusqu'au poing.
« Que Dieu vous protège ! disent ses hommes
et qu'il réalise aujourd'hui tous vos désirs ! »
Alexandre a pris et donné de bons otages,
trente parmi les meilleurs de ses hommes, qu'on lui a désignés,
et l'on respecte les termes de l'accord tels qu'on les a fixés.
Puis les deux rois échangent leurs défis ;
tous deux s'éloignent sur le bord d'un pré.
Ecoutez bien maintenant le récit de la bataille !

70

Dans le grand pré à l'herbe belle et fine,
la joute des deux rois va maintenant commencer.
Aucun des deux ne tire sur ses rênes avant le choc.
Nicolas frappe le roi si violemment que sa lance s'est brisée,
car il la maintenait bien droite avec vigueur.
Le roi frappe à son tour, de sa lance baissée,
il a troué et transpercé la targe de Nicolas,
faussé et brisé les mailles du haubert,
mais il n'a pas, pour cette fois, atteint le corps,
car la lance a volé en éclats dans sa main.
Mais le choc est tel qu'il a fait plier son adversaire,
dont la selle est brisée à l'arrière.
Nicolas perd l'un de ses étriers dont la courroie a lâché :
il manque bien vider la selle.
La grande courroie du heaume est défaite,
la ventaille tordue et distendue.
Si Alexandre n'avait brisé sa lance,
Nicolas serait déjà étendu dans la prairie.

71

Nicolas est honteux d'être ainsi renversé.
Bien vite il se redresse et prend appui sur ses étriers ;
s'il ne se venge pas, il n'est qu'un vieillard déshonoré !
Il éperonne son cheval, s'élance vers Alexandre ;
l'épée nue à la main, il approche, furieux,

1568 Mervelleus cop li done quant il fu aprochiés ;
      En l'escu d'olifant est li brans enbroiés,
      Por un poi q'au retraire n'est par mi peçoiés ;
      Au retor se dut estre d'Alixandre vengiés.
1572 Qant li rois vit le cop, si s'est a val baissiés,
      De l'escu d'olifant s'est devant enbuschiés ;
      Il a traite l'espee si regarde ses piés,
      Li cuers li est el cors plaine paume dreciés.
1576 Et feri Nicholas com hom bien aïriés
      A mont par mi son hiaume, que par mi est trenchiés ;
      Les pieres sont cheües et li cercles brisiés,
      Li hiaumes esquartele, qui molt fu enpiriés,
1580 Par desus les espaulles en chïent les moitiés.
      Molt par fu grans li caus, que li brans est oschiés
      Et li chevaus sous lui par force agenolliés.
      Nicholas ot paor, ne vos en mervelliés,
1584 Sous ciel n'a home en terre qui n'en fust esmaiés,
      Assez avés veü homes mieus aaisiés ;
      Et dist a soi meïsmes : « Mes termes est jugiés ;
      Du treü Alixandre serai or engigniés. »
1588 Volentiers s'en fuïst, tous en iert conseilliés,
      Se nel laissast por ciaus des estranges raigniés,
      Et por ce qu'il en fust destruis et essilliés ;
      Mieus aime morir rois que du regne chaciés.
1592 Ses chevaus est ressours et il est redreciés.

72

      Nicholas fu iriés du caup q'a receü ;
      Por un seul petitet qu'il ne l'a abatu.
      Mais tint soi d'une chose a mort et a vaincu,
1596 Que encor ne l'en est de riens bien avenu.
      Par les flans esperone le bon bauçant crenu ;
      D'Alixandre s'aproche et tint le branc molu,
      Mervellos caup li done desor son elme agu,

_____

61. « Voyant ses pieds fermement fixés dans les étriers, le chevalier est rempli de courage » (MFRA V, p. 175).

et dès qu'il est tout près, donne un coup prodigieux :
l'épée s'est enfoncée dans l'écu d'ivoire,
qu'elle a failli mettre en pièces en s'en retirant.
Revenant sur Alexandre, il compte bien se venger.
Mais le roi, voyant venir le coup, s'est baissé
et abrité derrière son écu d'ivoire.
Puis il tire son épée, les pieds fermement fixés sur les étriers[61] ;
son cœur bondit dans sa poitrine
et il frappe Nicolas avec fureur
vers le haut, sur son heaume, qu'il a tranché en deux :
les pierres en sont tombées, le cercle en est brisé,
le heaume est mis en pièces, détruit,
les deux moitiés tombent sur les épaules du roi.
Le coup est si violent que la lame est entaillée
et que le cheval tombe sur les genoux sous son cavalier.
Si Nicolas a peur, ce n'est pas surprenant :
nul homme au monde ne pourrait vaincre sa frayeur,
car sa situation pourrait être meilleure !
Il se dit en lui-même : « Mon moment est venu :
j'aurai payé bien cher le tribut d'Alexandre ! »
Il prendrait bien la fuite, il y était décidé,
s'il n'avait pensé aux peuples des royaumes étrangers,
qui l'auraient tourmenté et mis à mort :
il aime mieux mourir roi que chassé du royaume.
Son cheval se relève, lui-même se redresse.

72

Nicolas est furieux du coup qu'il a reçu
et qui a bien failli l'abattre de cheval.
Mais il se tient déjà pour vaincu et pour mort,
car le sort ne lui a pas été favorable jusque-là.
Il éperonne les flancs de son bon cheval balzan à la longue
                                                    [crinière,
s'approche d'Alexandre en brandissant son épée affilée,
et lui assène un coup prodigieux sur son heaume pointu,

1600 Que il li a trenchié et le cercle rompu ;
      Au devaler du caup chiet li brans sor l'escu,
      Que plus de plaine paume l'a trenchié et fendu ;
      Ja mais ne verrés home sans navrer mieus feru.
1604 Et Alixandres point Bucifal par vertu,
      Bien li a de cel caup contrechange rendu,
      Et feri Nicholas, si com l'a conseü ;
      N'avoit mie du hiaume, ançois l'avoit perdu,
1608 Sa ventaille iert cheüe si avoit le chief nu.
      Lors le fiert Alixandres com hom de grant vertu,
      Que la teste li trenche res a res sor le bu ;
      D'autre part est volee en mi le pré herbu.
1612 Puis li dist par contraire, que tuit l'ont entendu :
      « Nicholas, mal avés porchacié le treü,
      Nel me demandés mais, car jel vos ai rendu. »
      Cil de Gresce s'escrïent quant le caup ont veü :
1616 « Cist doit bien tenir terre, onques teus rois ne fu. »
      Puis sont contre le roi a grans torbes venu.
      Dans Clins reçut l'espee et Tholomés l'escu,
      Sor un fautre de paile ont le roi descendu,
1620 A mervelleuse joie le desarment si dru.
      Cil de Cesaire sont dolent et irascu.
      Ens el champ a la nuit Alixandres geü,
      Jusq'au demain a l'aube que le jor ont veü.

73

1624 Au matin par son l'aube, qant le jor pot choisir,
      La lueur du soleil et le jor esclarcir,
      Le cors de Nicholas commanda a servir,
      Richement metre en terre et bien ensevelir.
1628 « Baron, dist Alixandres, je vos di sans mentir,
      Ainc ne vi plus preudome por un estor souffrir,
      Mais ainc de grant orguel ne vi home joïr. »
      Et respondent si home : « Bien le savés garir. »
1632 Li rois fait ses ostages par devant lui venir.
      « Baron, dist Alixandres, rendés moi sans faillir
      La terre Nicholas cuitement a tenir,
      Tholomé la donrai, q'a son oés la desir,

qu'il tranche en deux et dont il brise le cercle.
Rebondissant, la lame tombe sur l'écu,
qu'elle a fendu en deux sur plus d'une paume.
Mais malgré la violence du choc, Alexandre n'est pas blessé.
Il éperonne Bucéphale avec force
et a bien rendu la pareille à son adversaire :
il a tôt fait d'atteindre et de frapper Nicolas,
qui n'avait plus de heaume ; il venait de le perdre.
Sa ventaille tombée, il avait la tête nue.
C'est alors qu'Alexandre frappe de toutes ses forces
et lui coupe la tête au ras des épaules :
la tête a volé au milieu de la prairie herbeuse.
Il dit alors avec colère, et tous l'entendent :
« Nicolas, vous avez eu tort d'exiger ce tribut :
ne le demandez plus, car je vous l'ai payé ! »
A la vue de ce coup, ceux de Grèce s'écrient :
« Il est bien digne de gouverner : on n'a jamais vu pareil roi ! »
Puis ils viennent en foule à la rencontre du roi.
Sire Clin reçoit l'épée, et Tholomé l'écu.
Ses compagnons le font descendre de cheval sur un tapis de
et, dans l'allégresse, le débarrassent de ses armes.   [soie
Pour ceux de Césarée, c'est le deuil et la tristesse.
Cette nuit-là, Alexandre dormit sur le champ de bataille,
jusqu'au matin, à l'aube, dès le lever du jour.

73

De bon matin, dès l'aube, quand il peut voir le jour,
la lumière du soleil et la clarté du ciel,
il fait rendre les honneurs au corps de Nicolas,
lui fait donner une riche sépulture.
« Barons, dit Alexandre, je le dis sans mentir,
je n'ai jamais rencontré chevalier plus preux au combat,
mais jamais non plus homme d'un si grand orgueil ! »
Et ses hommes répondent : « Vous l'avez bien guéri de son
Le roi fait venir ses otages devant lui.   [orgueil ! »
« Barons, dit Alexandre, donnez-moi donc sans faute
la terre de Nicolas, qui doit m'être livrée.
J'en ferai don à Tholomé, c'est pour lui que je la désire ;

1636 Voiant toute ma gent l'en vaurai revestir ;
     Et se vos la volés par force retenir,
     Je vos ferai ja tous ens en un fu bruïr,
     Puis la reconquerrai par force et par aïr,
1640 Et ferai ciaus des tors a la terre saillir. »
     Et cil li respondirent : « Tout a vostre plaisir. »
     Les tours li ont livrees et il les fait garnir,
     Ciaus i mist de sa gent qui li vint a plaisir.

74

1644 Quant Nicholas fu mors et sa grans terre prise
     Et li rois Alixandres l'ot par force conquise,
     Tholomé apela, voiant tos li devise :
     « La terre Nicholas vos ai des ier promise ;
1648 Tenés, je la vos doins et otroi par tel guise
     Que vostre en iert tos jors et rente et commandise.
     Quant revenrons de Perse et avrons fait justice
     De Daire et de ses homes, qui ma terre ont malmise,
1652 En cele haute tor, qui est de marbre bise,
     Vos en sera el chief corone d'or assise. »
     Tholomés s'agenolle si l'a en clinant prise,
     Et li rois l'en saisi par un vert rain de lise
1656 « Sire, dïent li Grieu, ne puet mieus estre mise. »

75

     Qant li rois Nicholas ot la teste caupee
     Et Alixandres ot la terre autrui donee,
     Novele vint au roi, qui li fu devisee,
1660 Q'une cité avoit en icele contree,
     La premiere qui onques fust en Gresce fondee ;
     De sens et de clergie iert si enluminee
     Toute la sapïence du mont i est trovee
1664 Et par trestout le regne espandue et portee.
     Molt est noble la vile et riche et asasee,
     Et li baron dedens l'ont issi bien gardee
     Ainc ne fu rois ne quens, tant çainsist haut espee,
1668 A cui la segnorie en fust onques donee

devant toute l'armée, je veux l'en investir.
Et si vous voulez la garder de force,
je vous ferai tous brûler sur le même bûcher,
avant de reconquérir la terre par les armes
et de précipiter ses défenseurs du haut des tours ! »
Les otages répondent : « Nous sommes à vos ordres ! »
Ils lui livrent les châteaux, il les fait fortifier
et y place les hommes de son choix.

74

Quand Nicolas fut mort, sa grande terre conquise,
qu'Alexandre avait remportée par la force,
le roi appela Tholomé et lui dit devant tous :
« Je vous ai promis hier la terre de Nicolas ;
tenez, je vous la donne et vous en investis
pour que vous en gardiez toujours le commandement et la
Au retour de la Perse, quand nous aurons fait justice   [rente.
de Darius et ses hommes, qui désolent ma terre,
vous recevrez la couronne d'or
dans ce haut donjon de marbre bis. »
Tholomé s'agenouille pour recevoir son fief,
le roi l'en investit en le touchant d'un vert rameau d'alisier.
« Seigneur, disent les Grecs, vous ne pouviez mieux choisir ! »

75

Quand le roi Nicolas eut la tête coupée
et qu'Alexandre eut fait don de sa terre,
on rapporta au roi une étrange nouvelle :
il était une cité en cette contrée,
la première des cités fondées en Grèce.
Elle resplendissait tant de sagesse et de science
qu'on pouvait y trouver tout le savoir du monde,
qu'elle répandait et transmettait dans tout le royaume.
C'était une ville illustre, puissante et riche,
et ses habitants l'avaient en si bonne garde
que jamais roi ni comte, si haut qu'il brandît son épée,
n'avait pu asseoir sur elle sa domination

Ne sire en peüst estre seul une matinee.
Qant l'entent Alixandres, s'a la teste crollee,
Et dist par maltalent une raison doutee,
1672 Qui puis fu en maint regne chierement comperee,
Et Oriens conquis et la bousne passee :
« Se il ne la me rendent, a pis iert effondree,
Ou a fu et a flambe iert arse et embrasee. »

76

1676 Li rois ot la parole, durement s'esmervelle,
Que la cités est tele nus ne vit sa pareille ;
Tant forment la desirre qu'il ne dort ne somelle.
Alixandres chevalche qui por conquerre veille ;
1680 Il ne prise sejor la monte d'une treille,
En un jor et demi tant forment se travelle
Q'est venus a Athaines qui les la mer oreille.
De cele part l'assieent ou li rois lor conseille ;
1684 Iluec veïssiés tendre mainte porpre vermelle.

77

Li rois de Mascedoine ot la cité assise ;
Iluec veïssiés tendre maint tref de mainte guise,
Tant pavellon de soic de Biterne et de Frise.
1688 Li rois jut en son tref, qui fu de porpre bise,
Et fait venir un clerc, dist q'un brief li escrise,
A ciaus dedens l'envoie, et li mes lor devise :
Se la cité ne rendent, ançois que il l'ait prise,
1692 Et il atendent tant que li rois l'ait conquise,
A fu grigois ardant sera arse et esprise
Et trestoute la gent detrenchie et ocise.

78

Molt par est fors Athenes, la cité sist sor mer,
1696 Ne crient assaut ne trait ne lancier ne geter ;

---

62. *Oreillier*, écouter, a été corrigé en *toreillier*, s'élever comme une tour,
selon le manuscrit M.

ni s'en dire le seigneur l'espace d'un matin.
A ces mots, Alexandre a secoué la tête
et prononcé avec colère ces paroles redoutables
qui devaient être chèrement payées par bien des royaumes
et le conduire à conquérir l'Orient et à franchir les bornes :
« S'ils ne me la livrent pas, elle sera détruite pierre par pierre,
ou brûlera et disparaîtra dans les flammes ! »

76

Le roi entend dire avec émerveillement
qu'on n'a jamais vu pareille cité :
il la désire si fort qu'il en perd le sommeil.
Alexandre chevauche, la soif de conquête le tient éveillé ;
il n'accorde pas le moindre prix au repos.
Il hâte tant sa course qu'en un jour et demi
le voici devant Athènes, dressée près de la mer[62].
Les Grecs mettent le siège du côté choisi par le roi ;
on voyait s'élever bien des tentes de poupre vermeille.

77

Le roi de Macédoine assiège la cité ;
on voyait s'élever des tentes de toutes sortes,
des pavillons de soie de Biterne et de Frise.
Le roi, couché sous sa tente de pourpre sombre,
fait venir un clerc ; il veut lui dicter une lettre
et l'envoyer aux assiégés pour leur transmettre ce message :
s'ils ne livrent pas la cité avant qu'elle ne soit prise,
s'ils attendent que le roi la conquière,
des feux grégeois la mettront en flammes et la consumeront,
et toute la population sera mise à mort !

78

Athènes, un port de mer, est une cité puissante,
elle ne craint pas l'assaut, ni les traits, ni les lances.

En mi lieu de la vile ot assis un piler,
Cent piés avoit de haut, Platons le fist lever ;
A mont ot une lampe, deseur un chandeler,
1700 Qui par nuit et par jor art et reluist si cler
Que de toute la vile ne puet on riens geter
Que les gaites ne voient qui la doivent garder.
A une part se traient li baron et li per,
1704 Dolent sont d'Alissandre, qui si les veut gaster
Et metre sous ses piés et si vilment mener
Onques nus hom en terre ne l'osa mais penser.
Il vont a Aristote por conseil demander,
1708 Qui iert nes de la vile, princes, demaine et per,
Et fu maistre Alixandre por bien endoctriner.
Les bons ensegnemens du mont li vaut mostrer,
Com il deüst les regnes par force conquester
1712 Et tous ses enemis faire vers lui cliner.
Tuit ensemble li prïent si li ruevent aler,
Que por amor de lui les laist en pais ester :
« Oriëns est molt grans, molt a a conquester. »
1716 Aristotes a fait un mulet enseler ;
Et li mes Alixandre s'en prist a retorner.

79

Li messages s'en torne, qui la chartre ot guerpie,
Par la porte s'en ist sor un mul d'Orcanie,
1720 Jusq'au tref Alixandre de l'aler ne s'oublie,
Et conte la raison qu'il ot devant oïe,
Com la gent de la vile a Aristote prie
Qu'il requiere Alixandre et prit sa compaignie
1724 Q'isse fors de la terre, car a tort les guerrie :
« Oriëns est molt grans s'i a mainte partie,
Ja ne l'avra conquis en trestoute sa vie ;
Por ce qu'il est ses maistres, ne l'en mesorra mie. »
1728 Qant l'entent Alixandres, tous li cors li formie ;
1729 D'autre part s'est tornés, sor Tholomé se plie
1731 Et dist as douze pers : « Ne me conoissiés mie. »
1732 Sor sa loi lor jura et par foi lor afie
Que ja n'en fera riens q'Aristotes li die.

Au milieu de la ville il y a un pilier,
haut de cent pieds, élevé par Platon ;
au sommet une lampe surmontée d'un chandelier,
qui brûle nuit et jour et donne une telle clarté
que de toute la ville on ne peut rien lancer
que les sentinelles n'aperçoivent aussitôt.
Les barons et les pairs se réunissent en conseil ;
ils se plaignent d'Alexandre, qui veut les détruire,
les écraser et les humilier
plus que jamais nul homme au monde.
Ils vont solliciter l'aide d'Aristote,
qui est natif de la ville, prince, seigneur et pair,
et maître d'Alexandre, qu'il a bien instruit.
Il lui a enseigné toute la science du monde,
lui a appris comment conquérir les royaumes par la force
et faire plier ses ennemis devant lui.
Tous ensemble, ils l'implorent d'obtenir d'Alexandre
que pour l'amour de lui, il les laisse en paix :
« L'Orient est très grand, les conquêtes ne manquent pas ! »
Aristote fait alors seller un mulet,
tandis que le messager d'Alexandre s'en retourne.

79

Le messager revient, il a remis sa lettre.
Il quitte la ville, monté sur une mule d'Orcanie,
et se hâte jusqu'à la tente d'Alexandre.
Il lui conte le discours qu'il vient d'entendre,
les prières des gens de la ville à Aristote
pour qu'il demande à Alexandre et à sa compagnie
de quitter cette terre, à qui il fait une guerre injuste :
« L'Orient est grand, disent-ils, et ses terres nombreuses ;
il ne pourrait le conquérir en toute sa vie.
Alexandre, pensent-ils, n'éconduira pas son maître ».
A ces mots, le cœur du roi frémit ;
Alexandre se détourne, se penche vers Tholomé
et dit aux douze pairs : « Vous ne me connaissez pas ! »
Il prête le serment, sur sa croyance et sur sa foi,
qu'il ne fera rien de ce que lui dira Aristote.

80

Aristote ist d'Athaines, qui de la vile iert nes
Et uns des sinators par son savoir clamés ;
1736　De sens et de clergie estoit si esprovés
Par maintes pars du siecle en est li nons alés.
Ains qu'il voie Alixandre, li fu li dis contés,
Que li rois ot plevi, et li plais est jurés
1740　Que de riens qu'il li prit ne sera escoutés,
Por qu'il tourt a Ataines a nules sauvetés.
Qant l'entent Aristotes, a poi n'est forsenés ;
De si parfonde chose s'est le jor porpensés
1744　Dont puis fu mains païs essilliés et gastés,
Jusq'au tref Alixandre ne s'est pas arestés,
Qui iert d'or et de pierres entour avironés ;
Desus ot un charboucle qui gete grans clartés.
1748　Li rois le vit venir si est encontre alés
Et ambesdeus ses bras li a au col getés ;
Dejoste lui l'assist, que molt iert ses privés,
Et du savoir de lui iert bien enluminés.

81

1752　Molt par fu grans la presse entour Aristotés ;
Noveles li demandent et de loing et de pres,
Se cil tendront la vile ou la rendront en pes.
Aristotes respont cortoisement aprés,
1756　Belement par mesure, que n'estoit pas criés :
1757　« La cités n'est pas close de peus jointis ne d'es,
1759　Li mur furent fondé des le tans Moÿsés ;
1758　Li chevalier sont preu et li borgois engrés,
1760　Onques n'orent segnor, non aront il ja mes. »
Alixandres respont : « Dont lor sort uns tels fes
Que en toutes lor vies aront il paine adés. »

82

Alixandres se jut sor un paile fresé,
1763 *(sic)* 1764　Joste lui Aristote, son maistre et son privé ;

80

Aristote quitte Athènes : il y est né
et fait partie du sénat ; fameux pour son savoir,
il est d'une sagesse et d'une culture éprouvées
qui ont porté son nom en bien des points du monde.
Avant sa rencontre avec Alexandre, on lui a conté
l'engagement du roi, le serment qu'il a prêté
de n'écouter aucune des prières
qu'il pourra lui faire pour le salut d'Athènes.
Aristote, à ces mots, est près d'en perdre le sens.
Mais il imagine alors une ruse subtile
qui devait amener la ruine et la dévastation de bien des terres.
Il s'en vient tout droit à la tente d'Alexandre,
toute couverte d'or et de pierres précieuses.
Au sommet, une escarboucle répand une immense clarté.
Le roi le voit venir, il va à sa rencontre,
le prend dans ses bras
et l'asseoit à ses côtés, comme son familier
et l'homme de qui il tient son brillant savoir.

81

La foule entoure Aristote ;
on lui demande des nouvelles de loin et de près :
les Athéniens vont-ils défendre la ville ? la livrer sans
Aristote répond avec courtoisie,   [violence ?
douceur et modération, car il est sans dureté :
« La cité n'est pas entourée d'une palissade de pieux serrés et
les murailles datent du temps de Moïse ;   [de planches,
ses chevaliers sont valeureux, ses bourgeois obstinés :
jamais ils n'ont eu de seigneur et ils n'en auront jamais ! »
Alexandre répond : « Alors leur vie est menacée
de ne plus être qu'une longue douleur ! »

82

Alexandre, étendu sur une soierie brodée,
garde près de lui Aristote, son maître et son ami,

A mervelle le tient que tant a demoré
Q'il ne li a le don requis et demandé
Que Athaines eüst et pais et salveté.
1768 Li maistre a le conseil en autre fuel torné,
Tresq'a eure de none ont ensemble parlé.
Lors li a Aristotes le congié demandé,
Par son estrier monta el mulet sejorné
1772 Et a dit tel parole dont le roi a pesé,
Dont puis furent maint regne essillié et gasté.
« Alixandres, fait il, por q'as tant demoré ?
Fai crïer a tes homes que tost soient armé
1776 S'asail de toutes pars ceste bone cité,
Met en fu et en flambe qanque avras trové,
Que nes puissent garir haut mur ne grant fossé,
N'i remaigne vaillant un denier moneé. »
1780 Qant l'entent Alixandres, si a le vis troublé,
Ses deus poins fiert ensemble si a le chief craulé,
Et dist a soi meïsmes : « Malement ai erré,
La vile est de moi cuite, tuit sont asseüré ;
1784 Au savoir Aristote ai malement gardé.
Mes maistres m'a souspris et bien m'a enchanté. »
Aristotes s'en torne et li Grieu sont monté ;
Alixandres chevauche et a forment juré
1788 Ja mais ne finera en trestout son aé
Desi que il avra tout le mont conquesté
Et de par toutes terres l'avront segnor clamé.

83

Qant li rois ot conquise la terre Nicholas
1792 Et departi d'Athaines, c'onques n'i ot mur quas,
A tant es vos un mes errant plus que le pas ;
Li chevaus ou il sist fu estanchiés et las,
Isnelement apele le roi mascedonas :

---

63. Au Moyen Age, les heures correspondent aux heures romaines en partie
christianisées : prime (vers 6 h), tierce (vers 9 h), sixte (vers midi), none (vers
15 h), vêpres (vers 18 h), complies (vers 21 h), matines (vers minuit), laudes
(vers 3 h).

étonné qu'il tarde tant
à présenter sa requête et à demander
pour Athènes la paix et le salut.
Mais le maître fait dévier la conversation
et ils bavardent jusqu'à l'heure de none[63].
Aristote demande alors son congé,
monte en selle sur son mulet bien reposé
et prononce les paroles qui devaient chagriner le roi
et causer la ruine et la dévastation de bien des royaumes.
« Alexandre, dit-il, qu'attends-tu donc ?
Hâte-toi de faire armer tous tes hommes
et lance l'assaut contre cette bonne cité !
Brûle donc et réduis tout en cendres sur ton passage !
Que rien ne les protège, ni haut mur, ni grand fossé,
et qu'il n'en reste pas la valeur d'un denier ! »
Alexandre, à ces mots, le visage troublé,
se tord les deux poings et secoue la tête :
« J'ai eu tort, se dit-il,
la ville est quitte, ils peuvent être tranquilles !
Je ne me suis pas gardé de la sagesse d'Aristote :
mon maître m'a surpris et vaincu comme par magie ! »
Aristote s'éloigne, les Grecs montent à cheval ;
Alexandre chevauche et prête le serment
de ne jamais s'arrêter de toute sa vie
avant d'avoir conquis le monde entier
et d'être reconnu comme seigneur par toutes les terres.

83

Quand le roi eut conquis la terre de Nicolas,
qu'il eut quitté Athènes sans toucher à ses murs,
voici un messager lancé au grand galop
sur un cheval épuisé et bien las.
Il appelle aussitôt le roi de Macédoine :

1796 « Sire, entent mes noveles, se toi plaist, ses orras.
     – Quels sont ? dist Alixandres, ne me mentir tu pas. »
     Et respont li messages : « Par foi ja n'en jorras !
     Tes peres t'a honi par le conseil Jonas,

1800 Le seneschal de Gresce, que a lui acordas,
     Et a laissié ta mere, ma dame Olimpias,
     Et veut prendre mollier une Cleopatras,
     Nee de Pincernie, fille le roi Guinas. »

1804 Qant l'entent Alixandres, si tint le chief en bas,
     Et aprés li demande : « Chevaliers, est ce gas ?
     – Nenil, par mon chief, sire, a tous tans i venras.
     Li seneschaus en a ja eü set cens mars

1808 Et cent ostoirs müés et trente chevaus cras,
     Et si dist a la gent, nel tenés mie a gas,
     Que tu n'es fieus Phelippe ne en Gresce droit n'as,
     Enchanteor t'apelent et fil de Sathanas. »

1812 Lors ot li rois grant ire s'apela Filotas :
     « Li seneschaus de Gresce m'a bien sans eaue ras,
     Mais ja ne coucherai sor coute ne sor dras
     Tant qu'il en iert destruis et en un fu tous ars. »

84

1816 Qant Alixandres ot sa vergoigne noncier,
     De maltalent commence le viaire a changier,
     Onques n'i vaut atendre palefroi ne destrier,
     Ains vit en mi le pré un ronci estraier,

1820 De plaine terre i saut, onques n'i quist estrier,
     Puis a dit a ses homes : « Pensés de l'esploitier. »

---

64. Le mauvais sénéchal est un personnage traditionnel : voir B. Woledge, « Bons vavasseurs et mauvais sénéchaux », *Mélanges R. Lejeune*, Paris, 1969, pp. 1263-1277. Le roi, victime de son mauvais conseiller, est ainsi déchargé de la faute.

65. Philippe II a eu sept épouses, dont Olympias, fille de Néoptolème roi de Molossie (357) et Cléopâtre, nièce d'Attale (337). Sur la querelle entre Philippe et Alexandre suscitée par ce mariage, et la rixe au cours des noces, voir Plutarque, *Vie d'Alexandre*, 9, 7-11 ; *Epitome*, I, 20-22.

66. Mot à mot : « m'a bien rasé sans eau ». On trouve une expression similaire dans la deuxième version continentale de *Bueve de Hantone*, éd. A. Stim-

« Seigneur, écoutez-moi, j'apporte des nouvelles !
– Lesquelles ? dit Alexandre, garde-toi de mentir ! »
Le messager répond : « Elles ne vous réjouiront pas !
Votre père vous a renié, sur l'avis de Jonas,
le sénéchal de Grèce, que vous avez réconcilié avec lui[64].
Il a répudié votre mère, madame Olympias,
et veut prendre pour femme une certaine Cléopâtre,
native de Pincernie, fille du roi Guinas[65]. »
Alexandre, à ces mots, baisse la tête,
et lui demande : « Chevalier, est-ce une plaisanterie ?
– Non, sur ma tête, sire, mais un fait incontestable !
Le sénéchal a reçu sept cents marcs de récompense,
cent autours mués et trente chevaux robustes,
et il a dit au peuple, ce n'est pas une plaisanterie,
que vous n'êtes pas le fils de Philippe et n'avez aucun droit sur
on vous traite d'enchanteur et de fils de Satan ! »   [la Grèce :
Le roi, plein de fureur, appelle Filote :
« Le sénéchal de Grèce s'est bien moqué de moi[66] !
Mais je ne coucherai plus dans un lit
avant de l'avoir vu mort et brûlé sur un bûcher ! »

84

A l'annonce de sa honte,
Alexandre, dans sa colère, change de visage ;
il n'attend ni palefroi ni destrier,
mais voyant dans le pré un roussin abandonné[67],
il saute en selle, sans étrier,
déclarant à ses hommes : « Hâtez-vous ! »

─────────

ming, Dresde, 1912, II vv. 5256-59 : « Car pleüst ore au roi de maïsté / que jou
eüsse un des membres caupé / et les cheveus du chief sans eue res, / ne mais
que Bueves fust encor en santé ! »
   67. Le *destrier* (monture de combat) et le *palefroi* (monture de voyage) sont
des chevaux de prix. Au contraire, le *roncin* est un cheval de charge ou une
monture de valet ou d'écuyer. Par croisement avec *roux* (couleur à connotation
péjorative), le mot est devenu *roussin*.

Onques desi en Gresce ne se vaut atargier.
Devant le roi Phelippe es vos un messagier,
1824 Qui estoit ja assis as nueces au mengier.
« Sire, dist il au roi, ja celer ne te quier ;
Alixandres chevalche, qui le corage a fier,
Et a en sa compaigne maint gentil chevalier ;
1828 Nicholas a ocis a l'espee d'acier
Et a fait Tholomé de son regne eritier ;
Le douaire sa mere est venus chalengier.
Sempres porrés veoir nueces bien peçoier,
1832 Car il vaudra de cuer ceste honte vengier.
Li seneschaus meïsmes n'i puet riens gaaignier ;
Ne donroie en sa vie la monte d'un denier. »
Quant Jonas l'entendi, n'i ot que courecier ;
1836 Ja feïst au message ansdeus les ieus sachier
Quant Alixandres vint, qui de riens ne l'ot chier.

85

Li rois entre en la sale, qui le cuer ot mari,
Et vit par mi les tables le mangier establi,
1840 Lors dist par maltalent, si que tuit l'ont oï :
« Anqui serés de moi a ces nueces servi. »
La ou il vit Jonas, ne l'a pas meschoisi :
« Jonas, dist Alixandres, cuivers, je te deffi. »
1844 Lors a traite l'espee, durement l'en feri,
Que desus les espaulles la teste li toli ;
Cil leverent des tables, le mangier ont guerpi
Et furent par la sale durement estormi ;
1848 Et cil de Pincernie sont as armes sailli,
Qui ensamble o lor dame estoient venu ci.

86

La sale fu troublee et meslee la gent ;
Ilueques veïssiés un grant tooillement,
1852 Et cil de Pincernie se deffendent forment,
Mais li home Alixandre les fierent durement,
Que navrés que ocis en i ot plus de cent ;

Il ne s'arrêtera pas avant d'être en Grèce.
Un messager arrive devant le roi Philippe,
qui était assis à son repas de noces.
« Seigneur, dit-il au roi, je ne peux vous le cacher :
Alexandre chevauche, Alexandre au cœur fier,
et en sa compagnie bien des nobles chevaliers.
Il a tué Nicolas de son épée d'acier
et investi Tholomé de son royaume.
Il vient revendiquer le douaire de sa mère.
Vous verrez bientôt ces noces interrompues,
car il ne songe qu'à se venger de cette honte.
Le sénéchal lui-même n'y pourra rien gagner :
je ne donnerais pas un denier de sa vie ! »
Jonas, à ces paroles, est rempli de courroux ;
il aurait bien fait arracher les yeux au messager
quand voici Alexandre, qui ne le porte pas dans son cœur.

85

Le roi entre dans la salle, le cœur plein de courroux ;
il voit le repas disposé sur les tables
et dit avec colère, devant tous les convives :
« C'est moi qui vais vous servir maintenant ! »
Il a reconnu Jonas sans peine :
« Jonas, dit Alexandre, coquin, je te défie ! »
Il tire son épée et lui donne un tel coup
qu'il lui tranche la tête au-dessus des épaules.
Les convives quittent la table, le repas,
et dans leur déroute se bousculent dans la salle.
Les gens de Pincernie courent à leurs armes,
pour défendre leur dame, qu'ils avaient accompagnée.

86

C'est le désordre dans la salle où se mêle la foule :
on voyait régner la plus grande confusion.
Les gens de Pincernie se défendent vigoureusement
mais les hommes d'Alexandre ripostent fermement :
ils en ont tué ou blessé plus de cent,

De la sale les getent, li pluisor sont sanglent.
1856 Qant Phelippes le voit, si mua son talent,
Et tint en sa main destre un coutel a argent
Et vint vers Alixandre courant isnelement ;
Ja le ferist el cors, par le mien ensïent,
1860 Qant li pié li eschapent, si chiet el pavement.
La veüe li torble et tous li cuers li ment,
Quatre fois s'est pasmés, sor le marbre s'estent.
Quant le vit Alixandres, le cuer en ot dolent,
1864 Cele part vint courant, entre ses bras le prent,
En un lit le coucha si li dist bonement :
« Se ne fuissiés mes peres, ja n'eüssiés garant ;
Sempres fuissiés venus a malvais jugement.
1868 Molt par fait grant folie hom de vostre ensïent,
Q'est venus en aage et issus de jovent,
Qui guerpist sa mollier por dit de fole gent ;
Tels done mal conseil n'i gaaigne noient.
1872 Mais prenés vostre feme et vivés bonement
Et metés bon escrit en vostre finement ;
De vos doivent venir li bon ensegnement. »
Phelippe ot la parole, molt grant bien i entent.

87

1876 Phelippes fu cheüs s'ot la color perdue,
De la dolor qu'il ot tous li cors li tressue,
Qant la force li fu et la santés venue,
Puis a mandé sa gent, la grant et la menue,
1880 Par le conseil de tous a la dame rendue ;
Vait s'ent en Pincernie, la dont ele iert venue ;
Molt i ot de sa gent dampnee et confondue.
Li rois reprist sa feme, que maint jor ot eüe ;
1884 Cel jor fu el palais la joie maintenue.
Alixandres li a la coroune rendue
Qu'il ot de Nicholas, quant la teste ot perdue,
Qui li avoit sa terre gastee et confondue.
1888 Tost fu par tout le mont la novele seüe ;
Qant Dayres l'entendi, li corages li mue ;
Il en jure ses dieus et sa teste chanue

et les chassent de la salle, tout sanglants.
Philippe, à ce spectacle, change d'attitude :
il accourt vers Alexandre,
brandissant dans la main droite un couteau d'argent,
qu'il lui aurait enfoncé dans le corps, je crois bien,
quand ses jambes s'affaissent sous lui, il tombe sur le sol.
Sa vue se trouble, ses forces lui manquent,
il s'évanouit à quatre reprises, étendu sur le marbre.
A cette vue, Alexandre, plein de chagrin,
vient vers lui en courant, le prend dans ses bras
et l'allonge sur un lit en lui disant doucement :
« Si vous n'étiez pas mon père, rien ne pourrait vous protéger ;
vous connaîtriez bientôt un sort cruel.
C'est grande folie pour un homme de votre sens,
avancé en âge, si loin de sa jeunesse,
de répudier sa femme sur des calomnies.
Mais celui qui donne de mauvais conseils n'y gagne rien.
Prenez donc votre femme, vivez dans le bien ;
et, au terme de votre vie, écrivez un noble testament :
de vous ne doivent venir que de bons enseignements. »
Philippe entend ces paroles et comprend leur sagesse.

87

Philippe est tombé, privé de couleur,
le corps couvert de sueur sous l'effet de la douleur.
Quand ses forces et sa santé lui reviennent,
il convoque ses sujets, les grands et les petits,
et, de l'avis de tous, rend aux siens la dame de Pincernie,
qui s'en retourne là d'où elle était venue,
mais avec une escorte diminuée et mal en point.
Le roi reprend sa femme, à ses côtés depuis si longtemps :
ce jour-là la joie fut grande au palais.
Alexandre lui a remis la couronne
conquise, en lui coupant la tête, sur Nicolas,
qui avait détruit et dévasté les terres grecques.
La nouvelle en courut bientôt dans le monde entier.
Quand Darius l'apprend, son sang ne fait qu'un tour :
il jure sur ses dieux et sur sa tête blanche

Ne laira Alixandre le vaillant d'une alue,
1892 Ne garir ne puet il en terre desous nue.

88

De Nicholas fu Dayres dolans, qui fu ocis,
Car il iert ses parens, ses hom et ses amis ;
Lors a pris ses messages, ses envoie Phelis :
1896 Si com il tient de lui sa terre et son païs
Et il est ses hom liges, quites en son servis,
Q'il viegne a lui en Perse por faire ses plaisirs,
En manaide d'ocirre ou de remanoir vis ;
1900 Et mande a Alixandre, qui chadele les Gris,
Qu'il li rende le regne Nicholas, qu'a conquis,
Et li viegne droit faire de ce qu'il a mespris ;
Et se il ce refuse, d'une chose soit fis,
1904 Ja ne verra des ieus un an et quinze dis.
Por ce que il iert enfes et de folie espris,
Li envoie samblances, si com je vous devis,
Un frain, une pelote, une verge de lis,
1908 Et un escrin d'argent ou avoit ens or mis,
Et un brief por espondre li a aveuc tramis.

89

Dayres fist les samblances Alixandre envoier,
La verge et la pelote et le fraim a destrier
1912 Et un escrin d'argent qui tous fu plains d'or mier.
La verge li envoie por son cors chastïer,
Por ce que il est enfes de corage legier,
Ne se doit par outrage folement essaucier,
1916 De qoi le recoviegne laidement trebuchier ;
La pelote reonde por lui esbanoier,
Que encore se doit jouer et foloier,
Et ne port si grant fais qu'il ne puisse chargier ;
1920 Le fraim por lui tenir, et l'escrin plain d'or mier
Por ce que il se doit vers lui humelïer,
Que Dayres est ses sires, si se doit sousploier
Et tous jors obeïr et servir et proier,

qu'Alexandre ne conservera pas de quoi se payer une alise
et ne trouvera nul refuge sous les nues.

88

La mort de Nicolas plonge Darius dans le deuil,
car c'était son parent, son vassal, son ami.
Il convoque donc ses messagers et les envoie à Philippe :
Philippe tient de lui sa terre et son pays,
il est son homme lige, tout à son service ;
qu'il vienne à lui, en Perse, pour faire sa volonté,
c'est une question de vie ou de mort !
Et il ordonne à Alexandre, qui mène l'armée grecque,
de rendre le royaume de Nicolas, qu'il a conquis,
et de venir réparer le mal qu'il a commis.
Si jamais il refuse, il peut être certain
qu'il ne verra pas s'écouler un an et quinze jours.
Comme il n'est qu'un enfant au cœur plein de folie,
il lui envoie des emblèmes :
un frein, une balle, une baguette d'alisier
et un écrin d'argent qui renferme de l'or,
avec une lettre pour expliquer leur sens.

89

Darius fait envoyer les emblèmes à Alexandre,
la baguette, la balle, le frein de cheval
et un écrin d'argent rempli d'or pur.
Il lui envoie la baguette pour se corriger,
car il n'est qu'un enfant au cœur frivole,
que son orgueil démesuré risque de mener trop haut
pour le précipiter ensuite plus bas que terre.
La balle ronde, c'est pour le distraire,
car il est encore à l'âge où l'on doit jouer et folâtrer,
en évitant de se charger d'un fardeau trop lourd.
Le frein, c'est pour se maîtriser, et l'écrin plein d'or pur
lui montre qu'il doit s'humilier devant Darius,
son seigneur, s'incliner devant lui,
lui obéir, le servir et l'implorer à tout jamais

1924 Encontre son plaisir ne doit mie raignier.
     L'endemain sont de Perse meü li messagier ;
     Onques desi qu'en Gresce ne se vaurent targier.

                          90

     Cel jor fu Alixandres de la cité issus,
1928 Aveuc lui Tholomé et Cliçon et Caulus,
     Perdicas et Filote, a lor caus lor escus,
     Et tuit li autre per, dont nus n'est esperdus
     De servir lor segnor de toutes lor vertus :
1932 O eus ala Phelippes, li vieus et li chanus,
     Es pres sous la cité sont ensamble venus.
     Iluec avoit un bos, plus biaus ne fu veüs,
     De pins et de lauriers et d'oliviers foillus ;
1936 La fu li maistres tres Alixandre tendus ;
     Et par la praerie mil pavellons menus,
     Tant aigle et tant pomel i ot a or batus.
     Alixandres les voit, li cuers li est creüs ;
1940 Il en jure ses dieus, Jupiter et Caüs,
     Que por plaine la tour qui fu Semiramus
     Del plus fin or d'Arrabe qui onques fust fondus
     Ne laisseroit il mie, ne ne meteroit jus,
1944 Que il ne voist sor Dayre ains qu'avrieus soit venus ;
1945 Se Perse ne li rent, mors est et confondus.
1947 Entour lui s'aresterent dis mile de ses drus.

                          91

1948 Del tref Roi Alixandre vos dirai la faiture,
     Il est et grans et les et haus a desmesure ;
     L'estache en fu d'ivoire a riche entailleüre,
     Et quant ele estoit droite n'i paroit pas jointure.
1952 Li festes iert a or a molt riche faiture ;

───────────────

68. Sur la tente d'Alexandre, voir *supra*, l'Introduction. Sur *tref, tente,
pavillon*, voir *supra*, I, v. 668.

et se soumettre sans mot dire à son bon plaisir.
Dès le lendemain, les messagers quittent la Perse
pour gagner la Grèce sans plus s'arrêter.

90

Ce jour-là, Alexandre avait quitté la ville,
en la compagnie de Tholomé, de Clin et de Caulus,
de Perdicas et de Filote, qui portent leurs écus,
de tous les autres pairs qui ne songent à rien d'autre
qu'à servir leur seigneur de toutes leurs forces.
Avec eux s'en vint le vieux Philippe aux cheveux blancs.
Tous se réunissent dans les prés, aux pieds de la cité.
On trouvait là le plus beau bois du monde,
où poussaient pins, lauriers et oliviers feuillus.
C'est là que l'on dressa la grande tente d'Alexandre,
entourée, dans le pré, de mille petits pavillons
que décoraient mille aigles, mille pommeaux d'or battu.
Le cœur d'Alexandre se dilate à cette vue :
il jure par ses dieux, Jupiter et Cahu,
que dût-on lui donner le donjon de Sémiramis
tout empli de l'or le plus fin d'Arabie,
il ne renoncerait pour rien au monde
à attaquer Darius avant le mois d'avril :
que Darius lui livre la Perse, ou c'en est fait de lui !
Autour de lui se dressent dix mille de ses compagnons.

91

La tente du roi Alexandre, je vais vous la décrire[68] :
elle est d'une hauteur et d'une largeur immenses,
soutenue par un pilier d'ivoire richement sculpté,
qui se dresse tout droit, sans la moindre jointure apparente.
La poutre du faîte est somptueusement décorée d'or

A pierres prescïeuses estoit l'adoubeüre.

Deus pumiaus i a teus qui sont bon par nature,

L'uns iert d'un escharboucle, qui luist par nuit oscure,

1956   Li autres d'un topasce, la pierre est clere et pure

Et tempre du soleil la chalor et l'ardure.

Or vos dirai aprés quels est la coverture ;

Il n'ot onques mellor tant com li siecles dure,

1960   Car tuit li quatre pan furent fait sans costure.

92

De fin or espanois furent fait li paisson,

Et les cordes de soie, qui tendent environ,

Et ot aveuc mellé plume d'alerion ;

1964   Arme nes puet trenchier, tant i ait acier bon.

Li quatre pan sont fait chascuns d'une façon ;

L'uns est plus blans que nois et plus clers que glaçon,

Li autres de travers est plus noirs que charbon,

1968   Et li tiers fu vermaus, tains de sanc de dragon,

Et li quars fu plus vers que fuelle de plançon.

La roïne le fist, ce dist en la leçon,

Qui par sa grant biauté deçut Roi Salemon,

1972   Del poil fu d'une beste qui salemandre ot non,

Tous tans se gist en fu, n'a autre garison,

Ne ja ne porra fus ardoir le pavellon ;

Et qant il est ploiés et mis en quaregnon,

1976   Sel met on en la groisse d'un dencel de grifon.

93

Li huis du pavellon fu fais d'autre maniere,

De la pel d'un serpent qui fu grans et pleniere ;

---

69. *Adoubeüre*, qui n'est pas attesté par ailleurs, a, selon l'éditeur, le sens de *décoration*.

70. La tradition donnait les ailes de ces oiseaux pour tranchantes comme des rasoirs : E. Faral, *Recherches sur les sources latines dans les contes et romans courtois du Moyen Age*, Paris, 1913, p. 365, note 1.

71. Dans le conte médiéval de Salomon et Marcoul, l'épouse de Salomon trompe le roi et se fait passer pour morte pour rejoindre son amant : voir J.R.

et sertie de pierres précieuses[69].
Les deux pommeaux ont de merveilleux pouvoirs :
l'un est une escarboucle qui illumine les nuits obscures,
et l'autre une topaze, une pierre claire et pure
qui atténue la chaleur et la brûlure du soleil.
Quant aux étoffes qui recouvrent la charpente,
on ne pourrait en trouver de meilleures dans le monde entier :
les quatre pans sont faits d'une seule pièce.

92

Les piquets sont du plus pur or d'Espagne,
et les cordes qui tendent les étoffes
sont tissées de soie et de plumes d'alerion :
l'acier le plus fort ne saurait les trancher[70].
Aucun des quatre pans ne ressemble aux autres.
L'un est plus blanc que neige et plus clair que la glace,
l'autre, sur la largeur, plus noir que le charbon ;
le troisième est vermeil, teint du sang d'un dragon,
et le dernier plus vert que la feuille sur la branche.
C'est l'œuvre, à ce que disent les livres,
d'une reine de grande beauté qui trompa le roi Salomon[71].
On y trouve la fourrure d'un animal nommé salamandre,
qui vit dans le feu et s'y trouve bien :
nul feu ne saurait donc brûler le pavillon[72].
Et quand il est plié en quatre,
il a la taille d'une dent de griffon.

93

L'entrée du pavillon offre un autre spectacle,
grande et large, formée de la peau d'un serpent,

Reinhard, *Amadas et Ydoine, an historical study*, Durham, 1927, p. 83. *Cf. infra*, III, vv. 7427-7428.

72. On prêtait autrefois à la salamandre la faculté de vivre dans le feu et d'éteindre le feu : voir G. Bianciotto trad., *Bestiaires du Moyen Age*, Paris 1980, pp. 55 (Pierre de Beauvais) et 111 (Guillaume le Clerc), et M.F. Dupuis et S. Louis trad., *Le Bestiaire*, Paris, 1988, p 153 (Bestiaire Ashmole).

Ele est et blanche et clere plus que nule verriere,
1980 Por la bonté qu'ele a doit ele estre plus chiere,
Car se hom i aproche, neïs feme legiere,
Qui port entoschement, torner l'estuet arriere ;
Sempres se clot et serre com s'iert une messiere,
1984 Aprés devient oscure et gete tel fumiere
Com fet desor le fu une bollant chaudiere,
Cele espoisse li dure une lieuee entiere.
Plus de mil mars d'argent en valoit la charniere ;
1988 Sa mere li dona, mais ce fu par proiere.

94

Sor le feste du tref, ou sont li dui pumel,
Par molt grant maiestire i ot mis un oisel
En samblance d'un aigle, nus hom ne vit tant bel ;
1992 La roïne le fist c'on clamoit Ysabel.
Li pié sont d'aïmant, entaillié a cisel,
Si i ot sanc de buef, plus de plain un tounel,
Et tient entre ses piés de fer un grant quarrel ;
1996 Et li cors et les eles et li maistre coutel
Furent tuit de fin or et cuisses et mustel ;
Et la plume d'argent, entaillie a neel ;
Les pierres preciëuses valent mieus d'un chastel ;
2000 Et la qeue fu faite de l'os d'un poissoncel
Qui n'est mie plus grans que li cors d'un aignel ;
Dieus ne fist encor onques nul dromont si isnel,
Qui tant fust escuellis devant le vent bisel,

---

73. Il s'agit peut-être d'une allusion au *Secret des secrets*. Ce miroir des princes arabe, traduit en latin au XII° siècle, a la forme d'une lettre adressée par Aristote à Alexandre. Il rapporte qu'une reine de l'Inde envoya parmi d'autres présents à Alexandre, une belle jeune fille qui avait été nourrie de venin, afin de rendre sa morsure mortelle comme celle du serpent : voir W. Hertz, « Die Sage vom Giftmädchen », *Gesammelte Abhandlungen*, Stuttgart 1905, pp. 156-277. *Cf. infra*, III, v. 18.
74. Il s'agit vraisemblablement de la femme de Salomon, mentionnée plus haut. On trouve en effet dans le manuscrit B : « La reïna lo fist qu'ot nom Eleniçon, / Que per sa grant beuté desut rei Salamon » (MFRA I, p. 159, vv. 3401-3402).

plus claire et brillante qu'une verrière,
et plus précieuse encore par son merveilleux pouvoir :
si jamais s'en approchent un homme ou une femme légère
porteurs de poison, il leur faut faire demi-tour,
car la porte se ferme, plus infranchissable qu'une muraille de
devient sombre et projette une fumée   [pierre,
plus épaisse que celle d'un chaudron sur le feu,
sur plus d'une lieue de long[73].
Quant à la charnière, elle vaut plus de mille marcs d'argent
et le roi ne l'a obtenue de sa mère que par la prière.

94

Au faîte de la tente, orné des deux pommeaux,
on avait placé avec grand art un oiseau,
un aigle d'une beauté incomparable,
qu'avait créé la reine nommée Isabelle[74].
Ses pattes sont de diamant taillé ;
on a utilisé, pour le faire, plus d'un tonneau de sang de bœuf[75].
Il tient entre les pattes une grande flèche de fer.
Le corps, les ailes et les pennes
sont d'or fin, comme les cuisses et les jambes[76].
Ses plumes sont d'argent sculpté et émaillé.
Les pierreries qui le couvrent ont plus de prix qu'un château.
La queue est faite de l'arête d'un poisson
qui n'est pas plus grand qu'un agneau ;
il n'est pourtant navire au monde, si rapide soit-il,
et emporté par le vent,

---

75. O. Söhring (« Werke bildender Kunst », *Romanische Forschungen* 12, 1900, pp. 527 et 539) mentionne deux autres exemples d'emploi de sang dans la fabrication de ciment (Benoît de Sainte-Maure, *Roman de Troie*, v. 23064, *Enéas*, v. 7656).

76. *Coutel* est le nom donné à certaines des pennes intermédiaires de l'aile : G. Tilander, « Etude sur les traductions en vieux français du traité de fauconnerie de l'empereur Frédéric II », *Zeitschrift für romanische Philologie* 46, 1926, p. 288.

2004 Q'il ne face arester, sel claiment escuinel.
     Ens el bec dedevant avoit un chalemel ;
     Qant li vens se fiert ens, donques chante si bel
     Que mieus vaut a oïr que flagol ne frestel.

95

2008 Tels est li tres defors com je vos ai conté ;
     Or vos reconterai par dedens la biauté.
     El premier chief devant fu pains li mois d'esté,
     Tout si com li vergier verdoient et li pré
2012 Et tout si com les vignes florissent et li blé.
     Li douze mois de l'an i sont tuit devisé
     Ensi comme chascuns mostre sa poësté ;
     Les eures et li jor i sont tuit aconté ;
2016 Li cieus et les planetes, li signe, tuit nomé ;
     Li solaus et la lune i getent grant clarté
     Et li ans est desus pains en sa maiesté ;
     Par letres sor escrites i est tout devisé.

96

2020 En l'autre pan aprés, se voliés garder,
     Veïssiés mapamonde ensegnier et mostrer
     Ensi comme la terre est enclose de mer
     Et com li filosophe la vaurent deviser
2024 Et metre en trois parties que je sai bien nomer :
     C'est Aise et Eürope et Aufrique sa per ;
     Les montaignes, les flueves, les cités a conter,
     Par letres d'or escrites i pöes tout trover.
2028 Alixandres li rois i veut molt esgarder
     Qant il gist en son lit por son cors deporter,
     Li douze per o lui por son sens escouter ;

---

77. L'échénéide ou rémora « possède une tête munie d'un disque aplati à l'aide duquel il s'attache fortement aux corps étrangers, rochers, navires, etc. De là la croyance des anciens qu'il pouvait arrêter les vaisseaux dans leur course » : L. Flutre, « Notes sur le vocabulaire des *Faits des Romains* », *Romania* 65, 1939, p. 525.

dont il n'arrête la course : on le nomme échénéide[77].
Dans son bec, on a placé un chalumeau
qui, au souffle du vent, est plus doux à entendre
que le son des flûtes et des flageolets.

95

Voilà, du dehors, l'apparence de la tente ;
je vous dirai maintenant quelles beautés on trouve à l'intérieur.
D'abord, sur le devant, est peinte la saison d'été,
avec ses vergers et ses prés verdoyants,
ses vignes et ses blés en fleurs.
Les douze mois de l'année sont tous représentés,
chacun d'entre eux dans toute sa gloire.
Les heures et les jours sont aussi tous décrits,
le ciel, les planètes et les constellations, avec leur nom ;
le soleil et la lune y répandent leur clarté ;
l'année est au-dessus, peinte dans sa majesté.
Des inscriptions, en haut, expliquent toutes les figures.

96

Plus loin, sur l'autre pan, vous pourriez découvrir
la mappemonde qui vous montre et enseigne
que la terre est entourée de mer
et divisée, selon les philosophes,
en trois parties que je sais bien nommer :
c'est l'Asie et l'Europe et l'Afrique leur compagne.
Les montagnes, les fleuves, les cités d'importance,
vous pourriez tout trouver, peint et écrit en or.
Alexandre le roi les contemple souvent,
étendu dans son lit, quand il se repose,
entouré des douze pairs qui admirent sa science.

       Et qant porpensés s'est, si commence a jurer
2032   Que molt fist Dieus poi terre por un home honorer ;
       Deus tans en peüst bien uns preudoms governer.
       Et puis a dit aprés : « Se longes puis durer,
       Seur tant com il en est vaurai je segnorer. »

                          97

2036   En la tierce partie estoit escrit comment
       Herculés fu conçus et nes premierement.
       Qant il jut en son bers, petis et de jovent,
       Et Juno sa marrastre, qui le haoit forment,
2040   Deus serpens li tramist por envenimement ;
       Qant Herculés les vit, ses prist par maltalent,
       As poins que il ot gros les ocist esraument.
       Puis conquist il la terre desi qu'en Orïent,
2044   Iluec mist il les bonnes voiant toute la gent.
       Tout ce mostre la letre, se l'estoire ne ment.
       En la fin de l'estoire i est com faitement
       Le ciel tint a son col par son enchantement.
2048   Alixandres li rois i esgarde souvent,
       Et qant l'a esgardé, jure son sairement,
       Se il puet longes vivre, qu'il fera ensement :
       Ses bonnes metera par devers Orïent.

                          98

2052   En la qarte partie, si com li tres define,
       Est escrite l'estoire d'Elaine la roïne,
       Si com Paris por li en ala a Meschine,
       Et li rois Menelaus en ot en sa saisine
2056   Un escu dioré, a forme leonine.

────────────

78. Junon, jalouse des amours de Jupiter et d'Alcmène, envoya deux
serpents pour tuer l'enfant Hercule, né de cette union.
79. Référence à la légende d'Hercule porteur d'étoiles (stelliger), « que l'on
trouve dans le Mythographus Tertius, sans doute postérieur au *Roman
d'Alexandre*, mais qui ne fait que reprendre une scholie de Servius » : A. Petit,
« Le pavillon d'Alexandre », p. 80.

Il médite et se met à jurer
que Dieu a créé une terre trop petite pour l'honneur d'un
                                                    [homme :
un seul preux pourrait gouverner deux fois plus d'espace.
Et d'ajouter : « Si je peux vivre assez longtemps,
je veux étendre mon empire sur toutes les terres existantes ! »

97

La troisième tenture représente
la conception et la naissance d'Hercule :
il dormait dans son berceau, petit, de tout jeune âge,
quand Junon, sa marâtre, qui le détestait fort,
lui envoya deux serpents venimeux[78].
Mais Hercule, à leur vue, s'en empara, furieux :
de ses deux poings énormes il les tua sur le champ.
Puis il conquit la terre jusqu'en Orient
où il fixa les bornes devant les yeux de tous.
Tout est fidèlement représenté, si l'histoire ne ment pas.
A la fin de l'histoire, on peut voir
comment, par son pouvoir magique, il tint le ciel sur ses
Le roi Alexandre contemple souvent ces images   [épaules[79].
et après les avoir contemplées, prête le serment
que s'il vit assez longtemps, il fera comme Hercule :
lui aussi fixera ses bornes en Orient[80].

98

Sur la quatrième tenture, tout au bout,
est peinte l'histoire de la reine Hélène :
comment Pâris s'en vint à Mycènes pour l'enlever.
Le roi Ménélas possédait alors
un écu décoré à un lion.

---

80. Deux modèles mythiques dominent la vie d'Alexandre : Achille (dont il
prétendait descendre par sa mère) et Héraclès (dont la dynastie macédonienne
se disait issue).

Ensi comme la dame en vint en la sentine
Et chevaucha la mule qui n'estoit pas frarine,
Et Paris l'en mena en sa nef par ravine.
2060 Rois Menelaus en ot grant duel et grant cuerine,
O sa gent en ala sor Troie en la marine.
Proteselaus il preus i fu mors a l'estrine ;
Dis ans i fu li sieges, la letre le devine,
2064 Puis fu toute livree a duel et a gastine.
Alixandres li rois esgarde la cortine
Et dist as douze pers : « Cist furent de m'orine ;
De la cité de Perse ferai autel ruïne
2068 Et ferai du roi Dayre autrestel decepline,
Qui damoisiaus a fait des sers de sa cuisine. »
Ne vaut ore plus dire, a tant sa raison fine.

99

Qant li message Daire orent l'ost sorveüe,
2072 Virent la praerie des Grieus toute vestue ;
Mainte ensegne de paile virent a or batue.
Et la tente le roi devant le bruel tendue,
As pumiaus et a l'aigle l'ont tres bien coneüe.
2076 Tres par mi lieu de l'ost ont lor voie tenue ;
Devant le tref le roi fu la place vestue,
Molt i ot chevaliers et autre gent menue.
Chascuns est descendus de la mule crenue
2080 Si l'a a l'escuier par la resne rendue.
Zaröés vait avant, a la teste chanue ;
Qant il vit Alixandre, de riens ne le salue,
Mais fierement li dist parole aperceüe.

---

81. Protésilas (Proteselaus dans les romans médiévaux) fut le premier Grec
à tomber au siège de Troie. Le *Roman de Troie* conte ses exploits et sa mort.
82. Ce nom de Zaroès (Coroès dans le manuscrit B), rappelle celui de
Zoroastre (Zarathoustra), réformateur religieux iranien (vers le VIIe siècle av.
J.-C.). Gautier de Châtillon, dans l'*Alexandreis* (III 141 ss) nomme Zoroas un
magicien perse.

La dame rejoignit Pâris par un sentier,
montée sur une mule superbe,
et Pâris l'emmena sur son navire, comme un voleur.
Le roi Ménélas, plein de deuil et de rage,
passa la mer avec ses hommes pour attaquer Troie.
Le preux Proteselaus y trouva la mort dès les premiers
[combats[81].
Le siège dura dix ans, comme l'expliquent les lettres,
puis Troie fut livrée au malheur et à la destruction.
Le roi Alexandre contemple la tenture
et dit aux douze pairs : « Ces Grecs étaient de ma race ;
moi aussi je réduirai à l'état de ruines la cité de Perse
et j'infligerai le même sort au roi Darius,
qui compose sa cour avec ses valets de cuisine ! »
Il se tait sur ces mots et ne veut plus rien dire.

99

Les messagers de Darius découvrent l'armée,
ils voient les Grecs dont la foule recouvre le pré,
toutes les enseignes de soie et d'or battu,
et la tente du roi dressée devant le bois :
les pommeaux et l'aigle sont aisément reconnaissables.
Ils se dirigent tout droit au milieu de l'armée.
Devant la tente du roi l'affluence était grande,
les chevaliers et le petit peuple s'y côtoyaient en foule.
Ils mettent pied à terre, confiant à leurs écuyers
leurs mules à la longue crinière.
Ils sont menés par Zaroès à la tête blanchie par les ans[82],
qui, voyant Alexandre, se garde de le saluer
et lui tient fièrement un discours habile :

100

2084   « Alixandre, fait il, tu te fais roi clamer,
       Messagiers sui Roi Daire, si veul a toi parler ;
       Ses hom deüsses estre et lui treü doner,
       Ou faus ou hardis es, quant ce osas penser
2088   Q'as ocis Nicholas, que tant pooit amer.
       Et se tu me veus croire, vas li merci crïer
       Tous deschaus et nus piés, garde n'i demorer,
       Ses hom devenras liges por s'amor achater
2092   Et rendras son treü, s'il nel veut pardoner. »
       Alixandres l'escoute, ne daigna mot soner,
       Par maltalent l'esgarde, prist soi a porpenser ;
       Puis apela Cliçon, Caulon et Tholomer,
2096   Perdicas et Filote, Antigonon le ber
       Et Lioine et Sanson, et tuit li autre per
       Del message Roi Dayre se prinrent a gaber.
       Dïent a Alixandre : « N'avons que demorer,
2100   Mais alons deseur Dayre ains qu'avrieus puist entrer. »

101

       Es vos venus en Gresse les messages errans,
       Et troverent le roi et les Grieus tous jouans
       Por l'amor Alixandre, qui tant est conquerans,
2104   Qui des autrui avoirs fait ses homes manans.
       Li dui message teurent et li tiers fu parlans :
       « Phelippe, ce te mande Dayres, li rois persans,
       Q'a lui viegnes en Perse por faire ses commans ;
2108   De toi et de ta terre si fera ses talans,
       Ne t'en laira tenir que metes en tes gans ;
       Alixandres meïsmes puet bien estre sachans,
       Se Dayres le puet prendre, ja ne verra deus ans. »
2112   Qant Phelippes l'entent, iriés fu et dolans ;

---

83. Samson ne figure pas parmi les douze pairs, dans la liste donnée plus
haut, à la laisse 31. Peut-être y est-il ici intégré en souvenir de l'un des douze
pairs de Charlemagne (*Chanson de Roland*, v. 105).

100

« Alexandre, dit-il, toi qui te prétends roi,
je suis le messager du roi Darius et je veux te parler.
Tu devrais te reconnaître son vassal et lui verser un tribut.
Tu es bien fou ou bien hardi d'avoir osé
tuer Nicolas, qu'il aimait tant.
Crois mon conseil, implore sa pitié,
cours vers lui déchaussé, nu-pieds :
achète son amitié en devenant son homme lige
et verse le tribut, s'il ne veut pas te pardonner ! »
Alexandre l'écoute sans daigner lui répondre.
Il le regarde avec colère et médite un instant.
Puis il appelle Clin, Caulus et Tholomé,
Perdicas et Filote, le noble Antigonus,
puis Lioine et Samson et tous les autres pairs[83].
Ils se mettent à railler le message de Darius
et disent à Alexandre : « Pourquoi donc plus tarder ?
Attaquons Darius avant le début d'avril ! »

101

Voici venus en Grèce les messagers de Perse :
ils trouvent le roi et les Grecs occupés à leurs jeux
en l'honneur d'Alexandre, le noble conquérant,
qui des terres d'autrui fait des fiefs pour ses hommes.
Des trois messagers, l'un prend la parole :
« Philippe, Darius, roi de Perse, te commande
de venir en Perse pour lui obéir,
de mettre ta personne et ta terre à sa disposition :
la terre qu'il te laissera tiendra dans un gant !
Quant à Alexandre, il peut bien être sûr
qu'il n'a pas deux ans à vivre, s'il tombe aux mains de
Philippe, à ces paroles, est rempli de douleur :   [Darius ! »

Li rois baissa la teste si fu mus et taisans,
Ne feïst un bon ris por un mui de besans,
Car contre le roi Dayre ne fu onques regnans,
2116 Neïs as messagiers ne fu ainc respondans.
Qant ce vit Alixandres, ne fu mie taisans,
Les messagiers apele si dist en son romans :
« De ma part dites Dayre, qui sire est des Persans,
2120 Que mes peres nel prise ne de lui n'est tenans,
Ne il n'est ses amis ne je ses bienveullans.
Ja ançois ne verra quatorze mois passans
Que metrai en sa terre cent mile combatans ;
2124 Perse veul que soit moie et trestous Orians,
Je claim la segnorie des petis et des grans. »
Lors veïssiés les Grieus esbaudis et joians
Et par mi cele sale par tropiaus conseillans.
2128 Ce dist li uns a l'autre : « Mes chevaus est corans
Et mes haubers serrés et mes espieus trenchans ;
Qui or n'ira en Perse tous soit il recreans. »
Neïs li rois Phelippes en fu liés et joians.

102

2132 Li mes ont bien Phelippe lor message noncié
Et devant Alixandre se sont agenollié ;
Por ce que il le voient et pensif et irié,
Ne gardoient mais l'eure que tout fuissent jugié
2136 Et livré a martire, ocis et depecié.
Le present li donerent que lor avoit charchié
Dayres li rois de Perse, et ont le brief baillié ;
Et il l'a receü et le seel brisié
2140 Et par molt grant estude leü et reverchié
Et conut por coi Dayres li avoit envoié :
Por ce que il est enfes l'a ainsi foloié,
Que par itant le cuide avoir molt esmaié.
2144 Li rois se porpensa si a le vis drecié ;
Les messages apele si a le brief ploié.

le roi baisse la tête, silencieux et muet.
Nul n'aurait pu alors lui arracher un sourire.
Jamais il n'a discuté la volonté du roi Darius :
il ne répond donc mot aux messagers.
Mais Alexandre, lui, ne garde pas le silence,
il interpelle les messagers et leur tient ce discours :
« Dites de ma part à Darius, seigneur des Perses,
le mépris de mon père, qui n'est ni son vassal
ni son ami. Moi, je ne lui veux aucun bien
et, avant quatorze mois,
je mènerai sur ses terres cent mille combattants.
La Perse sera mienne, comme tout l'Orient,
je serai le seigneur des petits et des grands ! »
C'est la joie et l'allégresse parmi les Grecs,
qui s'entretiennent par groupes dans la salle,
se disant l'un à l'autre : « Mon cheval est rapide,
mon haubert solide et mon épieu tranchant :
honte sur ceux qui refuseront d'aller en Perse ! »
Le roi Philippe lui-même en retrouve la joie.

102

Les messagers ont rempli leur mission devant Philippe
et se sont agenouillés devant Alexandre.
Ils le voient sombre et courroucé
et s'attendent à tout moment à être condamnés,
livrés au supplice et à la mort.
Ils lui remettent le présent dont les a chargés
Darius, le roi de Perse, avec la lettre qui l'accompagne.
Alexandre la prend et en brise le sceau :
il la lit avec soin, l'étudie longuement
et comprend bien le sens du présent de Darius,
qui se moque de lui parce qu'il n'est qu'un enfant
et croit peut-être ainsi le frapper de terreur.
Le roi médite alors puis relève la tête,
appelle les messagers en repliant la lettre.

103

Qant li rois ot pensé, si se dreça a mont ;
Les mes a apelés, belement lor respont,
2148 Qanques Dayres manda, sagement lor espont :
« Vostre rois est molt sages, qui set qanques cil font ;
Samblances m'a tramises qui a voir torneront,
De molt grant sapïense a veü en parfont.
2152 Ceste pelote mostre que conquerrai le mont
Ainsi comme la mer l'enclot tout en reont ;
Les verges senefïent qui ci alueques sont
Que doi batre tous ciaus qui me contresteront ;
2156 Et li frains senefie que tuit de moi tendront ;
Et li ors de l'escrin que mi home seront
Plus haut que tuit li autre et tous jors m'ameront.
Dites Dayre meïsme, s'aveuc aus ne s'apont
2160 Et a moi n'est enclins, ainsi com je vos cont,
Par les ieus dont vos voi, qui me sieent el front,
Ja ne çaindrai d'espee, se premiers nel confont. »
Li mes ont grant mervelle de ce que oï ont,
2164 Congié prenent si montent, en Perse s'en revont
Si ont Daire conté tout ce que apris ont.

104

Li mes vienent en Perse si ont Dayre redit
Ensi comme Alixandres a leü son escrit
2168 Et par com faite guise son afaire a desdit,
Et dist que pas ne l'aime, gart q'en lui ne se fit.
Se Perse ne li rent et le regne d'Egypt,
Ne li vaura laissier chastel ne borc ne cit,
2172 Ne tresque il l'ait mort n'avra il nul delit,
« Ne ses peres ne tient de vos riens a son dit. »
Qant ce ot li rois Dayres, de malatalent sorrit,
Vers terre s'enclina, si pensa un petit,
2176 Et dist que peu se prise se par tans ne l'ocit.
Mais li rois Alixandres n'a talent qu'il s'oublit,
Tout le regne de Gresce a semons et banit,
Que onques n'i remaigne le grant ne le petit .

103

Le roi a médité ; il relève la tête,
appelle les messagers, leur parle courtoisement,
et leur donne subtilement le sens du message de Darius :
« Votre roi est subtil, il connaît la signification de ces objets ;
les emblèmes qu'il m'envoie révèlent l'avenir
que dans sa grande sagesse il a découvert.
Cette balle prédit ma conquête du monde,
rond comme elle, entouré par la mer.
Quant aux baguettes que voici, elles signifient
que je dois battre tous ceux qui me résisteront ;
et le frein signifie que tous se soumettront à moi,
et l'or de l'écrin veut dire que mes vassaux,
s'élèveront plus haut que tous les autres et m'aimeront
Dites bien à Darius que s'il ne se joint pas à eux   [toujours.
et ne s'incline pas devant moi, selon mes ordres,
je jure, par les yeux mêmes dont je vous vois,
de l'abattre le premier de tous ; sinon je renonce à porter
Les messagers, ébahis de ce qu'ils ont entendu,   [l'épée ! »
prennent congé, montent en selle et regagnent la Perse
pour conter à Darius tout ce qu'ils ont appris.

104

De retour en Perse, le messagers ont conté à Darius
la façon dont Alexandre a lu sa lettre,
et contredit sa prédiction.
Il se clame son ennemi, l'engage à prendre garde
et à lui livrer la Perse et le royaume d'Egypte,
sous peine de ne conserver château, bourg ni cité.
Alexandre ne retrouvera la joie qu'à sa mort.
« Il ajoute que son père n'est en rien votre vassal ! »
Le roi Darius, alors, a un rictus de colère,
il se penche vers le sol, réfléchit un moment
et dit qu'il ne retrouvera l'estime de lui-même qu'à la mort de
Mais le roi Alexandre n'a nulle envie de tarder ;   [son ennemi.
il convoque par un ban tout le royaume de Grèce :
nul ne peut s'esquiver, les grands ni les petits.

2180 Qui puisse porter armes, li uns l'autre convit,
Chascuns en viegne tost sor Dayre sel desfit.
N'avra en sa compaigne si povre home, ce dit,
N'ait vestu drap de soie ou blïaut ou samit.
2184 Au quint jor mut li rois, n'i ot plus de respit,
Et Phelippes remaint, qui molt aime delit
Et deduit de riviere et repos de bon lit.
Andui s'entrembracierent, plorant sont departit
2188 Par tel eür qu'ainc puis li uns l'autre ne vit.

105

Meüs est Alixandres et sa gent est montee ;
Bele fu sa compaigne quant ele fu jostee.
La terre au roi Phelippe a toute trespassee ;
2192 En autre plus diverse est l'ost de Gresce entree.
Li rois garde a senestre par une matinee,
Une roche a veüe qui est et longe et lee
Et haute vers le ciel et par nature nee ;
2196 D'une part la clooit uns bras de mer salee
Et de l'autre l'avoit uns fluns avironee.
La gent qui la converse est si asseüree
Ne doute force d'ome qui soit d'autre contree.
2200 Alixandres la voit, si l'a as Grieus mostree ;
Por veoir la mervelle si est l'ost arestee.
Uns païsans d'iluec a tres bien escoutee
La raison que li rois a a sa gent mostree,
2204 Q'ainc mais tel fremeté ne fu el mont trovee.
Cil a dit tel parole qui Alixandre agree :
« Sire, la haute roche que tant as esgardee,
C'est une fremetés qui molt est redoutee ;
2208 Li sires en destraint toute ceste contree,
Sous ciel nen a richece qui la ne soit trovee.
– Di va ! fait Alixandres, a il porte n'entree ? »
Et cil li respondi : « Devers ceste valee
2212 A une estroite voie par tel sens compassee
Se toute la gent Dieu iert desous aünee,
Par si que par cent homes fust deseure gardee,
N'i porroient monter une seule tesee ;

Que tous ceux qui peuvent porter les armes se mettent en route
et viennent vite répondre au défi de Darius !
Il s'engage à donner aux plus pauvres
des vêtements de soie, des tuniques de velours.
Quatre jours plus tard, le roi se met en route, sans plus tarder.
Philippe reste en Grèce : il aime le confort,
les plaisirs de la chasse, le repos d'un bon lit.
Ils s'embrassent, se quittent en pleurant ;
ils ne devaient plus jamais se revoir.

105

Alexandre se met en route, ses hommes montent en selle :
c'est une belle compagnie qui s'est rassemblée là.
L'armée grecque a quitté la terre du roi Philippe
pour entrer dans un pays plus dangereux.
Un matin, le roi regarde sur sa gauche
et voit une roche large et épaisse
qui se dresse haut vers le ciel, plantée là par la nature.
Elle est protégée d'un côté par un bras de mer,
et de l'autre par un fleuve qui l'entoure.
Ses habitants sont si tranquilles sur leur sort
qu'ils ne redoutent nulle invasion étrangère.
Alexandre la voit et la montre aux Grecs :
l'armée s'arrête pour voir cette merveille.
Un homme du pays a écouté
le discours que le roi tenait à ses hommes,
disant que le monde entier ne possédait pas pareille place forte.
Il parle, et Alexandre l'écoute avec faveur :
« Seigneur, la haute roche que tu contemples ainsi
est une place forte puissamment redoutée :
son seigneur opprime toute la contrée.
Il n'est richesse au monde que l'on ne trouve ici.
– Dis-moi, n'y a-t-il pas de porte ni d'entrée ?
– Du côté de la vallée, lui répond l'autre,
il y a un chemin étroit si bien aménagé
que si l'on rassemblait dessous toutes les créatures de Dieu,
et cent hommes au-dessus pour garder cette entrée,
les autres ne pourraient pas progresser d'une toise.

2216　Ne doutent nul assaut de nule gent armee. »
　　　Alixandres respont : « Bien la m'as devisee ;
　　　Ja ne m'en tornerai si me sera livree. »

106

　　　Li rois prist un message qui molt iert ses privés,
2220　A la roche l'envoie et cil i est alés,
　　　Et manda a celui qui sire en iert clamés
　　　Que la roche li rende dont tant est redoutés
　　　Et deviegne ses hom et ses riches chasés,
2224　Et se ce ne veut faire, sempres soit deffiés :
　　　« Ja ne m'en partirai si iert desiretés. »
　　　Et cil vint a la roche quant du roi fu sevrés,
　　　O le brant de s'espee les a tant acenés
2228　Que li sires le vit si s'en est avalés.
　　　Li messages parole, qui preus est et senés :
　　　« Di va ! qui est li sires, comment est il només,
　　　Qui garde ceste roche et si haut est montés ? »
2232　Li dus li respondi, qui fu preus et senés :
　　　« N'i a ci que nos deus, pres de vos le veés.
　　　– Sire, dist li messages, oiés et entendés :
　　　Alixandres vos mande, qui est rois coronés,
2236　Que li rendés la roche et ses hom devenés ;
　　　Se ce ne volés faire, sachiés c'est verités,
　　　Ja ne s'en tornera si serés afamés,
　　　Ne vos porra garir chastiaus ne fremetés. »
2240　Et li dus respondi : « De folie parlés.
　　　Quels hom est Alixandres et de quel terre nes ?
　　　– Sire, de Mascedoine est li plus redoutés
　　　Qui seïst encor onques desor destrier armés,
2244　Et a en sa compaigne tant de Grieus assamblés
　　　Sous ciel n'a home en terre, s'il est a lui mellés,
　　　Se il vient en bataille, ne soit espoëntés.
　　　– Par mon chief, dist li dus, ançois est faus provés.

---

84. On a rapproché ce passage de la prise de la Roche de Sogdiane (Quinte-
Curce, VII, 11).

Ces gens ne craignent nul assaut. »
Alexandre répond : « Tu m'as bien informé.
Je ne bougerai d'ici que quand cette roche me sera livrée[84]. »

106

Le roi choisit un messager parmi ses proches :
il l'envoie à la roche
ordonner à celui qui s'en proclame le seigneur
de lui donner la roche dont il tire sa puissance
et de devenir son homme et son vassal.
S'il refuse, qu'il reçoive ce défi :
« Je ne repartirai que quand il aura perdu son héritage. »
Le messager quitte le roi et parvient à la roche ;
il fait tant de signes avec son épée
que le seigneur le voit et descend.
Le messager, sage et courageux, prend la parole :
« Dis-moi, qui est le seigneur ? quel est le nom
de celui qui possède cette roche et vit si haut perché ? »
Le duc, sage et courageux, de lui répondre :
« Nous ne sommes que deux, et il est près de vous.
– Seigneur, dit le messager, écoutez-moi bien :
Alexandre, qui est roi couronné, vous ordonne
de lui donner la roche et de devenir son vassal.
Si vous refusez, je dis la vérité,
il ne s'en ira que quand vous serez affamé ;
château ni forteresse ne pourront vous sauver.
– Vous dites une folie, lui répond le duc.
Quel homme est Alexandre ? de quel pays vient-il ?
– Seigneur, c'est le plus redouté des chevaliers de Macédoine
qui soient jamais montés sur leur destrier ;
et en sa compagnie il y a tant de Grecs
que tout homme au monde, s'il l'affrontait,
serait épouvanté de le rencontrer en bataille.
– Sur ma tête, dit le duc, ce n'est qu'un pauvre fou !

2248 Ne donroie en sa force deus deniers moneés ;
      Mains avoirs a riche home iert ains a mont portés
      Dont nos ferons avant toutes nos volentés.
      Je n'ai soing d'Alixandre ne de ses nobletés ;
2252 Quels gens a il o lui ? com est chascuns formés ?
      Je ne dout nule riens, tant sui asseürés,
      Ne mais ire du ciel et angles enpenés. »
      Et respont li messages : « De fors escus bouclés
2256 Ont eles li Grigois, et de brans acerés. »

                          107

      Li dus ot le mesage parler en tel mesure :
      Q'Alixandre est si fiers et sa gens est si dure,
      Se a lui ne se rent, trestous ses dieus en jure
2260 Ja nel porra garir fretés ne fremeüre.
      Au message respont et dis sans coverture :
      « De l'orguel Alixandre ne du dangier n'ai cure.
      Quant je sui la a mont, tant est ma gent seüre
2264 Ne criem de ça a val nule mesaventure.
      Va t'ent a ton segnor si li di a droiture
      Que ne pris son dangier une pome meüre ;
      Ne feroie por lui seul itant de faiture
2268 Q'en perde mon dormir un pau de nuit oscure. »
      Li mes tint un colant de l'entasseleüre ;
      Quant il l'ot defïé, si s'en vait l'ambleüre.

                          108

      Li mes revint en l'ost si a conté le roi
2272 Ce que li dus li mande, l'orguel et le bouffoi,
      Q'il ne l'aime ne prise, ne home de sa loi,

_____

85. La *boucle* est la partie centrale de l'écu, la bosse (*umbo* en latin), qui a
donné son nom au *bouclier*.

86. On trouve déjà ce jeu de mots chez Quinte-Curce (VII, 11, 5 et VII, 11,
24) et Arrien (IV, 18, 6) : « ils invitèrent Alexandre, en riant, comme des
Barbares qu'ils étaient, à se procurer des soldats qui auraient des ailes, vu que
les hommes ordinaires ne leur causaient aucune inquiétude ».

87. *Cf. supra*, I, v. 99.

Je ne donnerais pas pour lui deux deniers.
Nous continuerons à nous emparer des richesses
que nous monterons chez nous selon notre plaisir.
Je me moque d'Alexandre et de ses nobles compagnons.
Qui a-t-il avec lui ? à quoi ressemblent-ils ?
Je suis si sûr de moi que je n'ai peur de rien,
pas même de la colère du ciel ni des anges ailés ! »
Le messager répond : « Les solides écus bombés[85],
les lames acérées donnent des ailes aux Grecs[86] !

107

Le duc écoute le messager lui conter
la fierté d'Alexandre, la force de ses hommes :
s'il ne se rend pas, Alexandre le jure sur tous ses dieux,
château ni forteresse ne pourront le sauver.
Il répond au messager sans ambages :
« Peu m'importent l'orgueil et la puissance d'Alexandre !
En haut de mon rocher, mes hommes sont en sûreté
et nul malheur ne peut me venir d'en bas.
Va-t'en à ton seigneur, et dis-lui clairement
que j'estime sa puissance autant qu'une pomme trop mûre[87] !
Je ne me donnerais pas pour lui la peine
de perdre un peu de sommeil par une nuit obscure ! »
Le messager saisit l'anneau fixé aux boutons de son manteau[88].
Il lance son défi puis remonte sur son cheval qui va l'amble.

108

Le messager rejoint l'armée et rapporte au roi
les propos orgueilleux et arrogants du duc,
qui n'aime ni Alexandre ni les hommes de sa religion :

---

88. Ce geste semble exprimer le défi : *cf. infra*, III, v. 6288. L'*entasseleüre*, comme le *tassel*, désigne le bouton ou la plaque qui maintient l'agrafe du manteau : *cf. supra*, I, v. 747.

« Ne vaillant deus deniers ne feroit il por toi,
Ne ja n'en laissera son dormir en reqoi. »

2276 Alixandres respont : « Par le dieu ou jou croi
Ja ne m'en tornerai si iert en grant effroi ;
Ne li lairai de terre ou il couchast son doi. »
Les douze pers de Gresce apele en un chaumoi,

2280 Et chascuns d'aus li done bon conseil endroit soi.
Alixandres parole hautement sans reqoi :
« Vous, joene chevalier de pris et de dosnoi
Qui avés beles armes et le riche conroi

2284 Et desirrés sovent et gerres et tornoi,
Qui premiers montera sor la roche que voi
Et de ma riche ensaigne mosterra le desploi,
Dis mars d'or li donrai, je li plevis ma foi.

2288 Li autre en avra nuef et li tiers uit, ce croi,
Li quars set, li quins sis, li sistes cinc de moi,
Li sesmes en ait quatre, a l'uisme en ierent troi,
Li nuesmes en ait deus, li disme un, je l'otroi,

2292 Et chascuns de ces autres en avra un par soi,
Por ce qu'il m'abatront du duc le grant boufoi. »

109

Qant li Grieu entendirent que li rois lor devise,
Qu'il avront la richece que il lor a pramise,

2296 Le jor en veïssiés mainte broigne en dos mise.
Portent hiaumes d'acier et bons haubers de Pise
Et bons fers por monter et cros de mainte guise ;
Par dedevers la mer encontre la falise

2300 Gravissent li Grigois a mont la roche bise,
As fers et as crochés percent la roche grise.

110

Ains que li Grieu montaissent, lor commanda li rois,
Que se il pueent prendre la roche et le deffois,

2304 Que sempres i mostrassent une ensegne a orfrois, –
C'est la sieue demaine au fer arrabiois, –
A ce porra connoistre de ciaus sa gent li rois ;

« Il ne dépenserait pas deux deniers pour toi,
et ne renoncerait pas pour toi à son sommeil ! »
Alexandre répond : « Par le dieu en qui je crois,
je ne bougerai d'ici que quand il sera dans l'épouvante ;
je ne lui laisserai pas même un doigt de terre ! »
Il appelle les douze pairs de Grèce dans une lande
et chacun d'eux lui donne un bon conseil.
Alexandre parle ouvertement, d'une voix forte :
« Mes jeunes chevaliers valeureux et enjoués,
avec vos belles armes, votre riche équipement,
vous désirez sans cesse la guerre et le combat !
Au premier qui escaladera cette roche,
et y déploiera ma riche enseigne,
je donnerai dix marcs d'or, je le jure sur ma foi ;
il y aura neuf marcs pour le deuxième, huit pour le troisième,
sept pour le quatrième, six pour le cinquième et cinq pour le
puis quatre iront au septième et trois au huitième,   [sixième,
deux au neuvième et un au dixième ;
et chacun des suivants aura aussi un marc,
pour abattre l'arrogance de ce duc ! »

109

Les Grecs entendent les paroles de leur roi
et les richesses qu'il leur promet :
on vit ce jour-là bien des hommes revêtir leur broigne.
Ils portent des heaumes d'acier et de bons hauberts de Pise,
crochets et fers de toutes sortes pour l'escalade.
Le long de la falaise qui domine la mer
les Grecs gravissent la roche bise,
leurs fers et leurs crochets percent la roche grise.

110

Avant l'escalade, le roi commande aux Grecs,
s'ils peuvent s'emparer de la roche et de ses défenses,
d'y déployer aussitôt sa propre enseigne brodée d'or,
fixée à un fer d'Arabie :
le roi pourra ainsi reconnaître ses hommes.

De ça devers la terre, par devers le marois,
2308 Les ira assaillir o mil Mascedonois
Por faire ciaus descendre qui la sus sont espois
Et a tel chose entendre dont lor ira sordois.
Et li home Alixandre i monterent ançois,
2312 Car il sont ausi fort et devant et detrois
Que ne lor forferoient dis mil home un balois,
Par si que de lor homes i eüst deus ou trois.
Alixandres meïsmes, li preus et li cortois,
2316 Le jor emprist tel chose par ire sans gabois
Dont a molt grant folie le tinrent li Grigois.

111

Qant li Grieu assaillirent a la roche a cel jor
Por faire ciaus descendre qui ierent plus hautor,
2320 A dars et a saietes traient envers les lor ;
Et cil se descendirent contre val li pluisor
Por esgarder les Grieus qui sont de tel fieror.
Alixandres s'en torne comme hom de grant valor
2324 Et vint la ou cil montent qui sont de tel labor
Dont li mendres ne prise tout le mont une flor ;
Qant li uns en descoche, ce content li auctor,
Plus de vint en cravente contre val a dolor.
2328 « Ahi ! fait Alixandres, Grieu et Mascedonor,
Com vos fais hui entrer en dolereus labor !
Or pöés vos bien dire q'avés malvais segnor ;
Se ne vos fais aïde, ja n'aie je honor. »
2332 A ciaus qui sont cheü taut les cros par iror,
Puis se prent a la roche por monter en la tor.

112

Qant li rois se fu pris a la roche monter,
A tant es vos poingnant Cliçon et Tholomer,
2336 Licanor et Filote et tuit li douze per ;
A force le retinrent si l'ont fait retorner,
Ou il vausist ou non, le convint avaler.
« Sire, ce dist Caulus, molt faites a blasmer ;

Du côté de la terre et des marais,
il donnera l'assaut avec mille Macédoniens,
pour faire descendre les ennemis qui sont là-haut en grand
et les pousser à leur perte.   [nombre
Les hommes d'Alexandre commencent l'escalade.
D'un côté comme de l'autre, les ennemis sont si forts
que dix mille hommes ne pourraient pas leur prendre un denier
même s'ils n'étaient que deux ou trois.   [de Bâle,
Alexandre lui-même, le preux et le courtois,
entreprit ce jour-là, de colère, un exploit
que, sans rire, les Grecs, tinrent pour une folie.

111

Ce jour-là, quand les Grecs assaillirent la roche,
pour faire descendre les ennemis de leurs hauteurs,
ils les criblèrent de traits et de flèches ;
et les autres descendirent en grand nombre vers la vallée
pour regarder ces Grecs farouches.
Alexandre le valeureux s'éloigne
et rejoint ceux qui mettent tous leurs efforts à escalader la
et se soucient du reste du monde comme d'une guigne. [roche
Quand l'un d'eux tombe dans le vide, à ce que disent les textes,
il précipite plus de vingt malheureux en bas de la vallée.
« Hélas ! dit Alexandre, Grecs et Macédoniens,
quelles terribles souffrances je vous inflige aujourd'hui !
Vous pouvez bien vous plaindre d'avoir un mauvais seigneur :
si je ne vous aide pas, je suis déshonoré ! »
Furieux, il s'empare des crochets de ceux qui sont tombés,
et s'agrippe à la roche pour monter jusqu'au donjon.

112

Le roi s'était agrippé à la roche pour l'escalader.
Mais voici, au galop, Clin et Tholomé,
Licanor et Filote, et tous les autres pairs :
ils le saisissent de force et le font retourner sur ses pas ;
bon gré, mal gré, il lui faut descendre.
« Seigneur, lui dit Caulus, vous êtes bien coupable :

2340　Ja estes vos venus por conquerre outre mer
　　　Et vos volés ja ci en cest païs finer.
　　　– Baron, dist Alixandres, por Dieu laisiés me aler ;
　　　Je voi morir mes homes, devant moi craventer ;
2344　Se ja n'apreng o eus les maus a endurer,
　　　Comment se porra donques nus hom en moi fïer ? »

113

　　　Li Grigois ont monté le roi sor son cheval,
　　　Puis vienent a l'entree ou cil tienent estal,
2348　Getent, lancent et traient et font grant batestal,
　　　Le jor i ot geté mainte pierre poignal ;
　　　Et cil se descendirent desi vers le portal.
　　　Li Grigois les engignent com Renars fist le gal
2352　Qu'il saisi par la goule quant il chantoit clinal,
　　　Car la roche porprenent et trestout le costal ;
　　　Ja furent sus monté quatre mile vassal
　　　Qui traient les espees si escrïent : « Roïal ! »
2356　Et ont mostré l'ensegne lor segnor natural ;
　　　Ciaus qu'il truevent a mont fierent tuit communal,
　　　Crüelment les ocïent et craventent a val.
　　　Alixandres les vit, qui sist sor Bucifal,
2360　Et a dit a ses homes : « Fait sont nostre jornal ;
　　　Ahi ! baron de Gresce, tant par estes loial ! »

114

　　　Qant li dus de la roche vit sa gent decaupee,
　　　Prise, morte et occise et contre val getee,
2364　Et la roche perdue, que maint jor ot gardee,
　　　Et l'ensegne Alixandre vit contre mont levee,
　　　Lors maudist les Grigois et toute lor contree,

---

89. Dans la branche II du *Roman de Renart* (éd. J. Dufournet et A. Méline, coll. GF-Flammarion, vv. 309-344, pp. 224-225), Renart persuade Chantecler le coq de chanter les yeux fermés.

90. Le substantif *roïal* (les hommes du roi) est ici utilisé comme cri de guerre ; *cf. infra*, III, vv. 6385 et 6545.

vous êtes venu conquérir les terres au-delà de la mer,
et vous voulez déjà mourir en ce pays !
– Barons, dit Alexandre, laissez-moi donc aller !
Je vois mourir mes hommes, ils s'écrasent devant moi :
si je n'apprends pas à partager leurs épreuves,
comment un homme pourra-t-il jamais se fier à moi ? »

113

Les Grecs remontent le roi sur son cheval
et reviennent à l'entrée du défilé où a lieu la bataille :
jets et tirs font rage au milieu des clameurs ;
on lance des pierres à pleines poignées,
et les ennemis descendent vers l'entrée.
Les Grecs les prennent au piège comme Renart avec le coq,
qu'il saisit par la gorge quand l'autre chantait les yeux
Ils investissent la roche et toute la pente ;   [fermés[89].
déjà sont montés quatre mille guerriers,
qui dégainent leur épée en criant : « Soldats du roi[90] ! »
Ils déploient l'enseigne de leur noble seigneur
et frappent tous ensemble ceux qu'ils trouvent au sommet,
les tuent sans pitié et les précipitent en bas de la roche.
Alexandre les voit, monté sur Bucéphale ;
il déclare à ses hommes : « Notre tâche est accomplie !
Ah ! barons de la Grèce, que vous êtes loyaux ! »

114

Quand le duc de la Roche voit ses hommes taillés en pièces,
capturés, décimés, précipités dans le vide,
et perdue la roche qu'il possédait depuis si longtemps,
et l'enseigne d'Alexandre qui flotte au sommet,
il maudit les Grecs et le pays de Grèce :

Q'ainc mais si male gent ne fu el mont trovee.
2368 Et vint a Alixandre contre val a l'entree,
Merci li a crïé et veut rendre s'espee.
Mais li rois en jura sa teste coronee
Que ja ne sera prise, s'iert sa mort devisee.
2372 Si com il a tous jors l'autre gent demenee,
Prise et morte et destruite et lor terre gastee,
La merci qu'il ot d'aus est hui a mal tornee.
A meesme la roche qu'il avoit tant gardee
2376 L'ont pendu tout armé, puis s'en est l'ost alee.
Mais avant ont li Grieu si la roche atornee
C'onques n'i remest hom, tant par fu desertee.

115

Qant la roche fu prise et li dus fu pendus,
2380 Alixandres chevalche, qui de Gresce est meüs,
2382 Bien ot en sa compaigne plus de cent mil escus.
As devises des terres, qant du regne est issus,
2384 Au pié d'une montaigne lor est uns fluns parus,
Une eaue bele et clere, sans boe et sans palus.
Mais ains que fust li vespres aprochiés ne venus,
Dejoste le rivage orent lor tres tendus ;
2388 Mais l'ardor du soleil et li chaus qu'est creüs
Et la touffour de l'air les a si confondus
Que n'i pooit garir nus hom qui fust vestus.
Iluec en veïssiés teus set mile venus
2392 Qui se fierent en l'eaue, que joenes que chanus.
Dedesus le rivage est li rois descendus,
Por le chaut s'est en l'eaue trestous armés ferus.
De la froidor de l'eaue, dont clers estoit li rus,
2396 Et du chaut du soleil qui sor aus est cheüs
Li est li sans el cors torblés et commeüs,
La parole li faut et li rois devint mus ;
Or iert molt grans damages se ensi est perdus.

c'est le peuple le plus terrible du monde.
Il descend à l'entrée, auprès d'Alexandre,
implore sa pitié et veut lui remettre son épée.
Mais le roi jure sur sa tête qui porte la couronne
qu'il ne prendra pas son épée mais lui donnera la mort :
il a lui-même traité les autres ainsi,
en s'emparant d'eux, en les tuant, en dévastant leurs terres ;
son refus d'avoir pitié se retourne aujourd'hui contre lui.
A même la Roche qu'il possédait depuis si longtemps,
on l'a pendu avec ses armes ; puis l'armée s'en est allée.
Mais avant les Grecs ont détruit la Roche de fond en comble,
pour empêcher quiconque d'y demeurer.

115

Après la prise de la Roche et la pendaison de son duc,
Alexandre poursuit la chevauchée qui l'a amené de Grèce,
avec plus de cent mille hommes en sa compagnie.
A la limite des terres, au sortir du royaume,
au pied d'une montagne apparaît un fleuve,
à l'eau belle et claire, sans boue et sans souillure.
Longtemps avant la tombée de la nuit,
les Grecs dressent leurs tentes près du rivage.
Mais l'ardeur du soleil, la chaleur grandissante
et la touffeur de l'air les accablaient tant
que nul ne supportait de rester vêtu.
On peut voir sept mille hommes
se plonger dans l'eau, les jeunes comme les vieux.
Le roi descend sur le rivage, il a si chaud
qu'il se plonge dans l'eau tout armé.
Mais l'eau aux flots clairs est si froide,
et le soleil, qui écrase les hommes, si brûlant
que le roi est frappé d'un coup de sang :
la parole lui manque, il devient muet.
Ce sera une grande perte, s'il périt ainsi !

116

2400　La grant froidor de l'eaue qui sordoit de fontaine
　　　Et l'ardor du soleil qui au flun les amaine
　　　A si souspris le roi que sor lui nen a vaine
　　　Qui de sanc seellé ne soit souronde et plaine ;
2404　La parole li faut et li rois pert l'alaine.
　　　Tholomers l'esgarda, qui sa color vit vaine,
　　　Cliçon a apelé et Licanor açaine,
　　　Par les bras l'a saisi, o icés deus l'en maine,
2408　Ne veut que l'ost le sache ne qu'entor lui s'engraigne,
　　　Ne que la gent de pres le die a la foraine.
　　　En son tref l'ont couchié sor un drap d'Aquitaine.
　　　Li douze per regretent Alixandre le maine :
2412　« Ahi ! tant mar i fustes, bons rois de Mascedaine.
　　　Par foi ! honor de Gresce, molt estes hui soutaine ;
　　　Or remaint a conquerre mainte terre lointaigne. »
　　　Environ pleure l'ost une loëe plaine ;
2416　La veïssiés pasmer quatre mil en l'araine
2417　Et tirer maint cheveul noir et blanc comme laine.
2419　Uns mes se part de l'ost deseur un dromadaine,
2420　Qui vait Dayre noncier de l'esploitier se paine.

117

　　　Li mes entre el chemin, de l'esrer ne s'oublie
　　　Tant que il vint a Dayre a la chiere hardie.
　　　La novele li conte, qu'a volentiers oïe,
2424　Del malage Alixandre, en cui il ne se fie :
　　　En l'eaue de Nidele a pris l'enfermerie
　　　Dont ja mais ne garra en trestoute sa vie.
　　　Et conte la dolor, comme l'ost pleure et crie,
2428　Et regretent le roi et sa grant cortoisie,
　　　Son sens et sa prouece et sa chevalerie.
　　　« Tels mil en vi pasmer en mi la praerie,
　　　Se Alixandres muert, que lor joie est fenie. »
2432　Qant Daires l'entendi, ne puet müer ne rie ;
　　　De la joie qu'il ot tous ses dieus en mercie.
　　　Li rois se porpensa d'une grant felonie :

116

Le froid glacé de l'eau qui provient des fontaines,
après l'ardeur du soleil qui pousse les hommes vers le fleuve,
a atteint le roi si durement
que tout son sang s'est glacé dans ses veines :
la parole lui manque, il perd le souffle.
Tholomé le regarde, le voit sans couleur,
il appelle Clin, fait signe à Licanor,
le prend dans ses bras et l'emmène avec les deux autres :
il ne veut pas que l'armée, informée, s'attroupe autour de lui,
ni que les proches apprennent la nouvelle aux étrangers.
On l'étend dans sa tente sur un drap d'Aquitaine.
Les douze pairs pleurent Alexandre le grand.
« Hélas ! quel malheur ! bon roi de Macédoine !
Ma foi ! terre de Grèce, comme te voilà déchue !
Il reste à conquérir bien des terres lointaines ! »
Tout autour l'armée pleurait sur plus d'une lieue :
on en voyait quatre mille s'évanouir sur le sable,
s'arracher les cheveux, noirs ou blancs comme la laine.
Un messager s'éloigne de l'armée sur un dromadaire :
il a hâte d'annoncer la nouvelle à Darius.

117

Le messager chemine à toute allure,
et rejoint Darius à la mine fière.
Il lui conte la nouvelle, qui remplit Darius de joie :
Alexandre, son ennemi, est malade ;
il a pris dans les eaux de Nidele
un mal dont il ne guérira jamais.
Il raconte le deuil de l'armée, qui sanglote et crie,
qui pleure le roi et sa grande courtoisie,
sa sagesse, son courage, et sa chevalerie :
« J'en ai vu mille s'évanouir dans la prairie ;
si Alexandre meurt, ils ne connaîtront plus la joie ! »
Darius, à ces mots, ne peut s'empêcher de rire
et, dans sa joie, remercie tous ses dieux.
Le roi imagine une grande félonie :

  Pris a un messagier sel tramist Acarie,
2436 Qui garist Alixandre, q'a ses herbes l'ocie ;
  Tant li donra rouge or et pailes d'Aumarie
  Nel porroient porter quatre mul de Surie.
  Son bras li mist au col, molt doucement li prie ;
2440 Mais cest plait convient faire sagement sans folie.

118

2441 Li mes se part de Dayre, congié prent si s'en va.
2443 A la guise grigoise sagement s'atorna,
2444 En la tente le roi si coiement entra
  Q'ains ne fu conneüs d'ome qui l'esgarda.
  Les le mire s'acoste, un petit le bouta,
  D'un des eus li fait signe, d'autre part se torna
2448 Et dist : s'en lui se fie, son preu li noncera,
  Ja, s'il veut, en sa vie, mais povres ne sera.
  Et cil li respondi : ja mar en doutera,
  Quitement est venus, quitement en ira,
2452 Or die que lui plaist et il l'escoutera.
  De par le roi de Perse li glous le salua ;
  En l'oreille li dist, sagement li conta :
  S'il ocit Alixandre, riche home le fera,
2456 Quatre somiers charchiés de fin or li donra
  Et cent pailes d'Aufrique des mellors que il a,
  Encontre toute gent quitement le tenra.
  Cil entent la parole, un petitet pensa,
2460 Fremist et devint pales et de paor trambla ;
  Coiement li respont que son plaisir fera ;
  Se cel avoir li done, voirement l'ocirra
  A ses herbes meesmes, ja uit jors ne vivra.
2464 Or penst Dieus d'Alixandre ! cist mal conseil pris a ;
  Se ses sens nel retient, covoitiés le vaintra.

---

91. Chez Quinte-Curce, le médecin d'Alexandre, Philippe, est natif d'Acarnanie (III, 6, 1).

il adresse un messager à Acarie,
qui soigne Alexandre, pour lui demander de l'empoisonner[91] :
il lui donnera plus d'or rouge et de soies d'Aumarie
que n'en pourraient porter quatre mules de Syrie.
Darius prend le messager dans ses bras, lui parle avec douceur :
il faut agir avec habileté et prudence.

118

Le messager prend congé de Darius et le quitte.
Habilement, il s'habille à la mode grecque
et entre si discrètement dans la tente du roi
que personne ne le remarque.
Il s'approche du médecin, le pousse légèrement,
lui cligne de l'œil, l'entraîne plus loin
et lui dit que s'il lui fait confiance, sa fortune est faite :
il ne connaîtra plus jamais la pauvreté, s'il le veut.
L'autre lui répond de ne pas avoir peur :
il repartira aussi tranquillement qu'il est venu ;
qu'il parle à son gré, on l'écoute.
Le misérable salue le médecin au nom du roi de Perse ;
à l'oreille, habilement, il lui dit son message :
s'il tue Alexandre, Darius le fera riche,
lui donnera quatre chevaux chargés d'or fin
et cent de ses plus belles soieries d'Afrique ;
il le protégera du monde entier.
L'autre entend ce discours, réfléchit un moment,
frémit, blêmit et tremble de peur.
Il répond doucement qu'il obéira :
si on lui donne ces biens, il tuera Alexandre
avec ses herbes avant huit jours.
Dieu protège Alexandre ! quelle terrible décision !
Si la sagesse ne se fait pas entendre, la convoitise va triompher.

119

     Li mes se part du tref, si prent congié au mire,
     Et cil a pris ses herbes, dont le roi veut ocire,
2468 Et vint a Alixandre, cui sa dolors enpire ;
2469 La destrece du mal le fait pale et defrire.
2471 Sa gens est entor lui, qui molt pleure et souspire,
2472 N'i a un seul d'aus tous qui ait talent de rire.
     Li mires le resgarde, en son cuer prist a dire
     Qu'or occirra celui qui des autres est sire,
     Et dist que tous li mons se doit vers lui aflire :
2476 « Ce est li mieudres hom que on puisse descrire ;
     Se je fais de tel home, por avoir, homicide
     Et destrui ceste gent et depart cest empire,
     Se por seulement moi fais tel gent desconfire,
2480 Bien devroit on mon cors livrer a grant martire.
     Li rois por lui garir m'a fait d'autres eslire,
     Se par moi est destruis, Dieus me puisse maldire ! »

120

     Molt fu sages li mires, qui si bien se conselle,
2484 Ne vaut por covoitise faire si grant merveille
     Q'il ocie celui qui tout le mont esveille,
     Mais de lui bien garir tant forment se travelle
     Q'Alixandres mengüe et dort bien et someille,
2488 Et revient sa color blanche et fresche et vermelle ;
     Et li Grieu mainent joie, nus ne vit sa parelle,
     Car ne sevent sans lui la monte d'une fuelle
     S'Alixandres meïsmes nes conduit et conseille,
2492 Autresi les pormaine comme paistres s'öeille.

---

92. Sur cet épisode, *cf.* Pseudo-Callisthène, II 8 (trad., pp 53-54), Julius
Valerius II 24 ; *Epitome*, II 8. Parménion écrit à Alexandre que le médecin Philippe veut l'empoisonner ; Alexandre boit la potion que lui remet Philippe, lui
tend ensuite la lettre, pour lui montrer sa confiance, et châtie Parménion. *Cf.*
Quinte Curce III 5, 1-9 ; Arrien II, 4,7 ; Plutarque, 19, 2.

119

Le messager quitte la tente et prend congé du médecin.
Celui-ci prépare les herbes qui vont tuer le roi
et s'approche d'Alexandre, dont la douleur empire :
la souffrance le torture et le rend blême.
Ses hommes l'entourent, ils pleurent et ils soupirent ;
pas un seul qui ait envie de rire.
Le médecin le regarde et se dit en son cœur
qu'il va tuer le seigneur de tous les hommes,
celui devant qui le monde entier doit s'humilier :
« C'est le meilleur de tous les hommes ;
si je l'assassine pour de l'argent,
si je détruis ce peuple et disperse cet empire,
si moi seul je provoque la perte d'un tel peuple,
je suis bien digne d'être livré au supplice !
Le roi m'a choisi parmi d'autres pour le soigner :
si je provoque sa mort, que Dieu me maudisse[92] ! »

120

Le médecin est sage de prendre cette décision :
il refuse de laisser la convoitise lui faire commettre la
de tuer celui qui met en éveil le monde entier.   [monstruosité
Il s'applique si bien à le guérir
qu'Alexandre se remet à manger et à bien dormir,
qu'il retrouve un teint frais, blanc et vermeil.
Et les Grecs mènent une joie sans pareille,
car sans lui, sans Alexandre à leur tête,
ils ne savent pas reconnaître une feuille :
il les guide comme le berger son troupeau.

121

Molt par fu grans la joie quant li rois fu garis,
Lors veïssiés par l'ost les Grigois esbaudis,
Q'il cuidoient du roi qu'il fust mors et fenis.
2496 Lor pavellons destendent si ont lor tres cuellis,
Charchent muls et somiers et bons chevaus braidis
Et font mener en destre les destriers arrabis,
Portent escus et lances as fers d'acier burnis
2500 Et ensegnes de paile, de porpre et de samis,
Et trespassent le regne de Bile et de Lutis.
2502 Ciaus qui a lui se tornent a li rois recuellis,
2504 Les felons orgellous du tout en tout destruis,
Les cités prent par force et les palais vautis.
Alixandres meïsmes les a des suens garnis,
Les grans avoirs en a as Grigois departis.
2508 Les bachelers du regne, les jovinciaus eslis,
Qui ont larges espaulles, les poins gros et massis,
Ciaus en maine li rois ses a o lui cuellis.
Tant lor done Alixandres si les a asoplis
2512 Que meus aiment sa paine que nus autres delis
Ne ja mais en lor vie n'ierent de lui partis,
Ains en porra bien estre honorés et servis.
Alixandres chevalche, qu'en est chadiaus et guis,
2516 Et font l'arrieregarde Tholomés et Dans Clins.
A l'issue du regne, a l'entree d'Elis,
Truevent une mervelle quis a tous esbahis,
Un tertre aventurous de maint home haïs,
2520 Qui iert et haus et lons et de deus pars closis
De vaus grans et parfons, perilleus et soutis ;
Qui charroit la dedens bien porroit estre fis
Que ja mais n'en istroit, ains i seroit peris.
2524 Or oiés la mervelle dont li mons est garnis :
Qant couars hom i entre, senpres devient hardis,
Tous li pires du mont i est si esbaudis ;
Et li preus i devient ainsi acouardis
2528 Et malvais de corage et de fais et de dis
Tous li mieudres i est fols et avilenis ;
Et li destriers de garde laniers et alentis

121

Grande est la joie, quand le roi est guéri.
On voyait dans l'armée les Grecs tout heureux :
ils croyaient leur roi déjà mort.
Ils démontent les pavillons, replient les tentes,
chargent mules et bêtes de somme, sellent les chevaux
et font mener les destriers arabes.   [fougueux,
Ils portent leurs écus, leurs lances au fer d'acier brillant,
leurs enseignes de soie, de pourpre, de brocard.
Ils traversent le royaume de Bile et de Lutis.
Le roi accepte l'hommage de ceux qui se soumettent,
mais il anéantit les félons orgueilleux,
prend par la force leurs cités et leurs palais à voûtes,
qu'il peuple de ses hommes,
distribuant les richesses aux Grecs.
Les jeunes gens du royaume, les nobles jouvenceaux
aux larges épaules, aux poings forts et solides,
le roi les emmène à sa suite.
Alexandre leur fait tant de dons, il les plie si bien à sa volonté
qu'à tous les plaisirs ils préfèrent souffrir avec lui :
ils ne le quitteront jamais de toute leur vie
et sauront bien l'honorer et le servir.
Alexandre chevauche, leur capitaine, leur guide,
avec à l'arrière-garde Tholomé et sire Clin.
Au sortir du royaume, à l'entrée d'Elis,
ils trouvent une merveille qui les frappe de stupeur :
un tertre aventureux haï de tous les hommes.
Il était haut et large, bordé des deux côtés
de grandes vallées profondes, périlleuses, écartées :
si l'on y tombait, on pouvait être sûr
de n'en jamais sortir et de mourir au fond.
Ecoutez la merveille qui domine cette montagne :
quand un couard y pénètre, il devient courageux ;
le pire soldat du monde se sent rempli d'ardeur.
Mais le preux est soudain rempli de couardise,
lâche dans son cœur, ses actes, ses paroles :
le meilleur sombre dans la folie et la vilenie.
Le destrier de prix devient lent et poussif,

Et li roncis malvais desreés et braidis.
2532 De maint home a esté icis tertres maudis.

122

La mervelle du tertre, ce truevë on lisant,
Est escrite en un livre d'une estoire molt grant ;
Li home du païs l'aloient eschievant,
2536 Li païsant l'apelent le tertre recreant.
Or oiés la mervelle que li Grieu vont faissant,
2538 Que plus montent le tertre plus vont acouardant ;
2543 Li retorners arriere lor vient molt a talant,
2544 Mais li mons ne lor lait, qui les va destraignant.
Quatre s'en destornerent, onques n'orent garant,
De la coste desrochent, a val vont perillant,
Onques puis n'en issirent en trestout lor vivant.
2548 Li autre s'en chastïent si se vont aroutant,
Et li malvais aloient les bons reconfortant
Et dïent as preudomes : « Tuit estes recreant ;
Nous conquerrons la terre desi en Oriant. »
2552 Li bon destrier de garde i aloient lassant
Et par mi la montaigne li pluisor estanchant,
Et li ronci malvais, desreé et saillant,
Henissent et regibent et font noise si grant
2556 Que cil qui desus sont vont sovent trebuchant.
N'a si sage home en l'ost qui ne s'en espoënt ;
Alixandres meïsmes s'en va molt mervellant.

123

Li val furent parfont, et li tertres agus
2560 Qui a fait maint preudome dolens et irascus,
Grant duel ot Alixandres ains qu'il en fust issus.
Au devaler du tertre truevent uns pres herbus

---

93. Le chevalier qui trahit les règles de la chevalerie est qualifié de *recréant*. Ainsi le héros du roman d'*Erec et Enide*, qui oublie la chevalerie pour goûter les joies de l'amour auprès de sa femme, est accusé de *recréantise* (Chrétien de Troyes, *Erec et Enide*, éd. J.-M. Fritz, coll. Lettres gothiques, v. 2551).

et le mauvais roussin fougueux et impétueux.
Ce tertre a suscité bien des malédictions.

122

Ce tertre merveilleux que mentionnent les textes
est décrit dans un livre qui conte une noble histoire.
Les hommes du pays l'évitent ;
on l'appelle dans le pays le tertre des lâches[93].
Or les Grecs tombent sous le coup de la merveille :
plus ils montent sur le tertre, plus ils deviennent couards.
Ils voudraient bien retourner en arrière,
mais la montagne est trop dangereuse et le leur interdit.
Quatre hommes rebroussent chemin, mais c'est pour leur
ils dévalent la côte, s'enfoncent dans la vallée ;   [malheur :
ils ne devaient plus jamais en sortir.
Les autres se regroupent, instruits par leur exemple,
et c'est aux mauvais d'encourager les bons.
Ils disent aux plus preux : « Vous n'êtes que des lâches !
C'est nous qui conquerrons la terre jusqu'en Orient ! »
Les bons destriers de prix s'épuisent
et tombent de fatigue au milieu de la montagne.
Et les mauvais roussins, fougueux et bondissants,
hennissent, ruent et s'agitent si fort
que leurs cavaliers sont souvent précipités à terre.
Les plus sages, dans l'armée, sont épouvantés ;
Alexandre lui-même est rempli de stupeur.

123

Les vallées sont profondes, et le tertre au sommet pointu
plonge bien des preux dans la douleur et l'affliction.
Alexandre endure bien des souffrances avant de le quitter.
En redescendant du tertre, ils trouvent un pré herbeux,

Et un bruel d'oliviers novelement foillus ;
2564 Iluec est a chascun ses corages venus,
2567 Q'il avoient el mont trovees tels vertus.
2568 Grant joie ot Alixandres qant ot les Grieus veüs,
Sor l'erbe qui fu fresche est a pié descendus ;
Por le repos qu'il veulent i ont lor tres tendus.
Alixandres meïsmes en apela ses drus ;
2572 Dïent de la mervelle qui les a deceüs
Q'onques mais en cest siecle ne fu teus plais veüs.

124

La mervelle du mont fu le jor molt descrite.
En une terre entrerent qui d'autres est eslite ;
2576 L'ost trois jors i demore et repose et delite,
Li sejors qu'il i font durement lor profite.
Toute la gent du regne qui en la terre abite
Vienent contre le roi, la grant et la petite, –
2580 Qui ot chier drap de soie, paile ne carepite,
Bonement li presente –, molt s'est vers lui aflite.
Et li rois molt les aime et a grant chose dite :
Q'encontre toute gent iert mais lor terre cuite.
2584 Une ymage de pierre troverent en Eslite
Qui por Nectanabus i fu faite et escrite.

125

Cil d'Elite reçoivent le roi de bon corage,
Volentiers le servirent et lui et son barnage ;
2588 Li rois vers toute gent lor a fait seürtage.
En mi lieu de la terre troverent une ymage
Qui en samblance d'ome iert drecie en estage.
Alixandres demande a un home d'aage :
2592 « De cui iert cele forme ? » Cil li dist son corage :
« Por dant Nectanabus, qui ci vint de Cartage ;
Onques n'ot en cest siecle un seul home si sage. »

---

94. Il y a entre ces deux vers une coupure dans le texte (MFRA III, p. 336).

et un bois d'oliviers aux feuilles nouvelles.
Là chacun a retrouvé son vrai caractère,
....
après les prodiges qu'ils ont trouvés dans la montagne[94].
Alexandre est heureux de revoir tous les Grecs ;
sur l'herbe fraîche il a mis pied à terre.
On monte les tentes pour se reposer.
Alexandre appelle ses compagnons ;
ils parlent de la merveille qui les a pris au piège :
on n'a jamais vu sa pareille au monde.

124

On parle tout le jour de ce mont merveilleux.
Puis on entre dans une terre privilégiée :
l'armée y demeure trois jours à se reposer et à se distraire,
reprenant des forces durant ce séjour.
Toute la population du royaume
vient au devant du roi, les grands comme les petits,
lui offrant de bon cœur ses soieries les plus précieuses, ses
et s'humiliant fort devant lui.   [brocards, ses tapis,
Et le roi, plein d'amitié, prête un grand serment :
il protégera leur terre de tous ses ennemis.
Ils trouvent en Elite une statue de pierre,
sculptée et dressée pour Nectanabus.

125

Les habitants d'Elite reçoivent le roi avec bienveillance,
le servent avec plaisir, lui et tous ses barons ;
le roi leur promet sa protection contre tous leurs ennemis.
Au milieu du pays, ils trouvent une statue
qui représentait un homme, debout.
Alexandre demande à un homme âgé :
« Qui est ici représenté ? » Il lui dit la vérité :
« C'est le seigneur Nectanabus, venu ici de Carthage ;
le monde n'a jamais connu d'homme aussi savant. »

Lors s'en rist Alixandres si mua son corage,
2596 D'autre part est tornés et tint tout a folage.
A l'issue du regne passerent un marage ;
Aprés icele terre troverent plus salvage,
L'escripture la nome la contree de Trage.
2600 Trace sist en mi lieu, une cité ombrage,
Et sist sor une roche, au destroit d'un passage.
La gens iert felenesse et fiere comme rage,
Et responent au roi orguel et grant outrage :
2604 Ne prisent Alixandre ne sa gent un formage.
Et li rois en jura tous ciaus de son lignage
Que mar ont essaucié contre lui lor barnage,
Par tans lor convenra mostrer lor vasselage.
2608 Ciaus assaillent li Grieu et font si grant damage
Q'il ne lor ont laissié fremeté ne estage,
Bien ont fait as felons comparer lor outrage.

126

De la cité de Trace s'est li rois bien vengiés,
2612 Les tors a abatues et les murs peçoiés.
Emenidus d'Arcage s'i est molt bien aidiés,
Licanor et Filote, Tholomés li proisiés.
Des douze pers de Gresce fu li regnes cerchiés ;
2616 Ou truevent forteresce ne haus murs batelliés
Ne fort baile environ ne grans fossés trenchiés,
Tout prenent et abatent, n'en i remaint uns piés.
Qant les ot Alixandres destruis et essilliés,
2620 A sa tente de paile est li rois repairiés ;
De l'assaut de la vile est forment travelliés,
Auques en est plus mornes, pensis et malhaitiés ;
Sor un fautre de paile s'est un petit couchiés.

---

95. Dans le Pseudo-Callisthène (I, 34, 2), Alexandre découvre en Egypte une statue de Nectanébo à laquelle est liée une prophétie : le roi mort reviendra sous les traits d'un jeune homme qui sera roi d'Egypte et soumettra les Perses. Alexandre honore Nectanébo comme son père. *Cf.* Julius Valerius I, 33, 8, *Epitome* I 34 et *Historia de preliis*, 25. Ici, le mépris d'Alexandre est lié au refus des romanciers français d'accepter la naissance illégitime du héros.

Alexandre se met à rire et change de sentiments :
il se détourne et tient ces paroles pour folles[95].
Au sortir du royaume, ils traversent des marais
et découvrent une terre plus sauvage,
que l'écrit nomme la contrée de Tarse.
La ville de Tarse se dresse au milieu, c'est une citée ombragée,
dressée sur une roche, dans un défilé.
Le peuple est félon, fier, enragé,
et fait au roi une réponse pleine d'orgueil et d'arrogance :
Alexandre et ses hommes, ils s'en soucient comme d'un
Le roi jure alors, sur tout son lignage,   [fromage !
qu'ils vont regretter de s'être dressés contre lui
et qu'il va leur falloir montrer tout leur courage.
Les Grecs leur donnent l'assaut et les détruisent si bien
qu'ils ne leur ont laissé ni maison, ni place-forte :
les félons ont bien payé leur arrogance.

126

Le roi s'est bien vengé de la cité de Tarse :
les tours sont abattues, les murs sont mis en pièces.
Emenidus d'Arcage s'y est bien employé,
avec Licanor et Filote, Tholomé le renommé.
Les douze pairs de Grèce parcourent le royaume :
quand ils trouvent une forteresse avec de hauts remparts,
des enceintes solides, et des fossés profonds,
ils renversent le tout, sans en laisser un pied.
Après la destruction et le sac de Tarse,
le roi revient dans sa tente de soie.
L'assaut de la ville l'a épuisé,
il est morne, chagrin et affaibli ;
il s'allonge sur un tapis de soie.

2624 Ses dinners, qant vint l'eure, fu bien aparelliés ;
Au mengier sont assis, assés i ot daintiés.
Uns harperres de Trace s'est du roi aprochiés,
De lais faire a fleütes fu duis et enseigniés,
2628 Sous ciel n'a estrument dont ne fust afaitiés ;
Par son savoir s'est tant d'Alixandre acointiés,
Ançois que il s'en tourt, sera il bien paiés.

127

Devant le tref le roi s'est li harperre assis
2632 Et commença un lai que molt ot bien apris,
De la harpe as fleütes ne fu ainc entrepris ;
Molt fu bien escoutés d'Alixandre et des Gris.
Qant li rois ot mengié, si l'a a raison mis.
2636 « Di va ! dist Alixandres, dont es ? de quel païs ? »
Li harperres respont : « Sire, tu as mespris ;
Je suis uns chevaliers, povres et de bas pris,
De cele gaste vile tous estrais et naïs
2640 Que tu as hui gastee et le regne conquis ;
Ier estoie je riches, or sui povres mendis.
Et tu dis ! "De quel terre ?" Mervelles as enquis. »
Qant l'entent Alixandres, si a geté un ris.
2644 « Par mon chief, dist li rois, a parole m'as pris ;
Se tu es d'avoir povres, je t'en donrai, amis ;
Vien avant, sans-demeure, tien, je t'en ravestis
De la cité de Trace et de tout le païs ;
2648 Ja n'en perdras plain pié tant com je soie vis ;
Ne ne m'en tornerai, de ce soies tous fis,
Ains iert ausi pueplee comme iert or a huit dis
2651 Et seront redrecié li mur d'araine bis. »
2653 Devant lui s'agenolle, li rois poësteïs
Li a doné la terre par son peliçon gris.

128

Qant li rois ot la vile au harpeor donee,
2656 Onques ne s'en torna tant que il l'ot pueplee
Et trestout environ autresi bien muree

Le moment venu, on lui apprête son dîner,
on s'assied à table, les mets sont choisis.
Un musicien de Tarse s'approche du roi :
il est habile à jouer des lais sur sa flûte
et pratique tous les instruments du monde.
Son art lui a acquis la faveur d'Alexandre :
avant de repartir, il sera bien payé.

127

Le musicien s'assied devant la tente du roi
et commence un lai qu'il connaît bien ;
on ne l'a encore jamais joué à la harpe ou à la flûte :
Alexandre et les Grecs écoutent attentivement.
Le roi lui adresse la parole après son repas :
« Dis-moi ! dit Alexandre, de quel pays es-tu ? »
Le musicien répond : « Seigneur, tu as mal agi !
Je suis un chevalier, pauvre, de peu de renom,
natif de cette ville que tu as dévastée
aujourd'hui, avant de conquérir le royaume.
Si hier j'étais riche, je mendie aujourd'hui.
Et tu dis : "D'où es-tu ?" Voilà une curieuse demande ! »
Alexandre l'écoute et se met à rire :
« Sur ma tête, dit le roi, je suis pris à mes propres mots !
Si tu es pauvre, ami, je te donnerai des biens.
Avance, toi qui te dis sans terre, je te donne pour fief
la cité de Tarse avec tout le pays :
de mon vivant, tu ne perdras pas un pied de ta terre.
Et je ne m'en irai pas, je te le garantis,
sans l'avoir repeuplée comme il y a huit jours,
et sans avoir rebâti ses murs de terre bise. »
L'homme s'agenouille devant lui, et le puissant roi
lui donne sa pelisse grise en gage de la terre.

128

Le roi a donné la ville au musicien,
et ne l'a pas quittée avant de l'avoir repeuplée
et entourée de murailles,

Comme ele iert devant ce que ele fust gastee.
Lors s'en torne Alixandres si passe la contree,
2660 Vers le regne de Sire ont lor voie tornee ;
Ce estoit une terre garnie et assasee.
Toute la gent du regne est contre lui alee,
Richece et segnorie li ont bien presentee,
2664 Et li rois molt les aime et forment li agree,
L'onor qu'il li ont faite lor a guerredonee.

129

Li rois en est entrés en Sire la garnie,
Qui depart cele terre et cele de Persie.
2668 Encore n'estoit pas Antioche bastie,
Qu'Antiocus fist puis par molt grant segnorie,
Car li rois Alixandres l'en dona la baillie,
Qui li fist de son regne en la fin grant partie.
2672 La terre truevent riche et molt bien raemplie
De molt bones vitailles et de grant manandie.
Toute la gent du regne envers lui s'umelie
Et li rois molt les aime et pramet et affie
2676 Que ja ne lor faurra en trestoute sa vie.
Au quint jor est meüs et Tholomés les guie ;
Tant chevalche Alixandres, qui d'aler ne s'oublie,
Qu'il vit les tors de Tyr et la terre a choisie,
2680 Mais avant a conquis la terre de Surie,
Tant com il en trova a mis en sa baillie.
« Sire, ce li dist Sanses, se Dieus me beneïe,
Qant je voi ceste terre, tous li sans me formie,
2684 Por ce que fu mon pere et vers moi ne sousplie ;
Daires la m'a tolue par sa grant felonie. »
Alixandres respont : « Tant com je soie en vie,
Ja ne m'en tornerai s'iert en vostre baillie. »
2688 Cil entent la parole, en plorant l'en mercie.

tout comme elle était avant d'avoir été dévastée.
Puis Alexandre reprend sa route, et quitte le pays
pour gagner le royaume de Syrie :
c'est une terre d'abondance et de prospérité.
Tous les habitants du pays viennent à sa rencontre,
lui offrant richesses et pouvoir :
le roi leur en sait gré et leur donne son amitié ;
il leur rend l'honneur qu'ils lui ont fait.

129

Le roi a pénétré dans la riche ville de Syrie,
qui sépare la terre de celle de Perse.
Antioche alors n'était pas encore bâtie :
Antiochus devait plus tard en faire une ville puissante,
car le roi Alexandre lui donna le pays,
avec une grande partie de son royaume.
Les Grecs trouvent la terre riche et bien pourvue
de toutes les victuailles et de grandes demeures.
Tous les gens du pays s'humilient devant lui ;
le roi ne les en aime que mieux et leur fait le serment
de ne jamais leur faire défaut de toute sa vie.
Quatre jours plus tard, il s'en va, guidé par Tholomé.
Alexandre chevauche au grand galop,
et aperçoit les tours de Tyr et le pays.
Il a d'abord conquis la terre de Syrie,
et assis son pouvoir sur toute la surface qu'il a traversée.
« Seigneur, lui dit Samson, Dieu me protège !
quand je vois cette terre, mon sang ne fait qu'un tour !
Elle était à mon père mais se refuse à moi :
Darius me l'a volée dans sa grande félonie ! »
Alexandre répond : « Tant que je serai en vie,
je resterai ici jusqu'à ce qu'elle vous appartienne ! »
Samson, à ces paroles, remercie en pleurant.

Laisses 130-157

Alexandre met le siège devant Tyr, bâtie sur une île. Il fait construire une jetée et, sur le rivage, le château de Scandalion. Le duc Balès de Tyr essuie un sanglant revers au cours d'un premier affrontement et appelle à son aide le duc Bétis de Gadres. Les Grecs élèvent un château dans la mer, devant Tyr, pour bloquer le port.

BRANCHE II

Laisses 1-110

Alexandre envoie une troupe de sept cents chevaliers faire une razzia dans la vallée de Josaphat, sous le commandement d'Emenidus, accompagné des autres pairs (moins Clin et Tholomé) et de Samson. Quand ils s'emparent du bétail, les fourriers sont attaqués par Bétis de Gadres et trente mille hommes. Emenidus veut demander du renfort à Alexandre. Mais l'un après l'autre, Licanor, Filote, Lioine, Perdicas, Caulus, Aristé et Antiochus, Antigonus, puis Samson refusent de quitter le champ de bataille. Emenidus fait encore appel à Corineüs, Festion, un jeune vassal et enfin Aridès de Valestre, qui accepte d'aller chercher du secours, quand il aura combattu jusqu'à la limite de ses forces. La lutte s'engage avec l'armée de Gadres et Samson est tué. Les Grecs sont en mauvaise posture, mais Aridès transmet enfin le message à Alexandre, qui vole au secours de ses hommes. L'armée de Gadres est écrasée. A Tyr, le château qui bloquait le port est détruit. Alexandre fait élever sur un pont de navires un beffroi, duquel, par un saut prodigieux, il pénètre le premier dans la ville. Tyr est conquise et son duc tué. Alexandre reçoit ensuite la reddition d'Araine et conquiert Gadres.

111

2436 Alixandres trespasse le regne de Surie,
      Droit vers Jherusalem a sa voie acuellie,
      Q'il veut la cité prendre et avoir en baillie.
      Bien tost l'eüst destruite et la terre gastie.
2440 Mais la gent citoiaine envers lui s'umelie,
      Contre lui est venue molt gente compaignie,
      De dras religïeus fu toute revestie.
      La loi li aporterent du tans Saint Jheremie ;
2444 Dieus li sires du mont, qui tout a en baillie,
      Le dona Moÿses el mont de Synaïe
      Et vaut que ele fust par son pueple establie.
      Alixandres l'oneure et encline et sousplie
2448 Et vit humle le pueple, sans orguel, sans folie,
      Et que il li mostrerent amor et segnorie ;
      Si grans pitiés l'en prent q'a tous jors lor afie
      Et pais et quiteé lor pramet a sa vie.
2452 Lors fu li pueples liés et forment l'en mercie,
      Grans presens li porterent, mais li rois nes prist mie.
      Outre s'en est passés et s'amor lor otrie
      Et s'autre gent les grieve il lor fera aïe.

112

2456 Alixandres chevalche, c'onques puis ne fina,
      Tresq'en la terre Dayre onques ne s'aresta,
      Mais la gent felenesse confondi et gasta ;
      Et qui vers lui se tourne quitement le laissa
2460 Et qui Dayron avoe malement li esta.
      Ens en la terre Daire li rois se herbrega,
      Ses tentes fist fichier et sa gent ralia,

---

1. Vers le Ier siècle av. J.-C. se forme la légende d'Alexandre visitant Jérusalem après la prise de Gaza, honorant le Grand Prêtre et offrant un sacrifice au Dieu des Juifs. On la trouve chez Flavius Josèphe, dans une variante du Pseudo-Callisthène (trad., p. 183) et dans un texte rabbinique : voir A. Momigliano, « Flavius Josephus and Alexander's visit to Jerusalem », *Athenaeum*, NS 57, 1979, pp. 442-447.

111

Alexandre traverse le royaume de Syrie
et se dirige tout droit vers Jérusalem,
qu'il veut conquérir et avoir en son pouvoir[1].
Il aurait détruit la cité et dévasté la terre,
mais les habitants viennent s'humilier devant lui.
Une noble compagnie vient à sa rencontre,
toute vêtue de draps de religion.
Elle lui présente la loi datant de saint Jérémie :
Dieu le Seigneur du monde, le Maître tout-puissant,
la donna à Moïse sur le mont Sinaï
et voulut qu'elle fût instituée par son peuple.
Alexandre l'honore et s'incline devant elle avec révérence.
Il voit le peuple plein d'humilité, sans folie ni orgueil,
qui lui manifeste son amour et reconnaît son pouvoir :
pris de pitié, il conclut avec lui un accord définitif
et lui garantit paix et sécurité durant toute sa vie.
Le peuple, plein de liesse, se confond en remerciements,
lui offre des présents, que le roi refuse.
Il passe son chemin, lui donnant son amitié
et promettant son aide en cas d'attaque.

112

Alexandre chevauche sans jamais s'arrêter,
pour gagner sans délai les terres de Darius.
Il abat et détruit tous les peuples félons
et tous ceux qui reconnaissent Darius pour seigneur,
mais épargne tous ceux qui se donnent à lui.
Voici le roi installé sur les terres de Darius.
Il fait dresser son camp et rassemble ses troupes :

Ja mais n'avra grant joie tant com vif le savra.
2464 Et quant Dayres l'ot dire, durement l'en pesa,
Lors demande conseil comment le destruira.
Un present li envoie li rois dont s'apensa,
Par tant li est avis qu'il l'espoëntera.

113

2468 D'une chose fist Dayres que preus et que cortois,
Qu'il prist graine novele menue de pavois,
Douce a mengier et blanche autresi comme nois,
Plus que ne portast mie uns mulés espanois,
2472 Si l'envoie Alixandre, le roi mascedonois,
Et commande as messages et conjure lor lois
Qu'il dïent Alixandre fierement sans gabois
Que Dayres a plus homes, que Persans que Yndois,
2476 Q'il n'a grains en la charche a chascun deux ou trois ;
S'il vienent en l'estor qu'il ferront de manois,
En bataille nomee les troveront tous frois.
Mais Dayres ne sot mie q'Alixandres li rois
2480 Mosterra tel parole as messages ançois
Q'il tornera son conte le chief devant detrois.

114

Li mes s'en est tornés qui le present en maine,
Tant chevalche et esploite q'ains que past la quinsaine
2484 En vint a Alixandre, le roi de Mascedaine,
Si le trova seant en sa tente demaine.
Et vit environ lui tant prince, tant chastaine,
Et ot en sa compaigne maint fil de chastelaine.
2488 Li mes l'a salüé et dist chose certaine :
« A toi m'envoie Dayres et tramet ceste graine.
Entrés es en sa terre, qui de richece est plaine,
O ta gent q'as conduite de Gresce mascedaine,
2492 Mais torne t'en arriere si te gete de paine,
Car Dayres a plus hommes, que chasés que demaine,
Q'il n'a grains en la charche n'en mer pierre d'araine,
Q'il avra tous mandés en une qarentaine.

il ne connaîtra plus la joie tant que son ennemi sera en vie.
Darius, à cette nouvelle, s'inquiète fort
et sollicite les conseils pour savoir comment le défaire.
Il lui envoie un présent qu'il pense calculé
pour le remplir d'épouvante.

113

Darius agit en seigneur preux et courtois :
il prend du grain frais et fin de pavot
au goût suave, et plus blanc que neige ;
à Alexandre, le roi de Macédoine,
il en envoie la charge d'un mulet d'Espagne
et recommande à ses messagers, sur leur foi,
de dire fièrement à Alexandre que, sans plaisanterie,
Darius a bien plus d'hommes, et en Perse et en Inde,
qu'il n'y a là de grains, même deux ou trois fois plus.
Si les Grecs les attaquent et prennent l'offensive,
ils les trouveront tout prêts, le jour fixé pour la bataille.
Mais Darius ne sait pas que le roi Alexandre
donnera à ses messagers une réponse
qui retournera le sens de ce discours.

114

Le messager quitte la cour avec son présent
et chevauche si bien qu'en moins de quinze jours
il rejoint Alexandre, le roi de Macédoine,
qu'il trouve siégeant dans sa tente princière,
entouré de maint prince et de maint capitaine ;
maint fils de châtelain est en sa compagnie.
Le messager salue et transmet fidèlement ces paroles :
« Darius m'envoie vers toi te remettre ce grain.
Tu as pénétré dans ses terres pleines de richesses,
avec l'armée que tu mènes depuis la Macédoine.
Mais fais donc demi-tour, tu t'en trouveras mieux,
car Darius a plus d'hommes, avec tous ses nobles vassaux,
qu'il n'y a ici de grains, et de sable dans la mer :
il les aura tous convoqués d'ici quarante jours.

2496 Autresi com l'alose engloutist la balaine,
Vos conquerront en champ, vostre mors est prochaine ;
La terre dont venistes vos samblera lointaigne. »
Qant l'entent Alixandres, de respondre se paine
2500 Et a dit tel parole qui molt par est soutaine.

115

Alixandres s'oï devant soi manecier
Et vit le present Daire, qui gaires ne l'ot chier,
Qui lui veut et ses homes par itant esmaier.
2504 Li rois prist de la grene le pesant d'un denier
Si la mist a sa bouche, que tout vaut ensaier ;
Il la trova molt douce et bone por mengier.
Alixandres parole et dist au messagier :
2508 « Ceste chose est molt simple et molt fait a proisier.
Est Dayres ausi humles et il et si guerrier ?
– Oïl, fait li mes, sire, et tuit si chevalier. »
Alixandres respont a loi de bon princier :
2512 « Dont sont il en bataille a destruire legier.
A ce que li Grieu sont en estor dur et fier,
Ja ne porrés garir encontre lor acier ;
Se nos avons poi homes, il sont tout costumier
2516 D'autre gent desconfire et desrompre et chacier. »
Li rois fait apeler son maistre despensier,
Tout plain son gant de poivre li fait apareillier.

116

Li rois fait aporter tout plain son gant de poivre.
2520 « Oés, fait il au mes, que vos vuel amentoivre :
Si com cist tans de poivre est or plus fort a boivre
De vostre graine douce, bien le pöés perçoivre,
Est ma gens fors et dure por fort estor reçoivre,
2524 La vostre gent menue est legiere a deçoivre.
Ausi com li lyons prent et ocist l'atoivre,

Tout comme la baleine engloutit l'alose,
ils triompheront sur le champ de bataille : votre mort est
la terre d'où vous venez vous semblera lointaine ! »   [proche ;
A ces mots, Alexandre médite une réponse
et lui retourne aussitôt ce discours.

115

Alexandre a entendu ces menaces,
il a vu le présent de Darius, qui ne l'aime guère,
et cherche ainsi à les épouvanter, lui et ses hommes.
Le roi prend, dans le grain, la valeur d'un denier,
qu'il porte à sa bouche pour le goûter :
il le trouve très doux et très bon.
Il prend donc la parole et dit au messager :
« Ce grain est délicieux et bien digne d'éloge.
Darius et ses guerriers sont-ils donc aussi doux ?
– Oui, seigneur, lui dit-il, comme tous ses chevaliers. »
La réponse d'Alexandre est digne d'un noble prince :
« Ils seront donc bien faciles à vaincre !
Les Grecs sont au combat rudes et farouches,
jamais vous ne pourrez tenir contre leur fer !
Nous n'avons que peu d'hommes, mais ils sont habitués
à défaire leurs ennemis, à rompre leurs rangs et à les
Le roi fait appeler son grand intendant   [pourchasser ! »
et lui fait remplir son gant de poivre.

116

Le roi fait apporter son gant rempli de poivre :
« Ecoutez mes paroles et retenez-les bien !
Ce petit tas de poivre est plus dur à avaler
que toute votre graine douce, vous le voyez bien !
Mon armée, forte et rude, est faite pour les rudes affrontements,
là où votre piétaille est facile à vaincre.
Tout comme le lion capture et tue du bétail

Qui est haus et creüs comme rains de genoivre,
Vos conquerrons en champ et vostre gent atoivre ;
2528 Qant partirés de nous, des testes serés soivre. »

117

Qant orent li message lor besoigne furnie,
Et voient q'Alixandres ne s'en tornera mie,
Mais la richece Dayre et sa grant segnorie
2532 Et sa gent et sa terre veut avoir en baillie,
Lors demandent congié si s'en vont en Persie
Et reconterent Dayre sans nule felonie
La parole trestoute si com il l'ont oïe ;
2536 Et dïent du present tout l'alegorie
De la graine et du poivre, que chascuns senefie,
Et com li rois de Gresce lor mostra la maistrie.
Et prisent Alixandre et sa grant compaignie,
2540 Q'en tout le siecle Dieu n'a tel chevalerie,
Et li rois est si preus et de tel baronie
Qu'il vaurra tout avoir du mont la segnorie.
Quant Dayres l'entendi, tous li sans li formie ;
2544 Lors fait faire ses chartres et ses messages prie
Q'il semongnent le regne qui vers lui s'umelie
Que tuit viegnent par force a Dayre a l'ost banie ;
Et ciaus qui n'i venront de s'amor les deffie,
2548 Car cil qui n'i venra n'i perdra que la vie.

118

Dayres a fait semonre le regne d'entor soi
Et trestoute la gent qui maintienent sa loi,
Ciaus qui tienent de terre demi pié ne plain doi ;
2552 Et qui or n'i venra a Dayre ment sa foi,
Et gart que nus n'i viegne n'ait armes et conroi.

---

2. *Rains* a été corrigé en *grains* selon les manuscrits CEMJ.
3. Le ban est le pouvoir général de commandement des seigneurs, en particulier, le pouvoir militaire contraignant les vassaux au service de l'ost.

grand et solide, comme un grain de genièvre[2],
nous triompherons de vous et de votre riche attirail,
et ne vous quitterons pas sans vous trancher la tête ! »

117

Les messagers ont rempli leur mission :
ils voient bien qu'Alexandre ne fera pas demi-tour,
mais qu'il veut conquérir les richesses de Darius,
son pouvoir, ses hommes et ses terres.
Ils demandent congé et regagnent la Perse,
où ils rendent compte à Darius, en toute loyauté,
de tous les discours qu'ils ont entendus.
Ils lui expliquent la valeur symbolique du présent,
la signification du grain et du poivre,
et la supériorité manifestée par le roi de Grèce.
Il font l'éloge d'Alexandre et de sa grande compagnie :
il n'est, dans tout l'univers, pareille chevalerie,
et le roi est si preux et d'une telle vaillance
qu'il compte asseoir sa domination sur le monde entier.
Darius les entend, son sang ne fait qu'un tour.
Il fait écrire des lettres et prie ses messagers
d'aller convoquer ses hommes sur tout l'empire qui le
                                    [reconnaît pour maître :
que tous viennent en hâte se joindre à l'armée mandée par le
Ceux qui ne viendront pas connaîtront ce qu'il en coûte   [ban[3].
                                    [de lui déplaire :
celui qui ne viendra pas ne perdra rien moins que la vie.

118

Darius a convoqué ses hommes sur tout son empire,
tous ceux qui font régner sa loi,
tous ceux qui tiennent de lui la moindre parcelle de terre ;
qui ne viendra pas trahira la foi qu'il doit à Darius.
Et que tous viennent en armes et bien équipés !

Qant furent assemblé par les plains d'Eleroi,
Si furent plus par esme de cinc cens mil et troi.
2556 Iluec ne veïssiés pré ne plain ne chaumoi
Ou il n'eüst cors d'ome, cheval ou palefroi
Ou harnois d'autre guise, la n'estoient pas coi ;
Cel jor i veïssiés maint gonfanon d'esploi.
2560 D'aler contre Alixandre ierent tuit en effroi.

119

Qant Dayres ot josté les gens de ses regniés,
A plus de cinc cens mile les ont le jor prisiés.
Et Alixandres fu d'autre part herbregiés
2564 Sor l'eaue de Gangis, dont parfons est li biés.
Les os furent si pres que tres bien veïssiés
De l'un pavellon l'autre, tant les ont aprochiés.
Li Grieu saillent as armes, lors les veïssiés liés ;
2568 Ilueques veïssiés gonfanons desploiés,
Mais desi au matin fu l'estors respitiés
Por sorveoir les Grieus a lor tentes logiés.

120

Par mi les pres de Paile s'est Dayres ostelés,
2572 Et Alixandres ot devant tendu ses tres
Sor l'eaue de Gangis, dont parfons est li gues.
Por ce fu icil pres de Pailes apelés
Que Dayres i fist tendre sa richece en ces pres,
2576 Cendaus et ostorins et bons pailes fresés,
Or et argent et dras et autres richetés,
Et dist qu'il est du mont li plus riches clamés.
Et Alixandres fu d'autre bien porpensés :
2580 Cel jor li mostra tant de chevaliers armés,
Atornés de lor armes, sor les destriers montés,

---

4. Sur le Pré de Paile, voir la note au vers 2571, MFRA V, p. 233 : dans
l'*Historia* de Guillaume de Tyr, *Pratum Palliorum* serait la traduction arabe du
nom d'une plaine cilicienne dont les couleurs rappellent celles des tapisseries.

Quand ils furent assemblés dans les plaines d'Eleroi,
on pouvait estimer leur nombre à plus de cinq cent mille.
Il n'était pré ni plaine, il n'était champ de blé
où l'on ne trouvât hommes, destriers, palefrois,
harnais de toutes sortes, le tout dans le tumulte.
On voyait ce jour-là bien des gonfanons déployés.
Tous étaient effrayés à l'idée d'affronter Alexandre.

119

Quand il a rassemblé les gens de son empire,
Darius peut compter sur plus de cinq cent mille hommes.
En face de lui, Alexandre a dressé son camp
sur la rive du Gange, dont le lit est profond.
Les deux armées se touchent, on pouvait même voir
de l'une à l'autre, les pavillons, qui sont tout proches.
Les Grecs courent à leurs armes, tout joyeux ;
on pouvait déjà voir les gonfanons déployés.
Mais le combat lui-même est remis au matin,
pour observer les Grecs logés dans leurs tentes.

120

Darius s'est installé dans les prés de Paile.
Alexandre a fait dresser son camp devant lui,
sur la rive du Gange, dont les eaux sont profondes.
Ce pré de Paile tire son nom
des richesses que Darius y a fait étaler :
soieries, tissus précieux d'Orient, belles étoffes brodées,
de l'or et de l'argent, draps et autres trésors,
pour justifier sa réputation d'homme le plus riche du monde[4].
Mais Alexandre a eu une meilleure idée :
il fait montre, ce jour-là, de tant de chevaliers,
armés de pied en cap, montés sur leurs destriers,

De qoi Daires se tint le jor por fol provés
Et dist qu'avoirs n'est preus qui trop par est gardés,
2584 Mais beneois soit cil dont on est alosés.
Pire est riches malvais que povres honorés,
Bone chevalerie est molt grans richetés.

121

Cele nuit sejornerent les os sans assambler,
2588 Car les compaignes firent ambesdeus a douter.
Et Dayres li Persans fist ses barons joster,
Dus et contes et princes en sa tente assambler.
« Baron, ce dist li rois, je vos ai fait mander
2592 Por ce que je vos veul un conseil demander.
Le rois de Mascedoine voi en ma terre entrer
Et ma gent essillier et mon païs gaster,
Qui mes hom deüst estre quitement sans fauser.
2596 Ses pere et ses ancestres ne l'oserent penser,
Mais l'orguel qu'il demaine le fait outrecuider.
Or se veut de mon regne faire sire clamer,
Mais je ne redoi mie du tout a mal garder,
2600 Car li sages doit estre por le fol assener,
Et li fol se repainent des sages gens meller.
J'ai une fille bele qui molt a le vis cler,
A mollier li otroi sel me volés loër,
2604 Et vaurrai de mon regne l'une moitié doner
Et la terre conquise toute quite clamer.
Par itant nos porroit en pais laissier ester. »
Et cil li respondirent : « Nel vos devons blasmer ;
2608 Ci a bon mariage quil porroit atorner. »

122

Dayres a pris messages, des mellors de sa gent,
Des barons de sa terre, atornés richement.
Son message lor conte et charche sagement
2612 Ses envoie Alixandre par son l'aube aparant.
Desi q'au tref le roi sont venu erramment,
A l'entree des cordes descendent en estant

que Darius, alors, comprend bien sa folie
et dit que la fortune n'a aucun prix quand on la garde pour soi ;
bénie soit en revanche celle qui vous apporte la gloire !
Le mauvais riche vaut moins que le pauvre honoré,
et de bons chevaliers constituent la plus grande des richesses.

121

Cette nuit-là les armées se reposent sans s'affronter :
les deux troupes sont redoutables.
Darius le Perse réunit ses barons ;
ducs, comtes et princes, il les rassemble dans sa tente :
« Barons, leur dit le roi, je vous ai convoqués
pour vous demander un conseil.
Le roi de Macédoine envahit mes terres, sous mes yeux,
il maltraite mon peuple, dévaste mon pays,
lui qui devrait être mon fidèle vassal.
Ni son père, ni ses ancêtres, n'eurent jamais cette audace,
mais son orgueil lui fait dépasser toute mesure.
Il se prétend maintenant seigneur de mon royaume !
Mais je ne dois pas, comme lui, chercher à faire le mal :
le sage doit chercher à raisonner le fou,
même si les fous ne cherchent qu'à faire se quereller les sages.
J'ai une fille très belle, au clair visage :
je la lui offre pour épouse, si vous y consentez,
avec la moitié de mon royaume
et les terres conquises, que je lui abandonne.
A ce prix, qu'il accepte de nous laisser en paix ! »
Les barons lui répondent : « Nous ne saurions vous blâmer :
ce serait un beau mariage, si l'on pouvait le conclure. »

122

Darius choisit des messagers, les meilleurs de ses hommes,
des barons de sa terre, richement équipés.
Il leur explique son message avec soin
et les envoie à Alexandre avant le point du jour.
Ils ont tôt fait de se rendre à la tente du roi,
mettent pied à terre à l'entrée, devant les cordes,

Et ont trové le roi en sa tente seant,
2616 Ou faisoit atachier une ensegne pendant
En sa lance de fraisne a cleus qui sont luisant,
Qui a roisde le fust et le fer si trenchant
Qui bien en iert ferus de mort n'avra garant.
2620 Li mes le salüerent bel et cortoisement
De par Dayre de Perse, que on claime soudant.

123

Devant le roi s'esturent li Persant en estage,
De la part lor segnor conterent le message.
2624 « Alixandre, font il, molt as divers corage,
Ses que te mande Dayres, li sires de parage ?
Entrés es en sa terre par mervelleus outrage,
Onques hom de ta terre ne pensa tel folage ;
2628 Tu dois estre ses hom quitement par usage,
Tes pere et tes ancestres firent au sien homage ;
Mais Dayres est si humles et si a le cuer sage
Qu'il ne veut esgarder a orguel ne a rage.
2632 Une fille a molt bele, si a cler le visage,
A mollier la t'otroie au los de son barnage ;
La moitié de son regne avras a mariage,
Et la terre conquise t'otroie en heritage.
2636 Car ne veut pas que tort li païs a damage,
S'en seront avancié tout cil de ton lignage. »

124

Li rois vit les mes Dayre et entent lor raisons,
Un respit lor demande, mais ne fu mie lons,
2640 Tant seulement qu'il ait parlé a ses barons ;
En un tref s'en entra qui fu fais a girons.
« Savés, dist il as siens, dont Daires m'a semons ?
Doner me veut sa fille, qui a gentes façons ;
2644 Et demie sa terre o la feme prendrons
Par itel convenant que nos deviserons
Que n'en soit de la guerre mais chauciés esperons,
Ains irons en rivieres et porterons faucons

et trouvent le roi assis dans sa tente :
il fait fixer son enseigne, par des clous brillants,
à sa lance de frêne ;
le bois en est rigide et le fer si tranchant
que rien ne pourra garantir de la mort qui en sera frappé.
Les messagers le saluent courtoisement
au nom de Darius de Perse, que l'on nomme sultan.

123

Les Perses se tiennent debout devant le roi
et délivrent le message de leur seigneur.
« Alexandre, disent-ils, le mal est dans ton cœur.
Ecoute ce que te mande le noble roi Darius :
Tu as envahi sa terre dans ton orgueil démesuré ;
jamais homme de ta terre n'avait imaginé pareille folie !
Tu dois te reconnaître son vassal, selon l'usage ;
ton père et tes ancêtres rendirent hommage à son propre père.
Mais Darius est si humble, il a le cœur si sage
qu'il ne veut pas se laisser envahir par l'orgueil ni la rage.
Il a une fille très belle, au clair visage,
qu'il t'offre pour épouse, avec l'accord de ses barons :
la moitié de son royaume te reviendra par ce mariage,
et la terre conquise sera ton héritage.
Il ne veut pas que son pays souffre de cette querelle
et préfère élever tous ceux de ton lignage. »

124

Le roi a entendu le message de Darius
et demande un délai très bref,
le temps seulement de parler à ses barons.
Il pénètre dans une tente aux pans arrondis.
« Savez-vous, dit-il aux siens, le message de Darius ?
Il veut me donner sa fille, à la grande beauté,
et avec la femme la moitié de sa terre,
à la seule condition que nous décidions
qu'il ne soit plus question de faire la guerre,
mais de chasser en rivière, de porter nos faucons,

2648 Et si verrons voler nos gens esmerillons.
    Par le conseil de vos en iert fais li respons. »
    Premier li respondirent Tholomers et Clinçons :
    « Sire rois Alixandre, desor vos le metons.
2652 Se volés, faites pais, se volés, guerroions ;
    Le quel que volés faire et nos l'otrïerons. »
    « Sire, dist Perdicas, molt par est biaus li dons,
    Mieus vaut demie en pais la terre, ce savons,
2656 Qu'ele ne feroit toute a guerre et a tençons. »
    Qant l'entent Alixandres, si fu mus et embrons ;
    Après li respondi, iriés comme lyons :
    « Perdicas, fait li rois, vostre cuers est garçons,
2660 Ja le vostre conseil, se Dieu plaist, ne crerons,
    Ains en iert en maint cors baigniés mes gonfanons
    Et en serai en sanc trestous tresq'as talons
    Que ja compaignon aie ne partis soit mes nons. »

125

2664 Li rois a la raison des deus barons oïe
    Et entent la parole dont Perdicas li prie ;
    Si forment le regarde que cil tous en fremie.
    Alixandres l'apele, forment le contralie :
2668 « Se fuisse Perdicas, ne lairai ne vos die,
    Ja eüsse otroié molt tost ceste partie,
    Mais je sui Alixandres si ne le ferai mie ;
    Ne per ne compaignon n'avrai ja en ma vie. »
2672 Puis a dit as messages : « Ceste pais est faillie.
    Ralés vos ent et dites a Daire de Persie
    Face sa gent armer, que mes cors le deffie,
    Et la moie iert molt tost conr[e]ee et garnie.

---

5. Les textes antiques rapportent l'épisode, mais lui donnent pour héros Parménion. Cf. Quinte-Curce, IV, 11, 11, Plutarque, 29, 7-8 et Arrien, II, 25, 2 : « Ces propositions ayant été communiquées au cours d'une réunion des Compagnons, on dit que Parménion déclara à Alexandre que lui-même, s'il était Alexandre, serait heureux de terminer la guerre à ces conditions, et de ne plus avoir à affronter de dangers à l'avenir ; et qu'Alexandre lui répondit que lui aussi, s'il était Parménion, en agirait ainsi, mais que puisqu'il était Alexandre, il répondrait à Darius comme suit. »

de regarder voler nos beaux émerillons.
Mais votre conseil dictera ma réponse. »
Les premiers à répondre sont Tholomé et Clin :
« Seigneur roi Alexandre, nous nous en remettons à vous !
A vous de choisir entre la paix et la guerre ;
quel que soit votre choix, nous l'approuverons ! »
« Seigneur, dit Perdicas, voilà un riche don :
la moitié d'une terre paisible vaut mieux, chacun le sait,
que la terre tout entière avec guerre et querelles ! »
Alexandre, à ces mots, baisse la tête, muet,
mais il répond ensuite, avec la fureur d'un lion :
« Perdicas, vous avez le cœur d'un lâche !
Nous ne suivrons pas votre conseil, de par Dieu !
mon gonfanon baignera dans le sang de bien des ennemis,
je ruissellerai de sang jusqu'aux talons,
avant d'accepter de partager ma renommée avec un autre ! »

125

Le roi a entendu les paroles de ses deux barons
et la prière de Perdicas,
qu'il foudroie du regard : celui-ci en frémit.
Il l'interpelle alors pour le contredire violemment :
« Si j'étais Perdicas, j'aurais assurément
tôt fait d'accepter ce partage[5] !
Mais je suis Alexandre et ne le ferai pas :
de ma vie je n'aurai un pair ni un égal ! »
Aux messagers il dit : « Je refuse la paix !
Retournez sur vos pas, dites à Darius de Perse
qu'il fasse armer ses hommes, car je le défie :
mes hommes seront vite tout prêts à se battre.

2676 Ne veul avoir sa fille o sa terre demie,
Ou ele iert toute moie ou je ne l'avrai mie.
Ja n'avrai compaignon, soit savoirs, soit folie,
Ains iert, se Dieu plaist, moie du mont la segnorie. »

126

2680 Li message de Perse revienent a Dayron,
La parole Alixandre li dïent trusq'en son :
« Ou li resnes iert suens trestous en abandon
Ou il n'en tenra ja vaillant un esperon,
2684 Ja nul jor de sa vie n'en avra compaignon ;
Sires du mont doit estre sans autre partison. »
Et qant Dayres l'entent, si craula le menton ;
Lors furent a conseil mandé tuit li baron.
2688 Li rois estut en piés devant son pavellon
Et a dit a ses homes : « Segnor, quel le feron ?
Molt par truis Alixandre orgellous et felon,
N'i puis amor trover ne q'aigniaus en lion.
2692 Par mi ceste bataille nos entrepasserom ;
Se li dieu nos aïdent, voirement la vaintrom. »
Et cil li respondirent : « Vostre plaisir ferom. »

127

Au matin qant il virent le soleil esclairier,
2696 Dayres li rois de Perse monta sor un destrier
Et furent aveuc lui si mellor conseillier.
Lors fist crïer par l'ost et hucent cil banier
Que tost soient armé sergant et chevalier.
2700 Qant furent atorné neïs li paonnier,
Si furent bien ensamble soissante et dis millier.
Dayres connut les Grieus qu'il furent bon guerrier,
Et li rois orgelleus et de corage fier,
2704 Et en toutes batailles sont de ce constumier
Q'autre gent ne garist encontre lor acier ;
Ne veut pas ses eschieles joster au chaploier,
Car durement se doute de sa gent empirier.
2708 Lors fist ses courres prendre et bien apareillier,

Je ne veux pas de sa fille avec la moitié de sa terre :
j'aurai sa terre entière ou je n'en aurai rien !
Que je sois sage ou fou, je n'aurai pas d'égal,
mais, si Dieu y consent, je serai le maître du monde ! »

126

Les messagers de Perse reviennent à Darius
et rapportent intégralement le discours d'Alexandre :
« Le royaume lui appartiendra entièrement,
ou il n'en possédera pas même la valeur d'un éperon.
De sa vie il ne se reconnaîtra un égal ;
il doit être le maître du monde, sans partage possible ! »
Darius, à ces paroles, a secoué le menton
et convoqué tous ses barons en conseil.
Le roi, debout devant son pavillon,
dit à ses hommes : « Seigneurs, que faut-il faire ?
Je ne vois en Alexandre qu'orgueil et félonie ;
il m'offre l'amitié d'un lion pour un agneau !
Nous livrerons donc cette bataille contre lui
et, avec l'aide des dieux, nous la remporterons ! »
Ses hommes lui répondent : « Il en sera fait selon votre
                                                    [volonté ! »

127

Au matin, dès qu'on voit poindre le jour,
Darius le roi de Perse monte sur son destrier,
en compagnie de ses meilleurs conseillers.
Il fait crier par ses hérauts, dans toute l'armée,
l'ordre de s'armer pour tous, sergents et chevaliers.
Lorsque tous furent prêts, même les fantassins,
ils étaient bien en tout soixante-dix mille.
Darius connaît la valeur guerrière des Grecs,
l'orgueil et la fierté de leur roi ;
il sait que d'ordinaire, dans toutes les batailles,
nul ne peut résister à leur lame d'acier.
Il ne veut pas que ses compagnies s'engagent dans la mêlée,
car il a peur pour ses hommes.
Alors il fait sortir et préparer ses chars

Les chevaliers dedens armer et haubregier,
Et portent trenchans faus por les Grieus damagier,
Les olifans ques mainent ne set nus hom prisier.
2712 El champ de la bataille les a fait arengier
Iluec ou li estors se devra commencier.
Aprés lor commença molt bien a ensegnier
Que qant il se devront o les Grigois lïer
2716 Que poignent quatre pars par mi l'estor plenier
Et fierent o les faus por les Grieus detrenchier
Et la ou il iront facent le champ vuidier,
Que contre lor effort n'ait deffense mestier ;
2720 Par itant les porront desconfire et chacier.
Alixandres meïsmes les oï desrainier,
Qui en l'ost se fu mis a guise d'escuier,
Puis s'en revint as Grieus si coiement arrier
2724 C'onques cel jor nel porent conoistre n'acointier.

128

Qant li rois vit Dayron ses corres deviser
Et les chevaliers ens haubregier et armer
Et lor commande a tous faus trenchans a porter
2728 Et a ses olifans fait les curres mener,
El champ de la bataille les ot fais arester,
Et li avoit oï sagement deviser
Que qant il se devroient o les Grigois meller
2732 Q'il feïssent les curres par quatre pars aler
Por la gent Alixandre trespercier et branler,
Alixandres commence contre ce a penser.
Les douze pers de Gresce fait devant soi mander,
2736 Puis si lor commanda douze eschieles guïer
Et fait Emenidon cele devant mener,
Por ce qu'il est tous jors as premiers caus doner.
Puis si lor commença sagement aconter,
2740 Qant il verront vers eus les olifans aler,
Ciaus qui doivent les curres o les roees mener,
Q'il se partent en crois et les laissent passer,
Si bien que en l'estor nes puissent encontrer ;
2744 Et qant il les verront par mi les rens outrer,

– avec, à l'intérieur, les chevaliers en armes, à l'abri,
munis de faux tranchantes pour détruire les Grecs –,
tirés par des éléphants d'un prix inestimable.
Il les range sur le champ de bataille,
là même où la mêlée doit s'engager,
et se met à expliquer sa manœuvre :
au moment de l'affrontement avec les Grecs,
qu'ils galopent aux quatre coins de la bataille
en frappant de leurs faux pour décimer les Grecs
et vider le champ sur leur chemin,
afin de les priver de toute défense ;
voilà comment ils pourront les mettre en déroute.
Mais Alexandre lui-même entendit ce projet :
il s'était glissé dans l'armée comme un simple écuyer,
puis rejoignit les Grecs si discrètement
que personne, ce jour-là, ne put le reconnaître.

128

Quand le roi voit Darius disposer ses chars,
y abriter des chevaliers en armes
et leur commander à tous de porter des faux tranchantes,
quand il voit les éléphants tirer les chars
et les mener jusqu'au champ de bataille ;
quand il entend Darius habilement commander
qu'au moment de l'engagement avec les Grecs,
les chars aillent aux quatre coins de la bataille
pour percer et ébranler l'armée grecque,
Alexandre se met à réfléchir.
Il convoque les douze pairs de Grèce devant lui
et leur donne douze compagnies à mener :
Emenidus mènera la première,
car c'est toujours lui qui donne les premiers coups.
Puis il leur explique une habile stratégie :
quand ils verront les éléphants se diriger sur eux,
tirant derrière eux les chars sur leurs roues,
qu'ils partent aux quatre points en les laissant passer,
pour éviter de les rencontrer dans la mêlée.
Et quand ils les verront dépasser leurs rangs,

Lors se metent aprés qu'il ne puissent torner,
Si qu'il facent lor curres contre terre verser ;
Puis s'aïrent sor aus et pensent de chapler,
2748 Si que ja nus de ciaus ne puisse relever.
« Par itant les porrons desconfire et mater. »

129

Qant Alixandres ot ordené en tel guise
Ses batailles a poindre, en aprés lor devise
2752 Que la compaigne Dayre qui es curres s'est mise
Poindra par la bataille si com chose est enprise ;
Gart que si bien l'açaingnent que tote soit sorprise
Et se ele puet estre detrenchie et occise,
2756 Puis reviegnent a l'autre qui el champ est assise,
Et se tant pue[e]nt faire q'a la fuite soit mise,
As espees trenchans soit fierement requise.
Autresi com la noif est par le chaut remise
2760 Iert hui la force Daire par la soie conquise,
Hui prendront li Grigois des Persans la justice.

130

La bataille est jostee des Grigois et des lor.
Ainsi com Dayres ot devisé celui jor
2764 Sont li curre meü et courent par l'estor ;
Li olifant ques mainent vont de si grant fieror
Que nus ques encontrast n'eüst vers aus vigor.
Mais li Grieu s'en partirent sagement sans folor,
2768 Que gaires n'i perdirent li grant ne li menor ;
Et qant il furent outre, n'eurent tant de laissor
C'onques en la bataille repreïssent puis tor,
Car li Grieu o les ars ne sont mie a sejor,
2772 En courant les ocïent o les brans de coulor ;
D'olifans et de curres lor ont fait tel atour
Tout ocïent a glaive et metent a dolor.
Cis plais torna a joie au roi mascedonor,
2776 Et Dayres li Persans en ot duel et iror.

qu'ils se lancent à leur poursuite pour les empêcher de faire
et qu'ils renversent les chars,   [demi-tour
se ruent sur les chevaliers et se battent si bien
qu'aucun d'eux ne se relève :
« Voilà comment nous pourrons les mettre en déroute ! »

129

Après avoir donné ses instructions
à ses bataillons pour l'assaut, Alexandre leur explique
que les troupes de Darius, montées dans les chars,
fondront sur eux : telle est leur stratégie.
Il faudra qu'ils les encerclent par surprise
et qu'ils les passent au fil de l'épée,
avant de se retourner vers le reste de l'armée, sur le champ de
et de la mettre en fuite,   [bataille
en faisant bon usage de leurs épées tranchantes.
Tout comme la neige qui disparaît à la chaleur,
les forces de Darius s'inclineront aujourd'hui devant les
aujourd'hui les Grecs tireront vengeance des Perses. [siennes :

130

Les forces grecques et perses sont en présence.
Selon la stratégie de Darius,
les chars s'ébranlent et s'élancent dans la bataille ;
la charge des éléphants est d'une telle force
que nul ne saurait leur résister.
Mais les Grecs, sagement, s'en éloignent
et évitent ainsi des pertes importantes.
Les chars, une fois passés, n'ont pas le loisir
de revenir prendre leur place dans la bataille,
car les Grecs savent se servir de leurs arcs.
Ils courent sur leurs ennemis, ils les tuent de leur lame colorée.
Ils détruisent les éléphants comme les chars ;
leur glaive sème le massacre et la désolation.
Le roi de Macédoine se réjouit de ce coup
qui plonge dans la douleur Darius le Perse.

131

Qant Dayres vit ses curres chaoir a tel martire
Et les chevaliers ens trebuchier et ocire,
Fiert sa main a sa cuisse si taint et s'esprent d'ire,
2780 Tant redoute les Grieus que forment les remire,
Les regnes de son fraim a ambedeus mains tire,
Vers senestre se torne, sor son escu se vire,
Lors regarde ses homes, sous son elme souspire.
2784 Quarante et deus batailles a ordené a tire,
As barons de sa terre les commande a conduire
Et apele ses homes si lor commence a dire :
« Qui or iert chevaliers de m'amor sera sire,
2788 Car molt ai grant paor de perdre mon enpire. »

132

Molt fu liés Alixandres et ses gens plus haities
Qant il orent des curres les batailles vuidies
Et a ciaus qui ens furent ont les testes trenchies.
2792 Vit les batailles Daire toutes apareillies,
Qui venoient vers aus le pas, lances drecies.
Li rois ra douze eschieles jostees et rengies,
As douze pers de Gresce les a par non baillies.
2796 Adont les veïssiés venir bien arengies,
Chascune devant l'autre, duites et afaities,
Si com li maines rois les avoit ensegnies.
Les ensegnes au vent ont li Grieu desploïes,
2800 Onques jusqu'au ferir n'i ot resnes sachies.
La ot molt grant meschief, mais les gens sont proisies,
Qant a quarante eschieles se sont douze apoïes,
Mais, s'Alixandres puet, anqui seront percies
2804 Et les compaignes Daire matees et brisies.

---

6. F. Garnier analyse les significations de ce geste dans l'iconographie (*Le Langage de l'image au Moyen Age*, I, Paris, 1982, p. 185) : « Cette attitude est surtout celle des rois, des papes, des évêques et des juges. Elle manifeste une fermeté dans la volonté, une détermination dans l'exercice de son pouvoir personnel ». Le geste semble pouvoir également signifier la menace : voir la repré-

131

Quand Darius voit ses chars ainsi défaits
et ses chevaliers renversés et tués,
il appuie la main sur sa cuisse, s'assombrit et s'enflamme de
Plein de crainte, il contemple les Grecs,   [courroux[6].
tire des deux mains sur ses rênes
et se tourne sur la gauche, serrant son écu contre lui.
Il observe ses hommes, soupirant sous son heaume.
Il aligne à la suite quarante-deux bataillons,
dont il confie le commandement aux barons de sa terre.
Puis il appelle ses hommes et leur tient ce discours :
« Qui montrera sa chevalerie gagnera mon amour,
car je redoute fort de perdre mon empire ! »

132

Alexandre est joyeux, et ses gens plus encore,
d'avoir privé les bataillons ennemis de leurs chars
et d'avoir tranché la tête aux occupants de ces chars.
Le roi voit les bataillons de Darius en ordre de combat,
qui viennent vers eux au pas, lance levée.
Il leur oppose douze compagnies rangées en bon ordre,
qu'il a confiées nommément aux douze pairs de Grèce.
On pouvait les voir venir en bon ordre,
l'une devant l'autre, observant scrupuleusement
les instructions reçues du grand roi.
Les Grecs déploient leurs enseignes au vent
et s'élancent sans tirer sur leurs rênes jusqu'à la mêlée.
Quand les douze compagnies grecques rencontrent les quarante
                                                    [compagnies perses,
le dommage est grand. Mais ce sont de valeureux guerriers
et Alexandre fera tout son possible pour percer les rangs de
et mettre en déroute les troupes de Darius.   [l'ennemi,

---

sentation de Haine dans un manuscrit du *Roman de la Rose* (*ibid.*, p. 189). Les
deux mains posées sur les cuisses sont souvent liées à une représentation du
mauvais prince orgueilleux (*Ibid.*, II, Paris, 1989, pp. 127-133).

133

En la premiere eschiele, Emenidus d'Arcage,
Vint li rois tous armés, espris de vasselage.
El chief de la bataille vit le roi de Cartage,
2808   Qui la premiere eschiele Daire ot par segnorage.
Alixandres le fiert par le hardi corage ;
Tous li conrois qu'il porte ne li vaut un formage.
Si grant caup li dona que trestout le sorbarge,
2812   Toute plaine sa lance l'abat mort en l'erbage.
Puis a traite l'espee, fors du fuerre la sache,
Au torner de sa joste fiert Balot de Valage,
Que la teste li trenche par desous le visage.
2816   Et li Grieu les ferirent qui sont cortois et sage ;
La veïssiés morir la gent Dayre el rivage,
Autresi les ocïent comme beste salvage.
De la premiere eschiele lor ont fait tel damage
2820   Quatre cens en ont mort a dolor et a rage.
Et qant Dayres le voit, a poi que il n'esrage.

134

L'eschiele Tholomé vint aprés la premiere
A une autre bataille Dayron grant et pleniere ;
2824   Perchael la conduit, qui fu nes de Valmiere,
Et portoit en sa lance l'oriflambe baniere.
Les deus batailles hurtent par si faite maniere
Ce n'est mie mençoigne que chascuns bien n'i fiere,
2828   De sanc et de cervel est tainte la bruiere ;
Mais la gent Tholomé estoit hardie et fiere
Et li Persant bahif comme cerf en gaschiere,
Et li Grieu les feroient comme gent costumiere,
2832   Derompue l'en mainent sor les autres arriere.
Ce fu une aventure que Dayres n'ot pas chiere.

135

Aprés la Tholomé joint l'eschiele Cliçon
A une autre bataille mervelleuse Mabon,

133

Dans la première compagnie, conduite par Emenidus d'Arcage,
le roi vient tout armé, en quête de prouesses.
Au cœur de la bataille il voit le roi de Carthage,
qui menait la première compagnie de Darius.
Quand Alexandre l'attaque, porté par son courage,
tout son équipement lui vaut autant qu'un fromage :
le roi porte un tel coup qu'il le paralyse tout entier
et de toute la longueur de sa lance, l'abat mort sur l'herbe.
Il dégaine l'épée, la tire du fourreau ;
au retour de sa course, il frappe Balot de Valage
et lui tranche la tête sous le menton.
Les Grecs courtois et sages se ruent sur les Perses.
On voyait mourir sur le rivage les hommes de Darius,
massacrés comme du gibier.
La première compagnie a subi de tels dommages
qu'il en est mort quatre cents dans le deuil et la rage.
Darius, à ce spectacle, est près d'en perdre la raison.

134

Après la première compagnie vient celle de Tholomé
contre un autre bataillon de Darius, de taille imposante,
conduit par Perchael, qui venait de Valmiere
et portait sur sa lance l'oriflamme.
Les deux bataillons se heurtent avec tant de violence
qu'ils teignent la bruyère de sang et de cervelle :
on ne saurait mentir en parlant de leurs exploits.
Mais les hommes de Tholomé sont hardis et fiers
et les Perses ébahis comme des cerfs poursuivis dans une
Les Grecs les attaquent en hommes aguerris,   [jachère.
rompent leurs rangs et les rejettent vers les troupes de derrière.
Cette aventure ne fut pas du goût de Darius.

135

Après la compagnie de Tholomé, celle de Clin
affronte le bataillon de Mabon, au nombre si prodigieux

2836 Tant i ot des armés que je n'en sai le non ;
　　　 Onques tresq'au joster n'i ot arestison.
　　　 Dans Clins fiert le premier, qui tint le gonfanon, –
　　　 De s'ensegne porter li a fait Daires don, –
2840 Par mi toutes les armes li trencha le raignon.
　　　 Cil voient lor baniere chaoir et lor guion
　　　 Et les autres batailles desconfire environ ;
　　　 Onques puis cele eschiele n'i fist arestison,
2844 Desrompue s'en torne fuiant a esperon.
　　　 Licanor et Filotes, Aristé et Caulon,
　　　 O lor quatre batailles qu'il mainent a bandon,
　　　 A quatre des eschieles josterent a Dayron ;
2848 Hauberc rompent et fausent et percent li blason,
　　　 Des hiaumes, des espees oïssiés grant tençon,
　　　 Le veïssiés gesir tant vassal el sablon.
　　　 Les eschieles de Persse n'i font se perdre non,
2852 Toutes desbaretees les mainent sor Dayron.
　　　 Lors josterent les os si hurtent li dragon,
　　　 Or n'i avra parlé mais se de ferir non.

136

　　　 Les deus os sont jostees, li Persant et li Gri ;
2856 Qant les lances baissierent, si leverent li cri.
　　　 Li rois point Bucifal et ot mort Salatri ;
　　　 Mist l'escu devant soi et tint le branc forbi,
　　　 Car sa lance ot perdue el cors d'un Arrabi,
2860 Et consieut Perchael en son elme burni.
　　　 L'espee fu trenchans et li rois le fiert si
　　　 Que desi es espaulles le trencha et fendi ;
　　　 Plus de set chevaliers lor a mort autresi.
2864 Emenidus d'Arcage i fu preus, jel vos di ;
　　　 Molt grant pris en porterent Tholomés et Dans Clin ;
　　　 Perdicas le cortois i tienent a hardi.
　　　 Les compaignes se mellent et li renc sont fremi,
2868 Li douze per de Gresce ne sont mie en oubli,
　　　 As espees trenchans lor ont un gieu parti
　　　 De qoi li desarmé se tinrent por traï.

que je n'en saurais nommer tous les guerriers.
On galope à bride abattue jusqu'à la rencontre.
Sire Clin frappe le premier Perse, qui porte le gonfanon,
reçu des mains de Darius :
à travers son armure, il lui tranche le rein.
Les Perses voient tomber leur bannière et leur chef,
assistent à la déconfiture des autres bataillons :
la compagnie n'attend pas plus longtemps,
elle s'enfuit en déroute, piquant des éperons.
Licanor et Filote, Aristé et Caulus
lâchent leurs quatre bataillons
contre quatre compagnies de Darius :
hauberts rompus et faussés, boucliers percés,
on entendait le fracas des épées contre les heaumes,
on voyait bien des guerriers gisant sur le sable.
Les compagnies perses subissent perte sur perte,
les Grecs les rejettent, en pièces, sur Darius.
Les armées sont face à face ; les étendards se heurtent :
on ne songe plus à parler, mais seulement à se battre.

136

Les deux armées sont face à face : Grecs contre Perses.
Les lances s'abaissent et s'élèvent les cris.
Le roi éperonne Bucéphale : il a tué Salatri.
Il se protège de son écu et brandit sa lame fourbie,
car sa lance, il l'a laissée dans le corps d'un Arabe.
Il atteint Perchael sur son heaume brillant.
L'épée était tranchante et le coup si violent
qu'il l'a fendu en deux jusqu'aux épaules,
avant de tuer sept autres chevaliers de la même façon.
Emenidus d'Arcage fit œuvre de preux, croyez-moi !
Tholomé et sire Clin se couvrirent de gloire.
Perdicas le courtois est tenu pour hardi.
Les corps d'armée se mêlent et les rangs sont rompus.
Les douze pairs de Grèce ne se laissent pas oublier :
de leurs épées tranchantes ils les ont si bien accablés
que les Perses privés de leurs armes se tiennent pour perdus.

En la melee furent li couart estordi,
2872 Au deffendre lor testes i sont preu li hardi.

137

Par mi les pres de Paile fu fiere la bataille ;
La ou les os s'encontrent, n'est mie devinaille,
N'i ot ne ris ne gieu ne parlé de gasaille ;
2876 Li couart s'en dessoivrent com li grains de la paille.
Filardos sist armés sor Ferrant de Navaille,
N'ot plus fier chevalier desi q'en Cornouaille,
Devant entredeus ieus el front sous la ventaille
2880 Avoit plain pié de lé, molt cuide que il vaille ;
Tant damage les Grieus, nel tenés mie a faille,
Que autresi l'eschievent com l'ostor fait la quaille ;
Qui il fiert de son branc n'i a oés mecinaille,
2884 Si l'ocist a un caup que gaires n'i travaille.
Alixandres le fiert de l'espee qui taille,
Tout le cors li fendi desi q'en la coraille ;
Et li Grieu li escrïent : « Ferés i ! Dieus i vaille !
2888 La mort de Filardos la lor gent anoaille. »

138

Li rois s'en passa outre qant ot mort Filardos,
Et fiert Silocïen, qui sire iert des Herlos, –
Une gent felenesse, orgelleuse et enpos,
2892 Qui ierent du lignage de Gos et de Magos, –
Que l'espaulle li trenche, puis li a dit trois mos :
« Nous conoistrons hui mais de vos bien les esclos, »
Et lui et son cheval abati en un flos ;
2896 Emenidus d'Arcade ra ocis Quinargos.
Les compaignes se mellent et fremissent les os,
Or se gart bien chascuns q'au partir ne soit sos,
Ne remandra sans perte et des lor et des nos.

---

7. Sur *gasaille*, cf. *supra*, I, v. 979.

8. C'est un des canons de la beauté au XIIe siècle. Ainsi dans *Le Conte du Graal*, Chrétien de Troyes mentionne, dans le portrait de Blanchefleur, un « large antr'oil » (éd. C. Méla, coll. Lettres gothiques, v. 1777).

Si la mêlée étourdit les couards,
les hardis déploient toute leur prouesse pour défendre leur tête.

137

La bataille fait rage le long des prés de Paile.
Quand les armées s'affrontent, vous vous en doutez bien,
finis rires et jeux, finies les réjouissances[7].
Les lâches se séparent des autres comme le grain de la paille.
Filardos, en armes, monte Le Gris de Navaille :
il n'est plus fier chevalier d'ici jusqu'en Cornouailles.
Sous la ventaille du casque, ses yeux
sont largement écartés[8] : il est plein de vaillance.
Il cause, sans mentir, tant de dommages parmi les Grecs
qu'ils l'évitent comme la caille fuit l'autour.
Nul besoin de médecin quand sa lame s'abat :
il tue son adversaire d'un seul coup, sans effort.
Alexandre le frappe de son épée tranchante
et lui fend tout le corps jusqu'aux entrailles.
Les Grecs lui crient alors : « Frappez donc ! Dieu vous aide !
La mort de Filardos amoindrit l'ennemi ! »

138

Le roi, sur sa lancée, après la mort de Filardos,
frappe Silocien, le seigneur des Herlos,
un peuple félon, cruel et orgueilleux,
qui était du lignage de Gog et de Magog.
Il lui tranche l'épaule en lui disant ces mots :
« Le sang nous permettra de reconnaître vos traces ! »
Et il abat dans l'eau cheval et cavalier.
Emenidus d'Arcage, lui, a tué Quinargos.
Les corps d'armée se mêlent, les armées s'entrechoquent.
A chacun de veiller à ne pas avoir le dessous à l'issue du
car il y aura des pertes chez eux comme chez nous.   [combat,

139

2900 La bataille fu fiere, n'i ot ne ris ne gas ;
      Li douze pers de Gresse ne s'aseürent pas,
      As espees trenchans vont departir le tas.
      Tholomés fiert Lion et Dans Clins Gaudias ;
2904 Licanor, Osident et Filotes, Pilas ;
      Perdicas, Bosïen et Leoines, Glinas ;
      Aristés, Passïen et Caulus, Sathanas ;
      Aridés, Sarpetus ; Antigonus, Corbas ;
2908 Et Antiocus fiert et Gaugis et Brias ;
      Emenidus d'Arcade joint o Corberias ;
      A terre les abatent des chevaus qui sont cras.
      La ot elmes trenchiés et maint fort escu quas ;
2912 Sor hiaumes des espees i oïssiés grans glas.

140

      Durement se combatent li Grieu et li Persant.
      Alixandres estoit el premier chief devant,
      A l'espee d'acier vait la route fendant.
2916 Dans Clins et Tholomés vont la presse partant,
      N'encontrent chevalier qu'il n'aillent abatant,
      Ausi poignent ensamble com dui faucon volant.
      Emenidus d'Arcade a ocis Pagorant.
2920 Tholomés fiert un roi qui sire iert de grant gent
      Et ot trente cités devers soleil levant,
      La coraille li perce o sa lance trenchant,
      Mort l'abati a terre, la ot un duel pesant.
2924 Desor lui s'aresterent li petit et li grant ;
      Karidés d'Ethyope le regrete forment,
      Ambedui ierent frere et d'un regne tenant.

141

      Karidés d'Ethyope a son frere esgardé
2928 Qu'il vit mort a la terre sor son escu bouclé,
      Durement le regrete qant bien l'ot dolousé.
      S'or le pooit vengier, molt li venroit a gré ;

139

La bataille fait rage, finis rires et bons mots.
Les douze pairs de Grèce prennent tous les risques,
de leurs épées tranchantes ils taillent dans le tas.
Tholomé frappe Lion, et sire Clin, Gaudias ;
Licanor, Osident, et Filote, Pilas ;
Perdicas, Bosien, et Lioine Glinas ;
Aristé, Passien, et Caulus, Sathanas ;
Aridès, Sarpetus ; Antigonus, Corbas ;
Antiochus, pour sa part, frappe Gaugis et Brias ;
Emenidus d'Arcage affronte Corberias.
Tous abattent leurs adversaires de leurs chevaux robustes.
Les heaumes sont tranchés, les forts écus brisés.
On entend résonner les épées sur les heaumes.

140

Le combat est brutal entre Grecs et Perses.
Alexandre est toujours au premier rang,
fendant la foule de son épée d'acier.
Sire Clin et Tholomé se fraient un chemin :
abattant tous les chevaliers qu'ils rencontrent,
ils galopent ensemble, comme deux faucons en plein vol.
Emenidus d'Arcage a tué Pagorant.
Tholomé frappe un roi, seigneur d'un peuple immense,
maître de trente cités vers le soleil levant :
il lui perce les entrailles de sa lanche tranchante
et l'abat à terre, mort, causant un deuil cruel.
Près du mort se tenaient les petits et les grands ;
Karidès d'Ethiopie le pleure le plus fort :
ils étaient tous deux frères, maîtres du même royaume.

141

Karidès d'Ethiopie contemple son frère mort,
qu'il voit gisant à terre sur son écu bombé.
Il le pleure à grands cris, menant bien haut son deuil,
et son vœu le plus cher serait de le venger.

Et cuide de Cliçon que ce fust Tholomé
2932 Por ce que d'unes armes estoient atorné,
Li elme sont d'un cuing et li escu bendé.
Devers sa lance a destre a Cliçon encontré,
Si grant caup li dona que tout l'a estouné ;
2936 Li chevaus li chancele, car trop l'avoit lassé ;
Cliçon et son destrier abat en mi le pré.
Plus de set chevaliers sont sor lui aresté,
La li furent d'espee ne sai qans caus doné,
2940 Mais Dans Clins se redrece si a l'escu levé
Et a par quatre fois Mascedoine escrié.
Es vos a la rescousse Caulon et Aristé,
Emenidus d'Arcade et Filote abrievé ;
2944 Au chaple des espees ont Cliçon remonté.
A icele rescouse ot feru et josté
Et vassal abatu et chevalier armé.
Karidés d'Ethyope i ot le poing caupé,
2948 Et maint bon chevalier i furent afolé.

142

La bataille a duré tant que vespres fu tart ;
Dayres vait par l'estor tous armés sor Liart,
Plus de quarante dus ot de chascune part,
2952 Quatre roi soustenoient devant lui l'estandart.
Alixandres l'esgarde plus iriés d'un lupart,
Par mi la gregnor presse est venus cele part,
Autresi s'en aproche com faucons de mallart ;
2956 Dayre le roi de Perse fiert sor le coënart,
Par mi toutes ses armes li a trenchié le lart.
Qant Dayres vit son sanc, n'a oel dont il l'esgart,
De paor s'esvanist s'apele Satumart
2960 Et trois rois d'Orïent et d'Egypte le quart ;
A la fuie se metent vers le val de Pinart.
La gent Dayre s'en fuit toute ensamble une part,
Et li Grieu les enchaucent, qui ne sont pas couart,
2964 Autresi les abatent com vilains son essart.

Il prend Clin pour Tholomé
car ils portent les mêmes armes :
les mêmes heaumes à pointe, les mêmes écus à bande.
Rencontrant Clin sur sa droite, il lui donne de sa lance
un si grand coup que l'autre en reste étourdi.
Le cheval, épuisé, chancelle.
Karidès abat au milieu du pré Clin et son destrier.
Plus de sept chevaliers sont aussitôt sur lui,
le harcelant de leurs épées.
Mais sire Clin se redresse, l'écu levé,
et à plusieurs reprises lance le cri de « Macédoine ! »
Voici à sa rescousse Caulus et Aristé,
Emenidus d'Arcage et Filote, en toute hâte.
A la force de l'épée, ils remettent Clin en selle.
Lors de cette rescousse, on échangea bien des coups,
bien des combattants furent abattus,
Karidès d'Ethiopie y eut le poing coupé,
bien des bons chevaliers y trouvèrent la mort.

142

La bataille a duré jusqu'au soir avancé.
Darius parcourt le champ, en armes, sur Le Gris,
plus de quarante ducs à droite comme à gauche.
Quatre rois tiennent devant lui l'étendard.
Alexandre l'observe : plus furieux qu'un léopard,
il vient vers lui à travers la foule,
comme le faucon qui fond sur un canard.
Il frappe Darius, le roi de Perse, sur son bouclier,
il traverse l'armure et lui tranche la chair.
Darius voit couler son sang : il ne peut supporter cette vue,
il s'évanouit de peur, appelle Satumart
et trois rois d'Orient, et puis le roi d'Egypte.
Ils s'enfuient vers le val de Pinart.
Les troupes de Darius fuient toutes du même côté
et les Grecs les pourchassent : ce ne sont pas des lâches.
Ils les fauchent comme le vilain son blé dans son essart.

143

Dayres fu si navrés tous s'encline et chancele,
Li sans vermaus li raie sor l'arçon de sa sele,
D'une bende s'estraint, car il crient sa boiele,
2968 Fuiant s'en est tornés sor Liart de Castele ;
La gent Dayron s'en fuit vers le val de Pinele.
Sa mere i a perdue et sa feme la bele
Et sa fille au cler vis, qui iert gente pucele.
2972 Alixandres les prist si les maine et chadele,
A sa tente de paile les chierist et dansele,
Gentement les honore et molt bel les apele.
Dayres en ot tel duel qant en ot la novele
2976 Que ses cheveus derront et debat sa maissele.

144

Molt fu bele aventure Alixandre avenue
Qant Dayre ot desconfit et sa gent derompue,
Par effors d'armes l'ot en bataille vaincue.
2980 Mais Dayres n'ot tel duel de perte q'ait eüe
Com il ot de sa mere qu'il ot el champ perdue
Et sa fille et sa feme, que maint jor ot tenue.
Molt redoute Alixandre qu'il n'en face sa drue ;
2984 Por ce mande sa gent la grant et la menue
De par toute sa terre ou poil d'erbe est creüe ;
Il en jure ses dieus et sa teste chenue
S'il en i remaint nus qui ne viegne en s'aiue
2988 Les talons avra cuis et la plante fendue.
Nel laissera, ce dist, par la loi q'a creüe,
Que ne soit Alixandre ceste honte rendue.

---

9. En 333, à la bataille d'Issos, la mère de Darius, sa femme, sa sœur, ses deux filles et son fils tombèrent entre les mains d'Alexandre, qui les traita avec honneur.

10. Sur ce geste, voir P. Ménard, « Tenir le chief embronc, crosler le chief, tenir la main a la maissele : trois attitudes de l'ennui dans les chansons de geste », *Actes du 4ᵉ congrès de la Société Rencesvals*, Heidelberg 1969, pp. 145-155, et F. Garnier, *op. cit.*, I, pp. 181-184 et II, pp. 118-120 : la main posée sur la joue ou le menton est signe de souffrance.

143

Darius, grièvement blessé, s'affaisse et chancelle ;
son sang vermeil coule sur l'arçon de sa selle.
Il bande sa plaie, car il craint qu'elle ne s'ouvre,
et prend la fuite, monté sur Le Gris de Castille.
Les troupes de Darius fuient vers le val de Pinele.
Le roi a perdu là sa mère, sa belle épouse,
sa fille au clair visage, une noble demoiselle.
Alexandre les emmène prisonnières, sous sa protection :
sous sa tente de brocart, il leur fait fête,
les traite avec honneur, leur parle avec bonté[9].
A cette nouvelle, Darius, de désespoir,
s'arrache les cheveux et se frappe la joue[10].

144

Quelle belle aventure, pour Alexandre,
que d'avoir déconfit Darius, mis en pièces ses troupes,
triomphé de lui par la force des armes !
Mais Darius pleure moins ces pertes
que celle de sa mère, perdue sur le champ de bataille
avec sa fille et sa femme, sa compagne depuis si longtemps :
il craint fort qu'Alexandre n'en fasse son amie.
Il convoque donc ses hommes, les petits et les grands,
de toute sa terre, partout où l'herbe pousse.
Il le jure sur ses dieux et sa tête blanchie :
si l'un d'entre eux refuse de venir à son aide,
il lui fera rôtir les talons et fendre la plante des pieds.
Par la foi qu'il maintient, il n'aura de cesse
qu'il n'ait fait expier cette honte à Alexandre.

145

Molt fu liés Alixandres et ses pris est montés
2992 Qant il ot les Persans de bataille getés
Et Dayron desconfit, qui el cors fu navrés.
Li avoirs qu'il i prist ne puet estre nonbrés,
Li ors ne li argens ne la grans richetés
2996 Que Dayres i perdi qant du champ fu getés
Et sa feme et sa fille, qui orent grans biautés,
Et sa mere meïsme dont il iert molt amés ;
Alixandres les prist ses en maine a ses tres.
3000 D'une chose fist bien et que cortois provés
Que les dames commande a deus de ses chasés,
Et chascuns d'aus l'en est et plevis et jurés
Que ja nus hom en terre n'en iert tant lor privés
3004 Que Dayres soit par lui honis ne vergondés.
Ne tarda aprés gaires de ce que vous öés
Que morte fu la dame et ses cors deviés,
La moillier le roi Dayre, dont par force iert sevrés ;
3008 Alixandres meïsmes en fu dolens assés,
Et qant Dayres le sot s'en fu si adolés
Il a ses poins destors et ses cheveus tirés
Et maudist toute l'eure que il onques fu nes.
3012 Puis a dit a ses homes : « Segnor, nel mescreés,
Ne pot souffrir la dame les maus ne les viltés
Qu'il li voloient faire et des hontes assés,
Par itant si est morte et ses cors deviés ;
3016 Mais par tous les roiaumes dont je sui roi clamés,
Se ne veng ceste honte, ne sui rois coronés. »

146

Dayres fu por sa feme coureceus et pensis.
Estes vos un prison qui vint de l'ost des Gris,
3020 Estors de la bataille ou avant ier fu pris ;
Voiant toute sa gent a Dayre a raison mis :
« Eschapés sui au roi a larron et fuitis.
Vostre mollier est morte, dont est grains et maris ;
3024 Molt la tint a honor tant com ses cors fu vis,

145

Alexandre est heureux : sa gloire est rehaussée
d'avoir triomphé des Perses dans la bataille
et déconfit Darius, qui a été blessé.
Les biens qu'il a saisis, on ne peut les compter,
ni l'or, ni l'argent, ni les grandes richesses
que Darius a perdues sur le champ de bataille.
Il a perdu sa femme, sa fille, toutes deux de grande beauté,
ainsi que sa mère qui l'aimait tant.
Alexandre les a capturées et menées à ses tentes.
Il montre là sa noblesse et sa courtoisie,
car il a confié les dames à deux de ses vassaux,
dont chacun lui a juré et garanti
que nul homme au monde ne les approcherait
et ne couvrirait Darius de honte et d'opprobre.
Mais peu de temps après cette capture,
l'épouse du roi Darius, qui lui avait été ravie de force,
mourut et rendit l'âme.
Alexandre lui-même en est fort chagriné.
Et quand Darius l'apprend, il a, de désespoir,
tordu ses poings, arraché ses cheveux
et maudit l'heure de sa naissance.
Il a dit à ses hommes : « Seigneurs, croyez-moi,
la dame n'a pu souffrir les outrages, les indignités
et le déshonneur qu'on voulait lui faire :
voilà pourquoi elle est morte.
Mais par tous les royaumes qui me reconnaissent pour roi,
je ne suis plus digne de porter la couronne si je ne venge cette

[honte ! »

146

Darius est tout à sa douleur d'avoir perdu sa femme.
Arrive de l'armée grecque un prisonnier
qui, capturé l'avant-veille à la bataille, s'est échappé.
Devant les hommes du roi, il lui dit ces paroles :
« Je me suis enfui d'auprès du roi comme un voleur.
La mort de votre épouse l'a rempli de chagrin.
Il l'a grandement honorée de son vivant

Onques par nisun home ne li fu honte quis.
Mais vostre fille est bele si a molt cler le vis ;
S'il veut, si la prendra au los de ses amis,
3028   Et s'il ne la veut prendre, ja ne l'en fera pis ;
Donra li a segnor duc ou conte ou marchis. »
Qant Dayres l'entendi, si en a fait un ris.
« Alixandre, fait il, molt en avras grant pris ;
3032   Molt es humeles guerriers et feeus enemis,
De l'onor que m'as faite m'en as si bien conquis,
Se pais voloies faire, par foi le te plevis,
Que mes cors t'ameroit plus q'ome qui soit vis,
3036   Et durement m'en poise qant de moi es eschis. »
En icele contree sor l'eaue de Gangis,
La ou fu la bataille des Persans et des Gris,
Avoit une cité que on apeloit Sis ;
3040   Les tours estoient hautes et li murs fu antis.
Li rois la prist par force, qu'il n'i a gaires sis,
Dedens s'en est entrés o l'eschec qu'a conquis.
Tant ot entor la vile des mors qu'il ot ocis
3044   Q'a mervelleuse paine i duroit nus hom vis.

147

Grieu et Mascedonois sont en la vile entré.
Por ce q'en l'estor furent travellié et pené,
Se sont molt volentiers quatre jors sejorné.
3048   A la mere au roi Dayre vienent dui si privé
Si li ont conseillié belement a celé
Que la hors de la vile sont troi baron trové
Qui estoient haut home et de son parenté
3052   Et furent ens l'estor ocis et decopé.
« Si requier Alixandre par grant humilité
Q'il te donast congié qu'il fuissent enterré. »
Et la dame respont, qui le cuer ot sené :
3056   « Li vainquierres du mont fait tant ma volenté
Que ne li os requerre noient outre son gré. »
Mais cil li ont tant dit et proié et mostré
Qu'ele en a Alixandre le congié demandé.
3060   Et li rois li respont bonement et de gré :

et nul homme n'a cherché à lui faire honte.
Mais votre fille est belle, son visage est si clair !
S'il la veut, il l'épousera, avec l'approbation de ses amis.
Sinon, il ne la maltraitera pas pour autant :
il la mariera à un duc, à un comte ou à un marquis. »
Darius, à ces mots, se met à sourire.
« Alexandre, dit-il, tu seras glorieux :
Tu es humble à la guerre, loyal pour tes ennemis.
L'honneur que tu m'as fait m'a si bien conquis
que si tu voulais conclure la paix, je te le jure,
je t'aimerais plus que nul homme au monde,
et je regrette que tu sois mon ennemi ! »
Sur la rive du Gange, dans le pays même
où les Grecs et les Perses s'étaient livré bataille,
il y avait une cité du nom de Sis :
ses tours étaient hautes, ses remparts anciens.
Le roi l'a conquise par la force, après un court siège.
Il y est entré avec tout son butin.
Il y avait tant de morts autour de la ville
qu'on avait bien du mal à y rester vivant.

147

Grecs et Macédoniens sont entrés dans la ville.
Fatigués des efforts du combat,
ils ont goûté quatre jours de repos.
Auprès de la mère de Darius viennent deux de ses familiers.
Ils lui révèlent en secret
qu'en dehors de la ville on a trouvé trois barons
de noble naissance et de son propre lignage,
qui ont été mis en pièces dans la bataille.
« Implore donc d'Alexandre, avec humilité,
la permission de les faire enterrer ! »
Mais la dame au cœur sage leur répond en ces termes :
« Le vainqueur du monde est si empressé devant mes désirs
que je n'ose lui faire une requête contraire à sa volonté ! »
Mais les autres ont tant prié et insisté
qu'elle a présenté sa demande à Alexandre.
Et le roi lui répond avec bonté :

« Por la vostre amor, dame, ne vos iert ja veé.
Faites prendre des mors a vostre volenté
Et soient par mes homes hautement honoré. »
3064 Puis li a cuitement rendue la cité
Si c'onques n'en retint ne tour ne fremeté.

148

Molt par fist Alixandres que frans rois de bon aire,
Qant il ot la bataille vaincue es pres de Paile,
3068 Q'il rendi la cité a la mere au roi Dayre.
Mais sa fille estoit bele et ot cler le viaire,
Sa colour samble rose et soleil qui esclaire ;
Aveuc soi l'en mena, q'en deüst il el faire ?
3072 D'aler après Dayron ne tardera mais gaire,
Ne li vaura laissier ne chastel ne repaire.
Au quint jor est meüs si fait son ator faire.

149

Qant li rois ot conquis Sulie et les cités
3076 Et Dayre desconfit et ses homes matés,
Por aler après lui est au quint jor montés,
Ja mais ne finera s'iert l'uns desiretés.
Tresq'en la terre Dayre ne s'est asseürés,
3080 Molt la trova garnie de bones richetés,
De gentes praeries, de vignes et de bles.
Il a dit a ses homes : « Segnor, or esgardés
Qels regnes si garnis nos est ci destinés,
3084 La terre sous les nues toute est vostre herités.
Mais d'une riens me poise dont me sui porpensés
Q'en si estroite roche est li mondes formés ;
Dieus a fait trop poi terre a un prodome assés. »
3088 De ceste chose rirent Caulus et Aristés ;
N'a home en sa compaigne qui n'en soit effreés.
Les douze pers de Gresse a li rois apelés :
« Sor l'eaue de Gangis faites tendre vos tres
3092 Et g'irai en riviere o mes faucons mües. »
Et cil li respondirent : « Si com vos commandés. »

« Pour l'amour de vous, Madame, je l'accorde.
Faites prendre tous les morts que vous voudrez,
et mes hommes leur rendront les honneurs ! »
Puis il a remis la cité en sa possession
sans en garder ni tour ni forteresse.

148

Alexandre a agi en roi noble et courtois,
après son triomphe dans les prés de Paile,
en rendant la cité à la mère de Darius.
La fille du roi est belle, son visage est clair,
sa couleur celle de la rose et du soleil brillant.
Il l'emmène avec lui : que peut-il faire d'autre ?
Il ne veut plus tarder à poursuivre Darius ;
il ne lui laissera ni château ni refuge.
En quatre jours, tout est prêt ; c'est le départ.

149

Quand le roi a conquis la Syrie et ses cités,
déconfit Darius, triomphé de ses hommes,
il reprend la poursuite au bout de quatre jours ;
il ne s'arrêtera que quand Darius ou lui-même aura perdu ses
                                                        [terres.
Il n'a eu de cesse de parvenir jusqu'au royaume de Darius,
qu'il a trouvé plein d'opulence,
tout en belles prairies, en vignes, en champs de blé.
Il a dit à ses hommes : « Seigneurs, regardez donc
le riche royaume qui nous est destiné !
Toute la terre qui s'étend sous les nues est votre héritage.
Mon seul regret est que le monde
soit limité à cette étroite roche :
Dieu a fait trop peu de terre pour un homme de valeur ! »
De ce mot Caulus et Aristé ne firent que rire,
mais tous les autres en furent effrayés.
Le roi a appelé les douze pairs de Grèce :
« Faites monter vos tentes sur les rives du Gange !
j'irai chasser en rivière avec mes faucons mués ! »
Et ils lui répondent : « A vos ordres ! »

A quinze compaignons s'en est li rois tornés ;
Aristotes ses maistres en est o lui alés.
3096 Qant li solaus torna et midis fu passés,
A sa tente de paile est li rois retornés.
Alixandres nos dist, qui de Bernai fu nes
Et de Paris refu ses sornons apelés,
3100 Que ci a les siens vers o les Lambert jostés.

Le roi s'en est allé avec quinze compagnons
et son maître Aristote.
Quand le soleil amorça sa descente, après midi,
Le roi s'en revint à sa tente de soie.
Alexandre nous dit, lui qui est né à Bernai
et qui est surnommé Alexandre de Paris,
qu'ici il a joint ses vers à ceux de Lambert.

BRANCHE III

1

Or entendés, segnor, que ceste estoire dist.
De Dayre le Persant qu'Alixandres conquist,
De Porron le roi d'Ynde qu'il chaça et ocist
4 Et de la grant vermine qu'es desers desconfist
Et des bonnes Artu qu'il cercha et enquist,
De Gos et de Magos que il enclost et prist,
Que ja mais n'en istront jusqu'au tans Antecrist,
8 Ainsi com Apellés s'ymage contrefist,
Du duc de Palatine qu'il pendi et deffist,
La roïne Candace qu'en sa chambre le mist
Et de la vois des arbres qui de sa mort li dist,
12 Ainsi com Aristotes l'entroduist et aprist,
La verté de l'estoire, si com li rois la fist,
Uns clers de Chastiaudun, Lambers li Tors, l'escrist,
Qui du latin la traist et en romans la mist.

2

16 Qant repaire Alixandres du deduit des faucons
O son maistre Aristote et o ses compaignons,

---

1. Gog et Magog sont des noms mystérieux qui apparaissent dans la Bible comme des auxiliaires de Satan (*Ezéchiel* 38, 2-3 et 39, 1-6; *Apocalypse* 20, 7 : « Les mille ans écoulés, Satan, relâché de sa prison, s'en ira séduire les nations de la terre, Gog et Magog, et les rassemblera pour la guerre »). Le mur légendaire construit par Alexandre pour les arrêter symbolise la coupure entre civilisation et barbarie. On a d'abord identifié Gog et Magog aux Scythes, puis aux Turcs, aux Tartares et aux Mongols.

BRANCHE III

1

Ecoutez donc, seigneurs, ce que dit cette histoire.
Elle parle de Darius le Perse, qu'Alexandre vainquit,
de Porus le roi d'Inde, qu'il chassa et tua,
des grands serpents qu'il détruisit aux déserts,
des bornes d'Arthur qu'il chercha à trouver,
de Gog et de Magog qu'il mit dans une prison
dont ils ne sortiront qu'à la venue de l'Antéchrist[1].
Elle dit comment Apelle entreprit son portrait,
comment il vainquit et fit pendre le duc de Palatine,
fut introduit dans la chambre de la reine Candace,
apprit sa propre mort de la voix des arbres,
et conte l'enseignement et les conseils d'Aristote.
L'histoire vraie, telle que le roi l'accomplit,
un clerc de Châteaudun, Lambert le Tort, l'a écrite :
il l'a traduite du latin et mise en français.

2

Alexandre revient de la chasse au faucon
avec son maître Aristote et ses compagnons.

Il li a commencié un livre de sarmons :
Dist li qu'il n'ait sergans covoiteus ne larrons,
20 Les bons retiegne o soi et hee les felons,
Ne ne croie ses sers d'encuser ses barons,
Les povres chevaliers sequere par biaus dons ;
Envers les gentieus homes soit de molt dous respons
24 Et envoit a lor femes mantiaus et peliçons,
Car se besoins li sort, grans iert li guerredons :
Cil soffriront por lui et ires et tençons
Et de gaster les terres et ardoir les maisons.
28 « Dayres a fait en Gresce grans persecucions,
Molt en a avoir pris et or et raençons.
Or est tans du vengier, chauce tes esperons,
Car heent le de mort toutes ses regions
32 Por ce q'a mis sor aus sergans issi felons,
Des noaus de sa terre, des fieus a ses garçons.
Cil n'ont cure de Dieu ne de ses orisons,
Ciaus qui ne se raiembent getent en lor prisons,
36 Li avoirs de la terre est tous lor abandons.
Li pueples prie a Dieu et fait aflictions
Q'ançois viegne seur aus male confusions
Q'il ne soient vengié du roi et des gloutons.
40 – Maistre, fait Alixandres, bien otroi vos sarmons,
Mes homes ferai riches d'avoir et de mangons ;
Ce que Dayres a pris n'avra mie en pardons :
S'il en a une oeille, j'en avrai deus moutons.
44 Por aler desor lui sont ja li Grieu semons,
Sor l'eaue de Gangis tendent lor pavellons
Et cil qui remandront seront cuit es talons.
Nes puet garir chastiaus ne cités ne dongons
48 Ne soient pris ou mort sans autres raençons. »

---

2. Le *Secret des secrets (Secretum secretorum)* est une sorte d'encyclopédie, qui joint aux conseils moraux et politiques des informations dans les domaines les plus variés. Cf. *supra*, I, v. 1986.

Aristote a composé pour lui un recueil de conseils[2].
Qu'il veille à ne pas avoir de serviteurs cupides et voleurs,
qu'il garde avec lui les bons, déteste les félons
et ne laisse pas ses serfs accuser ses barons !
Qu'il secoure les chevaliers pauvres par de beaux dons,
qu'il use de douces paroles envers les hommes de noble

[naissance
et envoie à leurs femmes des manteaux, des pelisses !
Car s'il a besoin d'eux, ils lui rendront largement ses bienfaits :
ils souffriront pour lui les chagrins, les attaques,
accepteront de voir ravager leurs terres et brûler leurs maisons.
« Darius persécute la Grèce :
il lui a extorqué ses richesses et son or comme rançon.
Voici venu le temps de la vengeance : chausse les éperons !
Dans tous ses domaines il n'inspire que haine mortelle,
car il leur a donné pour chefs des serviteurs félons,
la lie de son pays, les fils de ses valets.
Ils ne se soucient pas des prières adressées à Dieu :
ceux qui ne paient pas, ils les jettent en prison ;
tous les biens du pays leur sont livrés.
Le peuple supplie Dieu et l'implore
de le venger du roi et de ces misérables,
même s'ils doivent le payer cher !
– Maître, dit Alexandre, vos remontrances sont justes.
Mes hommes seront riches, je les couvrirai d'or !
Darius ne sera pas quitte de ce qu'il a pris.
Pour une brebis volée, je prendrai deux moutons.
Pour marcher contre lui, j'ai déjà rassemblé les Grecs :
ils montent leurs pavillons sur la rive du Gange.
Ceux qui ne viendront pas auront les talons rôtis :
ni château, ni cité, ni donjon
ne pourront les préserver de la mort, sans nulle autre rançon ! »

3

Aristotes se gist a dens seur un tapis
S'entroduist Alixandre comme son aprentis.
Dist li : « Ja fustes vos tant franchement norris,
52 Ja cuivers losengiers ne soit par vos oïs.
Se tu ne crois tes sers, ja ne seras honis ;
Ja sers ne sera bons qui sovent n'est aflis,
Au tierc an ou au quart soit ses avoirs partis.
56 Li sages Salemons le dist en ses escris :
A paine a on bon arbre de malvaise raïs.
Nule riens n'est si male comme sers enrichis ;
Qant il a son segnor tous ses avoirs froïs
60 Portés en autre terre, et de sous lui fuïs,
L'avoir, se li sers muert, a cil qui'n est saisis ;
Ja n'en avra ses sires vaillant une pertris.
Par ses malvais sergans est princes malbaillis,
64 Qui tolent les avoirs as grans et as petis,
Par coi il est de Dieu et du pueple haïs ;
Li pechiés l'en remaint, cil en est enrichis,
Et s'il veut de l'avoir, bien en est escondis.
68 Assés voit on de ciaus qu'ont lor segnors traïs,
Ques ont empoisounés ou as coutiaus murdris ;
Ton conseil ne lor di ne en aus ne t'afis. »
Lors respont Alixandres com hom de sens garnis :
72 « Or m'en irai, biaus maistre ; de vos sarmons floris
Se ja un en trespas, dont soie je honis ;
Le jor soie je pires que sers rachateïs
Que uns en soit par moi alevés ne franchis ;
76 Ne por losenge dire, s'il estoit si hardis
Qu'il venist devant moi, tous en iroit maris.
Li douze compaignon que vos m'avés eslis
Ont ja tendu mon tref sor l'eaue de Gangis.
80 Des maus q'a fait en Gresce n'est pas Dayres garis ;
S'a pris ça en arriere vaches, bués et brebis,
Or nous en vengerons o nos espiés forbis.
Nel puet garir chastiaus, tant soit clos de palis,
84 Fossés ne murs ne tors, dongons ne plaisseïs.
Ja ne remanra mais la noise ne li cris

3

Aristote, allongé sur le ventre sur un tapis,
instruit Alexandre comme son disciple. Il lui dit :
« Rappelle-toi la noble éducation que tu as reçue !
N'écoute jamais les calomnies d'un misérable !
Ne fais pas confiance à tes serfs, et tu ne connaîtras pas la
Un serf ne fait le bien que contraint et forcé.   [honte.
Tous les trois ou quatre ans, confisque donc leurs biens !
Le sage Salomon le dit dans ses écrits :
un bon arbre ne saurait sortir d'une mauvaise racine.
Il n'est rien de pire qu'un serf enrichi.
Quand il a soutiré tous ses biens à son seigneur,
qu'il les a transportés au loin et enterrés sous ses pieds,
ces biens reviennent, à sa mort, à qui s'en empare :
le seigneur n'en recueille pas la valeur d'une perdrix.
Malheur au prince dont les mauvais serviteurs
volent les biens des grands et des petits !
Il s'attire la haine de Dieu et du peuple.
Le péché est pour lui, la richesse pour l'autre,
et s'il veut sa part des biens, il se voit repousser.
On en voit en grand nombre trahir leur seigneur,
le tuant par le poison ou bien par le couteau.
Cache-leur tes secrets, ne leur fais pas confiance ! »
Alexandre répond en homme plein de sens :
« Je vais partir, cher maître. De vos précieux avis,
si j'en viole le moindre, je mérite la honte.
Puissé-je valoir pis qu'un serf racheté
le jour où l'on me verra affranchir et promouvoir l'un d'eux !
Malgré toutes ses flatteries, si l'un d'entre eux osait
se montrer devant moi, il le regretterait !
Les douze compagnons que vous m'avez choisis
ont déjà monté ma tente sur la rive du Gange.
Darius devra payer le mal fait à la Grèce.
S'il nous a volé vaches, bœufs et brebis,
nous nous en vengerons de nos épieux fourbis.
Rien ne le protégera : forteresses bien closes,
fossés, remparts ni tours, donjons ni palissades.
Le tumulte et les cris ne s'arrêteront plus

Tant que li qués que soit en soit mors ou honis. »
A tant demande l'eaue si est en piés saillis.

4

88   Li mengiers est tous pres, que li quieu l'ont hasté,
     Puis sont li siege fait et li tapit geté.
     Li chevalier s'assieent qant il orent lavé
     Et on lor a le vin en hanas aporté.
92   Li seneschal, li quieu, li vallet du regné
     Les servirent des mes tout a lor volenté.
     Qant il orent mengié et il s'en sont torné,
     Aristotes a dont Alixandre apelé :
96   « Biaus sire damoisiaus, il me vient en pensé
     Tel chose vos veul dire qui me vient molt a gré. »
     Alixandres respont : « Je l'ai molt desirré. »
     Es le vos en gisant delés lui acosté.

5

100 « Alixandres, fait il, dire te veul novele ;
     Qant tu l'avras oïe, ne te sera pas bele.
     Dayres, li rois de Perse, de servage t'apele :
     Tes peres est ses sers et ta mere s'ancele.
104 Qant treü te demande, malement se revele ;
     Li briés en fu leüs par devant la chapele.
     Tu n'i as que targier, mais fai metre ta sele. »
     Alixandres l'escoute, sa main a sa maissele.
108 De maltalent et d'ire rougist et estincele.
     « Maistre, fait Alixandres, je ne sui pas pucele,
     Je n'ai soing s'il fait chaut ou s'il pluet ou s'il gele ;
     Or le veul revider, qar folement favele.
112 Sel puis en champ trover, la vengance iert isnele,
     Ne li vaudra haubers une tenve gounele,
     Mon espié li metrai par desous la mamele ;
     A mon buen branc d'acier, dont trenche l'alemele,
116 Li trencherai la teste s'espandrai la cervele. »

_____

3. Sur la signification de cette attitude, voir *supra*, II, v. 2976.

qu'à la mort ou à la défaite de l'un de nous deux ! »
Il se lève d'un bond en demandant l'eau.

4

Le repas est tout prêt, les cuisiniers font vite.
On dispose alors les sièges et les tapis.
Les chevaliers se lavent les mains et s'asseoient :
on leur apporte le vin dans des hanaps.
Les sénéchaux, les cuisiniers, les jeunes nobles du royaume
leur prodiguent tous les mets.
Après le repas, au moment du départ,
Aristote appelle Alexandre :
« Mon cher seigneur, j'y pense maintenant,
je veux vous entretenir d'un point qui me tient à cœur. »
Alexandre répond : « Je ne demande pas mieux ! »
Et il s'allonge à ses côtés.

5

« Alexandre, dit Aristote, je veux t'apprendre une nouvelle :
tu n'auras pas plaisir à l'entendre.
Darius, le roi de Perse, te réclame comme son serf :
ton père est son esclave et ta mère sa servante.
Il a tort d'exiger un tribut et de se mettre en colère.
On a fait la lecture de sa lettre devant la chapelle.
Ne t'attarde donc plus, fais seller ton cheval ! »
Alexandre l'écoute, la main sous le menton[3] ;
de rage et de fureur il rougit et s'enflamme.
« Maître, dit Alexandre, je ne suis pas une fillette :
peu m'importent la chaleur ou la pluie ou le gel ;
je veux aller le voir, car il parle comme un fou !
Si je peux l'affronter en champ clos, je serai vite vengé !
Son haubert le protégera autant qu'une fine tunique :
je lui enfoncerai mon épieu sous le sein ;
de ma bonne épée d'acier à la lame tranchante,
je lui trancherai la tête et répandrai sa cervelle sur le sol ! »

6

Ce fu el mois de may, un poi devant l'issue,
Que l'erbe reverdist et ele point menue,
Q'Alixandres li rois a sa gent esmeüe
120 Por aler deseur Dayre a la teste chenue.
Sor l'eaue de Gangis la riviere ont tenue,
Portent girfaus gruiers, faucons de quinte mue ;
N'i remest sor la rive cigne ne bone grue
124 Qui ne soit as faucons et prise et retenue.
Li rois vait a sejor, ne veut sa gent menue
Lasser ne travellier, car tost l'eüst perdue.
Tant les mena souef que l'ost est enbatue
128 En la terre au roi Dayre, por qui ele est meüe ;
Et puis que ele fu en la terre ferue,
Courent par la contree, qu'il troverent vestue ;
Peçoient bours et viles et chastiaus a grant rue,
132 Deus cités i ont arses et la tierce fondue,
Prenent vin et forment et ferine molue
Et pain et char salee veulent ou cuite ou crue,
Or et argent et dras et monoie batue.
136 Riens qu'il veullent avoir ne lor est detenue
Et par la ou il vont la terre est confondue.
Dayres ot la novele ; qant il l'a entendue,
Fremist et devint noirs, tous li sans li remue,
140 De maltalent et d'ire la parole a perdue,
Que il ne pot parler ne c'une beste mue,
Ains arst d'ire et esprent, tous li cors li tressue.
Et qant l'ardour li fu un poi escoureüe,
144 Si manda Alixandre que folement l'argüe,
Car se tant l'ose atendre que sa gent soit venue,
Savoir puet de verté sans faille et sans treslue
Que rois Dayres li mande que de riens nel salue.
148 S'il ançois ne s'en fuit ou il ne se remue,
Bataille puet avoir, ainc tel ne fu veüe ;

---

4. Sur la reverdie comme motif d'ouverture, voir J.P. Martin, *Les Motifs*, pp. 247-250.

6

C'était un peu avant la fin du mois de mai,
quand l'herbe reverdit, qu'elle pointe, menue[4].
Le roi Alexandre a mis en branle son armée
pour affronter Darius à la tête blanchie.
Ils longent la rive du Gange,
portant des gerfauts dressés à chasser la grue, des faucons de
Sur le rivage, tous les cygnes et les belles grues   [cinq mues.
sont pris et capturés par les faucons.
Le roi avance lentement, il ne veut pas épuiser
ses troupes à pied, de peur de les perdre vite.
Il les mène doucement et toute l'armée pénètre
dans les terres du roi Darius, qu'elle vient combattre.
Dès qu'ils ont mis le pied sur ces terres,
les soldats parcourent la contrée, qu'ils trouvent couverte de
Ils mettent en pièces bourgs, villes et châteaux.   [richesses.
Ils brûlent deux cités, en détruisent une troisième ;
ils prennent vin, froment et farine,
le pain, la viande salée, qu'ils veulent cuite ou crue,
or, argent, vêtements et la monnaie battue.
On ne peut rien garder de ce qu'ils veulent prendre,
et partout où ils passent, la terre est ravagée.
Darius, à cette nouvelle,
en frémit, en blêmit : son sang ne fait qu'un tour.
De rage et de fureur il en perd la parole
et en reste sans voix, comme une bête.
Tout enflammé de rage, son corps se couvre de sueur.
Puis quand son ardeur s'est un peu refroidie,
il fait dire à Alexandre que son attaque est folle :
s'il ose attendre la venue de l'armée perse,
qu'il sache en toute vérité et sans tromperie
que le roi Darius ne lui envoie pas son salut !
S'il ne s'enfuit pas avant mais reste où il est,
il aura une bataille comme il n'en a jamais vu !

Del duel esragera se la desconvenue
Que fait li a el champ ne li est chier vendue.

7

152 Dayres tramet ses mes au fort roi Alixandre
Et cil i sont alé, ne l'oserent offendre,
Et sont venu au roi par main a un devenre.
Noncent li la bataille, se Dayron ose atendre,
156 D'iluec en onze jors, lors penst de soi deffendre ;
Car Dayres a juré, se il le pooit prendre,
Q'il li feroit le col a une hart estendre
Et a unes grans forches par mi la goule pendre,
160 Et menace ses homes que chier lor cuide vendre
Sa terre qu'il li gastent et tel merite rendre
Que n'estordra de l'ost li graindres ne li mendre.

8

Par briés et par messages qant Dayres ot apris
164 Q'Alixandres s'estoit de la guerre entremis,
Par toute sa contree envoia ses corlis
Et mande a tous ses homes que bien soit chascuns fis
Qui ne venra a lui desi qu'a quinze dis
168 Que il perdra les menbres, ne l'en seroit plaidis
Li ors ne li argens que ot Semiramis.
Et qant ot assemblé les gens devers Tigris,
Si ot trente tans d'omes q'Alixandres n'ot Gris ;
172 Mais por ce fu vaincus et ses regnes conquis
Qu'es fieus de ses garçons estoit ses consaus mis
Q'avoit fait de sa terre seneschaus et baillis,
Donees gentieus femes et es honors asis.
176 Cil li ont tous ses homes afolés et malmis,
Les vilains confondus et les borgois aquis,
Les povres chevaliers ciaus ont tenus si vis
Q'assés sont plus dolent que se il fuissent pris,
180 Et hontes et contraires ont tant fait as gentis
Q'il n'a home en sa terre qui ne li soit eschis.
Qant vint au grant besoing sor l'eaue de Gangis,

Darius lui-même sera fou de rage,
s'il ne lui vend pas cher la défaite subie !

7

Darius envoie ses messagers au grand roi Alexandre.
Ils s'y rendent en hâte, de peur de l'offenser,
et viennent auprès du roi un vendredi matin.
S'il ose attendre Darius, la bataille se tiendra
d'ici à onze jours : qu'il songe à se défendre,
car Darius a juré que s'il peut le prendre,
il lui allongera le cou avec une corde
et le fera pendre à un grand gibet !
Quant à ses hommes, il leur fera payer cher
les ravages infligés à ses terres et leur rendra telle justice
que nul n'échappera, qu'il soit grand ou petit.

8

Quand Darius a appris par tous ses messagers
qu'Alexandre est entré en guerre,
par toute sa contrée il envoie ses courriers
et ordonne à tous ses hommes de s'empresser
de venir le rejoindre d'ici à quinze jours,
sous peine de perdre les membres, car il n'accepterait pas en
tout l'or et tout l'argent qu'avait Sémiramis.   [échange
Quand il eut assemblé ses troupes le long du Tigre,
ses hommes étaient trente fois plus nombreux que les Grecs
Mais s'il fut vaincu et perdit son royaume,   [d'Alexandre.
c'est qu'il mettait sa confiance dans les fils de ses valets,
qu'il avait fait sénéchaux et baillis de sa terre :
il leur avait donné des femmes de noble naissance et des fiefs.
Ils ont pressuré et malmené tous ses hommes,
écrasé les vilains, accablé les bourgeois.
Quant aux chevaliers pauvres, ils les ont tant avilis
que les malheureux aimeraient encore mieux être en captivité.
Aux gens de la noblesse ils ont fait tant de mal
que Darius est abandonné de tous ses hommes.
Quand il eut besoin d'eux sur la rive du Gange,

Si dist li uns a l'autre : « Ja n'ait il Paradis
184 Qui por malvais segnor se laist navrer el vis
Ne qui'n avra colee desor son escu bis ;
Combatent soi li serf que il a enrichis,
Qui nos avoirs nos tolent et font clamer chaitis ;
188 Ja cil n'avra la terre qui nos en face pis. »
Lors s'en torna chascuns tout droit en son païs.
Dayres remest el champ com home sans amis,
Vit en aler ses homes, qui s'en tornent fuitis.
192 Puis a dit a ses sers : « C'est mal m'avés vos quis.
N'a baron en ma terre ne soit mes enemis,
Tant lor avés fait mal et desor aus conquis ;
Assés le m'ont mostré, ainc droit ne lor en fis.
196 Or m'en poise forment, mais tart sui repentis,
De vos me vengerai s'en puis estordre vis. »
Por ce l'ont en la fin li serf meïsme ocis.

9

Des que Dayres sot bien que c'estoit verités
200 Q'Alixandres s'estoit de la guerre mellés
Et la noise et li cris en est par tout levés,
Porron manda en Ynde par ses briés seelés
Q'Alixandres ses hom est vers lui revelés.
204 Or viegne lui aidier a mil de ses privés,
Ja n'en i venra nus qui ne soit bien loués ;
Il avra a son oés, s'en iert asseürés,
Quatre cens mile mars de fin or esmerés ;
208 Les armes Alixandre, qui est outrecuidés,
Li donra il ançois que cist mois soit passés,
Et Bucifal meïsme, qui tant par est löés.
Honis est li cuivers qant a lui est mellés,
212 Nel garra bors ne vile ne chastiaus ne cités
Que il nel sieue tant qu'il iert desiretés.
Li mes li dist a bouche qui les briés ot portés
Que se il i aloit ce seroit foletés,
216 Car tant est Alixandres orgellous et desvés
Que tantost comme il iert de Daire dessevrés
Sempres venra sor lui, ja n'en iert trestornés.

ils se dirent entre eux : « Il ne mérite pas le paradis,
celui qui pour un mauvais seigneur reçoit des blessures au
et des coups sur son écu gris !   [visage
C'est aux serfs de se battre, eux qu'il a enrichis,
qui nous volent nos biens, nous plongent dans le malheur !
Nul souverain ne pourrait nous traiter plus mal ! »
Et chacun de retourner tout droit dans son pays.
Darius reste seul sur le champ de bataille, sans amis,
il voit partir ses hommes qui prennent la fuite.
Il dit à ses serfs : « Vous êtes responsables de ce malheur :
tous les barons de ma terre sont mes ennemis,
tant vous leur avez fait de mal, tant vous les avez volés.
Ils me l'ont bien montré : je ne leur ai pas rendu justice.
Je le regrette maintenant, mais il est trop tard pour se repentir.
Je me vengerai de vous, si je garde la vie ! »
Pour ces paroles, les serfs devaient le mettre à mort de leurs
                                          [propres mains.

9

Dès que Darius sut bien en toute certitude
qu'Alexandre avait décidé la guerre
et que la nouvelle s'en répandait partout,
il fit savoir à Porus en Inde, par une lettre scellée,
qu'Alexandre, son vassal, s'était révolté contre lui :
qu'il lui vienne donc en aide avec mille de ses hommes !
Tous ceux qui viendront seront bien payés.
Porus aura lui-même, il le lui jure,
quatre cent mille marcs d'or pur.
Avant la fin du mois, il recevra aussi
les armes d'Alexandre, dont l'orgueil est démesuré,
ainsi que Bucéphale, qui est si fort vanté.
C'en est fait du coquin : puisqu'il ose l'attaquer,
ni bourg, ni ville, ni château, ni cité ne le protégeront
des assauts de Darius, qui lui prendra ses terres.
Mais le messager qui a porté la lettre dit à Porus de vive voix
que partir serait une folie,
car Alexandre, dans son orgueil enragé,
ne se sera pas sitôt débarrassé de Darius
qu'il accourra sur lui, rien ne l'en empêchera.

Porrus ot la novele s'en fu si effreés
220 Qu'il n'alast en l'aïde ou il estoit mandés,
Qui li donast tout l'or de quarante cités.
En la fin de sa terre a ses homes mandés,
Q'il ne soit par les Grieus sorpris ne afolés.
224 Tous jors est de bataille garnis et conreés.
Au messagier respont : « Arriere tost alés
Et dites au roi Dayre que molt sui encombrés,
A garder ai ma terre si ai a faire assés,
228 Ne feroie por lui deus deniers moneés. »

10

Qant Dayres li Persans, qui si se desmentot,
Oï du roi Porron que venir n'i osot,
De par toutes ses terres tous ses barons mandot ;
232 Mais il iert tant haïs que poi en i alot,
Por ses felons sergans que sor aus enposot ;
Ainc n'i vint se cil non qui remanoir n'osot.
Et qant il ot mandé qanque assambler pot,
236 Por qant si ot tant gent de ciaus qu'il assamblot
Que trente tans ot d'omes q'Alixandres nen ot ;
Vait encontre Alixandre com plus tost onques pot.
Et qant vint au besoing, l'uns l'autre regardot,
240 Et dïent tuit ensamble : « Musart somes et sot
Qui ci somes o Dayre, qui nos desheritot
Et tant nos tenoit vieus et si nos abaissot
Que ses malvais sergans deseur nos alevot ;
244 Et qant uns de ses sers a nous se coureçot,
Pres ne nos batoit bien, vilment nos laidengot,
Cil qui estoit honis et Dayre le mostrot,
Il l'ooit volentiers et molt bien l'escoutot,
248 Mais ja nus n'eüst droit qui des sers se clamot. »
Chascuns baisse sa lance, en son païs tornot.
Dayres voit qu'il s'en vont, a poi qu'il ne desvot,
Et a dit a ses sers : « Garçon, vos m'avés mort ;
252 Mi home me guerpissent, tant lor avés fait tort. »
Uns saudoiers li dist, qui o lui s'en alot,

Effrayé à cette nouvelle, Porus
n'aurait pas répondu à l'appel de Darius
pour tout l'or de quarante cités.
Des confins de sa terre il convoque ses hommes,
pour éviter d'être surpris et terrassé par les Grecs.
Tous les jours, il se prépare à la bataille.
Il répond au messager : « Retournez chez vous
et dites au roi Darius que j'ai moi-même mes soucis.
Je dois garder ma terre, cela prend tout mon temps :
je ne pourrais pas pour lui dépenser deux deniers. »

10

Quand Darius le Perse, qui se désespère,
apprend du roi Porus qu'il n'ose pas venir,
de par toutes ses terres il convoque ses barons.
Mais on le hait si fort que bien peu se déplacent,
par la faute des serviteurs félons qu'il leur avait imposés :
seuls vinrent ceux qui avaient peur de lui désobéir.
Et pourtant, quand se trouvèrent rassemblés
ceux qui avaient répondu à son appel,
ils étaient trente fois plus nombreux que les hommes
Il marche aussitôt à la rencontre d'Alexandre.   [d'Alexandre.
Mais devant le danger, les Perses se regardent l'un l'autre
et disent tous ensemble : « Nous ne sommes que des sots
de rester là avec Darius, lui qui nous déshéritait,
qui nous traitait avec mépris et nous abaissait
pour mieux élever ses mauvais serviteurs à nos dépens !
Et quand l'un de ses serfs nous en voulait,
Darius nous battait presque, il nous couvrait d'injures.
Celui qui venait se plaindre d'un dommage à Darius
en était bien écouté ; on le laissait parler.
Mais impossible d'obtenir justice, si l'on se plaignait des
Chacun baisse sa lance, retourne dans son pays.   [serfs ! »
Darius voit qu'ils s'en vont, il manque devenir fou
et il dit à ses serfs : « Vauriens, vous m'avez tué !
Mes hommes m'abandonnent, tant vous leur avez fait de
Un soldat lui dit, en le suivant,   [mal ! »

Que de pres s'esleece qui de loins se gardot ;
N'avoit pas a droit terre ne pas bien nes amot
256 Qui seur ses gentieus homes ses cuivers alevot ;
Ja ne verrés nul home qui en la fin s'en lot.
Pire est orguel de serf que venin de crapot.
Dayres jure son chief et ses dieus q'aourot
260 Que d'aus se vengera se il vis en estort.
Ce que Dayres a dit Liabatanas l'ot
Et Besas ses compains, qui les lui chevalchot.
Ambedui li glouton, qui ierent d'un complot,
264 En fuiant l'ont ocis por ce ques menaçot.

11

Qant Dayres vit ice qu'il iert a mort navrés,
Alixandre manda par deus de ses privés
Q'il le viegne veoir ains qu'il soit deviés.
268 Li rois fist que cortois, poignant i est alés.
« Sire, ce li dist Dayres, cinc cens mercis et grés,
Qant vos plaist ça venir et pitié en avés ;
A morir devant vos m'est grans confors assés.
272 Une fille ai molt bele, se prendre la volés
Ma terre et mes avoirs vos iert abandonés
Si vos en servira trestous mes parentés
Et si serés du mont tous li mieus mariés ;
276 Avant ier la preïstes el champ ou fui navrés.
Et se cest mariage a vostre oés ne volés,
Je vos proi par franchise que mari li donés,
Que selonc son parage soit ses cors honorés.
280 Ne creés vos cuivers ne ne vos i fiés ;
Se clamor vos en vient, du droit nes deportés,
Car molt vos en harroit du ciel la maiestés.
Li mien que je avoie essauciés et levés
284 A dolor me font vivre, si com veoir pöés.

---

5. Cf. Morawski 1898 : « Qui de loin se pourvoit de prés s'esjoist ».
6. Darius fut assassiné sur l'ordre de trois de ses satrapes, Bessos, Sati-barzanès et Barsaentès. Ils ne sont plus que deux, Bessos et Ariobarzanès, dans les textes issus du Pseudo-Callisthène : *Epitome*, II 20-21.

que celui qui se garde longtemps à l'avance peut se réjouir plus
[tard[5].
Il ne méritait pas de conserver sa terre et n'aimait pas les siens,
lui qui élevait ses coquins aux dépens des hommes de noble
[naissance.
Nul ne peut se louer longtemps d'une pareille conduite.
L'orgueil du serf est pire que le venin du crapaud.
Darius jure sur sa tête et sur les dieux qu'il adore
qu'il se vengera des serfs, s'il demeure en vie.
Mais Liabatanas entend ces paroles,
ainsi que son compagnon Besas, qui chevauchait à ses côtés.
Les deux misérables ont comploté
de le tuer avant de s'enfuir, par peur de ses menaces[6].

11

Quand Darius vit qu'il était blessé à mort,
il fit appeler Alexandre par deux de ses familiers,
lui demandant de venir le voir avant sa fin.
Le roi, avec courtoisie, s'empressa de le rejoindre.
« Seigneur, lui dit Darius, soyez mille fois remercié
d'avoir accepté de venir, par pitié pour moi !
C'est un grand réconfort de mourir devant vous.
J'ai une fille, très belle : si vous voulez l'épouser,
ma terre et ma fortune seront toutes à vous,
tout mon lignage sera à votre service
et vous aurez fait le plus riche mariage du monde.
Vous venez de la capturer, à la bataille où j'ai été blessé.
Et si vous ne voulez pas de ce mariage pour vous-même,
j'en appelle à votre noblesse, donnez lui un mari
qui lui permette d'être honorée selon son rang !
Ne vous fiez pas à vos serfs, ne leur accordez aucune
[confiance !
Si l'on se plaint d'eux, ne les soustrayez pas à la justice,
car vous encourriez la haine de la majesté divine !
Les miens, que j'avais promus et élevés,
sont cause de mes douleurs, vous le voyez bien.

Cil qui d'aus se clamoit estoit bien escoutés,
Mais ja droit n'en eüst cil qui s'en fust clamés.
Li maus et li damages en est sor moi tornés ;
288   En traïson m'ont mort, Dieus lor en rende gres !
Si feront vous li vostre, se vous ne vos gardés.

12

« Sire, ce li dist Dayres, ne vos en quier mentir,
Si sui a mort navrés noiens est du garir.
292   Grans mercis vos en rent qant ça vos plot venir,
Car il m'est grans confors devant vos a morir.
Une fille ai molt bele qui molt fait a chierir,
.   Nus hom ne puet plus gente en tout le mont choisir ;
296   A moillier la prenés s'il vos vient a plaisir.
O ma feme porrés mon roiaume tenir ;
Ne devés pas par force ne prendre ne tolir
Ce que pöés par droit et avoir et tenir.
300   Ne vos chaut vos cuivers essaucier ne chierir,
Ja de riens ne jorrés qu'il vos puissent tolir
Et tous jors vos vauront engegnier et traïr.
Li mien, qui me devoient honorer et servir,
304   A dolor me font vivre et ma vie fenir.
Qant il m'orent navré, si prinrent a fuïr ;
Por la dolor des plaies que il m'estuet soufrir
N'en poi onques un seul connoistre ne choisir :
308   De si grant felonie nes laist ja Dieus joïr. »
Por la mort quil destraint a geté un souspir ;
L'arme s'en est alee, li cors prist a noircir.
Alixandre li rois le fist bien sevelir
312   Et hautement plorer et plaindre et costeïr.

13

« Segnor, dist Alixandres, avenus m'est gens cols ;
Cil qui Dayre ont ocis m'ont mis en grant repos
Et acreü m'onor et essaucié mon los.
316   S'il l'osoient gehir, jes metroie en repos,

Celui qui se plaignait d'eux était bien écouté
mais malgré sa plainte, ne recevait jamais justice.
Le malheur et le dommage en sont retombés sur moi.
Ils m'ont tué par trahison, Dieu leur rende leur dû !
Et les vôtres vous en feront autant, si vous n'y prenez garde !

12

« Seigneur, dit Darius, je vous le dis sans mentir,
je suis blessé à mort, je ne saurais guérir.
Mille mercis à vous d'être venu ici,
car c'est un réconfort de mourir devant vous.
J'ai une fille, très belle, bien digne d'être aimée :
un homme ne saurait trouver plus noble épouse au monde.
Prenez la donc pour femme, si vous le voulez bien :
vous partagerez ainsi mon royaume avec ma veuve.
Vous ne devez pas vous emparer par la force
de ce que vous pouvez posséder en tout droit.
N'élevez pas vos serviteurs les plus vils, ne leur donnez pas
                                        [votre affection !
Vous ne garderez rien qu'ils puissent vous ravir
et vous serez sans cesse et trompé et trahi.
Les miens, qui auraient dû m'honorer, me servir,
m'ont fait vivre et mourir dans la douleur.
Après m'avoir blessé, ils ont pris la fuite :
je souffrais tant de mes plaies
que je n'ai pas pu en reconnaître un seul.
Que Dieu ne les laisse pas profiter de pareille félonie ! »
Il soupire dans les tourments de la mort ;
son âme quitte son corps, qui commence à noircir.
Le roi Alexandre lui fit de belles funérailles :
il fut longuement pleuré et noblement enseveli.

13

« Seigneurs, dit Alexandre, quelle aubaine pour moi !
Ceux qui ont tué Darius ont assuré mon repos,
accru mon honneur et rehaussé mon renom.
S'ils osaient revendiquer leur acte, je leur donnerais le repos :

Que ja des parens Dayre n'i aroit un tant os,
Se riens lor forfaisoit, nel tormentasse a clos.
Es bras avront ornicles et torques en lor cols ;
320 Ges leverai plus haut, qui qu'en ait le cuer gros,
Qu'ome de ma compaigne, tant sache avoir grant los,
Et seront amirable as sages et as fols. »

14

Qant li serf ont oï la promesse le roi,
324 Devant lui sont venu, dïent lui en secroi :
« Sire, nos l'avons mort, sel t'afions par foi ;
Bien volons que tu saches que fait l'avons por toi.
– Segnor, dist Alixandres, or entendés un poi.
328 Qant vostre segnor lige avés ocis por moi,
Selonc vostre servise le guerredon vos doi.
De riens que pramis aie nen enfraindrai ma loi
Et torques et ornicles avrés, si com je croi,
332 De vos lever en haut ferai prendre conroi. »

15

Li rois en apela Tholomer et Cliçon,
O ces deus sont venu li autre compaignon.
« Segnor, dist Alixandres, entendés ma raison.
336 Ambesdeus ces cuivers me metés en prison,
Dayre, lor segnor lige ont mort en traïson.
Por ce que fait l'avoient en murdre et en larron,
Le voloient celer li traïtor felon.
340 Qant je por le gehir lor pramis guerredon
Et torques et ornicles avroient a bandon
Ses leveroie en haut, qui pesast ne qui non,
Et seroient plus haut que trestuit mi baron,
344 Por ce qu'en ma parole n'ait point de mesproison
Les bras en lieu d'ornicles de cordes lïerom,
El col en lieu de torques de hars les pouserom,
Por plus lever en haut as forches les pendron. »

si jamais l'un des parents de Darius avait l'audace
de leur nuire, il serait torturé.
Je leur mettrai des bracelets aux bras, des colliers au cou,
et les placerai plus haut, en dépit des envieux,
que le plus renommé de ma compagnie !
Et tous pourront les admirer, les sages comme les fous ! »

14

Les serfs, quand ils apprennent la promesse du roi,
se présentent à lui, lui disent en secret :
« Seigneur, c'est nous qui l'avons tué, nous te le jurons !
Sache bien que nous l'avons fait pour toi !
– Seigneurs, dit Alexandre, écoutez-moi donc bien !
Vous avez tué pour moi votre seigneur lige :
je vous dois donc la récompense méritée par ce service.
Sur toutes mes promesses je tiendrai ma parole :
vous aurez, croyez-moi, colliers et bracelets,
et je prendrai grand soin de vous mettre en hauteur ! »

15

Le roi fait appeler Clin et Tholomé,
que suivent les autres compagnons.
« Seigneurs, dit Alexandre, écoutez mes paroles !
Jetez-moi en prison ces deux coquins !
Ils ont trahi et tué Darius, leur seigneur lige
et ils voulaient cacher leur meurtre et leur forfait,
les traîtres et les félons !
Mais pour les faire avouer, je leur ai promis en récompense
des colliers et des bracelets à foison,
et me suis engagé, en dépit des envieux,
à les placer plus haut que tous mes barons.
Je ne manque jamais à ma parole :
nous leur mettrons aux bras des cordes pour bracelets
et, en fait de collier, la hart autour du cou ;
pour les élever plus haut, nous les pendrons au gibet ! »

16

348   La ou Dayres fu mors, tres dedevant les portes,
      Les fist li rois mener a deus de ses coortes.
      Les bras en lieu d'ornicles leur fist lïer de cordes,
      Es cols leur fist lacier les hars en lieu de torques,
352   Desi q'en son les forches les fist traire a reortes.
      Sor l'eaue de Gangis, dont les rives sont tortes,
      Fist les chars sevelir des gloutons qui sont mortes.

17

      Qant li rois ot ensi destruis les traïtors
356   Et tormenté as forches et fait tels deshonors,
      De toutes les contrees a mandé les contors,
      Les princes, les demaines et tous les vavasors.
      « Segnor, dis Alixandres, car me rendés vos tors,
360   Les chastiaus et les viles, les cités et les bors,
      Et je vos en croistrai trestoutes vos honors. »
      Cil le font volentiers, qui orent grans paors ;
      Li rois commande a estre ciaus que li plaist segnors.

18

364   Qant or furent destruit ambedoi li glouton
      Et selonc lor merite orent le guerredon,
      Alixandres ot Perse en sa subjection,
      Ses prevos i a mis itels com li fu bon.
368   Puis s'en torne li rois, et il et si baron,
      En uns desers entra ou ot molt grant arson ;
      Il n'i avoit point d'erbe ne de bos un buisson,
      La terre iert toute seche et agu li perron.
372   La souffrirent li Grieu grant persecucion,
      Car n'i avoit de gent nule habitacion,
      Ains i conversent tygre et lupart et lion,

---

7. Le vavasseur est un vassal de petite noblesse.

16

Là même où Darius était mort, juste devant sa porte,
Le roi les fit emmener par deux de ses cohortes.
Il leur fit mettre aux bras des cordes pour bracelets,
la hart autour du cou en guise de collier ;
des cordes les hissent jusqu'en haut du gibet.
Au bord des eaux du Gange aux rives sinueuses,
on enterra les corps des deux misérables.

17

Quand le roi eut ainsi fait mettre à mort les traîtres
et leur eut infligé le supplice déshonorant du gibet,
de toutes les contrées il convoqua les comtes,
les princes, les seigneurs et tous les vavasseurs[7].
« Seigneurs, dit Alexandre, livrez-moi donc vos tours,
les châteaux et les villes, les cités et les bourgs,
et je vous rendrai toutes vos terres agrandies ! »
Tous obéissent volontiers, par peur de lui.
Le roi répartit les fiefs selon son bon plaisir.

18

Quand les deux misérables ont été mis à mort
et qu'ils ont reçu la récompense qu'ils méritaient,
Alexandre, maître de la Perse,
y a laissé les prévôts de son choix.
Le roi reprend sa route, avec tous ses barons.
Il entre dans un désert brûlant
sans le moindre brin d'herbe, ni bois, ni buisson.
La terre est desséchée, les pierres acérées.
Les Grecs y endurent de terribles souffrances,
car ce n'est pas là le séjour des humains
mais celui des tigres, des léopards et des lions,

Li cerastre cornu et li escorpion
376 Et vautoir et califfre et enpené grifon
Et bestes et oisiaus de diverse façon.
Outre s'en vait li rois et sa gent a bandon ;
Qant fu fors des desers, si a mandé Cliçon
380 Et cil i vint poignant, o lui si compaignon.
« Baron, dist Alixandres, entendés ma raison.
Mainte terre ai conquise et mainte region,
Romain firent par force vers moi acordoison,
384 Puis mis Puille et Calabre en ma subjection
Et conquis toute Aufrique a coite d'esperon,
Hermins et Sulïens, ou vaussissent ou non ;
Maint prince et maint chastaine ai tenu en prison,
388 Assés i ot de cels dont nus n'ot raençon.

19

« Segnor, dist Alixandres, je ai molt conquesté :
Cil de Jherusalem firent ma volenté,
Ciaus de Tyr destruis je por lor grant crualté,
392 Maint chastel ai conquis et mainte fremeté,
Dayre le roi de Perse ai je a ce mené
Que si home meïsme l'ont mort et affiné.
Or vous veul aconter que jou ai en pensé :
396 Assés ai par la terre et venu et alé,
De ciaus de la mer voil savoir la verité,
Ja mais ne finerai si l'avrai esprové. »
Si home li ont dit : « Tu as le sens desvé,
400 Ce que nus penser n'ose ce as tu devisé.
S'il nos meschiet de toi, tout somes afolé,
Ja ne revenrons mais la ou nos fumes né.
– Por noient, dist li rois, en avés tant parlé,
404 Car por tout l'or du mont ne seroit trestorné. »

_____

8. Le céraste (du grec *keras*, corne), également appelé vipère cornue, est un serpent venimeux d'Afrique et d'Asie, caractérisé par deux espèces de cornes.
9. On trouve la conquête de l'Italie par Alexandre dans *Julius Valerius* (I 22), l'*Epitome* (I 29), L'*Historia de preliis* 22, l'*Alexanderlied* de Lamprecht (MFRA III, pp. 47-48, vv. 593-638).

des cérastes cornus et des scorpions,
des vautours, des rapaces, des griffons ailés,
des bêtes et des oiseaux les plus monstrueux[8].
Le roi et ses hommes le traversent de bout en bout.
Au sortir des déserts, il a appelé Clin,
qui arrive au galop avec ses compagnons.
« Barons, dit Alexandre, écoutez mes paroles !
J'ai conquis bien des terres et bien des provinces :
J'ai imposé un accord aux Romains[9],
j'ai soumis la Pouille et la Calabre,
j'ai conquis l'Afrique entière au galop de mon cheval,
ainsi que les Arméniens et les Syriens, de gré ou de force.
J'ai fait prisonniers bien des princes et des châtelains,
refusant souvent leur rançon.

19

« Seigneurs, dit Alexandre, mes conquêtes sont grandes.
Les habitants de Jérusalem se sont livrés à moi,
j'ai détruit les Tyriens, ce peuple cruel,
j'ai conquis maint château et mainte forteresse.
Darius, le roi de Perse, a, de mon fait,
été mis à mort par ses propres hommes.
Voici mon nouveau projet.
J'ai beaucoup voyagé sur la terre.
Je veux découvrir la vie des habitants de la mer :
il me faut à tout prix faire cette expérience ! »
Ses hommes lui répondent : « Tu es devenu fou !
Nul n'a jamais osé rêver pareil projet !
S'il t'arrive malheur, nous sommes tous perdus !
Jamais nous ne reviendrons au pays natal !
– Vous parlez en vain, dit le roi,
car tout l'or du monde ne me ferait pas changer d'avis ! »

Qant il virent le roi issi entalenté,
Tout ce que bon li fu li ont acreanté.

20

Tout ont acreanté si com il plot au roi.
408 Molt bons ouvriers de voirre avoit aveques soi,
Qui savoient ouvrer le voirre a itel loi
Que il ne pooit fendre ains le metent en ploi.
Li rois les a mandés et si lor dist por coi :
412 « Segnor maistre, fait il, or entendés a moi.
Faites moi un vaissel de voirre, je vos proi,
Si grant que largement i puissent entrer troi.
Se vos bien le me faites, grant loier vos en doi
416 Et jel vos donrai bon par les ieus dont vos voi. »
Et dist li uns des maistres : « Sire, tres bien vos oi.
Se vos bien me trovés ce q'estuet au conroi,
Tel vaissel vos ferai qui bons sera, ce croi,
420 Bien i porront doi home ensamble entrer ou troi.
Se ensi nel vos fais, ma teste vos otroi. »

21

Li ouvrier li ont fait un molt riche vaissel,
Tous iert de voirre blanc, ainc hom ne vit si bel.
424 De meïsme font lampes environ le tounel,
Qui la dedens ardoient a joie et a revel,
Que ja n'avra en mer tant petit poissoncel
Que li rois bien ne voie, ne agait ne cembel.
428 Qant il fu entrés ens et li dui damoisel,
Autresi fu seürs comme en tor de chastel.
Li notonier l'en portent en mer en un batel,
Que il ne puist hurter a roche n'a quarrel.
432 Ens el pommel desus ot fondu un anel,
Iluec tient la chaene, dont fort sont li clavel.

22

Li touniaus fu en l'eaue en un batel portés
Et fu de toutes pars a plonc bien seelés.

Quand ils ont vu leur roi aussi fermement décidé,
ils ont acquiescé à tous ses désirs.

20

Ils ont acquiescé à la volonté du roi.
Il y avait dans l'armée de bons ouvriers verriers
qui savaient si bien travailler le verre
qu'ils le modelaient à leur gré et le rendaient incassable.
Le roi les convoque et leur explique ce qu'il attend d'eux.
« Seigneurs maîtres artisans, écoutez-moi bien !
Faites-moi, je vous en prie, un vaisseau de verre
assez grand pour trois occupants.
Si vous me servez bien, je vous serai grandement redevable,
et je serai reconnaissant, j'en prête le serment ! »
L'un des maîtres artisans lui répond : « Seigneur, j'ai bien
Si vous me fournissez tout le nécessaire,   [compris !
je vous ferai le vaisseau que vous souhaitez :
il pourra contenir deux hommes ou même trois,
je vous le jure sur ma tête ! »

21

Les ouvriers fabriquent un superbe vaisseau,
tout de verre limpide, on n'en vit jamais de si beau.
Ils garnissent de lampes l'intérieur du tonneau :
c'est un grand plaisir que de les voir ainsi briller !
La mer ne contient pas poisson assez petit
pour échapper au regard du roi, tout comme le moindre piège.
Quand il s'y installa avec ses deux compagnons,
il y était aussi bien abrité qu'au plus fort d'un donjon.
Les marins le transportent en haute mer,
pour lui éviter de heurter le moindre rocher.
Au sommet est fixé un anneau
où est accrochée la chaîne aux maillons robustes.

22

Le tonneau est transporté en barque sur l'eau,
toutes les issues sont bien scellées de plomb.

436　Alixandres li rois i fu soi tiers entrés
　　　Et fu des notoniers en haute mer menés,
　　　Et commande a ses homes que il soit devalés.
　　　Et qant li touniaus fu la dedens avalés,
440　Des lampes qui ardoient fu molt grans la clartés.
　　　Assés fu li touniaus des poissons esgardés,
　　　Ains n'i ot si hardi n'en fust espoëntés
　　　Por la grant resplendor dont n'iert acostumés.
444　Alixandres li rois les a biens avisés
　　　Et vit les grans poissons vers les petits mellés ;
　　　Qant li petis est pris sempres est devourés.
　　　Qant ce vit Alixandres, adont s'est porpensés
448　Que tous cis siecles est et peris et dampnés.

23

　　　Alixandres li rois ne fu mie esbahis,
　　　Bien a tous les poissons esgardés et choisis,
　　　Mais onques n'i ot un qui ains fust si hardis
452　Vers le tounel de voirre n'alast molt a envis.
　　　Il vit les plus petis des gregnors envaïs ;
　　　Qant il un en prenoient, lors estoit trangloutis,
　　　Et qant pooit tant faire qu'il s'en iert departis,
456　Adonques li estoit autres agais bastis
　　　Tant que pris iert par force et par engien traïs.
　　　Qant ce vit Alixandres, molt s'en est esjoïs,
　　　A ciaus qui o lui ierent en vint tous esbaudis
460　Et dist : « Se la sus iere a ma gent revertis,
　　　Ja mais n'iere de guerre engigniés ne aflis.
　　　Je voi ces mons, ces vaus, ces plains et ces laris,
　　　De grans poissons de mer bien estruis et garnis :
464　Qui bien se puet deffendre des autres est garis. »

24

　　　Alixandres li rois o les deus chevaliers
　　　Est el fons de la mer, dont clers est li graviers,
　　　Ens el vaissel de voirre qui bons est et entiers.
468　Ardent les lampes cler, car ce lor est mestiers ;

Le roi Alexandre y est entré avec deux compagnons.
Il se fait mener en haute mer par ses marins
et leur ordonne de le descendre au fond de l'eau.
Et quand le tonneau est descendu tout au fond,
les lampes répandent une immense clarté.
Tous les poissons contemplent le tonneau :
les plus hardis sont tous épouvantés
par cette lumière dont ils n'ont pas l'habitude.
Le roi Alexandre les a bien regardés :
il voit les grands poissons faire la guerre aux petits,
les attraper et les dévorer.
A ce spectacle, Alexandre s'est fait la réflexion
que ce monde tout entier est perdu et damné.

23

Le roi Alexandre, sans la moindre crainte,
examine à loisir tous les poissons :
les plus hardis d'entre eux
n'approchent qu'à contrecœur du tonneau de verre.
Il voit les plus petits attaqués par les plus grands ;
si jamais ils sont pris, ils se font engloutir,
et même quand ils parviennent à s'échapper,
on leur tend d'autres pièges
et ils succombent à la force ou à la ruse.
Ce spectacle comble Alexandre de joie.
Il vient, tout heureux, à ses compagnons
et leur dit : « Si j'étais de retour là-haut, parmi les miens,
je ne connaîtrais plus les pièges et les défaites à la guerre !
Car ces monts, ces vallées, ces plaines et ces landes,
je les vois bien garnis de gros poissons de mer !
Il faut, pour son salut, se défendre des autres ! »

24

Le roi Alexandre et ses deux chevaliers
sont au fond de la mer sur le sable brillant,
dans leur vaisseau de verre qui est resté intact.
Les lampes brûlent clair, pour leur plus grand service :

Onques poisson n'i ot, tant fust ne gros ne fiers,
Qui osast aproismier, car n'en iert coustumiers.
Alixandres resgarde les grans et les pleniers
472 Qui les petis trangloutent, itels est lor mestiers ;
Autresi comme el siecle est chacuns justiciers,
Autresi vit il la lor prevos, lor voiers ;
Sor les petis tornoit tous jors li encombriers.
476 Qant ce vit Alixandres, si s'en rist volentiers
Et dist as damoisiaus : « Por un mui de deniers
Ne por toute la terre tresq'as puis de Riviers
Ne vausisse je mie que cis miens desirriers
480 Fust targiés ne remés por besans dis sestiers. »

25

Li rois est en la mer lai ens el plus parfont,
Les poissons vit aler et a val et a mont ;
Por les lampes qui ardent issi grant paor ont
484 N'i osent aprochier, mais arriere s'en vont.
Li grant, li plus hardi, cil sont el premier front ;
Qant prenent le petit, sempres tranglouti l'ont,
Et se il lor eschape, tantost agait li font.
488 Li plus fors prent le feble si l'ocist et confont ;
Qant li petit eschapent a val la mer s'en vont.
Tout ce vit Alixandres, qui le poil avoit blont,
Puis a faite l'ensaigne a ciaus qui lassus sont
492 Q'il lievent la chaene sel traient contre mont.
Cil l'en traient bien tost, car assés orent dont ;
Enpensé sont du roi, se vif le troveront,
Par son non l'apelerent, et il lai ens respont
496 Q'il n'est mie noiés, ja mar en douteront.
Cil orent molt grant joie de ce que oï l'ont,
Puis ont le vaissel trait el batel sel deffont ;
Alixandres meïsmes a ses mains le derront.

_____

10. Le muid et le setier sont des mesures de capacité dont la valeur variait selon les régions et les époques ; le denier valait le douzième du sou ; le besant est une monnaie byzantine d'or ou d'argent.

pas le moindre poisson, si gros, si féroce soit-il,
qui ose s'approcher de cet objet insolite.
Alexandre observe les grands et les puissants
qui engloutissent les petits, comme le veut leur office.
Tout comme en ce monde-ci chacun est justiciable,
il voit là, sous la mer, prévôts et officiers :
toujours sur les petits retombent les ennuis.
Ce spectacle fait rire Alexandre,
qui dit à ses amis : « Pour un plein muid de deniers,
pour toute la terre jusqu'aux monts de Riviers,
et pour dix setiers de besants, je n'aurais accepté
de renoncer à accomplir ce désir[10] ! »

25

Le roi est dans la mer, au plus profond des flots :
les poissons vont et viennent sous ses yeux,
si effrayés par la lumière des lampes
qu'ils n'osent s'approcher et font marche arrière.
Les grands, les plus hardis se trouvent au premier rang :
ils prennent le petit, ont tôt fait de l'engloutir ;
si jamais il échappe, ils lui tendent un piège.
Le plus fort prend le faible, le tue et le détruit.
Quand les petits échappent, ils s'enfoncent dans la mer.
Alexandre le blond a bien vu ce spectacle.
Il fait alors le signe à ceux qui sont là-haut
de tirer sur la chaîne pour le faire remonter.
Ils le remontent bien vite, car ils avaient très peur
de ne pas retrouver leur roi vivant.
Ils prononcent son nom, et lui leur répond vite
qu'il ne s'est pas noyé : ils peuvent en être sûrs !
Ses hommes, tout heureux d'entendre sa voix,
remontent le vaisseau jusqu'à leur barque pour l'ouvrir.
Alexandre lui-même le brise de ses mains.

26

500 Alixandres li rois est du tounel issus,
De ce qu'il fu en mer n'est il pas irascus,
Molt est liés des poissons que il a si veüs.
Qant il vint a la rive, molt fu bien receüs ;
504 Si baron li ont dit : « Bien soiés vos venus. »
Et il lor respondi encontre cent salus.
« Segnor baron, fait il, bien me sui perceüs
Que tous cis siecles est et dampnés et perdus ;
508 Covoitise nos a tous sorpris et vaincus,
Certes par avarisse est li mons confondus.
Je vi as grans poissons devorer les menus,
Ainsi as povres homes est li avoirs tolus.
512 – Sire, dist Tholomés, sauve soit ta vertus ;
S'ore fuissiés noiés, grans maus nos fust venus,
Car plus est vostres cors et doutés et cremus
Que nous ne somes tuit, tant estes conneüs.
516 – Tholomé, dist li rois, grans estors ai veüs.
Par la foi que vos doi, qui molt estes mes drus,
Ja mais ne finerai si serai combatus
A Porron le roi d'Ynde qui ja s'est aparus
520 Ens el chief de sa terre a tout cent mil escus. »

27

« Sire, dist Tholomés, ne lairai ne vos die :
Ne sai noient de roi qui n'a soing de sa vie,
Vos ne chaut de la vostre quel eure soit fenie.
524 Qant vous en mer entrastes, ce fu grans desverie ;
Se vous fuissiés noiés, vostre gent fust perie.
– Tholomé, dist li roi, se Dieus me beneïe,
Ce sachiés por tout l'or qui est tresq'a Pavie
528 Remés ne vausisse estre, ne vos celerai mie,
Car molt i ai apris sens de chevalerie,
Comment guerre doit estre en bataille establie
Aucune fois par force et autre par voisdie,

26

Le roi Alexandre est sorti du tonneau :
il ne regrette pas son voyage au fond de la mer,
mais se réjouit d'avoir pu observer les poissons.
De retour au rivage, tout le monde lui fait fête,
ses barons lui souhaitent la bienvenue
et il leur rend mille saluts.
« Seigneurs barons, dit-il, j'ai bien pu constater
que ce monde tout entier est damné et perdu :
la cupidité règne sur nous tous,
l'avarice mène le monde à sa fin.
J'ai vu les grands poissons dévorer les petits :
de même les pauvres sont dépouillés de leurs biens.
— Seigneur, dit Tholomé, sauf votre respect,
si vous vous étiez noyé, nous en aurions été les premières
[victimes,
car c'est vous que l'on craint, c'est vous que l'on redoute
et que l'on connaît, bien plus que nous !
— Tholomé, dit le roi, j'ai vu de fiers combats.
Par la foi que je dois, à vous, mes compagnons,
je n'aurai plus de cesse que j'engage la bataille
contre Porus, le roi d'Inde, qui s'est déjà montré
aux confins de sa terre, avec ses cent mille hommes. »

27

« Seigneur, dit Tholomé, il faut que je vous le dise :
je fais peu de cas d'un roi qui méprise sa vie.
A vous, peu vous importe l'heure de votre mort !
C'est une grande folie que ce séjour en mer :
si vous vous étiez noyé, c'en était fait de vos hommes !
— Tholomé, dit le roi, que Dieu me protège,
je n'y aurais pas renoncé, sachez-le bien,
pour tout l'or qu'on possède d'ici jusqu'à Pavie !
Car j'ai beaucoup appris sur l'art de chevalerie :
comment livrer bataille
en usant de force mais aussi de finesse,

532 Car force vaut molt peu s'engiens ne li aïe.
     Ne sai noient de roi puis qu'il fait couardie,
     Mais soit larges et preus et ait chiere hardie.
     Tholomé, ce covient, la letre le vos crie,
536 Ja parole de roi ne doit estre faillie.
     Sachiés que mainte terre est sovent apovrie
     Par malvais avoué qu'en a la segnorie.
     De Porron le roi d'Ynde ai tel novele oïe
540 Q'ens el chief de sa terre a sa gent establie ;
     Le matin i movrai o ma grant compaignie.

28

     – Sire, ce dist Dans Clins, molt fait a mervellier
     Qant en l'eaue de mer vos alastes plongier.
544 S'il vos mesavenist de vostre cors noier,
     Trestuit fuissomes mort, n'i eüst recovrier,
     Car il n'i a chemin ne voie ne sentier
     Par ou en nos païs peüssons repairier,
548 Car maintes gens nos heent des testes a trenchier.
     – Dans Clins, ce dist li rois, bien fait a otroier,
     Mais li rois est molt fols et peu fait a proisier
     Qui toutes ses besoignes fera par conseillier –
552 Puis qu'il a tant de sens, qu'il se sache targier –
     Et a autrui s'atent ; bien le puis afichier
     Que il n'est mie rois ne ne vaut un denier,
     Ains est espoëntaus q'on seut en champ drecier
556 Qant li vilains en veut les oisiaus manecier,
     Il ne set ne ne puet ne traire ne lancier.
     Baron, de ma proëce n'avrés ja reprovier,
     Ne sui pas li vilains qui la veut envoier
560 Et la hue son chien ou il n'ose aprochier.

---

11. Cf. Morawski 1287 : « Meauz vaut sens que force ».
12. Cf. *Proverbes*, 17, 7 : « Une langue distinguée ne sied pas à l'insensé, / moins encore une langue menteuse à un prince ».
13. Cf. le *Roman d'Enéas*, éd. J.J. Salverda de Grave, Paris, CFMA, 1968, vv. 6888-6890 : « Vos avez la teche al vilain, / qui la android hue son chien / ou il n'ose aler por rien ».

car la force vaut peu sans l'aide de la ruse[11].
Je fais peu de cas d'un roi qui se conduit en lâche,
je veux qu'il soit généreux, preux et vaillant.
Tholomé, ce qu'il faut, l'Ecriture vous le dit,
c'est que jamais un roi ne manque à sa parole[12].
Sachez que mainte terre est souvent appauvrie
par le mauvais prince qui la gouverne.
De Porus, le roi d'Inde, je viens d'entendre dire
qu'aux confins de sa terre ses hommes sont réunis :
Au matin je me mettrai en route avec ma grande armée.

28

– Seigneur, dit sire Clin, on peut bien s'étonner
de vous voir plonger tout au fond de la mer.
Si vous aviez eu le malheur de vous noyer,
nous étions tous morts sans remède :
nous n'aurions pu trouver ni route ni chemin
pour retourner chez nous,
tant il y a de gens qui aimeraient nous trancher la tête !
– Sire Clin, répond le roi, vos paroles sont justes,
mais un roi n'est qu'un fou peu digne de respect
quand, s'il est assez sage pour pouvoir se défendre,
il s'en remet pour tout à ses conseillers
et écoute les autres. Je vous l'affirme bien :
ce n'est pas là un roi, il ne vaut pas un sou,
c'est un épouvantail, comme ceux que les vilains
dressent dans leur champ pour effrayer les oiseaux.
Il est bien incapable d'utiliser une arme.
Barons, vous n'aurez pas à vous plaindre de ma prouesse.
Je ne suis pas comme le vilain qui envoie son chien
là où il n'ose aller lui-même[13] !

Laissons ester a tant, donés moi a mengier
Et aprés si m'irai reposer et couchier ;
Par matin leverai, car je veul ostoier.
564 De Porron le roi d'Ynde m'ont dit mi messagier
En la fin de sa terre est venus des l'autr'ier,
Et sont ensemble o lui troi cens mil chevalier
Qui bien se sevent d'armes et en estor aidier ;
568 Mais por ce ne vos chaut de riens a esmaier,
Ne sevent point de guerre, car n'en sont costumier.
S'or estoient ensemble de sa gent dis millier
Et seulement i fuissent de Grigois mil archier,
572 Si lor feroient il molt tost le champ vuidier.
S'iere sor Bucifal armés sor mon destrier
Et Tholomé eüsse, cest mien confanonier,
Les douze pers veïsse lor batailles rengier,
576 Toute la terre Dieu vauroie chalengier.
Je n'ai soing de fuïr mais tous tans de chacier.

29

« Baron, dist Alixandres, on m'a dit a veüe
Que Porrus a mandé molt grant gent en s'aiue ;
580 N'a gaires chevaliers, mais molt a gent menue.
Malvaisement armee a sa mort est venue,
Tels dis mil en i a, n'est nes de dras vestue,
Ne porte tous li mieudres ne mais c'une maçue,
584 Ne sevent de bataille, mieus sevent de charue.
En la fin de sa terre est de ça vers l'issue,
Dïent que as Grigois sera bien deffendue.
Se je puis esploitier, ele li iert tolue ;
588 Ja par tel gent nen iert bataille bien ferue. »
A tant laissent ester, Alixandres mengüe.
L'endemain par matin la grans ost s'est meüe
Et passe une montaigne qui d'erbe iert toute nue.
592 Aprés s'en sont alé les une roche agüe ;
La terre fu molt seche et li chaus les argüe.

---

14. Cf. *infra* III, v. 7677 : « Que nous amons plus guerre que aler a charue ».

Laissons-là cette dispute, donnez-moi à manger !
J'irai ensuite me reposer
pour me lever de bon matin et partir en guerre.
De Porus le roi d'Inde, mes messagers m'ont dit
qu'aux frontières de sa terre il vient d'arriver,
accompagné de trois cent mille chevaliers
qui savent se battre et se servir de leurs armes.
Mais ne vous effrayez pas pour autant :
ils ne savent pas faire la guerre, ils n'en ont pas l'habitude.
Si l'on mettait face à face dix mille hommes de Porus
et seulement mille archers grecs,
les Grecs leur feraient vite vider le champ de bataille !
Si j'étais armé et monté sur mon destrier Bucéphale,
avec Tholomé, mon gonfalonnier,
et les douze pairs à la tête de leurs bataillons,
je voudrais disputer toute la terre que Dieu a créée !
Je ne connais pas la fuite, je veux chasser sans cesse !

29

« Barons, dit Alexandre, on m'a donné pour assuré
que Porus a appelé une foule d'hommes à son aide :
très peu de chevaliers, beaucoup de fantassins
qui sont mal équipés et courent à leur mort.
Dix mille d'entre eux ne portent même aucun vêtement
et le plus redoutable ne tient qu'une massue.
Ils savent mieux manier la charrue que les armes[14].
Ils se tiennent aux frontières et disent
qu'ils sauront défendre leur terre contre les Grecs.
Mais je saurai bien enlever sa terre à Porus :
de telles gens ne sauraient se battre ! »
Ils laissent ce propos, c'est l'heure du repas.
Le lendemain matin, la grande armée s'ébranle,
franchit une montagne au sol nu et sans herbe,
puis parvient près d'un rocher pointu :
la terre était très sèche, la chaleur les tourmentait.

Icel jor fu molt l'ost lassee et confondue ;
Se longes lor durast, toute fust recreüe.

30

596　Ce fu el mois de may qu'il se sont combatu,
　　Que li rois Alixandres ot Dayre en champ vaincu
　　Et ot en son demaine le regne retenu,
　　Les prevos ordenés, tels com ses plaisirs fu,
600　Qui par tout Orïent li cuellent le treü.
　　Set jors ont sejorné, a l'uisme sont meü,
　　Si com issoit jugnés en Ynde sont venu.
　　Porrus en estoit rois, uns hom de grant vertu,
604　Et ot o soi mandés tous ciaus de Galeru,
　　Tresques en Ethyope n'a home remasu,
　　Garimantés i vindrent, qui por le chaut sont nu.
　　Grans quatorze lieuees en sont li champ vestu ;
608　Ja ne remandra mais que il n'i ait feru.

31

　　Porrus ot une fille qu'il avoit molt amee ;
　　Por ce l'avoit plus chiere et mieus l'avoit gardee
　　Que sa mere en fu morte le jor qu'ele fu nee.
612　Vit la gent de sa terre por sa guerre effr[e]ee,
　　Ne set qui la commant, crient ne li soit emblee,
　　Car s'il perdoit s'onor et ele i fust trovee,
　　Des que li Grieu l'avroient vilment seroit menee,
616　Ja mais segnor n'avroit tant seroit avilee.
　　Candace la roïne, qui estoit sa privee,
　　Mande que viegne a lui par chartre seelee,
　　Et ele i est venue garnie et conreee
620　O cinc cens chevaliers des mieus de sa contree.
　　Porrus prent la meschine por qui l'avoit mandee,
　　O mervelleus avoir si la li a livree.

---

15. En 326, Paurava (en grec Poros), rajah de la haute vallée de l'Hydaspe,
est vaincu par Alexandre et devient son allié.

L'armée était alors épuisée et à bout :
un peu plus, elle perdait toute son énergie.

30

C'est au mois de mai qu'avait eu lieu la bataille.
Le roi Alexandre avait vaincu Darius
et pris possession de son royaume ;
il y avait nommé ses prévôts selon son bon plaisir,
pour percevoir les tributs de tout l'Orient.
Après sept jours de repos, l'armée se met en route
et parvient en Inde à la fin de juillet.
Porus en est le roi, c'est un prince puissant[15].
Il a appelé près de lui tous ceux de Galeru ;
d'ici en Ethiopie tous ses hommes sont venus,
avec les Garamantes, qui vivent nus à cause de la chaleur
et dont la troupe s'étend sur quatorze lieues.
La bataille est maintenant inévitable.

31

Porus avait une fille qu'il chérissait.
Il l'aimait d'autant plus
que sa mère était morte en la mettant au monde.
Voyant ses troupes effrayées par la guerre,
il ne sait à qui la confier pour éviter de la perdre ;
car s'il était vaincu et qu'on trouvât sa fille,
elle serait déshonorée par les Grecs
et ne pourrait plus jamais trouver un époux.
A la reine Candace, qui est son amie,
il demande donc de venir le rejoindre, par une lettre scellée,
et elle s'en est venue, accompagnée
de cinq cents des meilleurs chevaliers de son pays.
Porus lui confie la jeune fille
avec de prodigieuses richesses.

A son fil le menor, ou il l'a marïee,
624 La roïne s'en va, ses fieus l'a esposee.
Porrus part de sa fille par itel destinee
C'onques puis ne la vit que ele en fu menee.
La crieme de sa fille puis qu'il l'a trespassee,
628 En la fin de sa terre a sa gent ordenee.
Li Grieu sont aprochié, la guerre est afilee,
Ja mais sans grant damage ne la verra finee.

32

Molt par fu grans la gent que Porrus ajostot,
632 Onques rois d'Oriant gregnor avoir ne pot,
A grant effors i vint cil qui onques l'amot.
Entre les dessemons et ciaus que il mandot,
Trente mil et quarante, ce m'est vis, en i ot,
636 Si ot trente milliers de ciaus de Mont Escot.
En un mirable curre chascuns de ciaus estot,
Grans faus ont atachiees environ au charrot.
Qant se movoit la beste qui le curre menot,
640 Qant qu'encontroit la faus avant li detrenchot,
Qant pot consivre l'ome maintenant l'afolot.
Chascuns de ciaus dedens arbaleste portot,
Dieu avoit a garant qui de ciaus eschapot.

33

644 De ciaus qui a pié sont n'est nus qui nombre en die.
Des chevaliers de Parte et de ciaus de Sulie,
Qui la ierent venu faire chevalerie,
Cent mil en ot o soi Porrus de tel baillie
648 Que il n'i a celui qui n'ait targe flourie
Et bon cheval courant et broigne a or sartie.
Alixandres les voit, tout ce tient a folie

---

16. Cf. *infra*, laisses 268-269 : lors du séjour d'Alexandre chez Candace, le fils cadet de la reine reconnaît Alexandre sous le masque d'Antigonus et veut le tuer.

La reine rejoint son fils cadet, à qui la princesse est promise,
et l'on célèbre les noces[16].
Porus quitte sa fille : le destin veut
qu'il ne la revoie plus jamais.
Soulagé de ses craintes pour elle,
il dispose ses troupes à ses frontières.
Les Grecs approchent, la guerre est imminente :
elle ne se terminera pas sans perte pour lui.

32

Porus a rassemblé une armée immense,
la plus grande qu'un roi d'Orient ait jamais commandée.
Tous ceux qui l'aimaient l'ont rejoint avec leurs troupes.
Entre ceux qui avaient été convoqués et ceux qui étaient venus
ils étaient entre trente et quarante mille, je crois, [d'eux-mêmes,
ainsi que les trente mille du mont Escot,
chacun d'eux dans un char admirable,
à la boîte duquel on avait fixé de grandes faux.
Dès que le cheval commençait sa course,
la faux tranchait tout ce qui se trouvait sur son passage
et tuait tous les hommes qu'elle pouvait atteindre.
Les guerriers dans les chars avaient une arbalète :
il fallait la protection de Dieu pour leur échapper.

33

Quant aux troupes à pied, on ne peut les dénombrer.
Les chevaliers parthes et syriens
sont venus montrer leur bravoure :
ils sont cent mille avec Porus, tous bien équipés
d'une targe à fleurs peintes,
d'un bon cheval rapide et d'une broigne sertie d'or.
Alexandre les voit et les tient pour des fous.

Et a dit a ses homes : « Ne vous esmaiés mie ;
652 Cele gent que veés n'est pas amanevie,
Ja ne se tenra point se bien est envaïe.
De l'or et de l'argent qui par ces vaus formie
Sera riche clamés tos les jors de sa vie
656 Qui bien les conquerra a l'espee forbie.
Le matin i movrons, quant l'aube iert esclarcie. »
Qant l'ot Emenidus, ne puet müer ne rie.

34

A l'aube aparissant d'ambes pars sont monté
660 Et furent de bataille garni et conreé.
Quarante et deus eschieles a li rois ordené :
Toute la premeraine commanda Aristé,
La seconde Filote, la tierce Tholomé,
664 A chascune des autres a bon conduit livré.
Dant Cliçon et Filote a li rois commandé
Que qant Porrus iert hors a trestout son barné
Que cil a pié se metent entr'aus et la cité ;
668 Devant la geude soient mil chevalier armé,
Que n'en tornent arriere Persant ne Filisté.
Molt par fu grans la presse la ou il sont josté,
Malmis i sont li ort et li vergié quassé,
672 Les vignes derompues et craventé li blé.
La peüssiés veoir tant escu estroué,
Tant hauberc derompu et tant elme quassé
Et tant pié et tant poing a la terre caupé ;
676 En lor sanc se devautrent li chevalier navré.
Garimantés s'esmaient, car trop furent grevé ;
Por ce que il sont nu, fuiant s'en sont torné.

35

La bataille fu grans et la gens fu grifaigne,
680 Des vignes et des bles ont perdu la gaaigne.
Garimantés s'en fuient droit a une montaigne,
Cil de Parte autre part, n'i a nul qui remaigne ;
Li maines rois les sieut o sa ruiste compaigne.

« Ne vous inquiétez pas ! dit-il à ses hommes,
ces gens-là ne sont pas aguerris
et ne résisteront pas à une attaque.
Celui qui saura les vaincre de son épée fourbie
pourra se dire le maître, tout le reste de sa vie,
de l'or et de l'argent qui brillent dans ces vallées !
Demain matin, dès l'aube, nous les rejoindrons ! »
A ces mots, Emenidus se met à rire de joie.

34

Dès l'aube, des deux côtés les combattants montent à cheval,
tout prêts pour la bataille.
Le roi a réparti l'armée en quarante-deux compagnies :
la première commandée par Aristé,
la deuxième par Filote, la troisième par Tholomé.
Chacune des autres est confiée à un bon chef.
A sire Clin et Filote le roi a commandé,
quand Porus sortira avec tous ses barons,
d'interposer les fantassins entre les ennemis et la cité,
avec mille chevaliers devant eux,
pour couper la retraite aux Perses et aux Philistins.
Quand les troupes se rencontrent, c'est une immense mêlée ;
les jardins sont détruits, les vergers mutilés,
les vignes mises en pièces et les blés écrasés.
Que d'écus troués l'on pouvait voir,
que de hauberts rompus, que de heaumes brisés,
et les pieds et les poings qui jonchaient le sol !
Les chevaliers blessés baignent dans leur sang.
Les Garamantes, épouvantés, couverts de blessures
en raison de leur nudité, se mettent à fuir.

35

La bataille fait rage, les guerriers sont farouches.
Des vignes et des blés il ne reste plus rien.
Les Garamantes s'enfuient droit vers une montagne,
les Parthes d'un autre côté : pas un seul ne demeure.
Le grand roi les poursuit avec sa rude armée.

684 La veïssiés trenchier tant pis et tant entraigne,
Et tant chevalier mort gesir par la champaigne,
De sanc et de cervele fu coverte la plaigne.
Porrus vit le damage et le mal qui engraigne,
688 Ne fuïr ne s'en veut ne ne set com remaigne ;
Sa cité a perdue sans nule recovraigne,
Li Grieu qui sont devant li souflent la chastaigne.
Maudist le roi de Gresce, qui sa gent li mehaigne,
692 A piece n'iert mais jors que de lui ne se plaigne.

36

Emenidus fu preus et fu nes de Valterne,
N'ot millor chevalier trusqu'en fine posterne.
Il sist el cheval noir que on claime Pïerne,
696 Sel tramist Alixandre uns princes de Salerne.
O l'eschiele des Grieus qu'il conduist et governe
El cuer de la bataille encontra Oliferne,
Rois iert de la montaigne entre bise et galerne.
700 Emenidus le fiert, que de riens ne l'espergne ;
Ne li vaut li escus le fons d'une lanterne,
Tout son hauberc li ront qui fu fais a Lïerne,
Par mi le cors li mist l'ensegne de Palerne,
704 Si que mort le trebuche les une viés cisterne.
L'ame en portent maufé en la fosse d'enferne.

37

Sichem de Valebron vit Oliferne mort,
Il broche le destrier, le gonfanon destort.
708 Sor l'escu de quartier va ferir Licanort,
Si que l'anste peçoie, qui fu de sacremort.

---

17. E.C. Armstrong (*Modern Language Notes*, 47, 1932, pp. 490-493), rapproche cette expression de l'emploi du verbe *souffler* au jeu des dames, c'est à dire « éliminer une pièce de l'adversaire », et y voit une allusion à un jeu populaire.

18. *Bise* et *galerne* désignent respectivement un vent du nord et un vent du nord-ouest.

On pouvait voir trancher poitrines et entrailles,
et les chevaliers morts gisant dans la campagne.
La plaine est recouverte de sang et de cervelle.
Porus voit son malheur qui grandit d'heure en heure ;
il ne veut pas s'enfuir mais ne peut plus rester.
Sa cité est perdue sans le moindre recours,
les Grecs sont sous ses murs et lui dament le pion[17].
Il maudit le roi de Grèce, qui met à mal ses gens :
il n'est pas près de cesser de s'en plaindre !

36

Emenidus le preux était né à Valterne ;
il n'était de meilleur chevalier jusqu'en Fine Poterne.
Il monte un cheval noir que l'on nomme Pierne,
qu'Alexandre reçut d'un prince de Salerne.
Suivi de la compagnie qu'il conduit et dirige,
il affronte Oliferne au cœur de la bataille,
le roi de la montagne qui s'étend entre le nord et l'ouest[18].
Emenidus le frappe sans l'épargner :
son écu le protège autant qu'une lanterne.
Il lui fend son haubert de Lierne
et lui enfonce dans le corps son enseigne de Palerme,
le renversant, mort, près d'une vieille citerne.
Les démons emportent l'âme tout au fond des Enfers.

37

Sichem de Valebron voit Oliferne mort.
Il éperonne son destrier, déploie son gonfanon.
Sur l'écu écartelé, il frappe Licanor
et brise la hampe de sycomore de sa lance.

Filotes, qui traverse, le ra feru si fort
Que jambes enversees l'abati en un ort ;
712 Li chevaus fu braidis, arriere se resort.
Porrus vint a l'escousse si li fist tel confort
Ne laisse por les Grieus que triés soi ne l'en port,
Et fu ensamble o lui Abïus de Gomort.

38

716 Assael sist armés desor un cheval rous,
N'encontre chevalier qu'il ne face angoissous ;
Porrus le vait ferir, qant Sichem ot rescous,
Enpaint le de vertu, des estriers le fait blous.
720 D'un margas ou il chiet est ses elmes terous.
De meïsmes la pointe fiert Joab l'orgellous
Et Joab refiert lui, qui molt fu aïrous,
Que d'ambesdeus les hanstes volent a mont li trous
724 Et jambes renversees s'abatent en l'erbous.
Li chevals Joab fu felons et estorçous,
Ses resnes traïnant s'en fuit tot un perrous.
Cil resaillent en piés irié et vergoignous,
728 O les brans acerins se fierent coureçous.
Sempres vient apoignant el destrier ravinous
Abïus de Gomort, ques depart ambesdous,
Porron rent son cheval, qui'n estoit besoignous.
732 Andui s'en sont torné et Joab remest sous.

39

Moab, uns rois d'Aufrique, sist sor une gazele
Qui plus cort de ravine que ne vole arondele.
Vait ferir Tholomé, qui les autres chadele,
736 Enpaint le par vertu, que tout le desasele.
Dans Clins point cele part le destrier de Castele
Et vait ferir Moab en l'escu de roële,
Que sous la boucle a or li fraint et eschantele
740 Et la broigne li trenche, le pis et la forcele,
Q'as doulles de l'espié le cuer li esquartele ;
Devant sor son arçon li chaï la boële.

Mais Filote, qui passe par là, le frappe à son tour si fort
qu'il l'abat, la tête la première, dans un jardin :
le cheval se relève en hennissant.
Porus vient à sa rescousse et le secourt si bien
qu'il repart avec lui malgré les Grecs,
accompagné d'Abius de Gomort.

38

Assael, en armes, monté sur un cheval roux,
fait le malheur de tous les chevaliers qu'il rencontre.
Porus s'attaque à lui, après avoir secouru Sichem :
il le frappe avec une telle violence qu'il lui fait vider les étriers,
et l'autre tombe dans un marais, le heaume tout boueux.
De la même pointe, Porus frappe Joab l'orgueilleux
et Joab lui rend ses coups avec emportement :
les tronçons des deux lances volent dans les airs
et les deux cavaliers s'abattent, la tête la première, sur l'herbe.
Le cheval de Joab, brutal et violent,
s'enfuit, traînant ses rênes dans les pierres.
Les cavaliers sautent sur leurs pieds, courroucés et honteux
et se frappent furieusement de leur lame d'acier.
Voici, éperonnant son destrier impétueux,
Abius de Gomort, qui les sépare,
rend à Porus son cheval, dont il avait bien besoin,
et repart avec lui, laissant Joab seul.

39

Moab, un roi d'Afrique, monte une gazelle
à la course plus rapide que le vol de l'hirondelle.
Il attaque Tholomé, le meneur d'hommes,
et le frappe si fort qu'il le désarçonne.
Sire Clin dirige vers lui son destrier de Castille
et vient le frapper sur son écu rond
qu'il brise et met en pièces sous la boucle dorée ;
il tranche la broigne, la poitrine et la gorge,
et lui broie le cœur de la douille de sa lance :
les entrailles tombent sur les arçons.

Dans Clins enpaint Moab sel lieve de la sele ;
744　Cil chaï mors a dens desor l'erbe novele.

40

Moab ot un neveu de novel adoubé,
Onques en nule terre ne vi plus bel armé.
Aminadap l'apelent Persant et Filisté
748　Et fu dus de Caspois, d'une grant richeté,
Une terre garnie de trestout le bien Dé.
Qant il vit mort son oncle, Moab le fil Taré,
Ne fu mie mervelle s'il ot le cuer iré.
752　Sist sor un cheval blanc qui fu destre comé,
Qui plus cort de ravine qant on l'a esfreé,
Que faus ne sieut aloe qant il a geüné.
Ses lorains et ses armes valent une cité :
756　La sele fu d'ivoire, li frains d'or esmeré,
Ses haubers fu legiers si ot molt grant bonté,
Ne crient caup de saiete ne de dart enpené ;
Li hiaumes de son chief getoit molt grant clarté,
760　En son ot un topace a esmaus neelé ;
Li escus de son col estoit d'or envausé,
L'anste de son espié fu d'un fraisne plané,
En son ot un penon d'un vert paile röé.
764　Il point entre deus rens le blanchet afilé,
A haute vois escrie Dant Clin et Tholomé
Si lor demande joste, car molt l'a desirré.
Qant Tholomés l'entent, si l'en a regardé,
768　Le chief de l'auferrant a vers lui trestorné,
Et li dus point a lui, ne l'a pas redouté ;
As fers de lor espiés se sont entr'encontré,
Toutes plaines lor lances se sont entreversé,
772　Porrus point au rescourre si a son duc monté,

---

19. Le pennon est une flamme triangulaire ou une banderole fixée au bout
de la lance des chevaliers (le gonfanon, étendard ou banderole à deux ou trois
queues, étant réservé aux princes, comtes et barons).

20. *Auferrant* (vraisemblablement de l'arabe *al-faras*, cheval) désigne le
coursier, le cheval de bataille. Il peut être employé comme adjectif (III 796).

Sire Clin renverse Moab à bas de sa selle :
il tombe mort, à plat ventre sur l'herbe nouvelle.

40

Moab avait un neveu, tout frais adoubé,
le plus beau chevalier que j'aie jamais vu.
Perses et Philistins l'appellent Aminadanap ;
il est duc de Caspois, une riche contrée
pourvue de tous les biens créés par Dieu.
La mort de son oncle Moab, fils de Taré,
le remplit d'une douleur bien naturelle.
Il monte un cheval blanc à la crinière flottante
qui va plus vite, quand il a peur,
que le faucon affamé poursuivant l'alouette.
Son harnais et ses armes valaient une cité.
La selle était d'ivoire, le frein d'or pur,
le haubert, léger, était si bien fait
qu'il ne craignait ni flèche ni dard empenné.
Le heaume, sur sa tête, dégageait une vive clarté,
orné à son sommet d'une topaze émaillée de noir.
L'écu pendu à son cou était couvert d'or.
Le bois de sa lance était de frêne poli,
avec à son sommet un pennon de soie verte brodée de rosaces[19].
Il éperonne entre deux rangs son blanc cheval rapide,
défie à haute voix sire Clin et Tholomé
et demande la joute : c'est son vœu le plus cher.
Tholomé l'entend et le regarde.
Il tourne vers lui la tête de son coursier[20].
Le duc galope vers lui sans peur.
Les fers des lances s'entrechoquent :
de toute la longueur de leur lance, ils se sont renversés.
Porus vient aider son duc à se remettre en selle

Et Tholomés saut sus quant se sent aterré ;
Ains que Porrus tornast li a tel caup doné
Que por un seul petit qu'il ne l'a affolé,
776 Sor le col del destrier l'a trestout acliné.
Alixandres le voit si l'a forment löé,
Par la resne li maine le destrier abrievé,
Et Tholomés i monte par son estrier doré.

41

780 Ne sai que vous alasse toute jor acontant :
O eus joint Alixandres a l'aube aparissant,
Ains fu pres mïedis que onques fu issant.
Sardeus, uns rois de Parte, sor un cheval corant
784 Aloit par la bataille s'ensengne desploiant,
Mascedonois et Grieus va forment menaçant,
Alixandre demande, por joindre vait querant,
Ebarion a mort et Seruc et Erlant.
788 Qant Alixandres l'ot, tous taint de maltalant,
Il broche Bucifal et met l'escu avant,
De l'espee qu'il tint li dona un caup grant,
La ou plus haut le vit, desor l'elme luisant ;
792 Par l'escu de son col ne pot avoir garant,
Li haubers c'ot vestu ne li valut un gant,
Desi que es arçons le vait tout porfendant ;
Il a estors son caup, mort l'abat a itant.
796 Qant l'ot mort abatu du destrier auferrant,
Li rois crie s'ensegne, sa gent vait raliant.
O vint mil de ses homes s'en vait Porrus fuiant
Tout droit as desers d'Ynde, qui sont vers Oriant.
800 Eschec i ot tel pris nus hom ne vit si grant,
Car retenu i furent quatre cens olifant
Qui portoient les tours ou li archier erant.

42

Sados vint d'outre Egypte, rois fu de Salemandre.
804 Ne torne cele part des Grieus ne face escandre
Por Sardeus, qu'il vit mort gesir sor la lavandre.

et Tholomé, dès qu'il touche le sol, saute sur ses pieds.
Avant le départ de Porus, il lui assène un tel coup
qu'il l'abat sur l'encolure de son destrier
et pour un peu, le tuait.
Alexandre loue hautement cet exploit
et lui amène par la bride son destrier véloce :
Tholomé monte en selle par l'étrier doré.

41

Je ne passerai pas la journée à ce récit.
Dès l'aube, Alexandre a attaqué les Indiens.
Il était près de midi quand la bataille se termina.
Sardeus, un roi des Parthes, sur un cheval rapide,
allait par la bataille, déployant son enseigne,
menaçant à grands cris Grecs et Macédoniens.
Il demande Alexandre car il veut l'affronter ;
il a tué Ebarion, Seruc, ainsi qu'Erlant.
Alexandre l'apprend, il blêmit de colère,
éperonne Bucéphale, se protège de son écu.
De son épée levée il lui porte un coup
le plus haut possible, sur son heaume brillant.
L'écu de Sardeus ne le protège pas,
son haubert lui sert autant qu'un gant.
Alexandre le pourfend de la tête aux arçons ;
il assène son coup et l'abat mort à terre.
Quand il l'a abattu de son coursier,
le roi lance son cri de ralliement, rassemble ses troupes
et, avec vingt mille hommes, il pourchasse Porus
jusqu'aux déserts de l'Inde, situés vers l'Orient.
Il amasse un butin comme on n'en vit jamais,
car il a capturé quatre cents éléphants
qui portaient des tourelles garnies d'archers.

42

Sados vient d'au-delà de l'Egypte, il est roi de Salamandre.
Partout où il va, c'est l'alarme pour les Grecs.
Voyant Sardeus qui gît mort sur la lavande,

Sor son hauberc derrier vait ferir Alixandre,
L'anste vola en pieces, qui fu de Coroandre.
808 Emenidus fiert lui, qui sist el cheval d'Andre,
Si que l'elme li trenche, qui fu au roi Evandre ;
Le sanc et la cervele li fist a terre espandre.

43

Sidras de Babiloine desor son auferrant
812 Vet forment Alixandre et les Grieus menaçant,
A Tholomé veut joindre si vait esperonant,
Por venir a l'encontre broche tout un pendant.
Dans Clins, li fieus Caduit, le fiert en trespassant,
816 Si que le hiaume trenche et la cervele espant,
Et cil chiet jus a terre si fu mors en itant.
Puis saisist par la resne le bon cheval courant
Si l'a rendu Joab, qui mestier en ot grant ;
820 Sous son elme s'en vait a Tholomé riant.
Porrus voit sa compaigne qui vait affebloiant
Et les Grieus qui s'afichent et les vont ociant
Et la male aventure qui sor eus vait chaant.
824 De torner a la vile ne font nesun semblant,
La chastaigne li souflent li Grieu qui sont devant ;
A vint mil de ses homes s'en va Porrus fuiant
Tout droit as desers d'Ynde, qui sont vers Oriant.

44

828 Astaros de Nubie voit que Porrus s'en vait,
De torner a la vile nesun semblant ne fait.
Il escrie s'ensaigne, a une part se trait,
Onques de tous ses homes ne pot avoir que set.
832 A un baron de Gresse vait doner tel gamait
Que l'escu de son col li a percié et frait ;
Tres en mi la poitrine le gonfanon li lait ;
Si com il s'en passe outre, cil trebuche el garait.

---

21. Cf. *supra*, III, v. 690.

il frappe Alexandre par-derrière, sur son haubert,
et sa lance de Coroandre vole en pièces.
Emenidus, monté sur son cheval d'Andros,
lui tranche son heaume, qui avait appartenu au roi Evandre,
répandant sur le sol le sang et la cervelle.

43

Sidras de Babylone, monté sur son coursier,
menace à grands cris Alexandre et les Grecs.
Il veut affronter Tholomé, éperonne son cheval
le long d'une pente pour venir à sa rencontre.
Sire Clin, fils de Caduit, le frappe au passage,
tranche son heaume et répand sa cervelle :
Sidras tombe à terre, mort.
Clin saisit par la bride son bon cheval rapide
et le donne à Joab, qui en a bien besoin.
Il rejoint Tholomé, souriant sous son heaume.
Porus voit son armée qui s'affaiblit,
les Grecs, solides sur leurs étriers, qui massacrent ses hommes,
et le mauvais sort qui s'acharne sur les siens :
ils n'essaient pas même de rejoindre la ville,
car les Grecs, devant eux, leur dament le pion[21].
Avec vingt mille hommes, Porus s'en va fuyant
jusqu'aux déserts de l'Inde, qui sont vers l'Orient.

44

Astarot de Nubie voit la fuite de Porus,
qui n'essaie pas de rejoindre la ville.
Il lance son cri de ralliement, se dirige vers le côté ;
il n'a pu réunir que sept de ses hommes.
A un baron de Grèce il porte un tel coup
qu'il transperce l'écu pendu à son cou
et lui enfonce son gonfanon dans la poitrine.
Il poursuit sa course et l'autre s'effondre dans le guéret.

836 Il n'a nul compaignon qui autretel n'ait fait.
     Tholomés l'esgarda de la ou il estait,
     Or se tient a honi s'ainsi aler l'en lait.

45

839 Astaros de Nubie ne fine ne ne cesse,
840 Quatorze chevaliers lor a mors en la presse,
     De ses set compaignons un trestout seul n'i lesse.
     Tholomés vait encontre, vers Astarot s'eslesse,
     Tel cop li done en l'elme que tout li fent et plesse,
844 Sor l'arçon premerain por le grant cop s'abaisse.
     Por Tholomé ferir chascuns des set s'eslesse,
     O les brans acerins li donent tel confesse
     Sempres fust afolés ne fust Dans Clins d'Aresse.

46

848 Dans Clins vit Tholomé qui iert en tel trepoi,
     Ne que deus compaignons n'avoit ensamble o soi.
     Pour Tholomé rescorre poignent tout a desroi
     Et vont joindre a ces set et si ne sont que troi.
852 O les brans acerins les metent en effroi ;
     Si lor ont abatu l'orguel et le boufoi
     N'i a nul qui de vivre sache prendre conroi ;
     Li cheval vont courant par mi le sablonoi.

47

856 Astaros voit ses homes gesir par le sablon
     Et sait que ja par aus n'avra rescoussion.
     Il fu forment navrés el pis sous le menton
     Et du senestre bras ot trenchié un braon.
860 Ce n'est mie mervelle se il quiert garison,
     Nel puet mais endurer, fuit s'ent a esperon.
     Li destriers de Nubie l'en porte de randon
     Et Tholomés l'enchauce, il et si compaignon.
864 Plus tost s'en vait poignnant devant par un gason
     C'uns fors arbalestriers ne traisist un bougon.

Tous ses compagnons suivent cet exemple.
Tholomé l'observe de loin :
honte sur lui, s'il le laisse ainsi partir !

45

Astarot de Nubie ne s'arrête pas en chemin.
Il a tué dans la mêlée quatorze chevaliers grecs,
sans perdre un seul de ses sept compagnons.
Mais voici Tholomé, il s'élance vers Astarot,
d'un coup il tord et fend son heaume
et sous la violence du choc le renverse sur l'arçon de devant.
Les sept autres s'élancent sur Tholomé,
de leurs lames d'acier ils le confessent si bien
qu'il était déjà mort, sans sire Clin d'Aresse.

46

Sire Clin voit Tholomé pris dans cette presse.
Il n'a que deux compagnons avec lui
mais tous trois, malgré leur petit nombre, se précipitent
au secours de Tholomé contre ses sept adversaires.
De leurs lames d'acier ils les plongent dans l'effroi,
abattent leur orgueil et leur arrogance.
Pas un de leurs ennemis ne reste en vie.
Les chevaux s'égaillent sur le sable.

47

Astarot voit ses hommes qui gisent morts sur le sable.
Il sait qu'il ne peut plus compter sur leur aide.
Gravement blessé à la poitrine, sous le menton,
il a perdu un morceau de son bras gauche.
Comment s'étonner qu'il cherche son salut ?
Incapable d'en endurer davantage, il éperonne son cheval.
Son destrier de Nubie l'emporte à vive allure
Tholomé le pourchasse avec ses compagnons.
Mais il galope plus vite, sur l'herbe,
qu'un carreau décoché par une forte arbalète.

Tholomés dist as siens : « Car nos en retornom ;
Trop nos est eslongiés, ja mais nel baillerom. »
868 Qant il furent arriere tout le petit troton,
Si fu li chans vaincus et livrés a bandon
Q'ainc puis n'i ot feru d'arme ne de baston.

48

Qant vit li maines rois que li chans fu vaincus, –
872 Tout droit as desers d'Inde s'en vait fuiant Porrus,
O vint mil de ses homes s'en vait escombatus,
Molt par chevalche tost, ja mais n'iert conseüs, –
Li rois retorne arriere, ens el champ est venus
876 Et a saisi l'avoir, ains tels ne fu veüs,
Et muls et olifans que Porrus ot perdus.
Li bons rois Alixandres d'iluec s'est esmeüs,
La cité prent par force s'est el palais venus
880 Les portes sont d'ivoire, onques n'i toucha fus,
Par toutes les parois est li fins ors batus.
Li rois en entra ens o quinze de ses drus,
Trusq'a trente pilers a de tel or veüs
884 Qui por bien afiner fu quatre fois fondus.
« Dieus ! dist li maines rois, dont est cist ors venus
Et si tres grans avoirs ou fu aconseüs ?
Par le mien ensïent, il est du ciel pleüs,
888 Car du fin or d'Arrabe qui çai ens est fondus
Porroit on massis faire cinquante mil escus.
Qui or en veut avoir por quoi se fait il mus ?
Ja en donrai je tant as grans et as menus
892 Ja mais au mien espoir n'en iert uns confondus. »
Qant l'entendent si home, dïent que sa vertus
Soit salve et essaucie de Dieu et de ses drus.

---

22. Sur la description du palais de Porus et la vigne d'or, cf. Lettre à Aristote, éd. Boer, Meisenheim 1973, pp. 4-5, trad. Bounouré-Serret dans Pseudo-Callisthène, *Le Roman d'Alexandre*, Paris, 1992, p. 125.

Tholomé dit aux siens : « Retournons maintenant !
Il est trop loin de nous, nous ne l'atteindrons pas ! »
A leur retour, au petit trot,
la bataille était terminée, la victoire leur appartenait :
tous les combats s'arrêtèrent.

48

Quand le grand roi voit qu'il a remporté la victoire,
que Porus va fuyant jusqu'aux déserts de l'Inde,
défait, avec vingt mille de ses hommes,
et chevauche si vite qu'on ne saurait le rejoindre,
il revient sur ses pas, sur le champ de bataille,
et s'empare d'un butin comme on n'en vit jamais :
les mules, les éléphants que Porus a perdus.
Le bon roi Alexandre s'éloigne à son tour,
s'empare de la cité, entre dans le palais.
Les portes en sont d'ivoire, sans nulle trace de bois,
tous les murs sont couverts d'or fin battu[22].
Le roi y pénètre avec quinze de ses amis :
il découvre jusqu'à trente piliers d'un or
que l'on a fait fondre quatre fois pour mieux l'affiner.
« Dieu ! s'écrie le grand roi, mais d'où vient donc cet or
et comment a-t-on pu amasser tant de biens ?
Je crois qu'ils sont tombés du ciel,
car de l'or fin d'Arabie que l'on a ici fondu,
on pourrait faire cinquante mille écus d'or massif.
Si l'on veut de l'or, qu'on parle !
J'en donnerai tant aux grands et aux petits
que pas un seul, je crois, ne sera déçu ! »
Ses hommes, à ces mots, lui souhaitent de voir sa valeur
protégée et accrue par Dieu et par les siens.

49

Qant ot pris Alixandres le palais principal,
896 Por parler a ses homes s'arestut el portal.
Par un sien chevalier manda au seneschal
L'eschec de la bataille departe par ingal,
Celui qui vait a pié gart que il ait cheval
900 Et face livrison a chascun a l'ostal.
Lai ens s'en est entrés, devant soi Bucifal,
A un piler l'atache devant un dois royal.
Au chief de cele table trueve une chambre ital
904 Tous jors i sont tempré li baing emperial
Qui d'a mont par conduit descendent contre val
Et montent en la tour la desus par chanal.
Li basmes qui cort ens par conduit de cristal
908 Raplenist si le lieu d'odour esperital
Que onques Dieus ne fist icel home carnal
Qui tant fust engrotés d'enfermeté mortal,
S'il i peüst baignier un seul jor a jornal,
912 Q'il ne fust tous garis en meesme l'estal
Ne ja puis en tout l'an sentist dolor ne mal.
Li chaalit qu'i sont ne sont pas de metal,
Ains sont tuit de fin or a uevre natural.
916 Sor chascun pecoul ot fremé un tel esmal
Que plus cler reflamboient que ne font estaval.

50

Au chief de cele chambre truevent un sousterin
Ques maine en une trelle qui fu faite a or fin.
920 D'Ethyope la firent orfevre barbarin
Si com lor ensegnierent quatre clerc sarrasin ;
Toute l'uevre qu'i fu entaillierent Hermin,
D'ebenus sont les forches, li chevron cipressin.
924 Une vigne i ot mise par issi grant engin,
Les fuelles sont d'argent, ce truis el parchemin,
De jagonces les vis, de cristal li roisin ;
Ce samble ques esgarde qu'il soient plain de vin,
928 De jaspes, d'esmeraudes i ot si grant traïn.

49

Quand Alexandre a pris le palais princier,
il se dresse à la porte pour parler à ses hommes.
Il envoie un chevalier dire à son sénéchal
de répartir équitablement le butin de la bataille :
qu'il veille à donner un cheval à ceux qui vont à pied
et à livrer à chacun sa part à son logis.
Il entre dans le palais, Bucéphale devant lui,
et l'attache à un pilier devant une table royale.
Après cette table il découvre une pièce
où l'on prépare les bains de l'empereur :
l'eau descend du haut vers le bas par des conduits
et remonte dans le donjon par un autre canal.
Le baume qui circule dans le palais par un conduit de cristal
remplit le lieu d'une odeur si céleste
que la créature de Dieu
la plus atteinte d'une maladie mortelle
n'aurait qu'à s'y baigner un seul jour depuis l'aube
pour guérir aussitôt sur place
et être préservée tout un an de douleur et de mal.
Les lits qu'on y trouve ne sont pas de métal
mais tous d'or fin, d'un travail merveilleux.
Sur tous les pieds des lits des émaux
brillent plus clair que des cierges.

50

A un bout de cette pièce ils trouvent un souterrain
qui les mène à une treille d'or fin,
œuvre d'orfèvres berbères d'Ethiopie,
sous la direction de quatre clercs sarrasins ;
des Arméniens se sont chargés de la sculpture.
Les enfourchures sont d'ébène, les branches de cyprès ;
une vigne y est représentée avec le plus grand art,
avec des feuilles d'argent, mon parchemin le dit,
des vrilles d'hyacinthe, des raisins de cristal :
on croirait à les voir qu'ils sont gorgés de vin,
tant brillent parmi eux les jaspes et les émeraudes.

51

Qant ot assés la trelle esgardee et joïe,
Vait entor le palais par une herbeuse vie,
Par le pan du mantel les lui Licanor guie,
932 Car veoir veut de l'uevre com ele est establie.
Ains Dieus ne fist cel arbre qui entailliés n'i sie
Ne maniere d'oisel n'i soit a or sartie,
Et ont or en lor ongles, en lor bes margerie.
936 Par un huis est entrés en la boutellerie,
De mil et set cens nes la trova si garnie,
Peu en i ot d'argent, toute l'uevre est chancie,
Bien a mil ans passés c'une n'en fu emplie.
940 D'iluec en est entrés en la mahomerie,
Des ymages as dieus i ot grant establie,
D'un jor et d'une nuit n'est hom qui nombre en die ;
N'en i a une seule ne soit grans et fornie
944 Et ne soit de fin or massicement bastie ;
Un vaissel tint chascune ou on li sacrefie.
« Dieus ! dist li maines rois, com faite manandie !
Com ert poissans li rois qui ce ot en baillie,
948 Car trestoute la terre qui est adesertie,
Si com la mer l'enclot qui environ tornie,
De l'or qui est çai ens puet estre raplenie. »

52

La nuit jut Alixandres, molt fu grans ses barnés,
952 De lui ne fu a dire nisune richetés.
A l'aube aparissant fu premerains montés,
Dis mil somiers a pris d'or et d'argent troussés,
Tant en done a ses homes qu'a chascun fu assés.
956 Ains qu'il fuissent tuit hors, fu li solaus levés,
Qui reluist es escus de fin or adoubés,
Es haubers acerins et es elmes gemés ;

---

23. Sur le thème du trésor caché qui moisit sans servir à personne, cf. *supra* I, v. 651 et III, v. 2299.

51

Quand il a bien rempli ses yeux du spectacle de la treille,
il parcourt le palais par un chemin herbeux,
guidant Licanor à ses côtés par le pan de son manteau :
il veut voir toutes les merveilles du palais.
Dieu n'a pas créé d'arbre qu'il ne retrouve, sculpté,
avec toutes les espèces d'oiseaux, où l'on a enchâssé l'or :
ils ont des griffes d'or, leur bec est une perle.
Une porte le mène au cellier,
rempli de mille sept cents nefs de table,
la plupart en or ; mais toute la décoration en est moisie[23],
car il y a bien mille ans qu'on ne les a pas remplies.
Il pénètre de là dans la mosquée,
remplie de statues des dieux
si nombreuses qu'on ne saurait les compter en un jour et une
Toutes sont grandes et larges   [nuit.
en or fin et massif.
Chacune d'elles tient un plat destiné aux sacrifices.
« Dieu ! s'écrie le grand roi, quelle richesse prodigieuse !
Qu'il était puissant, le roi qui possédait ces trésors !
Car tous les déserts
enclos par la mer qui les entoure,
pourraient être couverts par l'or de ce palais ! »

52

Alexandre se reposa cette nuit-là, le valeureux baron.
Il possédait désormais toutes les richesses imaginables.
Dès l'aube, il est le premier à se mettre en selle.
Il fait charger d'or et d'argent dix mille chevaux
pour en donner à chacun de ses hommes autant qu'il en
Avant leur départ de la ville, le soleil était levé   [souhaite.
et resplendissait sur l'or des écus,
l'acier des hauberts, les pierreries des heaumes :

Grans quatorze lieuees en dure la clartés.

960 De joie qu'ot li rois si s'en est arestés
Et fait soner un graille, es les vos aünés.
Qant les vit tous ensemble, si les a merciés :
« Segnor mascedonois, molt vos ai ahanés,

964 Je criem ne vos anuit que tant vos ai lassés.
Faites m'avés batailles et conquis mains regnés,
Moie en est la loënge et vostre en est li gres.
Ç'a fait vostres vertus et vostres grans bontés,

968 Car par toutes les terres sui rois des rois clamés.
Bien le me dist mes cuers et bien sai qu'est vertés :
S'un petit de travail por moi soufrir volés,
Porron me porrés prendre, s'un petit vos hastés

972 Ains qu'il soit o ses homes es desers d'Ynde entrés. »
Et respondent si home : « Si com vos commandés !
Nel puet garir desers ne nule fremetés,
Les esclos le sieurons se bon conduit avés. »

53

976 Qant Alixandres voit sa gent entalentee
De sa volenté faire si comme il l'a pensee,
Au plus tost que il pot l'a quatre jors menee.
En Caspois sont venu a la quarte jornee

980 Si l'ont si plenteïve de trestous biens trovee
Que toute cele gent tient a boneüree.
Por ce que veut li rois que soit aseüree,
A soi mande les princes de toute la contree,

984 Les sains fait aporter si la li ont juree.
Puis lor a demandé qels est outre l'estree ;
Cil li ont respondu : « Terre est desiretee,
Car l'ardor du soleil l'a issi eschaufee

988 N'i a se serpens non dont ele est abitee. »
Tout ce tint Alixandres a mençoigne provee,
Cuide richece i ait qui li doive estre emblee
Et que por ce li aient la verté trestornee.

992 Ja soit ce que la voie li soit destalentee
Et que trestuit si home li aient desloëe,

la lumière s'en répandait sur plus de quatorze lieues.
Ce spectacle remplit le roi de joie ; il s'arrête,
fait sonner les trompettes : les voici tous rassemblés.
A l'armée réunie il présente ses remerciements :
« Seigneurs de Macédoine, je vous ai fait souffrir !
Je crains que vous ne soyez las de tant d'efforts !
Vous m'avez gagné des batailles, conquis des royaumes :
j'en récolte la gloire, mais le mérite vous en revient.
C'est par votre valeur et votre bravoure
qu'on me proclame dans le monde entier le roi des rois.
Mon cœur me le dit bien et c'est la vérité :
si vous voulez bien accepter quelques efforts de plus,
vous pourrez me livrer Porus, mais il faut vous hâter
avant qu'il n'ait pénétré avec ses hommes dans les déserts de
[l'Inde ! »
Et ses hommes répondent : « Vous n'avez qu'à parler !
Rien ne peut le sauver, désert ni place forte ;
nous le suivrons à la trace, si vous avez de bons guides. »

53

Alexandre voit ses troupes toutes prêtes
à obéir à ses moindres ordres :
il les mène à vive allure pendant quatre jours.
Le quatrième jour, ils parviennent en Caspois
et trouvent la terre si riche de tous les biens
qu'ils envient la chance de ses habitants.
Le roi veut que la terre lui jure fidélité
et fait venir à lui les princes de toute la contrée :
ils lui prêtent serment sur les reliques.
Il s'informe ensuite sur l'état du pays au-delà
et obtient cette réponse : « C'est une terre désolée,
si brûlée par le soleil ardent
qu'elle n'est habitée que de serpents. »
Mais Alexandre croit qu'ils mentent
et lui cachent la vérité
pour le détourner des richesses de ce pays.
Bien qu'on cherche à le dissuader de ce voyage
et que ses hommes le lui déconseillent,

    Il en jure sa teste qui d'or est couronee
    Ains esteroit tous jors qu'il ne çaindroit espee
996 Ne voie la mervelle dont Ynde est abitee
    Et com li solaus l'a o sa chalor gastee.
    Ains que li rois eüst sa raison definee,
    Por seoir au souper fu l'eaue demandee.
1000 Par tous les pavellons est la novele alee
    Q'a l'aube aparissant soit toute l'ost montee,
    Por entrer es desers garnie et conreee.

54

    La nuit jut Alixandres tant que fu clers li dis.
1004 Cent cinquante duitors par la contree a quis,
    Itels com les eslirent li baron du païs,
    Quil conduiront en Bastre, dont Porrus est marchis.
    Por ce que li rois veut de tous ciaus estre fis
1008 Et que nus ne s'en face de bien mener eschis,
    Por sauf conduit lor a molt grant avoir pramis
    De meïsme le jor, si com je l'ai apris ;
    Aos estoit entrés qant es desers s'est mis.
1012 Mais cil se pendent plus devers ses enemis
    Ques mainent es desers qu'il plus sevent chaudis,
    Qui sont d'eaues ameres et de serpens porpris,
    Ja n'en bevra cil hom qui ne perde le ris ;
1016 Mieus veulent il morir c'uns en estorde vis.

55

    Qant Alixandres mut, des cors fu grans li glas.
    Montés est en un tertre c'on claime Lolifas
    Por esgarder ses homes dont tout li val sont ras.
1020 Entre muls et chameus et dromadaires cras
    Qui portent pavellons, chandelabres et dras,
    Escüeles d'or fin et coupes et henas,
    Plus ot d'or en lor frains de trente mile mars ;
1024 A l'autre garison ot bien quatre cens chars
    Et plus de mil charetes qui menoient les dras.
    De bestes por occire ne mainent mie eschars,

il jure sur la couronne d'or qui orne son front
qu'il préférerait ne plus jamais porter l'épée
plutôt que renoncer à voir les merveilles que renferme l'Inde
et les déserts brûlés par le soleil.
Avant même la fin de ce discours, on a fait venir l'eau,
pour permettre aux convives de se laver les mains.
Dans tous les pavillons la nouvelle se répand
que dès le lever du jour, l'armée doit être à cheval,
toute prête et équipée pour entrer dans les déserts.

54

Alexandre se reposa cette nuit-là jusqu'à la venue du jour clair.
Il recherche alors cent cinquante guides dans la région,
que lui choisissent les barons du pays,
pour le mener en Bactriane, la terre de Porus.
Pour pouvoir compter sur ses guides
et stimuler leur zèle, le roi leur promet,
s'ils le mènent à bon port, de grandes récompenses,
au jour même de leur arrivée, à ce que j'ai appris.
Il pénètre dans les déserts au début du mois d'août.
Mais les guides, qui font le jeu de ses ennemis,
les mènent dans les déserts qu'ils savent les plus brûlants,
pullulant de serpents et d'eaux amères
dont on ne saurait boire sans perdre le sourire :
ils aiment mieux mourir que laisser échapper un seul Grec.

55

Alexandre s'ébranle dans le fracas des cors.
Il escalade un mont qu'on nomme Lolifas
pour contempler ses hommes qui remplissent les vallées.
Les mules, les chameaux, les dromadaires robustes
qui portent pavillons, candélabres, vêtements,
écuelles d'or fin, coupes et hanaps,
ont sur leurs freins plus de trente mille marcs d'or.
Pour le reste des vivres, il y a bien quatre cents chars,
et plus de mille charrettes pour transporter les vêtements.
On n'a pas lésiné sur les bêtes destinées au ravitaillement :

Quatre lieuees durent qant passent a espars.
1028 Del chaut et de la voie sont si home tout las
A ce qu'il sont chargié et d'armes et de dras,
Ses angoisse la soif ne pueent faire un pas.
Li traïtor ques guïent sont plain de Sathanas,
1032 Ques mainent es desers qui du soleil sont ars,
N'ont cure que de l'ost retort ne haus ne bas,
Mieus veulent il morir que li rois ne soit quas.

56

Molt fu l'ost icel jor confondue et matee,
1036a Du chaut et de la soif por poi ne fu desvee.
1036b Cil qui pot avoir eaue sa bouche a atempree
Et qui goute n'en ot a sa broigne engoulee,
Por la froidor du fer a la soif trespassee.
D'eaue du ciel pleüe contre une henepee
1040 En une chieve pierre a Zephirus trovee,
Grant talent a de boire, n'en a goute adesee,
Ains la qeut en son elme, le roi l'a presentee.
Alixandres la vit si l'a molt esgardee.
1044 Porpense, s'il la boit, ja iert sa gent desvee,
Car se chascuns n'en a, sa soif li iert doublee.
Il l'a devant lor eus a la terre jetee ;
Et quant si home virent qu'il a l'eaue rüee,
1048 Aussi com chascuns d'aus la soif a enduree,
La volentés du boire leur en est trespassee.
Une coupe d'or fin a li rois demandee
D'uevre galasciënne et par pans neelee,
1052 Cent livres i eüst s'ele fust moun[e]ee.
Qant ot son bon servise et s'amor molt loëe,
Por guerredon de l'eaue l'a Zephiron donee.
Et li home et les bestes sont lié de l'avespree,
1056 Por la froidor de l'air qui cort a la rosee ;
N'i a cel qui de soif n'ait la bouche crevee.

---

24. Cf. *Lettre à Aristote*, p. 8-9, trad. p. 127. L'anecdote est également rapportée par Plutarque (42, 6-10) et Arrien (VI, 26, 3).

leur troupeau s'étend sur quatre lieues.
Les hommes sont épuisés par la route et la chaleur,
le poids de leurs armes et de leurs vêtements.
La soif les torture : ils ne peuvent plus faire un pas.
Les traîtres qui les guident, possédés par le diable,
les mènent dans les déserts brûlés par le soleil :
ils ne veulent pas que, de l'armée, revienne un seul survivant.
Ils se laisseront mourir, mais ils décourageront le roi !

56

Les hommes sont en ce jour abattus, à bout de forces ;
la chaleur et la soif les rendent presque fous.
Celui qui a de l'eau y trempe ses lèvres,
celui qui n'en a plus presse sa broigne dans sa bouche
pour faire passer sa soif à la fraîcheur du métal.
Zéphirus découvre le volume d'un hanap d'eau de pluie
dans une pierre creuse :
malgré son envie de la boire, il n'y touche pas,
mais la recueille dans son heaume pour l'offrir au roi.
Alexandre contemple cette eau et se dit
que, s'il la boit, les siens en deviendront fous
car s'il n'y en a pour tous, ils auront deux fois plus soif.
Il jette l'eau à terre, sous leurs yeux.
Et quand ses hommes voient qu'il a jeté l'eau
et qu'il endure la soif comme eux,
l'envie de boire leur est passée[24].
Le roi demande une coupe d'or fin
ouvrée en Galatie, aux flancs émaillés de noir :
on pourrait la vendre cent livres.
Il l'offre à Zéphirus en récompense de l'eau,
en glorifiant la loyauté de son service et son dévouement.
Hommes et bêtes se réjouissent de voir tomber le soir
pour la fraîcheur de l'air qui s'embue de rosée.
Tous ont les lèvres fendues et desséchées par la soif.

Mal ait la garisons qui la nuit fust goustee ;
Chascuns devant son tref se gist geule baee
1060　Et reçoit le serain qui chiet a la vespree.
A l'aube aparissant fu toute l'ost montee.

57

A l'aube aparissant fu toute l'ost meüe,
Li solaus fu levés, li chaus molt les argüe.
1064　Li maines rois esgarde les une roche agüe,
N'a gaires loing de soi a une eaue veüe ;
D'un pui ou l'ost estoit est a val descendue.
Qui ot tente ne tref el pré l'a estendue ;
1068　Dementres que chascuns de herbregier s'argüe,
Descent li maines rois de sa mule crenue,
Il s'est agenoilliés desor l'erbe menue
Por estaindre sa soif qu'il a si grant eüe.
1072　Plus iert amere l'eaue, quant li rois l'ot beüe,
Que suie ne fauterne n'aluisne ne ceüe.
Tel angoisse ot li rois tous li cors li tressue
Et voit que sans travail n'en bevroit beste mue,
1076　Si l'a a toute l'ost v[e]ee et deffendue,
Puis fait ses tres cuellir s'a sa voie tenue.
Les la rive de l'eaue une sente a seüe
Tresq'a une freté qui li est aparue.
1080　En une ille entre ros plus loins c'uns ars ne rue.
La gent qui iert dedens estoit demie nue,
Ainc puis n'en parut uns qu'il orent l'ost veüe.

58

Li rois vint a la rive o trestout son barné,
1084　N'i trueve pont ne planche ne navie ne gué,
Et li champ de defors sont tout ars et bruslé,
De l'ardor du soleil menüement crevé ;
Puis que premierement ot Dieus le mont formé,
1088　De trestoutes anones n'i ot plain poing semé.
Li rois cline vers terre si a un poi pensé,
Et qant il se redrece, s'apela Tholomé,

La nuit ne leur apporte pas le réconfort :
chacun s'étend devant sa tente, bouche ouverte,
pour recevoir l'air humide qui tombe le soir.
Dès que l'aube apparaît, l'armée se met en selle.

57

Dès que l'aube apparaît, l'armée se met en route.
Le soleil est levé, la chaleur les tourmente.
Le grand roi aperçoit, près d'un rocher pointu,
à quelques pas de lui, une rivière.
L'armée est descendue de la montagne dans la vallée :
on déploie tentes et pavillons dans la prairie.
Pendant que chacun s'occupe de son logis,
le grand roi descend de sa mule à la longue crinière ;
à genoux dans l'herbe fine,
il étanche la soif qui l'a tant fait souffrir.
Mais l'eau qu'il a bue était plus amère
que la suie, l'aristoloche, l'absinthe ou la ciguë.
Le roi, couvert de sueur, éprouve une telle souffrance
qu'il voit qu'aucune bête ne supporterait d'en boire
et l'interdit formellement à toute l'armée.
Puis il fait démonter les tentes et poursuit sa route.
Le long de la rive du fleuve il suit un chemin
jusqu'à une place forte, qui lui apparaît
sur une île dans les roseaux, à plus d'une archée de distance.
Les habitants étaient à demi nus :
quand ils virent l'armée, pas un ne se montra.

58

Le roi vient sur la rive avec tous ses barons ;
il ne trouve ni pont ni planche, ni navire ni gué.
Les champs qui entourent le site sont brûlés, consumés,
fendus de tous côtés par l'ardeur du soleil.
Depuis que Dieu créa le monde,
on n'y sema jamais une poignée de grain.
Le roi penche la tête et médite un instant,
et quand il se redresse, il appelle Tholomé,

Sor sa senestre espaule li a son bras geté,
1092 Puis li dist en riant : « Veïs ainc tel freté ?
Cil qui lai ens estont sont molt boneüré,
Il n'erent ne ne sement ne pas ne cuellent blé
Ne n'issent du chastel ne yver ne esté.
1096 Nus ne set lor convine ne dont il ont plenté
Ou s'il vivent du vent ou de la gloire Dé.
S'a force nes puis prendre, petit pris mon barné.
Quatre cens chevaliers belement a celé
1100 Lor trametrai anuit ains qu'il soit avespré.
Se il au plain se prenent, mort sont et afolé,
Tout en ferai fors traire qanq'i arai trové,
Ja n'i remandra hom, tant soit de grant aé.
1104 Cil sevent les desers, car par tout ont alé ;
Se il bien ne nos guïent et a grant salveté
Et l'eaue ne nos mostrent, ars seront et venté. »

59

Grans fu l'eaue et parfonde et li marés fu maus.
1108 D'ambes pars de la rive fu parcreüs li rox,
Trente piés ot de haut et trois toises de gros
Et fu itant espés tous se tint a un dox ;
Il n'a freté en Ynde ne chastel n'en soit clos.
1112 Quatre cens chevaliers du mieus et des plus ox
Et qui en sa compaigne avoient meillor lox
I fait li rois entrer, les haubers en lor dox.
Onques cil n'i entra qui ne feïst que fox,
1116 Car unes bestes ot entre les trous repox,
Li païsant les claiment les ypopotamox.
Mil en issent ensamble, ques prenent par les cox,
Mengüent lor les chars et defroissent les ox ;
1120 Nes puet garir haubers, tant soit serrés a clox,
Ne grans escus bouclés qui de trois cuirs soit vox
Q'autresi nes trangloutent comme fuelle de chox.

---

25. Cf. *Lettre à Aristote*, p. 13, trad. p. 129.

lui passe le bras autour de l'épaule gauche
et lui dit en riant : « As-tu déjà vu pareille place forte ?
Ses habitants ont vraiment de la chance !
Ils ne labourent pas, ne sèment ni ne récoltent de blé,
ne sortent de leur château ni l'hiver ni l'été.
Nul ne sait leurs usages ni d'où ils tirent leurs biens,
à moins qu'ils ne vivent du vent ou de la gloire de Dieu !
J'estime peu mon courage, si je ne puis soumettre ces gens !
Je leur enverrai ce soir, avant la tombée de la nuit,
quatre cents chevaliers, en grand secret.
S'ils se réfugient dans la plaine, ils trouveront la mort.
Je ferai sortir de là tout ce que j'y trouverai,
sans y laisser un homme, pas même les vieillards.
Ils connaissent les déserts, qu'ils ont tous parcourus.
Il faudra qu'ils nous guident pour notre salut et nous trouvent
[de l'eau :
sinon ils seront brûlés, et leurs cendres dispersées au vent !

59

L'eau est large et profonde, le marais dangereux.
Sur les deux rives s'étendent de gigantesques roseaux,
de trente pieds de haut et trois toises de largeur :
leur épaisseur est telle qu'ils poussent dos à dos.
Toutes les places fortes, tous les châteaux de l'Inde ont de
[pareilles clôtures.
Le roi choisit quatre cents chevaliers parmi les meilleurs, les
et les plus renommés de sa compagnie   [plus hardis
et les fait entrer dans le marais, avec leur haubert.
Mais c'est folie que de vouloir y pénétrer,
car des bêtes se cachent entre les roseaux,
que les gens du pays appellent hippopotames[25].
Mille d'entre eux surgissent, attrapent les hommes par le cou,
leur brisent les os et les dévorent.
Malgré leurs hauberts aux clous serrés
et leurs grands écus à boucle à la triple couche de cuir,
ils sont engloutis comme des feuilles de chou.

60

Qant voit li maines rois sa gent ainsi morir,
1124 Por aidier a ses homes vait ses armes saisir.
Courant vint a la rive, qu'il voloit ens saillir ;
Dans Clins et Tholomés le courent retenir,
Ireement li dïent : « Rois, por coi veus morir ?
1128 Car te menbre du saut que tu feïs a Tyr.
Se muers en autre terre, quel part porrons fuïr ?
N'a home en ta compaigne qui te doive servir,
Ençois q'en son païs puisse ja revenir,
1132 Que tout ne soit seürs de la teste tolir. »
Li rois clina vers terre et geta un souspir.
Les traïtors ques guïent fait devant lui venir,
Il en jura ses dieus mar le vaurent traïr.

61

1136 Cil ierent cent cinquante qui les doivent guïer ;
Les cent fist li rois prendre et en l'eaue geter.
Ypopotamos saillent qant les virent noër,
Plus q'a l'autre feïe quident proie trover,
1140 Tant en issent ensamble que nus nes puet esmer,
Si que tout cil de l'ost les courent esgarder.
Onques icele nuit ne porent reposer,
Por les bestes de l'eaue ques veulent afoler.
1144 Molt fu liés Alixandres qant il vit ajorner,
Il a dit a ses homes : « Ci fait mal converser.
Que nous porfiteroit ici a sejorner
Ne hebregier les l'eaue dont ne poons gouster ? »
1148 Puis fist cuellir ses tentes si s'en prist a aler.
Il garda devant lui, car li solaus luist cler ;
En mi le fil de l'eaue vit deus homes ester
En un chalant de ros, cent homes puet porter.
1152 En yndïen langage les a fet salüer,

---

26. La prise de Tyr est relatée dans la branche II, laisses 80-85, et le saut
d'Alexandre à la laisse 84 ; cf. *infra*, III, vv. 2629-2631.

60

Quand le grand roi voit ainsi mourir ses hommes,
il saisit ses armes pour leur venir en aide,
court vers la rive et veut sauter dans l'eau.
Sire Clin et Tholomé courent le retenir,
disant avec colère : « Roi, tu veux donc mourir ?
Rappelle-toi donc le saut que tu as fait à Tyr[26] !
Si tu meurs en cette terre étrangère, où pourrons-nous fuir ?
Tous ceux qui sont à ton service
trouveront immanquablement la mort
avant de pouvoir regagner leur pays ! »
Le roi baisse la tête et pousse un soupir.
Il fait venir devant lui les traîtres qui leur ont servi de guides
et jure sur ses dieux qu'ils paieront cher leur trahison.

61

Ils étaient cent cinquante à leur servir de guides.
Cent, sur l'ordre du roi, sont jetés à l'eau.
En les voyant nager, les hippopotames se précipitent sur eux,
croyant trouver une proie plus riche encore que la première
Il en surgit tant qu'on ne saurait les compter :   [fois.
toute l'armée court les contempler.
Cette nuit-là ils ne purent trouver le repos
car les bêtes de l'eau voulaient les attaquer.
Alexandre est heureux de voir venir le jour.
Il dit à ses hommes : « Il ne fait pas bon séjourner ici.
A quoi bon rester ici et nous loger
près d'une eau que nous ne pouvons boire ? »
Il fait démonter les tentes et s'éloigne.
Le soleil brillait clair, il regarde devant lui
et voit au milieu du fleuve, deux hommes debout
dans un chaland de roseaux assez grand pour transporter cent
Il leur fait adresser le salut dans la langue indienne,   [passagers.

Eaue douce por boire lor a fait demander,
Et s'il veulent avoir, viegnent la li mostrer ;
Quatre tans lor donra qu'il ne porront porter.

62

1156 Cil li ont respondu : « Nos n'avons d'avoir cure,
Que marchié ne faisons de nule creature ;
Ensi com a ces bestes est commune pasture,
Prent l'uns l'avoir a l'autre sans conte et sans mesure.

1160 Mais por ce que fait estes a la nostre figure
Et veons que de soif soufrés si grant ardure,
Vous enseignerons eaue ou a ombre et froidure.
Veés vous la cel tertre a cele desjointure ?

1164 Tres en mi ces desers a une grant couture,
Uns estans d'eaue douce sourt iluec par nature,
Il n'en a plus en Ynde, si com dist l'escripture.
Iluec a un sentier qui tresq'a l'estanc dure ;

1168 Se voie nel vos taut ou grant mesaventure,
Ains none i porrés estre a petite aleüre.

63

« Savés, font il, segnor, que vous volons mentoivre,
Por ce que de noient ne vos volons deçoivre ?

1172 Qant venrés a l'estanc, troverés grant aboivre ;
Pins i a et lauriers, oliviers et genoivre,
Dont nous cuellons la graine por mesler o le poivre ;
Molt est grans li herbages que paissent li atoivre.

1176 Gardés n'i deschargiés un point de vostre atoivre,
Qu'il n'a mervelle en Ynde la nuit n'i viegne boivre ;
Se serpent vous i truevent, des ames serés soivre. »

---

27. Ces paroles évoquent la rencontre d'Alexandre et des Brahmanes ou gymnosophistes et de leur roi Dindymus : voir P. Meyer, *Alexandre le Grand*, II, pp. 28-34.

et leur fait demander de l'eau douce qu'ils puissent boire.
S'ils veulent s'enrichir, qu'ils viennent la lui montrer,
et il leur donnera quatre fois plus qu'ils ne pourront emporter !

62

Les hommes lui répondent : « Peu nous chaut des richesses[27] !
Nous ne faisons le commerce d'aucune créature.
Tout comme les bêtes qui partagent le pâturage,
nous partageons nos richesses sans compter ni mesurer.
Mais vous êtes faits à notre semblance
et nous voyons combien la soif vous tourmente :
nous vous indiquerons où trouver de l'eau, de l'ombre et de la
Voyez-vous, là, cette trouée dans la montagne ?   [fraîcheur.
Au milieu des déserts il y a de vastes champs ;
la nature a placé là un étang d'eau douce,
le seul de toute l'Inde, à ce que dit l'écrit.
Voyez là un sentier qui vous mène à l'étang :
à moins de le perdre ou de rencontrer un malheur,
vous pouvez y être avant l'heure de none sans vous presser.

63

« Ecoutez bien, seigneurs, notre avertissement,
car nous ne voulons pas vous tromper !
Parvenus à l'étang, vous trouverez de quoi boire,
des pins et des lauriers, des oliviers, des genévriers
dont nous recueillons les graines pour les mêler au poivre.
Les animaux y paissent dans d'immenses herbages.
Gardez-vous cependant de décharger votre attirail :
toutes les merveilles de l'Inde viennent y boire la nuit.
Si les serpents vous trouvent, vous y perdrez la vie ! »

64

　　Or s'en torne li rois, l'oriflambe levee,
1180 Tout droit a la crevace que cil li ont mostree ;
　　Et qant furent tout outre contre une arbalestree,
　　Si ont a main senestre une voie trovee
　　Qui d'ours et de lions iert freschement alee.
1184 Li traïtor ques guïent la li ont meserree
　　Et ont a ensïent la voie trestornee.
　　Onques ne fina l'ost dusq'en une valee,
　　Et truevent une pierre qui estoit coverclee ;
1188 Desous gisoit une orse de novel faounee.
　　Qant el senti la friente, s'a la teste levee,
　　Ses faonciaus crient perdre si est toute desvee.
　　Si com l'ost aproisma, si saut geule baee
1192 Si a en mi sa voie une mule encontree
　　Qui estoit de ferine et de forment torsee.
　　De cele destre poe li dona tel colee
　　Que la senestre espaulle li a du bu sevree.
1196 La mule chiet a terre, la ferine est versee ;
　　Tout droit a ses faons s'en est l'orse tornee.
　　Uns chevaliers de Gresse ot sa lance levee
　　Et vient poignant a l'orse toute s'esperonee,
1200 Si la fiert par les flans qu'il l'a a mort navree.
　　Un tel brait gete l'ourse, qant se sent esgenee,
　　Q'il n'a beste el convers qui n'en soit effr[e]ee ;
　　Chascune fait tel brait et gete tel crïee
1204 Que oïr les puet on bien pres d'une jornee.
　　N'i remest nule beste qui n'i soit assemblee ;
　　La bataille commence de haute relevee.
　　N'i a Grieu qui ne fiere ou de lance ou d'espee,
1208 La ou li lion hurtent est l'os desbaretee,
　　Nes puet garir haubers ne grans targe listee
　　Q'il ne boivent le sanc et traient la coree.
　　Ainsi com la nuit vient se depart la meslee,
1212 Car chascune des bestes est a son lit alee ;
　　Et s'encore i eüst du jor une lïeuee,
　　Toute s'en alast l'ost confondue et matee.

64

Le roi repart donc, l'oriflamme levée,
tout droit vers la faille qu'ils lui ont indiquée.
Et quand ils l'ont franchie sur une portée d'arbalète,
ils trouvent sur leur gauche un chemin
fraîchement foulé par des ours et des lions.
Les traîtres qui les guident les en ont détournés
et ont volontairement changé de route.
Ils poursuivent leur marche jusqu'à une vallée
où ils trouvent une roche au sommet en forme de toit,
sous laquelle reposait une ourse qui venait de mettre bas.
Elle relève la tête en entendant le bruit ;
elle craint pour ses petits, en devient toute folle.
Dès que l'armée approche, elle s'élance, gueule ouverte.
Elle trouve sur son chemin une mule
chargée de farine et de froment,
et de la patte droite lui donne un tel coup
qu'elle lui arrache du corps l'épaule gauche.
La mule s'écroule à terre, renversant sa farine.
L'ourse retourne tout droit vers ses petits.
Un chevalier de Grèce, lance brandie,
pique des éperons vers l'ourse au grand galop,
et lui perce le flanc, la blessant à mort.
L'ourse pousse un tel cri en se sentant blessée
qu'elle remplit d'effroi toutes les bêtes alentour,
qui se mettent à crier et à pousser des hurlements
qu'on pourrait entendre à une journée de marche.
Toutes les bêtes du pays se rassemblent
et la bataille commence dans l'après-midi.
Tous les Grecs se défendent avec lances et épées.
Là où les lions attaquent, c'est la déroute.
Les hauberts, les grandes targes à bandes n'empêchent pas les
[fauves
de boire le sang des hommes, de répandre leurs entrailles.
Lorsque la nuit vient, la mêlée prend fin,
car chaque bête regagne sa tanière.
Mais si le jour avait encore duré quelque temps,
l'armée tout entière était abattue et détruite.

65

Qant les bestes departent, au roi vint Licanors :
1216 « Sire, del hebregier que vos dit vostre sors ? »
Et respont Alixandres : « Ja n'en iert pris confors. »
Les navrés met en biere et fait ardoir les mors.
Encontre le prinsome s'en est tornee l'os,
1220 Et qant il s'en tornerent, tant fait soner de cors,
Tant i ot des buisines que li sons fu si fors
Que par tous les desers les ot on dusq'as pors.
Ne remaint es desers coluevre ne crapos
1224 Ne guivre ne choans qui tant s'i soit repos
Por la freschor du sanc ne sieue les esclos.
Cil qui ist hors de route molt par i fait que sos,
De cent pars est saisis et traïnés es cros.

66

1228 Tholomés vait avant, li preus et li senés,
Tout un antif sentier et rengiés et serrés.
Cil qui ist hors de route ne fait pas que senés,
Car les bestes lor saillent et devant et delés :
1232 Ours, lions et lupars et grifons enpenés.
Sor les chevaus les prenent ses en portent armés,
Nes puet garir haubers ne fors escus bouclés
N'en mengucent les chars et rompent les costés.

67

1236 Avant vait Tholomés, qui toute l'ost conduit.
Ne mangierent la nuit ne pain ne char ne fruit,
Mais chascuns en alant un poi de forment cuit.
L'arrieregarde fist Dans Clins, li fieus Caduit,
1240 N'a home en sa compaigne qui forment n'en anuit.
La vermine les pince qui derriere as dos bruit ;
Tel paor a chascuns par poi qu'il ne s'enfuit,
Qant Dans Clins lor escrie : « Arestés vos trestuit.
1244 Ne vos esmaiés mie se la vermine bruit,
Mais chascuns chevaliers sor sa lance s'apuit.

65

Après le départ des bêtes, Licanor vient au roi :
« Seigneur, que voulez-vous faire pour le logement de ce
Alexandre répond : « Nous ne nous reposerons pas ! »   [soir ? »
Les blessés sont placés sur des brancards, les morts brûlés.
L'armée repart aux premières heures de la nuit
et à son départ, on fait sonner les cors
et les trompettes, le bruit en est si fort
que par tous les déserts on l'entend jusqu'aux défilés.
Il n'est dans les déserts couleuvre ni crapaud,
ni guivre, ni chat-huant si bien cachés
qu'ils ne suivent leurs traces, attirés par le sang.
Le fou qui se risque à s'écarter de la troupe
est de cent côtés agrippé et traîné dans les grottes.

66

Tholomé, le preux et le sage, marche en tête,
le long d'un vieux sentier, avec l'avant-garde en rangs serrés.
Les insensés qui se risquent à s'écarter de la troupe
sont attaqués par les bêtes par-devant et par-derrière.
Ours, lions, léopards et griffons ailés
les enlèvent de leurs chevaux et les emportent avec leurs
les haubergs et les solides écus bombés   [armes :
ne les empêchent pas de déchirer les corps et de les dévorer.

67

Tholomé marche en tête, il mène toute l'armée.
Cette nuit ils ne mangèrent ni pain, ni viande, ni fruit,
mais seulement, en marchant, un peu de froment cuit.
Sire Clin, fils de Caduit, est à l'arrière-garde,
avec ses hommes que cette position effraie fort :
les reptiles les piquent et sifflent dans leur dos.
Ils ont tous si grand-peur qu'ils voudraient bien s'enfuir.
Sire Clin leur crie alors : « Restez tous à vos postes !
Ne vous effrayez pas du sifflement des reptiles,
et que chaque chevalier fasse confiance à sa lance !

Se ceste arrieregarde poons bien faire anuit,
Grant gré nos en savra Alixandres, ce cuit. »

68

1248   Cil de l'arrieregarde sont chevalier honeste,
Trestout tornent ensemble la ou Dans Clins s'areste.
Ou truevent grant serpent, si li coupent la teste,
La ou il est petis, sel defoule la beste.
1252   Au trestorner qu'il firent lor ont fait grant moleste,
Car il n'i a serpent, tant soit de grant poëste,
Ne s'en voist molt bleciés ou en qeue ou en teste.

69

« Segnor, ce dist Dans Clins, savés par quel mesure
1256   Nos dut anuit venir ceste mesaventure ?
Qant la vermine vint qui nos fist cele ardure,
Se fuïssons vers l'ost tant comme uns arpens dure
Por que l'ost retornast ne perdist s'aleüre
1260   Et seüst Alixandres ceste desconfiture,
La fuie nos tornast a molt grant forfaiture,
Ja mais jor de sa vie nen eüst de nos cure. »

70

Contre la mïenuit, ains que chantent li gal,
1264   Issi l'ost d'une combe s'entrent en un ingal.
Li choan et les nuitres qui issoient d'un val
Lor firent toute nuit paine et travail et mal,
Car en trestoute l'ost n'a home si vassal,
1268   Se il ist hors de route por torner a estal,
Que li choan n'en portent ou lui ou son cheval.
Alixandres apele son maistre mareschal,
Dist li qu'il li aport un grant paile roial,
1272   Por crieme des choans fait covrir Bucifal ;
Qant il li ont lacié as boutons du poitral,
N'en parut chiés ne qeue ne li esperonal.

Si nous remplissons bien notre tâche cette nuit à l'arrière-
Alexandre nous en saura gré, j'en suis sûr ! »   [garde,

68

Les nobles chevaliers de l'arrière-garde
se rassemblent tous près de sire Clin.
Ils coupent la tête des grands serpents,
écrasent les petits sous les sabots de leurs chevaux.
Avant de repartir, ils leur ont infligé de lourdes pertes,
car tous les serpents, quelle que soit leur force,
sont grièvement blessés à la queue ou à la tête.

69

« Seigneurs, leur dit sire Clin, savez-vous
que nous avons failli connaître un grand malheur ?
Quand les reptiles sont venus nous harceler,
si nous avions fui vers l'armée ne serait-ce que d'un arpent
et obligé l'armée à revenir sur ses pas ou à ralentir son allure,
et si Alexandre avait appris cette défaite,
il nous aurait reproché notre fuite comme un crime
et n'aurait plus jamais rien voulu savoir de nous. »

70

Au milieu de la nuit, avant le chant des coqs,
l'armée sort d'une gorge et entre en terrain plat.
Les chats-huants et les chouettes sortent d'une vallée
et toute la nuit leur infligent les pires tourments :
il n'est dans toute l'armée homme si valeureux,
s'il s'écarte de la troupe pour faire halte,
qui ne se fasse emporter par les chats-huants, lui, ou son
Alexandre appelle son maréchal des écuries   [cheval.
et lui dit d'apporter un grand manteau royal
dont il couvre Bucéphale par peur des chats-huants.
Quand on le lui a lacé aux boutons du harnais,
on ne voyait plus ni tête, ni queue, ni même les éperons.

71

Li choan des desers sont gregnor de vautoirs,
1276 Graindre est une des eles que n'est uns covertoirs.
Qant il volent sor l'ost, en l'air donent tel crois
Cil qui ist hors de route molt par i fait que mois.
S'uns des choans le voit, ja vers lui n'avra frois ;
1280 De lui ou du cheval n'en vait il mie blois.
Toute nuit jusq'a l'aube lor dura cil tabois.

72

A l'aube aparissant vinrent chauves souris,
Menors sont de corneilles et gregnors de pertris.
1284 N'a chevalier en l'ost, tant soit d'armes garnis,
Se pres de lui li vole, n'en soit tous esbahis ;
Del soumeron de l'ele si le fiert el cervis
Que grans quatre lieuees en remaint estordis.
1288 Tant lor dura cis maus qu'il ne fu departis
Que li jors fu tous clers et solaus esbaudis.
Es les vous au sentier qui ersoir fu guerpis.

73

Molt sont lié cil de l'ost du sentier c'ont veü,
1292 Toute la matinee se sont si tost meü
Que grant piece ains midi sont a l'estanc venu ;
Entre le bos et l'eaue on tuit lor tref tendu.
Qant furent refroidié, si ont un poi beü,
1296 Puis ont derrier lor dos tout le bos abatu ;
Qant vint eure de none, sachiés et grellés fu.
Il metent le fu ens, si art a grant vertu.
Par ice se sont auques des serpens deffendu.

74

1300 Ainsi com li jors prist o le vespre a meller,
Deus mile lampes d'or fait li rois alumer,
Puis fait soner un graille por l'eaue demander
Et il et tuit si home sont assis au souper.

71

Les chats-huants des déserts sont plus grands que des vautours ;
une seule de leurs ailes est plus grande qu'un drap de lit.
Leur vol au-dessus de l'armée fait un tel fracas
qu'il faut être bien sot pour s'écarter de la troupe :
si l'un des chats-huants le voit, l'homme ne pourra pas se servir
l'animal repartira avec le cheval ou son cavalier. [de ses armes,
Ils subirent ce vacarme toute la nuit jusqu'à l'aube.

72

Dès que l'aube apparut, vinrent des chauves-souris,
plus petites que des corneilles mais plus grandes que des
[perdrix.
Tous les chevaliers, malgré la protection de leurs armes,
sont épouvantés de les voir s'approcher d'eux.
De la pointe de leurs ailes, elles leur donnent de tels coups sur
qu'ils en restent étourdis sur quatre grandes lieues. [le crâne
Ce fléau ne s'arrêta
que quand le jour fut clair et le soleil brillant.
Les voici de retour dans le sentier qu'ils avaient abandonné la
[veille au soir.

73

Toute l'armée se réjouit de revoir le sentier.
Ils ont marché si vite pendant la matinée
qu'il sont parvenus à l'étang bien avant midi.
Entre les bois et l'eau ils ont monté leurs tentes.
Ils se sont rafraîchis et ils ont un peu bu,
puis ils ont abattu tout le bois qui était derrière eux,
et à l'heure de none, ils l'ont tiré et coupé en bûches.
Ils enflamment le bûcher et la puissance du feu
les protège des serpents.

74

Quand le jour commence à se mêler au soir,
le roi fait allumer deux mille lampes d'or.
Une trompette sonne pour faire venir l'eau :
le roi et tous ses hommes prennent place au souper.

1304 Et qant furent assis, ses en estut lever,
C'onques de garison n'i oserent gouster,
Car cil les escrïerent ques devoient garder,
Qui voient les mervelles des desers assembler ;
1308 Cil qui premiers les vit sel vait au roi conter.
Li rois clina vers terre si commence a penser,
Et qant il se redrece, si fait sa gent armer.

75

Tout premerainement lor vinrent blanc lion,
1312 Le fu truevent ardant si ceurent environ ;
Por ce qu'il ont de soif si grant destrucion
Par mi le fu ardant se metent a bandon.
Mais li home Alixandre ne sont mie garçon,
1316 Chascuns tient son espié devant son pavellon,
Qui bien ne se deffent de mort n'a garison,
Des blans lions ont fait molt grant ocision ;
Ne por qant boivent l'eaue, ou il veullent ou non.
1320 Cil qui d'aus eschaperent tornent a esperon
Tres par mi les desers a lor conversion.
Aprés vinrent ceraste et li escorpion,
Chascuns drece sa coe et trait son aguillon ;
1324 Qui bien ne se deffent si se tient por bricon.
Qui tient lance n'espee, gavelot ne baston,
Des herberges les getent et font grant tuïson.

76

Ne demora puis gaires, yndïenes souris
1328 Vinrent boire a l'estanc, gregnor sont de goupis.
Qanque mordent sans home si est sempres fenis,
Mais li hom en est tos respassés et garis.
Des somiers et des bestes les ont molt desgarnis.
1332 Se auques lor durassent, tout fuissent desconfis,
Mais el fu les engetent, si com dist li escris.

---

28. Sur les monstres de l'Inde, voir *Lettre à Aristote*, éd. W.W. Boer,
pp. 15-22, trad. Bounouré-Serret, pp. 129-132.

Mais à peine assis, ils se relèvent aussitôt
sans oser goûter au repas,
car les gardes les appellent
pour venir voir se rassembler les merveilles des déserts[28].
Le premier à les voir vient avertir le roi,
qui baisse la tête et médite ;
il se redresse et ordonne à ses hommes de s'armer.

75

D'abord ils voient venir des lions blancs
qui trouvent le feu brûlant et courent alentour :
la soif les tourmente si fort
qu'ils s'élancent dans le feu brûlant.
Mais les hommes d'Alexandre ne sont pas des lâches.
Chacun, devant son pavillon, empoigne son épieu.
Seuls ceux qui se défendent bien échappent à la mort :
ils ont fait un grand massacre des lions blancs
mais ne peuvent les empêcher de boire l'eau.
Les lions qui s'échappent regagnent au galop
les déserts et leurs repaires.
Après vinrent les cérastes et les scorpions
qui dressent la queue et sortent leur aiguillon :
il faut être bien sot pour ne pas se défendre.
Avec lances et épées, javelots et bâtons,
les Grecs les chassent de leurs logis et en font un grand
[massacre.

76

Peu de temps après, des souris indiennes,
plus grosses que des renards, vinrent boire à l'étang.
Toutes les créatures, sauf les hommes, meurent de leurs
mais les hommes en guérissent vite.   [morsures,
Elles les ont privés d'une bonne partie du bétail et des bêtes de
Si elles étaient restées longtemps, ils étaient perdus.   [somme.
Mais ils les jettent au feu, à ce que dit l'écrit.

77

Contre la mïenuit la vermine est venue,
Onques en nule terre si grans ne fu veüe,
1336 Del chaut et de la soif lassee et confondue ;
Par mi le fu se metent por la soif ques argüe.
La grans passe bien outre, li fus art la menue.
Mais la gent Alixandre dont la rive est vestue
1340 Qanque del fu eschape as maus ocit et tue
Ne mais la grant vermine qui estoit parcreüe,
Qui iert et longe et lee et grosse et estendue,
Qui par aus ne pot estre tüee ne vaincue ;
1344 Cele s'en retorna quant ot l'eaue beüe.

78

Des crués de la montaigne de la voisineté
Enprés la mïenuit vinrent serpent cresté,
Si grant comme colombes, qui se sont devalé.
1348 De deus chiés ou de trois sont li pluisor armé ;
Li un sont pers et ynde et li autre doré,
De blanc et de vermel menüement listé ;
Li oel lor reflamboient, qui sont envenimé.
1352 Par mi le fu se metent si l'ont tout enbrasé.
Qant cil de l'ost les voient, si ont le hu levé,
Et li home Alixandre lor sont encontre alé.
De ciaus que li fus n'art sont li pluisor tüé ;
1356 Et cil de l'ost s'en tornent si l'ont le roi conté
Que il ont vint sergans et trente sers dampné,
Qui tuit sont des serpens ocis et devoré.

79

Entor quatre lieuees devant l'aube aparant,
1360 Estes vos une beste qu'on claime Dentirant ;

---

29. Il s'agit d'un monstre nommé *dentityrannus* dans la *Lettre d'Alexandre*,
terme interprété ici comme un nom propre, et qui semble désigner le rhinocéros.

77

Vers minuit, les reptiles arrivent,
les plus grands qu'on ait jamais vus en aucune terre,
épuisés, torturés par la chaleur et la soif.
Ils s'élancent dans le feu, poussés par la soif :
les petits sont brûlés, les grands traversent les flammes.
Mais l'armée d'Alexandre, qui tapisse la rive,
tue à coups de maillet tout ce qui échappe au feu,
sauf les plus grands reptiles à la taille gigantesque,
qui sont si longs, si larges et si gros
qu'on ne saurait les tuer ni les vaincre :
ceux-là s'en retournèrent quand ils eurent bu l'eau.

78

Des creux de la montagne voisine
vinrent après minuit des serpents à crête
grands comme des colonnes, qui ont dévalé.
La plupart sont pourvus de deux ou trois têtes ;
les uns sont pers et bleus, et les autres dorés,
striés de blanc et de vermeil.
Leurs yeux pleins de venin flamboient.
Ils s'élancent dans le feu, qu'ils ont tout embrasé.
A leur vue, l'armée lance son cri de guerre,
et les hommes d'Alexandre vont à leur rencontre.
Ils tuent le plus grand nombre de ceux qui ont échappé au feu.
Les soldats s'en retournent et viennent conter au roi
qu'ils ont perdu vingt sergents et trente serfs,
tués et dévorés par les serpents.

79

Quelques heures avant l'aube, le temps de faire quatre lieues,
voici venir une bête que l'on nomme Dentirant[29] :

Bien ot le front armé de trois cors qui sont grant.
Qant ele voit le fu, si muert de maltalant,
Les pavellons esgarde si vait entor courant
1364 Et vient droit as herberges par mi le fu ardant.
Mais li home Alixandre li sont venu devant,
Qui la fierent d'espees ou de lance trenchant
Ou de hache esmolue ou de dart en lançant.
1368 Trestout canqu'il li font ne prise mie un gant,
Vint et set chevaliers lor a mort en boutant,
Et mehaignié i furent cinquante et dui sergant ;
Dedens l'eaue s'est mise par force lor veant.

80

1372 « Segnor, dist Alixandres, nen adesés mais mie ;
Une riens vos dirai, n'est hom qui m'en desdie :
Besoins et maltalens fait toute riens hardie ;
Laissiés la beste boivre tant que soit refroidie,
1376 Et qant avra beü, si iert acouardie,
Ja ne se deffendra s'on l'assaut ou escrie ;
Je la requerrai primes o l'espee forbie. »

81

La gent qui iert en l'ost de Sidoine s'areste ;
1380 Que la beste n'en isse, qui le rivage guete,
De l'une part l'escrïent si li ont paor fete.
Vers ciaus qui mot ne dïent s'est el rivage trete,
Qu'il s'en cuida raler par force et par poëste ;
1384 Chascuns de bien ferir au mieus qu'il puet s'afete,
Li rois qui iert aveuc de bien faire les hete.
A maus et a cugniés li peçoient la teste,
Que trestuit en resonent et li val et li tertre ;
1388 Au roi et a ses homes a molt grant paor fete.

elle a le front armé de trois grandes cornes.
A la vue du feu, folle de rage,
elle regarde le camp, le contourne en courant
et vient droit sur les logis à travers le feu.
Mais les hommes d'Alexandre viennent à sa rencontre,
la criblent de coups d'épée, de lances tranchantes,
de haches aiguisées, ou lui lancent des flèches.
Elle ne prête aucune attention à toutes ces attaques ;
de ses coups, elle leur tue vingt-sept chevaliers
et leur blesse cinquante-deux sergents,
puis, malgré eux, s'enfonce dans l'eau sous leurs yeux.

80

« Seigneurs, dit Alexandre, n'y touchez plus !
Ecoutez mes ordres sans me contredire !
Nécessité et colère rendent chacun hardi.
Laissez la bête boire et se désaltérer.
Quand elle aura bu, elle aura perdu son courage
et ne se défendra plus contre les assauts et les cris.
Je l'attaquerai le premier de mon épée fourbie ! »

81

Les hommes de l'armée de Sidon sont à leur poste.
Pour empêcher la bête, qui guette le rivage, de sortir de l'eau,
ils poussent des cris d'un côté pour lui faire peur.
Elle se dirige vers ceux qui ne disent mot sur le rivage,
croyant pouvoir se frayer un chemin de force.
Mais tous s'appliquent à frapper de leur mieux,
encouragés par la présence du roi à leurs côtés.
Ils brisent la tête de l'animal à coups de maillet et de cognée,
dont résonnent les vallées et les tertres.
Le roi et ses hommes ont eu grand-peur.

82

Es vos ciaus d'Ethyope sor la rive arestés ;
Que Dentirans n'en isse qu'il ne soit afolés,
De l'une part l'escrïent si s'est espoëntés.
1392 Corant vint a la rive s'est un poi reüsés
Et commença a boire, tant par est abrievés.
Qui preus fu et hardis premerains est armés.
Adonques l'asaillirent environ de tous les
1396 D'espees et de lances et de dars enpenés ;
Onques par iteus armes ne pot estre dampnés ;
A maus et a cugniés fu Dentirans tüés,
Et puis l'ont escorchié, s'en fu li cuirs lavés,
1400 Et veulent qu'a merveille soit par tout esgardés,
Que le poil a si bel qu'il semble estre dorés.
Li cuirs o la char blanche fu au roi presentés,
Devant son tref l'estendent sor l'erbe vert des pres ;
1404 Cent chevalier i gisent, tant par est grans et les,
Qant il geuent as tables, as eschés et as des.
Plus en vaut l'ossemente de quatorze cités ;
Dieus ne fist chevalier, tant soit el cors navrés,
1408 S'il en avoit beü ne fust sempres sanés
Ne ja puis en tout l'an n'avroit mal en ses les.
De ce fu Alixandres molt malement menés
Que les os de la beste ont en l'eaue getés.

83

1412 A l'aube aparissant vinrent niticorace,
Bleu sont et piés ont noirs et bes comme becace
Et crestes comme cos et qeue paounace
Et luisent assés plus que ne fait une glace,
1416 Gregnor sont de vautoirs plus de demie brace.
De l'estanc ont porpris la riviere et la place
Et fait chascuns tel noise com saas qui saace.
En l'ost ont tel paor ne sait chascuns qu'il face,
1420 Car nus ne dist un mot ne autre n'i menace,
Ains dist li uns a l'autre qu'il s'acoist et se tace.
Des poissons de l'estanc font li oisel ravace,

82

Voici ceux d'Ethiopie dressés sur le rivage.
Ils ne veulent pas que Dentirant échappe à la mort
et poussent des cris d'un côté pour l'épouvanter.
Courant vers la rive, il s'est un peu écarté
et commence à boire, car il a grand-soif.
Les plus preux et les plus hardis sont armés les premiers.
Ils l'attaquent alors de tous côtés
de leurs épées, de leurs lances, de leurs flèches empennées,
mais ces armes ne réussissent pas à lui faire le moindre mal.
C'est à coups de maillet et de cognée que l'on a tué Dentirant,
avant de l'écorcher et d'en laver le cuir.
Tous l'examinent avec émerveillement :
la fourrure est si belle qu'elle semble dorée.
Le cuir et la chair blanche sont présentés au roi,
étendus devant sa tente sur l'herbe verte des prés.
La peau est si large que cent chevaliers peuvent s'y allonger
pour jouer aux dames, aux échecs ou aux dés.
Le breuvage préparé avec les os vaut plus que quatorze cités,
car tout chevalier, si grièvement blessé soit-il,
est aussitôt guéri, s'il en boit,
et protégé de tout mal pendant un an.
Mais le malheur voulut pour Alexandre
que l'on jetât les os de la bête dans l'étang.

83

Dès que l'aube apparaît viennent des nycticorax,
oiseaux bleus aux pattes noires et au bec de bécasse,
à la crête de coq et à la queue de paon ;
ils brillent plus que la glace
et leur taille dépasse celle des vautours de plus d'une demi-
Ils ont investi les eaux et les bords de l'étang :   [brasse.
chacun d'eux fait le bruit du grain qui saute dans le crible.
Les soldats ont si peur qu'ils ne savent que faire ;
personne ne dit un mot, personne ne menace les oiseaux ;
on est d'avis de se taire et de se tenir tranquille.
Les oiseaux font des ravages parmi les poissons de l'étang

Et qant sont saoulé, si en revont lor trace.
1424 Qant cil de l'ost le voient, n'i a nul qui ne place,
Car plus les redoutoient que nul oisel sauvace.

84

Des poissons de l'estanc ont assés devoré,
Et n'i avoit poisson n'ait demi pié de lé –
1428 De trois piés ou de quatre sont de lonc mesuré –
Que li oisel ne l'aient autresi tranglouté
Com la geline fait un petit grain de blé.
Hueses font de lor cors, car trop ont geüné,
1432 Bien estendent lor cols menüement el gué ;
N'i estuet ja peschier home de mere né,
Car il i peschent bien chascun jor ajorné.
Qant ont assés mengié, arriere sont alé,
1436 Tout ainsi com il vinrent s'en sont il retorné.
Mais li home Alixandre, qui ce ont esgardé,
Ainc ne furent si lié qant il sont eschapé,
Car plus les redoutoient que serpent ne malfé.
1440 Maint tempest ont eü es desers et trové,
Ainc n'en douterent nul tant com cest ont douté,
N'i ot nul si hardi n'ait de paor tramblé ;
Trestout cuidierent estre et mort et afolé.
1444 Je cuit, se li oisel fuissent vers aus torné,
Que il fuissent trestuit honi et vergondé,
Car des maus qu'ont eüs sont vaincu et lassé.
Li oisel ierent grant, hideus et sejorné,
1448 Et ierent molt orible et molt desfiguré.

85

Ains que les os se fuissent de l'estanc remüees,
Lor vinrent grans compaignes de coluevres bendees.
Visages ont de femes, molt sont lait figurees,

---

30. *Hueses* a été corrigé en *Huches*, d'après une note d'A. Foulet
(MFRA VI, p. 36).

et puis, bien rassasiés, ils reprennent leur vol,
pour la plus grande joie de l'armée,
qui les redoutait plus que tous les autres rapaces.

84

Ils ont dévoré les poissons de l'étang
qui mesuraient pourtant un demi-pied de large
et trois ou quatre pieds de long.
Ils les ont tous engloutis
comme la poule fait d'un petit grain de blé.
Ils remplissent leur corps comme une huche après leur long
en allongeant le cou dans le gué, l'un contre l'autre,   [jeûne[30]
empêchant les hommes d'y pêcher
pour y pêcher eux-mêmes, comme chaque jour.
Quand ils ont bien mangé, ils repartent
et s'en retournent comme ils étaient venus.
Et les hommes d'Alexandre, qui les suivent du regard,
n'ont jamais été aussi heureux que quand ils les voient partir,
car ils les redoutaient plus que les serpents et les démons.
Ils ont connu bien des tourments dans les déserts,
mais aucun ne leur a inspiré pareille crainte.
Le plus hardi d'entre eux en a tremblé de peur :
tous se voyaient déjà détruits et mis à mort.
Si jamais les oiseaux s'étaient tournés contre eux,
ils étaient, je crois bien, perdus et défaits,
épuisés qu'ils étaient après tant d'épreuves,
alors que ces oiseaux énormes, épouvantables
et monstrueux étaient bien reposés.

85

L'armée n'avait pas encore quitté l'étang
quand arrivèrent de grandes troupes de couleuvres rayées
au visage de femme, horribles à voir,

1452 Sor lor espaulles gisent lor grans crines dorees ;
Chascune d'une pierre sont toutes estelees,
En mi le front lor sieent, molt i sont bien posees,
Mais plus grant clarté rendent que maisons embrasees.

1456 Nus hom n'est tant navrés de lances ne d'espees,
Se deus de celes pierres i fuissent adesees,
Sempres ne fust garis et ses plaies sanees.
A lor brans acerins en ont mil decapuees ;

1460 Mais ce tint Alixandres a merveilles provees :
La ou les pierres gisent, si se sont rassamblees
Et par mi les desers sont en fuies tornees.
Li rois ne vausist mie por d'or cinc cens charees

1464 Que deus ou trois des pierres n'i fuissent recovrees.

86

Qant virent le soleil et le jor esclarier,
A l'estanc s'ont disné sergant et chevalier.
Menbre lor du conduit qui les dut engignier,

1468 Dont li rois fist les cent en l'eaue trebuchier
Dedevant la freté as bestes por mengier.
Les autres commanda li rois a estoier,
Par le mien ensïent il s'en vaura vengier.

1472 Il les a commandés tous nus a despollier,
Par derriere les dos lor fait les mains lïer,
Puis a fait a chascun les cuisses peçoier.
Lors leur a dit un mot qui semble reprovier :

1476 « Vous remanrés ici por garder cest vivier ;
Selonc vostre service avrés vostre loier. »
A tant s'en est tornés ses commande a laissier.
Lors derrompent le fu si s'en vont li somier.

87

1480 Qant Alixandres muet et les heberges vuident,
Tant fait soner de cors tout li desert en bruient.
Li serpent des montaignes por la noise s'en fuient,
Es crués et es crevaces se mucent et enduient.

1484 Molt se vont dementant cil qui d'aler s'anuient,

avec une longue chevelure dorée qui tombait sur leurs épaules.
Chacune porte, telle une étoile, une pierre
placée au milieu du front,
qui répand plus de clarté qu'une maison en flammes.
Un homme blessé d'un coup de lance ou d'épée
n'aurait qu'à appliquer deux de ces pierres sur ses blessures
pour guérir aussitôt et voir ses plaies fermées.
De leurs lames acérées les soldats en mettent mille en pièces.
Mais Alexandre assiste à un prodige :
au contact des pierres, les couleuvres se reconstituent
et prennent la fuite dans les déserts.
Le roi aurait volontiers perdu cinq cents charretées d'or
pour pouvoir récupérer deux ou trois de ces pierres.

86

Quand le soleil se lève, que le jour devient clair,
sergents et chevaliers déjeunent près de l'étang.
Ils pensent aux guides qui ont failli les perdre :
le roi en a déjà fait jeter cent à l'eau
devant la place forte, pour les livrer aux bêtes.
Les autres, il les fait dépouiller de leurs vêtements :
il saura s'en venger, je crois bien.
Il les fait mettre nus,
les mains liées derrière le dos,
les articulations des jambes brisées.
Puis il leur dit ces mots en guise de leçon :
« Vous resterez ici à garder ce lac :
vous recevrez ainsi le prix de vos services ! »
Il se détourne d'eux, ordonne qu'on les laisse.
On éteint donc le feu et les bêtes de somme se mettent en route.

87

Au moment du départ, quand on lève le camp,
Alexandre fait résonner ses cors dans tous les déserts.
Le bruit fait fuir les serpents des montagnes,
qui se cachent et se terrent dans les creux, les crevasses.
Les soldats se désolent, épuisés par la marche.

La chalor est si grans que jor vivre ne cuient,
Un val ont devalé et un grant tertre puient.
Qant il furent en son, seur lor lances s'apuient,
1488 Virent les pres de Bastre et les eaues qui bruient
Et les gaaigneries et les dras qui essuient
Et les pastors qui geuent et les bestes qui muient.
Ciaus devant fait armer li rois qui l'ost conduient.

88

1492 Cel jor por Alixandre firent li dieu vertus,
Car grant piece ains midi est des desers issus.
Encor n'estoit Porrus de cel convers meüs,
Dejoste les desers sejornoit o ses drus,
1496 Las iert de la bataille ou ot esté vaincus.
Garda vers la montaigne si a les Grieus veüs,
Bien connut as ensaignes des bons espieus molus
Que ce est Alixandres, qui n'est pas recreüs ;
1500 A mervelles le tint com il estoit venus,
Comment et par quel voie les avoit si seüs.
Molt fu grans li herbages sor l'eaue de Calus ;
La vint li maines rois, a pié est descendus.
1504 Sor la rive de l'eaue ont lor grans tres tendus
Et par la praerie les pavellons menus.

89

Porrus esgarde l'ost contre soleil levant
S'a veü les Grigois qui se vont hebregant
1508 Et o leur pavellons tous les pres porprenant,
Donques ot si grant ire onques mais ot si grant.
Par quatre chevaliers et par son drugemant
A mandé Alixandre trop le vait enchauçant,
1512 Por poi ne l'a souspris, trop pres le vait sieuant ;

---

31. Reprise du vers 2458 de la *Chanson de Roland* : « Pur Karlemagne fist
Deus vertus mult granz ». Cf. ms A, v. 1870 : « Cel jor por Al'x. fist Deus molt
grant vertuz », et *infra*, III, v. 7582.

La chaleur est si intense qu'ils croient bientôt mourir.
Ils descendent dans une vallée puis escaladent un grand tertre.
Parvenus au sommet, ils s'appuient sur leur lance
et découvrent les prés de Bactriane, les eaux bruissantes,
les pâturages, le linge étendu à sécher,
les jeux des bergers, le mugissement des bêtes.
Le roi ordonne à l'avant-garde de s'armer.

88

Ce jour-là, les dieux accomplirent un miracle pour Alexandre[31],
car bien avant midi il était sorti des déserts.
Porus n'avait pas encore quitté ce refuge,
et séjournait près des déserts avec ses amis,
se remettant de la défaite qu'il avait essuyée.
Regardant la montagne, il aperçoit les Grecs,
reconnaît aux enseignes fixées aux bons épieux émoulus
que c'est bien Alexandre, qui n'a pas renoncé.
Il s'émerveille de le voir parvenu jusqu'ici,
se demande par quelle route il les a suivis.
De grands herbages s'étendent près des eaux du Calus.
Là descend le grand roi, il met pied à terre.
Sur les rives du fleuve ils montent les grandes tentes
et par toute la prairie les petits pavillons.

89

Porus regarde l'armée dans le soleil levant.
Il a vu les Grecs installer leur camp
et couvrir tous les prés de leurs pavillons.
Il n'a jamais connu pareille colère.
Par l'intermédiaire de quatre chevaliers et de son interprète,
il se plaint qu'Alexandre lui donne la chasse,
qu'il le suit de trop près et a failli le surprendre.

Vint jors li doinst de trieues, s'en avra pris molt grant,
Tant que il ait mandé por sa gent d'Oriant ;
Lors avra la bataille, mar la querra avant.
1516 Qant Alixandres l'ot, si respont en riant :
« Je li donrai les trieues par itel convenant
Q'a ses homes de Bastre face dire et commant
Que marchié nos aportent sel donent avenant. »
1520 Les trieues sont donees, et fait li acreant.

90

Donees sont li trieues et fait li serement.
La ou li rois sejorne et la bataille atent
Fu li marchiés criés communs a toute gent :
1524 De toute icele riens qui a vitaille apent
Qui vaura si achat et pregne et doinst argent.
Porrus est a la porte, ou noveles aprent,
A ciaus qui de l'ost vienent enquiert priveement
1528 Le covine Alixandre et son contenement ;
Il li dïent trestuit qu'il n'en sevent noient.
Uns Grieus le conte au roi, qui volentiers l'entent ;
Qant l'oï Alixandres, saut sus isnelement,
1532 Por aler au marchié monta sor un jument,
Si li furent changié si roial vestement.

91

Montés est Alixandres, au marchié veut aler
De sor une jument, nus hom ne vit sa per.
1536 N'estoit noire ne blanche ; ne vos sai deviser
De quel poil ert la beste, onques ne sot ambler.
Qant li rois fu desus et il s'en veut torner,
El n'ala mie avant, ains prist a reculer.
1540 Des esperons la fiert li rois qui tant fu ber,
Et ele commença molt fort a regiber,
En travers a saillir et des piés a geter.

---

32. Sur cet épisode comique, cf. *Lettre à Aristote*, pp. 24-25, trad. p. 133.

Qu'il lui accorde vingt jours de trêve : il n'en aura que plus de
et Porus pourra convoquer ses hommes d'Orient.   [gloire,
Il aura alors la bataille, mais qu'il ne la demande pas avant !
Alexandre, à ce discours, répond en riant :
« Je lui accorde la trêve, à la seule condition
qu'il donne l'ordre à ses hommes de Bactriane
de nous apporter des marchandises et de nous les vendre à bon
La trêve est décidée et l'accord conclu.   [prix ! »

90

La trêve est décidée, les serments échangés.
Tandis que le roi se repose en attendant la bataille,
on proclame un marché ouvert à tous.
Tous ceux qui le voudront pourront se procurer
toutes sortes de vivres pour leur argent.
Porus est à la porte, aux nouvelles :
à ceux qui viennent de l'armée il s'enquiert en secret
des dispositions d'Alexandre et de sa conduite.
Tous lui répondent qu'ils n'en savent rien.
Un Grec conte la chose au roi, qui s'en amuse.
Alexandre, à cette nouvelle, saute sur ses pieds,
et prend une jument pour se rendre au marché,
après avoir changé ses vêtements royaux[32].

91

Pour aller au marché, Alexandre monte une jument
dont on n'a jamais vu la pareille :
elle n'est ni noire ni blanche, je ne peux vous en dire
la couleur ; elle ne sait pas aller l'amble.
Quand le roi monte en selle et veut se mettre en route,
elle refuse d'avancer, se met à reculer.
Le noble roi la pique des éperons
et elle se met à regimber,
à sauter et à ruer de côté.

« Comment ! dist Alixandres, dont ne voit ele cler ?
1544   – Oïl, dïent si home, mais ele veut jouer. »
Un boucel et un sac fait derier soi trosser,
A un sergant l'a fait une piece mener.
Alixandres s'en torne, ainc ne fina d'errer
1548   Jusque la ou Porrus se faisoit sejorner
En la cité de Bastre, qui molt fait a loër ;
Porrus le vit venir sel rueve a lui torner.
Alixandres respont : « Ne me loist demorer ;
1552   Chambellens sui le roi si veul cire achater
Dont nos li ferons cierges anquenuit au souper,
Et chanestiaus et vin, se point en puis trover. »
Et qant Porrus l'entent, sel commande arester :
1556   « Amis, descent un poi si vien a moi parler.
Tout qanque tu vas querre avras sans achater,
Et te ferai encore de mon avoir doner
Se tu oses mes letres Alixandre porter ;
1560   Et je les ferai faire, choses li veul mander.
Di moi tout son convine, ne te chaut riens celer. »
Et respont Alixandres : « Se volés escouter,
Dirai vos quels il est, ja l'orrés deviser.

92

1564   « De vos letres porter tant vos dirai, Porreu,
Que bien le savrai faire, se je i voi mon preu ;
Ce sachiés vos por voir, jel vos afi et veu.
Il n'a si privé home ne chambrelenc ne qeu ;
1568   Assés, qant je me veul, me gap a lui et geu.
De son privé conseil itant vos en desneu :
Tous jors se muert de froit, ja n'iert en si chaut leu.
Qant tornai des herberges, desor un paile bleu
1572   S'estoit li rois assis acoutés sor Cauleu,
C'est uns des douze pers, qui sont hardi et preu.
Deus mantieus affublés se chaufoit a un feu.

« Comment ! dit Alexandre, elle ne voit donc pas clair ?
– Mais si ! disent ses hommes, c'est qu'elle veut jouer ! »
Le roi fait charger la jument d'une outre et d'un sac
et la fait un moment mener par un sergent.
Alexandre se met en route
jusqu'à Bactres, où séjourne Porus :
c'est une belle cité.
Porus le voit venir et l'attire vers lui.
Alexandre répond : « Je ne puis m'attarder ;
je suis chambellan du roi, et je veux acheter
de la cire pour lui faire des cierges pour son souper,
des gâteaux et du vin, si je peux en trouver. »
Porus, à ces mots, le fait s'arrêter.
« Ami, descends un peu et viens donc me parler !
Tout ce que tu recherches, tu l'auras sans payer,
et tu auras en plus une bonne récompense,
si tu veux bien porter ma lettre à Alexandre :
je vais la faire écrire, j'ai pour lui un message.
Mais parle-moi de lui, et ne me cache rien ! »
Alexandre répond : « Alors écoutez-moi,
vous saurez qui il est, car je vais vous le dire !

92

« Pour porter votre lettre, je vous dirai, Porus,
que je peux bien le faire si j'y trouve profit.
Sachez en vérité, je vous le garantis,
que vous ne sauriez trouver plus proche de lui parmi les
                                    [chambellans et les cuisiniers.
Je plaisante avec lui autant que je le veux.
Quant à sa vie privée, je puis vous en confier
qu'il meurt toujours de froid, même quand il est au chaud.
Quand j'ai quitté le camp, le roi était assis
sur une étoffe bleue, appuyé sur Caulus
(c'est l'un des douze pairs, qui sont hardis et preux) :
couvert de deux manteaux, il se chauffait au feu.

93

– Di, va ! ce dist Porrus, et ja est il estés
1576 Et fait si grant chalor com vos veoir poés ;
Qant il ore se chaufe, molt est frais et alés.
– Voire, dist il meïsmes, pieç'a que il fu nes,
De viellece est ses cors tous frois et engelés,
1580 Si est auques enfers et trestous condomés.
Trop a perdu de sanc, tant a esté navrés,
Il ne vivra mais gaires, vieus est et radotés.
Molt est fel et entulles, nus n'en puet avoir gres. »

94

1584 De ce fu molt Porrus et halegres et clers
Q'Alixandres est vieus, et il est bachelers.
Il fait ses letres faire en langage des Gres,
Molt manace Alixandre et blastenge ses des.
1588 « Trop a esté frarins et tous jors iert ités.
Por coi ne se repose, qant vieus est et remés ?
Mar vit sa covoitise et ce qu'il iert avers.
Se jel pooie prendre, il seroit du chief res,
1592 N'en porteroit la teste Dans Clins ne Tholomés,
Ja mais ne verroit Gresce nisuns des douze pers. »

95

Alixandres s'estut les un piler marbrin,
Assés s'oï clamer et dolent et frarin ;
1596 Qant Porrus le manace, si tient le chief enclin.
Il a prises ses letres o le seel d'or fin,
Puis monta el jument qu'il mena por roncin.
Assés en porte cire et chanestiaus et vin,
1600 Onques ne li costerent vaillant un angevin.
De la porte est issus si entra el chemin,
Des marcheans de l'ost a sieui le traïn.

---

33. L'*angevin* est une petite pièce frappée par les comtes d'Anjou.

93

– Comment ? répond Porus, mais c'est pourtant l'été,
et vous pouvez bien voir quelle chaleur il fait :
s'il a besoin de chaleur, il doit être tout brisé et passé !
– C'est vrai, dit Alexandre, il est bien vieux,
et la vieillesse a refroidi et glacé son corps.
Il est infirme et dompté par les ans.
Il a reçu tant de blessures, il a perdu tant de sang
qu'il ne vivra plus longtemps, vieux et rassotté comme il est.
Il est cruel, insensé, toujours insatisfait ! »

94

Porus est tout joyeux et allègre d'apprendre
qu'Alexandre est un vieillard, alors qu'il est lui-même tout
Il fait rédiger une lettre en grec   [jeune.
dans laquelle il menace Alexandre et insulte ses dieux :
« Alexandre est trop faible, aujourd'hui comme demain.
Que ne se repose-t-il, vieux et diminué comme il est !
Il regrettera sa convoitise et son avidité.
S'il tombe entre mes mains, il sera décapité :
ni sire Clin ni Tholomé ne rapporteront sa tête.
Aucun des douze pairs ne reverra la Grèce ! »

95

Alexandre s'appuie contre un pilier de marbre,
il s'écoute traiter de faible misérable.
Aux menaces de Porus, il garde la tête baissée.
Il prend la lettre scellée d'or fin
et se met en selle sur la jument qui porte ses emplettes.
Il rapporte abondance de cire, de gâteaux et de vin
qui ne lui ont pas coûté un sou[33].
Il franchit la porte et se met en route,
rejoignant la troupe des marchands de l'armée.

Si home li demandent : « Dont venés vos en fin ? »
1604 Et il lor respondi : « Jou alai hui matin,
Por Porron escharnir me sui mis en tapin. »

96

Alixandres repaire s'a son boucel trossé,
D'une malvaise sele son jument enselé ;
1608 Li estrier furent tuit et rompu et noué.
Bien resamble mendis, si drap furent usé.
Qant il vint pres de l'ost, encontre sont alé
Tuit li mellor baron qui li sont plus privé.
1612 Qant vinrent devant lui, en riant ont crïé :
« Sire, bien vegniés vos, et q'avés achaté ?
Dites de vos noveles, com vos avés erré. »
Alixandres respont : « Molt ai bien escouté
1616 Que Porrus m'a laidi, avillié et blasmé
Et chaitif et frarin oiant moi m'a clamé.
D'Alixandre demande qels est, de quel aé.
Je li dis que vieus iert, maint jor a trespassé,
1620 N'onques ne fait si chaut ne yver ne esté
Que il n'ait tous jors froit, tant n'avra afublé ;
Les ieus a chacïeus, tout sont esborbelé,
Molt est fel et entulles, nus n'en puet avoir gré,
1624 Tout le mont veut avoir desous sa poësté.
Et il me respondi : "Cortois iés par verté,
Qant tu de tout son estre ne m'as noient celé.
De ce le tieng je molt por viellart radoté
1628 Que il cuide conquerre si vilment mon regné ;
Ja ançois ne verra un mois entier passé
Que il avra le chief desor le bu caupé."
Qant il ot assés dit et j'oi tout escouté,
1632 Si pris congié de lui, parfont l'ai encliné.
"Amis, dist il a moi, pren cest brief seelé
Sel me porte Alixandre, le viel, le radoté."
Et je li respondi : "Volentiers et de gré."
1636 Ves ci le seel d'or que j'en ai aporté,
Chanestiaus, cire et vin que il m'a achaté. »
Qant si home l'oïrent, grant joie en ont mené,

Ses hommes lui demandent : « Mais d'où venez-vous donc ? »
Il leur répond : « Je suis parti ce matin
en secret pour me moquer de Porus ! »

96

Alexandre revient, chargé de son outre ;
sa jument porte une mauvaise selle,
les étriers sont tout rapiécés et pleins de nœuds :
il a tout d'un mendiant, avec ses vêtements usés.
Quand il rejoint l'armée, viennent à sa rencontre
tous ses meilleurs barons et ses plus chers amis.
Ils viennent devant lui et disent en riant :
« Soyez le bienvenu, seigneur ! Qu'avez-vous acheté ?
Racontez-nous donc votre aventure ! »
Alexandre répond : « J'ai bien écouté Porus
m'insulter, m'outrager
et me traiter, devant moi, de pauvre misérable !
Il demande quelle est l'allure d'Alexandre et son âge.
Je lui dis qu'il est vieux, d'un âge canonique,
et qu'hiver comme été, il a beau faire chaud,
lui, couvert de vêtements, a toujours froid !
Il a les yeux chassieux, tout ruinés.
Il est cruel, insensé, toujours insatisfait,
et veut dominer le monde entier !
Porus m'a répondu : "Je te remercie de ta courtoisie,
pour m'avoir tout dit d'Alexandre sans m'en rien cacher.
Je le tiens pour un vieillard rassotté,
s'il s'imagine conquérir si facilement mon royaume !
Avant qu'un mois ne s'écoule,
il aura la tête coupée !"
Il a bien parlé, j'ai tout écouté,
puis j'ai pris congé de lui par un profond salut.
"Ami, m'a-t-il dit, prends cette lettre scellée,
porte-la de ma part à Alexandre, le vieillard rassotté !
– Volontiers ! lui ai-je dit, et avec grand plaisir ! "
Voyez donc le sceau d'or que j'ai rapporté,
avec des gâteaux, de la cire et du vin qu'il m'a offerts ! »
A ces mots, les hommes d'Alexandre se réjouissent fort.

Grans gas en font entr'aus, assés s'en sont joué
1640 De Porrun le roi d'Ynde que il avoit gabé,
De lui se vont gabant deci q'au maistre tré.
La descent Alixandres, au pié li sont alé
Et prince et duc et conte qui molt l'ont honoré.
1644 Le jument a fait rendre la ou l'ot enprunté,
Au povre home qui fu a bon loier doné.
Le vin, les chanestiaus ont primes destrossé,
Nus hom ne vit trossel plus fort desbaraté ;
1648 L'uns tire, l'autres boute, le sac ont deschiré,
Assés se sont iluec detrait et detiré ;
Molt estoit Alixandres tenus en grant chierté.
Au departir la cire ot maint home enversé,
1652 Les chanestiaus mengüent, senpres furent gasté.
« Segnor, dist Alixandres, molt ai bien marcheé,
Malvais est mes gaains, car tout m'avés robé ;
Laissiés moi vieus le vin que j'ai ci aporté
1656 Si le bevrons ensamble, car il n'a riens costé,
Et mengiés aveuc moi trestout par amisté. »
Ce dïent li baron que molt a bien parlé.
Li vins revint avant qu'avoient destorné,
1660 Par rens se sont assis si ont iluec disné.
Plus que ne vos diroie a li mengiers costé,
Ilueques ot beü maint vin et maint claré.
Celui qu'il aporta n'ont il mie oublïé,
1664 Car ançois fu beüs que d'autre i ait gosté.
Li rois s'en fait molt liés, grant joie i ot mené.

97

Molt s'en rist Alixandres ains que le brief desplit,
En qant l'ot desploié et l'escripture vit,
1668 Lores s'en gabe plus et quatre tans s'en rit,
Et a dit a ses homes : « Entendés un petit.
Porrus molt me manace et me tient en despit,
Mes oreilles oiant m'a hui molt honte dit.
1672 Or sai bien son corage par bouche et par escrit,
Que, s'il me pooit prendre qu'il m'eüst desconfit,
Il me tauroit la teste, n'en avroie respit.

Ils plaisantent et rient entre eux
de Porus le roi d'Inde, dont on s'est bien moqué,
et continuent à se moquer de lui jusqu'à la tente royale.
Alexandre descend de cheval ; à ses pieds se mettent
princes, ducs et comtes pour l'honorer.
Il fait rendre la jument à son propriétaire
et récompense largement le pauvre homme.
On décharge d'abord le vin et les gâteaux :
on ne vit jamais chargement si bien mis en pièces !
L'un tire, l'autre pousse, le sac est déchiré,
tout le monde se bat et se bouscule.
Tous chantent les louanges d'Alexandre.
Pour partager la cire, bien des hommes tombent à terre ;
on mange les gâteaux, aussitôt mis en miettes.
« Seigneurs, dit Alexandre, je suis un bon marchand,
mais j'ai fait peu de gain : vous m'avez tout volé !
Laissez-moi au moins le vin que j'ai apporté,
que nous le buvions ensemble (il ne m'a rien coûté !),
et partagez mon repas en signe d'amitié ! »
Tous les barons proclament qu'il a bien parlé ;
le vin, déjà dérobé, ressurgit aussitôt.
Tous prennent place au dîner.
Je ne saurais vous dire le prix de ce repas :
on y but bien des vins et des liqueurs,
sans oublier le vin rapporté par le roi,
que l'on but avant tous les autres.
Le roi se réjouit fort et mène la fête.

97

Alexandre riait déjà avant de déplier son message,
mais après l'avoir déplié et lu,
il plaisante et rit quatre fois plus.
Il dit à ses hommes : « Ecoutez bien !
Porus me menace et me méprise fort !
Il m'a aujourd'hui même, devant moi, dit maint outrage.
Je connais son sentiment par oral et par écrit :
c'est que s'il pouvait me vaincre et s'emparer de moi,
il me couperait la tête sans le moindre délai !

– Sire, dïent si home, n'a droit qu'il vos afit,
1676 Que seul de cele treille que l'autr'ier vos guerpit
Li avés vos tolu grant joie et grant delit. »

98

Porrus de la bataille n'a talent qu'il se faigne,
N'ameroit Alixandre por trestout l'or d'Espaigne.
1680 Il a mandé ses homes en Bastre la sovraigne, –
N'i remest a semonre plains ne vaus ne montaigne, –
Neïs le manovrier qui la terre gaaigne,
Et tous ciaus d'Oriant, que uns seus n'i remaigne,
1684 Si q'au vintisme jor sans nule demoraigne
Entre Ynde et les desers soient tuit en la plaigne.
Il en jure ses dieus et sa teste et s'entraigne
Mar en remanra uns nis en terre grifaigne ;
1688 Et s'il fait tel folie que par orguel remaigne,
Ja n'iert si riches hom ne de si grant compaigne
Que nel face escorchier ou les os ne li fraigne.

99

Or a semons en Bastre tous ses homes Porrus
1692 Et tous ciaus d'Oriant, que n'i remaigne nus.
Cil des desers i vinrent dusq'as bonnes Artus ;
Gos et Magos i vinrent de la terre de Tus,
Quatre cens miles d'omes amenerent et plus.
1696 Il en jurent les mors que porsieut Nereüs
Et la porte d'enfer que garde Cerberus
Que l'orguel Alixandre torneront a reüs.
Qant li vintismes jors fu passés et esclus,
1700 Furent trente et set roi si ot cinquante dus,
Chascuns a tel effors com il avoir pot plus.
Cinquante olifans prent, un chastel lieve sus ;

---

34. Sur *grifaigne*, voir *supra*, I, v. 949.
35. Le v. 1696 (ms B) a été corrigé d'après GMJCE : « Il en jurent la mer
dont sire est Neptunus ».

– Seigneur, répondent ses hommes, il n'a pas le droit de vous
                                                          [défier :
rien qu'avec la treille qu'il vous a abandonnée l'autre jour,
vous lui avez enlevé l'un de ses biens les plus chers ! »

98

Porus compte bien tout mettre en jeu pour gagner la bataille.
Tout l'or d'Espagne ne le convaincrait pas d'aimer Alexandre.
Il a convoqué ses hommes dans la magnifique terre de
                                                    [Bactriane :
par les plaines, vallées et montagnes, partout il les appelle,
même le laboureur qui cultive la terre,
tous les peuples d'Orient sans la moindre exception ;
tous doivent, avant vingt jours et sans nul retard
se tenir dans la plaine qui s'étend entre l'Inde et les déserts.
Il le jure sur ses dieux, sur sa tête, ses entrailles :
malheur à celui qui restera même dans la terre la plus
S'il fait la folie de désobéir par orgueil,   [sauvage[34] !
fût-il le prince le plus puissant,
Porus le fera écorcher ou lui brisera les os !

99

Porus a appelé tous ses hommes de Bactriane
et tous ceux d'Orient : tous doivent le rejoindre.
Ils viennent des déserts qui s'étendent jusqu'aux bornes
Gog et Magog s'en viennent de la terre de Tus,   [d'Arthur.
menant plus de quatre cent mille hommes.
Ils le jurent sur la mer dont le maître est Neptune[35],
et sur la porte des Enfers que garde Cerbère :
ils feront reculer l'orgueil d'Alexandre.
Au terme des vingt jours,
ils étaient trente-sept rois et cinquante ducs,
chacun avec toutes les forces qu'il avait pu réunir.
Porus prend cinquante éléphants et fait élever un château :

O sa gent i entra li rois de Jostarus.
1704 Molt i fist pierres metre por tüer ciaus dejus.

100

Qanque Porrus a fait li rois a esgardé
Et vit bien le chastel qu'avoit iluec levé ;
S'il venoit sor ses homes tost seroient tüé.
1708 Entor les olifans a fait faire un fossé,
Cent piés ot de parfont et trois toises de lé.
Or sont li olifant si pris et enserré
Que ja mais n'en istront se il n'en sont geté ;
1712 Lors a veü Porrus com il l'ont malmené,
Que son chastel li ont clos et avironé.
Ses batailles conroie dedesous en un pré ;
Entre contes et dus et rois q'ot ajosté
1716 Et les barons de pris qui la sont aüné,
Estre les paoniers, qui ne sont pas nonbré,
Furent par cent feïes cinquante mil armé.

101

Alixandres regarde le fons d'une valee,
1720 Vit la grant gent Porron, qui s'arme par la pree.
Dont a li maines rois la soie ost devisee,
Ses batailles conroie, sa gent a ordenee
Et ses eschieles faites, chascune a commandee.
1724 Puis vesti une broigne dont la maille iert serree,
Aprés laça un elme Justin de Valferree,
Puis a çainte a son les une molt bone espee
Et a mis a son col sa grant targe roëe ;
1728 Monta sor Bucifal a la longe alenee.
Cele part ou il torne ne va mie a celee,
Tos jors i a cent grailles qui sonent la menee ;

---

36. On trouve dans la *Pharsale* de Lucain (V 5, VIII 10) un roi Dejotarus et
dans le *Roman de Troie* (vv. 1139-1140), un fleuve de Jotarus.
37. Un Sarrasin porte ce nom dans la *Chanson de Roland* (v. 1370).

le roi de Jostarus y pénètre avec ses troupes,
et y entasse des pierres pour tuer d'en haut les ennemis[36].

100

Mais le roi avait observé la conduite de Porus
et vu le château qu'il avait fait édifier :
s'il atteignait ses hommes, c'en était fait d'eux.
Autour des éléphants il fait creuser un fossé
profond de cent pieds, large de trois toises.
Voilà les éléphants si bien faits prisonniers
qu'ils ne sortiront jamais de là sans aide.
Porus voit bien son échec :
son château est tout encerclé.
Il dispose ses bataillons plus bas, dans un pré.
Avec les comtes, les ducs et les rois qu'il avait réunis,
et les barons renommés qui s'étaient rassemblés
les guerriers étaient au nombre de cent fois cinquante mille,
sans compter les combattants à pied.

101

Alexandre regarde le fond de la vallée
et voit les troupes immenses de Porus qui s'arme dans le pré.
Le grand roi divise alors son armée,
organise ses bataillons, dispose ses troupes
et donne un chef à chacune des compagnies.
Puis il revêt une broigne aux mailles serrées,
et lace un heaume qui a appartenu à Justin de Valferrée[37].
Il ceint à son côté une bonne épée
et enfile à son cou sa grande targe ornée de rosaces.
Il enfourche Bucéphale au souffle puissant.
Il ne cherche pas à cacher sa présence,
mais se fait toujours accompagner de cent trompettes qui
                              [sonnent la charge.

Qant il vient en bataille et sa gent est lassee,
1732 Lors s'en repaire as cors, nen est mie esgaree.
Li rois monte en un tertre s'a sa gent esgardee.
« Ahi ! franche maisnie, gentil et honoree,
Comme estes por m'amor de tous biens porpensee
1736 Et tante estrange terre en avés trespassee
Et tant fain et tant soif, tante paine enduree,
Se Dieus me laist tant vivre que viegne en ma contree,
L'amor qu'avés vers moi vos iert gueredonee,
1740 Trestoute ma richoise vos iert abandonee. »
Ançois que il eüst sa raison definee,
Astaros de Nubie a l'angarde montee, –
Et sist el cheval noir que li dona la fee,
1744 C'estoit une pucele qu'il avoit molt amee,
Por cui amor passa un bras de mer salee,
Et dist une raison qui bien fu escoutee :
« Alixandre, fait il, trop as ta gent menee,
1748 Hui est venus li jors qu'ele iert desbaretee,
Car la premiere joste m'en a Porrus donee.
Envoie cui tu veus por recevoir colee,
S'il n'en vait l'escu frait et la broigne fausee.
1752 Qanque je tieng de terre en la moie contree
Claim cuite mon segnor, n'en quier avoir denree. »
Qant Dans Clins l'entendi, s'a la teste levee,
Oïe a la parole qui pas ne li agree,
1756 Et saisi Alixandre as renges de l'espee :
« Rois, done moi la joste que cil a demandee,
Ja ne ferai mais autre se ceste m'est v[e]ee.

102

« Rois, done moi la joste, ce li a dit Dans Clins,
1760 Pres sui que me combate por toi et por les Gris,
Je ferai la bataille, vers lui m'en aatis ;
Se tu ne la me dones, tout ton fié te guerpis. »
Alixandres l'esgarde si li a fait un ris ;
1764 Des douze pers apele li rois tresques a sis :
« Segnor, dire vos veul ce qu'il m'en est avis.

Lorsque ses troupes donnent des signes de fatigue au combat,
elles se rassemblent près des cors et reprennent courage.
Le roi contemple ses troupes du haut d'une colline :
« Ah ! ma noble maison, pleine de noblesse et d'honneur,
vous ne songez qu'à bien faire pour l'amour de moi !
Vous avez traversé toutes ces terres étrangères,
enduré faim et soif, et tant d'autres souffrances !
Si Dieu me laisse regagner mon pays,
je saurai récompenser votre amour ;
je vous livrerai toutes mes richesses ! »
Il n'avait pas fini ce discours
qu'Astarot de Nubie est venu en haut de l'éminence,
monté sur son cheval noir que lui avait donné la fée :
pour l'amour de cette jeune fille,
il avait traversé la mer.
Son discours ne passe pas inaperçu :
« Alexandre, dit-il, ton équipée n'a que trop duré !
Voici venu le jour de ta déroute,
car Porus m'a confié la première joute !
Envoie donc qui tu veux pour recevoir mes coups :
il s'en retournera l'écu brisé, la broigne démaillée,
ou alors je renonce à toutes les terres que je tiens dans mon
                                                    [pays !
Je les rends à mon seigneur sans en conserver la moindre
A ces mots, sire Clin a relevé la tête,   [parcelle ! »
car ces paroles ne lui plaisent guère.
Il saisit Alexandre par le fourreau de son épée :
« Roi, confie-moi la joute que cet homme réclame !
Si tu me la refuses, je n'en livrerai jamais d'autre !

102

« Roi, confie-moi la joute ! lui a dit sire Clin.
Je suis prêt à combattre pour toi et pour les Grecs.
Je livrerai cette bataille, je m'en fais fort devant lui :
si tu refuses de me la confier, je te rends le fief que tu m'as
Alexandre le regarde et se met à rire.   [donné ! »
Le roi appelle six de ses douze pairs :
« Seigneurs, je veux vous dire ma pensée.

Astaros de Nubie nos a molt pres requis,
Dans Clins fera la joste, car ainsi le devis,
1768 Gardés que il ne soit ne retenus ne pris. »
Li douze per respondent : « Ja n'ait il Paradis
Qui vous faut ne Dant Clin por tant com il soit vis. »
Qant Dans Clins entendi que de la joste est fis,
1772 Il vait prendre ses armes com hom volenteïs,
Et monta el destrier que il avoit conquis
En la desconfiture ou Daires fu ocis.
La lance sor le fautre es grans galos s'est mis,
1776 La ou voit Astarot s'a le tertre porpris ;
Astaros de Nubie li vint en mi le vis.

103

Astaros de Nubie fu molt bons chevaliers,
Liés est de la bataille si apela premiers :
1780 « Dites moi, biaus amis, estes vous saudoiers
Ou uns des douze pers q'Alixandres a chiers ? »
« Vassaus, ce dist Dans Clins, trop par estes legiers ;
Je suis drus Alixandre et ses gonfanoniers
1784 Si m'a ci envoié et g'i ving volentiers.
Se je mon non vos çoil, viegne moi enconbriers ;
J'ai non Dans Clins d'Aresse, iteus est mes mestiers,
Ja en court ou je soie n'amerai losengiers.
1788 Tu avras la bataille, puis que tu la requiers,
Faisons que devons faire et laissons nos plaidiers. »
Ce respont Astaros : « Molt avés dit que fiers. »
Lors se sont deffié si brochent les destriers.

104

1792 Il se sont deffié et si entreferu
Que les lances peçoient et fendent li escu ;

---

38. Dans un dialogue entre deux chevaliers qui s'affrontent, *vassal* a souvent une valeur agressive. Cf. *infra*, III, vv. 1960, 4228, 6450, 6469, 6486, 6488, 6504.

Astarot de Nubie nous a lancé un défi :
sire Clin livrera cette joute, telle est ma décision.
Veillez à ce qu'on ne le retienne pas prisonnier ! »
Les douze pairs répondent : « Puisse-t-il être exclu du paradis,
celui qui, tant qu'il vit, vous ferait défaut, ainsi qu'à sire
Quand sire Clin entend que la joute lui revient,   [Clin ! »
il court prendre ses armes, plein de cœur au combat,
et enfourche le destrier qu'il a conquis
à la bataille où Darius a trouvé la défaite et la mort.
La lance en arrêt, il se lance au galop,
et s'avance sur la colline à la rencontre d'Astarot.
Astarot de Nubie vient au-devant de lui.

103

Astarot de Nubie est un bon chevalier.
Tout heureux de se battre, il parle le premier :
« Dites-moi, cher ami, faites-vous partie des troupes
ou bien des douze pairs qu'Alexandre aime tant ?
– Chevalier, dit sire Clin, vous êtes bien frivole[38] !
Je suis l'ami d'Alexandre, je porte son gonfanon.
Il m'a envoyé vers vous, et je suis venu avec joie.
Que je sois maudit si je vous cache mon nom !
Je me nomme sire Clin d'Aresse, je vous ai dit ma charge.
En aucun lieu je n'aime les flatteurs.
Vous aurez la bataille, puisque vous la demandez.
Réglons donc notre affaire, laissons là les paroles ! »
Astarot lui répond : « Vous parlez fièrement ! »
Ils échangent leurs défis, éperonnent leur destrier.

104

Ils se sont défiés et heurtés si fort
que les lances se brisent et les écus se fendent.

Onques poitraus ne cengle n'en a un retenu,
Tant com hanstes lor durent se sont entrabatu.
1796 Qant il furent a terre, n'i ont gaires geü,
Ains resaillent en piés com home de vertu.
Dans Clins sot d'escremie si l'a premiers feru,
L'espee li descent entre cors et escu,
1800 Le bras a tout le poing li a sevré du bu ;
A l'autre caup l'eüst ou mort ou retenu,
Qant cil d'Ynde et de Bastre de la terre Porru
I poingnent tuit ensamble si ont levé le hu.
1804 Alixandres le voit, paor ot de son dru
Et dist as douze pers : « Ja avrons Clin perdu. »
Li douze per respondent, qant il l'ont entendu :
« Li domages est nostres, li vassaus mar i fu. »
1808 Lors poingnent tout ensamble, n'i ont plus atendu,
O les espees nues l'ont molt bien secoru.
Meïsmes Alixandres li a Bauçant rendu,
Pui li dist en aprés de soie part : « Salu !
1812 De m'amor vos fais don, car tuit avons veü
Que blecié l'aviés et son cors retenu. »

105

Qant furent de deus pars jostees les batailles,
Li escu de lor cols ne valent deus maailles,
1816 Des lances s'entrefieren tres par mi les corailles.
Puis traient les espees, qant les lances font failles,
Tous les elmes detrenchent et des haubers les mailles.
Du fer et de l'acier dedevant les ventailles
1820 Vole plus espés fus que par vent ne font pailles.
Ciaus qui bien ne feroient tenoient por frapailles,
Li un fieren les autres sans nules repentailles.

106

Qant Alixandres vit la bataille en la pree, –
1824 Molt par fu grans la presse qant ele fu jostee, –
Il sist sor Bucifal a la longe alenee ;
Et vit un duc de Bastre qui ot traite l'espee,

Ils ne peuvent se retenir au harnais du cheval :
de toute la longueur de leur lance, ils se font tomber l'un
Mais ils ne restent pas longtemps au sol   [l'autre.
et sautent sur leurs pieds, en hommes de grand courage.
Sire Clin, bon escrimeur, a frappé le premier ;
l'épée s'est glissée entre le corps et l'écu d'Astarot
et lui a tranché la main et le bras.
Au second coup, il était mort ou captif.
Mais ceux d'Inde, de Bactriane, les hommes de Porus
chargent tous ensemble en lançant leur cri de guerre.
Alexandre, à cette vue, craint pour son ami
et dit aux douze pairs : « Nous allons perdre Clin ! »
Les douze pairs répondent aussitôt :
« Le dommage est pour nous ; le chevalier est en danger ! »
Ils chargent tous ensemble sans plus attendre
et lui apportent le secours de leurs épées nues.
Alexandre lui-même lui rend son cheval Balzan
et lui dit après en son propre nom : « Bravo !
Je vous donne toute mon amitié, nous avons tous bien vu
que vous l'aviez blessé et déjà capturé ! »

105

Les deux troupes se rencontrent :
leurs écus ne leur servent à rien,
les lances s'enfoncent jusque dans les entrailles.
Quand les lances font défaut, les hommes tirent leur épée,
ils tranchent tous les heaumes, démaillent les hauberts.
Devant les ventailles des heaumes, le bois des lances
vole plus dru que la paille, un jour de grand vent.
Ceux qui ne frappent pas bien, on les traite de racaille.
Les coups pleuvent sans nulle retenue.

106

Alexandre observe la bataille dans le pré :
les deux troupes qui s'affrontent font une foule immense.
Il monte Bucéphale au souffle puissant
et remarque un duc de Bactriane qui brandit son épée

D'un Grieu que il ot mort fu toute ensanglentee.
1828 Qant le vit Alixandres, s'a la color müee ;
Il broche Bucifal toute une randonee
Et vait ferir le duc sor la targe roëe,
Que il li a trestoute peçoïe et quassee,
1832 Et tres par mi le pis a la broingne esfondree,
Entre les deus espaulles li trenche l'eschinee ;
As doilles de l'espié en geta la coree,
Tant com hanste li dure l'abat mort en la pree.
1836 La gent a icel duc s'en fuit si effr[e]ee
Que ja mais par nul home ne sera rassamblee.
Bos, li rois de Cartage, a sa gent amenee,
Et furent bien vint mil de noire gent barbee.
1840 Il sist el cheval noir que li tramist la fee
Por cui amor passa un bras de mer salee ;
Une ensegne de paile a sa lance ot fremee.
Il broche le destrier toute une randonee
1844 Et vait ferir un Grieu en la targe listee,
Que voiant Alixandre en a l'ame getee.
Alixandres le voit s'a s'ensegne escrïee,
Bucifal point et broche, toute en fremist la pree,
1848 Et vait ferir le duc en la targe bendee ;
Tel caup li a doné du trenchant de l'espee
Que la teste o le hiaume li a du bu sevree.
Cil de Bastre s'en fuient si depart la mellee,
1852 Molt a bien Alixandres sa gent reconfortee.

107

Li rois retint ses resnes, sor les estriers s'apuie,
Le branc qui fu d'acier tert du sanc et essuie,
Et qant il fu bien ters, en son fuerre l'estuie
1856 Et commande Aristé que sa gent li conduie.
Puis a pris un espié, por ce que joindre cuie,
Porron quiert par le champ, car il crient qu'il s'esduie,
Por ce que l'autre fois torna si tost en fuie ;
1860 Qant il nel pot trover, molt forment li anuie,
N'encontre chevalier ne laist la sele vuie.
De la noise des cors et de la gent qui huie

toute rouge du sang d'un Grec qu'il vient de tuer.
A cette vue, Alexandre change de couleur ;
il éperonne Bucéphale et le lance au galop
pour venir frapper le duc sur sa targe ornée de rosaces,
qu'il lui a brisée en mille morceaux.
Sa lance perce la broigne et atteint la poitrine,
il lui tranche l'échine entre les deux épaules ;
la douille de l'épieu s'enfonce dans les entrailles.
De toute la longueur de sa lance, il le renverse mort dans le pré.
Les hommes du duc s'enfuient, si effrayés
qu'il est impossible de les rassembler.
Bos, le roi de Carthage, conduit ses troupes,
vingt mille chevaliers noirs et barbus.
Il monte un cheval noir, don de la fée
pour l'amour de laquelle il a franchi la mer.
A sa lance est fixée une enseigne de soie.
Il éperonne son destrier, le lance au galop
et vient frapper un Grec sur sa targe barrée :
il le tue sous les yeux d'Alexandre.
Alexandre, à cette vue, lance son cri de ralliement
qui résonne dans le pré, éperonne Bucéphale
et vient frapper le duc sur sa targe bandée.
Du tranchant de l'épée, il lui donne un coup
qui sépare du tronc la tête coiffée du heaume.
C'est la fuite dans les troupes de Bactriane, la mêlée est finie ;
Alexandre sait bien réconforter ses hommes.

107

Le roi serre ses rênes, s'appuie sur ses étriers,
il essuie sa lame d'acier couverte de sang
et la remet au fourreau.
Il donne à Aristé l'ordre de prendre le commandement.
Puis il prend un épieu, s'apprêtant au combat.
Il cherche Porus par tout le champ de bataille, craignant qu'il   [ne se sauve
et ne s'enfuie comme dans la première bataille.
Furieux de ne pas le trouver,
il ne laisse en selle aucun des chevaliers qu'il rencontre.
Sur son passage, le champ de bataille résonne

Ne torne cele part que tous li chans ne bruie ;
1864 Li dart que li Grieu lancent vont plus espés que pluie.
Il n'encontre compaigne qu'il n'ocie et destruie.

108

Li cuens Aristés maine la compaigne roial.
Il garde vers senestre s'a veü Rodoal,
1868 Que Porrus amoit plus que nul home charnal.
Il l'avoit adoubé a une feste anval.
D'un Grieu q'ot abatu en menoit le cheval ;
Se il nel puet rescorre, tient soi a desloial.
1872 L'ensegne qu'il portoit commande au seneschal ;
Encontre Rodoan broche tot un ingal,
De l'espee qu'il tint tel li done el nasal
La bouche et le menton li abat contre val.
1876 Le destrier ou il sist trenche dusqu'al poitral
Et celui qu'il menoit prist au sosmentonal
Si l'a randu au Grieu a guise de vassal.
Alixandres le vit, por ce le tint a mal
1880 Qu'il a guerpi l'ensegne por nul home charnal.
« Sire, dist Aristés, onques mais n'oï tal,
Ne veul qu'il ait du vostre nisun esperonal. »

109

Es vous Emenidus sor un cheval liart,
1884 N'encontre chevalier qui n'ait de mort regart,
Et vit un duc de Bastre qui des Grieus fait essart ;
Il broche le destrier, venus est cele part.
Li dus ne l'atent mie a guise de coart,
1888 Tel li done en l'escu ou ot paint un lupart
Que plain pié et demi li mist el cors le dart.
Qant il se sent navrés, de maltalent tous art ;
S'or ne se puet vengier, tenra soi por couart.

---

39. *Sosmentonal*, partie du heaume qui protège le menton, est ici appliqué au cheval.

du bruit des cors et des cris des hommes.
Les traits des Grecs tombent plus dru que la pluie.
Tous ceux qui rencontrent Alexandre sont condamnés à mort.

108

Le comte Aristé mène la compagnie royale.
Regardant à sa gauche, il a vu Rodoal,
que Porus aimait plus que nul homme au monde ;
il l'avait adoubé à une fête solennelle.
Il emmenait le cheval d'un Grec qu'il venait d'abattre.
Aristé se tient pour déloyal, s'il ne vient pas au secours de son
Il confie l'enseigne qu'il portait au sénéchal,   [guerrier.
éperonne son cheval et galope vers Rodoal dans la plaine ;
il lui donne sur le nasal du heaume un coup d'épée
qui lui arrache la bouche et le menton
et tranche le destrier qu'il monte jusqu'au poitrail.
Il prend le second destrier par le harnais[39]
et le rend au guerrier grec en valeureux chevalier.
Mais Alexandre prit fort mal ce choix
d'abandonner l'enseigne pour un homme.
« Seigneur, dit Aristé, quel étonnant reproche !
je ne veux pas que l'ennemi vous prenne la moindre chose ! »

109

Voici Emenidus sur un cheval gris :
tous les chevaliers qu'il rencontre craignent pour leur vie.
Il aperçoit un duc de Bactriane qui fait des ravages parmi les
Il éperonne son destrier pour venir vers lui.   [Grecs.
Mais le duc ne reste pas à l'attendre comme un couard :
il lui donne un tel coup sur son écu à un léopard
que l'acier s'enfonce d'un pied et demi dans le corps.
Emenidus se sent blessé, il s'enflamme de colère :
s'il ne peut se venger, il se tient pour un couard.

1892 Li dus s'en est tornés, mais trop est meüs tart,
Emenidus le fiert en l'elme d'un fausart,
Desi que es arçons par l'eschine le part.
Cel cop vit Alixandres, qui iert en son esgart.

110

1896 Or vait Emenidus navrés par la bataille,
Et vit un duc de Bastre, ne laira ne l'assaille.
Tel caup li a douné el pis sous la ventaille
Le fer de son espié li mist en la coraille.
1900 Tant souef l'abat mort que gaires ne travaille ;
Cel caup vit Alixandres, ne puet müer n'i aille.
Qant il le vit navré, dolens en fu sans faille
Et dist d'Emenidon por voir sans controvaille
1904 Qu'il ne set chevalier qui par son cors le vaille.
Ses plaies li estoupe por le sanc qu'il n'en saille,
D'un bendel li estraint par dedesus l'entraille,
Puis apela un mire, por tost saner li baille.

111

1908 Litonas sist armés deseur un cheval noir
Que li rois Alixandres li dona l'autre soir,
Gos li rois d'Outremons vit seur le brun seoir.
Ensamble vinrent joindre, ne lor peüst chaloir,
1912 Ambedui s'entrefierent par issi grant pooir
Onques escus ne broigne ne lor pot riens valoir,
Par mi les cors se font les bruns espiés paroir.
Gos fu li plus bleciés si s'est laissiés chaoir,
1916 Si home l'en porterent, de ce firent savoir ;
Et Litonas se pasme, ne se puet astenoir.
Alixandres l'ot dire si l'est alés veoir ;
Qant il li vit le sanc jusques as piés chaoir,
1920 Dejoste Emenidon le rueve aler seoir ;
Puis si a dit au mire que tout a son voloir,
Mais qu'il bien le garisse, li donra grant avoir.
Li mires li respont : « Je vos afi por voir
1924 Q'il porront porter armes tel di com fu ersoir. »

Le duc fait demi-tour, mais trop tard :
Emenidus le frappe sur le heaume de sa faux d'armes,
lui tranche l'échine et le fend en deux jusqu'aux arçons.
Alexandre, qui le regardait, remarqua ce coup.

110

Emenidus, blessé, s'élance dans la bataille.
Voyant un duc de Bactriane, il décide de l'attaquer.
Il lui donne un tel coup, sous la ventaille du heaume,
qu'il lui enfonce le fer de son épieu dans les entrailles
et l'abat, mort, à terre, doucement, sans effort.
A ce coup, Alexandre ne peut s'empêcher de le rejoindre.
Il est chagriné de le voir blessé
et dit qu'en toute vérité
il ne connaît aucun chevalier de la valeur d'Emenidus.
Il étanche ses plaies pour empêcher le sang de couler
et les bande fortement pour maintenir les entrailles,
puis appelle un médecin et lui confie le malade.

111

Litonas, en armes, monte un cheval noir
que le roi Alexandre lui donna l'autre soir.
Il voit Gos, roi d'Outremont, monté sur son cheval brun.
Tous deux s'affrontent sans crainte
et se frappent avec une telle violence
que ni écu ni broigne ne peuvent empêcher
les épieux bruns de transpercer les corps.
Gos, le plus gravement blessé, se laisse tomber à terre ;
ses hommes, avec raison, l'emportent loin du combat.
Et Litonas se pâme, il ne peut se soutenir.
Alexandre l'apprend et vient le voir.
Quand il voit le sang qui lui tombe jusqu'aux pieds,
il lui ordonne d'aller s'asseoir auprès d'Emenidus
puis il dit au médecin que s'il guérit bien son malade,
il sera richement récompensé, selon son désir.
Le médecin répond : « Je vous donne ma parole
qu'ils pourront porter les armes aussi bien qu'auparavant. »

112

Filotes sist armés el cheval espanois,
Qui fu destre comés et si blans comme nois,
Et ot en son sa lance un gonfanon turqois ;
1928 Il n'ot en toute l'ost chevalier plus cortois.
El cuer de la bataille vit un duc et deus rois
Qui le gregnor damage faisoient des Grigois ;
Il broche le destrier si vait joster as trois.
1932 Cil le ferirent bien, mais ne lor vaut un pois,
Car il ne l'abatissent entresi q'a un mois.
Les deus en abat mors et le tiers prist manois
Si le rent Alixandre par les resnes d'orfois.
1936 Margos, li compains Gos, sist el cheval norois,
A la loi de sa terre fu armés comme rois ;
La ou il s'entrencontrent se fierent de manois.
Margos le feri bas en l'escu vïenois,
1940 Au costé li a joint la hanste de garrois ;
Et Filotes fiert lui com chevaliers de prois,
Tout li trenche l'escu et la guige d'orfois,
Par mi la destre espaulle li mist le fer grigois,
1944 Del gonfanon pert outre ne sai deus piés ou trois,
Tant com hanste li dure l'abat mort el chaumois.

113

Desor un destrier vair Perdicas sist armés,
Et vit un duc de Bastre qui de l'ost iert sevrés,
1948 Le cheval en menoit d'un Grieu qui iert navrés ;
S'or ne le puet rescorre, ja sera forsenés,
A tant point le cheval, cele part est alés ;
Li dus le vit venir si li est retornés.
1952 Mervelleus caus se donent es escus painturés,
Desor les boucles d'or les ont frais et troués ;
Li hauberc sont si fort que nus n'en est faussés,
Les lances sont brisies et li fer tronçonés.
1956 N'i a nul qui chaïst, car chascuns est provés,
De grant chevalerie est chascuns renomés.
Li dus le sent hardi, fuiant s'en est tornés,

112

Filote, en armes, monte un cheval espagnol
blanc comme neige, à la crinière flottante.
A la pointe de sa lance, il porte un gonfanon turc :
c'est le plus courtois chevalier de toute l'armée.
Au cœur de la bataille, il voit un duc et deux rois
qui causent de terribles pertes aux Grecs ;
il éperonne son destrier et les attaque tous trois.
Les trois se défendent bien, mais en vain :
il leur aurait fallu un mois pour le renverser de cheval !
Il en a tué deux et capturé le troisième,
qu'il livre à Alexandre en le tenant par ses rênes d'orfroi.
Margos, compagnon de Gos, monte un cheval norvégien ;
il est armé royalement, à la mode de son pays.
Dès qu'ils sont face à face, ils échangent des coups :
Margos frappe Filote au bas de son écu de Vienne
et l'atteint au côté de sa hampe de chêne.
Mais Filote le frappe en chevalier valeureux :
il lui tranche son écu avec la courroie d'orfroi
et lui enfonce dans l'épaule droite son bon fer grec :
deux ou trois pieds du gonfanon apparaissent de l'autre côté.
De toute la longueur de sa lance, il l'abat mort dans les
[chaumes.

113

Armé et monté sur un destrier pommelé, Perdicas
voit un duc de Bactriane qui s'éloignait du combat
avec le cheval d'un Grec qu'il avait blessé :
si Perdicas ne vient pas au secours du Grec, il en perdra le
Il lance son cheval de ce côté ;   [sens !
le duc le voit venir et se retourne vers lui.
Ils échangent des coups prodigieux sur leurs écus peints,
qu'ils brisent et trouent sur leurs boucles d'or.
Mais les hauberts sont si solides qu'aucune maille ne se rompt ;
les lances se brisent et tombent en morceaux.
Eux ne tombent pas, car ils sont valeureux
et tous deux réputés pour leur chevalerie.
Devant la hardiesse de son ennemi, le duc prend la fuite

Por un seul petitet ne li est eschapés.
1960 Perdicas li escrie : « Vassal, car m'atendés !
Molt iert bons li chevaus se ainsi m'eschapés. »
Et il broche le sien, s'est aprés lui alés
Et vint plus tost a lui c'uns faus ne fust volés ;
1964 De l'espee le fiert qui li pendoit au les,
Desi qu'en la cervele li est li brans coulés.
Ne li valut li hiaumes deus deniers moneés,
Li haubers c'ot vestu est rompus et faussés,
1968 L'eschine li fendi par entredeus costés.
As alves de la sele est li brans arestés,
L'une moitiés du cors est a terre versés,
L'autre moitiés chaï a la terre delés.
1972 Ce dïent cil de Bastre : « Cil Grigois est desvés,
As diables soit hui li siens cors commandés. »
Il a pris le cheval, arriere est retornés,
Alixandre le rent par le frain qu'est dorés.

114

1976 Porrus vait par le champ et sa gent molt enorte,
La ou voit le besoing si aïde et conforte,
Sovent crie s'ensegne, que sa gent ne resorte ;
Et voit Salatïel, un fort roi de Marorte,
1980 Qui tant s'est combatus toute s'espee est torte ;
Une eschiele des Grieus le tenoit en reorte.
Il broche le destrier, brandist l'espié qu'il porte,
Vait secorre le roi, qui besoigne en a forte.
1984 Si bien i fiert chascuns de l'espee qu'il porte
Que le roi ont rescous et l'autre gent ont morte.

115

Qant Porrus ot rescous le roi Salatïel,
Il broche le destrier, tint l'escu en chantel.
1988 Encontre Licanor, qui seoit sor Morel,

---

40. Sur *vassal*, voir *supra*, III v. 1782.

et, pour un peu, lui échappait.
Perdicas s'écrie : « Chevalier, attendez-moi donc[40] !
Il vous faudra un cheval bien rapide pour m'échapper ! »
Il éperonne son destrier pour le poursuivre
et fond sur lui, plus rapide qu'un faucon ;
il le frappe de l'épée qui pend à son côté
et lui enfonce sa lame jusqu'à la cervelle.
Le heaume de Margos ne lui vaut pas un sou,
son haubert est rompu et démaillé.
Perdicas lui fend l'échine en deux :
la lame ne s'arrête qu'aux planchettes de la selle.
Une moitié du corps tombe à terre,
la seconde moitié tombe à côté.
Les hommes de Bactriane disent : « Ce Grec est fou !
Qu'il aille au diable ! »
Perdicas prend le cheval, revient sur ses pas
et le remet à Alexandre par le frein doré.

114

Porus parcourt le champ pour exhorter ses hommes,
portant aide et réconfort où le besoin s'en fait sentir.
Il répète son cri de ralliement pour empêcher ses hommes de
                                                              [reculer.
Il voit Salatiel, puissant roi de Marorte,
qui s'est si bien battu que son épée est tordue ;
une compagnie grecque l'avait pris en tenaille.
Porus éperonne son destrier, brandit son épieu
et se porte au secours du roi, qui en a bien besoin.
Tous manient si bien leurs épées
qu'ils ont sauvé le roi et tué leurs adversaires.

115

Quand Porus a sauvé le roi Salatiel,
il éperonne son destrier, tient son écu de côté,
affronte Licanor, qui monte Le Noir,

Sel feri de l'espee dont trenchent li coutel
Que jambes enversees l'abati du poutrel.
De meïsme l'apointe vait ferir Samüel,
1992 Tout li trenche l'escu qui fu fait a neel,
De l'auberc desrompi la maille et le clavel,
Si qu'el ventre li brisent de l'espié li coutel ;
Qant il le trait a soi, s'en chieent li boiel.
1996 Puis regarde sor destre si vit un jovencel
Qui fu drus Alixandre adoubés de novel ;
Un sien baron ot mort, ne li fu mie bel.
Il broche le destrier, qui molt le porte isnel.
2000 Tel caup li a doné de l'espee a neel
Que mort l'a abatu sans nisun contrapel.
Aprés lui por garder vont poignant cent dansel
Qui trenchent pié ou poing ou espandent cervel ;
2004 Des vavasors de Gresse ont mors a lor revel,
Tels cinquante en i ot n'i a nul n'ait chastel.
Porrus jure son dieu qu'on claime Lucabel,
S'il encontre Alixandre, le viellart, le mesel,
2008 Ne li vauront ses armes que il porte un chapel,
Que le chief a tout l'elme ne li mete el putel.
Ce dïent cil de Bastre : « Molt avons bon chadel. »

116

Licanors saut en piés, comme hom de grant vertu,
2012 Porrus s'en passa outre qu'il l'avoit abatu.
Poise li de Morel, qu'il ot ainsi perdu ;
Qant ne se puet vengier, dolens et iriés fu.
Un duc qui fu de Bastre a devant lui veü,
2016 Tel caup li a doné du branc d'acier moulu
Que trestout en travers le trenche par le bu.
Il saisist le destrier et traist avant l'escu,
Le mautalent qu'il ot li a molt chier vendu.
2020 Set chevaliers a mors et un duc retenu,
Tant a quis Alixandre que il li a rendu.

et le frappe de son épée à la lame tranchante,
si bien qu'il l'abat, la tête la première, de son cheval.
Sur sa lancée, il attaque Samuel,
lui met en pièces son écu niellé
transperce et démaille son haubert,
et brise la lame de son propre épieu en la lui enfonçant dans le
quand il la retire, les boyaux tombent à terre.   [ventre :
Il regarde sur sa droite et voit un tout jeune homme,
un ami d'Alexandre, récemment adoubé,
qui venait de tuer un baron de Porus, ce qui ne plut pas au roi.
Il éperonne son destrier à la course rapide
et lui porte un tel coup de son épée niellée
qu'il le porte, mort, à terre, sans résistance.
Cent jeunes gens veillent sur Porus et le suivent au grand
tranchant les pieds, les poings, répandant les cervelles, [galop ;
ils massacrent les guerriers grecs tout leur soûl,
et parmi eux cinquante châtelains.
Porus le jure sur son dieu qu'on nomme Lucabel :
s'il rencontre Alexandre, ce pitoyable vieillard,
ses armes le protégeront autant qu'une couronne de fleurs ;
sa tête, avec le heaume, sera jetée dans la boue.
Les hommes de Bactriane disent : « Nous avons un bon chef ! »

116

Licanor saute sur ses pieds, en homme de grand courage ;
Porus poursuit sa route après sa victoire.
Licanor regrette Le Noir, qu'il a ainsi perdu ;
chagrin et furieux de ne pouvoir se venger,
il voit devant lui un duc de Bactriane
et lui donne un tel coup de sa lame d'acier aiguisée
qu'il lui tranche le buste en deux.
Il s'empare du destrier et se protège de son écu ;
il a fait payer cher sa colère.
Il tue sept chevaliers, capture un duc
et cherche Alexandre pour le lui remettre.

117

Litonas sist armés deseur un cheval noir,
Un duc ot mort de Bastre, ne li peüst chaloir.
2024 Dui roi le vont ferir qui ont si grant pooir
Que tres par mi son cors font lor espiés paroir,
De canque il l'enpaignent nel pueent pas movoir ;
Se or ne se vengast, jal veïssiés ardoir.
2028 Le branc qui fu d'acier lor fait si fort paroir
Qu'ansdeus les chiés des bus fait a terre chaoir.
Cel caup plut Alixandre si l'est alés veoir ;
Et qant il vit le sanc dehors le cors plovoir,
2032 Dejoste Emenidon le rueve aler seoir,
Et puis a dit au mire trestout a son voloir,
Se il bien les garist, donra lui grant avoir.
Li mires li respont : « Je vos afi por voir
2036 Que il seront tout sain tel di com hui au soir. »

118

Es vos Aminadap, qui fu rois d'Alenie.
Por ce que sa gent iert combatans et hardie
L'avoit Porrus mandé et semons par banie ;
2040 O soissante mil homes iert venus en s'aïe.
Devant tote sa gent requiert chevalerie,
Et porte en son bras destre une manche s'amie ;
Qant li solaus i fiert, bien luist et reflambie.
2044 Por sa gent rehaitier a haute vois s'escrie
S'il encontre Alixandre ne laira ne l'ocie.
Antigonus l'entent si li torne a folie,
Hurte des esperons le sor de Tabarie,
2048 Grant caup li va doner en la targe florie ;
Ja soit ce que la lance li soit torte et croissie
Por qant sel met a terre voiant sa baronie.

---

41. Les laisses 111 et 117 sont quasiment identiques.
42. Sur le ban, cf. *supra*, II, v. 111.

117

Litonas, en armes, monte un cheval noir[41].
Il a tué un duc de Bactriane et ne pleure pas sa mort.
Deux rois viennent l'attaquer avec une telle violence
qu'ils lui transpercent le corps de leur épieu,
mais le choc ne le fait pas bouger de son cheval.
S'il ne se vengeait pas, il s'enflammerait de colère.
Il leur montre si bien sa lame d'acier
qu'il fait tomber les deux têtes à terre.
Ce coup réjouit Alexandre, qui vient voir Litonas.
Mais quand il voit le sang pleuvoir le long de son corps,
il lui ordonne d'aller s'asseoir auprès d'Emenidus,
puis il dit au médecin que s'il guérit bien ses malades,
il sera richement récompensé, selon son désir.
Le médecin répond : « Je vous donne ma parole
qu'ils seront bientôt aussi frais qu'auparavant ! »

118

Voici Aminadap, il est roi d'Alenie,
chef d'un peuple guerrier et hardi :
Porus l'a convoqué près de lui au nom du ban[42].
Il a répondu à l'appel avec soixante mille hommes.
Devant son peuple entier, il cherche à montrer sa bravoure
et porte à son bras droit la manche de son amie,
qui brille et resplendit au soleil.
Pour encourager ses hommes, il crie à haute voix
qu'il ne manquera pas de tuer Alexandre, s'il le rencontre.
Antigonus entend cette folle vantardise,
il pique des éperons son cheval fauve de Tibériade
et vient frapper le roi sur sa targe à fleurs peintes ;
sa lance se tord et se brise, ce qui ne l'empêche pas
de porter son adversaire au sol devant tous ses barons.

Du cheval ou il sist a la resne saisie,
2052 Qui que poist ne qui non, par la presse l'en guie.
Por chevalier estrange nel perdra hui mais mie.
Alixandres le voit, ne puet müer n'en rie,
En son cuer en est liés assés plus que ne die.

119

2056 Aminadap saut sus au plus tost que il pot,
Por ce qu'il fu cheüs molt grant vergoigne en ot,
De son cheval li poise que li Grieus en menot ;
Vit un baron de Gresce qui devant lui passot,
2060 Tel caup li a doné du branc que il portot
Que l'elme li fendi et le cercle trenchot ;
Desi que ens es dens li aciers li coulot,
Si l'a mort abatu que onques ne dist mot.
2064 Puis saut sor le destrier que estrier n'i baillot,
De ce li fu molt bel que Porrus veü l'ot.
Le caup que il ot fait ainc cil hom ne le sot
Qui de chevalerie forment nel prist et lot.

120

2068 Porrus vait par le champ, des Grieus fait grant maçacre,
De sanc et de cervele est coverte la place.
Et qant Dans Clins le voit, si broche Boniface,
Puis a drecié l'espié, le fort escu enbrace.
2072 Porrus le vit venir sel feri d'une mace,
Que son escu li fent com se il fust de glace
Et lui et son cheval abat en mi la place.
Et Dans Clins refiert lui, qui de mort le manace,
2076 Sel fiert en mi le pis que l'auberc li deslace ;
Enpaint le de vertu, a terre le crabace.
Li chevaus chiet sor lui ens en une crevace.

121

Dans Clins sailli en piés, qant a terre se sent ;
2080 Ains que Porrus se liet, par le nasal le prent.

De sa monture, il empoigne les rênes de l'autre cheval
et l'entraîne dans la foule, que cela plaise ou non.
Nul chevalier étranger ne lui fera perdre sa capture.
Alexandre, à cette vue, ne peut s'empêcher de rire,
plus réjoui qu'on ne saurait le dire.

119

Aminadap se relève ausi vite qu'il le peut,
tout honteux d'avoir vidé les étriers.
Il regrette son cheval capturé par le Grec.
Voyant passer devant lui un baron de Grèce,
Il lui porte un tel coup de sa lame
qu'il lui fend le heaume dont il tranche le cercle ;
l'acier se glisse jusqu'aux dents
et le Grec tombe mort sans un mot.
Le roi saute sur le destrier sans l'aide des étriers,
tout heureux que Porus ait vu la scène.
Tous ceux qui apprennent cet exploit
prisent et louent grandement sa bravoure.

120

Porus parcourt le champ, faisant des ravages parmi les Grecs,
couvrant la place de sang et de cervelle.
Sire Clin, à cette vue, éperonne Boniface ;
il dresse son épieu, serre son écu solide.
Porus le voit venir, le frappe de sa masse d'armes :
il lui fend son écu comme s'il était de glace
et le renverse avec son cheval au beau milieu du champ.
Sire Clin, qui veut sa mort, sait lui rendre ses coups :
il l'atteint à la poitrine, lui détache son haubert ;
le choc est si violent qu'il l'abat à terre,
tombé sous son cheval dans une fondrière.

121

Sire Clin bondit sur ses pieds dès qu'il se sent à terre ;
il agrippe Porus par le nasal de son heaume, avant qu'il ne se
[relève.

Porrus crie s'ensegne por ralïer sa gent,
Et cil i sont venu plus de mil et set cent.
Et li home Alixandre ne resont mie lent,
2084 Chascuns au mieus qu'il puet du retenir content ;
Cil fierent de deus pars mainte communalment.
Porrus sache l'espee qui au costé li pent
Si fiert Dant Clin sor l'elme, que trestout le porfent
2088 Et tout le chapeler du hauberc li desment ;
Del caup fu estordis, q'a la terre s'estent.
Ja s'en alast Porrus, qant Tholomés descent,
Ne s'en ira hui mais se estor ne li rent.
2092 O les brans acerins se fierent si forment
Tous les escus detrenchent, qui sont a orpiement.
Porrus chaï a terre, molt ot grant maltalent.

122

Porrus sailli en piés, qant il fu abatus.
2096 Il escrie s'ensaigne por ralïer ses drus
Et il i sont venu o les espiés molus.
Et li Grieu se ralïent, molt est grans lor vertus,
Reclaiment Alixandre o les grailles menus ;
2100 Alixandres l'entent, cele part est venus.
Lors refu li estors fierement maintenus,
Quatre cens chevaliers i ont les chiés perdus.
Desor trestous les autres Alixandre est cremus ;
2104 Il traist la bone espee as bruns coutiaus molus,
Tranche les las des hiaumes, les testes et les bus.
Li Grigois i feroient, qui molt sont irascus,
Et departent la presse as brans qu'il portent nus,
2108 Quinze dus i ont pris et set rois retenus ;
Aminadap fu pris et li orfrois perdus.
La bataille aclaroie, car li chans est vaincus,
Cil de Bastre s'en fuient vers l'eaue de Calus.
2112 Porrus est entre Grieus, ou il s'est combatus,
Assés lor a malmis et elmes et escus,
O le branc acerin s'est si d'aus deffendus
Q'il n'i a si hardi del prendre ne soit mus,
2116 Car ains que il fust pris se fust molt chier vendus.

Porus lance son cri de ralliement pour appeler ses hommes
et ses guerriers arrivent, plus de mille sept cents.
Mais les hommes d'Alexandre sont eux aussi rapides ;
chacun, du mieux qu'il peut, s'efforce de résister.
Les coups tombent dru d'un côté comme de l'autre.
Porus dégaine l'épée qui pend à son côté,
frappe sire Clin sur son heaume, qu'il pourfend,
et démantèle la coiffe de son haubert :
Clin, étourdi par le coup, s'effondre à terre.
Porus s'éloignait déjà quand Tholomé descend de cheval :
il ne partira pas sans lui rendre ses coups.
Les lames d'acier s'abattent si violemment
que les écus, couleur d'or, sont en pièces.
Porus tombe à terre, furieux.

122

Porus n'est pas plus tôt abattu qu'il bondit sur ses pieds,
lance son cri de ralliement pour appeler ses amis
qui acourent, leurs épieux aiguisés à la main.
Les Grecs, eux aussi, se rassemblent, pleins de courage ;
ils appellent Alexandre au son des fines trompes.
Alexandre entend l'appel et accourt vers eux.
L'assaut redouble alors de violence,
quatre cents chevaliers y laissent leur tête.
Plus que tous les autres Alexandre fait peur.
Il dégaine sa bonne épée à la brune lame aiguisée,
tranche les lacets des heaumes, les têtes et les bustes.
Les Grecs, dans leur fureur, joignent leurs coups aux siens,
et fendent la foule de leurs lames nues.
Ils ont fait prisonniers quinze ducs et sept rois ;
Aminadap, captif, a perdu sa manche brodée.
Les combattants sont clairsemés, la bataille est finie :
les troupes de Bactriane s'enfuient vers le Calus.
Porus, au milieu des Grecs, continue à se battre :
il leur a défoncé bien des heaumes, des écus ;
de sa lame d'acier, il se défend si bien
que le plus hardi n'ose pas le capturer,
sachant qu'il vendrait cher sa liberté.

La ou vit Alixandre, si s'est a lui rendus ;
Bien le connut as armes ou li ors fu batus
Et a la grant compaigne dont li chans fu vestus.
2120 Qant voit par la ventaille les blons cheveus quernus,
Dont sot cil l'ot gabé, si s'est aperceüs,
Qui li dist qu'Alixandres estoit vieus et chenus.

123

Porrus voit qu'il est pris si l'estuet sousploier,
2124 Et voit ses homes mors, que n'i a recovrier.
Qant autre ne puet estre, ne s'en veut esmaier,
La ou voit Alixandre rent lui son branc d'acier
Et dist en son langage que il l'avoit molt chier.
2128 Alixandres l'entent sans autre latimier,
Car de tous les langages s'estoit fais ensegnier ;
Et qant il tint l'espee, sel prist a manecier
Por ce qu'il l'ot tant fait lasser et travellier ;
2132 L'auberc li fait fors traire et l'elme deslacier.
Porrus vit Alixandre armé sor son destrier,
Envers lui s'umelie se li prent a proier
Que il nel face ocirre ne son cors laidengier,
2136 Car sol de bele garde en puet avoir d'or mier
Plus que ne porteroient quatre mile soumier ;
Prist le par l'estriviere, le pié li vaut baisier.
Pitié ot Alixandres sel fist sus redrecier,
2140 Rent lui toute sa terre et commande a baillier,
Ses prisons li amaine ses a fait deslïer.
Et qant Porrus le vit, prist s'en a mervellier
Et dist que il nen iert nus hom fieus de mollier
2144 Qui osast un tel don faire ne commencier.
Alixandres li rueve conduit aparellier,
Es desers veut entrer, car molt les veut cerchier,
Car veoir veut les bonnes, se il n'a encombrier,
2148 Que Artus avoit fait en Oriant fichier.

Quand il voit Alexandre, c'est à lui qu'il se rend :
il l'a bien reconnu à ses armes d'or battu
et à la grande compagnie qui l'entoure.
Il voit par la ventaille ses blonds cheveux bouclés
et il comprend alors qu'on s'est moqué de lui
en lui parlant de l'âge et des cheveux blancs d'Alexandre.

123

Porus voit qu'il est pris, qu'il lui faut se soumettre ;
il voit ses hommes morts, il n'a plus aucun recours.
Puisqu'il n'a pas le choix, sans aucune frayeur,
quand il voit Alexandre, il lui livre sa lame d'acier
et lui dit dans sa langue l'estime qu'il a pour lui.
Alexandre le comprend sans le moindre interprète,
car il connaît toutes les langues.
Quand il tient son épée, il le menace fort
pour lui avoir imposé tant d'efforts et d'épreuves.
Il lui fait enlever son haubert et délacer son heaume.
Porus voit Alexandre, en armes, sur son destrier.
Il s'humilie devant lui et le supplie
de lui épargner la mort et les supplices :
s'il le traite bien, il peut recevoir en or pur
la charge de quatre mille chevaux.
Il saisit l'étrivière, veut lui baiser le pied.
Emu de pitié, Alexandre le fait se relever :
il lui rend toute sa terre et lui en laisse le commandement,
lui amène ses prisonniers, qu'il fait délivrer.
Porus, émerveillé à cette vue,
dit qu'un simple mortel
n'aurait jamais eu le cœur de faire un tel don.
Alexandre lui ordonne de lui faire préparer des vivres :
il veut pénétrer dans les déserts pour les explorer ;
il veut voir, si nul ne l'en empêche, les bornes
qu'Arthur a fixées en Orient.

124

Qant Porrus fu rendus, Gos et Magos s'en vont.
Ne fu si crüel gent puis que Dieus fist le mont,
Je n'avront bien ne joie le jor que mal ne font,
2152 Manacent Alixandre que dolent le feront.
Li maines rois l'ot dire, a poi de duel ne font.
Il les sieut tost aprés, et dist ja ne garront,
Tout droit as mons de Tus, dont li val sont parfont
2156 Et li tertre sont droit envers le ciel a mont.
La les a bien enclos por le mal que il font,
Tant que Antecris viegne que ja mais n'en istront.

125

Gos et Magos s'en vont, perdu ont de lor gent.
2160 Dis mil en furent mort et navré quatre cent,
Porter les font en biere, molt s'en vont laidement,
Manacent Alixandre qu'il le feront dolent,
Fil a putain le claiment, né par enchantement.
2164 Li maines rois l'ot dire si s'en ire forment ;
Il en jure ses dieus et canq'a lui apent
Que de ça la montaingne les ardra s'il les prent.
Il les enchauce tost et molt isnelement.

126

2168 Tout droit as mons de Tus s'en fuit Gos et Magos,
Et li rois Alixandres s'est mis en lor esclos.
Ains qu'il fuissent as mons, s'est a aus si apos
Que plus de trente mile en a que pris que mors ;
2172 Li autre passent outre, eschapé sont as nos.
De l'ire q'ot li rois enfremist toute l'os,
Et fait de la montaigne si bien cerchier les cros
Qu'il n'en i remest nus qui tant i soit repos.

124

Quand Porus s'est rendu, Gog et Magog s'en vont.
On n'a jamais vu d'êtres aussi cruels depuis que Dieu créa le
ils ne connaissent la joie que quand ils font le mal.   [monde :
Ils menacent Alexandre de leur vengeance.
Le grand roi les entend, il est fou de colère ;
il les poursuit aussitôt, disant qu'ils ne lui échapperont pas,
jusqu'aux monts de Tus aux vallées profondes
et aux tertres dressés haut vers le ciel.
C'est là qu'il les a enfermés, pour les empêcher de nuire :
jamais ils n'en sortiront jusqu'à la venue de l'Antéchrist.

125

Gog et Magog s'en vont, ils ont perdu des hommes,
dix mille morts et quatre cents blessés
qu'ils font transporter sur des brancards : ils s'en vont,
menacent Alexandre de leur vengeance   [honteux,
et le traitent de fils de putain, né d'un enchanteur.
Le grand roi l'apprend et se courrouce fort :
il jure sur ses dieux et sur tout son pouvoir
qu'avant qu'ils n'atteignent la montagne, il les fera brûler, s'il
Il les pourchasse donc à vive allure.   [les prend.

126

Gog et Magog s'enfuient tout droit aux monts de Tus,
mais le roi Alexandre les suit à la trace.
Avant qu'ils n'atteignent les monts, il les a rejoints
et leur a fait trente mille morts ou prisonniers.
Les autres franchissent les monts, échappant à nos hommes.
L'armée frémit de la colère du roi.
Il fait explorer les grottes de la montagne
afin de trouver tous ceux qui y sont cachés.

127

2176　Li pui de Tus sont haut envers le ciel tout droit.
　　　N'i a de tous passages ne mais c'un seul destroit,
　　　Par iluec s'en passe outre la gent qui Dieu ne croit.
　　　Molt en poise Alixandre qant eschaper les voit,
2180　Vit la terre parfonde et le pertuis estroit.
　　　Ja se meïst aprés, qant Tholomés disoit
　　　Que se il passoit outre grant folie feroit,
　　　Desvoiabletés est, ja n'en retorneroit ;
2184　Plus les destraindroit il et mieus se vengeroit
　　　S'a chaus et a ciment les pertuis estopoit,
　　　Que ja mais n'en istroient tresque la fins seroit.

128

　　　Arestés s'est li rois et fait le ciment faire.
2187　De chaus et de mortier ains ne fu veüs maire,
　　　Ja n'iert mis en cel lieu que la jointure i paire,
　　　Il l'ont fait itant fort que nus nel puet deffaire ;
　　　A clorre le pertuis ne demorerent gaire.
2192　Lendemain par matin en Ynde s'en repaire ;
　　　Porrus li vait encontre qui son cuer li esclaire,
　　　Tous les tresors qu'il a li fait mostrer et traire.

129

　　　« Sire, ce dist Porrus, primes te veul semondre
2196　Que voies mes tresors, dont je ne sai le nonbre,
　　　Que mi ancissor firent desous terre repondre.
　　　Tant en done a tes homes que nus ne puisse grondre,
　　　Si facent vaissiaus d'or, bellons come concombre,
2200　Ou il se puissent bien rere, baignier et tondre.
　　　Tant en pren a ton oés que nus nel puist apondre,
　　　Et por bien afiner le fai quatre fois fondre.
　　　Le don que tu m'as fait ne porroit nus espondre,
2204　De ta volenté faire nule riens ne m'enconbre,
　　　Mieus aim je ton servise que par grant chalor ombre. »

127

Les monts de Tus sont hauts et se dressent vers le ciel.
Pour tout passage, il n'y a qu'un défilé
par où s'engouffre le peuple qui ne croit pas en Dieu.
Alexandre, désolé de les voir s'échapper,
voit la vallée profonde et le passage étroit.
Il irait à leur suite, mais Tholomé lui dit
que ce serait de la folie de passer au-delà :
il ferait fausse route, ne reviendrait jamais.
La plus cruelle vengeance qu'il pourrait en tirer
serait de combler tous les trous de chaux et de ciment
pour les empêcher à jamais de sortir.

128

Le roi s'est arrêté, il fait faire le ciment ;
on n'a jamais vu autant de chaux et de mortier.
Là où on le mettra, on ne verra pas même la jointure.
On l'a fait si solide qu'il est impossible à briser
et l'on ferme le passage sans plus tarder.
Le lendemain matin, Alexandre regagne l'Inde.
Porus vient à sa rencontre, lui ouvre son cœur,
lui présente et lui livre tous ses trésors.

129

« Seigneur, lui dit Porus, d'abord je veux t'enjoindre
de voir mes trésors, dont je ne sais le nombre :
mes ancêtres les ont enfouis sous la terre.
Donnes-en à tes hommes : que nul n'ait à se plaindre,
qu'ils se fassent faire des cuves d'or allongées comme des
[concombres
où ils puissent se faire raser, baigner et coiffer à leur gré !
Prends-en pour toi aussi plus qu'on ne saurait compter
et fais-le fondre quatre fois pour le rendre plus pur !
Le don que tu m'as fait, nul ne saurait en rendre compte !
Je veux donc plus que tout faire ta volonté ;
te servir m'est plus cher que l'ombre en pleine canicule. »

130

Alixandres respont com hom de grant pooir :
« Laisse ester tes tresors, ne t'en quier nul movoir,
2208 Car jou ne tuit mi home n'avons cure d'avoir ;
Ja n'en prendrai denree ne rien n'en quier avoir.
Ses que dist Salemons el livre de savoir ?
Bons rois adrece terre si la fait bien seoir,
2212 Li avers la destruit et fait gaste manoir.
Qui rien ne veut doner quels homes cuide avoir ?
Cil ou il mieus se fie le met en nonchaloir.
Se je t'ai rien doné, or le me fai paroir,
2216 Condui moi es desers, se riens m'i pués valoir ;
A chascun fai porter tant de son estovoir
Que ja nul de mes homes n'estuece remanoir.
– Sire, ce dist Porrus, ce t'afi je por voir :
2220 Mieus te veul obeïr et faire ton voloir
Que a mes malvais dieus, qui m'ont laissié chaoir.

131

« Sire, ce dist Porrus, en ce oi grant damage :
Qant Dayres fu ocis sor Gangis el rivage,
2224 Assés me fu mandé par briés et par message
Q'ainsi te demenoit fors avarisse et rage.
Onques si nobles hom n'issi de ton lignage ;
Se seüsse si bien ta vie et ton corage,
2228 Ja de toute ma guerre ne fust percie targe,
En pais sans contredit t'alasse faire homage.
Tu vas querant proëce, segnorie et barnage ;
Qui la te contendra molt fera grant folage,
2232 Nel puet garir chastiaus ne fors cités marage
Que tu nel sieues tant que tu li fais damage.
Ce que tu as conquis par force et par barnage
Dones tu volentiers, n'en fais nului salvage ;

---

43. Il ne s'agit pas du *Livre de la Sagesse* mais des *Proverbes* 29, 4 : « Rex justus erigit terram, vir avarus destruit eam. »

130

Alexandre lui répond du haut de sa puissance :
« Laisse donc tes trésors, je n'y veux pas toucher,
car ni moi ni mes hommes n'avons soif de richesse ;
je n'en prendrai pas même la valeur d'un denier.
Sais-tu ce que dit Salomon dans le livre qui renferme sa
Le bon roi gouverne sa terre et fait son bonheur ;   [sagesse[43] ?
l'homme cupide la détruit et la laisse dans la désolation.
Celui qui ne veut rien donner, quels hommes pense-t-il avoir ?
Celui à qui il se fie le mieux le laisse se perdre.
Si je t'ai fait un don, rends-le moi maintenant :
guide-moi dans les déserts, aide-moi de ton mieux,
fais porter à chacun suffisamment de vivres
pour que je puisse emmener tous mes hommes !
– Seigneur, lui dit Porus, je t'en fais le serment :
j'aime mieux t'obéir et me soumettre à toi
qu'à mes mauvais dieux, qui m'ont abandonné.

131

« Seigneur, lui dit Porus, j'ai subi un grand tort :
quand Darius est mort sur les rives du Gange,
on m'a répété par des lettres et des messages
que tu étais mu par la cupidité et la rage.
Or jamais homme si noble n'est issu de ton lignage.
Si j'avais pu connaître ta conduite et ton cœur,
je n'aurais pas laissé percer une seule targe dans cette guerre ;
en paix, sans révolte, je serais allé te rendre hommage.
Tu recherches la prouesse, le pouvoir et l'honneur.
Bien fou qui voudrait te les disputer !
Ni château, ni puissante cité élevée sur la mer
ne sauraient le mettre à l'abri de ta vengeance.
Ce que tu as conquis par ta force et ton courage,
tu le donnes volontiers, tu n'en prives personne.

2236 Humilités te vaint et fait rendre ton gage.
Onques si larges hom ne fu de nul parage,
Plus as tu hui doné et moi et mon lignage
Que ne se raembroit l'amiraus de Cartage.

132

2240 — Porrus, fait Alixandres, assés t'a on conté
Que combatant m'aloie tous jors par averté.
Avers hom ne puet mie conquerre autrui regné,
Ains pert molt de sa terre, q'ainsi veulent li dé.
2244 Ses com m'aiment mi home par ma grant largeté ?
De ma volenté faire se sont tous jors pené,
Et jou ai a chascun itant du mien doné
Que miaus vaudroient estre trestuit ars et venté
2248 Que riens eüssent fait contre ma volenté.
Tant m'aiment en lor cuers et si sont aduré
Que mieus vauroit avoir chascuns le chief caupé
Que vers mon enemi eüst le dos torné.
2252 Qant il sont devant moi sor lor chevaus monté,
Canque je voi as ieus tout m'est abandoné.
Par lor grant vasselage ai je pris tel fierté
Que se tuit cil du mont estoient assamblé
2256 Ne me tauroient il ne chastel ne cité.

133

« Porrus, fait Alixandres, savoir dois et enquerre
En quel sens rois avers destruit et confont terre.
Dehors l'ardent et robent tuit cil qui li font guerre,
2260 Et taille ciaus dedens, acuse et fait enquerre.
Povres est et chaitis qui entor lui reperre,
Car son avoir li taut et en prison l'enserre ;
S'il li crie merci, il n'i puet riens conquerre.
2264 Qant il puet eschaper, si pleure et son duel merre,
Ses enfans a son col s'en fuit et vait pain querre.

Devant l'humilité, tu t'avoues vaincu et tu rends ton gage.
On n'a jamais vu naître un homme d'une telle largesse :
tu m'as donné aujourd'hui, à moi et mon lignage,
plus que la rançon de l'émir de Carthage.

132

– Porus, dit Alexandre, on t'a beaucoup conté
que je ne me battais que par cupidité.
L'homme cupide ne saurait conquérir un royaume :
c'est lui qui perd sa terre, ainsi le veulent les dieux.
Si tu savais l'amour que me vaut ma largesse !
Mes hommes se mettent en peine de faire ma volonté
et j'ai si bien donné de mon bien à chacun
qu'ils préféreraient être brûlés, leurs cendres répandues au
que faire quoi que ce soit contre ma volonté.   [vent,
Ils m'aiment d'un tel amour, ils sont si aguerris
qu'ils préféreraient se faire couper la tête
plutôt que tourner le dos devant mon ennemi.
Quand ils sont devant moi, montés sur leurs chevaux,
tout ce qui tombe sous mes yeux est en mon pouvoir.
Leur bravoure me remplit d'une telle fierté
que tous les guerriers du monde pourraient bien s'assembler :
ils ne m'enlèveraient ni château ni cité !

133

« Porus, dit Alexandre, il faut que tu comprennes
pourquoi un roi cupide est la mort de sa terre.
On lui fait la guerre au-dehors, on brûle, on pille,
et lui, à l'intérieur, pressure, accuse, enquête.
Ceux qui l'entourent sont pauvres et malheureux,
car il s'empare de leurs biens et les met en prison.
Ils ont beau implorer la pitié, ils n'en obtiennent rien.
Quand ils peuvent s'échapper, ils pleurent, mènent leur deuil,
puis s'enfuient, leurs enfants dans les bras, pour trouver de
                                              [quoi vivre.

134

« Porrus, fait Alixandres, n'est mie devinaille :
Rois avers crient tous jors que ses avoirs li faille ;
2268 Qanque il puet trover tout met en repostaille.
Puis que il l'a repost et mis sous la moraille,
Ja puis n'en donra tant que un seul denier vaille.
De ses homes confondre croit bien sa cuivertaille,
2272 A tout le plus felon sa terre acense et baille,
Et cil li amenuise et confont et travaille
Et mengüe la gent desi q'en la coraille ;
S'il enprunte et acroit, ja n'en saudra maaille.
2276 Les uns semont de droit et as autres fait taille ;
Qant il n'i puet plus prendre, si en porte la paille ;
La povre gent s'en fuit et la terre anoaille.
Qant li sires l'ot dire, sel tient a controvaille ;
2280 Por ce que il ne l'aiment, fait semblant ne li chaille,
Des que li sers n'i pert vaillant un oef de quaille.
Puis devient il si fel quelque part que il aille
Q'il n'encontre provoire ne moine qu'il n'assaille.

135

2284 « Porrus, ce sachent bien li bas hom et li haut
Q'avers hom est plus seus que hermites en gaut ;
Tresqu'il n'a bien ses homes, tost est venus au saut,
N'a voisin en sa terre ne li toille et retaut.
2288 Puis qu'il le tient a honte, ses avoirs que li vaut ?
Avers hom veut tous jors que on paine et travaut
Et face son servise et riens du sien ne baut ;
Cil ou il plus se fie au grant besoing li faut.
2292 Puis qu'il n'a preu en lui, quel part qu'il veut si aut,
Et s'il pert riens du sien, dehais ait qui en chaut,
Car molt sont fol li home qui d'avoir se font baut ;
Mains hom en est getés en compieng por le chaut.

---

44. Ce vers obscur a été corrigé d'après les manuscrits JC : « Mains hom en est honis et par froit et par chaut ».

134

« Porus, dit Alexandre, c'est un fait avéré :
un roi cupide craint toujours de perdre ses biens.
Tout ce qu'il peut trouver, il s'empresse de le cacher ;
et quand tout est caché et mis sous un mur,
il n'en donnera pas un sou vaillant.
Se fiant à ses coquins, il accable ses hommes,
confie et remet sa terre au plus félon,
qui l'affaiblit, l'accable et la tourmente
et dévore le peuple jusqu'aux entrailles.
S'il emprunte et demande crédit, il ne remboursera pas une
Il exige son droit des uns, impose les autres.   [maille.
Quand il n'y a plus rien à prendre, il emporte leur paillasse.
Les pauvres gens s'enfuient, et la terre est ruinée.
Quand le seigneur apprend la nouvelle, il la tient pour un
                                                    [mensonge ;
comme son peuple ne l'aime pas, il s'en préoccupe peu,
pourvu que son serf favori n'y perde pas un sou.
Puis l'autre pousse la félonie
jusqu'à s'attaquer partout aux prêtres et aux moines.

135

« Porus, qu'ils sachent bien, les petits et les grands,
que l'homme cupide est plus seul que l'ermite dans sa forêt !
Comme ses hommes lui font défaut, le voilà vite acculé.
Tous ses voisins le pillent et le volent.
A quoi lui sert la richesse qui lui vaut cette honte ?
L'homme cupide veut que toujours on s'épuise et on s'use
à son service, sans rien donner de son bien.
Il est abandonné, dans le besoin, par celui en qui il place toute
                                                    [sa confiance.
Il n'y a rien de bon en lui : qu'il aille donc où il veut,
et s'il perd son bien, que nul ne s'en soucie,
car il faut être bien fou pour se réjouir de richesses
qui sont source de malheur dans bien des circonstances[44] !

136

2296 « Porrus, dist Alixandres, mon conduit m'aparelle,
       Entrer veul es desers ou a tante mervelle.
       Puis revenras en Ynde, ou tu feïs la treille,
       Et tes dieus qui musissent forbis et aparelle.
2300 Je conquerrai Egipte jusq'a la mer vermelle
       Et prendrai Babilone se ma gens le conseille,
       Car avoir veul la tor qui vers le ciel torelle
       S'ocirrai le serpent q'on dist qui tous jors veille.

137

2304 – Sire, ce dist Porrus, je fais apareillier
       Les bestes toutes vives que menrons por mengier.
       Et l'autre garison porteront li somier ;
       Ja n'i avra en l'ost sergant ne chevalier,
2308 Lecheor ne putain, garçon ne escuier,
       S'il se veut es desers rere ou tondre ou baignier,
       Que vaissel de fin or n'i puisse apareillier ;
       Ne ja por la chalor ne li estuet laissier
2312 Ventouser ne se face ou de vaine saignier.
       Et toutes les herberges fais si apareillier
       Nis la coute de paile n'iert a dire au couchier. »
       « Porre, dist Alixandres, molt te doi avoir chier,
2316 Qant par ton bel servise me veus eslosengier. »

138

       Or se sont cil de Bastre semons et bani tuit
       Qu'il soient es desers tresq'a mardi a nuit
       Et portent vin et eaue, sel, ferine et pain cuit,

---

45. Il s'agit de la tour de Babel. Quant au serpent, le *Livre de Daniel* (14, 22-26) évoque un serpent adoré par les Babyloniens ; Daniel le tue en lui faisant avaler des boulettes de poix. La même histoire est attribuée à Alexandre dans les versions orientales. En outre, les *Métamorphoses* d'Ovide mentionnent un « draconem pervigilem » (VI 149) et le *Roman de Troie* de Benoît de Sainte-Maure « un serpenz qui toz jors veille » (v. 1369) : voir MFRA VI, p. 42 et VII, p. 37. Cf. *infra*, III, v. 3877.

136

« Porus, dit Alexandre, prépare-moi des vivres :
je veux entrer dans les déserts aux multiples merveilles.
Puis tu regagneras l'Inde, où t'attend la treille d'or.
Fourbis donc et astique tes dieux moisis !
Moi, j'irai conquérir l'Egypte jusqu'à la mer Rouge,
je prendrai Babylone avec l'aide de mes troupes :
je veux avoir la tour qui se dresse vers le ciel
et tuer le serpent qui, dit-on, veille toujours[45].

137

– Seigneur, lui dit Porus, je vais faire rassembler
les troupeaux vivants qui fourniront nos vivres.
Le reste des bagages, j'en ferai charger les chevaux de somme.
Il n'y aura en l'armée sergent ni chevalier,
vaurien ni putain, valet ni écuyer,
qui n'ait à sa disposition un bassin d'or fin
pour se raser, se coiffer, se baigner à son gré dans les déserts.
La chaleur ne les empêchera pas
de se faire poser des ventouses ou de se faire saigner.
Quant au logis, je vais si bien m'en occuper
que nul ne se couchera sans son drap de soie !
– Porus, dit Alexandre, tu mérites mon amitié,
à servir si bien ma gloire ! »

138

Tous les hommes de Bactriane sont convoqués par le ban :
ils doivent être dans les déserts avant mardi soir,
munis de vin et d'eau, de sel, de farine et de pain,

2320 Pois, feves et lentilles, poivre, commin et fruit
Et soient de faucilles et d'autre chose estruit ;
Menront l'ost Alixandre et Porron quil conduit.
Porrus jure le ciel, l'eaue et le vent qui bruit
2324 Que cil qui remanront seront ars et destruit ;
Ja ne porront garir ne par jor ne par nuit.

139

Or est li os meüs a joie et a baudour ;
Cil de Bastre les guïent par issi grant amor
2328 Cil qui vaut eaue froide si l'ot por la chalor.
Ne fuissent li serpent, dont il ont grant paor,
Ja nus d'aus en sa terre ne fust a tel honor.
Porrus sert Alixandre, que il tient a segnor ;
2332 Il ne trueve es desers herbe de bone odor
Q'il ne face cueillir et aporter la flor,
Le tref le roi en jonchent q'en sente la flairor ;
Les maus pas lor eschieve qu'il n'i aient dolor.
2336 D'un home des desers font lor adreceor,
Si q'as bonnes Artu vinrent au sesme jor.

140

Qant li rois vit les bonnes, molt fu joians et liés,
Deus ymages d'or vit, dont molt s'est mervelliés.
2340 « Sire, ce dist Porrus, de ça vos hebregiés,
Ne passés ces ymages, car ce seroit pechiés ;
Onc Artus ne Libers n'orent avant lor piés,
Desvoiabletés est, tost serés foloiés.
2344 La mer qui terre clot a les mons si perciés
Et l'ardor du soleil a si les crués sechiés
Assés i a teus lieus ou molt tost charriés.
Les la rive de l'eaue est si parfons li biés
2348 Entresque en abisme tost serïés noiés.
Et du peril de l'eaue se vos eschapiés
Et si q'a ferme terre la outre venissiés,
Li perieus est si grans ja n'en revenrïés ;
2352 On ne set qu'il i a, tost serïés mengiés.

de pois, de fèves et de lentilles, de poivre, de cumin et de fruits,
et équipés de faucilles et d'autres outils ;
ils guideront l'armée d'Alexandre, qu'accompagne Porus.
Porus le jure par le ciel, l'eau, le bruissement du vent :
ceux qui resteront chez eux mourront par le feu ;
rien ne pourra jamais les protéger.

139

L'armée s'ébranle dans la joie et l'allégresse.
Les gens de Bactriane sont si pleins d'égards
qu'ils donnent de l'eau fraîche à ceux qui souffrent de la
Sans les serpents, dont ils ont grand peur,   [chaleur.
les Grecs seraient plus heureux que dans leur pays.
Porus sert Alexandre comme son seigneur :
toutes les herbes odorantes qu'il trouve dans les déserts,
il les fait cueillir avec leurs fleurs
pour en joncher et en parfumer la tente du roi.
Il évite aux Grecs tous les passages dangereux.
Un homme des déserts leur sert de guide :
ils arrivent aux bornes d'Arthur en cinq jours.

140

Quand le roi voit les bornes, il en est tout heureux.
Il voit, émerveillé, deux statues d'or.
« Seigneur, lui dit Porus, restez de ce côté,
ne dépassez pas ces statues : ce serait une faute.
Ni Arthur, ni Liber ne firent un pas au-delà.
Vous ferez fausse route, vous commettrez une folie.
La mer qui ferme l'accès de cette terre a percé les montagnes
et l'ardeur du soleil a asséché les crevasses :
vous auriez tôt fait de tomber dans l'une d'entre elles.
Près de la rive, le lit du fleuve est si profond
que vous seriez vite noyé dans cet abîme.
Et même si vous échappiez au péril de l'eau,
et que vous parveniez à gagner la terre ferme,
le péril est si grand que jamais vous ne reviendriez :
dans cette terre inconnue, vous seriez vite dévoré !

141

« Qant Artus et Libers vinrent en Oriant
Et orent tant alé qu'il ne porent avant,
Deus ymages d'or firent qui furent de lor grant.
2356 En tel lieu les poserent que bien sont aparant
Et que mais a tos jors i fuissent demorant ;
Ainc outre les ymages nen ot home vivant.
Rois, fai lor sacrefise qu'il n'aient maltalant,
2360 Que tuit s'en aillent sain li petit et li grant,
Si com firent cil dui qui ierent dieu poissant. »
Qant Alixandres l'ot, si respont en riant :
« La gent de ceste terre sont fol et mescreant,
2364 Qui croient ces ymages et les vont aourant,
Qui n'oient ne ne voient ne d'aler n'ont talent.
Qui les geteroit ore ens en un fu ardant,
Il n'ont tant de vertu ja mais en ississent.
2368 Le matin irai outre trestous vos eus voiant. »

142

La nuit jurent iluec tant qu'il fu ajorné,
Grans piece fu de jor ains qu'il aient trossé.
Puis sont venu a l'eaue, dont parfont sont li gué ;
2372 Tant i ont cloies faites, ros et raime geté
Q'a mervelleuse paine sont outre trespassé ;
Par devant les ymages sont el mollain entré.
Qant Alixandres vit ses gens a seürté,
2376 De la joie qu'il ot a Porron apelé,
Et Porrus vint a lui s'amena Tholomé.
Sor la senestre espaulle li a son bras geté,
Puis li dist en riant : « Car nos fuissiens disné !
2380 Devant nos gardons bien, car derrier sont li dé,

---

46. Cf. Quinte-Curce 7, 9, 15 : « Ils avaient déjà franchi les bornes de Liber Père, marquées par des pierres disposées à intervalles réguliers » ; Pline, *Histoire Naturelle* 6, 16, 49 : « Hercule et Liber Père ont dressé là [en Sogdiane] des autels ». Voir sur ce point P. Goukowsky, *Essai sur les origines du mythe d'Alexandre*, Nancy, 1981, II, p. 14.

141

« Quand Arthur et Liber vinrent en Orient
et eurent atteint la limite qu'ils ne pouvaient franchir,
ils firent deux statues d'or de leur taille.
Ils les placèrent bien en vue et les destinèrent
à demeurer à tout jamais en ce lieu[46].
Nul mortel n'a jamais dépassé les statues.
Roi, offre-leur un sacrifice pour éviter leur courroux
et obtenir que tous nos hommes reviennent sains et saufs,
comme ces deux puissants dieux ! »
Alexandre, à ces mots, lui répond en riant :
« Le peuple de ce pays est fou et mécréant
de croire à ces statues et de les adorer !
Elles ne voient ni n'entendent et ne peuvent bouger !
Si on les jetait maintenant au feu,
elles seraient bien incapables d'en sortir !
Demain matin, vous verrez, j'irai de l'autre côté ! »

142

Ils reposent cette nuit-là jusqu'au lever du jour,
qui brille déjà clair avant qu'ils n'aient plié bagage.
Ils parviennent à l'eau, dont les gués sont profonds.
Ils fabriquent des claies, qu'ils recouvrent de roseaux et de
et traversent l'eau à grand-peine.   [branches,
Ils passent devant les statues et entrent dans les marais.
Quand Alexandre voit ses hommes sains et saufs,
il appelle Porus, tout joyeux,
et Porus le rejoint, accompagné de Tholomé.
Alexandre le prend par l'épaule gauche
et lui dit en riant : « Ne pourrions-nous dîner ?
Prenons garde à ce qui est devant nous, car les dieux sont
                                                    [derrière !

Ne se fierent gaires en lor grant deïté
Qant por un seul mal pas furent espoënté,
Qu'il ne passerent outre, ains s'en sont retorné ;
2384 Nous n'avons cel roncin qui n'i ait traversé. »

143

Tholomés vait avant por le maingier haster ;
Qant fu aparelliés, si fait l'eaue doner
Et sont par toute l'ost tuit assis au disner.
2388 Qant il furent assis, si les estut lever,
C'onques de garison ne lor i lut gouster,
Car cil les escrïerent ques devoient garder
Q'il voient les mervelles des desers assembler,
2392 Et dïent Alixandre ; « Fai ta gent tost armer !
Tant veons d'olifans nus hom nes puet esmer,
Ja serons malbailli s'il nos pueent trover. »
Cil qui primes les vit le vait au roi conter.
2396 Li rois cline vers terre si commence a penser,
Et qant il se redrece, si fait sa gent armer.
Alixandres commande ses chevaliers monter
Et ciaus qui sont a pié les herberges garder,
2400 Et fist par toute l'ost ses buisines soner,
As chevaus por henir fait les yeves mostrer
Et les truies fait prendre et batre por crïer,
Les homes por noisier fait durement hüer,
2404 Tant que les olifans fait en fuies torner.
Qant il voit qu'ils s'eslongent et s'esforcent d'aler,
Ses rueve as chevaliers o les lances bouter ;
Lors veïssiés les bestes deus et deus crevanter,
2408 Nuef cens et vint et set en ont fait enverser.
Les dens en a fait traire et tous les os oster ;
Mieus valut li yvoires que il en fist porter
Que qanque Sersés pot d'or et d'argent trousser.

144

2412 « Sire, ce dist Porrus, ceste terre est molt fiere,
Molt est deshabitee, ne sai avant que quiere.

Ils ne se sont guère fiés à leur divinité,
puisqu'ils se sont laissé arrêter par un seul passage dangereux !
Ils ont eu peur de le franchir et sont revenus sur leurs pas !
Et nous, nous avons fait traverser les pires roussins ! »

143

Tholomé passe devant pour hâter le repas.
Quand tout est préparé, il fait offrir l'eau
et dans toute l'armée, on s'asseoit pour dîner.
Ils ne sont pas sitôt assis qu'il leur faut se lever
sans pouvoir goûter au repas,
car les gardes s'écrient
qu'ils voient se rassembler les merveilles des déserts.
Ils disent à Alexandre : « Fais vite armer tes hommes !
Nous voyons arriver un nombre incalculable d'éléphants
qui seront notre perte, s'ils peuvent nous trouver ! »
Le premier à les voir va tout conter au roi.
Le roi baisse la tête, se met à réfléchir,
puis se redresse et fait armer ses hommes.
Alexandre ordonne aux chevaliers de se mettre en selle
et aux fantassins de garder le camp.
Il fait dans toute l'armée sonner ses trompettes,
fait montrer les juments aux chevaux pour les faire hennir ;
on bat les truies pour les faire crier ;
les hommes doivent hurler pour faire du bruit,
si bien que les éléphants se mettent à fuir.
Quand il voit qu'ils font mine de s'éloigner,
il donne aux chevaliers l'ordre de les percer de leurs lances.
On pouvait voir alors les bêtes s'effondrer deux par deux :
ils en ont renversé neuf cent vingt sept,
dont le roi a fait prendre les dents et les défenses :
l'ivoire qu'il a ainsi recueilli valait plus
que les trésors d'or et d'argent de Xerxès.

144

« Seigneur, lui dit Porus, cette terre est cruelle,
elle n'est pas habitée ; que chercher plus avant ?

Se nos passons encore une autretel riviere,
Noiens seroit ja mais du retorner arriere.
2416 Tant com vostre compaigne est si saine et entiere,
Ains que vostre maisnie perdés en la fouchiere,
Si nous en retornons toute nostre chariere.
La palus est si mole et desous si pleniere
2420 Qui en istroit plain pié de la voie corsiere
Ne seroit mais veüs en nisune maniere.
– Porrus, dit Alixandres, jel fais par ta proiere. »

145

Iluec se hebregierent dejoste le marois,
2424 Un poi de fosse firent devant aus por deffois.
La nuit se reposerent, l'endemain furent frois,
Arriere s'en retornent cil d'Ynde et li Grigois ;
Tres devant les ymages s'est arestés li rois.
2428 Por ce q'a cel jor fu la kalende du mois,
Porrus et Alixandres sacrefient manois,
Et ot al sacrefice vaches soissante et trois.
Les laus du sacrefice chanterent en yndois,
2432 Qui ierent revestu, doi chapelain cortois.

146

Qant ont de la kalende celebree la feste,
La devise du mois lor anonça li prestre.
Puis s'en tornent ariere devers Ynde a senestre,
2436 Li conduis les en guie une voie champestre.
Une seche palu troverent a main destre,
Par lieus estoit si mole q'erbe n'i pooit nestre.
De diverse maniere lor sailli une beste ;
2440 Le poil ot gros et dur et poignant com areste,
Ne crient fer ne acier, tant est de fiere geste.
Qant cil de l'ost la hüent, de maltalent s'areste,
Au retor qu'ele fist lor a fait tel moleste
2444 Trente et set chevaliers lor ocist et tempeste.
Li Grieu corent entor tuit a vive poëste,
A maus et a cugnies li peçoient la teste.

Si nous traversons encore une rivière pareille à celle-là,
nous ne pourrons plus jamais revenir.
Tant que votre armée est saine et sauve,
avant de perdre vos hommes dans ces fougères,
revenons sur nos pas !
Le marécage est trop mou et trop profond :
celui qui s'égarerait d'un pas du bon chemin,
on ne le reverrait plus jamais !
– Porus, dit Alexandre, j'accède à ta prière ! »

145

Ils dressent le camp le long du marais,
avec des fossés devant eux pour se protéger.
Après un repos d'une nuit, les voici tout frais au matin.
Indiens et Grecs reviennent sur leurs pas.
Le roi s'arrête devant les statues.
C'était le jour des calendes du mois :
Porus et Alexandre célèbrent un sacrifice
de soixante-trois vaches :
deux chapelains courtois, en vêtements sacerdotaux,
chantent les laudes en indien.

146

Après la célébration des calendes,
un prêtre leur annonce les fêtes du mois.
Ils reprennent la route de l'Inde à gauche ;
le guide les fait marcher en plein champ.
Sur leur droite, ils trouvent un marais asséché,
mais si mou par endroits que l'herbe n'y pouvait pousser.
Une bête monstrueuse surgit devant eux :
ses poils sont épais, durs et aigus comme des arêtes ;
elle est si farouche qu'elle ne craint ni le fer ni l'acier.
Quand les soldats l'excitent par leurs cris, elle se dresse,
vire et riposte si cruellement   [furieuse,
qu'elle leur abat et leur massacre trente-sept chevaliers.
Les Grecs s'empressent de l'entourer en courant
et lui brisent la tête à coups de maillet et de cognée.

147

Qant il furent tuit outre, soirs et bas vespres fu.
2448 La nuit se hebregierent dejoste le palu ;
Li solaus fu couchiés quant li tref sont tendu,
Auques seürement se sont la nuit geü.
A l'aube aparissant, ains que fuissent meü,
2452 Liotifal lor sont dedevant l'ost venu,
Ja mais autretel home n'ierent, je cuit, veü.
Douze piés ont de haut, grant sont et parcreü,
Ja n'avront fil de drap affublé ne vestu,
2456 Quelque tans que il face, tous jors vont ainsi nu
Et sont par tout le cors comme bestes pelu.
Bien sont un mois sous eaue, ja ne seront veü ;
Tant com il i conversent, vivent de poisson cru.
2460 Qant revienent sor terre, si resont d'el peü,
Car il vivent d'encens et de bon balsamu.
Cil legier bacheler por traire i sont couru.
Qant virent les saietes, fuï sont et perdu ;
2464 Molt en poise Alixandre quant il ne sont seü,
Mieus en amast il quatre qui fuissent retenu
Que cent somiers chargiés d'or et d'argent molu,
Car plus prenent poissons, qant il sont esmeü,
2468 Q'oiseleor ne font menus oisiaus a glu ;
Et fust par tout le mont a mervelle tenu
Comment il porent estre ne pris ne retenu.

148

Ce fu aprés esté, si comme yvers entra,
2472 Que li rois Alixandres icele gent trouva,
Et fu a un matin si comme il ajorna ;
Li jors fu biaus et clers et li solaus leva,

---

47. A la suite de Pline et de Solin, Isidore de Séville évoque les Ichtyophages dans les *Etymologies* (IX 2, 131) : « Les Ichtyophages tirent leur nom du
fait qu'ils chassent dans la mer et ne se nourrissent que de poisson. Ils habitent
les régions montagneuses de l'Inde. Alexandre le Grand les soumit et leur
interdit de se nourrir de poisson. » Cf. *Lettre à Aristote*, trad., p. 136 : « Nous

147

Quand ils eurent tous franchi les bornes, le soir était presque
Ils s'installent pour la nuit le long du marécage,   [tombé.
montant leurs tentes après le coucher du soleil.
La nuit se passe à peu près sans encombres.
Dès le lever du jour, avant leur départ,
des Ichtyophages se montrent devant l'armée[47] :
on n'a jamais vu, je crois, d'hommes pareils.
Ils ont douze pieds de haut, ils sont grands et robustes,
sans le moindre vêtement :
par tous les temps, ils restent nus
et sont par tout le corps aussi velus que des bêtes.
Ils restent bien un mois sous l'eau sans se montrer,
et y vivent de poisson cru.
Quand ils regagnent la terre, ils cherchent une autre nourriture
et vivent d'encens et de baume.
Les jeunes guerriers courent vers eux avec leurs arcs.
Mais quand ils voient les flèches, ils fuient et disparaissent.
Alexandre regrette de ne pouvoir les suivre :
il aimerait mieux capturer quatre d'entre eux
que cent chevaux chargés d'or et d'argent moulus,
car quand ils s'élancent dans l'eau, ils prennent plus de poisson
que les oiseleurs n'attrapent d'oiseaux à la glu.
Et le monde entier se serait émerveillé
devant leur capture.

148

C'est à la fin de l'été, quand l'hiver s'annonçait,
que le roi Alexandre découvrit ces hommes,
de bon matin, au lever du jour.
C'était une belle journée et quand le soleil se montra,

___

vîmes dans la campagne qui s'étendait devant nous des femmes et des hommes
couverts de poils sur tout le corps à la façon des bêtes, et hauts de neuf pieds.
Les Indiens leur donnent le nom d'Ichtyophages ; ceux-ci étaient accoutumés à
hanter des fleuves et un lac non moins que la terre, et ne vivaient que de poisson
cru et de l'eau qu'ils buvaient. »

De l'ardor du soleil toute l'ost eschaufa.
2476 Et qant vint aprés tierce, li jors se heriça
Et devint si ennubles que tous li airs torbla,
Molt par fist grant froidure, assés plut et nega ;
Et qant vint au midi, li solaus esclaira.
2480 Qant li rois sot d'antone et du tans qui changa,
Lors fait soner ses grailles et par l'ost commanda
Ses tentes acueillir, lors monte si s'en va ;
Puis a monté un tertre et un val avala.
2484 La pree fu molt gente et l'erbe verdoia,
Onques hom en nul tans plus bele n'esgarda.
La montaigne fu haute et li vals reonda,
Devant ne truevent voie, car un point n'en i a ;
2488 Onques n'i ot si sage, quant il se regarda,
Qui peüst pas savoir par ou il i entra.
A esploit chevauchierent, ainc nus d'aus n'aresta,
Toute jor vont entor, onques l'os ne fina
2492 Dusq'a eure de none, que li solaus torna ;
Lors revoient lor trace ensi com l'os ala.
Alixandres meïsmes forment se mervella,
Qui tant a hui alé et noient esploita,
2496 De maltalent s'encline et du cuer souspira ;
Son pavellon fait tendre et l'os se hebrega.
Cliçon et Tholomé et Caulon apela,
Li uns d'aus conte a l'autre la mervelle qu'il a.

149

2500 « Segnor, dist Alixandres, mal nos est avenu,
Par le mien ensïent tuit somes confondu.
Veés ici nos traces que nos avons tenu,
Ainsi comme l'os a trestout cest plain seü ;
2504 Des l'eure que nos fumes en cest val descendu
N'avons nos esploitié la monte d'un festu.
Ci n'a mestier proëce ne lance ne escu,
En tout le mont nen a si bon destrier crenu
2508 Qui peüst plus aler d'un ronci recreü.
Les montaingnes sont hautes et li pui sont aigu

il réchauffa toute l'armée de ses rayons.
Mais après l'heure de tierce, le jour s'assombrit
et devint si obscur que tout l'air se troubla :
il se mit à faire froid, à pleuvoir et neiger.
Puis à l'heure de midi, le soleil perça de nouveau.
Quand le roi voit cet orage d'automne et le changement du
                                                    [temps,
il fait sonner les trompettes et donne l'ordre dans l'armée
de plier les tentes. Il monte à cheval, s'éloigne,
grimpe sur une colline puis redescend dans une vallée.
C'était une belle prairie à l'herbe verdoyante :
on n'en avait jamais vu de plus belle.
La montagne était haute et la vallée circulaire.
Ils ne voient nulle issue devant eux : c'est qu'il n'y en a pas.
Le plus sage, regardant autour de lui,
est incapable de retrouver le chemin qu'il a emprunté pour
Ils chevauchent à vive allure, sans jamais s'arrêter,   [venir.
et passent la journée à faire le tour de la vallée, ne s'arrêtant
qu'à l'heure de none, quand le soleil décline,
pour s'apercevoir qu'ils sont revenus sur leurs pas.
Alexandre lui-même s'émerveille
de voir qu'ils ont tant marché et si peu avancé.
Abattu, il baisse la tête et soupire.
Il fait monter son pavillon et installer le camp.
Il appelle Clin, Tholomé et Caulus
et tous expriment leur ébahissement.

149

« Seigneurs, dit Alexandre, nous sommes en mauvaise posture :
j'ai l'impression que nous sommes perdus.
Voyez ici les traces que nous avons laissées
en longeant toute cette plaine.
Depuis que nous sommes descendus dans cette vallée,
nous n'avons pas progressé de la longueur d'un fétu de paille.
La prouesse et les armes ne servent ici à rien.
Le meilleur destrier à la longue crinière
n'irait pas plus vite qu'un roussin épuisé.
Les montagnes sont hautes et leurs pics acérés,

Et la terre si basse que tuit somes perdu.
Par le mien ensïent, si com je l'ai veü,
2512 N'en istroit uns oisiaus, tant volast de vertu ;
Perdu avons l'entree par ou somes venu.
Li dieu nos veulent mal, tuit somes deceü,
De ci n'istront ja mais ne joene ne chanu. »
2516 Lors ont par toute l'ost un si grant duel meü
C'onques de nule gent mais ausi grans ne fu,
Qu'il en sont a la terre tel set mile cheü
Qui rompent lor cheveus et ce qu'il ont vestu ;
2520 Maint bon peliçon gris ot ilueques fendu
Et maint blïaut de soie deschiré et rompu.

150

Segnor, la veïssiés grant duel et grant iror,
Ainc le soir n'i mengierent li grant ne li menor ;
2524 La nuit jurent el val tant qu'il virent le jor.
A Alixandre vinrent li prince et li contor
Et demandent conseil que devenront li lor.
Il lor a respondu belement par amor
2528 Et dist comme bons rois : « Or entendés, segnor !
Je chercherai le val bonement sans freor
Savoir se troveroie ne voie ne destor
Par ou nous ississiens de cest val tenebror. »
2532 Il monte en Bucifal, son destrier coreor,
Onques en nule terre nen ot cheval mellor.
Qant li rois fu assis en arçons pains a flor,
Des esperons le broche et cil vait par vigor.
2536 Tant a cerchié le val Alixandres entour
Que il trueve une pierre du tans ancïenor
Ou il avoit escrit grant duel et grant tristor ;
Les letres sont el mabre qui content la dolor,
2540 Ja nes verra cil hom qui n'ait de mort paor.

151

Qant li rois vit les letres, n'i ot ne gieu ne ris.
Ce conte l'escriture qui est el marbre bis

et la terre si basse que nous sommes perdus.
D'après ce que j'ai vu, je suis sûr qu'un oiseau,
si rapide soit-il, ne pourrait pas sortir.
Nous avons perdu l'entrée que nous avons empruntée.
Les dieux nous veulent du mal et se jouent de nous :
ni jeunes ni vieux ne sortiront jamais d'ici. »
Alors dans toute l'armée s'élève le plus grand deuil
qu'on ait jamais vu :
sept mille hommes tombent à terre
et s'arrachent les cheveux et les vêtements :
ils fendent leurs bonnes pelisses grises
et déchirent leurs tuniques de soie.

150

Seigneurs, on pouvait voir le deuil et la tristesse.
Le soir, ni les grands ni les petits ne touchèrent au repas.
Ils passèrent la nuit dans la vallée en attendant le jour.
Princes et comtes viennent à Alexandre
et lui demandent conseil : que vont devenir leurs hommes ?
Il leur répond avec noblesse et douceur
comme un bon roi : « Ecoutez-moi, seigneurs !
Je vais explorer la vallée, sans crainte,
à la recherche du chemin ou du défilé
qui nous permettrait de sortir de ce val ténébreux. »
Il monte sur Bucéphale, son destrier rapide,
le meilleur cheval de la terre.
Le roi s'affermit sur les arçons peints de fleurs,
pique des éperons et lance le cheval au galop.
Alexandre explore si bien la vallée
qu'il découvre une pierre très ancienne
où l'on a écrit le deuil et la tristesse :
gravées dans le marbre, les lettres disent un douloureux
qu'on ne peut voir sans redouter la mort.   [message

151

Le roi voit le message ; il n'a pas envie de rire.
Les lettres gravées dans le marbre bis

Que se tuit cil du mont s'estoient el val mis,
2544 Por trestout l'or du siecle n'en istroit uns seus vis
Se uns hom de son gré n'i remaint a tous dis.
Qant li rois entent ce, si enbroncha son vis,
De maltalent et d'ire est sor le marbre assis.
2548 Lors plora Alixandres por duel de ses amis,
Griés est de Babilone, dont li mur ne sont pris ;
Damedieu reclama, qui maint en paradis,
Qu'il le giet du torment ou il ert entrepris.
2552 « Haï ! rois Alixandres, com par estes conquis !
Ici morrons de fain, n'en estordra uns vis. »

152

Dolens fu Alixandres de ce qu'il ot trové,
De maltalent s'acline, du cuer a souspiré.
2556 Devers destre partie a son chief retorné,
A une part du marbre a li rois regardé.
Ce conte l'escripture du tans d'antiquité
Que se tuit cil du mont ierent el val entré,
2560 Des le premerain home que Dieus ot figuré,
N'en istroient il mais en trestout lor aé,
Se uns seus n'i remaint bonement de son gré ;
Et se uns i remaint, li autre erent sauvé
2564 Et par un tout seul home seront tuit delivré.
Qant li rois l'entendi, n'i a plus demoré,
Il monte en Bucifal par son estrier doré,
Deci q'a l'ost de Gresse n'i a estal doné.
2568 Si home li demandent ou il a tant esté ;
Encontre lui alerent Dans Clins et Tholomé,
Emenidus, Filotes, Caulus et Aristé,
Et demandent noveles comment il a erré.
2572 Et li rois lor a dit toute la verité,
Ainsi comme les letres li avoient mostré.

153

Alixandres lor conte la persecucion,
Si com il a cerchié le val tout environ :

disent que si le monde entier était enfermé dans la vallée,
pas un seul n'en sortirait vivant, pour tout l'or de la terre,
à moins qu'un homme n'accepte, de son plein gré, d'y rester à
Quand le roi a compris, il baisse le visage   [jamais.
et s'assied sur le marbre, triste et affligé.
Alexandre pleure ses amis,
regrette Babylone, qu'il n'a pas conquise.
Il supplie Dieu qui règne au paradis,
de le délivrer de son tourment.
« Hélas, roi Alexandre, c'en est bien fait de toi !
Nous mourrons tous de faim, pas un ne restera en vie ! »

152

Désespéré de sa découverte,
Alexandre s'affaisse de douleur et soupire.
Puis il se retourne vers la droite
pour regarder le marbre.
Les lettres gravées dans les temps anciens
disent que si le monde entier était entré dans la vallée,
depuis la création du premier homme,
les prisonniers ne sortiraient jamais de toute leur vie,
si un seul n'acceptait d'y rester de bon gré.
Mais si un seul y reste, les autres seront sauvés
et tous délivrés par le sacrifice d'un seul homme.
Quand le roi a compris, sans attendre davantage,
il met le pied à l'étrier doré, monte sur Bucéphale,
et rejoint l'armée grecque sans s'arrêter.
Ses hommes lui demandent où il est tant demeuré.
A sa rencontre viennent sire Clin et Tholomé,
Emenidus, Filote, Caulus et Aristé,
qui lui demandent des nouvelles.
Le roi leur dit toute la vérité,
telle que le message la lui a révélée.

153

Alexandre leur conte dans quelle détresse ils sont,
et son exploration de toute la vallée :

2576 « N'i a voie ne fraite par ou nos en isson,
     Si com dïent les letres que trovai el perron
     Qui ains furent escrites q'en mer eüst poisson.
     Ja mais n'istrons du val par nul entencion,
2580 Ains i serons tous jors, se n'i remaint uns hom,
     Et par un tout seul home avrons tuit garison.
     Maus est se par un home perissent tant baron. »
     Lors veïssiés en l'ost si grant estrivoison,
2584 Ainsi comme chascuns se deffent par tençon,
     Et dist ne remanra ja seus en tel prison
     Dont il ne puisse avoir a nul jor raençon.
     « Segnor, dist Alixandres, entendés ma raison :
2588 Or vos en alés tuit par tel devision
     Que ja de moi n'avrés ne blasme ne tençon,
     Et jou remanrai ci tous seus sans compaignon.
     Vos avés mis vos cors por le mien a bandon ;
2592 Se ne vos en puis faire plus riche guerredon,
     Mieus est que seus i muire que nos tuit i moron ;
     Ne vos veul engin faire ne mal ne traïson. »
     Li douze per s'escrïent et dis mil a un ton :
2596 « Sire, se tu nos faus, chaitif, que devenrom ?
     Rois, maine ent ta maisnie, autrui i laisserom ;
     Se n'iert vostre proëce, ja jor ne vivriom. »
     Alixandres s'encline et baisse le menton,
2600 Puis a juré son chief et mist sa main en son
     Que ja n'i remanra nus autres se il non.
     Lors pleure Tholomé et fent son siglaton
     Et tel quatorze mil s'en pasment el sablon
2604 N'i a nul ne desrompe son hermin peliçon.

154

     Emenidus voit l'ire et le grant destorbier
     Qui lor estoit venus, ne s'en sorent gaitier.
     Dolens en fu li ber, n'i ot que corrocier,
2608 De lermes li convint le visage mollier,
     En plourant vint au roi sel prent a araisnier.
     « Gentieus sire, fait il, qui tant m'eüstes chier,

« Il n'y a ni chemin, ni brèche, pas la moindre issue,
comme le disent les lettres sur la pierre,
gravées avant même qu'il n'y ait des poissons dans la mer.
Nous ne sortirons plus jamais de la vallée ;
nous y resterons toujours, sauf si un homme y reste,
et c'est par un seul homme que tous seront sauvés.
Ce serait un malheur que pour un homme périssent tant de
L'armée se répand alors en disputes :   [barons ! »
chacun discute et se défend
et refuse de rester seul dans une prison
dont on ne pourra jamais le racheter.
« Seigneurs, dit Alexandre, écoutez mes paroles :
partez tous loin d'ici en sachant
que jamais vous n'encourrez de reproche de ma part,
moi, je resterai seul, ici, sans compagnon.
Vous avez mis pour moi votre vie en danger :
à défaut de vous en donner meilleure récompense,
il vaut mieux que je meure seul plutôt que nous mourions tous.
Je ne veux pas vous tromper, vous nuire ni vous trahir. »
Les douze pairs et dix mille hommes s'écrient d'une seule voix :
« Seigneur, si tu nous quittes, que deviendrons-nous,
                              [malheureux que nous sommes ?
Roi, emmène tes hommes, ! Nous laisserons quelqu'un d'autre :
nous ne serions plus en vie, sans ta prouesse ! »
Alexandre baisse le visage
puis jure sur sa tête en levant la main
que nul autre que lui ne restera ici.
Tholomé fond en larmes, fend sa tunique de soie,
et quatorze mille hommes se pâment de douleur dans le sable,
déchirant leurs pelisses d'hermine.

154

Emenidus voit le chagrin et le grand malheur
qui se sont abattus sur eux inopinément.
Désespéré, fou de douleur,
le visage couvert de larmes, le bon guerrier
vient en pleurs s'adresser au roi.
« Noble seigneur, dit-il, vous qui avez eu tant d'amitié pour moi,

Sor toutes riens avés amé bon chevalier,
2612 Ne onques a nul jor ne convint a proier
Un povre home le riche por envers vos aidier,
Car a chascun donastes ce dont il ot mestier.
Que nos porfiteroit sans vous a repairier,
2616 Qant tuit ne vaudriom la monte d'un denier ?
Se vous ci remanés, je l'os bien afichier,
Trestuit somes perdu, n'i a nul recovrier.
Mais tant sai vostre cuer et orguellous et fier
2620 Nus hom ne vos feroit vos dis desotroier.

155

« Gentieus rois, fait li dus, ne puet nus trestorner
Que a lor jor ne muirent et viel et bacheler ;
C'est dolors des auqans qui peüst amender,
2624 Et de vous la plus grant que on sache conter ;
Mais certes de trois choses vos pöés bien vanter :
C'onques plus hardis hom ne pot armes porter
Ne si larges de cuer ne cortois por doner,
2628 Ne segnor de tel foi ne poroit nus trover.
Li hardemens parut a Tyr desor la mer,
Qant du berfroi salistes el mur sor le piler,
Que nus hom terrïens fors vos n'osast penser,
2632 Et as bestes de l'eaue ou vausistes entrer,
Qant por vos gens aidier vos corustes armer ;
Por qant je ne vi onques home haubregié noër.
Si avés plus doné que on n'osast rover,
2636 Les grans tresors que firent autre roi amasser
Et terres et honors et tout sans demander.
La vostre bone foi ne se pot pas celer,
Qant l'ardure vos fist cele bouche crever
2640 Et Zephirus vos vint le hiaume presenter ;
De l'eaue qu'ot trovee si n'en vaut point goster,
Ains la vos presenta et si fist molt que ber ;

48. Cf. *supra* III, v. 1128.
49. Cf. *supra* III, vv. 1123-1125.

vous qui aimez tant les bons chevaliers,
jamais, pour faire partie des vôtres,
un pauvre homme n'a dû prier le riche,
car vous avez donné à chacun selon ses besoins.
A quoi nous servirait de repartir sans vous,
quand à nous tous nous ne vaudrions pas un sou ?
Si vous restez ici, je puis bien l'affirmer,
nous sommes tous perdus sans remède.
Mais je sais votre cœur si fier et orgueilleux
que nul homme ne pourrait vous faire revenir sur votre

[décision !

155

« Noble roi, dit le duc, nul ne peut retarder
le jour de sa mort, ni les jeunes ni les vieux.
Quelle douleur ! Si seulement on pouvait y remédier !
Mais il ne saurait y avoir plus grande douleur que votre mort.
Vous pouvez vous vanter de trois qualités :
nul homme plus hardi n'a porté les armes ;
nul n'a jamais pratiqué la largesse avec autant de courtoisie ;
enfin on ne saurait trouver seigneur d'une telle loyauté.
La hardiesse, vous l'avez bien montrée à Tyr, sur la mer,
quand vous avez sauté de la tour sur le rempart[48] :
nul autre mortel n'aurait eu cette audace !
Et vous avez voulu affronter les monstres du fleuve
et entrer dans l'eau, tout armé, pour secourir vos hommes[49] ;
pourtant je n'ai jamais vu un homme nager en haubert !
Vous avez aussi plus donné qu'on n'oserait demander :
les grands trésors que les autres rois ont fait amasser,
les terres et les domaines, sans même qu'on les sollicite.
Enfin votre loyauté a éclaté au grand jour,
quand la chaleur vous fendait les lèvres
et que Zéphirus vint vous présenter son heaume
plein de l'eau qu'il avait trouvée : il n'y avait pas touché
mais venait vous l'offrir, comme un bon chevalier.

Por qant s'iert il seürs du bien guerredoner,
2644 Onques hom ne vos vit de guerredon fausser ;
Sire, vos l'esgardastes, n'en vausistes goster,
Voiant aus l'espandistes por aus mieus atremper
Et que chascuns pensast o vous de l'endurer.
2648 Ci volés seus remaindre por ces autres sauver,
Molt sera grant mervelle sel poons esgarder ;
Ou seus i veul remaindre ou o vos demorer,
Car bien doivent ensemble si bon ami finer.
2652 — Amis, ce dist li rois, d'el vos convient penser.
Ainc ne m'oïstes mot de la bouche soner,
Fust a gas, fust a certes, nel feïsse averer ;
De cestui, se Dieu plaist, ne me verrés fausser.
2656 Por Dieu, de ceste gent vous veul merci crïer ;
Vous savés bien qu'entr'aus sont envïeus li per,
Et puis que il n'avront ques soloie garder,
Ses verrés par envie tencier et ramprosner ;
2660 Se por vos ne remaint, que tuit doivent douter,
Je ne cuit que veés quatre jors sans meller.
Por Dieu, desq'en lor terres les en faciés mener,
Ja mais ne vos cuit riens proier ne commander. »
2664 Lors ot li dus tel duel ne pot sor piés ester,
Li cuers li esvani si le convint pasmer,
Et tels quatorze mil n'en sai un seul nomer
Ensamble povre et riche prirent a dolouser
2668 Et lor gentil segnor tant fort a regreter.
« Ahi ! gent desconfite, quel part porrons aler ? »
Segnor, molt ot grant duel quant vint au dessevrer,
Molt pleurent et regretent le roi li douze per.
2672 « Ahi ! gent desconfite, quel part porrons torner,
Qant hui perdrons celui qui nos devoit guïer ?
Ahi ! vaus perilleus, tant faites a blasmer,
Qui nos taus hui le roi qui se faisoit douter
2676 Et soloit les honors tenir et conquester
Et nos soloit a tous l'or et l'argent doner,
Les destriers arrabis, les pailes d'outremer.

---

50. Cf. *supra* III, laisse 56.

Il était sûr d'être bien récompensé,
car on ne vous a jamais vu refuser une récompense.
Seigneur, vous avez regardé l'eau sans vouloir y goûter ;
vous l'avez répandue à terre sous les yeux de tous, pour mieux
et les encourager à endurer la soif avec vous[50].   [les rafraîchir
Et maintenant vous voulez rester seul pour sauver les autres !
Ce serait une grande merveille, si nous l'acceptions !
Je veux rester ici seul ou avec vous,
car d'aussi bons amis doivent mourir ensemble !
— Ami, lui dit le roi, il faut y renoncer.
Vous ne m'avez jamais entendu prononcer une parole,
même pour plaisanter, sans m'y tenir.
A Dieu ne plaise que je manque à celle-ci !
Au nom de Dieu, ayez pitié de cette armée !
Vous savez bien que les pairs sont envieux les uns des autres,
et quand je ne serai plus là pour les en empêcher,
vous les verrez, envieux, se quereller et se disputer.
Si vous n'êtes pas là, vous que tous doivent craindre,
vous les verrez aux prises avant quatre jours.
Au nom de Dieu, ramenez-les jusqu'en leur terre :
c'est ma dernière prière et mon dernier ordre ! »
Le duc, bouleversé de chagrin, ne tient plus debout ;
les forces lui manquent, il s'évanouit.
Et les quatorze mille hommes que je ne saurais vous nommer,
pauvres et riches, tous ensemble, se mettent à pleurer
et à regretter leur noble seigneur.
« Hélas ! pauvres de nous, où pourrons-nous aller ? »
Seigneurs, grand fut le deuil au moment des adieux.
Les douze pairs pleurent et regrettent le roi.
« Hélas ! pauvres de nous, où donc nous tourner,
quand nous perdons aujourd'hui notre guide ?
Hélas ! val périlleux, maudit sois-tu,
qui nous prends aujourd'hui le roi tant redouté
qui savait conquérir et gouverner les terres,
et nous donner à tous de l'or et de l'argent,
des destriers arabes, des soieries d'outre-mer !

Onques plus hardis rois ne pot lance porter,
2680 Tout le mont avant lui soloit faire trambler. »
Tuit li crïent ensamble li baron et li per :
« Sire, que ferons nous, et ou porrons aler ?
Qui nous porra ja mais de cest duel conforter ?
2684 – Segnor, dist Alixandres, car me laissiés ester ;
Pis me fait la dolor que je vos voi mener
Que la mort que j'atent, dont ne puis eschaper.
A cel Dieu que j'aor vos puisse commander,
2688 Que il vos doinst honor et bon segnor trover
Et bonement tenir et terre conquester. »
A cest mot sont pasmé trestuit li douze per.
Qant li rois vit içou, si commence a plourer,
2692 Si grant duel a el cuer ne puet a aus parler.
A une part du val s'en est alés ester
Et commence sa gent forment a regreter,
Prent sa manche de paile por son vis esconser,
2696 Car ne pooit ses homes veoir ne esgarder.
Tel duel mainent li Grieu, qant il durent monter,
Que li vaus perilleus commença a trambler.
Par mi une montaigne commencent a errer,
2700 Tuit furent hors du val qant il dut avesprer.
En une longe plaine les un regort de mer,
Les un bras d'eaue douce qu'il virent bel et cler
Tendent lor pavellons trestuit por osteler,
2704 Mais onques nule joie n'i vaurent demener.

156

Qant li rois fu remés et li os s'en repaire,
Maintenant aprés ce, que il ne tarda gaire,
Si commence a touner et foudroie et esclaire,
2708 Li mons prist a crauller, li vaus desous a braire,
Et gete une puor dont li rois sent la flaire.
A ciaus qui s'en tornerent n'avint il nul contraire
Fors de lor bon segnor qui remest a mal traire ;
2712 Por celui font tel duel ja mais ne sera maire,
Cel jor i ot rompu mainte pelice vaire.
Desus un mabre bis, dont estoit plaine l'aire,

Jamais roi plus hardi n'a porté une lance.
Il faisait devant lui trembler le monde entier ! »
Les barons et les pairs s'écrient tous d'une voix :
« Seigneurs, que ferons-nous, où pourrons-nous aller ?
Qui nous pourra jamais consoler de ce deuil ?
– Seigneurs, dit Alexandre, laissez-moi donc en paix !
Votre douleur est pire pour moi
que la mort que j'attends et à laquelle je ne puis échapper.
Je vous recommande au dieu que j'adore :
qu'il vous donne l'honneur et un bon seigneur
et vous fasse conquérir des terres et bien les gouverner ! »
A ces mots, les douze pairs tombent évanouis.
Le roi, à ce spectacle, se met à pleurer,
si affligé qu'il ne peut leur parler.
Il s'en va à l'écart, au fond du vallon
et commence à regretter la perte de ses troupes,
cachant son visage derrière la manche de sa tunique,
car il ne supportait pas de voir ses hommes.
Les Grecs mènent un tel deuil, au moment de monter à cheval,
que le val périlleux se met à trembler.
Ils font route par un défilé dans une montagne
et sont tous sortis du val à la tombée du soir.
Dans une longue plaine qui donnait sur un golfe de la mer
et près d'un bras d'eau douce à la clarté limpide,
ils montent tous leurs pavillons pour se reposer,
mais sans la moindre joie.

156

Le roi est donc resté et l'armée s'en va.
Peu de temps après,
le tonnerre gronde, avec foudre et éclairs,
la montagne s'ébranle, le vallon gémit dans ses profondeurs
et répand une puanteur dont le roi sent le relent.
L'armée s'éloigne sans encombres,
sinon le regret de son bon seigneur qui est resté dans le
On ne verra jamais plus grand deuil que le sien : [malheur.
ce jour-là bien des pelisses de vair furent déchirées.
Quant au roi, qui fut toujours un modèle de vertu,

Sist li rois qui tous dis fu de biens essamplaire.
2716 La paor quil destraint li change le viaire,
Car qui de mort se crient bien est drois qu'il i paire,
Tous en est enpalis, car il ne set que faire.

157

Qant li rois vit la terre en pluisors lieus ardoir,
2720 Les montaignes crauller et les roches movoir,
Et sovent esclistrer et les pierres chaoir,
Se li rois ot paour ne fait a mentevoir.
Ses compaignons regrete par mervelleus savoir,
2724 Emenidon sor tous, en cui ot son espoir.
« Ha ! gentieus chevaliers, de nobile pooir,
Sages, preus et cortois, humeles et dous por voir,
Car onques a nul jor ne me poi percevoir
2728 Que orgeus vos creüst por richece d'avoir
Ne soufraite meïst vostre oevre en nonchaloir.
Je ne poi par mon cors plus d'un home valoir,
Mais vostres grans barnages se fist tous jors paroir
2732 Et moi segnor de terre et largement tenoir,
Et je refis molt bien tout a vostre voloir.
Ce que je part de vos me fait le cuer doloir.
Ahi ! franc compaignon, dolent par estovoir,
2736 Com vos est grans dolors venue des hersoir.
Hier fustes vos en joie, hui est de blanc en noir.
Sans segnor repairiés, ci m'estuet remanoir
Dolans et esgarés, pres de mort recevoir. »

158

2740 Qant li rois fu remés, tous seürs de morir,
Maintenant commença li jors a oscurcir,
Li solaus a changier et li tans a noircir,
Forment a esclistrer et li cieus a partir.
2744 Li mons prist a crauller et li vaus a fremir,
Et gete unes teniebres o flairor de püir.
Bucifal ne se pot en estant soustenir,
Ne li rois en estant, ains le convint gesir.

il s'assied sur l'un des rochers de marbre bis qui abondaient.
La peur qui le tourmente le fait changer de visage,
car quand on craint la mort, on ne peut le cacher.
Il blêmit et se sent impuissant.

157

Quand le roi voit la terre s'enflammer par endroits,
les montagnes s'ébranler, et les rochers bouger,
les éclairs briller et les pierres tomber,
sans mentir, il a peur.
Comme il regrette alors (à juste titre !) ses compagnons,
surtout Emenidus, qui portait tous ses espoirs !
« Ha, gracieux, noble et puissant chevalier,
sage, preux et courtois, humble et doux,
jamais je n'ai vu en vous
trace d'orgueil devant les richesses
ni de découragement devant les privations !
Je ne pouvais à moi seul valoir plus d'un homme,
mais votre grande vaillance, qui éclatait partout,
a fait de moi un puissant seigneur riche en terres
et suscité mes actions d'éclat. Je souffre de vous quitter.
Hélas, nobles compagnons, comme je vous fais souffrir !
Quelle douleur pour vous depuis hier soir !
Hier vous étiez en joie, mais le blanc est devenu noir.
Vous repartez sans seigneur, et moi je dois rester ici,
triste et abandonné, pour recevoir la mort ! »

158

Quand le roi est resté, n'attendant que la mort,
le jour se met alors à s'assombrir,
le soleil se cache, le temps s'obscurcit.
Les éclairs brillent et le ciel se déchire.
La montagne s'ébranle et le vallon frémit,
répandant des ténèbres à l'odeur pestilentielle.
Bucéphale ne peut plus se tenir debout,
et le roi lui-même doit s'allonger.

2748 Ainc Dieus ne fist mervelle dont li puist sovenir,
      Fiere, laide et hideuse, que on doie cremir,
      Dont ne voie entor soi grans batailles tenir :
      Les dragons fu getans qui font l'erbe bruïr
2752 Et grans serpans volans qui font l'air escroissir
      Et maufés rechingnans quil veulent assaillir
      Et font as cros de fer samblant de lui saisir.
      Lors n'ose Bucifal ne grater ne henir,
2756 Sous le mantel le roi met son chief por covrir,
      Q'il nes ose veoir ne ne queroit sentir,
      Et ne por qant li rois s'apense du ferir.
      Onques de cel deduit ne li vaurent faillir
2760 Entresques au matin que il vit esclarcir.
      En tant d'eure c'on puet un oel clorre et ovrir
      Ne sot il que devinrent ne n'en pot un choisir ;
      Ne por qant molt fu liés qant le vaurent gerpir,
2764 Car de lor compaignie ne pooit il joïr.
      Molt par sera grans joie s'encor en puet partir,
      Encor feroit li rois barnage resbaudir.

159

      Ses gentieus compaignons Alixandres recoie
2768 Et dist que de bien faire les avoit mis en voie.
      « Se fortune ne fust qui les choses desvoie,
      La terre, icel petit que Dieus en fist, fust moie,
      Car puis q'Emenidon a mon costé avoie
2772 Ou devant ou derrier pres de moi le savoie,
      Force de nule gent el siecle ne cremoie ;
      Se ici ou aillors de lui parler ooie,
      Bien sai que grant dolor ne mal ne sentiroie ;
2776 S'il el bien se maintient que veoir i soloie,
      Tous iert sires du mont et mes cuers li otroie.
      Las ! ne l'en puis aidier, car cis vaus me guerroie
      Et li dieu qui m'ont pris, dont je ne me gardoie.
2780 Se g'iere en ingal cort et mes armes avoie,
      De laide traïson trestous les proveroie,
      De l'ire que j'en ai sor aus me vengeroie. »

Toutes les merveilles de la Création,
toutes les horreurs les plus redoutables,
il les voit toutes autour de lui pour l'attaquer :
les dragons dont le souffle enflammé brûle l'herbe,
les grands serpents dont le vol fait siffler l'air,
les démons grimaçants qui veulent l'assaillir
et cherchent à le saisir de leurs crochets de fer.
Bucéphale n'ose plus ni gratter ni hennir,
il se cache la tête sous le manteau du roi,
car il ne veut pas les voir ni les sentir.
Mais le roi ne renonce pas pour autant à se battre.
Ses adversaires ne lui font pas de cadeau
avant le matin, et le lever du jour.
Alors, en un clin d'œil,
il n'en voit plus un seul et ne sait ce qu'ils sont devenus.
Il est tout heureux de les voir disparus,
car il ne goûtait guère leur compagnie.
Quel bonheur si le roi pouvait quitter ces lieux !
Quelle fête il célébrerait pour ses barons !

159

Alexandre languit après ses nobles compagnons
et dit qu'il les a mis sur le chemin de la gloire.
« Sans ce coup de Fortune qui dérègle les choses,
ce peu de terre que Dieu a créé m'appartiendrait,
car avec la présence d'Emenidus à mes côtés
et l'assurance de son soutien,
je ne craignais nulle force en ce monde.
Si seulement je pouvais avoir de ses nouvelles,
je ne sentirais plus le moindre mal, j'en suis sûr !
S'il persévère dans la vertu que je lui ai vue,
il sera le maître du monde, et je m'en réjouis pour lui.
Hélas ! je ne peux l'aider, ce val me fait la guerre
et les dieux, dont je ne me gardais pas, m'ont emprisonné.
Si je pouvais prendre les armes contre eux en combat loyal,
je les convaincrais tous de lâche trahison
et je me vengerais d'eux pour assouvir ma colère ! »

160

Alixandre est el val, ne se set conseillier,
2784 Il ot la terre bruire, si craullent li rochier ;
Bien set de l'eschaper ne li est pas legier,
Ses gentieus compaignons prist molt a recoier.
Li Grieu, qui sor la mer s'estoient fait logier,
2788 Onques la nuit ne vaurent ne boire ne mangier,
Ains regretent et pleurent lor segnor droiturier,
Le bon roi Alixandre, qui tant fist a proisier,
Et deprïent les dieus et vont sacrefïer
2792 Q'Alixandre garissent de mort et d'encombrier.
Et li rois fu el val, n'i ot que corecier,
Il ne set en quel guise se doive conseillier,
Comment de la prison se puisse deslïer.
2796 Il regarda a mont si vit l'air espessier
Et les nues torbler et le tans a changier,
Ne fu mie a seür qant il vit tel tempier.
S'il ot peor ne doute, ne fait a mervellier,
2800 Bonement commença les dieus a deproier
Qu'il li soient garant, car il en a mestier.
Du pan de son hermine covert d'un paile chier
Envolepe sa teste et tint son branc d'acier
2804 Et tint bien par la resne Bucifal son destrier.
Au matin commença li solaus a raier ;
Lors saut en Bucifal Alixandres d'Alier
Et commença li rois tout le val a cerchier.
2808 Joste une grant montaigne commence a chevauchier
Et vit une cisterne qui resamble celier.
El n'estoit mie ouvree de chaus ne de mortier,
Mais li dieu l'orent faite en la roche entaillier.
2812 En mi ot un perron qui plus iert durs d'acier,
Lai ens sous cele pierre avoit un aversier
Felon, qui cuidoit faire tout le mont perillier.

---

51. On retrouve ce geste de peur dans le lai d'*Yonec* de Marie de France,
quand l'héroïne se couvre la tête devant la métamorphose de l'oiseau en chevalier (*Lais de Marie de France*, trad. L. Harf-Lancner, coll. Lettres gothiques,
p. 188, v. 122).

160

Alexandre, impuissant, est prisonnier du val.
Il entend les craquements de la terre, voit les rochers bouger.
Il sait qu'il aura du mal à sauver sa vie.
Il languit après ses nobles compagnons.
Les Grecs, qui campent au bord de la mer,
ne veulent de toute la nuit ni boire ni manger ;
ils regrettent et pleurent leur seigneur légitime,
le bon roi Alexandre, si digne de louange.
Ils implorent les dieux, leur offrent des sacrifices
pour qu'ils préservent Alexandre de la mort et des épreuves.
Mais le roi, au fond du val, est dans le désespoir ;
il ne sait quelle décision prendre,
comment échapper à cette prison.
Examinant le ciel, il voit l'air s'obscurcir,
et les nues se troubler, le temps changer :
il perd son assurance devant pareille tempête.
S'il est empli de crainte, comment s'en étonner ?
Il se met humblement à supplier les dieux
de le protéger : il en a bien besoin.
D'un pan de sa pelisse de soie doublée d'hermine,
il s'entoure la tête[51], sa lame d'acier à la main,
tenant fermement la rêne de son destrier Bucéphale.
Au matin, le soleil recommence à briller.
Alexandre d'Alier saute sur Bucéphale
et se met à explorer la vallée.
Chevauchant le long d'une haute montagne,
il voit une espèce de citerne ou de cellier,
qui n'était pas de chaux ni de mortier,
mais taillée dans la roche par les dieux,
avec, au milieu, une pierre plus dure que l'acier.
Et là, sous cette pierre, il y avait un démon cruel
qui voulait mettre le monde entier en péril[52].

---

52. Il s'agit là d'un motif folklorique qui rappelle celui du génie enfermé dans une bouteille (dans *Les Mille et Une Nuits* par exemple) : voir S. Thompson, *Motif Index of Folk Literature*, F 403.2.2.4, Spirit in bottle (bag) as helper et R 181, Demon enclosed in bottle released.

Li rois i est entrés, la croute veut cerchier,
2816 Qu'il veut toutes les choses prover et ensaier.
N'i vit home ne feme ou se puisse acointier.
Icele male chose le prist a araisnier,
Sous la pierre ou estoit commença a huchier :
2820 « Sire, rois Alixandres, car me venés aidier,
Et je t'ensegnerai or endroit le sentier,
Comment porras issir de cest val de legier,
Si que ja n'i perdras la monte d'un denier. »
2824 Li rois entent la vois, prist soi a mervellier,
Paor ot de la mort, molt se crient d'engignier.

161

Li rois ot grant paor quant la vois ot oïe,
De toutes pars esgarde, de celui ne vit mie.
2828 La vois de l'aversier le resemont et prie :
« Se tu ies Alixandres, cui tous li mons sousplie,
Torne moi ceste pierre qui tout le cors me brie,
Qui m'a en tel destroit et en si grant baillie
2832 Que ne puis eschaper a nul jor de ma vie,
Et je t'ensegnerai loiaument sans boisdie
Com istras de cest val ou ies sans compaignie,
Si que ja n'i perdras la monte d'une alie. »
2836 Et respont Alixandres, qui de riens ne s'oublie :
« Ainsi com je sui rois, li miens cors le t'afie,
Ensegne moi la voie droite sans felonie,
A la pierre torner te ferai puis aïe. »
2840 Li diables respont, qui fu de grant voisdie :
« Outre cele posterne verras la praerie,
Puis troveras la voie, qui tout est enhermie. »
Alixandres i vait, qui point ne s'i detrie ;
2844 Qant voit le faus sentier, bien set c'est tricherie,
Puis dist a l'avresier : « Faus est qu'en toi se fie,
Assés en petit d'eure m'as or ta foi mentie. »
Qant l'entent li diables, ne puet müer n'en rie.
2848 « Alixandre, fait il, molt es plains de voisdie,
Ne te puet engignier ne savoirs ne folie,

Le roi y entre pour explorer la grotte,
car il veut faire toutes les expériences.
Il n'y voit homme ni femme, nul être à qui parler.
Mais la mauvaise créature lui adresse la parole,
et l'appelle de dessous sa pierre :
« Seigneur, roi Alexandre, viens donc à mon aide,
et je t'indiquerai le sentier
qui te permettra de sortir facilement de ce val,
sans qu'il t'en coûte un sou ! »
Le roi écoute la voix, et s'émerveille fort.
Il a peur de mourir et craint d'être trompé.

161

Le roi est plein de peur en entendant la voix,
il regarde partout, mais il ne voit personne.
Et la voix du démon le rappelle et le prie :
« Si tu es Alexandre, à qui tout se soumet,
déplace donc cette pierre qui me broie le corps,
qui me tourmente et m'emprisonne si bien
que je ne pourrai jamais m'échapper !
Et, moi, je t'indiquerai loyalement et sans piège
comment sortir du val où tu es resté seul,
et cela sans qu'il t'en coûte rien ! »
Mais Alexandre ne perd pas la tête :
« Sur ma couronne de roi, je te le jure,
indique-moi le bon chemin sans félonie,
et puis je t'aiderai à déplacer la pierre ! »
Le diable rusé lui répond :
« De l'autre côté de cette porte, tu verras la prairie
et tu y trouveras un sentier sauvage. »
Alexandre y va sans tarder,
mais quand il voit le sentier dérobé, il comprend que c'est un
[piège
et dit au démon : « Il faut être fou pour te faire confiance !
Il t'a fallu peu de temps pour me trahir ! »
Quand le diable l'entend, il ne peut s'empêcher de rire.
« Alexandre, dit-il, tu es un homme rusé ;
ni les sages ni les fous ne peuvent te tromper,

Et qui faire le cuide si pense vilonie.
Vois tu la cele porte qui faite est par maistrie ?
2852 Bien connoistras les letres, car tu ses de clergie. »
Alixandres i vait, qui les felons chastie,
Et a desus la porte l'escripture choisie.

162

Qant li rois vit les letres, molt s'en est esjoïs,
2856 Par loisir les regarde comme hom de sens garnis
Et recorde les letres, qu'il ne soit escharnis.
Puis a cerchié le val ou mains hom est peris
Et trueve le sentier el costé d'un larris
2860 Quil menra hors du val, si com dit li escris.
Qant la voie ot aprise et il en fu bien fis,
Au diable revint, ne s'est mie desdis,
Ains sousleva la pierre sous qui iert enfoïs.
2864 Li diables saut sus si a jeté deus cris ;
El siecle n'a cel home, s'il les eüst oïs,
Ne cuidast tout por voir estre mors ou traïs.
Alixandres meïsmes s'en est molt esbahis,
2868 Por un seul petitet qu'il n'est du sens maris,
Mais il se raseüre com chevaliers hardis
Et monta el cheval, a tant s'en est partis.
Entrés est el sentier, de riens n'i est faillis,
2872 Quil menra hors du val ains que jors soit fenis.

163

Li rois ist de la porte et si point Bucifal,
Il n'ot en sa compaigne ne mais que son cheval.
Qant auques ot alé, si esgarde le val.
2876 « Ahi ! val perilleus, plains de dolor mortal,
La vostre compaignie me dut torner a mal,
Qui ainc ne pot bone estre a nul home charnal. »
Alixandres chevalche et monta el costal
2880 Et esgarde sor destre et choisi en l'egal
Plus de mil pavellons a or et a cristal.
Ens en mi lieu des autres vit le sien a esmal ;

et ceux qui croient le faire sont bien vils !
Vois-tu, là, cette porte fabriquée avec art ?
Tu liras bien le message, car tu es savant. »
Alexandre s'y rend, le fléau des félons,
et voit une inscription sur la porte.

162

Quand il voit le message, le roi est tout heureux ;
il l'examine à loisir, en homme plein de savoir,
et se le répète, pour ne pas être trompé.
Puis il explore le val où tant d'hommes ont péri
et trouve, près d'une lande, le sentier
qui le fera sortir du val, comme le dit l'inscription.
Quand il a bien repéré le chemin,
il revient près du diable et, fidèle à sa parole,
soulève la pierre sous laquelle il était enfermé.
Le diable bondit dehors, en poussant deux cris :
tout mortel, en les entendant,
aurait cru sa dernière heure venue.
Même Alexandre en est épouvanté
et manque en perdre le sens.
Mais il retrouve son calme, en chevalier hardi,
monte sur son cheval et s'en va.
Il s'engage, sans erreur, dans le sentier
qui le mènera hors du val avant la fin du jour.

163

Le roi franchit la porte, éperonne Bucéphale.
Sans autre compagnie que celle de son cheval,
il avance en contemplant le vallon.
« Hélas, val périlleux, lieu de douleur mortelle,
mon séjour ici aurait dû m'être fatal.
Pareil séjour ne saurait profiter à nulle créature humaine ! »
Alexandre chevauche et remonte la côte ;
regardant vers la droite, il aperçoit dans la plaine
plus de mille pavillons parés d'or et de cristal.
Au beau milieu des autres, il reconnaît le sien à ses émaux :

Les cordes sont de soie, li paisson de roal,
2884 Desus un escharboucle luisant comme estaval,
Et samble de clarté l'estoile matinal.
Dedens sont li baron, qui mainent tel jornal
Tous jors plaignent et pleurent lor segnor natural.
2888 Li rois vint cele part, entr'aus a pris estal,
Si home vont encontre ensemble communal.
Plus de quatorze princes qui tout furent chasal
Le prinrent tuit par mains que par bras que par al,
2892 Tout li ont desrompu son blïaut de cendal ;
Ja mais por un seul prince ne verrés joie tal.
La nuit ot Alixandres assés mellor ostal
Que s'il fust en la roche au perilleus portal.

164

2896 Au matin par son l'aube monterent li baron,
Li conduis les en guie droit a Occeanon.
Une merveille virent tel com nos vos diron :
Sor la rive de l'eaue el ros et el sablon
2900 Lor aparurent femes, mais il ne sorent dont,
Car plus de cinc jornees d'entor et d'environ
Ne peüst on trover ne borde ne maison
Ne chastel ne cité ne habitacion ;
2904 En l'eaue conversoient a guise de poisson
Et sont trestoutes nues si lor pert a bandon
Qanque nature a fait enfresi c'au talon ;
Li chevel lor luisoient com pene de paon,
2908 Ce sont lor vesteüres, n'ont autre covrison.
Tant par estoient beles et de gente façon
Que de la biauté d'eles ne sai dire raison.

---

53. *Lettre à Aristote*, trad., p. 145 : « ... les femmes chevelues qui se nourrissaient de poissons, plongées au fond des eaux. Ces femmes, s'il y avait des hommes mal avertis de ces régions qui nageaient dans le fleuve, soit les noyaient en les retenant dans les trous d'eau, soit les tiraient dans les roseaux, et comme elles étaient d'une beauté merveilleuse, elles broyaient leurs victimes sous leurs transports avides ou les faisaient mourir de volupté. Nous ne parvinmes à en capturer que deux, semblables à des nymphes, avec une longue

les cordes en sont de soie, les piquets d'ivoire de morse ;
au sommet une escarboucle luit comme un flambeau
et rivalise en clarté avec l'étoile du matin.
A l'intérieur, les barons passent leur temps
à plaindre et à pleurer leur seigneur légitime.
Le roi vient de ce côté, arrive parmi eux,
et ses hommes s'élancent tous ensemble à sa rencontre.
Plus de quatorze princes, tous ses vassaux,
le saisissent par où ils peuvent
et lui mettent en pièces sa tunique de soie :
jamais plus aucun prince ne suscitera pareille joie.
Cette nuit-là, Alexandre eut un meilleur logis
que dans la montagne à la porte périlleuse.

164

De bon matin, dès l'aube, les barons montent en selle
et leur guide les mène tout droit à l'Océan.
Ils virent une merveille que je vais vous conter.
Sur la rive de l'eau, dans le sable et les roseaux
leur apparaissent des femmes, venues on ne sait d'où :
à plus de cinq journées de marche
on n'aurait pas trouvé la moindre maison,
ni château, ni cité, ni tout autre logis.
Elles vivent dans l'eau comme des poissons,
entièrement nues, et, de la tête aux pieds,
on peut voir tous les dons que leur a faits la nature.
Leur chevelure brille comme les plumes du paon :
c'est leur seul vêtement, rien d'autre ne les couvre.
Elles sont si belles et si gracieuses
que je n'arrive pas à traduire leur beauté[53].

---

chevelure flottant sur le dos. » Voir P. Ménard, « Femmes séduisantes et femmes
malfaisantes ; les filles-fleurs de la forêt et les créatures des eaux dans le *Roman
d'Alexandre* », *Bien dire et bien aprandre*, 7, 1989, pp. 5-17.

165

Qant virent cil de l'ost que si beles estoient
2912 Ne por paor des homes pas ne se reponoient –
Qant trop en i aloit en l'eaue se metoient,
Et qant il retornoient si se raparissoient,
Les petites compaignes tres bien les atendoient,
2916 Qant il ierent o eles volentiers i gisoient –
Cil les covoitent tant qu'a paines s'en partoient.
Qant il ierent si las que faire nel pooient,
Volentiers s'en tornassent, mais eles les tenoient ;
2920 Celes levoient sus, en l'eaue les traioient,
Tant les tienent sor eles qu'eles les estaingnoient.

166

Quatre s'en eschaperent qui au roi sont venu,
Le convine des femes content qu'il ont veü
2924 Et de lor compaignons com il sont retenu ;
Ne repaierront mais, noié sont et perdu.
Qant cil oient le conte que li quatre ont rendu,
Por la biauté des femes se sont si esmeü
2928 Volentiers i alaissent s'il ne fuissent tenu,
Mais Alixandres jure quanqu'est et canque fu
Que tuit cil qui iront, s'il sont aperceü,
Ja nes amera tant qu'il ne soient pendu ;
2932 Ainc puis n'i ala nus que il l'ot deffendu.

167

Des noveles se vont li baron mervellant
Des puceles de l'eaue, com lor est convenant.
Ne demora puis gaires que il virent plus grant,
2936 Dont plus se mervellierent nis li petit enfant.
A la tierce lieuee, devant l'aube aparant,
Es vous par devant l'ost quatre viellars errant,
Et ot trestous li mendres quatorze piés de grant.
2940 Velu sont commë ours, poil ont dur et poignant,
Cornes ont comme cerf en mi le front devant,

165

Les soldats les voient merveilleusement belles,
sans peur des hommes, sans désir de se cacher :
quand ils viennent trop nombreux, elles se mettent dans l'eau,
mais dès qu'ils s'éloignent, les petites compagnes
reviennent à la surface pour les attendre.
Ils s'empressent alors de s'unir à elles
et pleins de désir, ne veulent plus les quitter.
Mais quand ils sont si las qu'ils ne peuvent plus rien faire
et qu'ils voudraient repartir, elles les tiennent bien :
elles se redressent et les entraînent dans l'eau,
les serrant contre elles jusqu'à les étouffer.

166

Quatre rescapés viennent conter au roi
la conduite des femmes, qu'ils ont bien vue :
leurs compagnons sont prisonniers
et ne reviendront jamais ; ils sont morts noyés.
Les autres, en entendant le récit des quatre témoins,
sont si émus par la beauté des femmes
qu'ils iraient les rejoindre, si on ne les retenait.
Mais Alexandre jure sur tout le monde présent et passé
que s'il voit des soldats les rejoindre,
il s'empressera de les faire pendre :
après cette défense, plus personne n'y alla.

167

Les barons s'émerveillent, comme il convient,
de l'aventure des femmes de l'eau,
mais ils devaient bientôt voir une merveille
qui les remplit plus encore de stupeur, du plus jeune au plus
Il leur restait trois lieues à faire avant l'aube   [vieux.
quand voici venir devant l'armée quatre vieillards
dont le plus petit mesurait quatorze pieds de haut.
Ils étaient velus comme des ours, avec des poils durs et
des cornes comme celles des cerfs sur le front,   [piquants,

Et sont noir comme meure et lor oel sont luisant.
En l'ost nen ot destrier fors Bucifal l'amblant
2944 Q'en peüst un ataindre, si tost s'en vont fuiant.
Li rois point après aus, s'en vait un ataingnant,
Par les cheveus le prist si li dist en riant :
« Estés ici, biaus maistres, n'irés hui mais avant,
2948 Ançois me conterés com vos est covenant,
Qui estes, dont venés et que alés querant. »
Qant cil se senti pris, forment vait glatissant,
Et li troi se regardent, au roi vienent poignant.
2952 Chascuns tint en sa main une roche pesant,
Grans caus li vont doner sor son escu devant.
Tout li ont defroissié, mort l'eüssent a tant,
Qant Filotes i vint sor son destrier courant ;
2956 L'un en feri el cors de son espié trenchant.
Et li vieus prent la lance, vers lui vient brandissant,
Le destrier prist au frain, en mi le front devant
Li dona un tel caup du poing destre en boutant
2960 Sor la hanche l'asiet a terre maintenant.
Filotes saut en piés, du fuerre trait le brant ;
Estes vous Licanor après lui acourant,
Tholomés et Dans Clins vienent esperonant.
2964 Chascuns saisist le sien, bien les vont justiçant
Et les mains trier le dos de coroies liant,
Deus et deus comme chiens par les caus acouplant.
Vers le tref Alixandre vont grant joie faisant
2968 Et a lor pavellons s'en revont li auqant.

168

Li viellart furent pris et li rois s'en repaire,
A son tref descendi, en toute l'ost n'ot maire.
Qant fu tans de disner, si firent le fu faire ;
2972 Qant il orent mengié et on dut napes traire,
Ses sergans commanda que facent sa gent taire.
Les viellars apela s'en jura son viaire
Que ja li conteront de trestout lor afaire :
2976 Dont sont, ou vont, dont vienent, quel mestier sevent
Se il voir ne li dïent, il lor fera contraire ;   [faire.

noirs comme mûre, les yeux luisants.
De tous les destriers, seul Bucéphale qui va l'amble
pourrait les rattraper à la course.
Le roi galope à leur suite, en rattrape un
qu'il saisit par les cheveux. Il lui dit en riant :
« Restez ici, cher maître, vous ne bougerez pas
avant de m'avoir dit, comme il convient,
qui vous êtes, d'où vous venez et ce que vous cherchez. »
Le prisonnier se met à pousser des cris perçants
et les trois autres, à cette vue, se précipitent vers le roi.
Chacun tient à la main une lourde pierre
dont ils lui donnent de grands coups sur son écu,
qu'ils lui ont brisé. Ils l'auraient bientôt tué
si Filote n'était venu sur son destrier rapide :
il frappe l'un d'entre eux de son épieu tranchant.
Mais le vieillard saisit la lance, vient vers lui en la brandissant,
saisit la bride du destrier et lui donne sur le front
un tel coup de son poing droit
qu'il l'assied à terre aussitôt.
Filote saute sur ses pieds, tire son épée du fourreau.
Et voici Licanor qui accourt à sa suite,
Tholomé et sire Clin qui éperonnent leur cheval.
Chacun se saisit de son adversaire, le maîtrise
et lui lie les mains dans le dos :
on les mène en couple comme des chiens de chasse.
Ils regagnent, joyeux, la tente d'Alexandre,
et les autres rejoignent leurs pavillons.

168

Les vieillards capturés, le roi revient sur ses pas
et entre dans sa tente, la plus grande de l'armée.
Au moment du dîner, on prépare le feu.
A la fin du repas, quand on enlève les nappes,
il commande à ses serviteurs de faire taire ses troupes.
Il appelle les vieillards et jure sur sa tête
qu'ils vont lui révéler tout ce qui les concerne :
d'où ils sont, où ils vont, d'où ils viennent, leur occupation.
S'ils ne disent pas la vérité, ils le paieront cher :

Se mençoigne li dïent, il les fera deffaire
Ou ardoir ou rostir ou a chevaus detraire.

169

2980 Qant li viellart oïrent du roi le serement,
En estant se drecierent et parlerent briement.
Li ains nes a parlé tout premerainement :
« Sire rois Alixandres, un petit nos entent.
2984 Nous somes quatre frere si somes d'Orïent,
Par les desers alons ensi priveement.
Ça en arriere fumes a une feste aiglent
Et de pluisors contrees i furent li jo,vent.
2988 Uns astrenomïens nos dist veraiement
Que en ceste contree fontaines i a cent ;
Les trois en sont faees, jel sai a ensïent.
Hom qui a set vins ans, de noient ne vos ment,
2992 Se en l'une se baigne et en l'eaue descent,
En l'aé de trente ans revient hastieuement.

170

« Sire rois Alixandres, se toi vient a plaisir,
La seconde fontaine devés tres bien oïr ;
2996 Li dieu la firent sordre et de terre venir.
Qui en cele se baigne ne puet puis pas morir ;
Ne la puet on en l'an que une fois choisir.
Bon conseil te donrai, se tu veus assentir,
3000 Por ce que de noient ne te volons mentir.
Ta maisnie feras en pluisors lieus partir,
S'aucuns par aventure i pooit avenir.
– E ! Dieus, dist Alixandres, se me volés souffrir
3004 Que baignier m'i peüsse, car riens tant ne desir,
Sacrefice feroie tout a vostre plaisir. »

_____

54. *Aiglent* semble dérivé d'*aquilentum*, « humide ».

s'ils osent lui mentir, il les mettra à mort
en les faisant brûler ou écarteler par ses chevaux.

169

En entendant le roi prêter ce serment,
les vieillards se redressent et parlent aussitôt,
le plus âgé en premier :
« Seigneur roi Alexandre, écoute nos paroles.
Nous sommes quatre frères, nous venons d'Orient
et traversons ainsi les déserts seuls.
Il y a peu, nous avons assisté à une fête de l'eau[54],
où s'étaient réunis les jeunes gens de nombreux pays.
Un astronome nous a dit qu'en vérité
il y a dans ce pays cent fontaines,
dont trois sont magiques, je le sais en toute certitude.
Si un homme de cent quarante ans, sans mentir,
se baigne dans l'une d'elles et se plonge dans son eau,
il retrouve aussitôt l'âge de trente ans.

170

« Seigneur roi Alexandre, écoute, s'il te plaît,
le pouvoir de la deuxième fontaine.
Les dieux eux-mêmes l'ont fait jaillir de la terre :
celui qui s'y baigne ne peut plus mourir ;
mais on ne peut la voir qu'une fois par an.
Je vais te donner un bon conseil, si tu veux le suivre,
car nous ne voulons en rien te mentir.
Disperse ta suite partout à la ronde,
au cas où d'aventure, l'un de tes hommes la découvrirait.
– Ah, Dieu ! dit Alexandre, si vous acceptiez de m'y laisser
je vous offrirais le plus beau des sacrifices !   [baigner,
C'est là mon plus cher désir ! »

171

« Rois, la tierce fontaine refait molt a loër.
Qui voit mort son ami, ne fait mie a douter,
3008	S'il le puet a cele eaue conduire et amener
Et entor la fontaine quatre jors sejorner
Et un petit de l'eaue dedens le cors geter,
Au quint jor le fera de mort resusciter. »
3012	Qant Alixandres l'ot, si commence a parler :
« Se tu icés noveles me fais en voir ester,
Plus te donrai chevaus, or fin et argent cler
Qu'entre toi et tes freres n'oserés demander. »
3016	Li viellart saillent sus si li vont affier.

172

Ce fu el mois de mai, que li tans renovele,
Que li viellart ont dit au roi ceste novele ;
Alixandres l'entent, joians li fu et bele.
3020	Sempres fist traire napes et fist metre la sele,
Li rois et tuit li autre chevalchent la praele,
Les lui vont li viellart, docement les apele.
La nuit se hebregierent les une fontenele
3024	Dont li ruissiaus iert clers et blanche la gravele.
La descendi li rois qui tout le mont querele,
D'une part fu ses tres et d'autre sa chapele.

173

Qant il dut avesprer, s'assieent au mengier.
3028	Le mengier font haster, car il veulent couchier,
Matin veulent lever por lor voie esploitier ;
Gent qui ont tant a faire ne doivent pas targier.
Li poisson furent cuit et mis por refroidier,
3032	Ainc n'en sot mot li quieus, si vinrent doi levrier,
As poissons atouchierent ses ont fait trebuchier
Ens en la fontenele dededens le gravier.

171

« Roi, la troisième fontaine est précieuse, elle aussi.
C'est une chose certaine : celui qui voit mourir son ami,
s'il peut le mener à cette eau,
rester quatre jours près de la fontaine
et jeter un peu d'eau sur le corps,
le verra ressusciter le cinquième jour. »
Alexandre lui répond à ces mots :
« Si tu me prouves la vérité de ces nouvelles,
je te donnerai plus de chevaux, d'or fin et d'argent brillant
que tes frères et toi n'oserez en demander ! »
Les vieillards s'empressent de conclure ce pacte.

172

C'était le mois de mai, le temps du renouveau,
quand les vieillards ont appris au roi cette nouvelle,
qui remplit Alexandre d'allégresse.
Vite il fait plier les nappes, seller les chevaux.
Le roi et tous ses hommes chevauchent dans la prairie ;
il convie les vieillards à se mettre à ses côtés.
Ils se reposent la nuit près d'une petite fontaine
dont l'eau claire coulait sur du sable blanc.
Là s'installe le roi qui revendique le monde entier,
sa tente d'un côté, sa chapelle de l'autre.

173

A la tombée du soir, ils prennent place à table
et veulent vite manger, se coucher
et se lever de bon matin pour faire une longue route :
des hommes si occupés ne doivent pas tarder.
Les poissons étaient cuits et mis à refroidir.
Mais à l'insu du cuisinier, deux lévriers
s'emparent des poissons et les font tomber
dans la petite fontaine sur le sable.

174

Qant li poisson sentirent l'eaue a aus abiter,
3036 Sempres vinrent en vie si prenent a noër
Et par la fontenele l'uns l'autre a debouter.
Qant li quieus l'aperçut, au roi l'ala conter ;
Li rois et tuit li autre les courent esgarder.
3040 « Segnor, dist Alixandres, sel me volés loër,
Ci ferai une tour bone et haute fremer,
Se mestiers nos en est qu'i puissons rasener. »
Li baron dïent tuit : « Bien fait a creanter. »
3044 La nuit jurent seür desi a l'ajorner,
Par les tentes se lievent viellart et bacheler.
En l'ost n'ot gentil home n'i voist pierre porter,
Une tor i ont faite qui molt fait a loër,
3048 Par dedesus la firent a civoire vauter
Par engien mervelleus qu'il firent tresgeter,
Et misent une roe que li vens fait torner.
La fontenele firent sus en la tor monter,
3052 La cuve ou ele chiet firent entor plomer,
Por ce l'ont fait ainsi que mieus puisse durer.
Qant li rois ot ainsi la tor fait afiner,
L'endemain par son l'aube commence a cheminer.

175

3056 A l'aube aparissant fu toute l'ost montee,
A esploit chevalchierent toute la matinee,
Li rois et tuit li autre chevalchent par la pree ;
Droit a eure de tierce ont une eaue passee.
3060 Trestoute l'ost en est en une cave entree,
Trois jors ont chevalchié ains qu'il l'aient outree.
Une fontaine truevent a la tierce jornee,
Ainc puis qu'il vienent la ne s'est l'os remuee,
3064 Por ce que ele estoit travellie et lassee,
Et fu eure de none et traist a la vespree.
Environ la fontaine s'est la gent ostelee
Desi q'a l'endemain, que l'aube fu crevee,
3068 Que li solaus luist cler par toute la contree.

174

Dès que les poissons sentirent le contact de l'eau,
ils reprirent vie et se mirent à nager
et à se poursuivre dans la fontaine.
Le cuisinier les voit et vient conter la nouvelle au roi.
Le roi et tous les autres courent les regarder.
« Seigneurs, dit Alexandre, si vous y consentez,
je ferai dresser ici une haute tour fortifiée,
afin que nous puissions revenir, s'il en est besoin. »
Les barons disent tous : « C'est une bonne idée ! »
Ils passent une nuit tranquille jusqu'au lever du jour,
quand se lèvent dans leurs tentes les jeunes et les vieux.
Tous les nobles chevaliers de l'armée voulurent porter une
et l'on édifia une tour bien digne de louange :   [pierre
on la recouvrit d'un toit voûté
sculpté avec une merveilleuse habileté,
et on installa une roue actionnée par le vent
pour faire monter l'eau de la fontaine.
On scella de plomb la cuve où retombait l'eau,
pour la faire durer plus longtemps.
Quand le roi eut ainsi fait édifier la tour,
il reprit sa route, le lendemain, dès l'aube.

175

Dès la venue de l'aube, l'armée monte à cheval
et galope toute la matinée.
Le roi et tous ses hommes chevauchent par la prairie.
Juste à l'heure de tierce, ils franchissent un fleuve.
L'armée tout entière s'enfonce dans une vallée encaissée
qu'elle met trois jours à franchir.
Le troisième jour, elle découvre une fontaine.
On ne va pas plus avant,
car tous étaient épuisés de fatigue ;
c'était l'heure de none, le soir approchait.
Les troupes s'installent autour de la fontaine.
Et le lendemain, quand l'aube éclaire le ciel
et que le soleil brille par tout le pays,

Alixandres li rois a sa gent apelee,
A cinc cens de ses homes la parole a mostree,
Dist lor que il alaissent sans point de demouree
3072 Querre l'autre fontaine tant qu'il l'aient trovee,
Et qui la trovera sa teste en a juree
Que se il ja s'i baigne ains qu'il li ait mostree,
Ja ne morra de mort si l'avra comperee.

176

3076 Li rois remest iluec, si eslit vont avant
Et vont par les desers la fontaine querant,
Par vaus et par montaignes se vont molt dementant.
Enoc, uns riches hom, en est alés avant,
3080 La fontaine trova ains le midi passant.
Uns hom li raconta qu'il i trova baignant
Que c'estoit la fontaine qu'il aloit demandant,
A cel jor estoit l'eure qu'el s'aloit demostrant.

177

3084 Enoc descent a pié, en l'eaue se baigna,
Mais de ce fist folie que son chief i plonga,
Encor venra tele eure qu'il s'en repentira.
Qant il se fu baigniés, vesti soi et chauça,
3088 Sor son destrier courant isnelement monta,
Desq'au tref Alixandre esperonant en va,
Dist li de la fontaine comment il la trova
Et que devant un an nus mais ne la verra
3092 Ne hom qui l'aille querre trover ne la porra.
Li rois fu coreciés, durement souspira
Por ce que la fontaine mais ne recoverra.
Sa teste vit mollie, pres de soi l'apela,
3096 En la fosse du col a sa main li tasta,

---

55. Paul Meyer (II, p. 175) fait remarquer qu'Enoch est un nom particulièrement bien choisi « pour un homme qui va se trouver soustrait aux conditions normales de la vie » : Enoch, patriarche biblique, « marcha avec Dieu puis il disparut car Dieu l'enleva » (*Genèse* 5, 24).

le roi Alexandre appelle ses troupes :
à cinq cents de ses hommes il donne l'ordre
d'aller sans retard
en quête de l'autre fontaine jusqu'à ce qu'ils l'aient trouvée :
il jure sur sa tête que si l'un d'eux la trouve
et se baigne dans l'eau avant de la lui avoir montrée,
le coupable ne mourra pas sans l'avoir payé cher !

176

Le roi reste sur place, ses envoyés s'en vont
par les déserts, en quête de la fontaine,
par monts et par vaux en se plaignant fort.
Enoch, un puissant seigneur, marchait en avant
et découvrit la fontaine avant midi[55].
Un homme qu'il vit s'y baigner
lui expliqua que c'était la fontaine qu'il cherchait.
C'était le moment, ce jour-là, où elle se montrait.

177

Enoch met pied à terre et se baigne dans l'eau.
Mais quelle folie que d'y plonger la tête !
Il devait bientôt s'en repentir.
Après s'être baigné, il s'habille et se chausse,
remonte vite sur son destrier rapide
et galope jusqu'à la tente d'Alexandre,
pour lui dire qu'il a trouvé la fontaine,
qu'avant un an nul ne la verra plus
et qu'il est inutile de se mettre en quête.
Le roi, désolé, soupire profondément
à l'idée qu'il ne retrouvera plus la fontaine.
Mais il remarque la tête mouillée, appelle Enoch près de lui,
passe la main dans le creux de son cou

De ce qu'il fu baigniés tout mollié le trova.
Demanda li por coi tant longes demora,
Puis li dist que cest baing molt chier achatera.

178

3100 « Enoc, fait Alixandres, ne te puis tormenter,
Occire ne te puis, ardoir ne afoler,
A dolor te ferai toute ta vie user. »
Ses maçons apela si fist faire un piler
3104 Et dedens le piler fist Enoc seeler ;
Tant com li siecles durt ne l'en puet nus geter.
Puis cuellirent lor tentes, avant veulent aler,
Les puis de Falicost commencent a monter.

179

3108 Alixandres chevalche les puis de Falicost.
Roisde fu la montaigne, ne porent aler tost,
A grant paine souffrirent la chalor et le rost.
Il ne truevent tant d'ombre ou uns seus hom s'acost
3112 Ne ne truevent biau lieu ou nus d'aus se repost.
Qant vinrent au pertuis qu'Artus et Liber clost,
Çoinocifal lor saillent des desers de Rimost,
Testes orent de chien, molt son lait et enpost,
3116 A grans pierres puignans vienent arochier l'ost ;
Li archier i vont traire, qui armé furent tost.
Qant virent les saietes, fuï sont et repost ;
Li archier s'en retornent, q'Alixandres nes chost.

180

3120 Li rois monta un tertre qui de hautece vaint
Et vit Occeanon, qui tout le mont açaint,
Et le mont d'Ethiope et le val qu'il estraint.
A poi que toute l'ost d'angoisse ne remaint,
3124 Car li chaus les argüe et la sois les destraint.
Cil d'Ynde li ont dit d'aler avant ne paint,
N'est qui la voie sache ne qui la lor ensaint,

et le trouve tout mouillé de son bain.
Il lui demande la raison de son retard
et lui déclare que, ce bain, il va le payer cher.

178

« Enoch, dit Alexandre, je ne peux te supplicier,
ni te tuer ni te faire brûler, mais je ferai en sorte
que tout le reste de ta vie ne soit plus que souffrance ! »
Il appelle ses maçons, leur fait construire un pilier
dans lequel Enoch est emmuré.
Nul ne pourra l'en sortir jusqu'à la fin du monde.
Puis on lève le camp pour aller plus avant :
on commence à franchir les monts de Falicost.

179

Alexandre escalade les monts de Falicost.
La pente est raide, on ne peut aller vite.
Les hommes souffrent de la chaleur brûlante :
il n'y a pas d'ombre pour abriter un seul homme
ni d'endroit frais où se reposer.
Près du trou fermé par Arthur et Liber,
ils sont attaqués par des Cynocéphales des déserts de Rimost :
ils ont une tête de chien, ils sont laids et cruels ;
les poings pleins de grosses pierres, ils lapident l'armée.
Les archers ont tôt fait de les cribler de flèches.
A cette vue, ils s'enfuient et se cachent.
Les archers s'en reviennent pour éviter un blâme d'Alexandre.

180

Au sommet d'un tertre plus haut que tous les autres,
le roi voit l'Océan qui entoure le monde,
et le mont d'Ethiopie, la vallée qu'il enferme.
Toute l'armée épuisée n'avance presque plus,
tourmentée par la chaleur et la soif.
Les Indiens lui disent de ne pas chercher à aller plus avant :
nul ne connaît la route, nul ne peut les guider,

Que l'ardor est si grans ja seroient estaint,
3128 Car en trente jornees, c'est en l'estoire paint,
N'a tant d'umilité dont nule riens enpraint.

181

Molt fist bien Alixandres qant ciaus d'Ynde a creüs,
Toute la matinee s'en est li rois meüs
3132 Por retorner arriere la dont il iert issus,
En la fastïene Ynde dont il estoit venus.
Ja estoit li fus grans, et li rois descendus
A un estanc qu'il truevent entre tertres agus
3136 Qui tous estoit plains d'eaue, mais sempres fu beüs
Des chevaus et des bestes que avoit recreüs
Li chaus qui du soleil estoit si grans cheüs.
D'autre part de la rive ot homes parcreüs,
3140 Chascuns iert par le cors dusq'au nombril fendus
Et environ le dos comme bestes velus.
Des Grieus se mervellierent qant il les ont veüs ;
Molt par les veïssiés dolens et irascus
3144 Qant veü ont teus homes, qu'il n'ont pas conneüs ;
Vers aus vinrent corant, molt fu grans lor vertus.
Ainc ne vestirent drap qui fust fais ne tissus,
Tuit ensamble lor lancent pierres et peus agus,
3148 Plus de cinc cens sergans lor i ont mors rendus.
Cil de l'ost s'estormissent ses eüssent seüs,
Qant uns estorbellons lor est devant venus
Qui tres et pavellons lor i a abatus,
3152 Les somiers trebuchiés et de tisons ferus ;
Peliçon et mantiaus i ont assés perdus,
Entresi vers le ciel en porte lor escus.

---

56. *Umilité*, « humidité », est ainsi écrit dans tous les manuscrits.

57. L'*Epistola* cite à plusieurs reprises l'*India Fasiacen* et *Fasiacen*, qui semblent correspondre au royaume de Porus. « Fasiacè (pays qui doit puiser son origine dans le nom du fleuve Phase que la légende des Argonautes a fait connaître) remplace ici Prasiaké, le pays des Prasiens qui s'étend au bord du Gange, et qu'Alexandre n'a pu atteindre » (Pseudo-Callisthène, trad., note 6, p. 262). Quinte-Curce mentionne en effet les Prasiens (IX, 2, 3).

et l'ardeur du soleil les aurait vite tués,
car à trente journées de marche, comme l'histoire le raconte,
il n'y a pas le moindre point d'eau[56].

181

Alexandre fit bien de croire les Indiens.
Toute la matinée le roi fait route
pour revenir à son point de départ,
dans l'Inde de Fasiacè, d'où il était parti[57].
Le soleil brûlait comme du feu et le roi mit pied à terre
au bord d'un étang qu'on découvrit entre des pics aigus :
il était plein d'eau mais fut vite asséché
par les chevaux et les bêtes épuisés
par la terrible chaleur du soleil.
Sur l'autre rive, il y avait des hommes de très grande taille,
le corps fendu jusqu'au nombril
et le dos velu comme celui des bêtes,
qui s'émerveillent à la vue des Grecs.
Furieux et contrariés
de voir des hommes qu'ils ne connaissent pas,
ils courent sur eux, pleins de force.
Dépourvus du moindre vêtement,
ils leur lancent des pierres et des traits pointus,
faisant plus de cinq cents morts.
Les soldats se précipitent et s'apprêtent à les suivre
quand un tourbillon fond sur eux,
abattant les pavillons et les tentes,
renversant les chevaux, les criblant de tisons.
Pelisses et manteaux sont détruits en grand nombre,
les écus s'envolent jusqu'au ciel.

Aprés icest domage lor est autres creüs :
3156 Ensement comme noif est fus du ciel pleüs,
Que toute arst la contree ensement comme fus.
Or dïent tuit par l'ost : « Libers est irascus,
Ou il ou Erculés font ore ces vertus,
3160 Par la consence as dieus nos est cis maus venus. »

182

Qant li vens fu cheüs et li estorbellons,
A mont envers le ciel en guise de tisons
Virent venir les rais ardans comme brandons.
3164 Cil de l'ost s'estormissent, qui crient les charbons,
De lor escus se cuevrent, ce fu lor garisons ;
Et cil qui nul n'en orent se tinrent por bricons,
Brullees ont les testes et barbes et grenons.
3168 Qant du ciel fu cheüe la rougor et l'arsons,
A negier commença de l'air qui fu enbrons ;
Ne demora puis gaires qu'en vint si grans foisons
Que li flocel chaoient si grant comme toisons,
3172 La noif iert sor les tres haute comme dongons.
Alixandres commande a trestous ses barons
Que ne remaigne en l'ost escuiers ne garçons
Qu'il ne mainent les bestes par tous les pavellons
3176 Et abatent la noif a peus et a bastons.
Por la chalor des bestes fu grans remetoisons,
La noif qui iert remise chaucha comme sablons.
Aprés lor vint de pluie si grant sorjonsions
3180 Que tout en porte a val la noif et les glaçons.
Li estans rempli d'eaue, qui iert et grans et lons.

183

Quatre jors fu li rois que d'iluec ne se mut
Et fist molt grant froidure, assés nega et plut ;
3184 Ainc l'espoisse de l'air por ice ne descrut.
Alixandres demande a ciaus d'Ynde que dut
Q'aprés si grant chalor si grant froidure mut,
Mais onques por le dire nus d'aus ne s'aparut.

Une autre plaie s'abat sur eux après la première :
le feu tombe du ciel aussi dru que la neige
et brûle tout le pays.
Tous disent dans l'armée : « Liber est en colère,
c'est lui ou c'est Hercule qui fait ces prodiges :
ce malheur nous arrive par la volonté divine ! »

182

Quand le vent est tombé et le tourbillon avec lui,
ils voient venir du ciel comme des tisons enflammés,
des rayons brûlants comme des brandons.
Les soldats se précipitent, par peur des flammes ;
ils se couvrent de leur écu et se sauvent ainsi.
Bien fous ceux qui n'avaient pas cette protection !
Ils ont la tête brûlée, comme la barbe et les moustaches.
Quand le feu rougeoyant fut tombé du ciel,
il se mit à neiger dans l'air assombri
et bientôt les flocons tombèrent en telle quantité
qu'ils formaient comme une toison épaisse.
La neige recouvrait les tentes, plus haute qu'un donjon.
Alexandre commande à tous ses barons
d'envoyer dans l'armée tous les écuyers et les valets
chercher les bêtes et les conduire dans les pavillons,
en faisant tomber la neige à coups de bâton.
La chaleur des bêtes la fait fondre.
La neige qui est restée, il la fait tasser comme du sable.
Après tombe une pluie si torrentielle
qu'elle emporte avec elle la neige et les glaçons.
L'étang, grand et long, se remplit d'eau.

183

Le roi resta là quatre jours sans bouger,
dans le froid, la neige et la pluie,
et des nuages épais qui ne s'écartaient pas.
Alexandre demande à ses guides indiens
la cause d'un pareil froid après pareille chaleur,
mais nul ne sut lui répondre.

184

3188 Deus viellars yndïens ont es desers trovés
Qui ont longes les barbes jusqu'au neu des baudrés.
Li rois lor a enquis : « Qui estes, ou alés ? »
Cil li ont respondu : « Ci est nostre regnés,

3192 Des desers de Rimost est nostre naïtés.
Li qels est Alixandres ? Et car le nos mostrés,
Car veoir le volons plus qu'ome qui soit nés,
Por ce que sor tous homes est cremus et doutés. »

3196 Li chevalier lor dïent : « Toute l'ost esgardés,
A celui qui mieus samble segnor si vos tenés. »
Cil esgardent le roi, qui fu gros et quarrés,
Large ot l'enforcheüre si fu bien figurés ;

3200 Autresi le connurent com s'il lor fust mostrés.
« Sire, font li viellart, se en nos vos fïés,
As arbres vos menrons que vos tant desirrés,
Qui vos diront noveles de la mort q'atendés. »

3204 Qant Alixandres l'ot, ses en a mercïés,
Riches conrois lor done et bons muls sejornés.

185

« Segnor, dist Alixandres, je vos commant et reu :
Remuons nos herberges et querés autre leu,

3208 Car je voi molt le ciel et pale et ynde et bleu.
Il ne nos promet mie ne seürté ne geu,
Ains sont irié li dieu qui nos ont mis en freu,
Tel chose m'ont hui faite dont ai au cuer grant neu,

3212 Car set vins chevaliers, qui molt estoient preu,
I avons hui perdu de la noif et du feu.
Sevelissons les mors et si lor faisons veu ;
Por le maingier haster voisent avant li qeu. »

---

58. Topos épique à tonalité humoristique : voir P. Ménard, *Le Rire et le sourire dans le roman courtois*, Genève, 1969, pp. 49, 71, 395.

184

Dans les déserts ils trouvent deux vieux Indiens
dont la barbe tombe jusqu'au nœud du baudrier[58].
Le roi leur demande : « Qui êtes-vous ? Où allez-vous ? »
Ils lui répondent : « Ce royaume est le nôtre,
nous sommes nés dans les déserts de Rimost.
Lequel de vous est Alexandre ? Montrez-le nous donc,
c'est le mortel que nous souhaitons le plus voir,
car de tous les hommes c'est le plus redouté ! »
Les chevaliers leur disent : « Examinez l'armée,
et choisissez celui qui semble le plus digne d'être son
Ils regardent le roi, qui est fort et trapu,   [seigneur ! »
voient sa large poitrine et sa noble stature :
ils le reconnaissent comme si on le leur avait désigné.
« Seigneur, disent les vieillards, fiez-vous à nous,
et nous vous mènerons aux arbres que vous désirez tant voir,
les arbres qui vous révéleront votre mort. »
Alexandre, à ces mots, les remercie,
leur donne un riche équipage et de bonnes mules fraîches.

185

« Seigneurs, dit Alexandre, je vous le commande,
levons le camp pour gagner d'autres lieux,
car je vois le ciel blême, violet et bleu :
ce n'est pas un bon présage.
Les dieux sont courroucés et nous veulent du mal,
leur cruauté d'aujourd'hui me serre le cœur.
La neige et le feu nous ont fait perdre
cent quarante chevaliers parmi les plus preux.
Enterrons donc les morts et prions pour eux !
Et que les cuisiniers aillent hâter le repas ! »

186

3216 Les mors ont sevelis, li Grieu s'en sont torné.
Li quieu s'en vont avant, le mengier ont hasté ;
D'un grant tertre ou il ierent ont un val avalé
Et truevent as herberges le mangier apresté ;

3220 A pié s'en vont deduire quant il orent disné.
Desous une grant roche truevent un lieu cavé
Ou Artus et Libers avoient conversé ;
Et orent icel lieu beneoit et sacré,

3224 Que puis n'i entra hom qu'il s'en furent torné
Q'on n'eüst au tierc jor ça dehors mort trové.
Alixandres mescroit qu'il n'i ait enferté
De serpent ou d'oisel qui l'ait envenimé.

3228 Ains nel creï li rois des qu'il l'ot esprové,
Entrer i fist quatre homes qui bien furent armé,
Au tierc jor furent mort tout quatre hors trové,
En travers l'un sor l'autre a la terre geté.

3232 Alixandres les voit, longement a pensé ;
Por ce qu'il n'i pert caus ne il ne sont navré,
N'en pot onques savoir li rois la verité
Comment il ierent mort et iluec aporté.

3236 Les viellars yndïens, qui du païs sont né
Et avoient grant piece el païs conversé,
A fait li rois venir si lor a demandé,
L'un des deus avant l'autre a forment conjuré,

3240 Que de cele mervelle qui l'a si effreé
Li dïent ambedui toute la verité :
S'en la cave a fantosme, serpent ne enferté
Qui si soutainement a cest lieu deserté.

3244 Li dui viellart respondent, qui sont de grant aé,
Que Artus et Libers par lor grant deïté
Entoschierent le lieu si l'ont enfantosmé.
Li rois ot les viellars qui ce li ont conté,

3248 Por le païs qu'il sevent a molt grant volenté
Li rois d'aus retenir, car par tout ont alé ;
Et dist que des or mais seront molt si privé
Et molt seront par lui servi et honoré.

186

Leurs morts enterrés, les Grecs sont repartis,
tandis que les cuisiniers, envoyés en avant, ont hâté le repas.
Du grand tertre où ils étaient, ils sont descendus dans une
où ils trouvent, dans les logis, le repas préparé.   [vallée
Après le dîner, ils vont se promener à pied
et découvrent au pied d'un grand rocher une grotte
où Arthur et Liber avaient séjourné ;
ils avaient béni ce lieu et l'avaient rendu sacré,
si bien qu'après leur départ, tous ceux qui y étaient entrés
avaient été retrouvés morts au bout de trois jours.
Alexandre refuse de croire qu'il y a là un maléfice,
un poison venu d'un serpent ou d'un oiseau.
Il n'y crut qu'après en avoir fait l'expérience :
il fit entrer dans la grotte quatre hommes bien armés,
mais trois jours après les retrouva morts tous les quatre,
dehors, jetés l'un sur l'autre sur le sol.
Alexandre les considère longuement, songeur :
ils ne portent pas la moindre trace de coup ou de blessure
et le roi ne peut donc deviner
comment ils sont morts et venus jusqu'ici.
Le roi fait venir pour les interroger
les vieux Indiens natifs du pays,
où ils ont longtemps séjourné.
Il les conjure l'un après l'autre
de lui dire toute la vérité
sur cette merveille qui l'a effrayé :
qu'y a-t-il dans la grotte, enchantement, serpent, maléfice,
qui fasse de ce lieu un désert ?
Les deux vieillards de grand âge répondent
qu'Arthur et Liber, par leur pouvoir divin,
ont empoisonné le lieu et l'ont enchanté.
Le roi écoute le récit des vieillards.
Il désire fort les garder près de lui
pour leur connaissance du pays, qu'ils ont parcouru en tous
Il dit que désormais ils seront ses familiers   [sens.
et qu'il leur donnera tous les honneurs.

3252 Li viellart l'en mercïent si li ont afïé
Que par tout le menront a molt grant salveté.

187

Qant li vens fu cheüs et la noif fu fondue
Et li estans fu plains de l'iaue qu'iert cheüe
3256 Et de la grant mervelle qui du ciel fu pleüe,
Qui par icel convers fu ainsi espandue
Et de trestoutes pars en l'estanc acourue
Deus piés plus haut la rive de cele qu'iert beüe,
3260 Ja qui la lor contast par aus ne fust creüe
Se il apertement ne l'eüssent veüe.
Li jors fu biaus et clers et fist ombre sous nue.
Alixandres monta, toute l'ost se remue
3264 Et monterent un tertre dont la roche est agüe.
Onques mais n'i ot sente ne chariere batue,
Por l'angoisse du chaut tous li plus fors tressue.
Li viellart vont avant qui la terre ont seüe,
3268 Et ont el cuing du val une forest veüe
Qui bien estoit dedens et garnie et vestue
De toute icele riens qui a cors d'ome aiue.

188

Lors descendent du tertre si sont venu el val.
3272 Molt furent travellié li home et li cheval,
La chalors du soleil lor fist le jor grant mal.
Alixandres les guie, qui sist sor Bucifal,
Et en l'arrieregarde a mis son seneschal ;
3276 Li armé vont avant qui guïent le costal.
Des crués de la montaingne saillent Liotifal,
Molt sont grant et hideus, onques hom ne vit tal,
Plus lor luisent li oel que pierre de cristal.
3280 Chascuns tint en son poing une pierre puignal ;
Devers le haut du tertre lor livrerent estal,
O les roches cornues les trebuchent a val.
Et li archier i traient ensamble communal

Les vieillards le remercient et lui promettent
de le guider partout en toute sécurité.

187

Quand le vent fut tombé et la neige fondue,
l'étang était gorgé des pluies qui s'étaient abattues,
et des merveilles tombées du ciel,
qui s'étaient ainsi répandues
pour se rassembler de toutes parts dans l'étang.
Les flots, gonflés par l'eau engloutie, s'élevèrent de deux
ils ne l'auraient jamais cru,   [pieds :
s'ils ne l'avaient vu de leurs yeux.
Le jour était beau et clair, les nuages apportaient de l'ombre.
Alexandre monte en selle, l'armée se met en branle ;
ils escaladent un tertre aux rochers aigus.
Nul chemin, nul sentier n'y étaient tracés :
les plus robustes ruisselaient de sueur dans la chaleur
                                                       [accablante.
Les vieillards marchent devant : ils connaissent bien le pays.
Au fond du vallon, ils voient une forêt
qui contient à foison
tout ce qu'il faut pour le bien-être des hommes.

188

Ils descendent du tertre pour gagner le vallon.
Hommes et chevaux étaient épuisés
sous la chaleur brûlante du soleil.
Alexandre les guide, monté sur Bucéphale ;
il a confié l'arrière-garde à son sénéchal.
Les chevaliers sont en avant pour protéger la descente.
Des grottes de la montagne surgissent des Ichtyophages
gigantesques et hideux. On n'a jamais vu leurs pareils :
leurs yeux brillent plus que le cristal ;
chacun brandit une pierre dans son poing.
Du haut du tertre ils leur livrent bataille,
les rejetant vers le bas à coups de roches pointues.
Mais les archers les criblent de traits tous ensemble,

3284 Et cil a pié les hüent et font grant batestal.
Molt menerent grant joie quant furent en l'ingal.

189

La forest sist molt bien dejoste une riviere,
Verdoians fu et gente et reonde et entiere.
3288 Arbres i ot plantés de diverse maniere,
Ainc n'en fu uns trenchiés ne devant ne derriere,
Ja n'iert hom si hardis qui un seul caup i fiere.
On ne demande espice ne nule herbe tant chiere
3292 Q'on n'i puisse trover, qant la flors naist premiere
En avril ou en may qant li biaus tans s'esmiere.
La mandegloire i naist, q'a trover n'est legiere,
De croistre en la forest estoit bien costumiere ;
3296 Ja n'iert hom si hardis qui la remut ne quiere
Ne l'estuece morir d'une mort itant fiere
Ja ne porra aler ne avant ne arriere.

190

El bois ot un vergié de grant antiquité,
3300 Poires i ot et pumes et fruit a grant plenté
Et dates et amandes et yver et esté,
Cherubins et nardiers, mil arbres de bonté
I vinrent par nature, ainc n'i furent planté,
3304 De la forest tenoient une lieue de lé ;
Et entre les devises du vergié ot un pré
De toutes chieres herbes garni et asasé.
Hom ne demande herbe ne ne vient en pensé
3308 Dont iluec ne trovast tout a sa volenté.
Il n'a sous ciel cel home tant enferm n'engroté,
De poison ne de poudre tant fort envenimé,
De dolor ne de mal tant fort enraciné
3312 Ne le cuer entoschié ne le foie entamé,

---

59. On attribuait autrefois à la mandragore, dont la racine évoque la forme
d'un corps humain, des pouvoirs magiques.

pendant que les fantassins poussent cris et clameurs.
Ils furent bien soulagés d'atteindre la plaine.

189

La forêt s'étendait le long d'une rivière,
verdoyante, accueillante, ronde et touffue.
On y trouvait des arbres de toutes les espèces,
qui n'avaient jamais connu la hache,
car nul homme n'avait jamais osé les toucher.
Les épices et les herbes les plus précieuses,
on les y trouve toutes, quand les fleurs naissent,
en avril ou en mai, quand règne le beau temps.
On y voit naître l'introuvable mandragore,
qui a coutume de pousser dans cette forêt ;
mais si un homme a la hardiesse de chercher à la cueillir,
il ne pourra plus avancer ni reculer
sans mourir d'une terrible mort[59].

190

Il y avait dans le bois un verger très ancien,
plein de poires et de pommes, d'autres fruits à foison,
des dattes, des amandes, l'hiver comme l'été,
caroubiers et nards ; mille arbres aux grandes vertus
y poussaient naturellement, sans y être plantés,
sur une largeur d'une lieue dans la forêt.
Et à l'intérieur du verger, dans une prairie,
on trouvait toutes les herbes les plus précieuses.
On pouvait bien souhaiter n'importe quelle herbe :
on la trouvait là à volonté.
L'homme le plus infirme et le plus malade,
victime du poison le plus pernicieux,
la douleur et le mal enracinés au corps,
le cœur attaqué et le foie infecté,

Se il pooit tant faire qu'il en eüst gousté
Et le col en eüst un petitet passé
Et un poi i eüst dormi et reposé,
3316 Que il ne s'en alast tous liés et en santé
De la flairor des herbes et de la sanité.
N'a sous ciel damoisele, tant ait ris ne joué,
S'ele a a son ami son gent cors presenté,
3320 Entre ses bras tenu, baisié et acolé,
Se une seule nuit i avoit reposé
Et son cors trestot nu sor les herbes posé,
Au main ne fust pucele s'eüst sa chasteé
3324 De l'odour des espices et de la douceté.

191

Molt fu biaus li vergiers et gente la praele,
Molt souef i flairoit riquelisse et canele,
Garingaus et encens, citouaus et tudele.
3328 Tres en mi lieu du pré sort une fontenele
Dont la dois estoit clere et blanche la perrele,
A rouge or espanois pesast on la gravele.
De fin or tresgeté i ot une ymagele
3332 Sor deus piés de cristal, qui ne chiet ne chancele,
Qui reçoit le conduit qui vient par la tuiele.
El vergié lor avint une mervelle bele,
Car desous chascun arbre avoit une pucele,
3336 Il n'en i avoit nule chamberiere n'ancele,
Mais toutes d'un parage, chascune iert damoisele.
Les cors orent bien fais, petite la mamele,
Les ieus clers et rians et la color novele.
3340 Plus iert espris d'amor qui veoit la dansele
Que s'il eüst le cuer broï d'une estincele
Et plus li saut el cors que destriers de Castele.
A Alixandre en dïent li viellart la novele ;
3344 Qant li rois l'a oïe, joiant li fu et bele,

---

60. *Tudele* ne semble désigner aucune plante. En revanche, le manuscrit H donne *de Tudele*.

n'avait rien d'autre à faire qu'à goûter ces herbes,
en avaler une petite quantité
puis reposer un peu dans le verger :
il en repartait en parfaite santé,
par la vertu du parfum des herbes et de leur pouvoir médicinal.
Toute demoiselle pouvait se livrer aux jeux de l'amour,
s'offrir à son ami
et le serrer dans ses bras tout son soûl :
il lui suffisait de reposer une seule nuit dans le verger,
nue dans les herbes ;
elle était au matin pucelle et retrouvait sa virginité,
rien que par la douce odeur des épices.

191

Le verger était beau, la prairie délicieuse
fleurait bon la réglisse et la cannelle,
le galanga, l'encens, le zédoaire de Tudela[60].
Tout au milieu du pré jaillit une fontaine
d'eau claire sur du gravier blanc ;
on pourrait comparer le sable à l'or rouge d'Espagne.
Il y avait là une petite statue d'or fin,
fixée solidement sur deux pieds de cristal,
jusqu'à laquelle montait l'eau par un conduit.
Les Grecs connurent au verger une merveilleuse aventure :
sous chaque arbre il y avait une jeune fille,
nulle servante, nulle chambrière,
mais toutes demoiselles de haut rang.
Elles étaient bien faites, les seins menus,
les yeux clairs et riants et le teint lumineux.
A leur vue, on avait le cœur plus brûlant d'amour
que s'il avait été embrasé par une étincelle,
et plus bondissant qu'un destrier de Castille.
Les vieillards annoncent cette nouvelle à Alexandre,
qui s'en réjouit fort.

Canques il a alé ne prise une cenele
Se il nes voit de pres ; les deus viellars apele :
« Conduisiés moi ceste ost delés cele vaucele,
3348　Car desq'en la forest n'iert ostee ma sele. »

192

Alixandres commande l'ost amener avant,
Car el bois as puceles veut aler deduiant.
Son seneschal apele Tholomé en riant,
3352　Les noveles li dist que cil li vont contant.
Et les puceles issent de la forest chantant,
Vestues comme dames, molt bel et avenant.
Qant voient ciaus de l'ost, encontre vont jouant
3356　Tant com li ombres dure, car ne pueent avant,
Ja si poi nel passaissent que mortes chaïssent ;
Mais plus aiment les homes que nule riens vivant,
Por ce q'en cuide avoir chascune son talant.
3360　Cil de l'ost les conjoient si s'en vont mervellant,
Car de si beles femes ainc mais ne virent tant,
Ne ne fuissent trovees desi qu'en Oriant.
Es pres les la fontaine Alixandres descent,
3364　Qui plus flaire souef que odors de pieument.

193

Alixandres descent, iluec s'est arestés,
Ses compaignons apele si est el bois entrés.
Quant il vit les puceles, molt en est effreés
3368　Et de la biauté d'eles est issi trespensés
Q'il en jure son chief, qui d'or est corounés,
Que ne s'en movra mais si iert quars jors passés.
« Je commant, biau segnor, por Dieu, or esgardés !
3372　Veïstes mais si beles en trestous vos aés ?
Eles ont cler le vis plus que n'est flors de pres,
Les ieus vairs et rians plus que faucons müés.

Tout le chemin parcouru, il s'en soucie comme d'une guigne,
s'il ne les voit de près. Il appelle les deux vieillards :
« Conduisez-moi l'armée dans ce petit vallon :
je ne mettrai pas pied à terre avant d'avoir atteint la forêt. »

192

Alexandre commande de faire avancer l'armée,
pour aller se divertir dans le bois avec les jeunes filles.
Il appelle en riant son sénéchal Tholomé
et lui raconte ce qu'il vient d'apprendre des vieillards.
Voici que les jeunes filles sortent de la forêt en chantant,
vêtues comme de nobles dames de somptueuses parures.
Quand elles voient l'armée, elles viennent en jouant à sa
[rencontre,
aussi loin que s'étend l'ombre des arbres : elles ne peuvent
[aller plus loin.
Si jamais elles dépassaient l'ombre, elles tomberaient mortes.
Mais elles aiment les hommes plus que tout au monde :
chacune se voit déjà avec l'un d'eux à son service.
Les soldats les fêtent, tout émerveillés :
ils n'ont jamais vu de femmes aussi belles
et ne pourraient en trouver d'ici jusqu'en Orient.
Alexandre met pied à terre dans le pré, près de la fontaine
à l'odeur plus douce que celle du baume.

193

Alexandre met pied à terre et s'arrête en ce lieu.
Il appelle ses compagnons et pénètre dans le bois.
A la vue des jeunes filles, il est si troublé
et pensif devant leur beauté
qu'il jure sur sa tête couronnée d'or
qu'il ne bougera pas d'ici avant quatre jours.
« Regardez donc, chers seigneurs, au nom de Dieu, je vous
[l'ordonne !
Avez-vous jamais vu d'aussi belles femmes de toute votre vie ?
Elles ont le teint plus clair que les fleurs des prés,
les yeux plus vifs et riants que ceux d'un faucon mué.

Veïstes onc tels nes ne si amesurés ?
3376 Les bouches ont bien faites, ja mais teus ne verrés
A baisier n'a sentir, en cel païs n'irés,
Et ont les dens plus blanches qu'ivoires reparés
Ne que la flor de lis q'amaine li estés.
3380 Bien sont faites de cors, grailles par les costés,
Mameles ont petites et les flans bien mollés.
Les unes sont vestues de bon pailes röés,
Les pluisors d'ostorins et li mains de cendés ;
3384 Toutes ont dras de soie tout a lor volentés.
Nule riens ne lor faut, ains ont de tout assés
Fors compaignie d'omes et si'n est grans plentés.
Or sejornons o eles, molt nos ont desirrés. »

194

3388 Dedevant la forest ot un pont torneïs
Sor l'eaue de Clarence, qui vient de Valbrunis,
Les estaches du pont sont de marbre voutis
Et les solives sont toutes a or massis
3392 Et les planches d'yvoire a bons esmaus treslis.
De l'autre part du pont ot un tresgeteïs,
Deus enfans de fin or fais en molle fontis ;
Li uns fu lons et grailles, l'autre gros et petis,
3396 Menbres orent bien fais, vis formés et traitis.
Si com l'os aprisma et il oënt les cris,
Chascuns saisist un mail, li pas est contredis.
Desor aus ot deus briés, que uns clers ot escris,
3400 Qui les fait par augure deffendre au passeïs.
Alixandres descent du destrier arrabis
Et monte sor le pont si s'est outre escuellis.
Qant vit les deus enfans qui ont les mals saisis,
3404 Il se retraist arriere, qu'il cuide estre peris.

195

Qant li rois vit les deus qui se vont deffendant,
Ses compaignons apele si lor dist en riant :

Avez-vous jamais vu des nez aussi parfaits ?
Et leur bouche est bien faite pour les baisers,
vous n'en verrez jamais de pareilles dans tout le pays !
Et leurs dents sont plus blanches que l'ivoire le mieux poli
et la fleur de lis que fait naître l'été.
Elles ont le corps bien fait, la taille fine,
les seins menus et les flancs arrondis.
Elles sont vêtues de belles robes brodées de rosaces,
d'étoffes d'orient ou de cendal ;
elles ont toutes des soieries à foison.
Elles ne manquent de rien, elles ont tout ce qu'elles veulent,
sauf la compagnie des hommes ; et elles sont nombreuses.
Allons donc les rejoindre, elles languissent après nous ! »

194

A l'entrée de la forêt, il y avait un pont tournant
sur les eaux de Clarence, qui viennent de Valbrunis.
Les piliers du pont étaient de marbre voûté,
les solives toutes d'or massif
et les plaques d'ivoire, serties de précieux émaux.
A l'autre bout du pont il y avait un ouvrage sculpté :
deux statues de jeunes gens coulées en or fin.
L'un était grand et mince, l'autre petit et gros ;
leurs membres étaient bien faits, leur visage harmonieux.
Dès que l'armée approche et qu'ils entendent ses cris,
ils saisissent un maillet pour interdire le passage.
Au-dessus d'eux, deux inscriptions rédigées par un clerc
les faisaient par magie défendre le passage.
Alexandre descend de son destrier arabe,
monte sur le pont et s'élance en avant.
Mais voyant les jeunes gens saisir leur maillet,
il revient sur ses pas, de crainte d'être tué.

195

A la vue des deux défenseurs du pont,
le roi appelle ses compagnons et leur dit en riant :

« Je voi outre cel pont une mervelle grant :
3408 A l'entree de la deus enfans en estant.
N'i cuit ja mais passer en trestout mon vivant,
A deus grans mals d'acier se vont escremissant. »
Qant li baron l'oïrent qu'iluec sont atendant,
3412 En la place ont guerpi maint destrier auferrant
Et montent sor le pont qui plus tost puet courant,
Vont veoir la mervelle que li rois vait contant.
A tant i sont venu li dui viellart persant
3416 Qui par tous les desers vont le roi conduisant
Et toutes les mervelles de la terre mostrant.
Alixandres lor dist : « Segnor, venés avant.
Dites par quel maniere sont ici cist enfant. »
3420 Li ains nes li a dit que por lui fera tant
Q'il fera remanoir trestout l'enchantement.

196

Li viellars li a dit qu'il lor fera laissier
Les mals et l'escremie dont il sont constumier.
3424 Alixandres li prie qu'il penst de l'esploitier,
Plus li donra fin or qu'il ne porra baillier.
« Sire, dist li viellars, ne vos chaut a coitier ;
Laissiés moi belement atorner mon mestier.
3428 Je en ferai ja un en l'eaue trebuchier,
Que vostre oel le verront a un poisson mengier,
Et l'autre en porteront diable et avresier. »

197

Pres de l'enchantement s'est cil agenolliés
3432 Et saut du pont en l'eaue si revient sor ses piés.
Ses mains tendi en haut, contre mont s'est dreciés,
Puis se rabaisse a val, deus fois s'i est plongiés.
Et a la tierce fois, quant il fu essiauiés,
3436 Voiant tous ciaus de l'ost s'est li enfes bronchiés
Par tel aïr en l'eaue que tous est depeciés,

« Je vois une grande merveille à l'autre bout du pont :
deux jeunes gens qui barrent l'entrée.
Je ne crois pas pouvoir y passer de toute ma vie :
ils bataillent avec deux grands maillets d'acier. »
En apprenant qu'ils sont ainsi retenus,
les barons descendent de leurs destriers impétueux
pour monter sur le pont en courant à qui mieux mieux
et voir la merveille dont parle le roi.
Mais voici venir les deux vieux Perses
qui guident le roi dans tous les déserts
et lui montrent toutes les merveilles du pays.
Alexandre leur dit : « Seigneurs, avancez donc !
Dites-moi comment ces jeunes gens se trouvent ici ! »
Le plus vieux lui répond que pour l'amour de lui,
il va mettre fin à l'enchantement.

196

Le vieillard lui déclare qu'il leur fera abandonner
leurs maillets et cesser le combat.
Alexandre le prie de se hâter,
et il lui donnera plus d'or fin qu'il ne pourra en porter.
« Seigneur, dit le vieillard, ne soyez pas si pressé !
Laissez-moi tranquillement me livrer à mon art :
j'en ferai tomber un dans l'eau,
et vous verrez de vos yeux un poisson l'engloutir.
Quant à l'autre, les diables et les démons vont l'emporter. »

197

Il s'agenouille sur le pont enchanté,
saute du pont dans l'eau et se relève.
Il lève les mains, se dresse vers le ciel,
puis se baisse deux fois pour se plonger dans l'eau.
Quand il sort de l'eau pour la troisième fois,
la statue tombe dans l'eau devant toute l'armée,
avec une telle force qu'elle est en pièces :

Voiant les ieus le roi est d'un poisson mengiés,
Puis que li uns d'aus fu en l'eaue perilliés,
3440 Ne puet durer li autres, c'or li failli li piés.
Uns diables l'en porte, qui forment en fu liés,
Les gambes li peçoie, les bras li a brisiés.
« E ! Dieus, dist Alixandres, par les toies pitiés
3444 De canque tu me dones soies tu grasciés ;
Cil qui fist ces enfans fu molt outrecuidiés. »
Les mals que cil avoient ont iluecques laissiés ;
Alixandres i cort si s'i est ensaiés,
3448 Il n'en meüst un seul por estre detrenchiés.

198

Aprés le roi i courent tuit li per ensaier ;
De folie se veulent pener et travellier,
Le menor ne peüssent quatre buef charoier.
3452 A tant s'en passent outre sergant et escuier
Et dansel et geudon et turcople et archier,
Qui estoient venu en l'ost por gaaignier ;
Aprés passent les bestes qu'il mainent por mengier.
3456 Qant il furent tuit outre, si dut solaus couchier.

199

En la forest s'est l'os cele nuit ostelee,
Il n'ont autres osteus mais chascuns sa ramee.
Les puceles n'i firent plus longe demoree,
3460 Chascune prist le sien sans nule recelee.
Qui sa volenté vaut ne li fu pas veee,
Ains lor fu bien par eles sovent amonestee.
Cil legier bacheler qui tant l'ont desirree,
3464 Qui pieç'a sont issu hors de la lor contree,
Chascuns n'i ot sa feme ne s'amie amenee,
Trestoute icele nuit ont grant joie menee
Tant que biaus fu li jors, clere la matinee.
3468 Qant il vaurent mengier, la viande ont trovee,

un poisson l'avale sous les yeux du roi.
Après sa disparition dans l'eau,
l'autre ne peut tenir, les pieds lui manquent.
Un diable se fait un plaisir de l'emporter,
en lui brisant les bras et les jambes.
« Ah ! Dieu, dit Alexandre, loué sois-tu
pour ta pitié et ta protection !
Celui qui a fait cet enchantement était plein d'orgueil ! »
Les maillets étaient restés sur place :
Alexandre court pour tenter de s'en emparer ;
mais même au péril de sa vie, il n'aurait pu en soulever un seul.

198

A la suite du roi, tous courent tenter l'épreuve,
mais ils sont bien fous de faire tant d'efforts :
quatre bœufs ne pourraient pas tirer le plus petit des deux
Sergents et écuyers franchissent le pont,   [maillets.
suivis par les jeunes nobles, les fantassins, les soldats armés à
                                          [la légère et les archers
qui avaient rejoint l'armée pour s'enrichir.
Puis passe le troupeau qu'ils mènent pour leur ravitaillement.
Le temps que tous passent, déjà le soleil se couchait.

199

Cette nuit-là, l'armée s'est logée dans la forêt,
sans autre logis que la ramée.
Les jeunes filles n'hésitent pas longtemps :
chacune choisit un soldat sans se cacher
et loin de lui défendre d'accomplir son désir,
l'encourage à maintes reprises.
Les jeunes gens vigoureux n'attendent que cela :
ils ont quitté depuis longtemps leur pays
et n'ont pu amener leur femme ou leur amie.
Toute la nuit ils ont mené joyeuse vie
jusqu'au lever du jour et du matin clair.
Dès qu'ils ont faim, ils trouvent le repas préparé

A quarante mil homes la truevent conreee ;
Il demanderent l'eaue si lor fu aprestee.
Il vont a la margele, qui par lieus iert trouee

3472 Et iert par artimaire molt menu tresgetee
Et reçoit le conduit qui vient par la baee.
Puis estendent les napes sor l'erbe a la rousee,
Sous ciel n'en a devise la ne soit a portee,

3476 Chascuns a son talent la trueve asavoree.
Aprés mengier se vont deporter en la pree ;
Qui vaut fruit de maniere ne chiere herbe loëe
Assés en pot avoir sans chose dev[e]ee.

3480 En la forest s'est l'ost si trois jors sejornee,
Tant que ce vint au quart, qu'ele s'en est tornee.
Alixandres regarde desous une cepee
D'un vermel cherubin qui ot la fuelle lee

3484 Et iert a oisiaus d'or menüement ouvree.
Une pucele vit, bele et encolloree
Ainsi come nature l'avoit enfaçonee.
Onques plus bele feme ne fu de mere nee,

3488 La char ot blanche et tenre comme noif sor gelee ;
La biauté de son vis durement li agree,
Car la rougor estoit aveuc le blanc mellee.
Qant li rois l'ot choisie et tres bien avisee,

3492 Lors a dit a ses homes : « Une chose ai pensee :
Qui ceste feme avroit de cest convers getee
Tant que il la tenist en la soie contree
Bien en devroit on faire roïne coronee. »

3496 Dans Clins, li fieus Caduit, l'a sor un mul montee,
Ainsi com au roi plot ja l'en eüst portee.
Cele s'en voit porter, molt est espoëntee,
De la paor qu'ele ot quatre fois s'est pasmee,

3500 Et regarde Alixandre, merci li a crïee :
« Gentieus rois, ne m'oci, franche chose honoree,
Car se g'iere plain pié de la forest getee,
Qu'eüsse une des ombres seulement trespassee,

3504 Sempres seroie morte, tels est ma destinee. »
Alixandres l'esgarde, plus iert bele que fee,
Por ce qu'ele ot plouré ot la color müee.

pour quarante mille hommes.
Ils demandent l'eau, qu'on leur apporte.
Ils vont à la margelle de la fontaine, qui est percée par endroits
et sculptée finement par un art magique,
pour recevoir l'eau par l'ouverture.
Ils étendent les nappes sur l'herbe, dans la rosée.
Tous les mets du monde leur sont apportés,
assaisonnés pour chacun selon son goût.
Après le repas, on se divertit dans le pré :
qu'on veuille toutes sortes de fruits ou une précieuse épice,
on peut l'avoir à son gré sans contredit.
L'armée a séjourné trois jours dans la forêt.
Le quatrième jour, elle s'en est retournée.
Alexandre regarde sous la cépée
d'un caroubier vermeil aux larges feuilles
finement décorées d'oiseaux d'or.
Il voit une belle jeune fille aux fraîches couleurs,
ainsi façonnée par les soins de la nature.
On n'avait jamais vu plus belle femme :
sa peau était plus blanche et tendre que la neige.
Il est séduit par la beauté de son visage,
où le vermeil se marie au blanc.
Quand le roi l'aperçoit et la contemple,
il déclare à ses hommes : « Il me vient une idée.
Si l'on pouvait sortir cette femme de sa forêt
et la ramener au pays,
elle mériterait d'être couronnée reine ! »
Sire Clin, fils de Caduit, l'assied sur une mule
et se prépare à l'emmener selon le désir du roi.
Mais la jeune fille, épouvantée,
s'évanouit de peur quatre fois de suite.
Elle regarde Alexandre et implore sa pitié :
« Ne me tue pas, noble roi, seigneur plein d'honneur !
Si je franchis la forêt d'un seul pas,
si je dépasse l'ombre d'un de ses arbres,
je mourrai aussitôt, telle est ma destinée. »
Alexandre la voit plus belle qu'une fée,
le teint pâli par les larmes.

Mervelleuse pité l'en est au cuer entree,
3508 A terre la fist metre, a Dieu l'a commandee.
Cele s'agenolla, a terre s'est clinee,
Molt demaine grant joie qant se vit delivree,
En la forest arriere s'en est tost retornee.
3512 Puis ont une parole entr'eles porparlee,
Que l'ost convoieront belement a celee
Tant com l'ombre du bos porra avoir duree.
Cil de l'ost se mervellent, qui l'orent esgardee,
3516 Torner vaurent arriere, quant au roi fu contee
Noveles que sa gent iert el bos retornee,
Mais li rois Alixandres a sa teste juree
Que se nus i remaint demie arbalestee,
3520 Q'il le fera ardoir en fornaise enbrasee.

200

Alixandres apele les viellars ses conjure
Par cel dieu qui forma trestoute creature
Si lor a demandé : « Par com faite aventure
3524 Sont en cel bos ces femes ? Est ce lois ou droiture ?
Dont vienent et que vestent ? Qui lor livre pasture,
Qant a trestoute m'ost ont trové fornesture ?
Font en eles as dieus nisune forfaiture ?
3528 Ou ont eles trové jovent qui tant lor dure,
Qant je n'i ai trové tombe ne sepulture ? »
Cil li ont respondu, qui sorent lor nature :
« A l'entree d'yver encontre la froidure
3532 Entrent toutes en terre et müent lor faiture,
Et qant estés revient et li biaus tans s'espure,
En guise de flors blanches vienent a lor droiture.
Celes qui dedens naissent s'ont des cors la figure
3536 Et la flors de dehors si est lor vesteüre,
Et sont si bien taillies, chascune a sa mesure,
Que ja n'i avra force ne cisel ne costure,
Et chascuns vestemens tresq'a la terre dure.
3540 Ainsi comme as puceles de cest bos vient a cure,
Ja ne vaudront au main icele creature

Plein de pitié,
il la fait mettre à terre, la recommande à Dieu.
Elle s'agenouille sur le sol, la tête inclinée.
Tout heureuse d'être délivrée,
elle s'empresse de regagner la forêt.
Puis avec ses compagnes elle décide
d'accompagner l'armée en secret
aussi loin que s'étend l'ombre des arbres.
Emerveillés de sa beauté, les soldats
voulaient revenir sur leurs pas. Quand le roi apprend
que ses hommes étaient retournés dans le bois,
il jure sur sa tête
que si l'un y demeure à la distance d'un demi-trait d'arbalète,
il périra dans les flammes.

200

Alexandre appelle les vieillards et les conjure,
au nom du dieu qui fit toutes les créatures,
de lui répondre : « Par quelle merveilleuse aventure
ces femmes vivent-elles dans le bois ? est-ce une loi ? un
                                                    [jugement ?
D'où viennent-elles ? et leurs vêtements ? et qui leur donne
pour nourrir toute mon armée ?   [assez de victuailles
Ont-elles commis un crime envers les dieux ?
Où ont-elles trouvé leur jeunesse éternelle ?
Je n'ai vu nulle sépulture dans la forêt ! »
Les vieillards lui révèlent la nature des femmes de la forêt.
« A l'entrée de l'hiver, pour résister au froid,
elles entrent toutes en terre et se métamorphosent.
Et quand l'été revient, avec le beau temps,
elles renaissent sous forme de fleurs blanches, selon leur usage.
A l'intérieur de la fleur, elles ont figure humaine,
et la fleur au dehors leur sert de vêtement,
si bien taillée aux mesures de chacune
qu'on n'a besoin ni de ciseaux ni de coutures ;
et chaque vêtement tombe jusqu'à terre.
Tout ce que désirent les femmes de la forêt,
il leur suffit de le souhaiter au matin

Q'eles n'aient au soir, ains que nuit soit oscure. »
Et respont Alixandres : « Bone est lor teneüre ;
3544 Ainc mais a nule gent n'avint tele aventure. »

201

Li rois issi du bos et si home ensement,
Les puceles les guïent tant com li ombres tent.
Qant ne porent avant, si souspirent forment,
3548 A terre s'agenollent voiant toute la gent
Et clinent Alixandre du chief parfondement,
A Dieu le commanderent qui le maint sauvement.
Li dui viellart les guïent par un adrecement
3552 Entre quatre montaignes par un val freolent ;
Chascun an par nature i naissent cinc serpent
Qui getent fu et flambe, la terre art et esprent.
En icele valee se combatent li vent,
3556 En tous tans i a froit et gele si forment
Onques solaus n'i luist, se li livres ne ment.
Iluec ot malvais siecle qui ot froit vestement,
Unes piaus i vausissent set mile mars d'argent,
3560 Car tout li mieus vestu trembloient dent a dent.
Puis truevent les mervelles des desers d'Orïent,
Couluevres et serpens qui mordent aigrement.
Qui la ot bones armes nes donast son parent,
3564 Ains les tint pres de soi et son cors en deffent.
N'i vausist chascuns estre por l'or de Bonivent,
Car la terre sous aus peçoie et craulle et fent
Et li cheval i entrent tresq'a l'afeutrement ;
3568 Tuit li mellor destrier i devenoient lent.
Iluec fist grant folie qui a pié i descent,
Car la terre lor faut desous lor piés et ment ;
Le jor en i remerent, ce m'est vis, plus de cent.
3572 Par mi une montaigne choississent un torment,
Quatre nues vermelles par devers Occident
Qui menoient entr'eles un tel tornoiement,
Tel noise et tel bataille et tel tanbuissement

pour l'avoir le soir avant la nuit. »
Alexandre répond : « Leur sort est enviable ;
jamais nul n'a connu pareille aventure. »

201

Le roi sort du bois, suivi de ses hommes.
Les jeunes filles les guident aussi loin que s'étend l'ombre des
[arbres.
Quand elles ne peuvent aller plus loin, elles poussent de grands
s'agenouillent à terre devant toute l'armée   [soupirs,
et s'inclinent profondément devant Alexandre,
le recommandant à Dieu pour qu'il voyage sain et sauf.
Les deux vieillards les guident dans un raccourci
qui traverse un vallon glacial entre quatre montagnes.
Tous les ans, la nature y fait naître cinq serpents
qui crachent du feu, enflamment et brûlent la terre.
Dans ce vallon les vents s'affrontent ;
il fait toujours si froid et il gèle si fort
que jamais le soleil n'y luit, si le livre dit vrai.
Bien mal loti celui qui s'y aventure avec des vêtements légers !
Une fourrure y vaudrait sept mille marcs d'argent,
car même les mieux vêtus claquent des dents.
Puis ils découvrent les merveilles des déserts d'Orient,
les couleuvres, les serpents à la morsure cruelle.
Quand on a de bonnes armes, pas question de les donner à son
on les garde sur soi pour se défendre.   [parent :
Même pour tout l'or de Bénévent, tous préféreraient être
car la terre sous leurs pieds tremble et se fendille,   [ailleurs,
les chevaux s'y enfoncent jusqu'à la selle ;
les meilleurs destriers avancent avec lenteur.
C'est grande folie que de mettre pied à terre,
car la terre se dérobe sous les pieds.
Ce jour-là, plus de cent, je crois, y restèrent.
Ils voient sur une montagne poindre une tempête :
de quatre nuages vermeils du côté de l'Occident
venaient un terrible fracas
et un vacarme furieux.

3576 Et plevoient le sanc ensi apertement
       Que les goutes vermelles chaoient sor la gent.
       N'i ot nul qui n'eüst sanglent son vestement,
       Trestous li plus hardis i mua son talent.
3580 Li rois en apela Tholomé son parent,
       Cliçon, le fil Caduit, et Perdicas le gent.
       « Segnor, fait Alixandres, par le mien ensïent
       Cis signes senefie molt grant destruiement.
3584 Li dieu nos volent mal, trop alons folement. »
       Li dui viellart ques guïent li ont dit belement
       Qu'il face l'ost remaindre si voist priveement
       Por veoir les deus arbres devins isnellement
3588 Et la chiere fontaine et l'eaue de jovent,
       La ou renjovenissent toute la vielle gent
       En l'aé de trente ans, por voir sans doutement,
       Qui quatre fois s'i baigne et contient sagement ;
3592 Mais bien se gart de plus et de mains ensement,
       Car qui le devié passe n'i gaaigne noient ;
       Molt en a grant mervelle li rois quant il l'entent.
       Alixandres en jure les dieus ou il s'atent
3596 Ne laira por mal pas ne por perillement
       Ne voie la fontaine se Dieus le li consent.

202

       Qant li rois mut de l'ost, lors pleurent li pluisor,
       Car forment se cremoient de perdre lor segnor ;
3600 Molt se fïent el roi et il forment en lor.
       Alixandres chevalche, qui ainc n'ama sejor,
       Et ot en sa compaingne maint fil de vavassor,
       De ciaus ou plus se fie et ou plus a amor ;
3604 Li dui viellart ques guïent sont en molt grant freor.
       Entrent en une terre qui trois fois arst le jor,
       Qui n'en set la constume tost en a le pior ;
       A eure de midi fait li solaus son tor,
3608 Adont sentirent tuit une si grant chalor
       Que li chevel lor brullent de destrece et d'ardor ;
       Ainc n'i ot si hardi qui n'eüst grant paor.

Il pleuvait du sang
qui tombait en gouttes vermeilles sur les troupes :
tous les vêtements étaient couverts de sang.
Le plus hardi en perd tout son courage.
Le roi appelle Tholomé, son parent,
Clin, le fils de Caduit, le noble Perdicas.
« Seigneurs, dit Alexandre,
ce signe nous prédit notre perte, je crois.
Les dieux nous veulent du mal, dans notre course folle. »
Mais les deux vieillards qui les guident lui conseillent
d'arrêter là l'armée et d'aller vite, avec peu de compagnons,
voir les deux arbres qui prédisent l'avenir
et la précieuse fontaine de jouvence,
dont les eaux rajeunissent les vieilles gens
et leur redonnent l'âge de trente ans, sans faute,
pourvu qu'ils s'y plongent quatre fois et se conduisent avec

[sagesse.
Mais qu'ils se gardent bien de s'y baigner plus ou moins de
car on ne gagne rien à enfreindre l'interdiction !   [quatre fois,
Le roi s'émerveille à cette nouvelle.
Il jure sur les dieux en qui il se fie
qu'aucun danger au monde
ne l'empêchera de voir la fontaine, si Dieu y consent.

202

Au départ du roi, beaucoup pleurent,
dans leur crainte de perdre leur seigneur ;
ils vouent au roi une confiance qu'il leur rend bien.
Alexandre chevauche sans plus attendre,
accompagné de plusieurs fils de vavasseurs,
ceux qui jouissent de toute sa confiance et de son amitié.
Les deux vieillards qui les guident sont très inquiets.
Ils pénètrent dans une terre qui brûle trois fois par jour :
malheur à celui qui n'en connaît pas les coutumes !
A l'heure de midi, le soleil tourne dans le ciel :
ils ressentent alors une telle chaleur
que leurs cheveux brûlent sous l'ardeur des rayons ;
le plus hardi d'entre eux est rempli de frayeur.

Mais li solaus s'abaisse devers Terre Maior,
3612 Lors ont par l'ost sentie atempree froidor.
Issent de cele terre si vienent en mellor
Et entrent en une autre qui est de grant valor,
Ou ja la flor novele ne perdra sa coulor.
3616 Voient les praeries dont l'erbe est en verdor
Et la chiere fontaine et l'eaue de douçor
Qui la gent rajonist quatre fois chascun jor.
De molt chiers arbrissiaus iert close tout entor,
3620 La estoient les herbes qui sont de grant flairor,
D'une lieue et demie en sentissiés l'odor.
Il n'i entre nus hom tant espris de dolor
Que ançois qu'il s'en isse ne soit en sa vigor.

203

3624 Segnor, de la fontaine vos dirai mon pensé.
Close est de riches arbres de si grant dignité
Q'a l'issue d'yver a l'entree d'esté,
Qant la flor renovele de droite naïté,
3628 Tele odor ist du bos, ce sachiés de verté,
Plus souef eult d'encens quant on l'a enbrasé.
Par devant la fontaine ot un lion geté
Qui estoit trestous fais de fin or esmeré.
3632 Cel lioncel gardoient quatre serpent cresté
Et dui dragon volant de si male fierté
Q'avoient le païs d'entor si aquité
Que nus hom nen osoit entrer en cel regné
3636 Baignier a la fontaine ne atouchier el pré ;
Por un fil de dieuesse q'orent envenimé
Furent trestuit ensemble d'une foudre tüé.
En cel lioncel d'or du tans d'antiquité
3640 Dedens ot un conduit sagement devisé,
Ensi com l'orent fait enchanteor letré,
Dont li degous des arbres dont je vos ai conté
Descendent el conduit du lion d'or formé,

---

61. La *Tere Major* surgit à cinq reprises dans la *Chanson de Roland* et peut
désigner « la Grande Terre » (*Terra Major*) ou « la Terre des Ancêtres » (*Terra Majorum*). Dans ce dernier cas, il s'agirait ici de la Grèce.

Mais le soleil se couche vers la Terre des Ancêtres[61] :
l'armée ressent alors une douce fraîcheur.
Ils quittent cette terre pour une autre, plus clémente,
et pour une autre encore, une terre bénie
où les fleurs nouvelles ne perdent jamais leurs couleurs.
Ils y voient des prairies à l'herbe verdoyante
et la précieuse fontaine dont l'eau douce
rajeunit les passants quatre fois par jour.
Elle est tout enclose d'arbres aux précieux pouvoirs
et d'herbes au doux parfum
dont on peut sentir l'odeur à une lieue et demie.
L'homme le plus malade
en ressort dans toute sa vigueur.

203

Seigneurs, je vais vous dire mon sentiment sur cette fontaine.
Elle est entourée d'arbres qui ont le pouvoir,
au sortir de l'hiver, à l'entrée de l'été,
quand la nature fait renaître les fleurs,
de répandre une odeur, c'est la pure vérité,
plus douce que l'encens que l'on brûle.
Devant la fontaine, la statue d'un lion,
toute de l'or le plus fin.
Ce lionceau était gardé par quatre serpents crêtés
et deux cruels dragons volants
qui avaient si bien soumis le pays
que nul homme n'osait entrer dans ce domaine,
pour se baigner dans la fontaine ou effleurer le pré.
Mais pour avoir répandu leur venin sur le fils d'une déesse,
ils avaient tous été tués par la foudre.
A l'intérieur du lionceau d'or, depuis les temps les plus
il y avait un conduit soigneusement ouvragé [anciens,
par deux savants enchanteurs,
et la sève des arbres dont je vous ai parlé
coulait dans le conduit du lion d'or

3644 Qui iert en la fontaine de si grant richeté,
Et fors par mi la boche li issoit a plenté,
Si com fu par estude richement compassé.
Onques Dieus ne fist home, se la avoit esté,
3648 De venin ne de poudre tant fort envenimé,
S'un petit i avoit dormi et reposé
Et eüst de cele eaue un petitet gousté,
Ne s'en alast halegres et trestous en santé.

204

3652 La fontaine sordoit en mi la praerie,
Close iert de riches arbres, de petre, de tubie,
L'odour en sentissiés d'une lieue et demie,
Ja mais de tel fontaine nen iert novele oïe.
3656 El mont n'a chiere pierre, meraude ne sardie,
Jagonce ne turcoise ne topasce esclarcie
Dont iluec nen eüst ainsi grant manantie ;
Tant en ot environ que l'eaue reflambie.
3660 Alixandres descent sor l'erbe qui verdie,
Et tout environ lui estoit sa baronie.
Li conduis vient avant, molt doucement li prie
Que nus a la fontaine ne face roberie,
3664 Qui en porteroit rien sempres perdroit la vie ;
Et gart se bien chascuns de faire vilonie.
Qant Alixandres l'ot, ses homes en chastie,
Mais del jovent de l'eaue ne puet il croire mie
3668 Ne ja n'en iert seürs des que la prueve die.
Antigonus i entre, qui la teste ot florie,
Qui tant avoit vescu que tous li cors li plie ;
Trois fois s'i est baigniés, mais de ce fist folie,
3672 Q'a tant s'en vaut issir, por un poi qu'il ne nie.
Sempres i fust peris quant li conduis li crie :
« La quarte fois s'i baint, si iert l'uevre acomplie. »
Qant il issi de l'eaue, ce sachiés sans boisdie,
3676 Plus biau chevalier n'ot dedens lor compaignie,
Tous revint en jovent de sa bachelerie
En l'aé de trente ans, plains de chevalerie.
Alixandres le voit, ne puet müer n'en rie.

qui dominait la précieuse fontaine,
pour ressortir à flots par sa bouche,
grâce à un mécanisme habile.
Il suffisait à l'homme
le plus infecté de poison,
de s'y reposer et de dormir un moment
et de goûter un peu cette eau,
pour repartir en parfaite santé.

204

La fontaine jaillissait dans la prairie,
entourée de beaux arbres, de pyrèthre, de cubèbe,
dont on sentait l'odeur à une lieue et demie.
On n'avait jamais entendu parler de pareille fontaine.
Toutes les pierres précieuses du monde, émeraudes et
grenats, turquoises, topazes claires   [sardoines,
y étaient répandues à foison,
au point qu'elles faisaient flamboyer l'eau.
Alexandre met pied à terre sur l'herbe verdoyante,
entouré de ses barons.
Le guide s'avance et supplie Alexandre
d'empêcher tout vol près de la fontaine :
le voleur perdrait aussitôt la vie.
Et que chacun évite de se mal conduire !
Alexandre avertit aussitôt ses hommes.
Mais il ne peut croire au pouvoir de l'eau de rendre la jeunesse
et n'en sera sûr que devant une preuve.
Antigonus y entre : sa tête est toute blanche,
son corps tout courbé par l'âge.
Il se plonge trois fois dans l'eau, mais follement,
veut alors en sortir : il manque se noyer.
Il serait mort si le guide ne s'était écrié :
« Qu'il s'y plonge une quatrième fois, et la magie
Quand il sortit de l'eau, sans mentir,   [s'accomplira ! »
c'était le plus beau chevalier de toute l'armée :
il était revenu au temps de sa jeunesse,
à l'âge de trente ans, plein de vigueur.
Alexandre ne peut s'empêcher de rire à sa vue.

205

3680 La fontaine sordoit d'un flun de Paradis,
De l'eaue d'Eufratés, qui depart de Tigris.
Trestous li pavemens est a cristal assis,
A listes de fin or i sont li quarrel mis,
3684 Et li piler sont tout de blanc marbre et de bis.
En la fontaine entrerent li viel home de dis,
Ensemble en i baignierent plus de quarante et sis.
Quant il issent de l'eaue, par foi le vos plevis,
3688 Bien resembloient tout chevalier de grant pris,
En l'aé de trente ans ont tout müés lor vis.
Alixandres les voit, de joie en a souris.

206

Li viellart qui le roi aloient conduisant
3692 Et totes les mervelles de la terre mostrant
Sont venu devant lui si li dïent itant :
« Rois, bone est la fontaine que t'alions loant,
Baignié i sont ti home et müé li auqant.
3696 Veés com somes viel et chenu et ferrant ?
Cent ans avons passé et plus pres d'autretant ;
Ja nos verrois müer tout en autre samblant. »
En la fontaine entrerent ambedui soi veant,
3700 Quatre fois s'i baignierent par le droit covenant.
Qant il issent de l'eaue, par le pré vont joiant,
Dedevant Alixandre revinrent en estant ;
A paines les connut, tant ierent avenant.
3704 Li rois en apela Tholomé son parent,
Cliçon, le fil Caduit, et Perdicas le grant :
« Segnor, ce dist li rois, molt me vois mervellant.
C'est la graindre mervelle de cest siecle vivant
3708 Que cist sont si müé qu'il sont joene et enfant. »
Il les fist revestir d'un paile escarimant.
Quatre jors sejornerent par le pré verdoiant

---

62. Les quatre fleuves légendaires du paradis terrestre sont le Phison, le
Géon, le Tigre et l'Euphrate (*Genèse*, 2, 8).

205

L'eau de la fontaine venait d'un fleuve du paradis,
l'Euphrate, qui naît du Tigre[62].
Les pavés de cristal
étaient bordés d'or fin,
et les piliers étaient de marbre blanc et bis.
Les vieillards chargés d'ans entrent dans la fontaine,
plus de quarante-six s'y baignent.
A leur sortir de l'eau, je vous le garantis,
tous avaient l'air de nobles chevaliers :
ils avaient retrouvé leurs trente ans.
Alexandre sourit à leur vue, tout heureux.

206

Les vieillards qui guidaient le roi
et lui montraient toutes les merveilles du pays
viennent à lui et lui disent :
« Roi, nous avions raison de te vanter les vertus de la fontaine :
les hommes qui s'y sont baignés sont métamorphosés.
Vois notre grand âge, nos cheveux blancs et gris :
l'un de nous a plus de cent ans, l'autre en approche.
Tu nous verras bientôt sous une tout autre forme ! »
Ils entrent dans la fontaine sous les yeux du roi,
s'y plongent quatre fois, selon la règle.
Quand ils sortent de l'eau, ils s'ébattent dans le pré
avant de revenir vers Alexandre :
il les reconnaît à peine, tant ils sont gracieux.
Le roi appelle Tholomé son parent,
Clin, le fils de Caduit, et le grand Perdicas :
« Seigneurs, leur dit le roi, je suis émerveillé !
C'est la plus grande merveille du monde
que la métamorphose de ces vieillards en jeunes gens ! »
Il les fait revêtir de somptueuses soieries.
Quatre jours ils restèrent dans le pré verdoyant,

Por la chiere fontaine ou s'aloient baignant
3712 Et por les bones herbes dont il i trovent tant.

207

Au quint jor mut li rois, n'i vaut plus sejorner ;
En la fastïene Ynde s'en voloit retorner,
Qant vit par les desers deus païsans aler.
3716 Li rois lor vait encontre si lor fait demander
Se ja nule mervelle li savroient conter
Qui fust bone a oïr et digne a ramenbrer.
Cil li ont respondu : « Se nos veus escouter,
3720 Ja te dirons merveilles ses porras esprover.
La sus en ces desers pués deus arbres trover
Qui cent piés ont de haut et de grosse sont per.
Li solaus et la lune les ont fais si sacrer
3724 Qu'il sevent tous langages et entendre et parler
Et tout dïent a home quanque il veut penser
Et qu'avenir li est et qu'il a a passer.
– Par Dieu, dis Alixandres, la me convient aler.
3728 Se vos m'i conduisiés, plus vos ferai doner
De l'or moulu d'Arrabe que ne porrés porter.

208

– Sire, font li viellart, ce nos fait esmaier ;
Se menés si grant gent, ne porrons esploitier.
3732 Se tu veus tost aler et par tans repairier,
Ja mar iront o toi que seul cent chevalier. »
Alixandres l'oï, prist soi a courecier ;
Cuida qu'il le vausissent autresi engignier
3736 Com li cent et cinquante que il eslist l'autr'ier,
Qant le durent en Bastre conduire et adrecier,
Qui par tous les desers le firent foloier,
Dont les cent fist li rois en l'eaue trebuchier
3740 Dedevant la freté as bestes por mengier.

---

63. Sur la prophétie des arbres du Soleil et de la Lune, cf. Pseudo-Callis-thène, III 17 ; *Lettre à Aristote*, pp. 38-52, trad., pp. 138-143.
64. Voir *supra*, III, vv. 1136-1141.

pour profiter de la précieuse fontaine, où ils se baignaient,
et des herbes bienfaisantes qu'ils trouvaient à foison.

207

Au cinquième jour, le roi reprit la route sans plus tarder :
il voulait regagner l'Inde de Fasiacè.
Mais rencontrant dans les déserts deux indigènes,
il va au devant d'eux et leur demande
s'ils connaîtraient quelque merveille
digne d'attention et de mémoire.
Ils lui répondent : « Ecoute bien,
tu vas apprendre une merveille que tu pourras voir de tes yeux.
Là-haut, dans ces déserts, on trouve deux arbres
qui ont cent pieds de haut, aussi épais l'un que l'autre.
Ce sont les arbres sacrés du Soleil et de la Lune :
ils comprennent et parlent toutes les langues
et révèlent à un homme toutes ses pensées,
et tout ce qui doit lui arriver dans l'avenir.
– Au nom de Dieu, dit Alexandre, il faut que j'y aille !
Si vous m'y conduisez, je vous ferai donner
plus d'or moulu d'Arabie que vous n'en pourrez emporter[63].

208

– Seigneur, disent les vieillards, ton armée nous fait peur :
avec toute cette foule, nous n'y parviendrons pas.
Si tu veux y aller et revenir rapidement,
il ne faut prendre avec toi que cent chevaliers ! »
Alexandre, à ces mots, se met en colère
à l'idée qu'ils veulent lui tendre un piège,
comme les cent cinquante hommes
qui devaient le guider en Bactriane
et qui l'avaient égaré dans les déserts.
Le roi en avait fait jeter cent à l'eau
devant la place forte, pour les faire dévorer par les
[hippopotames[64].

Ansdeus les a fait prendre et commande a lïer,
Demain les fera pendre ou les testes trenchier.

209

Peour ont li viellart du roi qui se marit,
3744 Por amor Dieu li prïent qu'il escout un petit.
Or sont prest qu'il li jurent et que chascuns l'affit
Que il nel dirent onques por mal ne por despit.
Il li diront tout l'estre, metre face en escrit,
3748 Et s'il nel trueve ainsi com il li avront dit,
Ardroir les face ou pendre, ja mar avront respit ;
Car cinc cens chevaliers, mais qu'il soient eslit,
Conduiront o le roi a joie et a delit ;
3752 L'autre gent s'en retort et Porrus les en guit.
« Par Dieu, fait Alixandres, assés avés bien dit. »
Or a ce qu'il demande, de joie s'en sourit,
A Tholomé commande ques gart et ques delit.

210

3756 Alixandres apele Porrun, qui estoit rois,
Dist lui qu'il li conduie la grant ost des Grigois,
Chameus et olifans et tout l'autre harnois,
Et si l'atende en Ynde ou en terre caspois,
3760 Car si com li ont dit li doi viellart yndois,
Qui li ont dit des arbres le convine et les lois,
Entr'aler et venir n'i metra que un mois.
Ne laira por mal pas ne por autre deffois
3764 Qu'o quarante mil homes de chevaliers cortois
Qu'il n'aut veoir les arbres q'on claime d'Ibronois.

211

Au quint jor mut li rois, li viellart vont avant
Et chevalche chascuns un bon mulet amblant
3768 Por ce qu'il vont souef et tout a lor talant.

---

65. Cf. *Lettre à Aristote*, p. 44, 1 : « arbores, quas brebionas Indi appellant. »

Il fait saisir et couvrir de liens les deux hommes :
demain il les fera pendre ou décapiter.

209

Les vieillards ont peur de la colère du roi ;
ils le supplient de les écouter pour l'amour de Dieu.
Ils lui jurent solennellement
qu'ils n'ont jamais voulu le tromper.
Qu'il fasse mettre par écrit toutes leurs explications,
et si elles ne correspondent pas à la réalité,
il peut bien les faire brûler ou pendre sans délai !
Ils conduiront volontiers le roi aux arbres,
avec cinq cents chevaliers d'élite.
Que le reste de l'armée s'en retourne sous les ordres de Porus !
« Au nom de Dieu, dit Alexandre, vous avez bien parlé ! »
Il a ce qu'il demande et sourit de joie.
Il recommande à Tholomé de délier les deux hommes et de
                                                    [prendre soin d'eux.

210

Alexandre appelle le roi Porus
et lui dit de prendre la tête de la grande armée grecque,
avec ses chameaux, ses éléphants et tous les bagages,
et de l'attendre en Inde ou en terre caspienne,
car aux dires des deux vieux Indiens
qui lui ont révélé le secret des deux arbres,
l'aller et le retour ne lui prendront qu'un mois.
Nul danger, nulle défense ne l'empêcheront
d'aller voir les arbres qu'on appelle Ibronois[65],
avec quarante mille chevaliers courtois.

211

Quatre jours plus tard, le roi se met en route derrière les
montés sur de bons mulets qui vont l'amble,   [vieillards,
pour voyager confortablement.

Plus aiment Alixandre que nul home vivant,
De lui mal engignier ne font mie samblant,
Dïent li q'a ses homes prit a tous et commant
3772 Que il facent grant noise et si voisent cornant,
Si s'ira la vermine des desers defuiant ;
Les maus pas lor eschievent, que nus d'aus n'i ahant.
Tres par mi les grans tertres les vont si adreçant
3776 Qu'a quatorze jornees avalent un pendant
Et se sont herbregié tout de soleil luisant.
Le mengier aparellent li quieu et li sergant,
Assirent au souper si firent joie grant ;
3780 Entr'aus et les deus arbres n'a de terre un quadrant.

212

Qant li rois ot soupé a grant joie et a gas,
Vint desq'au lieu des arbres, qui fu fais a compas,
Et ot en sa compaigne trois cens Mascedonas.
3784 Uns prestres lieve sus qui ne fu mie ras,
Velus fu commë ors et esnüés de dras ;
As orelles li pendent li onés et topas
Et pierres prescïeuses de l'eaue d'Eufratas ;
3788 Et ot dens comme chiens, noirs fu com charbons ars,
Et ot bien de hautece grans quinze piés eschars.
Alixandres l'esgarde, cuida fust Satanas,
De la paour qu'il ot ne fist avant un pas.
3792 Tel chose dist li prestres qui ne fu mie gas :
« A vallet n'a meschine se tu geü nen as,
Tant pués aler avant q'as arbres toucheras.
Et se tu nen ies chastes, ça dehors t'esteras,
3796 Tu et ti compaignon qu'aveuc toi amenas.
De ce que veus enquerre en ton cuer penseras
Et de tout ton pensé la verité orras,
Et si que de ta bouche un seul mot ne diras. »

66. Le quadrant est une mesure de surface (un quart d'arpent) ou de longueur (un quart de pied).
67. Cette mention de *piés eschars* est unique.

Ils chérissent Alexandre plus que tout homme au monde
et ne songent nullement à lui tendre un piège.
Ils lui disent de donner l'ordre à ses hommes
de faire grand tapage et de sonner du cor
pour faire fuir les reptiles des déserts.
Ils leur évitent la fatigue des passages difficiles
et les mènent si bien dans les grandes montagnes
qu'à quatorze jours de marche ils dévalent une pente
sous le soleil brillant et dressent le camp.
Cuisiniers, serviteurs apprêtent le repas.
On s'asseoit pour souper dans la joie générale ;
un seul quadrant de terre les sépare des deux arbres[66].

212

Quand le roi a soupé dans la joie et l'allégresse,
il s'approche des arbres, dans un site magnifique ;
trois cents Macédoniens l'accompagnent.
Un prêtre se lève à leur arrivée : il est hirsute,
velu comme un ours et ne porte aucun vêtement.
A ses oreilles pendent des onyx, des topazes
et des pierres précieuses de l'Euphrate.
Noir comme le charbon, il a des dents de chien
et mesure bien quinze pieds de haut[67].
Alexandre, à sa vue, le prend pour Satan
et, de peur, n'ose faire un pas en avant.
Le prêtre prononce des paroles redoutables :
« Si tu n'as jamais couché avec un homme ni avec une femme,
tu peux avancer et toucher les arbres.
Mais si tu n'es pas chaste, reste dehors,
avec les compagnons que tu as amenés !
Il te suffit de penser la question que tu veux poser,
et sur toutes ces pensées la vérité te sera répondue,
sans que tu aies à prononcer un seul mot. »

3800 Qant li rais de la lune fu par les rains espars,
     La vois qui ist des arbres dist au roi : « Que feras ?
     Onques ne fus vaincus ne ja ne le seras,
     Et si criems morir d'armes, ja mar en douteras.
3804 A un an et set mois en Babilone iras ;
     Mais enterra li mois quant tu i parvenras
     Ne ja outre cel mois un seul jor ne vivras.
     Sires seras du mont et a venim morras. »
3808 Li rois ot la parole si tint le chief en bas,
     Fremist et devint noirs et de parler fu quas,
     Ne pot sor piés ester, tant fu de paor las.
     Si compaignon font duel et descirent lor dras,
3812 Il n'i vausissent estre por tout l'or de Baudas.

213

     La nuit veilla li rois, molt fu grans la froidors,
     A l'aube aparissant commença la chalors.
     Qant des rais du soleil feri es rains l'ardors,
3816 La vois qui vint des arbres a dit au roi a cors :
     « Ta mere fist ton pere hontes et deshonors,
     De laide mort morra, de li n'iert dels ne plors,
     Toute dessevelie gerra es quarrefors,
3820 Ne la verra cil hom qui n'en pregne paors,
     Nis li oisel de l'air la mangeront et ors.
     Mais n'ira mie ainsi de tes beles serors,
     Ains seront bones femes si prenderont segnors
3824 Si lor porteront foi et morront es honors.
     Aristotes tes maistres, qui des autres est flors,
     Avra tous jors grant los comme sages doctors.
     D'aler en ton païs te prent molt grans tenrors,
3828 Ja n'i enterras mais, vaine est ceste douçors ;
     Ja ne verras de Gresce les palais ne les tors,
     Morras en Babilone, ce sera grans dolors. »

---

68. Cette notation est en contradiction avec la branche I, qui repousse l'accusation d'adultère portée contre Olympias : cf. *supra*, I, v. 184. Olympias fut
assassinée en 317 sur l'ordre de Cassandre, fils d'Antipater et roi de Macédoine,
qui fit également tuer Roxane et son fils en 311.

Quand la clarté de la lune se répand dans les branches,
la voix qui sort des arbres dit au roi : « Que comptes-tu faire ?
Jamais tu n'as été vaincu, jamais tu ne le seras,
et si tu crains de mourir à la guerre, tu as bien tort.
Dans un an et sept mois tu iras à Babylone.
Tu y entreras au début de mai,
et tu ne vivras pas un seul jour au-delà de ce mois.
Tu seras le maître du monde et tu mourras empoisonné. »
Le roi, à ce discours, baisse la tête,
il frémit, devient blême et ne peut plus parler ;
la peur le fait vaciller.
Ses compagnons déchirent leurs vêtements dans leur douleur :
pour tout l'or de Bagdad, ils n'auraient pas voulu connaître ce
                                                        [moment.

                    213

Le roi demeura éveillé cette nuit-là, dans le froid.
La naissance de l'aube ramena la chaleur.
Quand les rayons du soleil traversèrent les feuillages,
la voix venue des arbres dit au roi clairement :
« Ta mère a couvert ton père de déshonneur et d'opprobre :
elle mourra ignominieusement et ne sera pas pleurée.
On l'exposera sans sépulture à la croisée des chemins,
pour inspirer la crainte à tous les passants ;
elle sera dévorée par les oiseaux et les ours[68].
Mais tes gracieuses sœurs connaîtront un autre sort :
elles seront loyales, fidèles à leurs époux
et auront une mort honorable.
Quant à ton maître Aristote, la fleur des mortels,
le renom de sa science sera éternel.
Il te prend un grand désir de regagner ton pays,
mais tu n'y retourneras jamais : cette douce pensée est vaine.
Tu ne reverras plus les palais ni les tours de Grèce ;
tu mourras à Babylone, et ce sera un grand deuil. »

214

Qant li rois ot oï le respons du matin,
3832 Tant que la lune luist atendi le serin ;
Paor ot de la mort si tint le chief enclin.
La vois qui ist des arbres dit au roi en latin :
« Tu ne fus onc vaincus, ja ne perdras ton brin,
3836 Et criems molt morir d'armes, mais tout el en devin.
A un an et uit mois est termes de ta fin,
Iras en Babilone sus el palais marbrin,
Cil dont tu mains te gardes t'ocirront a venin.
3840 Je ne te dirai plus, va t'en tout ton chemin,
Car se je te disoie de ta mort le traïn,
Ocirre les feroies a un tien barbarin
Et mau gré m'en saroient tuit li dieu infernin,
3844 Car destorné avroie par mon sermon devin
Ce qu'il ont esgardé de toi et de ton lin. »

215

Li rois s'en va plorant et ses cheveus detire,
Fremist et devint noirs et remet comme cire.
3848 De la paor qu'il a parfondement souspire,
N'a home en sa compaigne qui ait talent de rire.
Si baron le confortent si li dïent : « Biau sire,
On ne gaaigne riens en courous ne en ire.
3852 Mangiés un petitet, ne vous chaut a defrire,
Car ce savés vos bien et l'avés oï dire
Que de la mort n'eschape li mieudres ne li pire ;
Mors est Adams meïsmes que Dieus fist a sa tire.
3856 Se vos savés le terme, nel devés contredire,
Cor or deviserés com iert de vostre empire,
Sel manderés en Gresce si le ferés escrire. »
Et respont Alixandres : « Dit m'avés grant remire. »

216

3860 Li rois voit ses barons environ lui plorer
Et lor cheveus desrompre et lor dras descirer.

214

Le roi a entendu l'oracle du matin ;
il attend le soir et le retour de la lune.
Dans sa peur de la mort, il garde la tête baissée.
La voix qui sort des arbres dit au roi en latin :
« Jamais tu n'as été vaincu, jamais tu ne perdras ta force.
Tu crains de mourir à la guerre, mais l'avenir est tout autre.
Le terme de ta vie est fixé à un an et huit mois.
Tu iras à Babylone, dans le palais de marbre ;
ceux dont tu te méfies le moins t'empoisonneront.
Va ton chemin, je ne te dirai rien de plus,
car si je te révélais les détails de ta mort,
tu ferais tuer les coupables par un de tes Berbères.
Les dieux infernaux en seraient courroucés contre moi,
pour avoir détourné par mon oracle
le cours du destin qu'ils t'ont fixé, ainsi qu'à ton lignage. »

215

Le roi s'éloigne en pleurs, s'arrachant les cheveux ;
il frémit, devient blême et jaune comme la cire.
La peur le fait soupirer.
Aucun de ses hommes n'a envie de rire.
Ses barons le réconfortent et lui disent : « Cher seigneur,
la colère et le chagrin ne servent à rien.
Mangez un petit peu, ne vous laissez pas ainsi émouvoir !
Vous le savez bien vous-même :
nul n'échappe à la mort, ni le meilleur ni le pire.
Adam lui-même est mort, que Dieu fit à son image.
Vous connaissez le terme de votre vie : ne vous y opposez pas !
Vous pourrez décider du sort de votre empire,
vous ferez écrire vos volontés pour les envoyer en Grèce. »
Alexandre répond : « Ce m'est un grand réconfort ! »

216

Alexandre voit autour de lui ses barons en pleurs,
qui s'arrachent les cheveux et déchirent leurs vêtements.

Por sa gent esbaudir se prent a conforter ;
Puis a demandé l'eaue s'est assis au disner.

3864 Et a dit a ses homes : « C'est duel laissiés ester,
La mors n'est pas teus chose que on puist eschiver,
Ains la convient a tous soufrir et endurer,
Car deci a mon terme ne m'estuet riens doter.

3868 Ainçois que li jors viegne qu'avés oï nomer
Seront mort dis mil homes qui tuit sont bacheler,
Qui cuident sain et sauf en lor terres torner.
Assés i a grant terme por grant los achater,

3872 Ja ne finerai mais de terres conquester
Jusque de tout le mont segnor m'orrai clamer.
Ne por paor de mort ne lairai a aler
Ne praigne Babilone q'ai tant oï loër,

3876 Car avoir veul la tour qui au ciel dut fremer
S'ocirrai le serpent qui la cuide garder. »

217

Meüs est Alixandres, en Ynde s'en retorne
La ou Porrus l'atent et toute l'ost sejorne,

3880 De grant duel fait samblant ne de riens ne s'aorne.
Por ce qu'il fu pensis, et sa compaigne morne,
S'aperçut bien Porrus, qui ot la teste auborne,
Q'il ot oï tel chose qui a nul preu ne torne.

218

3884 Porrus vit Alixandre des deus arbres venir,
A l'encontre li vint si li dist son plaisir.
« Sire, fait il au roi, de vos volons oïr.
Dites nous, s'il vos plaist, que vos doit avenir. »

---

69. Sur cette allusion à la tour de Babel et au serpent, cf. *supra*, III, laisse 136.

70. Dans la symbolique médiévale, le jaune et l'orangé sont les couleurs du désordre et de la perfidie. Les traîtres, tel Judas, sont souvent représentés comme roux, à l'image de Renart le goupil : voir M. Pastoureau, *Figures et couleurs*, Paris, 1986, « Le jaune et le vert couleurs du désordre », et *Couleurs, images, symboles*, Paris, 1989, pp. 49-53 et 69-78.

Il se rassérène pour consoler sa troupe,
demande l'eau et s'asseoit pour dîner.
Puis il dit à ses hommes : « Laissez là votre deuil !
La mort n'est pas un mal que l'on puisse éviter,
tous sont obligés de l'endurer.
Je n'ai rien à craindre jusqu'au terme fixé.
Avant le lever du jour fatal,
dix mille hommes seront morts dans la fleur de l'âge,
qui se voient déjà de retour chez eux sains et saufs.
J'ai encore bien du temps pour me couvrir de gloire,
Je ne cesserai plus de conquérir des terres
avant de m'entendre proclamer seigneur du monde entier.
Et la peur de la mort ne m'empêchera pas
de prendre Babylone, que l'on me vante tant :
je veux avoir la tour qui devait se dresser jusqu'au ciel ;
je tuerai le serpent qui croit pouvoir la garder[69]. »

217

Alexandre s'en va, il regagne l'Inde
où l'attend Porus avec toute l'armée.
Plongé dans le deuil, il renonce à toute parure.
Devant sa mine sombre et la tristesse de ses compagnons,
Porus aux cheveux roux comprend bien
qu'on lui a prédit un malheur[70].

218

Voyant revenir Alexandre de l'oracle des deux arbres,
Porus vient à sa rencontre et lui dit son sentiment :
« Seigneur, dit-il au roi, nous voulons le savoir :
dites-nous, s'il vous plaît, ce qui doit vous arriver. »

3888 Alixandres respont : « Ne vos en quier mentir :
Sires serai du mont trestout a mon plaisir. »
Qassement li respont, ne puet son duel covrir.
Porrus se porpensa qant le vit amornir,

3892 Vit les pers conseillier et main a main tenir,
De ciaus qui s'entralïent oï les fois plevir.
Le jor pensa Porrus, la nuit ne pot dormir ;
Por ce qu'il nes veoit jouer ne esbaudir

3896 Sot bien en son corage, que tres bien set covrir,
Q'Alixandres pensoit a ce qu'il dut morir.
Fors lui n'a sous ciel home qui l'osast envaïr
Ne qui riens nule osast vers lui contretenir.

3900 Por ce qu'il l'avoit fait de bataille fuïr,
S'en cuide bien vengier se il en a loisir.
Et que li rois ne sache qu'il le veulle traïr,
Por le roi corecier commence a messervir

3904 Et manace ses homes et fait as siens laidir ;
Cil s'alerent clamer, qui nel porent souffrir.
« Porru, dist Alixandres, veus tu me dont guerpir,
Qui manaces mes homes et fais as tiens laidir ?

3908 Le don que t'ai doné ne te veul retolir ;
Se tu te veus de moi ne sevrer ne partir,
Ne te veul de parole ne blasmer ne laidir.
Je te donrai congié s'il te vient a plaisir,

3912 Va t'ent en ta contree, fai tes cités garnir.
Et se tu teus estoies que vausisses issir
Ne vers moi cors a cors de bataille aatir,
M'espee qui bien trenche te cuit faire sentir ;

3916 Mais tant com ies a moi ne te veul desmentir,
Entre Ynde et les desers vaudrai cest plait furnir.
— Sire, ce dist Porrus, ce veul je bien oïr,
Encor vos en pöés tout a tans repentir,

3920 Car je sai bien de lance et d'espee ferir. »
Lors respont Alixandres comme hom de grant aïr :
« Se vos ne savés bien le chaple maintenir
Et d'espee et de lance, ce vos di sans mentir

3924 Q'a seür pöés estre de la teste tolir.

Alexandre répond : « Sans mentir,
je deviendrai maître du monde selon ma volonté. »
Mais il parle à voix basse, ne peut cacher son deuil.
Porus s'interroge en le voyant si triste.
Il voit les pairs en conciliabule, se serrer la main,
les entend se prêter des serments d'alliance.
Il médite le jour, ne peut dormir la nuit.
Devant l'absence de toute réjouissance,
il comprend bien, sans le montrer,
qu'Alexandre pense à sa mort prochaine.
C'est le seul homme au monde qui oserait l'attaquer
et lui tenir tête.
Porus a fui devant lui sur le champ de bataille
et voudrait bien avoir l'occasion de s'en venger,
sans que le roi sache qu'il compte le trahir.
Il se met donc, pour l'irriter, à le desservir,
et pousse ses hommes à insulter ceux d'Alexandre,
qui, furieux, s'en plaignent auprès du roi.
« Porus, dit Alexandre, veux-tu donc me quitter,
pour pousser ainsi tes hommes à insulter les miens ?
Le don que je t'ai fait, je ne te le reprendrai pas.
Si tu veux te séparer de moi,
je n'aurai pas un mot de reproche.
Tu auras ton congé dès que tu le voudras.
Retourne dans ton pays, fortifie tes cités,
et si jamais tu souhaites venir en champ clos
pour m'affronter corps à corps,
je te ferai sentir le tranchant de mon épée.
Mais je ne te ferai pas honte tant que tu seras mon vassal :
je veux régler cette querelle entre l'Inde et les déserts.
– Seigneur, répond Porus, j'approuve cette idée.
Mais vous pourriez bien vous en repentir,
car je sais manier la lance et l'épée. »
Alexandre répond avec ardeur :
« Je te le dis sans mentir :
si tu ne sais bien manier l'épée et la lance,
tu peux être sûr d'y laisser ta tête !

219

« Porré, dist Alixandres, qu'est tes sens devenus ?
Or ne te menbre mie de l'eaue de Calus ?
Qant je i ving poignant et li chans fu vaincus,
3928 Moi fu tes brans d'acier presentés et rendus ;
Tu cuidas estre mors et as forches pendus.
Por ce que tu fus humles et de sorparler mus
Et le pié me baissasses se j'en fuisse creüs.
3932 J'oi de toi tel pitié et te fis teus vertus
Que lors fus de ta terre saisis et revestus
Si eüs tes prisons desliés et rendus.
Tu juras a tes homes par tes dieus mescreüs
3936 C'onques si larges hom ne fu el mont veüs ;
Les dons que t'ai doné ai malement perdus.
Va t'ent en ta contree, rompus est li festus,
Ja ne t'amerai mais ne ne seras mes drus.
3940 S'en champ te puis trover, mors es et confondus,
Ne te puet garandir ne haubers ne escus
Que desi qu'es arçons ne soies porfendus. »

220

Lors s'en torne Porrus, mal est partis du roi ;
3944 Semont toute sa terre et met en tel effroi.
Il en jure ses dieus et son chief et sa loi
Que tant comme Ynde dure mar i remanront troi
Qui puissent porter armes ne joster en tornoi ;
3948 Et se nus i remaint, il en plevist sa foi
Que il iert griilliés ou rostis en espoi.
Tresq'a quarante jors portent pain et conroi ;
Ne laira por paor ne por autre boufoi
3952 Q'entre Ynde et les desers ne se mete el chaumoi.
Ja ains ne remandra li consels de par soi
Tant que li Grieu seront en bataille tuit coi ;
Ou il ou Alixandres en sera pris au broi.

---

71. Ce geste symbolise la rupture de l'hommage vassalique.

219

« Porus, dit Alexandre, tu perds donc la raison ?
Tu as donc oublié le fleuve Calus ?
Quand j'ai triomphé sur le champ de bataille,
tu m'as remis ton épée.
Tu te voyais déjà mort, pendu.
Mais tu étais humble, sans orgueil :
tu m'aurais baisé le pied si je t'avais laissé faire !
J'ai eu pitié de toi, je suis allé pour toi
jusqu'à te redonner le commandement de ta terre,
à libérer et à te rendre tes hommes prisonniers.
Tu as juré à tes hommes, sur tes faux dieux,
que jamais tu n'avais vu pareille générosité !
J'ai perdu ma peine en te faisant ces dons !
Retourne dans ton pays, le fétu est rompu entre nous[71] !
C'en est fait de mon amitié pour toi.
Si je te rencontre en bataille, tu es mort :
ni haubert ni écu ne pourront m'empêcher
de te fendre en deux jusqu'aux arçons ! »

220

Porus s'éloigne donc, brouillé avec le roi.
Il convoque tous ses hommes : c'est le branle-bas de combat.
Il le jure sur ses dieux, sur sa loi, sur sa tête :
malheur à eux si, dans toute l'Inde,
restent ne seraient-ce que trois hommes capables de porter les
Si un seul reste chez lui, Porus le jure sur sa foi,   [armes.
il sera brûlé sur un gril ou rôti à la broche.
Qu'ils apportent du pain et des vivres pour quarante jours !
Il n'a pas peur et l'arrogance d'Alexandre ne l'empêchera pas
de livrer bataille entre l'Inde et les déserts.
Il ne renoncera jamais à son entreprise
tant qu'il n'aura pas défait les Grecs :
il faut qu'Alexandre ou lui soit pris au piège.

221

3956 Porrus semont ses homes si effr[e]eement,
Qu'il en jure ses dieus et canq'a aus apent
N'a si lointaing ami ne si prochain parent,
Se il ne vient a lui a grant efforcement,
3960 Que il nel face pendre et presenter au vent.
Li arbalestier furent plus de mil et set cent,
Onques Dieus ne fist home qui nombrast l'autre gent.
Soissante chevaliers des melors d'Ynde prent
3964 Et vient a Alixandre, sa terre li deffent
Que il n'i entre mais ne n'i pregne noient,
Car s'il le trovoit ens tant com uns ars destent,
Ja ains ne seroit hors qu'il le feroit dolent.
3968 Alixandres l'oï parler si fierement,
A malvais se tenra se il ne s'en repent.

222

« Porré, dist Alixandres, or ies en ta contree,
Assés m'as manecié et ta terre veee,
3972 Orguel et grant folie as faite et porpensee.
Vois tu la ma compaigne qui tant est redoutee ?
Toute la gent du mont n'avroit vers li duree,
Tu l'as ja par deus fois en bataille esprovee.
3976 Cil qui riens n'ont forfait por q'en prendront colee ?
Combatons nos andui cors a cors en la pree,
Et se tu me pués vaintre et conquerre a t'espee,
Je te dirai la fin qui t'iert asseüree :
3980 Mi home s'en iront tuit cuite en lor contree,
N'en porteront du tien vaillant une denree ;
Et se je te puis vaintre, j'ai ta terre donee.
— Par foi, ce dist Porrus, ains l'avrois comperee.
3984 Ceste fins que me dites se m'est asseüree,
Ja mais ceste bataille ne sera trestornee. »

221

Porus convoque ses hommes de toute urgence.
Il le jure sur ses dieux et sur tout ce qu'il leur doit :
l'ami le plus éloigné comme le parent le plus proche
seront pendus et se balanceront au vent,
s'ils ne le rejoignent pas avec toutes leurs forces.
Les arbalétriers étaient plus de mille sept cents ;
les autres, impossible de les dénombrer.
Il prend soixante chevaliers parmi les meilleurs de l'Inde
et vient interdire à Alexandre
de pénétrer dans sa terre et d'y prendre quoi que ce soit.
S'il y entre ne serait-ce que de la portée d'un trait d'arc,
il le paiera avant de repartir !
A l'entendre parler si fièrement,
Alexandre se tient pour un lâche s'il ne le force pas à se
[repentir.

222

« Porus, dit Alexandre, tu es dans ton pays,
tu m'as bien menacé, tu m'interdis ta terre.
Tu n'es qu'un orgueilleux et un fou !
Vois-tu là mon armée que tous redoutent ?
Le monde entier ne pourrait tenir contre elle :
déjà à deux reprises tu as éprouvé sa valeur !
Mais pourquoi faire payer ceux qui n'ont rien fait ?
Combattons tous les deux corps à corps dans le pré !
Si tu réussis à me vaincre à la pointe de ton épée,
je t'en donne ma parole :
mes hommes regagneront librement leur pays
sans emporter un sou de tes trésors.
Mais si je réussis à te vaincre, je disposerai de ta terre.
– Sur ma foi, dit Porus, il faut d'abord la payer !
Si j'ai votre parole sur ce point,
je suis prêt à la bataille ! »

223

De la bataille faire l'aseüra li rois,
Ambedui la plevissent et jurent sor lor fois.
3988a Porrus s'est tost armés, voiant tous les Grigois ;
3988b Il vesti une broigne serree de grant pois,
Li pan et la ventaille en sont d'or espanois,
El cercle de son hiaume sont paint li douze mois ;
Et ses escus fu fais d'un grant poisson marois,
3992 Desus fu covers d'or et dedens fu tous blois ;
A son col le pendi par la guige d'orfrois,
De plaine terre saut sor le destrier norois.
Qant se fu eslaissiés, de ce fist que cortois
3996 Q'il escria s'ensegne quatre fois en yndois.

224

Alixandres s'arma a guise de vassal ;
Il vesti une broigne, ainc nus hom ne vit tal,
Car ja hom qui la porte n'avra dolor ne mal ;
4000 El cercle de son elme sont molt cler li esmal.
Son escu a son col, sailli sor Bucifal
Et a pris un espié o la hante poingnal ;
La ou il vit Porrun, s'eslaisa en l'ingal.
4004 Porrus le vit venir, si l'atent a estal ;
Si le fiert en l'escu el senestre costal
Que son glaive depiece tres par mi le cheval.
Li rois le vait ferir a la guise mortal,
4008 Que la broingne li trenche les la vaine orgenal ;
Rompent les estrivieres et cengles et poitral.
Tant com hanste li dure l'eslonge du cheval ;
Trestous joins s'en passe outre et fait le tor roial.

225

4012 Ançois que li rois fust arriere repairiés,
Se fu Porrus levés et en estant dreciés.

---

72. Cf. *supra*, I, v. 1126, *au tour grigois*, « après une volte à la grecque ».

223

Le roi lui donne sa parole de livrer la bataille ;
tous deux s'y engagent et jurent sur leur foi.
Porus a vite fait de s'armer, sous les yeux des Grecs :
il revêt une broigne aux mailles lourdes et serrées ;
les pans et la ventaille sont d'or d'Espagne.
Sur le cercle du heaume sont peints les douze mois.
Son écu est fait de la peau d'un grand poisson de mer,
tout recouvert d'or et bleu à l'intérieur.
Il l'accroche à son cou par la courroie d'orfroi
et saute sur son destrier de Norvège.
Il s'élance au galop, lançant courtoisement
son cri de ralliement en indien à quatre reprises.

224

Alexandre revêt ses armes comme un bon guerrier :
on n'a jamais vu broigne comme la sienne,
car elle protège de tout mal celui qui la porte.
Les émaux brillent sur le cercle de son heaume.
L'écu au col, il bondit sur Bucéphale
et empoigne la hampe de sa lance.
Dès qu'il voit Porus, il se lance au galop dans la plaine.
Porus le voit venir, l'attend de pied ferme
et le frappe sur l'écu, au côté gauche :
sa lance tombe en pièces sur le cheval.
Le roi lui porte un coup mortel :
il fend la broigne près de la trachée artère
et rompt les étrivières, les sangles et le harnais sur la poitrine
[du cheval.
Il jette Porus à bas de son cheval de toute la longueur de sa
[lance,
puis vite il poursuit sa course et fait demi-tour à la manière
[d'un roi[72].

225

Avant que le roi ne fasse demi-tour,
Porus se lève et se redresse.

De riens n'est Alixandres desjoins ne desliés,
La ou il vit Porrus vers lui s'est adreciés.
4016 Qant cil le vit venir, forment s'est esmaiés,
Sot que li rois fu fors et trenchans ses espiés ;
S'il le fiert contre terre, mors est et escachiés.
A une part se traist, car el cors fu plaiés.
4020 Alixandres li dist : « Por noient guenchisciés,
Onques ne fu encor geudons par moi touchiés. »
Qant Porrus l'entendi, vers lui s'est aprochiés
Et traist le branc d'acier, qui n'estoit pas oschiés,
4024 S'en a a Bucifal les deus garés trenchiés ;
Li chevaus chiet a terre, li rois vint sor ses piés.
De ce fu Alixandres coureçous et iriés.

226

Li rois fu a la terre, ses chevaus fu perdus,
4028 Mais por ce n'est il mie recreans ne vaincus.
La ou il vit Porrun, seure li est courus ;
Li dels de Bucifal li iert ja chier vendus.
O les brans acerins detrenchent lor escus ;
4032 Ains qu'il se fust de lui partis ne desrompus,
Le navra en trois lieus du branc qui fu molus.
Alixandres le haste, qui se fu irascus,
Trois plaies li a faites, bien fu en char ferus ;
4036 Del sanc qui ist de lui est molt grans li palus.
La coiffe del hauberc, dont les las ot rompus,
Li vint sor les espaulles et li chiés remest nus.
Ja chaïst a la terre pasmés et estendus,
4040 Qant il fu par le roi souspoiés et tenus ;
S'espee li veut rendre et se claime vaincus.

227

« Porré, fait Alixandres, molt fus ja mes privés,
Tes cors et tes avoirs me fu abandonés,
4044 Et se tu ne te fuisses de m'amor dessevrés,
Li dons de Babilone t'eüst esté donés.
Qant tu vaincus te claimes et a moi t'ies livrés,

Alexandre n'a pas relâché son effort ;
il se dirige droit vers Porus,
qui le voit venir avec terreur.
Il connaît la force du roi, le tranchant de son épieu :
s'il le renverse à terre, c'en est fait de lui.
Blessé, il s'esquive sur le côté.
Alexandre lui dit : « Inutile d'obliquer :
je n'ai encore jamais touché un homme à terre ! »
Alors Porus s'approche de lui,
dégaine sa lame d'acier intacte
et tranche les deux jarrets de Bucéphale :
le cheval tombe à terre, le roi saute sur le sol,
plein de colère et de chagrin.

226

Le roi est à terre, son cheval est perdu,
mais il ne s'avoue pas pour autant vaincu.
Il se précipite sur Porus,
pour lui faire payer cher la mort de Bucéphale.
De leurs lames d'acier ils mettent les écus en pièces.
Dès la première rencontre,
Alexandre porte à Porus trois coups de sa lame émoulue.
Enragé, il le harcèle,
enfonce son épée dans sa chair, lui inflige trois blessures
dont coule une large mare de sang.
La coiffe du haubert, dont les lacets sont coupés,
tombe sur les épaules de Porus, qui reste tête nue.
Il serait tombé à terre évanoui,
si le roi ne l'avait soutenu.
Il veut alors lui remettre son épée et s'avouer vaincu.

227

« Porus, dit Alexandre, tu as été mon ami,
tu m'as livré ta personne et tes biens,
et si tu n'avais pas repoussé mon amitié,
je t'aurais fait don de Babylone.
Puisque tu t'avoues vaincu et que tu t'en remets à moi,

Ne seras mais par moi de mal faire adesés,
4048 Ains te donrai respit tant que soies sanés,
Por ce que seürs soie par ostages livrés,
Qant seras de tes plaies garis et respassés,
Que tu venras el champ sor ton destrier armés ;
4052 Lors avras tes ostages garis et aquités.
– Sire, ce dist Porrus, malement sui navrés.
Per la vostre merci a mes homes alés,
De ciaus que vos plaira trente m'en amenés. »
4056 Alixandres meïsmes i est a pié alés.
Et quant fu des ostages molt bien asseürés
Et que Porrus li ot par sairement livrés,
Alixandres remest et cil en fu portés.

228

4060 Li rois s'est desarmés, iluec se hebrega,
Son cheval vit morir, mervelles l'en pesa.
Ainc vilains de la terre mie n'en escorcha
Au trenchant de l'espee trestout le detrencha ;
4064 Des crins ne de la ceue nus hom nen adesa
Ne onques de la char chiens d'Ynde ne gousta ;
Une fosse fist faire, molt parfont l'enterra.
Une cité i fist, de haut mur la ferma ;
4068 Les homes de la terre trestous i amena,
Desque pueplee fu, onques ne s'en ala ;
Mist li non Alexandre au pui Bucifala,
Ce fu une cités que mervelles ama
4072 Por amor son cheval que ja n'oublïera.
Maintes fois por s'amor a ses deus ieus plora,
Biau don li a doné et bien franchie l'a ;
Ja n'iert homs si faidis, des que la parvenra,
4076 Que ja i ait regart tant comme il i sera.
Aristé oiant tous par non en apela,
Voiant tout son barnage la cité li dona.

---

73. Alexandra fonda en 326 la ville de Bucephala sur la rive occidentale de l'Hydaspe (et Nicaea sur la rive orientale), après sa victoire contre Porus et la mort de Bucéphale (Quinte-Curce, IX, 3, 23).

je ne te ferai pas de mal :
je te laisserai un répit jusqu'à ta guérison,
mais tu me livreras des otages pour plus de sûreté.
Quand tu seras remis de tes blessures,
et que tu entreras en armes dans le champ sur ton destrier,
tes otages te seront rendus.
– Seigneur, lui dit Porus, je suis cruellement blessé.
Je vous en prie, allez jusqu'à mes hommes
et prenez parmi eux les trente de votre choix. »
Alexandre en personne se rend à pied près des hommes de
il s'assure de la remise des otages   [Porus :
et Porus les lui livre en lui prêtant serment.
Alexandre reste sur place et l'on emporte Porus.

228

Le roi se désarme et regagne sa tente.
A son grand chagrin, il voit mourir son cheval.
Il ne laisse pas un vilain l'écorcher
mais le dépèce lui-même du tranchant de son épée.
Nul homme ne met la main sur la crinière ou sur la queue,
nul chien de l'Inde ne goûte à sa chair.
Il fit creuser une fosse profonde pour l'enterrer.
Au-dessus il construisit une cité aux remparts solides
et y amena tous les hommes du pays,
qui la peuplèrent et s'y établirent.
Il la nomma Bucéphala la haute
et s'y attacha merveilleusement
pour l'amour de son cheval, qu'il ne pouvait oublier,
et que bien souvent il pleurait[73].
Il combla la ville de dons et de libertés :
tout proscrit, s'il y parvenait,
y était en sûreté durant tout son séjour.
Appelant Aristé devant tous,
il lui donna la cité sous les yeux de tous ses barons.

229

      Porrus s'en fait porter a son mellor repaire,
4080 Mire ot a son talent cortois et de bon aire
      Qui tel poison li done tout le cuer li esclaire ;
      Onques riens n'i remest de venin ne de glaire,
      L'entrais qui fu as plaies fu bons et souef flaire.
4084 En vint jors fu plus sains que faus qui gerpist s'aire
      Et voit de la bataille qu'il ne s'en puet retraire,
      Il en est plus dolens assés que il ne paire,
      Por ce qu'il fu assés plus d'Alixandre maire,
4088 Li cuide il faire mal et grant honte et contraire.
      En son espié trenchant fist une hante faire
      Bien deus toises plus longe que l'Alixandre n'aire ;
      Par ce le cuide abatre et l'ame du cors traire
4092 Q'il puisse a lui ataindre et mal li puisse faire,
      Car autrement, ce pense, ne li puet il forfaire.
      Qanque Porrus engingne tout ce ne monte gaire,
      Car ainc nel pot lever ne del arçon fors traire.

230

4096 Porrus fu sains des plaies, mire ot a son talent.
      Qant ot le cors gari et sain et combatant,
      Por ce que Alixandres l'avoit fait recreant
      Vergoingne ot vers ses homes, molt s'en vait eschievant.
4100 Par quatre chevaliers et par un drugemant
      A mandé Alixandre selonc le covenant
      Pres est de la bataille, mais que le jor li mant.
      Li messagier monterent si sont alé avant
4104 Et truevent Alixandre, le hardi combatant,
      Ou juoit as eschés a Tholomé le grant.
      Li message s'arestent devant lui en estant :
      « Sire, Porrus te mande pres est del covenant.
4108 Se tu veus la bataille, di li le jor devant,
      Si t'apareille bien, car il vendra avant. »
      Qant Alixandres l'ot, tous taint de maltalant,
      Aristé apela par molt fier hardement,

229

Porus se fait transporter dans son plus beau palais,
et bien soigner par son médecin noble et courtois.
Ce dernier lui fait boire une potion qui lui redonne toutes ses
et élimine les humeurs mauvaises.   [forces
Il guérit ses plaies avec un onguent parfumé.
Vingt jours plus tard, Porus est plus frais que le faucon qui
                                                    [prend son envol.
Il comprend qu'il ne peut échapper à la bataille
et cache son inquiétude.
Il croit tirer parti de sa taille supérieure à celle d'Alexandre
pour lui nuire et le couvrir de honte.
A son épieu tranchant il fait mettre une hampe
plus longue de deux toises que celle d'Alexandre.
Il croit ainsi l'abattre de cheval et le mettre à mort,
pourvu qu'il puisse l'atteindre et le blesser :
c'est la seule façon, se dit-il, de le vaincre.
Mais la ruse de Porus ne devait guère lui servir,
car il ne devait pas même réussir à soulever le roi de ses arçons.

230

Porus est guéri, son médecin le soigne bien.
Quand il a retrouvé ses forces et son ardeur,
il a honte devant ses hommes de s'être avoué vaincu devant
et se tient à l'écart.   [Alexandre
Il envoie quatre chevaliers et un interprète
faire savoir à Alexandre, selon leur accord,
qu'il est prêt pour la bataille : il n'y a plus qu'à fixer le jour.
Les messagers montent à cheval et s'éloignent.
Ils trouvent Alexandre, le hardi guerrier,
au milieu d'une partie d'échecs contre le grand Tholomé.
Les messagers se tiennent devant Alexandre :
« Seigneur, Porus te fait savoir qu'il est prêt à respecter
Si tu veux la bataille, fixe-lui un jour,   [l'accord.
et prépare-toi bien : il sera le premier sur le champ de bataille. »
Alexandre, à ces mots, rouge de colère,
appelle Aristé et, fièrement,

4112 Dona li trestoute Ynde desi q'en Oriant,
      Le palais et la trelle trestout a son commant
      Et la terre de Bastre, que il pot amer tant ;
      Puis revient as messages si lor dist en riant :
4116 « Segnor, dist Alixandres, franc chevalier vaillant,
      Ce me dites Porrun : trestout a son vivant
      Ai donee sa terre Aristé par mon gant,
      Bucifal veul vengier, dont j'ai le cuer dolant.
4120 Se le matin n'est ci a l'aube aparissant,
      Tous sera parjurés et sel ferai taisant,
      Perdu avra sa terre, son or et son argent,
      Si ostage n'avront ja mais par lui garant ;
4124 Vengier veul Bucifal a m'espee trenchant.
      Tant com le savrai vif, n'avrai mon cuer joiant. »

231

      Li message s'en tornent, arriere sont venu,
      De quanqu'il ont oï nen ont un mot teü.
4128 Li latimiers parole et a dit a Porru :
      « Alixandres te mande et jure quanque fu,
      Se demain ne l'atens sor Morel le crenu,
      Perdue avras ta terre et avras conneü
4132 Que trestuit ti ostage seront encoreü.
      Il a ja de ta terre Aristé revestu,
      Si que nos l'avons tuit et oï et veü.
      Bucifal veut vengier, dont a le sens perdu ;
4136 Hui matin se vanta a Tholomé son dru
      Que demain te taudra le chief desor le bu.
      – N'est mie de mervelle, Porrus a respondu,
      S'il me tient por malvais et por escombatu ;
4140 Chacié m'a de bataille et cors a cors vaincu.
      Se mi dieu me garissent ma force et ma vertu,
      Ains avrai rout l'auberc et percié mon escu
      Que il ait mon païs que maint jor ai tenu. »

---

74. Le gant est ici le symbole de la concession du fief.

lui fait don de toute l'Inde jusqu'à l'Orient,
avec le palais et la treille d'or qu'il lui livre,
et la terre de Bactriane qu'il aime tant.
Puis il rejoint les messagers et leur dit en riant :
« Seigneurs, nobles et vaillants chevaliers,
dites-le bien de ma part à Porus : de son vivant,
j'ai fait don de sa terre à Aristé, par mon gant[74].
Je veux venger Bucéphale, dont je pleure la mort.
S'il n'est pas ici demain dès l'aube,
je le considérerai comme parjure et le réduirai au silence :
il aura perdu sa terre, son or et son argent ;
il ne retrouvera jamais ses otages.
Je veux venger Bucéphale à la pointe de l'épée.
Tant que Porus sera en vie, je ne connaîtrai plus la joie. »

231

Les messagers reviennent sur leurs pas
et rapportent fidèlement ce qu'ils ont entendu.
L'interprète prend la parole et dit à Porus :
« Alexandre te fait savoir que, sur sa foi,
si demain tu ne l'affrontes pas, monté sur Le Noir à la longue
tu auras perdu ta terre   [crinière,
et encouru la perte de tous tes otages.
Il a déjà mis Aristé à la tête de ta terre,
en notre présence.
Il veut venger Bucéphale, dont la perte le désespère.
Ce matin-même il s'est vanté devant son ami Tholomé
de te couper la tête demain.
– Je ne suis pas surpris, répond Porus,
qu'il me tienne pour lâche et pour battu :
il m'a déjà vaincu sur le champ de bataille.
Si mes dieux me rendent ma force et ma valeur,
mon haubert sera en pièces et mon écu percé
avant qu'il ne me prenne le pays que je possède depuis si
                                              [longtemps ! »

232

4144 La nuit se jut Porrus et fu en grant freor.
Por ce que Alixandres avoit doné s'onor,
Ne li caut de sa vie ne de mort n'a paor ;
Au matin crient targier, de ce fu en error.

4148 Qant vit l'aube aparoir et du soleil l'ardor,
Il a prises ses armes et monte el missaudor,
Vint au tref Alixandre, le roi mascedonor.
Por ce qu'il fu desvés et plains de grant iror,

4152 A dit au roi tel chose qui torna a folor :
« Alixandre, fait il, escoute ma clamor,
Es desers te gardai a joie et a baudor
Tresq'as bonnes Artu, ainc n'i sentis dolor,

4156 Et je soufri por toi et le vent et l'ardor,
La noif et la gelee et la roisde froidor
Et te servoie bien et tenoie a segnor.
Qant tu venis des arbres ou alas a cremor,

4160 Vers toi m'ont encusé ti serf losengeor.
Je ne m'en tornai mie a loi de traïtor,
Ençois te deffiai et parti de t'amor.
Geü as en ma terre et esté a sejor,

4164 Onques tant ne prisas ne moi ne ma valor
Que ne l'aies donee a un tien vavassor.
De tous les plus malvais me tiens au noaillor
Et je si sui por voir : je me tieng au pior

4168 Qant je daignai servir a fil d'enchanteor.
Mi ostage sont cuite, je sui pres de l'estor ;
Ancui verront cil d'Ynde et li Grieu soduitor
A nos brans acerins qui avra le mellor. »

233

4172 Laidement a Porrus le roi araisoné
Qant fil d'enchanteor l'a son oiant clamé.
Alixandres l'esgarde sel tient por forsené,
Ne li daigna respondre ne li a mot soné.

4176 De mervelloses armes a son cors conreé.

232

Porus passe la nuit dans l'angoisse.
De voir qu'Alexandre a fait don de son royaume,
il n'a plus peur pour sa vie, il ne songe pas à la mort.
Au matin, il craint, bien à tort, d'être en retard.
Dès qu'il voit paraître l'aube et sent la chaleur du soleil,
il revêt ses armes, monte en selle sur son destrier
et gagne la tente d'Alexandre, le roi de Macédoine.
Privé de sa raison, dans sa fureur,
il lance au roi ces folles paroles :
« Alexandre, écoute donc ma plainte !
J'ai pris soin de toi dans les déserts,
jusqu'aux bornes d'Arthur, t'épargnant toute souffrance ;
j'ai enduré pour toi le vent et la chaleur brûlante,
et la neige et le gel et le froid piquant.
Je t'ai bien servi et je te tenais pour mon seigneur.
Quand, plein de crainte, tu as consulté les arbres,
tes serfs félons m'ont calomnié auprès de toi.
Je ne t'ai pas quitté comme un traître :
je t'ai défié avant de renoncer à ton amitié.
Tu as dormi sur mes terres, tu y as séjourné,
et pourtant tu les as données à l'un de tes vassaux,
sans tenir compte de moi ni de ma valeur.
De tous les lâches je me tiens pour le pire,
je le suis vraiment, je l'affirme,
puisque j'ai accepté de servir le fils d'un enchanteur !
Mes otages sont libres, je suis prêt à me battre :
bientôt les Indiens et les fourbes Grecs
verront qui de nous aura le dessus à l'épée ! »

233

Porus a insulté le roi
en le traitant en face de fils d'enchanteur.
Alexandre le regarde, le tient pour un dément
et ne daigne pas lui répondre.
Il se couvre d'armes merveilleuses.

La sele li ont mise sor le vair Tholomé ;
Ce estoit uns chevaus mervelles alosé,
Il n'ot en toute l'ost destrier si abrievé ;

4180 Toute la crope ot noire, blanc furent li costé,
Ansdeus les cuisses plaines, si pié furent caupé,
Les espaulles ot yndes et le col ot tieulé
Et la teste vermelle par lieus de blanc mellé.

4184 Alixandres i monte par son estrier doré
Et pendi a son col un fort escu listé
Et tint en son poing destre un espié neelé ;
La ou il vit Porron si l'a araisoné :

4188 « Porré, dist Alixandres, je te tieng por desvé.
L'autr'ier te combati cors a cors en cest pré ;
Qant je t'oi abatu et ens el cors navré,
Tu me crias merci ; je l'avoie enpensé,

4192 Se tu te deduississes a loi d'ome sené
Et mon cheval n'eüsses ocis ne afolé,
M'ire et mon maltalent t'eüsse pardoné,
De quanque m'as mesfait ne fust ja mot soné.

4196 Or me ras dit folie ; ses qu'i as conquesté ?
Ne te lairoie vivre tant qu'il fust avespré
Por tout l'or de cest mont, tant t'ai cuelli en hé ;
Se je te puis sorvaincre, le chief avras caupé.

4200 — Sire, ce dist Porrus, ja est ce tout passé ;
Vos en repentirés, a tort m'avés blasmé.
Mi ostage sont cuite qui vos furent livré,
Ves me ci de bataille garni et apresté. »

4204 Li uns broche vers l'autre, si se sont desfié.
Porrus ot longe lance, si l'ot ains enversé
Q'il puisse a lui ataindre ne qu'il l'ait adesé.
Cil de Bastre cuidierent qu'il l'eüst aterré,

4208 Tuit crïerent ensamble si ont un hu levé ;
De joie qu'ot Porrus s'eslaisse en mi le pré.
Alixandres saut sus, n'i a pas demoré ;
Ja comperra Porrus, bien le ra encontré.

---

75. On trouve des chevaux merveilleux dans le *Roman de Thèbes* (éd.
G. Raynaud de Lage, Paris, 1966, vv. 4069-4082), le *Roman d'Enéas* (éd.
J.J. Salverda de Grave, vv. 4050-4084), *Erec et Enide* de Chrétien de Troyes
(éd. J.-M. Fritz, coll. Lettres gothiques, vv. 5311-5345).

On installe sa selle sur le cheval à la robe chamarrée de
C'était un cheval à la réputation merveilleuse[75],   [Tholomé.
le plus rapide de toute l'armée.
Il avait la croupe toute noire, les côtés blancs,
les cuisses plates, les pieds creux,
les épaules bleues, le cou de la couleur des tuiles,
la tête vermeille et blanche par endroits.
Alexandre monte en selle en prenant appui sur l'étrier doré
et accroche à son cou un solide écu barré.
Il empoigne une lance émaillée de noir.
A la vue de Porus, il s'écrie :
« Porus, tu n'es qu'un fou !
Je viens de t'affronter corps à corps dans ce pré ;
quand je t'ai renversé de ton cheval et blessé,
tu as imploré ma pitié. J'avais décidé,
si tu t'étais conduit avec sagesse,
et si tu n'avais pas tué mon cheval,
de t'épargner ma colère
et d'oublier tes crimes à mon égard.
Mais tu répètes ta folie : sais-tu ce que tu y as gagné ?
je te hais tant que pour tout l'or du monde,
je ne te laisserais pas vivre jusqu'au soir.
Si je triomphe de toi, tu auras la tête coupée !
– Seigneur, répond Porus, tout cela est du passé.
Vous m'avez accusé à tort, vous vous en repentirez.
Mes otages sont maintenant libres :
je suis tout prêt à me battre ! »
Ils s'élancent l'un vers l'autre et échangent leurs défis.
Porus, de sa longue lance, a renversé Alexandre de son cheval
avant même que celui-ci puisse l'atteindre.
Les hommes de Bactriane croient déjà leur roi vainqueur
et une clameur s'élève dans leurs rangs.
Dans sa joie, Porus se lance au galop dans le pré.
Mais Alexandre saute en selle aussitôt,
bien décidé à faire payer sa chute à Porus.

234

4212 Il brocent les destriers, chascuns est aïrés.
Grans caus s'entredonerent es escus painturés,
Desous les boucles d'or les ont frais et troués,
Molt sont fort li hauberc qant il nes ont faussés ;

4216 L'uns ne l'autres ne chiet, si est chascuns pronés.
Este les vous au chaple o les brans acerés.
Porrus a trait l'espee dont li poins est dorés,
Vait ferir Alixandre sor l'elme qu'est gemés

4220 Que les flors et les pierres en a jus arasés,
De l'escu un quartier, qui a or fu listés,
Et tant com il consieut del hauberc qu'iert saffrés
Et la chauce de fer et l'esperon de les ;

4224 Damedieus le gari q'en char n'est adesés.
Por quant si est li rois si forment estonés
Por poi ne chaï jus du cheval tous armés.
Cil d'Ynde et cil de Bastre en ont lor cris levés :

4228 « Vassaus, rendés vos tost, que ne soiés tüés. »
Et la gent Alixandre s'escrie de delés :
« Que fais tu ? Tien te bien, gentieus rois coronés.
Onques mais por caup d'ome ne fus si aterrés,

4232 Nous somes trestuit mort se tu es affolés. »
Et cil de l'autre part ont si grans cris levés
Que n'i puet oïr goute nus hom de mere nes ;
Vis est que se combatent et qu'en soit mort assés.

4236 Porrus oï la noise et le cri qu'est levés,
Pensa que de ses homes i fust aucuns mellés,
Il en ot grant paour si les a escoutés,
Devers l'ost se retorne si les a esgardés ;

4240 Il a fait grant folie, tost en iert affolés.

235

Alixandres se drece, tuit en sont irascu,
Et entendi la noise et le cri et le hu.

---

76. Sur *vassal*, voir *supra*, III, v. 1782.

234

Impétueusement, ils lancent leurs destriers au galop,
échangent de grands coups sur les écus colorés
qu'ils transpercent et mettent en pièces sous les boucles dorées.
Les hauberts sont bien forts pour résister au choc !
Combattants aguerris, les deux hommes restent en selle.
Voici venu le moment de s'affronter à l'épée.
Porus dégaine sa lame à la poignée dorée,
dont il frappe Alexandre sur le heaume orné de gemmes :
il en arrache les fleurs et les pierreries,
ainsi qu'un quartier de l'écu barré d'or,
et ce qu'il peut atteindre du haubert damasquiné,
des chausses de fer et de l'éperon sur le côté.
Mais Dieu l'empêche de toucher la chair.
Le choc est pourtant si brutal
qu'Alexandre manque tomber de cheval.
Les hommes d'Inde et de Bactriane s'écrient d'une seule voix :
« Chevalier, rendez-vous vite, pour éviter la mort[76] ! »
Les soldats d'Alexandre s'écrient de leur côté :
« Que fais-tu, noble roi ? Reprends-toi !
Jamais un coup d'épée ne t'a tant abattu !
C'est notre mort à tous, si tu es vaincu ! »
Dans l'autre camp s'élève une telle clameur
qu'on n'entend plus rien d'autre ;
on a l'impression qu'ils s'entretuent.
Porus entend le bruit, les clameurs
et croit que ses hommes se battent.
Il écoute, effrayé,
et se retourne vers son armée pour la regarder :
c'est là une folie qui causera sa perte.

235

Alexandre se redresse, au grand dépit des Indiens ;
il entend le bruit, les clameurs et les cris.

A ce que tuit l'esgardent, a bien aparceü
4244 Que la dolor qu'il ot de la soie gent fu.
Il esgarde sor destre si a choisi Porru,
De Bucifal li poise que il avoit perdu
Et del ruiste contraire que il li ot rendu,
4248 Que dist au pavellon fieus d'enchanteor fu ;
Se il or ne se venge, tient soi a confondu.
Il a traite l'espee, qui le branc ot molu ;
Dementres que Porrus a de la entendu,
4252 A mont desor son elme li a grant caup feru.
Ne li vaut ses haubers la monte d'un festu
Q'il n'en trenche la teste et le vis et le bu
Et la sele d'yvoire et le cheval qernu,
4256 Quatre moitiés en fist devant soi en l'erbu.
Cil d'Ynde et cil de Bastre i sont poignant venu,
Et dist li uns a l'autre : « Mervelles ai veü.
Alixandres est fiers et de molt grant vertu. »
4260 Sor lui a grant effors sont tuit acoureü ;
Et la gent Alixandre se sont tuit esmeü,
A force i acoururent li grant et li menu.
Et li home Porrus sont forment irascu,
4264 Ja l'eüssent ocis ou pris ou retenu,
Qant vers aus tent ses mains si lor a respondu.

236

« Segnor, dist Alixandres, laissiés m'a vos plaidier.
Se vos volés bataille ne estor commencier,
4268 Ce sera grant folie, trop me troverés fier.
Vos n'avés qui vos gart ne face ralïer ;
Vostres sires est mors, ne vos puet mais aidier,
Et je vos di por voir que a l'estor premier
4272 Serés tuit desconfit, ja n'en irés entier.
Mais rendés vos a moi et chasé et princier,
Car tant com jou vivrai avrai chascun molt chier. »
Qant cil l'ont entendu, merci li vont proier,
4276 A lui se rendent tuit sergant et escuier
Et aprés li haut home, baron et chevalier.

Il voit que tous l'observent et comprend
que les cris de détresse viennent de ses hommes.
Sur sa droite, il aperçoit Porus.
Il repense à la perte de Bucéphale,
et à la terrible insulte que lui a lancée Porus
en le traitant dans sa tente de fils d'enchanteur :
c'en est fait de lui, s'il ne se venge pas !
Il dégaine son épée à la lame émoulue
et profitant de l'inattention de Porus,
il lui assène sur le sommet du heaume un coup si violent
que malgré son haubert,
il lui tranche le crâne, le visage et le buste,
puis la selle d'ivoire et le cheval à la longue crinière :
les moitiés en tombent devant lui sur l'herbe.
Les hommes d'Inde et de Bactriane galopent vers lui,
se disant l'un à l'autre : « C'est un prodige
que la fierté et la valeur d'Alexandre ! »
Tous se regroupent contre lui.
Mais les troupes d'Alexandre se mettent aussi en branle ;
tous accourent, les grands et les petits.
Les hommes de Porus, dans leur fureur,
voulaient le tuer ou le faire prisonnier.
Mais il tend les mains vers eux.

236

« Seigneurs, dit Alexandre, laissez-moi me défendre !
Ce serait une folie que de vouloir vous battre :
je ne vous épargnerai pas,
et vous n'avez plus de chef pour vous guider.
Votre seigneur est mort, il ne peut plus rien pour vous,
et je vous garantis qu'au premier assaut
vous serez en déroute.
Mais rendez-vous à moi, princes comme vassaux,
et je prendrai soin de vous tout le reste de ma vie ! »
A ces mots, tous viennent implorer sa pitié
et se rendent à lui, les sergents et les écuyers,
puis les nobles seigneurs, barons et chevaliers.

237

Porrus gist a la terre en deus moitiés caupés.
Tuit le pleurent cil d'Ynde, car molt estoit amés,
4280 Et des Grigois meesmes la flor et li barnés,
Q'il lor soloit doner or et argent assés,
Chevaus et palefrois et bons muls sejornés
Et dras et gonfanons, tout a lor volentés.
4284 D'Alixandre meïsmes est il molt regretés
Et de chevalerie molt proisiés et löés ;
De la gent de la terre est forment dolousés,
Li barnages de l'ost est iluec assemblés,
4288 Qui le plaignent et crïent : « Gentieus roi et senés,
Com vous nos laissiés hui dolans et esgarés !
Gentieus hom, preus et sages, de tous biens apensés,
De conseil et d'aïde en tous tans porpensés,
4292 Li avoirs de nos terres est hui anïentés,
Li deduis, li depors est ore tous alés.
Molt par est grans dolors q'encore ne vivés,
Car de vos enemis estïés redoutés
4296 Et de tous vos amis proisiés et honorés ;
Vous leur donïés bours et chastiaus et cités.
Qui maintendra vos terres, ou sera il trovés,
Et nos tuit que ferom ? Sire, car respondés !
4300 Aprés toi morrons tuit, cist dons nos est donés,
Et aprés toi irons puis que tu es finés. »

238

Si grant duel fait chascuns que nus nel puet veïr,
Qui les voit ne se puet de plourer astenir,
4304 Car tant fort se dementent que nus nes puet oïr.
Li rois est les le cors, onc nel vaut deguerpir,
D'un paile d'Oriant le fait bien sevelir.
Por ce que en sa vie le fist si bien servir,
4308 Et qu'il fu nobles hom et de tant grant aïr,
Li fist tel sepulture et fonder et bastir
Dont il sera parlé tresqu'au siecle fenir.
Une cité fist faire et de haut mur garnir

237

Porus gît sur le sol, coupé en deux moitiés.
Tous les Indiens le pleurent, car ils l'aimaient beaucoup,
et même la fleur des barons grecs,
à qui il distribuait avec largesse or et argent,
chevaux et palefrois et mulets reposés,
vêtements et gonfanons, autant qu'ils en voulaient.
Alexandre lui-même le regrette
et fait l'éloge de sa chevalerie.
Le peuple du pays est en deuil
et les barons de l'armée se rassemblent
pour le pleurer. Ils s'écrient : « Noble roi plein de sagesse,
vous nous laissez aujourd'hui dans la détresse !
Noble roi, preux et sage, plein de toutes vertus,
toujours soucieux de nous venir en aide,
nous voici aujourd'hui dépouillés de nos biens,
privés de toute joie !
Quel malheur que votre mort !
Vous étiez redouté de vos ennemis,
chéri et honoré de tous vos amis,
à qui vous faisiez don des bourgs, des châteaux, des cités !
Qui gouvernera vos terres ? où trouverons-nous un chef ?
Et que deviendrons-nous ? Seigneur, répondez donc !
Il ne nous reste qu'à mourir ! Nous ne pouvons plus
que vous suivre dans la mort, puisque vous n'êtes plus ! »

238

On n'a jamais vu pareil deuil :
les spectateurs ne peuvent s'empêcher de pleurer
devant ces lamentations générales.
Le roi ne veut pas quitter le corps,
qu'il fait ensevelir dans une étoffe de soie d'Orient.
En souvenir de ses bons services,
de sa noblesse et de son ardeur,
Il lui fit construire une sépulture
dont on parlera jusqu'à la fin des temps.
En l'honneur de Porus, après les funérailles,

4312 En l'onor de Porron, qant l'ot fait enfoïr.
      Tresque pueplee fu ains ne s'en vaut partir,
      Et a fait par la terre et crïer et banir
      Que Alixandre ait non, si la veut establir.

239

4316 Porrus gist a la terre, ains li rois nel guerpi,
      Ains prie Damedeu que il en ait merci.
      Au cors sont assemblé cil de Bastre et li Gri.
      Li douze per le pleurent qant l'orent seveli,
4320 Car maint don lor dona et maint jor les servi.
      Un molt riche sepulcre li a li rois basti,
      Tresq'en la fin du siecle nen iert mis en oubli.
      Une cité i fist, de haut mur la garni,
4324 Devant qu'il l'ot pueplee onques ne s'en parti ;
      Alixandre l'apelent de sornon la Porri.

240

      Cil d'Ynde et cil de Bastre, li prince et li chasé,
      Tout droit a Alixandre en sont trestuit alé,
4328 Tuit sont prest qu'il li facent fiance et seürté.
      Li rois a fait venir devant lui Aristé
      Et dist lor que il facent a celui feeuté ;
      Devant lui ont iluec et plevi et juré.
4332 Et qant il orent fait iluec la feeuté,
      Alixandres lor prie qu'il soient si privé
      Et servent par amor lor segnor Aristé ;
      Et cil ont respondu et bien acreanté
4336 Que il l'ameront plus c'ome de mere né.
      « S'il nos aime et fait bien, nos l'en savrons bon gré
      Et serons du servir garni et apresté. »
      A Aristé en vienent, congié ont demandé,
4340 Car chascuns s'en reveut aler en son regné ;
      Et il l'a a chascun otroié et graé.
      Li rois les aime molt et tient en grant chierté ;
      Por ce que il ont faite toute sa volenté,
4344 De son avoir lor a molt largement doné.

il fit construire une cité protégée de hauts murs.
Il ne la quitta pas avant de l'avoir peuplée d'habitants
et fit proclamer par toute la terre
qu'il voulait lui donner le nom d'Alexandrie.

239

Porus gît sur le sol, le roi ne veut pas le quitter
et prie Dieu de le prendre en pitié.
Les Grecs se rassemblent près du corps avec les hommes de
Les douze pairs le portent en terre en pleurant :   [Bactriane.
il les avait comblés de ses dons et de ses services.
Le roi lui bâtit une riche sépulture
dont on se souviendra jusqu'à la fin des temps.
Il bâtit une cité, protégée de hauts murs,
qu'il ne quitta pas avant de l'avoir peuplée d'habitants.
On la nomme Alexandrie de Porus.

240

Les hommes d'Inde et de Bactriane, les princes et les vassaux
sont allés tout droit à Alexandre,
tous prêts à le reconnaître pour seigneur.
Le roi fait venir devant lui Aristé
et leur dit de lui prêter un serment d'allégeance :
ils donnent leur parole à Aristé.
Et quand ils ont prêté le serment d'allégeance,
Alexandre les prie de devenir ses amis
et, pour l'amour de lui, de servir le seigneur Aristé.
Ils lui répondent en s'engageant
à l'aimer plus que nul homme au monde.
« S'il nous traite avec bonté, nous saurons l'en remercier
en nous tenant tout prêts à le servir. »
Puis chacun d'eux demande congé à Aristé
pour regagner ses terres ;
Aristé le leur accorde volontiers.
Le roi les tient désormais pour ses amis,
pour leur prompte obéissance,
et leur fait de riches dons.

De lui prenent congié si s'en sont retorné,
De lor segnor se partent par grant humilité.
Chascuns d'aus s'en retorne droit a sa fremeté,
4348 Et la menue gent la ou ont conversé.
Molt se fait chascuns liés du segnor q'ont trové,
Molt le tienent a sage et a bien doctriné.

241

Li rois sot des deus arbres que on claime d'Ibroine
4352 Qu'il ont dit qu'il morra a venim de syphoine.
Ses letres, ses sëaus tramist par testemoine
A Divinuspater, qui fu nes de Sydoine,
Et a Antipater, le fil au viel Antoine,
4356 Q'il ne laissent por riens ne por nisune essoine
Q'a un an et un mois soient en Babiloine,
Si verront la richece qu'il maine par le troine,
Car n'a en sa compaigne si petite persoine
4360 N'ait a fin or batu tous les pans de sa broine ;
Tant i a esmeraudes et pierres de sardoine
Qui valent le tresor au duc de Carcidoine ;
Lor escu sont orlé de pierre de Midoine.

242

4364 Qant Divinuspater ot veü le seel,
Du maltalent qu'il ot descira son mantel,
N'i remest a desrompre atache ne noiel ;
Antipater apele si li tent le brevel.
4368 Qant il ot lit les letres, ne li fu mie bel,
Si estraint son poing destre que brisa son anel.
Or pleurent ambedui comme petit tousel,
Et dïent : « Qant nos fumes meschin et jovencel,
4372 Vesquimes en repos, chascuns en son chastel,

---

77. Antipater, général de Philippe, fit fonction de régent de Macédoine pendant les campagnes d'Alexandre. A la mort d'Alexandre, Olympias fut à l'origine d'une rumeur l'accusant d'empoisonnement.

Ils prennent congé de lui et s'éloignent,
manifestant leur humilité à l'égard de leur seigneur.
Les barons regagnent leurs places fortes
et les petites gens leurs logis,
tous satisfaits de leur nouveau seigneur,
qu'ils estiment sage et bien appris.

241

Le roi a appris des deux arbres d'Iboine
qu'il doit mourir d'un poison à base d'ellébore.
Il adresse une lettre scellée de son sceau (pour attester son
à Divinuspater, natif de Sidon,   [origine)
et à Antipater, le fils du vieil Antoine[77] :
il leur ordonne de renoncer à toutes leurs obligations
pour être d'ici un an et un mois à Babylone.
Ils verront sa splendeur sur le trône :
le plus humble assistant
porte une broigne couverte d'or battu.
Il y a en émeraudes et en sardoines
la valeur du trésor du duc de Chalcédoine.
Les écus portent une bordure de pierres de Midoine.

242

A la vue du sceau, Divinuspater
déchire son manteau d'un geste de colère,
rompant les attaches et les nœuds.
Il appelle Antipater et lui tend le message.
Celui-ci le lit sans plaisir :
il serre le poing droit si fort qu'il en brise son anneau.
Tous deux se mettent à pleurer comme des enfants
en disant : « Durant notre jeunesse,
nous avons mené une vie paisible, chacun dans son château.

Et or somes tuit viel si devenrons hapel,
D'aler par le païs commencerons cembel,
Du chaut et du soleil avrons noire la pel
4376 Et seront de suour porri nostre drapel.
S'Alixandres vit longes, tuit seromes mesel,
Ja mais tant com il vive n'avrons un jor de bel.
Mais se faisons que sage, faisons lui tel chaudel
4380 Q'il nous laist en tel pais que soions damoisel,
Car plus somes or vil que pute de bordel. »

243

Dist Divinuspater : « Cis rois nos tient por fox
Qui mande par ses letres, escrites sont a rox,
4384 Q'aillons en Babilone, la dont fu nes Minox,
Por veoir la richece dont si home sont vox.
Qant travellier nos veut, molt nos puet estre grox,
Car ains q'aions passé les puis de Libanox
4388 De nos armes porter avrons brisiés les ox.
A venim l'ocions, si abatons son lox,
De tous ses mandemens serons puis tuit assox. »
Et dist Antipater : « A bien poi ne vos chox.
4392 Qui nos recepteroit ? Qui ja seroit tant ox ?
Dont n'a il tout le mont dedens son puing enclox ?
On ne set home nul tant hardi ne tant ox ;
Se nos n'alons a lui, trencheroit nos les cox.
4396 Chevauchier nos convient, ja n'avrons mais repox,
A paines passerons les grans puis de Banox. »

244

Qant oient li cuivert que pas ne remanront,
Ou il veullent ou non, en Babilone iront
4400 Au fort roi Alixandre, qui est sires du mont, –
Il les mande por bien mais mal li meriront, –
Oés quel felonie et quel mal li feront :
Le venim apareillent a qoi il l'ocirront.
4404 N'i remaint a cerchier ne bos ne val ne mont
Ne gaut ne desertine qui tant soit en parfont,

Maintenant que nous sommes vieux, nous allons devenir des
nous amuser à courir le pays,   [gueux,
à avoir la peau brûlée par le soleil,
des vêtements gâtés par la sueur sur le corps !
Si Alexandre vit longtemps, nous deviendrons misérables.
Fini le bon temps aussi longtemps qu'il vivra !
La sagesse veut que nous lui tendions un piège
pour qu'il nous laisse en paix et maîtres chez nous,
au lieu de nous traiter en putains de bordel ! »

243

« Ce roi nous prend pour des fous ! déclare Divinuspater :
il nous ordonne dans son message, écrit de son calame,
de nous rendre à Babylone, là où est né Minos,
pour voir la richesse dont il comble ses hommes.
Il veut nous faire souffrir et peut nous faire beaucoup de mal,
car avant même d'avoir franchi les monts du Liban,
nous aurons les os brisés par le poids de nos armes.
Nous n'avons qu'à l'empoisonner et à renverser sa gloire :
nous n'aurons plus alors à obéir à ses ordres. »
Mais Antipater dit : « Je ne suis pas d'accord avec vous.
Qui nous accueillerait ? qui en aurait l'audace ?
Ne tient-il pas le monde entier dans son poing ?
Il n'est nul homme de son courage et de son audace :
si nous ne le rejoignons pas, il nous fera trancher le cou.
Fini le repos : il faut nous mettre en route
pour franchir avec peine les hauts monts du Liban. »

244

Les coquins comprennent qu'ils ne peuvent pas rester sur place
mais que, bon gré, mal gré, il leur faut se rendre à Babylone,
près du puissant roi Alexandre, le maître du monde.
Il les convoque en toute bonne foi ; ils l'en récompenseront
Ecoutez quelle félonie, quel crime ils méditent :   [bien mal.
ils préparent un poison pour le tuer.
Par les bois, les vallées, les montagnes,
les forêts, les déserts les plus retirés,

Por querre les serpens qui plus mortel i sont,
Car del plus fort venim abevrer le vauront
4408 Qui soit en la contree et que il troveront ;
Bien le çoilent entr'eus, mais pluisor le savront.
Encombrier lor doinst Dieus quant l'en abevreront !
Si grant damage firent et grant duel par le mont.
4412 Ja mais en lor vivant si bon segnor n'avront
Ne qui tel bien lor face ne tel avoir lor dont ;
Molt grant pais avoit faite, mais or le comperront.
Li rois n'en savoit mot de ce que il li font,
4416 Ains iert a joie en Ynde. Car pendu en fuissont !
Par matin sont monté, en Babilone vont.

245

Alixandre iert en Ynde si n'avoit nul dehet,
En la cité q'ot fait sejornoit entreset.
4420 Qant ele fu fondee, tours i ot cent et set,
Ne crient assaut ne siege ne tornoi ne aguet,
Perriere ne berfroi n'engin qui ja soit fet.
Molt fu la cité bele et sist en un desert,
4424 Il n'ot si aaisie, de ce soiés bien cert,
Enfresi que a Baudaire, ou fu né Dagobert.
Alixandres li rois a grant joie la let
A Aristé son dru et guerpist entreset.
4428 Au matin est montés, en Babilone en vait.

246

Par trestout Oriant est la novele alee
Que li rois Alixandres a si fort destinee
Que sous ciel n'a cité de si haut mur fondee
4432 Qu'a lui puisse durer nisune matinee ;
Il est teus de son cors, c'est verités provee,
C'un chevalier armé trenche tout a s'espee.
Candace la roïne oï la renomee,

partout ils recherchent les serpents au venin le plus mortel,
car ils veulent lui faire boire le poison le plus violent
qu'on puisse trouver dans le pays.
Ils gardent le secret, mais beaucoup le sauront.
Dieu les maudisse pour vouloir tuer Alexandre !
Quel grand dommage, quel malheur pour le monde !
De toute leur vie ils ne retrouveront un seigneur
qui les comble ainsi de ses bienfaits et de ses dons.
Il faisait régner la paix sur le monde. Mais ils paieront leur
[crime !
Le roi était en Inde, joyeux, ignorant de leurs manigances.
Si seulement on les avait pendus !
Mais au matin, ils se mettent en route pour Babylone.

245

Alexandre est en Inde, insouciant,
séjournant dans la cité qu'il vient de fonder.
Il y a fait bâtir cent sept tours :
elle ne craint assaut ni siège, attaque ni piège,
catapulte, tour mobile, aucune machine de guerre.
La cité était belle, édifiée au milieu du désert ;
c'était la plus riche, en toute certitude,
d'ici jusqu'à Baudaire, où est né Dagobert.
Le roi Alexandre la remet dans l'allégresse
à son ami Aristé, avant de la quitter.
Au matin il se met en route pour Babylone.

246

Dans tout l'Orient se répand la nouvelle
que le destin du roi Alexandre est si glorieux
que nulle cité au monde, si hauts soient ses murs,
ne peut lui résister plus de quelques heures ;
que sa vigueur est telle, en toute vérité,
qu'un coup de son épée il tranche en deux un chevalier
Sa renommée parvient à la reine Candace,   [armé.

4436 Tant l'ama en son cuer a poi n'en est desvee ;
Ne puet prendre conseil comment soit sa privee,
Et se ele l'i mande, crient que n'en soit blasmee,
Et s'il ne vient a li, ce samblera posnee ;
4440 Mieus vauroit estre morte qu'il l'eüst refusee.
Ne por qant si s'est tant vers lui abandonee
Que d'or molu d'Arrabe li envoie charee
Et charchie une mule de porpre a or fresee
4444 Et soissante destriers du mieus de sa contree.
Cil qui le present portent l'ont au roi tant loëe
Que li rois l'aime tant qu'il l'a asseüree –
Il en jure sa teste qui d'or est coronee –
4448 Que ja mar criembra home tant com il çaingne espee.
Li message revienent, la novele ont contee
Que li rois Alixandres l'a tant fort aamee
Plus que nisune feme qui de mere soit nee.
4452 « E ! Dieus, dist la roïne, com sui boneüree,
Or puis je bien savoir li dieu m'ont regardee. »

247

Lie fu la roïne et maine grant baudor.
Des mellors dras de soie d'Ynde superior
4456 Et de ciaus de Nubie charcié un missaudor,
Une ensegne de paile et paroles d'amor
Tramet a Alixandre, le roi mascedonor.
Aveuc ciaus envoia Apellés son paintor,
4460 Que sor tous les paintors en porte cil la flor ;
Onques Dieus ne fist chose, s'il s'en met an labor,
Que il ne contreface autresi ou gençor
La façon et la forme, ja mar querrés mellor.
4464 La roïne li prie a conseil celeor

78. Sur l'épisode de la reine Candace, cf. Pseudo-Callisthène III 18-23, *Epitome*, III 19-24. Voir également M. Gosman, « L'élément féminin dans le *Roman d'Alexandre* : Olympias et Candace », *Court and Poet*, éd G. Burgess, Liverpool, 1981, pp. 167-176 ; J. De Weever, « Candace in the Alexander romances : variations on the portrait theme », *Romance Philology* 43, pp. 529-546 ; C. Gaullier, « La reine Candace dans le *Roman d'Alexandre* », à paraître dans *Romania*.

qui se met à l'aimer si fort qu'elle en perd presque la raison[78].
Elle ne sait comment faire pour devenir son amie.
Si elle l'appelle près d'elle, elle craint d'être blâmée ;
et s'il refuse de venir, ce sera une insolence.
Elle aimerait mieux mourir qu'être repoussée.
Elle lui fait cependant des avances
en lui envoyant une charretée d'or moulu d'Arabie,
une mule chargée d'étoffes de pourpre brodées d'or
et soixante destriers parmi les plus beaux de son pays.
Les porteurs du présent chantent ses louanges auprès du roi,
qui l'assure de son affection
et lui jure sur sa tête couronnée d'or
que tant qu'il portera l'épée, elle n'aura pas à craindre un
                                        [homme au monde.
Les messagers reviennent, rapportant la nouvelle
que le roi Alexandre l'aime
plus qu'aucune femme mortelle.
« Dieu, quel bonheur ! s'écrie la reine.
Je vois bien maintenant que les dieux m'ont exaucée ! »

247

La reine, joyeuse et pleine d'allégresse,
envoie à Alexandre, le roi de Macédoine,
un destrier de prix chargé des plus belles étoffes
de l'Inde du Nord et de la Nubie,
une enseigne de soie, avec toute son affection.
Son peintre Apelle accompagne les messagers.
C'est la fleur des peintres :
toute œuvre de Dieu, s'il s'en met en peine,
il sait en reproduire, parfois même en l'embellissant,
la forme et l'aspect : impossible de faire mieux.
La reine lui demande en secret

Que du roi Alixandre li escrive l'ator.
Tant dis com Apellés fu iluec a sejor
Une ymage i a faite de grosse et de longor
4468 Trestout a la samblance du roi mascedonor ;
Bele fu et bien faite, mist i mainte color,
Ausi com li rois iert de grosse et de longor ;
Cil qui verra l'ymage ja nen iert en error
4472 De connoistre Alixandre sans autre mostreor.
Qant ot faite l'ymage, torne s'ent a peor,
Crient que li rois nel sache, de ce en ot cremor,
Et vint a la roïne, qui fu de grant valor.
4476 Ele reçut l'ymage et porte grant honor
Por l'amor Alixandre le roi mascedonor.
Qant la dame le voit si maine grant baudor,
Forment l'a esgardee et loe le paintor,
4480 Ne la donroit nului por d'or plaine une tour.
A celui qui l'ot faite dona por son labor
Soissante livres d'or et cheval coureor.
Et regrete Alixandre et lui et sa vigor,
4484 Sovent baise l'ymage, acole et vait entor ;
Tel travail a la dame ne puet avoir gregnor.

248

La gent de cele terre d'Ynde la desertine
A l'issue de mai avoient un termine
4488 Q'il assambloient tuit au chief d'une gaudine
Por faire sacrefice, chascuns lonc son convine,
A une lor deuesse c'on apele Lucine.
Candeolus i vait, qui fu fieus la roïne ;
4492 Sa feme maine o soi, qui fu joene meschine,
Et trente chevaliers qui tuit sont de s'ourine,
Trestous li plus lointains iert fieus de sa cousine.
En mi sa voie encontre le duc de Palatine,
4496 Quatre cens chevaliers ot de gent barbarine.
Qant vit la dame bele, si li taut par rapine ;
Ou ele veulle ou non, par force l'en traïne,
Si que tout li derront son peliçon hermine,
4500 Et qant ele s'estort, si la prent par la crine.

de peindre le portrait du roi Alexandre.
Apelle, durant son séjour auprès d'Alexandre,
fait un portrait grandeur nature
qui reproduit l'apparence du roi de Macédoine.
C'est une œuvre magnifique, en couleurs,
un portrait du roi, grandeur nature.
Après avoir vu le portrait, on peut, sans se tromper,
reconnaître Alexandre sans aucune aide.
Le portrait achevé, il s'en va, effrayé
à l'idée que le roi puisse apprendre ce qu'il a fait,
et revient auprès de la noble reine.
Elle reçoit le portrait et l'honore
pour l'amour d'Alexandre, le roi de Macédoine.
Tout heureuse à sa vue,
elle le contemple et félicite le peintre :
elle ne s'en séparerait pas pour une tour pleine d'or.
Elle donne à l'artiste, pour son travail,
soixante livres d'or et un cheval rapide.
Elle regrette l'absence d'Alexandre, admire sa force,
serre le portrait dans ses bras et le couvre de baisers :
elle est dans le plus grand tourment.

248

Les habitants de ce désert de l'Inde
célébraient une fête à la fin du mois de mai :
ils se rassemblaient tous au fond d'une forêt
pour offrir un sacrifice, chacun selon son usage,
à la déesse qu'ils appellent Lucine.
Candeolus s'y rend (c'est le fils de la reine),
accompagné de sa jeune femme
et de trente chevaliers, tous de son lignage ;
son parent le plus éloigné est fils de sa cousine.
En chemin il rencontre le duc de Palatine,
suivi de quatre cents chevaliers berbères.
Quand il voit la beauté de la dame, il l'enlève
et l'entraîne de force avec lui,
déchirant sa pelisse d'hermine.
Et comme elle se débat, il la saisit par les cheveux.

Candeolus le voit, de vergoigne s'encline,
Mist la main a l'espee, qui fu d'oevre latine,
Je en ferist le duc tres par mi la poitrine,
4504 Se il ne fust guenchis desous une aube espine ;
Iluec se laist chaoir li fel, barbe sovine,
Le cheval desous lui trencha par mi l'eschine.
Se de son cors garir ne prent ore mecine,
4508 Ja estera pendus au chief d'une sapine.
A esperon s'en fuit tres par mi la gastine,
Dusq'au tref Alixandre ne cesse ne ne fine.
Cil retornent arriere toute une viés sentine.
4512 Si en mainent la dame dolente et orfeline,
Il en avront encore destorbier et haïne.

249

Devant le tref le roi une aucube ot tendue
Qui estoit de soie ynde bien lacie menue,
4516 L'entree dedevant fu toute a or batue.
Tholomés se sist ens et tint l'espee nue,
La place d'entor lui fu de barons vestue.
Cuida Candeolus por la gent q'ot veüe
4520 Que ce fust Alixandres, comme roi le salue.
Tholomers comme rois li a raison rendue :
« Amis, dont viens, ou vas et quels besoins t'argüe ? »
Candeolus respont parole aperceüe :
4524 « Sire, dist li vallés, molt grans besoins m'argüe,
Li dus de Palatine m'a ma feme tolue ;
Se tu ne la me rens, a estrous l'ai perdue.
Je suis fieus la roïne qui se tient por ta drue. »
4528 Et Tholomés respont : « Grant paine t'est creüe,
Or en prendrai conseil qant ma gens iert venue. »
Mandé a Alixandre, son droit non li remue,
Antigonon l'apele a la teste quernue.

250

4532 « Antigoné, fait il, vien ça isnelement.
Vois ici un vallet qui de longes m'atent,

Candeolus, à cette vue, accablé de honte,
dégaine son épée, qui est finement ouvragée.
Il aurait atteint le duc en pleine poitrine,
si celui-ci n'avait esquivé le coup en se baissant sous une
Le félon se laisse tomber sur le dos   [aubépine.
et tranche l'échine du cheval de Candeolus,
qui risque d'être pendu au sommet d'un sapin,
s'il ne veille pas vite sur sa vie.
Il s'enfuit donc à travers la forêt
sans ralentir, jusqu'à la tente d'Alexandre.
Les autres retournent chez eux par un ancien sentier,
emmenant la malheureuse dame sans défense.
Mais ils n'en retireront qu'ennuis et opprobre.

249

Devant la tente du roi était dressé un abri
tout couvert de soie bleue,
et d'or battu à l'entrée.
Tholomé y siégeait, l'épée dégainée,
entouré de barons.
Candeolus, devant sa suite,
le prend pour Alexandre et s'incline comme devant un roi.
Tholomé lui parle comme un roi :
« Ami, d'où viens-tu donc, et quel est ton besoin ? »
Candeolus répond avec sagesse :
« Seigneur, dit le jeune homme, le plus grand des besoins :
le duc de Palatine a enlevé ma femme.
Si tu ne me la rends pas, je l'ai perdue à jamais.
Je suis fils de la reine qui se dit ton amie. »
Tholomé lui répond : « Tu es dans la détresse :
je vais y réfléchir avec mes conseillers. »
Il appelle Alexandre en changeant son nom,
le nommant Antigonus à la longue chevelure.

250

« Antigonus, lui dit-il, viens vite !
Voici un jeune homme qui est venu de loin pour me voir.

Il est fieus la roïne qui me fist le present.
Li dus de Palatine l'a bailli laidement,
4536 Qui sa moillier li taut et mic ne li rant.
Il s'en complaint a moi molt dolerousement ;
Se je la li lais perdre, ne sera mie gent. »
Alixandres respont molt afaitïement :
4540 « Cil qui merci te crie, jel te di ci briement,
Molt avras le cuer dur se pitiés ne t'en prent ;
Et por amor sa mere se il merci ne sent,
Ce ne sera pas bien par le mien ensïent. »
4544 Et Tholomers respont : « Or sai bien ou ce pent.
Por ce que le conseilles et es en loëment
Or i va tu meïsmes et maine de ma gent,
Et par force la pren se li dus la content.
4548 Que ja mais ne te voie por nul essoinement
Devant qu'il ait sa feme et canq'a lui apent. »
Antigonus respont : « A ton commandement. »

251

Antigonus se torne devers Candeolon :
4552 « Candeolé, fait il, va t'ent en ta maison.
O toi ameneras se tu as nul baron ;
Le matin endroit prime si m'envoie un guion
Qui desous Palatine me conduie el sablon.
4556 A muls et a somiers nos engins porteron,
Et cloies et eschieles et berfrois meneron ;
N'i a si haute tour ou nos bien n'avegnon,
Et o le fu grigois ciaus de la vile ardron. »
4560 Candeolus respont : « A Dieu beneïçon. »
Il saut sor le destrier, onques n'i quist arçon,
Tout droit a la roïne est venus au perron.

---

79. Le feu grégeois est un mélange incendiaire composé de salpêtre et de matières bitumineuses et brûlant même au contact de l'eau.

C'est le fils de la reine qui m'a fait ce beau présent.
Il a été bien mal traité par le duc de Palatine,
qui lui enlève sa femme et refuse de la lui rendre.
Il me présente sa plainte douloureuse :
ce serait manquer de noblesse que lui refuser mon aide ! »
Alexandre répond avec courtoisie :
« Je te le dis sans faire de discours : tu aurais le cœur bien dur
si tu n'étais pas ému par cet homme qui implore ta pitié.
Et il mérite aussi ton aide pour l'amour de sa mère :
sinon tu n'agirais pas bien, à mon avis. »
Tholomé lui répond : « Je sais bien ce qu'il en est.
Puisque tu me donnes ce conseil,
vas-y toi-même, avec des hommes,
et reprends cette femme de force, si le duc veut la retenir.
Ne reviens ici sous aucun prétexte
avant de lui avoir rendu sa femme et fait justice ! »
Antigonus répond : « Je suis à tes ordres. »

251

Antigonus se tourne vers Candeolus :
« Candeolus, dit-il, retourne chez toi
et amène tous tes hommes !
Demain matin, dès l'aube, envoie-moi un guide
pour me conduire sous les murs de Palatine par la côte.
Mules et chevaux de somme transporteront nos machines :
claies, échelles et tours mobiles.
La plus haute tour ne saurait nous arrêter,
et nous brûlerons les habitants de la ville avec le feu
Candeolus répond : « Dieu en soit loué ! »   [grégeois[79]. »
Il saute à cheval sans mettre le pied à l'arçon
et rejoint aussitôt la reine.

252

La roïne est as estres et ne furent que troi,
4564 Et vit Candeolon venir a grant esfroi.
A val est descendue si l'a pris par le doi :
« Biaus fieus, dont venés vos ? – Dame, je vieng du roi,
Qui por la vostre amor m'aidera bien, ce croi ;
4568 Antigonon me charche si li a dit por coi.
D'un chevalier ques guit faites prendre conroi ;
Le matin aut a lui, ses armes port o soi,
Desous Roche Pendant le conduie el sabloi ;
4572 A soissante mil homes sera iluec o moi.
Des que il iert montés, plevi en a sa foi,
Ja mais ne guerpira l'estrier du palefroi
Tant que sous Palatine descendra el gravoi. »

253

4576 La roïne fu lie et maine joie grant.
Un chevalier apele cortois et avenant ;
Por ses armes porter vont o lui dui enfant.
Connoissances ot vaires et un cheval ferrant,
4580 Droit a l'ost Alixandre en est alés poingnant.
Li rois et Tholomés s'aloient deduiant.
Encontrent le message qu'il vont contratendant.
Alixandres parole si li dist en riant :
4584 « Amis, parole a moi, di nous que vas querant. »
Et cil a respondu : « Antigonon demant.
Je vieng por lui conduire trestout a son talant,
Trop criem avoir targié, por ce me vois hastant.
4588 – Amis, dist Alixandres, or aies pais a tant,
Assés es tost venus selonc le convenant.
Je sui Antigonus, ja mar iras avant. »
Li rois et li conduis remerent la parlant,

---

80. « Le vair est une fourrure formée par la combinaison alternée des dos
(gris ou gris-bleu) et des ventres (blancs) de l'écureuil de l'espèce petit gris. [...]
En héraldique, cette combinaison est figurée par une alternance de clochettes
d'argent et d'azur » (M. Pastoureau, *Traité d'héraldique*, Paris, 1979, p. 104).

252

La reine était chez elle avec deux compagnons.
Voyant Candeolus arriver, éperdu,
elle descend à sa rencontre et le prend par la main :
« Cher fils, d'où venez-vous ? – Dame, d'auprès du roi,
qui, pour l'amour de vous, me viendra en aide, j'en suis sûr.
Il a chargé Antigonus de mes intérêts.
Désignez un chevalier pour leur servir de guide !
Qu'il se rende au matin, armé, auprès d'Antigonus
pour le conduire par la côte jusqu'à la Roche Pentue !
Antigonus se joindra à moi avec soixante mille hommes.
Il m'en a fait le serment : une fois en selle,
il ne mettra plus pied à terre
avant d'avoir atteint les sables de Palatine. »

253

La reine est tout heureuse.
Elle appelle un chevalier courtois et gracieux.
Deux écuyers l'accompagnent pour porter ses armes ;
il porte de vair et monte un cheval gris fer[80].
Il galope tout droit à l'armée d'Alexandre.
Le roi et Tholomé se promenaient :
ils rencontrent le messager qu'ils attendaient.
Alexandre prend la parole en souriant :
« Ami, dis-moi, que veux-tu donc ?
– Je cherche Antigonus, répond le chevalier.
Je viens me mettre à ses ordres pour lui servir de guide.
Je me hâte, car je crains d'avoir trop tardé.
– Ami, dit Alexandre, tranquillise-toi !
Tu es venu vite, comme convenu.
Je suis Antigonus, ne cherche pas plus loin ! »
Le roi et son guide restent à bavarder

4592　Et Tholomés s'en torne sor un mulet amblant
　　　Et vait par les herberges les barons semonant.
　　　Soissante mile d'omes hardi et combatant
　　　S'en issirent des tres tout de soleil estant ;
4596　Li conduis les en guie droit a Roche Pendant.
　　　Dejoste une sauçoie les une eaue bruiant
　　　Truevent Candeolon, ques vait contratendant ;
　　　Qant il les vit venir, molt ot le cuer joiant.
4600　Par desous une lande les va si adreçant
　　　Q'a Palatine vinrent ançois l'aube aparant,
　　　A la porte descendent si se vont hebregant.

254

　　　Alixandres descent joste l'eaue el rivage,
4604　Envoie por le duc et livre guionage.
　　　Qant li dus fu venus, si li dist son corage :
　　　« Ce te mande Alixandres, de moi a fait message,
　　　Qu'a cest fil la roïne qui est cortoise et sage
4608　Rendes li sa moullier et fai droit de l'ontage.
　　　Se tu autrui mollier veus tenir en putage,
　　　Ja seroit ce mervelle et fors orguel et rage.
　　　Comment la tenras tu et feras tel outrage ?
4612　Tel chose ne doit faire nus hom de ton parage.
　　　Se tu ne la li rens, tu feras ton damage ;
　　　Li rois de Mascedoine m'a semons par homage
　　　Que la cité li rende et fonde ton estage
4616　Et te pende a la porte, voiant tout ton barnage.
　　　– Par Dieu, ce dist li dus, or oi je grant folage ;
　　　Je ne tieng d'Alixandre la monte d'un formage.
　　　Dit que cele li rende qui le cuer m'asouage ;
4620　Dehait ait qui por lui enploiera son gage. »

---

81. Le gage (gant) tendu en signe de défi est présenté plié : cf. *Roland*,
v. 2677.

tandis que Tholomé s'en va l'amble, sur son mulet,
convoquer les barons dans leurs logis.
Soixante mille hommes hardis et éprouvés
quittèrent leurs tentes quand le soleil était haut dans le ciel.
Le guide les mène tout droit à la Roche Pentue.
A l'abri des saules, près d'un torrent,
ils trouvent Candeolus qui les attend
et les voit arriver avec joie.
Il les dirige si bien à travers la lande
qu'ils sont à Palatine avant l'aube :
ils dressent le camp devant la porte.

254

Alexandre met pied à terre au bord de l'eau.
Il envoie chercher le duc en lui faisant remettre un
et, à sa venue, lui dit sa pensée :   [sauf-conduit,
« Alexandre m'envoie comme messager.
Rends sa femme au fils de la sage et courtoise reine Candace
et répare la honte que tu lui as faite !
Vouloir prendre la femme d'un autre dans son lit,
ce serait d'un orgueil prodigieux et enragé !
Oserais-tu faire preuve d'une telle démesure ?
Ce serait indigne d'un homme de ton rang.
Si tu ne rends pas cette femme, tu causeras ta propre perte :
le roi de Macédoine m'a ordonné, sur ma foi,
de lui remettre la cité, de détruire ton palais
et de te pendre à la porte devant tous tes barons.
– Au nom de Dieu ! répond le duc, j'entends dire des folies.
Je ne tiens rien d'Alexandre, pas même un fromage.
Il m'ordonne de rendre celle qui fait battre mon cœur :
maudit soit celui qui présentera pour lui son gage plié[81] ! »

255

Alixandres li dist : « Ce te mande mes sire :
Qant tu autrui mollier retiens en avoltire,
Dont n'es tu pas loiaus, il le me rova dire.
4624 Qant je tornai de lui, en mes briés fist escrire
Soissante mile d'omes du mieus de son enpire.
Ançois que midis past te cuit je si aflire
Que ces grans tours de marbre ardront plus cler que cire
4628 Et toi et tous tes homes livrerons a martire,
Ja vis n'en estordra li mieudres ne li pire. »
Li dus ot la manace, de maltalent souspire,
Il comperra ancui ce qu'il dira par ire.

256

4632 « Par Dieu, ce dist li dus, assés te tieng por nice ;
Tes sires me manace et laidenge et covice.
Il a la loi du chien qui les autres pelice ;
Des qu'il trueve mastin qui vers lui se hirice
4636 Met qeue entre ses jambes si crient q'on ne le hice.
Ma cités n'est pas close de verge ne de clice,
Ains est de haut mur çainte de pierre tailleïce.
Je ne tieng d'Alixandre vaillant une saucice,
4640 Ne lui ne sa manace ne pris un fil de lice.
Ce dist que jou li rende qui au cuer m'est delice ;
Dehais ait qui por lui enterra en justice
Ne qui por lui feroit vaillant une raïce. »

257

4644 Or s'en revait li dus, dolens et irascus ;
Mais encor n'estoit mie el palais descendus,
Garde derriere soi si a les Grieus veüs.
Vit les engins dreciés et les berfrois tendus
4648 Et les murs qui sont pris et des Grigois vestus
Et les grans tors de marbre qui ardent comme fus.
Lors dist a soi meïsme : « Mors sui et confondus. »
Tout droit a Alixandre est sans conduit venus,

255

Alexandre lui dit : « Voici le message de mon seigneur.
Tu retiens dans l'adultère la femme d'un autre ;
tu n'es donc pas loyal, il me charge de te le dire.
Quand je l'ai quitté, il a fait inscrire sur mes registres
soixante mille hommes parmi les meilleurs de son empire.
Avant même midi, je t'aurai abattu :
tes grandes tours de marbre brûleront comme des chandelles,
tous tes hommes et toi-même connaîtrez le supplice ;
tous y laisseront leur vie, les meilleurs comme les pires ! »
A cette menace, le duc s'étrangle de rage.
Il paiera bientôt ses paroles dictées par la colère.

256

« Au nom de Dieu ! dit le duc, tu n'es qu'un niais !
Ton seigneur me menace, m'insulte et m'outrage.
Il est comme le chien qui mord les autres :
qu'un mâtin lui montre les dents,
le voilà, la queue entre les jambes, qui craint qu'on ne le
Ma cité n'est pas protégée de palissades de bois,   [pourchasse !
mais de hautes murailles de pierre taillée.
Je ne tiens rien d'Alexandre, pas même une saucisse ;
je méprise ses menaces.
Il veut que je lui rende celle qui fait mes délices :
maudit soit celui qui prendra son parti
et lèvera le petit doigt pour lui ! »

257

Le duc s'en retourne, chagrin et courroucé.
Mais avant de regagner son palais,
il regarde les Grecs assemblés derrière lui.
Il voit les machines préparées, les tours dressées,
les remparts assaillis, couverts par l'armée grecque,
et les grandes tours de marbre qui brûlent comme du bois.
Il se dit en lui-même : « C'en est fait de moi, je suis mort ! »
Il vient à Alexandre sans sauf-conduit,

4652 La feme li presente dont li maus est meüs
Et veut doner ostages que li drois soit seüs.
« Par Dieu, dist Alixandres, trop estes tart meüs,
Ja mais n'en iert drois pris ne gages receüs.
4656 Qant ta cités iert arse et tes palais fondus,
La robe toute prise et tes avoirs tolus,
Donés et departis, gastés et despendus,
Se Candeolus veut, si seras tu pendus. »
4660 Li dus fu esbahis et de paour vaincus ;
Antigonus s'en torne, cil remest iluec mus.
Palamidés le garde et Crenus li chenus.

258

Qant la cités fu prise et arse et enbrasee
4664 Et li avoirs perdus, la gent toute robee,
Alixandres fu hors, sa teste desarmee ;
Sist sor un cheval noir et tint nue s'espee.
A l'un des estalons dont la porte iert fremee
4668 A fait pendre le duc qui la dame ot preee.
Candeolon apele si li rent s'espousee,
Les prisons et la proie li a toute donee
Et trestout l'autre avoir, ainc n'en retint denree.
4672 « Amis, maine ent ta feme que je t'ai aquitee. »
Cil li a respondu : « Autre chose ai pensee :
Mi home l'en menront, ma dame iert commandee.
Qant l'onor ne puet estre par moi guerredonee,
4676 Si l'en mercïerai qu'il nel tiegne a corvee. »
Alixandres respont : « Ce me plaist et agree. »

259

Lors font cuellir lor tres, andoi en sont torné.
Alixandres a pris un message privé,
4680 Droit a l'ost l'en envoie por querre Tholomé ;
Tholomés vait encontre deseur son vair comé.
Alixandres li mostre samblant d'umilité,
Descendus est a pié si li a encliné.
4684 Et Tholomés s'areste, comme rois a parlé ;

lui remet la femme qui est à l'origine de tout le mal
et veut lui donner des otages selon le droit.
« Au nom de Dieu ! dit Alexandre, tu es venu trop tard !
Il n'est plus question de suivre le droit ni de recevoir des gages.
Ta cité sera brûlée, ton palais détruit,
tes biens et tes trésors seront tous pris,
distribués, dilapidés, dispersés.
Si Candeolus le veut, tu seras pendu ! »
Le duc, épouvanté, est vaincu par la peur.
Antigonus s'en va, et lui reste sans voix,
gardé par Palamède et Crenus aux cheveux blancs.

258

La cité est tombée dans les flammes ;
ses biens sont tous perdus, ses habitants dépouillés.
Alexandre est dehors, tête nue,
monté sur un cheval noir, l'épée à la main.
A l'un des piliers de la porte,
il fait pendre le duc qui avait enlevé la dame.
Il appelle Candeolus, lui rend son épouse,
lui remet les prisonniers et tout le butin,
sans en garder la valeur d'un denier.
« Ami, emmène ta femme, je te la rends. »
Candeolus répond : « J'ai un autre projet.
Je confierai ma dame à mes hommes.
Quant à moi, ne pouvant rendre au roi l'honneur qu'il m'a fait,
j'irai l'en remercier pour qu'il n'ait pas le sentiment d'avoir agi
Alexandre répond : « C'est une bonne idée. »   [pour rien. »

259

On a levé le camp, tous deux s'en sont allés.
Alexandre appelle un messager sûr
et l'envoie dans l'armée pour chercher Tholomé.
Tholomé vient à leur rencontre sur son cheval pommelé à la
Alexandre lui manifeste beaucoup de révérence, [belle crinière.
met pied à terre et s'incline devant lui.
Tholomé s'arrête et parle en roi,

Orgelleusement dist : « Ça vien, Antigoné.
Que quiert Candeolus ? Por coi l'as amené ?
S'il n'a droite justice du duc qui l'a robé
4688 Et s'il n'a sa mollier, malement as ovré. »
Alixandres respont : « De toute sa cité
Sont les tours depecies et li mur crevanté,
Li piler trebuchié et empli li fossé,
4692 Cestui rendi sa feme tout a sa volenté,
Les prisons et la proie et canqu'i ot trové,
Ainc n'en reting denree, ains li ai tout doné.

260

– Amis, dist Tholomé, quant ta feme as eüe,
4696 Va t'ent a la roïne, de ma part la salue,
Di li que une fois la veul avoir veüe. »
Candeolus respont parole aperceüe :
« Se tu i veus aler, molt avras bone aiue,
4700 Car je te conduirai les plains de Valgrenue,
N'i troveras mal pas ne grant eaue creüe ;
De bons pailes fresés la chambre iert portendue,
L'onors que m'avés faite vos i sera rendue. »
4704 Et Tholomés respont : « Ne l'ai pas conneüe,
Amor de riche dame molt tost se change et mue,
Teus cuide qu'ele l'aint nel prise une laitue ;
Se primes n'en estoit garnie et perceüe
4708 Que je alasse a li, seroit tost irascue ;
Por moi torner arriere diroit une treslue.
Lors si avroie honte et ma voie perdue.

261

« Amis, dist Tholomés, savoir dois et entendre
4712 Riche dame n'a cure q'on la doie sousprendre ;
Qui parler veut a li jor en doit primes prendre,
Qui folement i vait grant haïne i engendre.
Mon mes li trametrai, car ne la veul offendre,
4716 Si parlerai a li samedi ou devenre.

avec orgueil : « Approche, Antigonus !
Que veut Candeolus ? Pourquoi me l'amènes-tu ?
S'il n'a pas reçu justice du duc qui l'a lésé
et s'il n'a pas retrouvé sa femme, tu es impardonnable ! »
Alexandre répond : « De toute la cité du duc
ne restent que tours en ruine, murs effondrés,
piliers renversés et fossés comblés.
Candeolus a retrouvé sa femme, comme il le voulait.
Prisonniers, butin, tout ce qu'on a trouvé,
je lui ai tout donné sans en rien garder.

260

– Ami, dit Tholomé, tu as retrouvé ta femme.
Va donc près de la reine et salue-la pour moi ;
dis-lui combien j'aimerais la rencontrer un jour ! »
Candeolus répond avec sagesse :
« Si tu veux y aller, tu seras bien escorté,
car je te guiderai dans les plaines de Valgrenue :
tu n'auras ni passage difficile ni grand fleuve à traverser.
Ta chambre sera tendue de belles soies brodées.
L'honneur que tu m'as fait te sera bien rendu. »
Tholomé lui répond : « Mais je ne la connais pas !
L'amour des grandes dames a tôt fait de changer.
Tel qui se croit aimé est en fait méprisé.
Si elle n'était pas d'abord prévenue et avertie
de ma venue auprès d'elle, elle aurait tôt fait de se mettre en
Elle trouverait un mensonge pour me faire partir,   [colère !
et moi je serais plein de honte et j'aurais fait le voyage pour
                                                         [rien !

261

« Ami, dit Tholomé, tu dois bien comprendre
qu'une grande dame n'aime pas être surprise.
Pour lui parler, il faut d'abord demander audience
et celui qui vient à la légère s'attire sa haine.
Je lui enverrai un messager, car je ne veux pas l'offenser,
et j'irai lui parler vendredi ou samedi.

Se par le mien message me veut sa raison rendre,
L'amor que j'ai a li nen iert ja por ce mendre.

262

« Amis, dist Tholomés, qui porrai envoier ?
4720 Se je i envoioie un autre messagier,
Il te seroit estranges et maus a acointier ;
Antigonus ira, qui aveuc toi fu ier,
Qui te fist droit du duc et rendi ta mollier ;
4724 Por ce qu'il t'a servi, si l'en avras plus chier,
Si l'en raconduiras se il en a mestier. »
Et dist Candeolus : « N'i avons que targier. »
Et respont Alixandres : « Vois m'ent apareillier. »

263

4728 Alixandres s'en torne et monte el palefroi,
Li lorains et la sele fu Salemon le roi ;
Trente et cinc chevaliers mena ensamble o soi.
Candeolus les guie les plains de Valgrenoi,
4732 A une part le traist si li dist en secroi :
« Belement chevauchiés, n'alés mie a effroi.
Ceste terre est seüre et li home sont coi,
N'i a nul qui ne tiegne de ma mere ou de moi.
4736 Je m'en irai avant por faire le conroi. »
Alixandres respont : « Bien est et je l'otroi. »

264

Candeolus s'en torne si s'est du roi partis,
Vait s'ent grant aleüre deseur son arrabis,
4740 Dedevant la roïne descent sor un tapis.
« Biaus fieus, dist la roïne, molt venés escharis.
Que fait li mieudres rois qui onques fust escris ?
– En la moie foi, dame, tous est preus et hardis.
4744 Tramet vos un message, qant li jors sera dis
Qu'il parlera a vous, ja n'en iert pris respis :
Antigonus a non, li plus amanevis

Si elle veut bien donner sa réponse à mon messager,
je l'en aimerai tout autant.

262

« Ami, dit Tholomé, qui pourrais-je envoyer ?
Si j'envoyais un autre qu'Antigonus,
ce serait un étranger pour toi, et tu ne l'apprécierais guère !
Ce sera donc Antigonus, qui t'a suivi hier,
qui t'a vengé du duc et t'a rendu ta femme.
Tu ne l'en aimeras que mieux pour le service qu'il t'a rendu
et tu le raccompagneras, s'il en est besoin. »
Candeolus dit alors : « Allons-y sans tarder ! »
Alexandre répond : « Je vais me préparer. »

263

Alexandre s'en va, il monte un palefroi
dont la selle et le harnais ont appartenu au roi Salomon.
Trente-cinq chevaliers l'accompagnent.
Candeolus les guide dans les plaines de Valgrenoi.
Il prend Alexandre à part et lui dit en secret :
« Chevauchez tranquillement, n'ayez aucune crainte !
Cette terre est sûre, ses habitants paisibles.
Tous tiennent leur domaine de ma mère ou de moi.
J'irai en avant pour tout faire préparer. »
Alexandre répond : « C'est bien dit, et j'accepte. »

264

Candeolus se sépare du roi
et s'éloigne à vive allure sur son cheval arabe.
Il rejoint la reine et met pied à terre sur un tapis.
« Cher fils, lui dit la reine, vous êtes en petite compagnie !
Comment va le meilleur roi dont on ait jamais écrit l'histoire ?
– Ma foi, Madame, comme un homme plein de prouesse et de
Il vous envoie un messager pour fixer sans délai   [courage !
le jour de votre rencontre.
Le messager se nomme Antigonus, c'est le plus adroit

Que onc veïst des ieus Persans ne Arrabis.
4748 Nel despisiés vos pas por ce s'il est petis ;
Espaulles a bien faites et les membres fornis.
Quarante chevaliers n'a el val de Grenis,
Tant soient garni d'armes ne de haubers treslis,
4752 Se il estoit armés et fust un peu maris,
Ains nes eüst tous pris que par aus fust saisis.
Il me fist droit du duc, qu'il pendi au postis,
Et destruist Palatine desi q'en la raïs
4756 Et me rendi ma feme, dont iere malbaillis.
– Biaus fieus, dist la roïne, molt par iert bien servis,
Ja de riens que il veule ne sera escondis. »

265

Qant la roïne entent q'Antigonus venoit,
4760 Ele li vait encontre, tantost comme el le voit
Menbra li de l'ymage, lores sot bien et croit
Que ce est Alixandres, mais dire ne l'osoit ;
Puis que il son non çoile, bien tost l'en peseroit.
4764 Antigonon l'apele, par la main le tenoit,
Puis le maine en la chambre ou la painture estoit ;
Tres dedevant l'ymage en son lit l'asseoit.
Qant voit lui et l'ymage, bien s'en apercevoit
4768 Que ce iert Alixandres qui aveuc li estoit.
Lors l'a mis a raison, doucement li disoit :

266

« Sire, dist la roïne, ne te mervellier mie
De ceste gentil dame que t'amor a saisie.
4772 Vois tu la cele ymage qui por toi fu bastie ?
Ja hom ne la verra qui bien ne sache et die
Que tu es Alixandres, a qui li mons sousplie ;
Se tu vers moi te çoiles, ce sera vilonie. »
4776 Qant Alixandres l'ot, lors n'a talent qu'il rie
Et dist une parole qui molt bien fu oïe :
« Qant je laissai m'espee, molt par fis grant folie ;
Se je la tenisse ore, n'en portissiés la vie. »

qu'on ait jamais vu en Perse ou en Arabie.
Ne le méprisez pas pour sa petite taille !
Il a les épaules larges et les membres robustes.
On pourrait mettre quarante chevaliers dans le val de Grenis,
tout armés et couverts de leur haubert à bonnes mailles :
s'il avait ses armes et se mettait en colère,
il les ferait tous prisonniers avant qu'ils ne s'emparent de lui.
Il m'a fait justice du duc, qu'il a fait pendre à une poterne ;
il a détruit la ville de Palatine jusqu'aux fondations
et m'a rendu ma femme, dont je pleurais la perte.
– Cher fils, répond la reine, nous saurons l'honorer :
on ne lui refusera rien. »

265

Quand la reine apprend l'arrivée d'Antigonus,
elle vient à sa rencontre, et dès qu'elle l'aperçoit,
elle se rappelle le portrait, et elle est persuadée
qu'il s'agit d'Alexandre, mais elle n'ose rien dire :
puisqu'il cache son nom, il serait furieux de l'entendre révéler.
Elle lui donne le nom d'Antigonus, le prend par la main,
le mène dans la chambre où se trouve le tableau
et le fait asseoir sur son lit, devant le portrait.
Elle le compare au portrait et comprend
que c'est bien Alexandre qui est avec elle.
Elle lui adresse alors la parole avec douceur :

266

« Seigneur, a dit la reine, ne t'étonne pas de la conduite
de la noble dame qui s'est prise d'amour pour toi !
Vois-tu là ce portrait qui est le tien ?
On ne peut le voir sans savoir à coup sûr
que tu es Alexandre devant qui le monde s'incline.
Ce serait une vilenie que de te dissimuler à moi ! »
Alexandre, à ces mots, n'a pas envie de rire
et s'écrie d'une voix forte :
« J'ai été bien fou de laisser mon épée !
Si je l'avais maintenant, vous ne seriez plus vivante ! »

4780   Qant la dame l'oï, molt en fu esmarie,
       A la terre se couche, merci demande et prie :
       « Ce q'amors me fait faire ne tien a vilenie.

267

       « Sire, dist la roïne, tu es et rois et dus ;
4784   Se tu fenis sans oir, deus iert et mar i fus.
       Nule riens ne nos voit, ci somes en renclus ;
       Proisie sui roïne, mais d'une riens m'encus
       Q'il n'a si bele dame dusq'as bonnes Artus.
4788   De ta volenté faire nule riens ne refus ;
       Se je te puis avoir, par le roi de lassus
       De la gloire du mont ne querroie avoir plus.
       Moi soies Alixandres si que nel sache nus,
4792   Et a trestous les autres soies Antigonus.
       Nus ne set qui tu es, de ce molt bien m'escus,
       Ains cuident que tu soies ou cuenspalais ou dus. »

268

       Uns des fieus la roïne, sa mendre porteüre,
4796   Est entrés en la chambre, trestous ses dieus en jure
       Que ce est Alixandres, li rois d'Estrameüre :
       « Il m'ocist mon segnor par grant mesaventure,
       Le pere ma mollier, dont ai au cuer ardure ;
4800   Doné a son roiaume et taut moi ma droiture,
       Des que nos l'avons ore en nostre claveüre,
       Dame, car l'ocions, ce seroit bien droiture. »
       La roïne respont : « Tais, fole creature !
4804   Ce n'est mie Alixandres, j'en sui toute seüre.
       Se Candeolus t'ot, fait as ta norreture ;
       S'il ne pooit trover ne mais que sa çainture,
       Si te pendroit il ja a cele entraveüre.
4808   Cist fu aveuc ton frere en la desconfiture,
       Antigonus a non, nes est de terre dure.

---

82. Cf. *supra*, laisse 31.

La dame, épouvantée à ces mots,
se jette à terre pour implorer sa pitié :
« Ne me reproche pas un geste inspiré par l'amour !

267

« Seigneur, lui dit la reine, tu es roi, tu es duc :
si tu meurs sans héritier, quelle douleur et quel malheur pour
Personne ne nous voit, nous sommes seuls ici.   [toi !
Je suis une reine illustre et je peux me vanter
qu'il n'est plus belle dame que moi jusqu'aux bornes d'Arthur.
Je suis prête à me donner à toi.
Si je peux t'avoir, par le roi du ciel,
je ne veux rien d'autre de la gloire du monde.
Sois Alexandre pour moi, en secret,
et Antigonus pour tous les autres !
Nul ne sait qui tu es, je peux bien m'en vanter ;
tous te prennent pour un comte palatin ou un duc. »

268

Un des fils de la reine, le plus jeune,
est entré dans la chambre ; il jure sur tous ses dieux
que c'est là Alexandre, le roi d'Estramadure :
« Il a tué mon beau-père (ce fut un grand malheur !),
le père de ma femme, à mon indignation !
Il a fait don de son royaume et m'a privé de l'héritage qui me
Puisqu'il est maintenant derrière nos murs,   [revenait[82] !
Madame, tuons-le, ce ne serait que justice ! »
La reine lui répond : « Tais-toi, espèce de fou !
Ce n'est pas Alexandre, j'en suis parfaitement sûre !
Si Candeolus t'entend, c'en est fait de toi !
Rien qu'avec sa ceinture,
il te pendrait à cette poutre !
Cet homme a aidé ton frère dans son malheur ;
il se nomme Antigonus, il est natif d'une terre redoutable !

– Dame, c'est Alixandres, si com dist la painture ;
Vengier veul mon segnor de la grant forfaiture.
4812 Il m'a mis hors du regne qu'i(l) a mon segre fure,
Ja li metrai cest dart tres par mi la faiture. »
La roïne respont : « Tais te, foleteüre !
Ja n'avras point de sens, faus seras par nature ;
4816 Por ce qu'il le resamble de la cheveleüre
Cuides que ce soit il de cors et de faiture.
Ainc sous le monde Dieu n'avint tele aventure
Que Dieus a itel home donast du mont la cure.

269

4820 – Ne me chaut, fait li enfes, se ce est il ou non,
Car tout ai en talent que cestui ocions ;
Vengons nos de cestui, quant de lui ne poons,
Si savra bien li rois que de riens ne l'amons. »
4824 « Voire, fait la roïne, a Dieu maleïçon !
Li rois le m'a tramis, s'en ferai traïson ?
Fui, gars, d'en sus de moi, n'ai soing de ta raison ;
Les dens te peçoiasse se tenisse un baston. »
4828 De la paume li done dejoste le menton,
D'en sus soi le bouta sel hurte a l'estalon ;
Plorant ist de la chambre et vint en la maison.

270

Pensive est la roïne et est en grant freor
4832 Du roi qu'il ne marisse por son fil le menor,
Piteusement li prie o lermes et o plor
Du vallet c'a oï li pardoint la folor,
Car se il nel faisoit seroit en grant esror.
4836 Qant li rois vit les lermes, un poi ot de tenrour
Et dist a la roïne, qui fu de grant valor :
« Se il m'avoit pis dit et fait honte gregnor,

---

83. *fure* est une forme archaïque issue de *fuerat* (F. Lecoy, *Romania* 87, 1966, pp. 413-414).

– Madame, c'est Alexandre, comme le montre le tableau !
Je veux venger son crime envers mon seigneur !
Il m'a chassé du royaume qui appartenait à mon beau-père[83].
Je lui enfoncerai cet épieu dans le corps ! »
La reine lui répond : « Tais-toi donc, pauvre sot !
Tu n'entendras jamais raison, tu ne seras toujours qu'un fou !
Parce qu'ils ont la même chevelure,
tu crois qu'il lui ressemble aussi de corps et de stature.
Dans toute la création divine on n'a jamais vu
Dieu donner à un homme de cette taille la domination du
[monde !

269

– Peu me chaut, dit le jeune homme, si c'est lui ou non :
je veux absolument que nous le tuions !
Vengeons-nous de celui-là, à défaut de l'autre !
Le roi saura bien ainsi que nous ne l'aimons guère !
– Vraiment, dit la reine, maudit sois-tu !
Le roi me l'envoie, et je le trahirais ?
Va-t'en vite d'ici, misérable, je ne t'écoute plus !
Je te briserais les dents, si j'avais un bâton ! »
Elle lui assène une gifle près du menton,
le chasse et le pousse contre un pilier de la chambre :
il quitte la chambre en pleurs et retourne chez lui.

270

La reine tremble de peur à l'idée
que le roi ne s'irrite à cause de son plus jeune fils.
Pitoyable, tout en larmes, elle le supplie
de lui pardonner les folles paroles du jeune homme,
car sinon, il serait bien injuste !
Le roi, devant ses larmes, s'attendrit
et dit à la reine pleine de valeur :
« S'il m'avait dit encore pis, s'il m'avait fait une honte plus
[grande encore,

Tout seroit pardoné, dame, por vostre amor. »

4840 La roïne s'apoie dedelés l'aumaçor,
      Tant doucement l'enbrace qu'il senti la chalor ;
      Grant joie font ensamble par bien et par amor,
      Desus un lit paré se jurent demi jor.

4844 Puis issent de la chambre sus el palais autor ;
      Que on ne s'aperçoive, li a fait double honor :
      Tant com porent porter trente mul ambleor
      Li done d'or molu comme a empereor ;

4848 Cent pailes de Biterne trestous d'une color
      Li a fait aporter a un sien vavasor.
      « Antigoné, fait ele, ce donras ton segnor.
      Et tu, qui es messages, avras por soie amor

4852 Un mantel sebelin de paile paint a flor ;
      Et tuit ti compaignon seront por toi mellor,
      Chascuns avra deus pailes d'Ynde superior.
      De ça venir a moi ne se mete en labor,

4856 N'i porroie parler, car el chief ai dolor. »
      Alixandres respont dit de losengeor :
      « S'Alixandres mes sires vous avoit a oissor,
      Mieus avroit esploitié que tuit si ancissor. »

4860 Lors a pris le congié si s'en torne a baudor.
      Candeolus le guie les plains de Valgrenor
      Si le rent Tholomé, le riche poingneor,
      Que il tenoit encore por roi mascedonor.

4864 Lors a pris le congié si s'est mis el retour.

271

      A son demaine tref est li rois descendus.
      Departi sont li paile et li bons ors molus
      Q'on li avoit doné, qu'il ne fust conneüs.

4868 Or aproisme li tans, li termes est venus
      Que Babilone iert prise et li palais rendus

---

84. L'*almaçour* est, dans les chansons de geste, un prince païen. Le terme est issu d'*Al Mansour*, « le victorieux », nom du second calife abbasside, fondateur de Bagdad.

je lui pardonnerais tout, dame, pour l'amour de vous ! »
La reine se serre contre le prince[84],
le prend si doucement dans ses bras qu'il sent la chaleur de son
ils sont heureux ensemble, pleins de joie et d'amour.   [corps ;
Sur un beau lit paré ils restent couchés une demi-journée.
Puis ils quittent la chambre pour monter dans la grande salle du
Pour qu'on ne s'aperçoive de rien, la reine le couvre   [palais.
elle lui donne trente mules qui vont l'amble,   [d'honneurs :
toutes chargées d'or moulu, comme pour un empereur.
Elle lui fait apporter par l'un de ses vavasseurs
cent soieries de Biterne de la même couleur.
« Antigonus, dit-elle, voilà pour ton seigneur.
Et toi, son messager, tu recevras pour l'amour de lui
un manteau de soie à fleurs peintes, doublé de zibeline.
Et tous tes compagnons n'auront pas à se plaindre :
chacun recevra deux soieries de l'Inde du Nord.
Dis-lui de ne pas se mettre en peine de venir près de moi :
je ne pourrais lui parler, car j'ai mal à la tête. »
Alexandre lui fait cette réponse flatteuse :
« Si Alexandre, mon seigneur, vous avait pour épouse,
il serait mieux loti que tous ses ancêtres ! »
Puis il a pris congé, s'en retourne joyeux.
Candeolus le guide par les plaines de Valgrenor
jusqu'à Tholomé, le puissant jouteur,
qu'il prenait encore pour le roi de Macédoine.
Puis il a pris congé et s'en est retourné.

271

Le roi regagne sa tente princière
et distribue les soieries et le précieux or moulu
qu'on lui a donnés pour qu'il ne soit pas reconnu.
Maintenant le temps est proche, le moment est venu
de la prise de Babylone, de la conquête de son palais,

Ou il sera destruis et ses grans los perdus.
Conseus de nisun home n'en pot estre creüs ;
4872 Par nul de ses barons ne pot estre tenus,
Por aler a sa mort est par matin meüs.

272

Ains que li rois meüst, si a fait s'orison
Dedens son tref de paile, dont sont d'or li fregnon
4876 Et les forches dedens et dehors li paisson.
Li rois en apela Tolomer et Cliçon ;
O ces deus sont venu li douze compaignon.
« Segnor, dist Alixandres, entendés ma raison.
4880 Privé estes de moi et bien de ma maison,
Onques de vos consaus ne m'avint se bien non,
Car par vos tieng je cuite terre promission –
La segnorie en ai tresq'a Cafarnaon –
4884 Et tant com dure terre et mers clot environ
Fors seule Babilone, ne sai se ja l'avrom.
Dieu merci et les vos n'ai segnor se moi non,
Hui est venus li jors qu'en avrés guerredon.
4888 Ore venés avant si vos ferai gent don,
A chascun un roiaume sans ire et sans tençon
Et s'en avrés les rentes quant nos en revenrom ;
Je vos coronerai a la loi que tenom.
4892 Alons en Babilone, le matin i movom ;
Une riens vos pramet se prendre la poom :
Je vos ferai tous riches d'or cuit et de mangon,
Le tresor l'amiraut vos metrai a bandon ;
4896 Ne mais la povre gent et les borgois gardon
Que ja par nous n'i perdent vaillant un esperon.
Se la cités est nostre, por coi la destruirom ?
Des eaues plenteïves nos venront li poisson,
4900 Des forés qui sont larges avrons la venison,
Une piece du tans nos i sejornerom.
– Sire, dïent si home, por Dieu, car i alom !
Faites vostre plaisir, et nos l'otroierom. »

mais aussi de la fin d'Alexandre et de sa gloire.
Il ne voulut pas écouter le conseil d'un seul homme,
aucun de ses barons ne put le retenir :
de bon matin, il s'est mis en route vers sa mort.

272

Avant de se mettre en route, le roi a fait ses prières
dans sa tente de soie dont les festons sont d'or,
comme les supports et les piquets.
Le roi appelle Tholomé et Clin,
qui sont venus avec les autres pairs.
« Seigneurs, dit Alexandre, écoutez mes paroles !
Vous êtes mes amis les plus proches,
je n'ai eu qu'à me louer de votre assistance :
grâce à vous je possède la Terre promise
– mon pouvoir s'y étend jusqu'à Capharnaüm –,
et toute l'étendue des terres encloses par la mer.
Seule me manque Babylone : je ne sais si nous l'aurons.
Par la grâce de Dieu et la vôtre, je n'ai d'autre seigneur que
Voici venu le jour de vous récompenser.   [moi-même.
Avancez maintenant, je vous ferai de beaux dons,
un royaume pour chacun, nul n'aura à se plaindre :
vous en recevrez les rentes à notre retour.
Je vous couronnerai selon notre coutume.
Allons à Babylone, partons dès le matin !
Je vous le promets : si nous pouvons la prendre,
je vous couvrirai tous de lingots d'or et de besants ;
je vous livrerai le trésor de l'émir.
Mais gardons-nous de faire perdre le moindre sou
aux pauvres gens et aux bourgeois !
Si la cité nous appartient, pourquoi la détruire ?
Ses rivières abondantes nous fourniront le poisson,
et ses vastes forêts la venaison :
nous y séjournerons un moment.
– Seigneur, disent ses hommes, par Dieu, allons-y donc !
Faites selon votre bon plaisir, nous nous y accordons. »

273

4904 Par les herberges mainent grant joie et grant deduit
Qant oënt les noveles, que par l'ost dïent tuit,
Q'en Babilone iront aprés icele nuit.
L'eschergaite commande Dant Clin, le fil Caduit ;
4908 Il la fist richement aveuc ciaus qu'il conduit,
Cinc cens chevaliers furent, n'en faillirent que uit.
Par l'ost mainent grant joie et mangüent le fruit ;
Cil jogleor vïelent et demainent tel bruit
4912 De plus de quatre lieues les oïst on, ce cuit,
Tresq'a l'aube aparant que li solaus reluit.

274

Au matin par son l'aube, quant l'aloëte crie,
Est toute l'ost montee, des cors fu grant l'oïe.
4916 Cil olifant i sonent qui font grant estormie,
De cinc lieues et plus en ot on la bondie.
La gent de pié s'en vait s'est ensamble salie,
Li rois s'en ist aprés o molt grant baronie.
4920 La peüst on veoir mainte broigne sartie,
Maint bon espié a or, mainte espee forbie ;
Li solaus fiert es elmes, qui tant cler reflambie.
Qant li rois les regarde devant lui une lie,
4924 « Biaus sire Dieus, fait il, qui tous li mons deprie,
Tu soies aourés de si grant segnorie
Com tu m'as otroïe en ceste mortel vie,
C'onques mais n'asamblai tante targe florie
4928 Com jou fais hui, biau sire, et par la vostre aïe,
Car il n'a sous ciel gent qui tant soit esbaudie,
Tant comme la mer clot qui la terre aordie,
Qui ne me doinst chavage et sous moi ne souplie,
4932 Fors seule Babilone, que n'ai mie envaïe ;
De li ne sai encore se l'avrai en baillie. »

275

Li rois chevalche a force, dont est grans renomee.
Ne trueve fort cité qui tant soit bien muree

273

Dans le camp, c'est la joie, l'allégresse,
à l'annonce, faite dans toute l'armée,
qu'ils s'en iront à Babylone après la nuit.
Sire Clin, fils de Caduit, commande la garde.
Il s'acquitte noblement de sa charge avec ses hommes,
près de cinq cents chevaliers (moins huit).
Dans le camp, on fait la fête en se désaltérant de fruits :
les musiciens jouent de la vielle et font un tel tapage
qu'on peut les entendre à plus de quatre lieues,
jusqu'à la percée de l'aube et des rayons du soleil.

274

Au matin, dès l'aube, quand l'alouette chante,
toute l'armée monte à cheval au son des cors.
Les trompettes résonnent à grand bruit,
retentissant à plus de cinq lieues.
Les hommes à pied prennent le départ tous ensemble.
Le roi suit, avec une foule de barons.
Quel spectacle que toutes ces broignes serties,
ces épieux d'or, ces épées fourbies !
Le soleil tape sur les heaumes, qui flamboient de lumière.
Le roi les contemple sur toute une lieue :
« Cher seigneur Dieu, que tous implorent,
loué sois-Tu du pouvoir immense
que Tu m'as accordé durant ma vie sur terre !
Jamais encore je n'ai rassemblé autant de targes à fleurs peintes
qu'aujourd'hui, cher Seigneur, par Ton aide.
Sous le ciel il n'est peuple si hardi,
sur toute l'étendue de terre que la mer enclôt,
qui ne me paie tribut et ne s'incline devant moi.
Il ne me reste plus que Babylone à conquérir :
je ne sais pas encore si je l'aurai en mon pouvoir. »

275

Le roi chevauche à vive allure, précédé par sa renommée.
Les cités les plus puissantes, aux plus épaisses murailles,

4936 Dont il n'ait le treü, n'i estuet traire espee.
     Trespasse le païs, ainc n'i ot contrestee,
     Et est venus en Siste, une estrange contree.
     C'est uns divers païs d'estrange renomee,
4940 Sauvage est molt la terre, orible et deffaee.
     Tant i a ruistes mons que n'en sai devisee,
     N'i a cele montaigne ne soit dure et seree,
     Et a mont est si roisde come s'ele fust dolee
4944 Et samble que chascune soit au ciel ajostee.
     Molt petit i croist d'erbe desous en la valee,
     Clerement i a gent, ne puet estre habitee.
     La gent qui i abitent est molt maleüree,
4948 A povre gent i fait molt male conversee.

276

     En icele contree dont vos fais mension
     Conversent un oisel qui sont nomé griffon,
     D'orible forme sont, hideus comme dragon,
4952 Bien mengüe au mengier chascuns d'aus un moton.
     Volentiers les esgarde li rois et si baron,
     Chevalier et sergant, escuier et garçon ;
     Pluisors en a en l'ost q'en ont grant marison.
4956 Li rois est molt pensis que fera ne que non :
     Vers le ciel veut monter, s'il en trueve raison,
     Et dedesus les nues se metra a bandon,
     Et s'il i fait trop chaut sentir en veut l'arson ;
4960 Pieç'a q'a cest corage et ceste entencion.
     Bien porra acomplir son talent et son bon,
     S'il en puet vint avoir par l'ost en sa prison,
     Que porter le porroient au ciel sans doutison.
4964 Li rois en a en soi grant ire et grant tençon,
     Ne laira ne l'ensait por dit ne por sermon
     Ne por trestout l'avoir du temple Salemon.

277

     Li rois en a pensé en soi molt longement,
4968 Puis a dit as barons : « Dirai vos mon talent :

lui versent un tribut, sans le moindre coup d'épée.
Il traverse le pays sans trouver d'opposition
et arrive en Scythie, une étrange contrée,
un pays effrayant, à l'étrange renommée.
C'est une terre sauvage, horrible et hideuse.
Je ne sais faire le compte de ses rudes montagnes,
dures et infranchissables
et si raides à gravir qu'on les croirait passées au rabot
et voisines du ciel.
L'herbe pousse péniblement dans les vallées
et la population est rare dans ce pays inhabitable.
Malheureux les peuples qui vivent
dans cette terre hostile aux pauvres gens !

276

Dans cette contrée dont je vous parle
vivent des oiseaux qu'on appelle griffons,
d'aspect horrible, hideux comme des dragons.
Chacun d'eux mange bien un mouton à son repas.
Le roi et ses barons les contemplent,
et tous les chevaliers, les sergents, les écuyers et les serviteurs :
plus d'un dans l'armée est épouvanté à leur vue.
Le roi hésite sur la conduite à tenir :
il veut monter au ciel, s'il en trouve le moyen,
et s'élancer au-dessus des nuages,
et même s'il fait trop chaud, sentir la brûlure du soleil.
Il en rêve depuis bien longtemps.
Il pourra accomplir son désir et sa volonté,
si ses soldats peuvent lui capturer vingt de ces oiseaux,
car ils pourraient l'emporter au ciel sans aucun doute.
Le roi, soucieux et tourmenté,
décide de tenter l'expérience : nul conseil ne le fera reculer,
ni même tout l'or du temple de Salomon.

277

Le roi médite longuement
puis dit à ses barons : « Je vais vous dire ma pensée.

Je veul monter au ciel veoir le firmament,
Veoir veul des montaignes en haut le comblement,
Le ciel et les planetes et tout l'estelement
4972 Et tous les quinze signes ou li solaus descent
Et comment par le mont courent li quatre vent,
Sorveoir veul le siecle, si com li mons porprent ;
La nue porte l'eaue, si veul savoir comment. »
4976 Si home li ont dit : « Avés vos marement ?
N'est hom qui i montast por tout l'or d'Orïent.
Qui vauroit i monter, sachiés a ensïent,
Ains seroient passé quatre vins ans ou cent.
4980 Comment i monterés ? Dites l'engignement. »
Li rois en a sousris, respont par maltalent :
« Veés vos ces oisiaus, qui fort sont et poissant ?
Il me porteront bien, foi que doi toute gent,
4984 Et me monteront sus desi el firmament.
De moi et de mes fais et de mon hardement
Veul je que se mervellent a tous jors mais la gent.
La mer ai ensaïe desi q'au fondement,
4988 Et comment li poisson font lor tornoiement
Et lor aguais bastissent et li uns l'autre prent ;
Par aus en ai apris, car ainc n'en soi noient. »
Si home li ont dit : « Nos en somes dolent,
4992 Por nous ne lairés mie vostre commandement. »

278

De ce q'a enpensé est li rois en argu,
Charpentiers a mandé et il i sont venu.
« Segnor maistre, fait il, se vos estes mi dru,
4996 Faites moi une chambre selonc vostre seü,

---

85. Il y a peut-être ici confusion entre les douze signes du zodiaque et les quinze signes annonciateurs du Jugement dernier. Le thème des quinze signes du Jugement dernier a donné naissance à de nombreux textes dans tout l'Occident médiéval : voir *Dictionnaire des Lettres françaises*, La Pochothèque, p. 1217.

86. Dès l'époque homérique, on distinguait Borée, vent du nord, Eurus, vent du sud-est, Notus, vent du sud, Zéphyr, vent d'ouest.

Je veux monter au ciel voir le firmament,
et découvrir d'en haut le sommet des montagnes,
le ciel et les planètes et toutes les étoiles,
et les quinze signes le long desquels le soleil suit sa course[85],
et les quatre vents qui parcourent le monde[86].
Je veux dominer l'univers, toute l'étendue du monde,
savoir comment les nuages apportent l'eau. »
Ses hommes lui répondent : « Etes-vous devenu fou ?
Nul homme ne pourrait y monter, pour tout l'or d'Orient,
malgré son désir, soyez en sûr,
en l'espace de quatre-vingts ou cent ans !
Comment vous y prendrez-vous ? Dites-nous votre
Le roi se moque d'eux et répond, mécontent :   [stratagème ! »
« Vous voyez ces oiseaux, si forts et si puissants ?
Ils peuvent me porter, par ma foi,
et m'élever jusqu'au firmament.
Je veux qu'à tout jamais le monde s'émerveille
de mes exploits et de ma hardiesse.
J'ai découvert la mer jusqu'à ses tréfonds :
j'ai vu les poissons se livrer bataille,
se tendre des pièges, l'emporter l'un sur l'autre.
Ils m'ont appris des choses que j'ignorais.
– Nous sommes désolés de voir, disent ses hommes,
que nous ne pouvons vous faire renoncer. »

278

Le roi médite sur la réalisation de son projet.
Il appelle des charpentiers.
« Maîtres, leur dit-il, si vous m'aimez,
construisez-moi, avec tout votre art,

Ja mais ne soit si bone, ne onques tel ne fu,
De cuirs envolepee, novel soient et cru,
A las les m'atachiés et englüés a glu,
5000 Et fenestres i faites, quel part que me remu,
Que se besoins me vient, par ce n'aie perdu.
Entendés vos, segnor ? » Cil li ont respondu :
« Si com vos devisés l'avons bien entendu,
5004 Nos la ferons legiere et fort de grant vertu,
Mais molt somes dolent de ce et esperdu
Que s'il vos mesavient que ne soions pendu.
– Taisiés, ce dist li rois, ja n'en soiés meü,
5008 Ja mar avrés paor q'en soiés irascu. »
Cil ont si charpenté et le cuir estendu
Que de tous fu loëe et a son talent fu.
Li rois la fait porter loins de l'ost en l'erbu,
5012 Cordes i fait lacier, molt se sont esmeü ;
Si home et si baron l'ont el champ porseü,
De molt grant legerie sont paoreus et mu.

279

Vistement est li rois dedens l'engin entrés,
5016 Une lance aveuc lui et fresche char assés ;
Et dist a ses barons : « Ne vous desconfortés,
Mais or me laissiés seul et de loins m'esgardés. »
Or s'en tornent si home, molt les a abosmés,
5020 N'i a nul ne s'en aut et dolens et torblés,
Car se li rois i muert, ce estoit lor pensés,
Tous ses homes avroit mors et desbaretés,
Car toutes gens le heent por ce ques a matés.
5024 Li rois est en l'enging, qui n'est pas esgarés ;
Estes vos les oisiaus entor lui avolés,
Sus et jus sont assis et decoste et delés,
Les cuirs crus et la char ont durement grevés ;
5028 Tant dis com i entendent fu li rois aprestés,
Un gant ot en sa main que il ne fust mostrés,
Et a pris les lïens, es piés lor a boutés,
En haut as gros des cuisses a ses las bien fremés,
5032 Ne sai ou set ou uit en i a acouplés.

une loge, la meilleure qu'on ait jamais vue,
enveloppée de cuirs tout frais et crus,
fixés par des lacets et enduits de colle !
Faites aussi des fenêtres, afin que, où que j'aille,
je puisse voir venir le danger !
Comprenez-vous bien ? » Ils lui répondent :
« Nous avons parfaitement compris votre vœu.
Nous vous ferons une loge légère et parfaitement solide.
Mais nous sommes épouvantés à l'idée
que s'il vous arrive malheur, nous pouvons être pendus !
– Taisez-vous, dit le roi, assez de cela !
Vous n'avez aucune raison d'avoir peur ! »
Ils construisent la loge, la recouvrent de cuir :
tout le monde les félicite, le roi la trouve à son goût.
Il la fait transporter loin de l'armée, dans l'herbe,
y fait fixer des cordes. Tout émus,
soldats et barons suivent le roi dans le champ,
craintifs et muets devant cette terrible imprudence.

279

Le roi entre vite dans son engin,
avec une lance et des provisions de viande fraîche.
Il dit à ses barons : « Ne vous désolez pas !
Laissez-moi seul et regardez-moi de loin ! »
Ses hommes s'en retournent, consternés,
chagrins et tourmentés,
car si le roi meurt (telle est leur pensée),
tous ses hommes connaîtront la mort et la déroute,
des mains de tous les peuples vaincus qui les haïssent.
Le roi, dans son engin, n'a aucune crainte.
Voici les oiseaux qui volent autour de lui,
qui se posent çà et là, de tous côtés,
entamant les cuirs et la viande qui entourent la loge.
Pendant qu'ils sont occupés, le roi, qui est tout prêt,
et porte des gants pour se protéger,
saisit les cordes, les lance sur leurs serres,
leur fixe solidement ses lacets en haut des cuisses :
il en a ainsi réuni sept ou huit.

Qant chascuns d'aus se sent ainsi aficelés,
Il sachent durement, li engiens est tumbés ;
Il s'en rist coiement si s'est en piés levés.

280

5036 Li rois estut sor piés, la chambrete est versee,
Il a prise sa lance, la char i a boutee,
Hors de l'enging la mist, contre mont l'a levee.
Li oisel famelleus la char ont esgardee,
5040 Il tendent contre mont, rendent la lor volee ;
La chambre en ont molt tost lassus en l'air portee.
Il vont la char chaçant, chascuns geule baee,
A tel point com il montent si est la char montee,
5044 Tous tans la cuident prendre, mais folie ont pensee.
Le roi portent a mont a si fiere jornee
Le premier air trespassent, des pluies la nuee,
Et plus l'ont haut porté, c'est verités provee
5048 Que uns chevaus n'eüst demie lieue alee.
Les quatre vens trespassent a icele alenee,
Vienent a la chalor qui est desatempree ;
Com plus vont contre mont plus est desmesuree,
5052 A poi n'art Alixandres, tant fort l'a apressee ;
Li cuirs de la chambrete crespist a la bruslee,
Li rois s'est porpensés, s'il perdent la volee,
Il charra a la terre s'iert sa vie finee
5056 Et sa gent en sera dolente et esgaree,
Car toutes gens le heent qui terre il a gastee.
Il rabaisse sa lance, vers terre l'a clinee ;
Li oisel famelleus la sieuent la volee,
5060 Jus s'asieent a terre en mi lieu de la pree ;
Li rois est la dedens, fait ot bone jornee.

---

87. On trouve le même épisode dans la légende de Nemrod. Cf. Hugo, *La Fin de Satan*, épisode de Nemrod (Livre I, *Le glaive*, strophe 4, II : « Par une corde au sol la cage était fixée. / Il mit aux quatre coins les quatre aigles béants. / Il leur noua la serre avec ses doigts géants, / Et les bois entendaient les durs oiseaux se plaindre. / Puis il lia, si haut qu'ils n'y pouvaient atteindre,

Quand les oiseaux se sentent attachés,
ils tirent de toutes leurs forces, font tomber l'engin :
Alexandre sourit et se redresse.

280

Le roi est debout, la petite loge renversée.
Il prend sa lance, y fixe un morceau de viande
qu'il sort de son engin pour la lever vers le ciel.
Les oiseaux, affamés, regardent la viande :
ils s'élancent vers le ciel en prenant leur vol
et ont tôt fait d'emporter la loge dans les airs.
Ils pourchassent la viande, la gueule grande ouverte,
mais la viande s'élève en même temps qu'eux :
ils croient toujours l'attraper, mais ils ont bien tort.
Ils emportent ainsi le roi vers le ciel dans leur vol terrifiant,
dépassent la première couche de l'air, les nuages porteurs de
l'élèvent en moins de temps, c'est la vérité,   [pluie,
qu'il n'en faut à un cheval pour franchir une demi-lieue.
Dans le même souffle, ils dépassent les quatre vents,
et parviennent à une zone de chaleur excessive :
plus ils montent, plus la température devient insupportable.
Alexandre manque brûler tant il s'est approché ;
le cuir de sa petite loge se plisse en brûlant.
Le roi se dit que si les oiseaux cessent là leur vol,
il tombera à terre, sa vie s'achèvera là,
et ses hommes seront abandonnés à leur douleur et à leur triste
car il est haï de tous les peuples dont il a dévasté la terre. [sort,
Il abaisse sa lance, l'incline vers la terre ;
les oiseaux affamés la suivent dans leur vol.
Ils se posent à terre, au milieu du pré,
avec le roi : son voyage s'est bien terminé[87].

/ Au-dessus de leurs fronts inondés de rayons, / Les piques où pendait la viande
des lions. / [...] Et lui, sans prendre garde aux frissons du Caucase, / Vieux mont
qui songe à Dieu sous les cieux étoilés, / Coupa la corde, et dit aux quatre
aigles : Allez. / Et d'un bond les oiseaux effrayants s'envolèrent. »

281

Qant li rois aperçut qu'il estoit assegiés,
A quatre des oisiaus a les lïens trenchiés ;
5064 Chascuns s'en fuit molt tost quant se sent deslïés.
Estes vos les barons de l'ost tous eslaissiés,
Assaillent les oisiaus a la chambre atachiés,
Mais forment se deffendent, molt les ont damagiés,
5068 Quatre chevaus ont mors que as bes que as piés
Et des riches barons ont les cors mehegniés,
Chascuns bien se deffent, molt les ont anuiés ;
De la lasté du vol chascuns est travelliés.
5072 Li assaus fu molt fors, ne pot estre laissiés ;
Li rois trenche les cordes, lores les veïssiés
Corre sor les barons, tant les ont angoissiés.
Li uns s'en est fuïs, les trois ont detrenchiés,
5076 Des chevaliers de l'ost i a molt d'enpiriés.
De l'angoisse est li rois molt müés et changiés,
Car lassés est du chaut et molt afebloiés.

282

Le roi mainent en l'ost si prince et si chasé ;
5080 Qant il le virent sain, grant joie en ont mené.
Et li rois les regarde par grant humilité :
« Segnor baron, fait il, dirai vos verité,
Hui ai veü as ieus que j'ai molt desirré,
5084 Car tout ai ensaié et tout ai mesuré.
Le mont si com il est et de lonc et de lé
Si com je l'ai veü l'ai je tout conquesté
Fors seule Babilone, ou a grant fremeté ;
5088 Se je celi nen ai, petit pris mon barné. »
Et responent si home : « Ce iert tost afiné.
Qant vous avés les nues et les vens sormonté,
Dont pöés vos par force bien prendre une cité.
5092 Le matin par son l'aube serons tuit apresté,
Sor Babilone irons, q'ainsi est devisé ;
El n'iert ja tant fermee de mur ne de fossé
Que nos ne la pregnons en un seul jor d'esté. »

281

Quand le roi s'aperçoit qu'il est à terre,
il tranche les liens de quatre oiseaux,
qui s'enfuient à tire d'aile dès qu'ils se sentent libres.
Mais voici les barons de l'armée qui s'élancent
pour assaillir les oiseaux attachés à la loge.
Les griffons se défendent et leur causent des pertes,
tuant quatre chevaux de leurs becs, de leurs serres,
et blessant de puissants barons.
Ils se défendent si bien qu'ils malmènent les hommes,
malgré la fatigue provoquée par le vol.
L'assaut est violent et interminable :
le roi tranche les cordes, mais on peut voir
les oiseaux fondre sur les barons et les harceler.
L'un d'eux s'enfuit, les trois autres sont mis en pièces,
mais plus d'un chevalier est grièvement blessé.
Le roi est pâle de souffrance,
épuisé et affaibli par la chaleur.

282

Le roi est conduit au camp par ses princes et ses vassaux,
fous de joie de le voir sain et sauf.
Le roi les regarde avec humilité :
« Seigneurs barons, dit-il, je vais vous dire la vérité :
j'ai vu aujourd'hui de mes yeux ce que j'ai longtemps désiré [voir,
car j'ai tout tenté et j'ai tout mesuré.
Le monde entier, que j'ai vu de long en large,
je l'ai conquis entièrement,
à l'exception de Babylone aux puissantes fortifications :
si je n'ai pas cette ville, je prise peu ma vaillance ! »
Ses hommes lui répondent : « Ce sera bientôt chose faite !
Vous avez dominé les nuages et les vents :
vous pouvez bien prendre une cité d'assaut !
Demain matin, dès l'aube, nous serons tous prêts
à marcher sur Babylone, car le destin le veut.
Ni ses remparts ni ses fossés ne nous empêcheront
de la conquérir, cet été, en une seule journée. »

5096 Alixandres respont : « Bien vous ai escouté,
Ce que vos avés dit bien iert acreanté.
Le matin i movrons, ja n'en iert trestorné. »

283

Qant li solaus leva et li jors esclarci,
5100 Se leverent par l'ost Mascedonois et Gri,
Et li rois Alixandres se chauça et vesti ;
Qant fu aparelliés, nel mist mie en oubli,
S'orison fist as dieus qu'il li facent merci.
5104 Par l'ost charchent soumiers si se sont bien garni,
Car il en ont esté autre fois escharni
Qant il furent en Bastre en la terre Porri.
En Babilone en vont et muevent au juesdi.
5108 Qant il furent monté et des loges parti,
Li escuier de l'ost ont tout ars et bruï.
A grant joie chevalchent les plains de Valgreni.

284

Qant Alixandres mut, molt ot gente compaigne,
5112 Licanor et Filote a commandé s'ensegne,
Li douze per chevalchent rengié par la champaigne,
Uns païsans les guie, qui fu nes de Brehaigne ;
Tout droit vers Babilone costoient la montaigne.
5116 Tant a or en lor armes et d'Arrabe et d'Espaigne
Desi a quatre lieues en reluisoit la plaigne ;
Qui a tel gent le done s'onor bien le gaaigne,
Q'il ne trueve chastel ne cité qu'il ne fraigne
5120 Ne nul home tant fort par armes ne destraigne ;
Malvais orguel ne prise li rois une chastaigne,
A honte fait morir qui servir ne le daigne.

285

Si com il ajornoit et l'aube est esclairie,
5124 Tout droit a l'amiraut est venue une espie
Qui li dist que l'os est a jornee et demie.

Alexandre répond : « Je vous écoute,
et je me rallie à vos paroles.
Demain nous partirons, c'est décidé. »

283

Au lever du soleil, à la venue du jour,
Grecs et Macédoniens se lèvent dans le camp,
et le roi Alexandre endosse ses armes,
sans oublier, dès qu'il est prêt,
de prier les dieux de lui être favorables.
Dans le camp on charge les chevaux de vivres en abondance,
pour éviter d'en manquer
comme en Bactriane, au royaume de Porus.
C'est un jeudi qu'ils se mettent en route pour Babylone.
Quand tous sont en selle et loin des campements,
les écuyers de l'armée réduisent tout en cendres.
Ils chevauchent, heureux, dans les plaines de Valgreni.

284

Alexandre, en chemin, a une noble escorte :
il a confié son enseigne à Licanor et à Filote.
Les douze pairs chevauchent en rang dans la campagne,
guidés par un homme du pays, natif de Bohême.
Ils longent la montagne, tout droit vers Babylone.
L'or de leurs armes d'Arabie et d'Espagne
resplendit dans la plaine jusqu'à quatre lieues.
En comblant d'or de pareils guerriers, on accroît son honneur,
car grâce à eux, on brise châteaux et cités,
on triomphe aux armes des plus forts.
Le roi fait peu de cas des orgueilleux :
il inflige une mort honteuse à ceux qui refusent de le servir.

285

Il faisait déjà jour, l'aube s'était levée
quand un espion vient tout droit dire à l'émir
que l'armée d'Alexandre est à un jour et demi de marche.

« Comment, fait l'amiraus, ne me mentir tu mie,
Di m'ent la verité se l'ost est bien garnie.
5128 – Oïl, fait li messages, de tous biens raplenie,
Car du vostre meesme prenent la manandie,
Il ne truevent nul home qui la lor contredie.
Alixandres chevalche devant sa compaignie,
5132 Licanor et Filote ont s'ensegne enbaillie,
Dans Clins et Tholomés les en chadele et guie,
Ce sont quatre baron ou li rois molt se fie.
– Par foi, dist l'amiraus, ce tien a grant folie.
5136 De coi cuident il vivre, cele gent esbahie ?
Ma terre est toute gaste et la proie fuïe ;
A grant honte morront, se Dieus me beneïe.
Molt est faus Alixandres, il ne me connoist mie.
5140 Ce qu'il cuide de moi ne verra en sa vie.
Se li dieu me garissent ma grant chevalerie,
Ja ne verra tiers jor que l'ost iert assaillie ;
Je lor ferai as Grieus une tele envaïe
5144 Q'il n'i vauroient estre por tout l'or de Pavie ;
S'il aprochent ma gent, que souef ai norrie,
Ja n'en porrai un prendre que sempres ne l'ocie. »
Alixandres chevalche, que pas ne s'i oublie,
5148 Et maine sa grant ost et serree et rengie.

286

Alixandres chevalche par fiere contenance,
Li douze per o lui, ou il a grant fiance,
Et sist sor un destrier de diverse semblance ;
5152 La teste ot plus vermelle que n'est tains de garance,
Le col et les costés ot blans par demonstrance,
La crope ot pumelee par autre diference,
Les quatre piés ot noirs, ce fu senefiance.
5156 Onques plus hardis rois de lui ne porta lance,
Par sa proëce a il sor tout le mont poissance ;
Onques teus rois ne fu, s'en Dieu eüst creance.

---

88. Sur ce cheval merveilleux qui remplace Bucéphale, cf. *supra*, III, v. 4179.

« Comment ! lui dit l'émir, ne me mens pas !
Dis-moi toute la vérité : l'armée est-elle bien équipée ?
– Oui, dit le messager, elle regorge de tous biens,
car elle se sert sur vos terres
et ne trouve personne pour l'en empêcher.
Alexandre chevauche en tête de ses troupes ;
Licanor et Filote portent son enseigne,
Sire Clin et Tholomé mènent et guident l'armée :
ce sont quatre barons en qui le roi a toute confiance.
– Par ma foi, dit l'émir, c'est de la folie !
De quoi croient-ils vivre, ces sots ?
Ma terre est dévastée, il n'y a plus rien à en tirer.
Que Dieu m'aide ! ils auront une mort honteuse.
Alexandre est bien fou, il ne me connaît pas,
et a sur moi des idées fausses !
Puissent les dieux protéger ma grande chevalerie !
Je l'attaquerai avant trois jours.
Je lancerai sur les Grecs un tel assaut
qu'ils donneraient tout l'or de Pavie pour être ailleurs !
S'ils s'approchent de mes hommes, qui me servent depuis
je tuerai tous ceux que je pourrai prendre. »   [toujours,
Alexandre chevauche sans s'attarder
et mène sa grande armée en rangs serrés.

286

Alexandre chevauche : il a fière allure,
suivi des douze pairs, qui ont toute sa confiance.
Il monte un destrier d'un bien étrange aspect :
la tête plus vermeille que la teinture de garance,
le col et les côtés d'un blanc merveilleux.
Mais la croupe, toute différente, est pommelée,
et les quatre pattes noires, en guise de signe[88].
On n'a jamais vu roi plus hardi porter la lance :
par sa prouesse, il domine le monde entier.
On n'a jamais vu pareil roi : si seulement il croyait en Dieu !

Trop sot d'astronomie et plus de ningremance,
5160 Assés sot de fisique, apris l'ot en s'enfance.
Tholomés fait l'angarde par itel convenance
Que il ne coure en proie par nule mesestance.

287

Alixandres chevalche le pendant d'un desert,
5164 Devers senestre part furent de mons covert,
D'autre part ot un val, grant et lé et apert.
Tholomés vait devant, qui volentiers le sert
Et qui pas ne se plaint quant il por lui riens pert,
5168 Car tuit cil qui le servent du guerredon sont cert.
Alixandres disoit trestout a descovert :
« Li sires est traïtres, qant il voit l'ome apert
Et qui por son servise le travail a soufert,
5172 Se il nel guerredone selonc ce qu'il desert. »
Ilueques ou on sue drois est que on se tert.

288

Alixandres chevalche a force et a vertu
Et maine sa grant ost, qui mervelleuse fu.
5176 Les seles et li hiaume, li frain et li escu
Luisent contre soleil, qui a or sont batu.
Droit a eure de tierce ont un flueve veü,
Et qant l'eurent passé eure de none fu.
5180 Es pres sor la riviere iluec sont descendu,
Molt estoit pres de vespres quant li tref sont tendu.
Alixandres commande par Tholomé son dru
Q'as vilains de la terre ne leur soit riens tolu ;
5184 Se il riens i aportent, point n'en aient perdu,
Que ja riens n'i perdront tout ne lor soit rendu ;
Teus lor porroit tolir tost l'avroient pendu.

289

Li vilain des montaingnes, li riche Beduïn,
5188 Oënt que il avoient Alixandre a voisin,

Il connaît parfaitement l'astronomie, plus encore la magie,
et aussi les sciences de la nature, qu'il a apprises dès son
Tholomé est à l'avant-garde, avec l'ordre   [enfance.
de ne se laisser distraire par aucune proie.

287

Alexandre chevauche sur une pente désertique.
A sa gauche, ce ne sont que montagnes ;
de l'autre côté, il voit une grande vallée, large et découverte.
Tholomé est en tête : il le sert de tout son cœur
et ne se plaint pas des sacrifices acceptés pour son roi,
car tous ceux qui servent Alexandre sont sûrs d'une
Alexandre le dit ouvertement :   [récompense.
« Le seigneur n'est qu'un traître, quand il voit un homme
qui a souffert à son service,   [vaillant,
et qu'il ne le récompense pas selon son mérite.
Qui transpire doit pouvoir s'essuyer ! »

288

Alexandre chevauche à vive allure,
menant sa grande armée, spectacle prodigieux.
Les selles et les heaumes, les brides, les écus
d'or battu luisent au soleil.
A l'heure de tierce, ils ont vu un fleuve,
qu'ils ont franchi après l'heure de none.
Ils mettent pied à terre sur la rive, dans les prés,
et c'était déjà le soir quand on a monté les tentes.
Alexandre fait ordonner par Tholomé, son ami,
qu'on ne prenne rien aux paysans du pays :
s'ils apportent des marchandises, qu'ils ne perdent pas à
ou alors qu'on leur rende leur bien !   [l'échange,
Ceux qui prendraient quelque chose seraient vite pendus !

289

Les paysans des montagnes, les riches Bédouins
apprennent qu'ils ont Alexandre pour voisin,

Car l'eaue de Cobar passa des ier matin.
Portent en Babilone et le pain et le vin
Et le fain et l'avaine et la laine et le lin,
5192 L'or cuit, le blanc argent, le poivre et le commin,
La richece tant grant que n'en sai dire fin.
Tant i vienent espés tuit sont plain li chemin,
De chars et de charetes i sont grant li traïn.
5196 Alixandres commande Tholomé et Dant Clin
Que mar lor taura on vaillant un romesin,
Et cil qui lor taura morra de male fin :
Il le pendra a forches, ja n'iert de si haut lin.

345

5969 Tres devant Babilone, a mont dedevers bise
Sor l'eaue de Cobar, qui la terre devise,
Trois lieues environ ont la terre porprise.
5972 Tous li mondes le sieut por sa grant commandise,
Li uns por sa largesce, l'autres por sa justise.
Larges est Alixandres sans nule covoitise ;

---

89. Le *romesin* est une monnaie de Rouen.

et qu'il vient de franchir les eaux du Chaboras.
Ils portent à Babylone le pain et le vin,
le foin et l'avoine, la laine et le lin,
l'or en barres, l'argent clair, le poivre et le cumin,
des richesses dont je ne saurais faire le compte.
Ils viennent en si grand nombre que les chemins sont pleins ;
chars et charrettes sont en procession.
Alexandre en donne l'ordre à Tholomé et sire Clin :
malheur à celui qui leur volera ne serait-ce qu'un sou[89] !
Il mourra de male mort,
pendu au gibet, quelle que soit sa naissance.

Laisses 290-344

Première bataille de Babylone. L'émir défie Alexandre, qui met le siège devant Babylone. Pendant qu'Alexandre est à la chasse, l'émir lance une escarmouche contre le camp grec mais doit reculer. Le lendemain, les fourriers d'Alexandre partent en razzia dans le val de Daniel sous la garde de quelques chevaliers et sont attaqués. Tholomé cherche en vain un messager pour aller demander du secours. La bataille s'engage mais Clin se décide à prévenir Alexandre, qui vole au secours de ses hommes et contraint l'émir à se réfugier derrière ses murs. (Cet épisode est proche du « Fuerre de Gadres ».)

345

Devant Babylone, au nord, en amont des eaux
du Chaboras, qui traverse le pays,
les Grecs occupent les terres sur trois lieues environ.
Tous, devant son pouvoir, se rallient à Alexandre,
l'un pour sa générosité, l'autre pour sa justice.
Car la générosité d'Alexandre, qui ne connaît pas la cupidité,

Por ce a tout le mont et la gent si aquise
5976 Que nus ne veut partir de lui en nule guise.
Sor l'espaulle Aristé a sa destre main mise,
Esgarde sa maisnie, durement s'en felise,
Et dist a Aristé : « Nule autre manantise
5980 Qui soit en tout le mont n'aim je tant ne ne prise,
Car par aus sui doutés et mes voisins en brise.

346

« Aristé, dist li rois, molt par ai grant leece
Quant je voi ma maisnie plaine de grant proëce,
5984 Onques riens ne perdi, certes, par lor perece.
Cist amiraus est faus, qui envers moi se drece,
Car jel tenrai si court comme cheval en trece,
Ne li lairai de terre vaillant un grain de vece ;
5988 Faus est quant ne me rent toute la forterece.
— Sire, dist Tholomés, ains est molt grant noblece
Qui a son enemi et volentiers le blece.
— Tholomé, dist li rois, dit avés grand proëce,
5992 La roïne d'Egypte vos doins et la richece,
Les chastiaus qui la terre tienent en grant destrece.
— Par foi, dist Tholomés, ci a molt grant hautece. »
Au pié l'en vaut aler, qant li rois l'en redrece.

347

5996 La roïne d'Egypte, le ceptre et la courone
Et trestoute la terre par de ça devers none
Alixandres li rois a Tholomé le done.
Molt est sages li rois, les autres araisone :
6000 « Molt puet estre dolens, si com la letre sone,
Li hom qui primes va et puis aprés chatone. »
Aprés parla uns princes qui fu nes d'Escalone :

---

90. Mot à mot « une surface de terre de la valeur d'un grain de vesce »
(plante herbacée).
91. Morawski 1194 : « Mar fu nez qi primes veit e puis chatonne ».

lui gagne tous les peuples du monde,
qui ne veulent plus d'autre maître.
Sa main droite posée sur l'épaule d'Aristé,
il contemple ses amis avec satisfaction,
et dit à Aristé : « Voici le bien
que je chéris plus que tout au monde !
C'est par mes amis que je suscite la crainte et triomphe de mes
[voisins !

346

« Aristé, dit le roi, je suis plein d'allégresse,
quand je vois mes amis d'une telle prouesse :
jamais je n'ai échoué faute de leur courage.
Cet émir est bien fou de se dresser contre moi :
je le tiendrai aussi court qu'un cheval qu'on mène à la corde
et ne le lui laisserai pas un pouce de terre[90].
Il est fou de refuser de me livrer sa place forte.
– Seigneur, dit Tholomé, un noble cœur
n'épargne pas son ennemi quand il l'a en son pouvoir.
– Tholomé, dit le roi, vous parlez comme un preux :
je vous donne la reine d'Egypte avec toutes ses richesses
et les châteaux qui assurent la domination du pays.
– Par ma foi, dit Tholomé, c'est un glorieux présent ! »
Il veut se jeter aux pieds du roi, qui le relève.

347

Le roi Alexandre fait don à Tholomé
de la reine d'Egypte, du sceptre et de la couronne,
et de toute les terres du sud.
Le roi, avec sagesse, s'adresse à ses hommes :
« Il a bien lieu de se désoler, comme le dit le proverbe,
l'homme qui commence par marcher et finit par ramper[91]. »
Prend ensuite la parole un prince natif d'Ashkelon :

« Que vaut commencemens se la fins n'en est bone ?
6004 Services sans eür ne vaut un grain d'anone,
Car Salemons le dist en son livre et sarmone. »

348

Assés i ot parlé et derriere et devant,
Li pluisor de folie, de savoir li auqant.
6008 « Segnor, ce dist li rois, öés que je commant :
Que tout soiés levé a l'aube aparissant,
Conreé de vos armes comme gent combatant,
Que ne vauroie mie que l'amiraus se vant
6012 Que je perde par lui la monte d'un besant. »
Lor parole ont finee, si le laissent a tant.
Li rois entre en son tref, li cierge i sont ardant ;
Il a demandé l'eaue, on li porte devant,
6016 Ses manches qant il leve li tienent dui enfant.
Qant li rois ot mengié, s'apela Elinant,
Por lui esbanoier commande que il chant.
Cil commence a noter ensi com li gaiant
6020 Vaurent monter el ciel comme gent mescreant,
Entre les dieus en ot une bataille grant ;
Se ne fust Jupiter o sa foudre bruiant,
Qui tous les desrocha, ja n'eüssent garant.
6024 Qant Alixandres l'ot, si respont en riant :
« Qant li sires vaut auques, li home en sont vaillant. »

349

Li rois se vait couchier a deduit et a joie,
Sor lui ot estendu une coute de soie.

---

92. Cf. Benoît de Sainte-Maure, *Roman de Troie*, vv. 3803-3808 : Li vilains dit : « Mieuz vient laissier / que mauvaisement comencier ». Cf. E. Schulze-Busacker, *Proverbes et expressions proverbiales dans la littérature narrative du Moyen Age français*, Paris, 1985, nᵒˢ 174 et 1058.

93. Morawski 631 : « En biau servir covient eür avoir ».

94. On s'est demandé si Alexandre de Paris évoquait, à travers ce jongleur Elinant, le poète Hélinand de Froidmont, l'auteur des *Vers de la mort*

« Que vaut le commencement, si la fin n'est pas bonne[92] ?
Un service sans récompense ne vaut pas un grain de blé,
comme le dit et le proclame Salomon dans son livre[93]. »

348

On entend échanger de tous côtés
des paroles sages ou folles.
« Seigneurs, dit le roi, écoutez mes ordres :
soyez tous debout dès le lever du jour,
équipés de vos armes et prêts à combattre !
Je ne voudrais pas que l'émir puisse se vanter
de me faire perdre ne serait-ce qu'un besant ! »
La discussion prend fin, et le roi reste seul.
Il entre dans sa tente, éclairée par les cierges.
Il demande l'eau, qu'on lui apporte.
Deux jeunes gens tiennent ses manches tandis qu'il se lave les
Après le repas, il appelle Elinant   [mains.
et lui ordonne de le distraire par son chant[94].
Le jongleur se met à chanter l'histoire des géants
qui voulurent monter jusqu'au ciel, les mécréants,
et livrèrent une grande bataille aux dieux :
sans Jupiter et sa foudre grondante,
qui les précipita du haut de leurs rochers, les dieux étaient
Alexandre, à ce récit, répond en riant :   [perdus[95].
« Les hommes ne valent quelque chose que par la valeur de leur
                                                                    [chef. »

349

Le roi va se coucher, tout joyeux.
On étend sur lui une couverture de soie.

(1194-1197), qui fut un trouvère apprécié avant de se retirer en 1182 à l'abbaye
cistercienne de Froidmont.
  95. On trouve déjà la mention de la lutte de Jupiter contre les géants dans
Thèbes (vv. 4969-4980) et *Enéas* (vv. 2733-2736). Mais le mythe grec est ici lié
à la démesure d'Alexandre.

6028 Au matin s'est levés por esploitier sa voie,
      Ses eschieles devise et sa gent bien conroie.
      Tholomés vait avant, molt docement li proie
      Que l'angarde li doinst, et li rois li otroie.
6032 « Mais gardés, fait li rois, que ne corés en proie ;
      Trop ai or et argent et deniers et monoie,
      Poi pris autre gaaing se la cités n'est moie.
      – Sire, dist Tholomés, faus est qui vos guerroie. »
6036 Des que li cor sonerent et li grans os s'effroie,
      Alixandres chevalche, qui pas ne se desroie.
      Licanor en apele, qui a la crine bloie,
      Puis li dist en riant : « Se Damedeus me voie,
6040 Qui quiert autre richece malement se desvoie. »

350

      Ainsi com li rois l'ot commandé des la nuit,
      Leverent par matin et s'armerent trestuit.
      Et li autre somier n'alerent mie vuit,
6044 Ançois portent l'avaine, le pain, le vin, le fruit.
      A chars et a charretes sont li engien conduit ;
      Qant l'ost dut aprismier, de cors i ot grant bruit.
      Alixandres s'apuie sor Clin, le fil Carduit,
6048 Si li dist en riant : « Or voi je mon deduit,
      Qant armee est ma gent qui por nului ne fuit. »
      Dans Clins li respondi : « Sire, ne vos anuit,
      Vos dites verité et je molt bien le cuit ;
6052 Gent qui ont bon segnor ne seront ja destruit. »

351

      Alixandres monta el destrier chastelain,
      Il estoit trestous blans, por ce ot non Albain ;
      Conreés de ses armes, s'oriflambe en sa main,
6056 Devant lui fait soner deus buisines d'arain,
      Et plus de troi cens cors sonerent par le plain ;
      Ces valees resonent, cil mont et cil cavain.
      Desi q'en Babilone l'oënt li citoiain,
6060 Lores sorent il bien et furent tuit certain

Il se lève au matin pour organiser le départ :
il forme ses compagnies, répartit ses hommes.
Tholomé s'avance et le prie doucement
de lui donner l'avant-garde : le roi la lui confie.
« Mais veillez, dit le roi, à ne pas partir en razzia !
J'ai tant d'or et d'argent, des monnaies de toutes sortes :
la cité est le seul bien que je convoite.
– Seigneur, dit Tholomé, bien fou qui vous fait la guerre ! »
Les cors sonnent et la grande armée se met en branle.
Alexandre chevauche tranquillement.
Il appelle Licanor à la blonde chevelure
et lui dit en riant : « Que Dieu me protège !
J'aurais bien tort de chercher d'autres richesses ! »

350

Comme le roi l'avait ordonné le soir précédent,
tous les soldats se lèvent au matin et revêtent leurs armes.
Quant aux chevaux de somme, ils sont bien chargés
d'avoine, de pain, de vin et de fruits.
Des chars et des charrettes transportent les machines de guerre.
Une grande fanfare de cors sonne le rassemblement.
Alexandre, appuyé sur Clin, fils de Caduit,
lui dit en riant : « Rien ne me réjouit autant
que de voir en armes mes guerriers intrépides ! »
Sire Clin répond alors : « Seigneur,
vous dites vrai, j'en suis bien persuadé ;
avec un bon chef, les soldats sont invincibles ! »

351

Alexandre monte en selle : son destrier princier
est entièrement blanc, ce qui lui vaut le nom d'Albain.
Tout armé, l'oriflamme à la main,
il fait sonner devant lui deux trompettes d'airain
et plus de trois cents cors retentissent dans la plaine.
Les vallées en résonnent, tous les monts et les grottes.
Jusqu'aux habitants de Babylone qui les entendent
et qui savent bien maintenant

Q'il avroient le siege ou anuit ou demain.
Tholomés et li sien, qui ne sont pas vilain,
Por faire l'avangarde chevalchent premerain.
6064 Aprés vont li somier, qui portent vin et pain,
Engiens por murs abatre, qu'il n'i a si hautain,
Se un jor i assaillent, qu'il laissent mie sain.

352

Ce fu el mois de mai, que florissent gardin,
6068 Que cil oiselet chantent souef en lor latin.
Sovent est coureciés qui a felon voisin ;
Molt ot males noveles au soir et au matin.
L'amiraus se seoit sor un perron marbrin
6072 Dedevant son palais, desous l'ombre d'un pin.
Qant il ot la novele, manda por un devin,
Por faire un sacrefice vait au temple Apollin.
Un tor i amenerent plus de mil Sarrasin,
6076 Car de cele bataille vauront savoir la fin.

353

Li clers fu nes d'Egypte, hom ne sot plus de sort,
Et des respons as dieus se penoit il molt fort ;
Le sacrefice a fait les le temple en un ort.
6080 Une vois vint du temple, qui issi d'un regort,
Et dist a l'amiraut : « Noveles vos aport :
Vous avés molt grant droit, Alixandres a tort,
Mais de ce que vos chaut ? venus est a sa mort ;
6084 Mais comment il morra noient ne vos recort. »
Qant l'amiraus l'oï, s'en ot molt grant confort,
Et a dit à Sorin, un roi de devers nort :
« Apolins me maldie se je des mois m'acort. »

---

96. Morawski 1809 : « Qui a mal voisin si a mal matin ».
97. Cf. *Roland*, vv. 10-12 : « Li reis Marsilie esteit en Sarraguce, / Alez en
est un verger suz l'umbre. / Sur un perrun de marbre bloi se culchet. » On
retrouve ici le motif épique du jardin royal, caractéristique de la majesté royale.
Le perron est ici le siège du roi : voir A. Labbé, *L'Architecture des palais et des
jardins dans les chansons de geste*, Genève 1987, pp. 20-22.

qu'ils seront assiégés cette nuit ou demain.
Tholomé et ses hommes, qui ne sont pas des lâches,
chevauchent les premiers à l'avant-garde.
Puis viennent les bêtes de somme, portant le vin et le pain,
et les machines destinées à abattre les murailles :
en un jour d'assaut, elles entament les plus hauts remparts.

352

C'était au mois de mai, quand les jardins sont en fleurs
et que les oiselets chantent doucement dans leur langue.
Bien malheureux, l'homme qui a un voisin félon[96] :
il n'entend que mauvaises nouvelles du matin au soir.
L'émir était assis sur un bloc de marbre
devant son palais, à l'ombre d'un pin[97].
Quand il apprend la nouvelle, il appelle un devin,
et va faire un sacrifice au temple d'Apollin.
Plus de mille Sarrasins accompagnent un taureau,
pour connaître l'issue de la bataille.

353

Le prêtre venait d'Egypte, il était habile à tirer les sorts,
et il savait bien interpréter les oracles des dieux.
Il célébra le sacrifice dans un jardin, près du temple.
Une voix sort du temple, du fond d'une fosse.
Elle dit à l'émir : « Voici mon verdict :
Vous avez tous les droits et Alexandre a tort.
Que vous importe ? Il approche de sa mort.
Mais je ne vous dirai pas les circonstances de cette mort. »
L'émir, à ces mots, est réconforté
et dit à Sorin, un roi venu du nord :
« Qu'Apollin me maudisse, si j'accepte jamais la paix ! »

354

6088 Sorins fu riches hom, rois des Amoravis,
　　　　Et ot en sa compaigne plus de mil Arrabis,
　　　　N'en i avoit un seul ne fust preus et hardis.
　　　　Sorins parla premiers com chevaliers eslis
6092 Et dist a l'amiraut : « Tous soiés vos honis
　　　　Se faites malvais plait. Dont n'estes bien garnis
　　　　De pain, de vin, d'avaine, de vaches, de brebis,
　　　　Chevaliers et sergans preus et amanevis ?
6096 Et desor tout ice, dont n'estes vos bien fis ?
　　　　Venus est a sa mort, li dieus n'iert ja faillis,
　　　　Car nul de ses respons ne fu onques desdis. »

355

　　　　Aprés parla Farés, qui d'Egypte fu sire,
6100 Et dist a l'amiraut, tout belement, sans ire :
　　　　« Tant avés chevaliers çai ens de vostre empire ;
　　　　Mandés un chapelain, faites un brief escrire,
　　　　Et qant il iert escris et seelés en cire,
6104 Ce truist li rois el brief, qant il le fera lire :
　　　　S'il n'ist de vostre terre, livrés est a martire,
　　　　N'i avra nul des siens qui n'ait mestier de mire ;
　　　　Au partir de l'estor por voir le porra dire. »

356

6108 Puis parla Macabruns, qui fu rois de Nubie,
　　　　Toute la noire gent avoit en sa baillie,
　　　　Vallés iert si amoit pris de chevalerie,
　　　　Et dist a l'amiraut : « Ice ne lo je mie
6112 Que on ja i envoit, car ce seroit folie.
　　　　Alixandres est pres, bien a lieue et demie,
　　　　Trois tans avés vos gent mellor et plus hardie ;
　　　　Qui ja l'en requerra Apollins le maldie.
6116 Chevalchons contre lui a bataille furnie,
　　　　Venus est a sa mort, sa gens sera honie,

354

Sorin était puissant, roi des Almoravides,
et avait dans son armée plus de mille Arabes,
tous preux et hardis.
Il parle le premier, en chevalier d'élite,
et dit à l'émir : « Puissiez-vous être déshonoré,
si vous acceptez un mauvais accord ! N'êtes-vous pas comblé
de pain, de vin, d'avoine, de vaches, de brebis,
de chevaliers et de sergents preux et prêts à l'attaque ?
Et plus que tout, n'avez-vous pas maintenant toute confiance ?
Il est près de sa mort, le dieu ne peut se tromper :
nul de ses oracles ne fut jamais contredit. »

355

Après parla Pharès, le maître de l'Egypte.
Il dit à l'émir, posément, sans colère :
« Pensez à tous les chevaliers de votre empire !
Appelez un chapelain et faites-lui écrire une lettre,
sur laquelle vous apposerez votre sceau,
avec ce message qu'y trouvera le roi Alexandre :
S'il ne sort de vos terres, il sera livré au supplice,
et tous les siens auront bien besoin d'un médecin.
Il le reconnaîtra lui-même à la fin de la bataille ! »

356

Puis parla Macabrun, le roi de Nubie,
le maître des peuples noirs.
Il était tout jeune et aimait la gloire de la chevalerie.
Il dit à l'émir : « Je ne vous conseille pas
de lui envoyer un message, ce serait de la folie.
Alexandre est tout près, à une lieue et demie.
Vos troupes sont trois fois plus nombreuses, meilleures et plus
[hardies.
Qu'Apollin maudisse celui qui voudra traiter avec lui !
Chevauchons contre lui et livrons-lui bataille !
Il approche de sa mort, ses troupes seront défaites.

La raison d'Apollin ne sera ja faillie.
Alixandres est plains de molt grant felonie,
6120 Il n'araisne nului ne nului ne deffie,
Ains veut de tout le mont avoir la segnorie.
Ja n'i envoierés, coi que Pharés vos die. »

357

Lors se dreça en piés Saligos li barbés,
6124 Il fu rois de Sabba, cent ans avoit passés,
Sages fu de conseil et par armes doutés,
Et ot en sa compaigne dis mil de ses privés,
Il dist a l'amiral : « Un petit m'entendés.
6128 Pharés a molt bien dit, un brief li trametés,
Par deus de vos barons le brief envoierés ;
Par bouche et par escris molt vilment li mandés
Que il vuit vostre terre, que c'est vostre herités,
6132 Et s'il ne veut ce faire, si resoit deffiés.
Chevaliers avés bons, hardis et adurés.
Ce qu'Apollins a dit, se ce est verités,
Dont sai je bien qu'il iert ou mors ou afolés.
6136 Il cuide avoir Persans et Yndïens trovés,
Mais il n'i parra mie qant iert a nous jostés ;
As brans d'acier forbis iert ses orgeus matés.
Se Dayres fu haïs, vos estes trop amés. »

358

6140 Au conseil Saligot se tiennent li baron,
Et l'amiraus meïsmes loe ceste raison.
Il en a apelé Acarin et Sanson,
Cil ierent chevalier andui de sa maison,
6144 Le brief a fait escrire sans noise et sans tençon
Et dedens le seel a mis le quaregnon,
Mais il n'i mande mie point de dilection,
Mais selonc le deserte li mande guerredon,
6148 Et en aprés li mande par grant aatison :
« Alixandre, or enten, fieus le roi Phelippon,
Je te mant et commant : n'i fai arestison,

L'oracle d'Apollin ne peut pas se tromper.
Alexandre est plein de félonie :
il ne dit rien, ne lance pas même de défi ;
il veut asseoir sa domination sur le monde entier.
Ne lui envoyez pas de message, quoi qu'en dise Pharès ! »

357

Alors se dresse Saligot à la longue barbe,
roi de Saba : il avait plus de cent ans.
Il était de bon conseil, redouté au combat,
et menait avec lui dix mille de ses hommes.
Il dit à l'émir : « Ecoutez-moi bien :
Pharès a bien parlé, envoyez une lettre,
par deux de vos barons !
Enjoignez-lui sans ménagement, par écrit et de vive voix,
de quitter votre terre, votre héritage ;
et s'il refuse, lancez-lui un défi !
Vous avez de bons chevaliers, hardis et endurants.
Si Apollin a dit la vérité,
Alexandre sera tué ou mis en déroute.
Il croit avoir devant lui des Perses, des Indiens !
Il se détrompera quand la bataille sera engagée.
Les lames d'acier fourbi materont son orgueil.
Darius était haï, alors que tous vous aiment. »

358

Les barons se rallient à l'avis de Saligot,
et l'émir lui-même approuve ce discours.
Il appelle Acarin et Samson,
deux chevaliers de sa maison.
Il fait rédiger la lettre avec l'assentiment général,
et appose son sceau sur le parchemin.
Le message ne contient pas de salutations,
il demande la réparation méritée par la conduite d'Alexandre,
et ajoute cette provocation :
« Alexandre, fils du roi Philippe,
je t'en donne l'ordre : ne reste pas en ces lieux,

Va t'ent hui ou demain fors de ma region ;
6152 Et se tu nel veus faire, j'en jur mon dieu Mahon,
Venus es a ta mort, a ta confusion,
Et ta gent est venue a grant destrusion.
Ce ne sont pas Yndois ne Persant n'Esclavon,
6156 Qui lor segnor ocirent Dayron par traïson. »

359

Des que cil ont oï le commant l'amiral, –
Ils furent molt sage home et cortois et loial, –
Apareillier se vont ambedui li vassal.
6160 Chascuns d'aus ot vestu un blïaut de cendal,
Afublé ont mantiaus de paile emperial ;
Lor palefrois lor mainent lor escuier loial,
Molt sont bien enselé ambedui par ingal,
6164 Li lorain et les seles, li bouton, li poitral,
Sont tout fait a or fin o pierres de cristal ;
Bien sont apareillé ambedui li vassal.
Le congié demanderent, ne font plus lonc estal,
6168 Montent es palefrois si issent du portal,
Et fait traire chascuns devant soi un cheval.
Alixandres estoit les le plain el costal,
Environ lui estoient si baron natural,
6172 Et faisoit un tref tendre, car li chaus li fait mal.

360

Li pavellons le roi sist sor une fontaine
Qui sourt el chief du val, si est et clere et saine.
De l'ost fu contre val la riviere si plaine
6176 Que sorveoir les pueent li message a grant paine.
Tholomés et sa gent, qui n'est mie vilaine,
Cil se sont herbregié vers la terre foraine
Et voient la cité, dont li mur sont d'araine,
6180 Le charroi devers l'eaue qui la vitaille amaine,
Le pain, le vin, la char, le forment et l'avaine.
La maisnie Aristé cele fu deesraine,
L'arrieregarde ont faite toute cele semaine.

quitte mes terres aujourd'hui ou demain !
Si tu refuses, je jure sur mon dieu Mahomet
que tu es près de ta mort, de ton malheur,
et que tes troupes vont être massacrées.
Tu n'as pas devant toi des Indiens, des Perses, des Esclavons,
comme ceux qui ont trahi et tué Darius, leur seigneur ! »

359

Dès qu'ils en reçoivent l'ordre de l'émir,
les deux chevaliers vont se préparer :
tous deux sont sages, courtois et loyaux.
Ils revêtent une tunique de taffetas
et un manteau de soie digne d'un empereur.
Leurs loyaux écuyers mènent les palefrois,
aussi richement équipés l'un que l'autre :
la bride et ses boutons, la selle, le harnais
sont entièrement d'or fin serti de pierres de cristal.
Les deux chevaliers sont maintenant prêts.
Ils demandent leur congé sans plus attendre,
montent sur leur palefroi et sortent de la ville ;
chacun d'eux fait mener devant lui un cheval.
Alexandre était près de la plaine, à flanc de colline,
entouré de ses nobles barons.
Il faisait monter une tente, car il souffrait de la chaleur.

360

Le pavillon du roi est monté près d'une fontaine
claire et pure, qui jaillit au fond de la vallée.
Les rives du fleuve grouillent de soldats :
les messagers les distinguent à grand-peine.
Tholomé et ses hommes, de nobles chevaliers,
se sont installés du côté de l'ennemi.
Ils voient la cité aux murailles de terre,
les chariots qui, le long de l'eau, apportent tous les vivres :
le pain, le vin, la viande, le froment et l'avoine.
La troupe d'Aristé est la dernière :
elle forme l'arrière-garde pendant tout le siège.

361

6184 Tholomés premerains en l'angarde est montés,
Ensamble o lui mena vint chevaliers armés ;
Les messagiers roiaus a premiers encontrés.
Puis lor a demandé : « Dont estes, ou alés ? »

6188 Acarins fu molt sages et chevaliers menbrés,
Il li a respondu : « Vos le sarés assés.
De Babilone somes, qui molt est fort cités,
Message l'amiraut, qui'n est sires clamés.

6192 Un brief nos a charchié, vostre roi iert portés,
Pri vos par amistié tresq'a lui nos menés.
Qant li briés l'amiraut li sera presentés
Et il l'avra fait lire, adont savoir porrés

6196 Que l'amiraus li mande, se savoir le volés. »
Tholomés li respont : « Bon conduit i avrés. »
Tresq'au tref Alixandre les a ansdeus menés ;
Cil ont les palefrois as escuiers livrés.

6200 Li rois fu en son tref, en un lit acoutés,
Et ot environ lui cinc cens de ses privés.
Acarins parla primes qui fu preus et senés.

362

« Mahomés li grans dieus, qui tous nos puet sauver,
6204 Que quant il veut fait chaut et quant il veut geler
Et de la lune fait par nuit obscure cler
Et du soleil refait le jor enluminer,
Et Apollins, li dieus qui ainc ne vaut fausser,

6208 Qui le respons nos dist, que n'i vaut demorer,
Que l'amiraus li fist enquerre et demander,
Icelui devons nos et croire et aourer ;
Il gart nostre segnor de mort et d'afoler.

363

6212 « Or enten, Alixandres, que te mande mes sire :
Ici t'envoie un brief, seelés est en cire,
Par conseil de ses homes a fait le brief escrire.

361

Tholomé, à l'avant-garde, est le premier à monter en selle,
accompagné de vingt chevaliers armés,
et à rencontrer les messagers royaux.
Il leur demande : « D'où êtes-vous ? où allez-vous ? »
Acarin est un chevalier honoré et plein de sagesse.
« Vous allez le savoir ! répond-il.
Nous sommes de Babylone, la puissante cité,
et messagers de l'émir, seigneur de la ville.
Il nous a chargés de porter une lettre à votre roi :
ayez l'amabilité, je vous prie, de nous mener à lui !
Quand nous lui aurons remis la lettre de l'émir
et qu'il l'aura fait lire, vous pourrez alors savoir,
si vous le souhaitez, le contenu du message. »
Tholomé lui répond : « Je me charge de vous. »
Il les mène tous deux à la tente d'Alexandre
et les messagers confient leurs palefrois à leurs écuyers.
Le roi est dans sa tente, allongé sur son lit,
entouré de cinq cents de ses proches.
Acarin, le sage et le preux, prend le premier la parole.

362

« Mahomet, le grand dieu qui peut tous nous sauver,
qui fait à son gré régner la chaleur ou le froid,
et briller la lune dans la nuit obscure,
et resplendir le soleil pendant le jour,
et Apollin, le dieu qui ne s'est jamais trompé,
qui nous a donné une réponse immédiate
à la question que lui avait posée l'émir :
tels sont les dieux qui méritent notre foi et notre adoration !
Puissent-ils préserver notre seigneur de la mort et de la défaite !

363

« Ecoute, Alexandre, le message de mon seigneur !
Il t'adresse cette lettre scellée à la cire,
qu'il a fait rédiger sur le conseil de ses hommes.

Fai le seel reçoivre et fai les letres lire,
6216 Et se tu nel veus faire, tant te veul je bien dire :
Se ne vuides sa terre, tu en seras li pires,
Et trestoute ta gent en recevront martire. »
Qant Dans Clins l'entendi, de maltalent souspire,
6220 Et Tholomés meïsmes en commença a rire.
Alixandres le voit, si lor a pris a dire :
« Gardés, fait il, segnor, n'i ait courous ne ire. »

364

Li rois a pris les letres si brisa le seel.
6224 Qant ot leü les letres, si rist sous son mantel
Et a dit as messages : « J'ai veü en la pel
L'amiraus me menace de mort par son revel.
Montés es palefrois, n'i ait mais autre apel,
6228 Et dites l'amiraut venus sui de novel ;
Demain par matinet passerons le moncel,
Dedevant Babilone irons faire un cembel,
Et prendrai la cité dont li portal sont bel ;
6232 Ne li lairai aprés ne dongon ne chastel.
Tel parole m'a dite dont il ment el musel ;
Se jel tieng en bataille, s'il n'a cheval isnel
De m'espee trenchant li donrai tel bendel
6236 Dont il avra, ce cuit, sanglent le haterel.
Je ne m'en irai mie, ne je ne mi dansel,
Devant que j'aie prise la fort tor de Babel
Que firent li gaiant de chaus et de quarrel. »

365

6240 Li messagier s'en tornent, pris sont li palefroi.
Acarins fu molt sages et cortois de sa loi,
Et dist a Tholomé : « Biau sire, entendés moi.
Vos nos aconduisistes belement sans desroi,
6244 Or nos raconduisiés. » Et cil dist : « Je l'otroi. »
Plus de lieue et demie les conduit sans esfroi,
Et furent bien o lui chevalier vint et troi.

Reçois cette lettre et fais lire le message !
Sinon, je peux bien te le dire de vive voix :
si tu ne quittes pas sa terre, ce sera pour ton malheur,
et toute ton armée sera massacrée. »
Sire Clin, à ces mots, pousse un soupir de colère,
et Tholomé lui-même grimace.
Alexandre, qui les voit, leur dit aussitôt :
« Veillez, seigneurs, à ne montrer ni courroux, ni colère ! »

364

Le roi a pris la lettre, dont il brise le sceau.
Il lit le message, rit sous cape
et dit aux messagers : « Je vois sur ce parchemin
que l'émir me menace de mort, dans son orgueil.
Montez à cheval, ce message suffit !
Et dites à l'émir que je viens d'arriver.
Dès demain matin, nous franchirons la colline
pour engager la bataille devant Babylone,
et je prendrai la cité aux belles portes :
je ne laisserai à l'émir ni donjon ni château.
Les paroles qu'il a dites ne sont que des mensonges !
Si je le combats, il lui faudra un cheval rapide
car sinon, je lui infligerai une telle volée de mon épée
qu'il en aura, je crois, la tête ensanglantée.   [tranchante
Jamais je ne partirai, ni moi, ni mes guerriers,
avant d'avoir pris la puissante tour de Babel,
la tour de chaux et de pierres édifiée par les géants. »

365

Les messagers s'en retournent sur leurs palefrois.
Acarin, plein de sagesse et de courtoisie pour un homme de sa
dit à Tholomé : « Cher seigneur, écoutez-moi !   [religion,
Vous nous avez escortés, noblement, sans arrogance.
Raccompagnez-nous donc ! – Je le veux bien », répond
                                                      [Tholomé.
Il les escorte paisiblement sur plus d'une lieue et demie,
avec vingt-trois chevaliers.

Tholomés s'en retorne et cil s'en vont l'erboi.
6248 Li uns a dit a l'autre : « Ci a orgellous roi ;
Si home l'aiment molt et de cuer et de foi.
Si com il nos a dit, et je tres bien le croi,
Nous avrons le matin un orgellos tornoi. »

366

6252 Li messagier s'en vienent en Babilone errant,
Ce fu un petitet ains le soleil couchant,
Et truevent l'amiraut desous un pin seant.
Li messagier descendent, Acarins vient devant,
6256 Tres devant l'amiraut a parlé en estant :
« Sire, nos avons fait tres bien vostre commant.
Orgelleus est li rois, chevalerie a grant ;
S'il ne nos a menti, par son l'aube aparant
6260 Devant ceste cité venront sa gent poignant.
Tel parole avés dite dont il dist en riant
S'il vos trueve en bataille tel vos donra du brant
Que de perdre la teste n'avrés ja nul garant. »

367

6264 Aprés a parlé Sanses : « Sire, ne gabe mie ;
Alixandres est fiers et sa gent molt hardie,
Ainc mais ne fu jostee si grant chevalerie.
S'il ne nos a menti, ne lairai ne vos die
6268 Babilone sera par matin assaillie ;
Il l'avra, se il puet, par tans en sa baillie.
Tel parole avés dite dont li rois vos deffie ;
Se il vos puet tenir, il vos taura la vie.
6272 Ja mais ne finera o sa grant compaignie
Devant que de Babel avra la tor saisie
Que firent li gaiant par lor grant desverie. »
Qant l'oï Macabruns, a haute vois s'escrie :
6276 « Cist rois fait a loër, se Dieus me beneïe,
Qui veut de tout le mont avoir la seignorie. »

Puis Tholomé s'en retourne et les messagers s'éloignent dans
« Quel roi orgueilleux ! se disent-ils.   [l'herbage.
Ses hommes l'aiment de tout leur cœur et de toute leur foi.
Il nous l'a dit et je le crois volontiers :
nous aurons demain matin un violent combat. »

366

Les messagers reviennent vite à Babylone,
un peu avant le coucher du soleil.
Ils trouvent l'émir assis sous un pin,
et mettent pied à terre. Acarin s'avance
et prend la parole devant l'émir :
« Seigneur, nous avons rempli vos ordres.
Ce roi est orgueilleux, sa chevalerie nombreuse.
S'il n'a pas menti, dès le point du jour,
ils viendront au galop devant notre cité.
A vos paroles, il a répondu en riant
que s'il vous rencontre au combat, rien ne l'empêchera
de vous couper la tête de son épée. »

367

Samson prend la parole à son tour : « Seigneur, il ne plaisante
Alexandre est fier, et ses hommes hardis.   [pas.
Jamais on n'a vu réunie si grande chevalerie.
S'il n'a pas menti, il faut que je vous le dise,
dès demain matin il se lancera à l'assaut de Babylone ;
et s'il ne tient qu'à lui, il en sera bientôt le maître.
A vos paroles, le roi répond par un défi :
s'il l'emporte sur vous, il vous ôtera la vie.
Il n'aura de cesse qu'avec sa grande armée,
il se soit emparé de la tour de Babel,
que les géants eurent la folie de construire. »
Macabrun, à ces mots, s'écrie d'une voix forte :
« Dieu me bénisse ! Vive ce roi
qui veut être le maître du monde ! »

368

Li amiraus se gist desous l'ombre d'un pin,
Environ lui estoient tel dis mil Sarrasin
6280 N'i avoit un n'eüst bon peliçon hermin
Et blïaut de cendal et mantel sebelin.
Li amiraus se sist sor un perron marbrin
Qui a quatre chaenes iert atachiés d'or fin.
6284 Macabruns se dreça, molt i ot bel meschin,
Joenes iert si iert rois du regne outremarin :
En sa compaigne furent dis mile Barbarin.
Qant il oï parler Sanson et Acarin,
6288 Il sache les ataches de son mantel porprin.
Parla sarrasinois, ne sot autre latin,
Et dist a l'amiraut : « Creés bien Apollin,
Car molt par a en lui bon dieu et bon devin.
6292 Issons de la cité tuit armé le matin,
Alons contre Alixandre tout le plenier chemin,
Combatons nos a lui si le traions a fin,
Et qui laist cest conseil molt a le cuer frarin ;
6296 Plus est coars de lievre que chacent li mastin.

369[*]

– Sire, dist Saligos, je sui de grant aage,
Si ai oï parler et maint fol et maint sage.
Macabruns est vallés si a legier corage,
6300 Si veut en Babilone mostrer son vasselage.
Se vous i combatés, orgeus sera et rage,
Et se vous i avés ne perte ne damage
Tels le porra oïr quil tenra a outrage.
6304 Babilone est molt fors, faire i puet lonc estage ;
Tost ferons pais a lui par aucun avantage,
Ou nous querrons acorde par aucun mariage ;
Ta fille li donras, molt est de haut parage.
6308 S'il s'en estoit alés, mais qu'il n'eüst ostage,

---

98. Sur ce geste de défi, cf. *supra*, I, v. 2269.

368

L'émir est allongé à l'ombre d'un pin,
entouré de dix mille Sarrasins,
tous vêtus de bonnes pelisses d'hermine,
de tuniques de taffetas et de manteaux de zibeline.
L'émir est assis sur un bloc de marbre
fixé par quatre chaînes d'or fin.
Macabrun s'est levé : c'est un beau cavalier,
tout jeune et roi du royaume d'outre-mer.
Il est accompagné de dix mille Berbères.
Quand il entend parler Samson et Acarin,
il tire les attaches de son manteau de poupre[98].
Il parle en sarrasin, la seule langue qu'il connaisse,
et déclare à l'émir : « Fiez-vous à Apollin !
C'est le meilleur des dieux et des devins !
Sortons de la cité demain matin, tous en armes,
marchons contre Alexandre le long du grand chemin,
et livrons-lui bataille jusqu'à ce qu'il soit vaincu !
Qui refuse ce conseil n'a que le cœur d'un lâche ;
il est plus couard que le lièvre pourchassé par les chiens !

369

– Seigneur, dit Saligot, je suis très âgé ;
j'ai entendu bien des paroles folles et sages.
Macabrun est un jeune homme irréfléchi
qui veut montrer sa vaillance devant Babylone.
Si vous engagez la bataille, ce sera d'un orgueil enragé,
et tous les dommages et les pertes que vous subirez
ne seront imputables qu'à votre manque de mesure.
Babylone est si forte que le siège sera long pour Alexandre.
Nous aurons tôt fait de conclure la paix avec lui par quelque
                                            [proposition avantageuse,
ou nous nous accorderons grâce à un mariage.
Vous pouvez lui donner votre fille : il est de haute naissance.
Si nous pouvions le faire partir sans livrer d'otage,

Ja n'avroit plus du vostre vaillissant un formage.
Ne porroit rassembler si tost son grant barnage,
Ne revenroit ja mais en cest païs salvage,
6312　Car li destroit sont grief, et fort sont li passage. »

370

En aprés Saligot en a Cratés parlé.
Icil fu dus de Mede, de molt grant parenté,
En sa compaigne furent plus de set mil armé ;
6316　Et dist a Saligot : « Or vos ai escouté.
Ja par moi ne sera ice acreanté
Que nous laissons enclorre ça dedens la cité,
Car il nos torneroit a honte et a vilté.
6320　Por q'a dont l'amiraus si grant pueple mandé ?
Dont ne dist Apollins, qui tous tans dist verté,
Que il en Babilone perdroit sa poësté ?
Venus est a sa mort, ja n'en iert trestorné.
6324　Le matin par son l'aube soions trestuit armé
Et si issons la hors tuit rengié et serré,
Et se nous en bataille somes o eus josté
Je cuit que cest besoing avrons tost afiné. »
6328　Li chevalier s'escrïent, qui molt l'ont desirré ;
« Cest conseil loons tuit que Cratés a doné. »

371

Or se sont affïé de combatre au demain.
L'amiraus apela un sien prevost, Soutain,
6332　Et après Torquentin, un sien cousin germain :
« Je veul que vos soïés anuit mais chastelain
De la cité garder ; de ce soïés certain
Q'on ne me puist tenir por fol ne por vilain. »
6336　A tant s'en est tornés a son palais hautain,
Richement fu servis de char, de vin, de pain.
Tantost com il fu jors, trestout li citoien
Et l'amiraus meïsmes s'en issi hors au plain,
6340　Mais li roi et li conte issirent premerain.

il ne pourrait plus s'emparer d'une miette de vos biens ;
il serait incapable de rassembler si vite tous ses barons
et ne reviendrait plus jamais dans ce pays sauvage
aux défilés étroits, aux passages abrupts. »

370

Après Saligot, Cratès prit la parole :
c'était le duc de Médie, au puissant lignage ;
plus de sept mille hommes armés l'accompagnaient.
Il dit à Saligot : « Je vous ai écouté,
mais jamais je ne consentirai
à ce que nous nous laissions enfermer dans la cité ;
ce serait pour nous la honte et l'opprobre !
Pourquoi donc l'émir a-t-il convoqué cette foule ?
Apollin n'a-t-il pas dit (lui qui dit toujours vrai)
qu'Alexandre perdrait son pouvoir à Babylone ?
Il approche de sa mort, il ne peut pas la détourner.
Demain matin, dès l'aube, mettons-nous tous en armes
et sortons de la ville en ordre de combat !
Et si nous livrons la bataille,
je suis sûr que le problème sera bientôt réglé ! »
Les chevaliers s'écrient, désireux de se battre :
« Nous nous rallions au conseil de Cratès ! »

371

Ils ont donc décidé de se battre le lendemain.
L'émir appelle un de ses prévôts, Soutain,
ainsi que Torquentin, l'un de ses cousins germains :
« Je veux que cette nuit vous soyez chargés
de garder la cité : veillez à ce que je ne passe pas
pour un fou ou un sot ! »
Il s'en retourne alors dans son palais altier :
on le sert richement de viande, de vin, de pain.
Dès le lever du jour, tous les habitants de la cité
et l'émir lui-même sortent dans la plaine,
les rois et les comtes les premiers.

372

L'amiraus vit ses homes haitiés de la bataille,
Primes les chevaliers, en aprés la pietaille ;
Molt heent Alixandre, qui si fort les travaille.
6344 Par mi tout ce qu'il ont pain assés et vitaille,
N'ont soing qu'il les encloe ne lai ens les assaille.
Il ne redoutent gaires lui ne sa baronaille,
En Apollin se fïent et en sa devinaille.
6348 Il demande ses armes, uns chevaliers li baille.
Il vesti un hauberc si laça la ventaille,
Fort, entier et serré, et a menue maille,
Et si ne poise mie douze pains de maaille.
6352 Puis a lacié un elme qui por fer ne fist faille,
Et a çainte l'espee dont li brans d'acier taille.

373

Un cheval li amainent en la place devant.
Et col et chief ot noir et tout l'autre ferrant,
6356 Covers fu d'une porpre molt riche et molt vaillant ;
Frain i ot assés bel et bon et avenant,
Une sele ot el dos que firent dui gaiant,
Les alves furent faites de l'os d'un olifant,
6360 Ambedui li arçon de pierre d'aïmant,
A glus i sont saudé par maiestire grant.
L'amiraus i monta, puis a dit en riant :
« Alixandres est fous s'il me tient por enfant,
6364 Qui cuide avoir ma terre trestout a mon vivant.
Se il a chevaliers, et j'en ai autretant ;
Se li sien sont hardi, et li mien combatant.
Je ne l'en lairai mie demi pié ne plain gant
6368 Se il primes ne m'a ou mort ou recreant.
Venus est a sa mort, segnor, por ce me vant
Q'Apollins le me dist, lui en trai a garant. »

374

L'amiraus est molt preus et le corage ot fier
6372 Por ce qu'il vit ses homes de bataille afichier.

372

L'émir voit ses hommes heureux de se battre,
les chevaliers tout comme les fantassins :
tous détestent Alexandre, qui les tourmente ainsi.
Malgré l'abondance de victuailles,
ils ne veulent pas se laisser enfermer ni subir les assauts des
Ils ne redoutent guère le roi ni ses barons,   [Grecs.
car ils se fient à Apollin et à son oracle.
L'émir demande ses armes, qu'un chevalier lui apporte.
Il revêt un haubert dont il lace la ventaille,
un haubert fort et solide, aux mailles fines et serrées,
qui ne pèse pas douze pains d'une maille.
Puis il lace son heaume qu'un fer n'a jamais percé,
et ceint son épée à la lame d'acier tranchante.

373

On lui amène un cheval
qui a la tête et le col noirs, et tout le reste du corps gris,
caparaçonné d'une pourpre riche et précieuse ;
le frein est magnifique,
et la selle a été fabriquée par deux géants.
Les planchettes viennent des défenses d'un éléphant
et les arçons sont recouverts de diamants
collés sur le métal avec un grand art.
L'émir monte en selle et dit en riant :
« Ce fou d'Alexandre me prend pour un enfant !
Il s'imagine avoir ma terre de mon vivant !
S'il a des chevaliers, j'en ai tout autant ;
si les siens sont hardis, les miens sont belliqueux !
Je ne lui céderai pas un demi-pied de terre, ni la surface d'un
à moins qu'il ne me tue ou que je ne m'avoue vaincu !   [gant,
Il approche de sa mort, seigneurs, je peux m'en vanter
puisque Apollin me l'a dit : j'ai le dieu pour garant. »

374

L'émir est un preux, et sa fierté redouble
quand il voit ses hommes prêts pour la bataille.

Par son droit non apele Macabrun le guerrier,
Qui de chevalerie avoit grant desirrier,
Son hardement voloit prover et ensaier.
6376 « Prenés, fait il, vos armes et montés el destrier,
Menés ensemble o vos le riche duc Cratier,
Et en vostre compaigne seront mil chevalier.
Porprenés cele angarde lassus dusq'au rochier ;
6380 Se veés l'ost venir, sel me faites noncier,
Mes eschieles vaurai et serrer et rengier. »
Macabruns s'en torna tot le chemin plenier,
Lassus a mont as roches fist s'ensegne drecier,
6384 Aprés dist tel parole que bien peüst laissier :
« Certes, or me deüssent li roial aprochier ;
A tant quant, s'il nos pueent de l'angarde chacier,
Entr'aus se porront bien et vanter et proisier
6388 Que bien nos devroit on faire ensemble mengier
Sans table et sans touaille tout ensemble el foier. »
Ce nos dist Salemons, bien le puis tesmoingnier,
Sovent s'esjoïst on contre son encombrier ;
6392 Tholomés l'en fist puis le jor tout mençoingnier,
Car a cinc cens des siens le fist le champ vuidier,
Tels cent en i chaïrent ne se porent aidier.

375

Macabruns s'aresta tres en mi le chemin,
6396 Li dus Cratés o lui, et dui mil Sarrasin ;
Lor ensegnes fichierent droites desous un pin.
Alixandres li rois se leva par matin,
Vestus d'une chemise deliie de lin,
6400 Et desus un blïaut d'un chier paile porprin,
Et chauça unes chauces d'un paile alixandrin.
L'eaue li aporterent por laver doi meschin,
Et furent de fin or ambedui li bacin.
6404 Estes vos Tholomé sor un mul sarrasin,

---

99. Cf. Morawski 1154 : « Meint home cuillent la verge dont il sont batu. »

Il appelle par son nom Macabrun le bon guerrier,
qui désirait tant montrer sa chevalerie
et mettre à l'épreuve son courage.
« Prenez, dit-il, vos armes, montez à cheval,
et menez avec vous le puissant duc Cratès,
avec mille chevaliers !
Occupez cette hauteur, là-haut, sur ce rocher,
et si vous voyez venir l'armée, prévenez-moi :
je disposerai mes compagnies en ordre de bataille. »
Macabrun s'éloigne le long du grand chemin
et fait dresser son enseigne en haut des rochers,
en prononçant (bien à tort) ces paroles :
« Les hommes du roi devraient s'approcher :
s'ils parviennent, à nombre égal, à nous chasser de cette
ils pourront bien prétendre   [hauteur,
à nous faire manger tous ensemble
dans le foyer de la cheminée, sans table ni nappe ! »
Salomon nous l'a dit, j'en puis témoigner :
on se réjouit souvent de son propre malheur[99].
Tholomé, le jour même, fit mentir Macabrun,
car avec cinq cents hommes il lui fit vider la place,
et perdre cent de ses hommes.

375

Macabrun se dresse au milieu du chemin,
avec le duc Cratès et deux mille Sarrasins :
ils enfoncent leurs enseignes, toutes droites, sous un pin.
Le roi Alexandre se lève de bon matin,
vêtu d'une fine chemise de lin
et d'une tunique de précieuse soie pourpre,
et enfile des chausses de soie d'Alexandrie.
Deux jeunes gens lui apportent de l'eau pour se laver les mains,
dans deux bassins d'or fin.
Voici Tholomé, monté sur une mule sarrasine.

Et dist a Alixandre : « Jel di et sel devin
Que cil de Babilone nos sont molt pres voisin ;
La sus en son cel mont sont ja li Barbarin,
6408 Ausi vont glatissant com se fuissent mastin.
Mainte ensegne de paile i a et d'osterin. »
Alixandres respont : « Volés savoir la fin ?
Dont n'est l'angarde vostre, Tholomé, cest matin ?
6412 Se je par vos i pert qui vaille un angevin,
Dusqu'a quarante jors ne bevrés mais de vin. »
Qant Tholomés l'entent, si li fist un enclin.

376

Tholomés s'en torna, n'i fist plus lonc sejor,
6416 Montés est el mulet si s'est mis el retor ;
Venus est a son tref, descent de l'ambleor.
Si home li ont dit, si lige vavasor :
« Quels noveles contés du roi macedonor ? »
6420 « Bones, la merci Dieu, fait m'a molt grant honor,
Car le premerain caup avrai hui de l'estor. »
Por sa gent tost armer fist soner un tabor ;
Il vesti un hauber, nus hom ne vit mellor,
6424 Et a lacié un elme qui fu a oriflor
Et a çainte l'espee qui fu a l'aumaçor
Qui tint en sa baillie la terre de Labor.
Un escu li aportent de vermelle color,
6428 L'ensegne de sa lance li tramist par amor
La roïne d'Egypte, qui puis l'ot a segnor.
Puis li ont amené le bon vair coreor ;
Qant il fu sus montés, bien sambla poingneor.

377

6432 Estes vos Tholomé fors de son tref issu,
Ses grailles fait soner et sovent et menu ;

---

100. Sur *angevin*, cf. *supra*, III, v. 1600.

Il dit à Alexandre : « Je devine
que les Babyloniens sont déjà tout près :
les Berbères sont déjà là-haut, sur cette montagne,
aboyant comme des chiens.
On voit en foule les enseignes de soie d'Orient. »
Alexandre répond : « Voulez-vous savoir le fin mot de
           [l'histoire ?
N'êtes-vous pas chargé de l'avant-garde, Tholomé, ce matin ?
Si vous me faites perdre un seul sou,
vous serez privé de vin pendant quarante jours[100] ! »
Tholomé s'incline à ces mots.

376

Tholomé, sans plus attendre,
s'en retourne sur son mulet.
Parvenu à sa tente, il met pied à terre.
Ses hommes liges lui demandent :
« Quelles nouvelles rapportez-vous du roi de Macédoine ?
– De bonnes nouvelles, Dieu merci ! Il m'a fait un grand
           [honneur,
car je dois porter le premier coup dans cette bataille. »
Il fait battre le tambour pour faire armer sa troupe,
revêt un haubert, le meilleur qu'on ait jamais vu,
et lace un heaume magnifiquement orné.
Il ceint son épée, qui appartint au prince
qui régnait sur la terre de Lavoro.
On lui apporte un écu vermeil.
L'enseigne de sa lance, il l'a reçue, en gage d'amour,
de la reine d'Egypte, qui devait ensuite l'avoir pour époux.
Puis on lui amène son bon coursier pommelé :
une fois en selle, il a l'allure d'un fier guerrier

377

Voici Tholomé qui sort de sa tente.
Plusieurs sonneries de trompettes retentissent sur son ordre.

Aprés lui s'en issirent si ami et si dru,
Et furent bien cinc cens qui o lui sont venu.
6436 Tholomés vint avant com hom de grant vertu,
Garda sus en l'angarde s'a Macabrun veü
Devant trestous les autres desous un pin agu.
« Baron, dist Tholomés, or m'est bien avenu ;
6440 Lassus en voi un seul, a son col son escu,
Et je tous seus irai, ja ne m'iert deffendu.
S'il demande bataille, ja ierent caup feru ;
Ja i avra bien tost gaaignié ou perdu. »
6444 N'i a nul des cinc cens qui n'ait son fraim tenu,
Et Tholomés s'en torne, qui preus et hardis fu,
Les galos du cheval par mi le pré herbu.

378

Tholomés s'en torna, qui l'angarde porprent,
6448 Et a dit a ses homes : « Chevalchiés durement. »
Qant vint sus en l'angarde, si parla hautement :
« Qui estes vos, vassal ? nel me celés noient. »
Et respont Macabruns : « Jel dirai voirement,
6452 Se savoir le volés, par itel convenant
Que aprés me dirés tout le vostre esrement. »
Tholomés li respont : « Par le mien ensïent,
Se me dites le vostre, et je vos ensement.
6456 – Par foi, dist Macabruns, je sui hom de jovent,
Sires sui de Nubie, de l'onor qui apent,
Car li rois fu mes peres, se ma mere ne ment ;
Dis mile chevalier sont o moi et cinc cent.
6460 L'amiraus me manda et proia doucement
Que li venisse aidier encontre vostre gent,
Et je i sui venus prover mon hardement ;
Et je l'i aiderai se Dieus le me consent,
6464 Ja ne m'i troverés trop malvais ne trop lent.
Tes sire est orgelleus si fait molt malement,
Qui veut de toutes terres avoir le tensement ;

---

101. Sur *vassal*, voir *supra*, III, v. 1782.

Ses amis et ses compagnons sortent à sa suite :
ils étaient bien cinq cents à l'escorter.
Tholomé s'avance : c'est un puissant guerrier.
Il observe la hauteur et voit Macabrun
devant tous les autres, sous un pin élancé.
« Barons, dit Tholomé, tout va bien :
j'en vois là-haut un tout seul, son écu au cou ;
j'irai moi aussi tout seul : ne cherchez pas à m'en empêcher !
S'il veut la bataille, les coups vont pleuvoir
et l'on verra bien vite qui a gagné, qui a perdu ! »
Les cinq cents compagnons l'aident à monter en selle
et Tholomé s'éloigne, le preux et le hardi chevalier,
au galop, dans le pré herbeux.

378

Tholomé s'éloigne et gravit la hauteur.
Il dit à ses hommes : « Venez au grand galop ! »
Arrivé au sommet, il parle avec hauteur :
« Qui êtes-vous, chevalier ? Ne me cachez pas votre nom[101] ! »
Macabrun lui répond : « Je vous dirai la vérité,
si vous désirez la savoir, à condition
qu'après vous me direz tout ce qui vous concerne. »
Tholomé lui répond : « Sur mon honneur,
dites-moi qui vous êtes, et j'en ferai autant.
– Par ma foi, dit Macabrun, je suis jeune chevalier,
seigneur de Nubie et des terres qui en dépendent,
car mon père en était le roi, si ma mère ne ment pas.
J'ai avec moi dix mille cinq cents chevaliers.
L'émir m'a appelé et prié, au nom de l'amitié,
de venir à son aide contre votre peuple.
Je suis venu prouver mon courage,
et je l'aiderai, si Dieu y consent.
Vous ne me trouverez ni lâche ni faible.
Votre seigneur est orgueilleux et a grand tort
de vouloir asseoir sa domination sur toutes les terres.

Mais n'ira mie ainsi du tout a son talent,
6468 Tost i puet meschaver se garde ne s'en prent.

379

« Vassaus, dist Macabruns, ce est la veritйs,
Je suis roi de Nubie si fu mes parentйs.
Et ai en ma compaigne dis mil homes armйs
6472 Et sui de l'amiraut por aпde mandйs.
Orgelleus est tes sires si fait molt que desvйs,
Qui veut a tous les autres tolir lor iretйs,
Mais cist paпs li iert deffendus et veйs ;
6476 Se garde ne s'en prent, tost i iert afolйs.
Dites moi vostre non, gardйs nel me celйs. »
Et respont Tholomйs : « Or endroit le sarйs :
Uns des douze pers sui si ai non Tholomйs
6480 Et sui de mon segnor par ma proлce amйs ;
De la bataille m'est li premiers caus donйs.
Molt est fiers Alixandres, et grans sa poлstйs ;
Ja mais ne finera, li consaus est finйs,
6484 S'avra de Babilone prises les fremetйs,
Et que de tout le mont sera sires clamйs.
– Vassaus, dist Macabruns, un petit m'entendйs :
De ce que musars pense remaint a faire assйs.

380

6488 – Vassal, dist Tholomйs, rois estes de Nubie
Et si vous a mandй l'amiraus por aпe,
Dis mil homes avйs en vostre compaignie ;
Uns sui des douze pers qui l'ost ont en baillie.
6492 Alixandres est fiers et sa gent est hardie ;
Toute cele du mont ne douteroit il mie,
Por ce doit bien avoir du mont la segnorie.
Qui riens li contenra, il fera grant folie,
6496 Car se nus se repent et il merci li crie,
Tant par est li rois dous que sempres li otrie.
Je sui ses liges hom, s'il est quil contredie
Je li ferai jehir a m'espee forbie.

Mais il n'en ira pas ainsi qu'il le souhaite :
il peut bientôt échouer, s'il n'y prend pas garde !

379

« Chevalier, dit Macabrun, c'est la vérité :
je suis roi de Nubie, comme l'ont été mes ancêtres ;
j'ai avec moi dix mille hommes en armes,
et l'émir m'a appelé à son aide.
Votre seigneur est orgueilleux et agit en fou,
quand il veut ravir les terres de tous.
Mais on lui barrera l'entrée de ce pays :
s'il n'y prend pas garde, il sera vite défait.
Dites-moi votre nom, ne me le cachez pas ! »
Tholomé lui répond : « Vous allez le savoir.
Je suis un des douze pairs et me nomme Tholomé.
Mon seigneur apprécie ma prouesse :
il m'a permis de porter le premier coup de cette bataille.
Alexandre est fier, et grand est son pouvoir :
il ne s'arrêtera jamais, la décision est prise,
avant d'avoir pris les citadelles de Babylone
et d'être proclamé le maître du monde !
– Chevalier, dit Macabrun, écoutez-moi :
beaucoup des rêves du sot ne se réalisent pas !

380

– Chevalier, dit Tholomé, vous êtes roi de Nubie,
l'émir vous a appelé à son aide,
et dix mille hommes vous accompagnent.
Je suis l'un des douze pairs qui commandent l'armée.
Alexandre est fier, ses troupes sont hardies ;
toutes les troupes du monde ne lui feraient pas peur :
Il mérite donc bien de dominer le monde.
Bien fou qui s'opposera à lui !
Mais à qui se repent et implore sa pitié,
le roi est si doux qu'il accorde son pardon.
Je suis son homme lige : celui qui nie mes paroles,
je le ferai se rétracter de mon épée fourbie.

6500 – Par Dieu, dist Macabruns, or oi grant estoutie
      Et jel vos contredi, par ma chevalerie. »
      A tant sont departi, li uns l'autre deffie.
      Or orrés ja bataille par molt grant aatie.
6504 « Vassal, dist Tholomés, or faisons cortoisie
      Que la pais de nos homes soit juree et plevie
      Desi que la bataille de nos deus soit fenie. »

381

      Macabruns apela le riche duc Cratier,
6508 La pais li fait jurer, plevir et fiancier,
      Et Tholomés la fist as siens afiancier ;
      Por la joste veoir font les rens esclairier.
      Cratés fist apeler a soi un escuier,
6512 A l'amiraut l'envoie por dire et por noncier
      Qu'il face ses batailles et serer et rengier
      Et aprés aus les face souavet chevalchier.
      Li armé vont devant, aprés li paonier,
6516 Car li rois Alixandres ne vaut mie targier,
      A cinc cens chevaliers les a fait aproismier.
      Macabruns fu armés et ot le cuer legier,
      Son hardement vaura prover et essaier.
6520 Le cheval point et broche des esperons d'or mier
      Et a baissié la lance dont li fers fu d'acier,
      En l'escu Tholomé feri le caup premier.
      L'anste fu de rosel, tost la fist peçoier,
6524 Et Tholomés fiert lui, qui fu duis du mestier.
      Li espiés fu trenchans et l'anste de pumier,
      L'escu li fait fausser et l'auberc desmaillier,
      Devant les compaignons li fait sele vuidier.
6528 Macabruns ot grant honte si se vaut redrecier,
      Tholomés le rabat as piés de son destrier.

382

      Tholomés le feri en guise de vassal,
      Que tout li a desrout et cengles et poitral,
6532 Et si l'ot abatu a terre du cheval,

– Au nom de Dieu, dit Macabrun, vous êtes bien arrogant,
et je nie vos paroles, par ma chevalerie ! »
Ils se séparent alors en échangeant leurs défis :
vous allez entendre le récit d'une violente bataille.
« Chevalier, dit Tholomé, soyons courtois :
jurons solennellement que nos hommes se tiendront en paix
jusqu'à la fin de notre bataille ! »

381

Macabrun appelle le puissant duc Cratès
et lui fait jurer et garantir de se tenir en paix ;
Tholomé fait prêter le même serment à ses hommes.
Pour mieux voir la joute, on éclaircit les rangs.
Cratès appelle un écuyer
et l'envoie dire à l'émir
de ranger ses bataillons en ordre de combat
et de les faire s'avancer doucement,
les chevaliers devant, les fantassins derrière,
car le roi Alexandre ne saurait tarder :
il leur a envoyé cinq cents chevaliers.
Macabrun est armé : il a le cœur léger,
car il veut mettre son courage à l'épreuve.
Il pique son cheval de ses éperons d'or pur,
abaisse sa lance au fer d'acier,
et frappe le premier coup sur l'écu de Tholomé.
Mais la hampe est de roseau et tombe en pièces.
Tholomé, en guerrier expérimenté, lui rend ses coups
de son épieu tranchant à la hampe de pommier :
il ébrèche l'écu, brise les mailles du haubert
et lui fait vider sa selle devant ses compagnons.
Macabrun, plein de honte, veut se relever,
mais Tholomé le renverse à terre aux pieds de son destrier.

382

Tholomé frappe comme un vaillant guerrier :
il a rompu les sangles et le harnais du cheval
et renverse Macabrun à bas de sa monture.

De l'escu li froissa la boucle de cristal,
L'auberc li desrompi et trencha le cendal,
El sablon fist fichier le hiaume de metal ;
6536 Un petit fu navrés, mais n'a mie de mal.
Macabruns resaut sus si vient en son estal,
Et Tholomés s'abaisse un petitet a val,
Au redrecier qu'il fist le prist par le nasal.
6540 Il l'en eüst mené aveuc soi tout l'egal,
Qant s'escrïerent tuit si home natural
Et meïsmes Cratés : « Ne l'en menrés a tal. »
Tholomés lor escrie : « Tuit estes desloial,
6544 Certes anqui trairés un dolereus jornal. »
Por Tholomé rescorre poingnent tuit li roial.

383

Par le nasal du hiaume fu Macabruns saisis,
Tholomés l'en menoit com chevaliers hardis.
6548 Garda arriere soi et vit mil Arrabis,
Les lances abaissies, de bien faire aatis.
Ne fu mie mervelle se il fu esbahis,
Bien set, se il l'ataignent, que de la mort est fis.
6552 Le prison a laissié, mais ce fu a envis,
Ne por qant tel li done el col et el cervis
Que Macabruns a terre chaï tous estordis ;
Mais tost resailli sus com chevaliers eslis,
6556 Venus est au cheval, en la sele est saillis.
Et Tholomés escrie s'ensegne a molt haus cris,
Et li sien le seqeurent as brans d'acier forbis ;
As espees trenchans fu l'estors esbaudis.
6560 Li cinc cens ont les mil si forment envaïs
L'angarde fu laissie et li chans fu guerpis.
Li dus Cratés le voit, cele part est guenchis,
Il broche le cheval que on claime Pertris,
6564 Vait ferir un Grigois devant en mi le pis.
Se l'anste ne brisast, il fust mors et traïs.
Ne por qant du cheval l'abati el larris.
Puis li dist en reproche, com hom de sens garnis :

Il fracasse la boucle de cristal de son écu,
transperce le haubert, déchire la cotte de taffetas,
et fait tomber dans le sable son heaume de métal.
Macabrun n'est que légèrement blessé.
Il bondit sur sa selle et reprend sa place.
Tholomé se baisse légèrement,
et en se relevant, l'agrippe par le nasal du heaume.
Il l'aurait ainsi traîné sur toute la place,
quand les nobles vassaux de Macabrun, ainsi que Cratès
s'écrient : « Vous allez le lâcher ! »
Tholomé s'écrie : « Vous n'êtes tous que des traîtres !
Vous allez passer une mauvaise journée ! »
Tous les hommes du roi se précipitent à la rescousse de
                                                                    [Tholomé.

383

Tholomé entraînait, en chevalier hardi,
Macabrun agrippé par le nasal de son heaume.
Regardant derrière lui, il voit mille Arabes
prêts au combat, les lances baissées.
Il est naturellement épouvanté
et sait bien que s'ils le rejoignent, il ne peut échapper à la mort.
Il lâche donc son prisonnier, mais à contrecœur,
et lui donne avant, sur la tête et la nuque,
un coup qui le fait tomber à terre, tout étourdi.
Mais Macabrun saute sur ses pieds, en chevalier d'élite,
vient à son cheval et saute en selle.
Tholomé lance son cri de ralliement d'une voix forte,
et les siens volent à son secours de leurs lames d'acier fourbi.
Les épées tranchantes brillent dans la mêlée.
Les cinq cents Grecs attaquent si violemment les mille hommes
                                                                    [de l'émir
qu'ils les obligent à abandonner la hauteur et à battre en
A cette vue, le duc Cratès s'élance vers les Grecs :   [retraite.
éperonnant son cheval Pertris,
il atteint un Grec en pleine poitrine
et l'aurait tué, si sa lance ne s'était brisée ;
il l'abat de son cheval dans la lande,
puis le raille avec esprit :

6568 « Autre cheval querés, que cist vos est faillis. »
De prendre le cheval ne fu mie esbahis.
Qant le vit Pindarus, si com dist li escris,
Se or nel puet vengier, tous jors sera honis.

384

6572 Pindarus est honis s'il ne prent la vengance,
Il broche le cheval par fiere contenance,
Por vengier le Grigois durement s'en avance
Et vait ferir Cratés, un duc de grant poissance.
6576 L'escu li a percié et la reconnoisance,
L'auberc li desmailla, ainc n'i ot arestance,
Un petit l'a navré el blanc desous la pance,
Que toute fu vermelle la blanche connoissance,
6580 A terre l'abati sans nule demorance.
Puis li dist par ramprosne : « Ce soit la peneance
De ce que vos avés passé la convenance
Que vos ja hui jurastes et feïstes fiance ;
6584 Faus seroit qui en vos avroit ja mais fiance. »
Puis a pris le cheval, qui que tourt a pesance,
Au Grigois le rendi s'i fist grant honorance.
Qant le vit Tholomés, au cuer en ot joiance,
6588 Car il l'avoit molt chier, norri l'ot des s'enfance.

385

Des mil et des cinc cens fu molt grans la mellee,
Maint caup i ot feru et de lance et d'espee.
Li mil sont trait arriere, l'angarde ont devalee,
6592 Li cinc cens les enchaucent plus d'une arbalestee.
L'amiraus, qant il ot la novele escoutee
Que li escuiers ot de par Cratés contee,
Ses batailles conroie, sa gent a ordenee.
6596 La compaigne Cratés s'est d'une part tornee,
Et la gent Macabrun s'est d'ilueques sevree,
A son segnor s'en est sus en l'angarde alee ;
Et l'autre eschiele aprés fu Pharés commandee,

« Cherchez un autre cheval, celui-ci n'est plus à vous ! »
Et il s'empare aussitôt du cheval.
Mais Pindarus l'a vu, à ce que dit l'écrit :
s'il ne peut venger cet affront, il est déshonoré.

384

Pindarus est déshonoré s'il ne venge pas cet affront :
il éperonne son cheval fièrement,
s'élance au galop pour venger le Grec
et vient frapper Cratès, un duc de grand pouvoir.
Il transperce l'écu avec les armoiries
et lui rompt les mailles du haubert du même coup.
Il atteint légèrement la chair blanche du ventre :
les armoiries blanches deviennent toutes vermeilles.
Il le renverse à terre sans retard
et lui dit en raillant : « Voici votre punition
pour avoir trahi l'accord
que vous aviez juré de respecter aujourd'hui.
Bien fou qui aurait jamais confiance en vous ! »
Puis il prend le cheval, que l'autre le veuille ou non,
et le rend au Grec avec courtoisie.
Tholomé est tout joyeux à ce spectacle,
car il chérissait le chevalier grec, qui était de sa maison depuis
[son enfance.

385

La mêlée est violente dans les deux camps,
les coups de lance et d'épée pleuvent de tous côtés.
Les mille hommes de l'émir sont repoussés et dévalent la
[hauteur ;
les cinq cents Grecs les pourchassent sur plus d'un jet
L'émir, aux nouvelles   [d'arbalète.
que lui conte l'écuyer de Cratès,
dispose ses bataillons, range ses troupes.
La troupe de Cratès s'en va d'un côté,
et les hommes de Macabrun s'en vont
rejoindre leur seigneur sur la hauteur.
La deuxième compagnie est confiée à Pharès,

6600	Icil fu rois d'Egypte et de grant renomee.
	La tierce eschiele aprés a a Moral livree ;
	Soudains conduit la quarte, qui bien fu atornee
	D'armes et de chevaus au fuer de sa contree ;
6604	Et Saligos la quinte, cele fu molt doutee,
	Et Alains et Sansons ont la siste menee ;
	Li amiraus la sesme, la fu grans l'aünee,
	Et ot environ lui sa maisnie privee.
6608	Grant joie ot l'amiraus, quant il l'a esgardee,
	Qant la voit de combatre ensi entalentee.
	Lors fu a l'estandart sa buisine sonee,
	Plus de mil grailles sonent tot contre val la pree,
6612	La montagne tentist, resone la valee.

386

	Les eschieles chevalchent tot contre val la voie
	Tout souavet le pas, que nus ne s'en desvoie.
	Qant le voit l'amiraus, au cuer en a grant joie,
6616	Il a tiré sa resne, sor Acarin s'apoie.
	« Certes, dist l'amiraus, son tresor bien emploie
	Qui le done a tel gent, qui onques ne s'anoie
	De faire son servise ; itel gent est la moie. »
6620	La dedens la cité fist remaindre la proie.
	Et li rois Alixandres la sieue gent envoie,
	Quant il ot la novele que Tholomés tornoie.
	Toute l'ost s'estormist, qui devant estoit coie,
6624	La grant chevalerie durement s'en effroie.
	Tuit se courent armer et li rois lor otroie,
	La bataille sera, s'il est qui les en croie.

387

	Or se courent armer li douze compaignon.
6628	Tholomés en est uns, ce dist en la leçon,
	Qui ja en est issus en guise de baron ;
	Il avoit commencié l'estrif et la tençon.
	La ou Macabruns ot lacié son gonfanon
6632	Les a il rechaciés le trait a un boujon.

qui est roi d'Egypte et de grande renommée.
La troisième compagnie est remise à Moral.
Soudain mène la quatrième, bien équipée,
avec des armes et des chevaux à la mode de son pays.
Saligot conduit la cinquième, qui est redoutable,
et Alain et Samson sont avec la sixième.
L'émir est à la tête de la septième compagnie, la plus grande ;
il est entouré des hommes de sa maison.
L'émir a le cœur plein de joie à les contempler
et à les voir aussi ardents au combat.
Il fait sonner sa trompette quand on déploie l'étendard.
Plus de mille clairons sonnent en bas dans tout le pré,
retentissant dans la montagne, résonnant dans la vallée.

386

Les compagnies descendent dans la vallée
au petit pas, pour rester en bon ordre.
L'émir a le cœur plein de joie à ce spectacle.
Il tire sur ses rênes et s'appuie sur Acarin.
« Certes, dit l'émir, c'est bien employer son trésor
que de le donner à des hommes qui ne rechignent jamais
à faire leur service : voilà comment sont mes hommes ! »
Il fait garder les richesses à l'intérieur de la cité.
Quant au roi Alexandre, il envoie ses hommes,
dès qu'il apprend que Tholomé est en train de se battre.
L'armée, qui attendait tranquillement, s'agite.
La foule des chevaliers est en effervescence.
Tous courent revêtir leurs armes, avec l'accord du roi :
il va y avoir bataille, si on les en croit !

387

Les douze compagnons courent revêtir leurs armes.
Parmi eux, Tholomé, à ce que dit le livre,
a déjà montré sa bravoure ;
il a déjà engagé les hostilités.
Dès que Macabrun a fixé son gonfanon à sa lance,
Tholomé chasse les ennemis sur la distance d'un jet d'arbalète.

Qant il furent armé, vinrent a esperon
Trestuit a Alixandre por oïr sa raison
De la bataille faire par tel devision
6636　Que chascuns se metra de son cors a bandon
Ançois que il ja fuie le travers d'un roion.
Li rois en apela premierement Cliçon,
De la premiere eschiele li otroia le don.
6640　La seconde livra Perdicas le baron ;
Doucement li proia et par grant guerredon :
Gart q'on ne chant de lui nule male chançon.

388

La tierce eschiele baille Filote le vaillant,
6644　En tote l'ost n'avoit un seul mieus combatant ;
Cil ot en sa compaigne chevalerie grant.
Estes vos Aristé devant lui apoingnant,
Et fu tres bien armés sor un destrier courant.
6648　« Aristé, dist li rois, la quarte vos command. »
Qant l'oï Aristés, si respont en riant :
« Je m'en istrai de ça, dedevers cest pendant ;
Se je truis l'amiraut et il me vient devant,
6652　Je li donrai tel caup de m'espee trenchant
Que jel vos rendrai mort ou pris ou recreant,
Ou il fera de moi, se il puet, autretant. »

389

Antigonus s'arma en une mareschiere,
6656　Car ses tres iert tendus dejoste la riviere.
Vestu ot un hauberc qui fu fais a Baiviere
Et ot lacié un elme qui iert de tel maniere
Plus estoit durs que pierre et plus clers que verriere.
6660　El cheval est montés, ainc n'i quist estriviere,
Et vait plus grans galos poignant par la bruiere ;
Il soufrist bien a corre une jornee entiere.
D'une porpre vermelle ot faite la coliere,
6664　D'un blanc drap de Sydoine fu faite la cropiere.
Aprés lui sa maisnie molt orgelleuse et fiere,

Quand les Grecs sont en armes, ils viennent au galop
à Alexandre, pour prendre ses ordres,
bien décidés, dans cette bataille,
à prendre tous les risques
plutôt que reculer ne serait-ce que de la largeur d'un fossé.
Le roi appelle Clin le premier
pour lui confier la première compagnie.
Il donne la deuxième au vaillant Perdicas,
lui promettant une récompense et le priant doucement
de veiller à préserver sa réputation.

388

Le valeureux Filote reçoit la troisième compagnie :
c'est le meilleur guerrier de l'armée ;
de nombreux chevaliers l'accompagnent.
Mais voici Aristé qui galope vers le roi,
bien armé sur son destrier rapide.
« Aristé, dit le roi, la quatrième compagnie est pour vous ! »
Aristé, à ces mots, répond en riant :
« Je m'en irai vers cette colline :
si je trouve l'émir et qu'il vient à ma rencontre,
je le frapperai si bien de mon épée tranchante
que je vous le ramènerai mort ou prisonnier, avouant sa défaite,
ou bien c'est lui qui m'infligera ce sort ! »

389

Antigonus s'arme près d'un marais,
car il a monté sa tente au bord de la rivière.
Il revêt un haubert fabriqué en Bavière
et lace son heaume
plus dur que la pierre et plus clair que le verre.
Il monte en selle sans étrivières
et s'élance au grand galop dans la bruyère :
il serait capable de galoper une journée entière.
Le col de son cheval est couvert d'une pourpre vermeille,
le croupière est faite d'une blanche étoffe de Sidon.
Il est suivi des hommes de sa maison, fiers et orgueilleux,

Por paor de nului ainc ne torna arriere,
Auques fu par commant et auques par proiere.
6668 Icil mena la quinte, qui grans iert et pleniere.

390

Alixandres s'arma par dedevant sa tente,
Il vesti un hauberc qui fu fais a Ostrente,
Il ne doute de riens que armé par mi sente ;
6672 Et a lacié un elme qui des autres vaut trente,
Et a çainte l'espee, qui molt li atalente,
Qanque il aconsieut destruit et acravente ;
Montés est el cheval, dont la sele fu gente.
6676 Li jors fu biaus et clers si ne pluet ne ne vente,
Et a dit a ses homes : « Gardés nus ne repente ;
Se je puis esploitier, que Dieus le me consente,
Et je preng Babilone, que mes dieus ne me mente,
6680 Ja n'i avra si povre qui n'ait molt riche rente. »

391

El cheval est montés Alixandres li rois,
Larges fu et hardis et molt preus et cortois,
Et a la soie eschiele esleüe a son chois,
6684 Et furent entor lui Grieu et Mascedonois.
Trois mil archiers i ot sor bons chevaus norois,
Qui molt sevent bien traire et ont les ars turqois.
Tholomés en l'angarde fu o cinc cens Grigois
6688 Qui n'ont soing de riviere ne de deduit de bois.
Qant il vit les eschieles, primes quatre et puis trois,
Des esperons hurta le destrier espanois,
Fiert Craton ens l'escu, dont la guige iert d'orfrois,
6692 Que lui et le cheval abat en un chaumois.

392

Li amiraus chevalche a bataille establie,
Et li rois Alixandres o grant chevalerie.
Tholomés et li sien ont l'angarde saisie,

qui n'ont jamais eu peur ni jamais reculé,
soumis aux ordres comme aux prières de leur seigneur.
Antigonus conduit la cinquième compagnie et ses nombreux
[guerriers.

390

Alexandre s'arme devant sa tente.
Il revêt un haubert fabriqué à Otrante
et ne redoute ainsi aucun coup.
Puis il lace son heaume, qui en vaut trente autres,
et ceint l'épée qui lui est chère
et met en pièces tous ceux qu'il en atteint.
Il monte un cheval à la selle superbe.
Le jour est beau et clair, sans pluie ni vent.
Il déclare à ses hommes : « Veillez à ne pas avoir honte de
Si je peux réussir (Dieu le veuille !)   [vous !
à prendre Babylone, si mon dieu ne me fait pas défaut,
le plus pauvre d'entre vous deviendra riche ! »

391

Le roi Alexandre monte en selle.
Il est généreux et hardi, preux et courtois.
Il a placé dans sa compagnie les hommes de son choix ;
Grecs et Macédoniens l'entourent.
Il y a trois mille archers sur de bons chevaux norvégiens,
habiles à se servir de leurs arcs turcs.
Tholomé est à l'avant-garde avec cinq cents Grecs,
qui ne songent guère à chasser en rivière ou en forêt.
Quand il voit les compagnies ennemies, quatre devant et trois
il éperonne son destrier espagnol,   [derrière,
frappe Cratès sur son écu à la courroie d'orfroi
et le renverse avec son cheval dans les chaumes.

392

L'émir chevauche avec son bataillon,
et le roi Alexandre avec tous ses chevaliers.
Tholomé et les siens se sont emparés de la colline,

6696	Cratés et Macabruns l'ont laissie et guerpie.
	Pharés, li rois d'Egypte, o l'eschiele qu'il guie
	Est venus en l'estor, fist lor une envahie,
	Vait ferir Lisiart en la targe florie,
6700	De l'un chief tresqu'en l'autre l'a rompue et croissie,
	Del cheval l'abat jus et en aprés s'escrie :
	« Pitié ai des Grigois, venu sont a folie. »
	Aprés Pharés s'eslaissent cil de sa compaignie.
6704	Pharés prist le cheval, qu'il ne s'oublia mie,
	Puis dist une ramprosne par molt grant felonie :
	« Par fiance a segnor est mainte gent honie. »
	Qant le voit Tholomés, la sieue gent ralie
6708	Et embrace l'escu, tint l'espee forbie,
	Tout droit aprés Pharés a sa resne guenchie,
	Tel caup li a doné sor l'elme les l'oïe
	Qu'il en gut a la terre plus de lieue et demie.
6712	Qant il l'ot abatu, belement li escrie :
	« Par Dieu, dist Tholomés, ne lairai ne vos die
	Mieus vaut a home taire que parler estoutie,
	Mi home avront vers vos molt bone avoërie,
6716	Mais vostre gent avra par vos malvaise aïe. »

393

	Ançois que cil d'Egypte aient Pharés rescous,
	D'autre part li Grigois Lisiart l'amorous,
	Fu li estors molt grans, destrois et angoissos,
6720	Et ne por qant par force les font monter ansdous.
	Lisiars est montés desor un cheval rous,
	Et Pharés remonta, qui molt fu orgellous,
	De sa honte vengier estoit molt covoitous.
6724	Le cheval point et broche par mi un pré herbous,
	Vait ferir un Grigois preu et chevalerous,
	Que lui et le cheval abati a estrous.

394

	Lisiars sist el rous qui por fuïr ne lasse,
6728	Il ot la teste maigre, la crupe lee et crasse ;

dont ils ont chassé Cratès et Macabrun.
Pharès, le roi d'Egypte, avec sa compagnie,
s'engage dans la mêlée pour lancer une attaque.
Il vient frapper Lisiart sur sa targe à fleurs,
qu'il brise en deux morceaux ;
il le renverse à bas de son cheval et s'écrie :
« J'ai pitié des Grecs, ils commettent une folie ! »
Les hommes de Pharès s'élancent à sa suite.
Pharès n'oublie pas de prendre le cheval,
puis prononce une cruelle raillerie :
« Bien des gens sont déshonorés pour avoir trop cru leur
Mais Tholomé l'a vu et rassemble ses troupes.   [seigneur ! »
Il serre son écu contre lui, brandit son épée fourbie,
et file sur Pharès à bride abattue.
Il lui porte un tel coup sur le heaume, près de l'oreille
que l'autre reste à terre le temps de franchir une lieue et demie.
Quand il l'a abattu, il lui dit joyeusement :
« Au nom de Dieu, il faut que je vous dise
que mieux vaut se taire que dire une sottise !
Mes hommes n'auront rien à craindre de vous,
et les vôtres ne trouveront pas en vous grand secours ! »

393

Avant même que les Egyptiens n'aient secouru Pharés
et les Grecs le courtois Lisiart,
la mêlée est terrible et violente.
On parvient des deux côtés à faire remonter les combattants en
Lisiart monte sur un cheval roux   [selle.
et Pharès, plein d'orgueil, remonte en selle,
pressé de venger sa honte.
Il lance son cheval au galop dans un pré herbeux
et vient frapper un Grec preux et vaillant,
l'abattant brutalement avec son cheval.

394

Lisiart monte son cheval roux qui ne connaît pas la fatigue,
qui a la tête fine, la croupe large et grasse.

Il embrace l'escu, la lance porte basse
Et feri un des lor que tout l'escu li quasse
Et du fer et du fust mist outre une grant masse ;
6732　Ja l'eüst abatu, qant la lance outre passe.
Puis a traite l'espee, autresi les entasse
Com li peschierres fait les poissons ens la nasse ;
Qui il consieut a caup a grant paine respasse.

395

6736　Segnor, or porriés grans mervelles oïr,
Quant doi mil chevalier vont les cinc cens ferir.
Tholomés ne li sien ne puet longes soufrir,
Il n'i puet arester n'il ne daigne fuïr.
6740　Lors regarde sor destre et vit Dant Clin venir,
O lui mil chevalier, ce l'a fait esbaudir.
Dans Clins baisse sa lance si les vait envaïr,
Plus d'une arbalestee a fait les rens fremir.
6744　Cil qui chiet en la route onques ne pot garir
Que sempres ne soit pris ou l'estuece morir.
Dans Clins en feri un par mervellous aïr,
Que l'auberc li estroue, l'escu fait dessartir,
6748　A l'abatre li fait l'ame du cors partir.
Ja mais n'en osast uns retorner ne guenchir,
Qant li rois de Saba les a fait ressortir.

396

L'eschiele au roi Sorin i est poignant venue ;
6752　Cele fu bien armee, toute de fer vestue.
Sorins tint une ensegne qui fu a or batue,
Et broche le cheval, qui de corre s'argüe.
Devant trestous les autres, plus que uns ars ne rue,
6756　Li destriers ou il sist vistement se remue.
Un Grigois vait ferir, sa lance fu agüe,
La targe de son col li a par mi fendue
Et la broigne du dos desmaillie et rompue,
6760　Par vertu l'a empaint, la sele remest nue.
Et qant Dans Clins le voit, de maltalent tressue ;

Il saisit son écu, abaisse sa lance
et porte à un ennemi un coup qui lui brise son écu,
lui enfonçant dans le corps une bonne partie du fer et du bois.
Il l'aurait renversé, mais sa lance dévie.
Alors il dégaine son épée et multiplie les victimes,
comme le pêcheur qui entasse les poissons dans sa nasse :
peu de ceux qu'il atteint échappent à la mort.

395

Seigneurs, vous allez entendre de prodigieux faits d'armes !
Deux mille chevaliers fondent sur les cinq cents hommes de
[l'avant-garde.
Tholomé et les siens ne peuvent soutenir la charge :
ils ne peuvent résister mais refusent de fuir.
Tholomé voit sur sa droite sire Clin accourir
avec mille chevaliers : il est bien soulagé !
Sire Clin abaisse sa lance et attaque l'ennemi,
il sème la panique sur la longueur d'un jet d'arbalète.
Celui qui tombe dans la mêlée ne peut échapper
à la capture ou à la mort.
Sire Clin frappe un ennemi avec une telle violence
qu'il lui troue son haubert, disloque son écu :
l'autre perd la vie dans sa chute.
Plus un de ses compagnons n'aurait osé revenir sur ses pas,
quand le roi de Saba les a fait reculer.

396

La compagnie du roi Sorin accourt au galop,
bien protégée d'armures de fer.
Sorin brandit son enseigne d'or battu
et éperonne son cheval qui précipite sa course.
Le destrier galope si vite
qu'il précède tous les autres d'une portée d'arc.
Sorin frappe un Grec de sa lance pointue :
il fend la targe qui lui pend au cou,
brise et arrache les mailles de sa broigne
avec une telle force qu'il lui fait vider la selle.
Sire Clin, à cette vue, tremble de fureur :

Se il puet esploitier, ceste li iert rendue.
Puis a traite l'espee de novel esmolue,
6764 Par desous la ventaille l'en a une rendue,
La coiffe li trencha et la maile menue,
A icel caup en a la cervele espandue.

397

Perdicas sist armés sor un destrier d'Espaigne
6768 Et vint grant aleüre dedevers la montaigne
Plus de mil chevaliers avoit en sa compaigne.
Perdicas lor escrie : « Gardés nus ne se faigne. »
Lors broche le destrier, ne cuit que mais remaigne
6772 Devant ce que sa lance par mi escu enpaigne ;
Vait ferir Saragon, nes fu de Moretaigne,
La lance o le penon dedens le cors li baigne.
Ne li vaut li haubers le pris d'une chastaigne,
6776 A terre l'abat mort, n'i fist autre bargaigne.
« Par foi, dist Macabruns, ceste gent nos mehaigne. »

398

Perdicas et li sien les ont si enchauciés
Plus d'une arbalestee les ont outre chaciés.
6780 Tels chaï en la presse puis n'en fu redreciés,
Des escus et des lances fu tous li chans jonchiés.
La peüssiés veoir et tant puins et tant piés,
Tant cheval estraié et tant arçons vuidiés.
6784 Qant le vit Macabruns, tous en est esmaiés
Et a dit a ses homes : « A mesure fuiés,
Vous perdés toutes eures et riens ne gaaigniés ;
Or estes vos honi, se vos ne vos vengiés. »
6788 Lors broche le cheval, vers aus est eslaissiés,
Vait ferir un Grigois qui s'estoit avanciés,
Tel caup li a doné li escus est perciés,
Li haubers de son dos rompus et desmailliés ;
6792 Li Grigois chiet a terre, durement fu bleciés.
Qant le vit Macabruns, molt par en fu haitiés,
As estriers de la sele est li ber aficiés

il va lui rendre ce coup, s'il en est capable !
Il dégaine son épée fraîchement émoulue
et lui rend son coup sous la ventaille du heaume,
tranchant la coiffe aux mailles fines,
et répandant la cervelle sur le sol.

397

Perdicas, en armes, monte un destrier d'Espagne
et vient à vive allure vers la montagne,
avec plus de mille chevaliers.
Il leur crie : « Gardez-vous de reculer ! »
Il éperonne son destrier : sa lance ne va pas tarder
à se planter dans un écu.
Il vient frapper Saragon, natif de Mauritanie,
et lui enfonce dans le corps sa lance avec le pennon.
Le haubert de Saragon ne lui sert à rien :
Perdicas le renverse mort à terre, sans plus de discussion.
« Ma foi, dit Macabrun, ces hommes nous infligent des

[pertes ! »

398

Perdicas et les siens les pourchassent ainsi
sur plus d'un jet d'arbalète.
Ceux qui tombent dans la mêlée ne peuvent plus se relever ;
le champ est tout jonché d'écus et de lances.
On ne voit partout que des poings et des pieds,
des chevaux abandonnés, des cavaliers qui vident les arçons.
Macabrun, épouvanté à ce spectacle,
dit à ses hommes : « Vous fuyez les uns après les autres
et vous perdez sans cesse, sans rien gagner.
Vous êtes déshonorés, si vous n'en tirez pas vengeance ! »
Il éperonne son cheval, s'élance vers les Grecs
et vient frapper l'un d'eux, qui s'était avancé :
le coup transperce l'écu,
brise les mailles du haubert :
le Grec tombe à terre, grièvement blessé.
Macabrun exulte à ce spectacle :
le vaillant guerrier se dresse sur ses étriers,

Et tient en son poing destre le branc qui fu oschiés,
6796 De si male maniere s'est a aus acointiés
Que deus en a ocis et quatre mehegniés.
Par tant fu li estors engrés recommenciés,
N'ot talent de jouer tous li plus envoisiés.

399

6800 A tant es vos Filote devers la destre part,
Et fu tres bien armés sor un destrier liart,
Hauberc ot bon et fort, n'ot de fauser regart.
En toute sa compaigne n'ot chevalier couart,
6804 Mil furent es destriers, a chascun estoit tart
De ferir en l'estor ou de lance ou de dart.
Devant laissent Filote aler joster soi qart ;
Entre lor enemis commencent lor essart,
6808 Ausi brisent lor lances comme une seche hart ;
Filotes lor ocist au premier caup Rohart.
Farés, le roi d'Egypte, feri si d'un fausart
Que l'escu de son col par mi la boucle part,
6812 Et cil s'en est tornés fuiant vers l'estandart.

400

Macabruns fu bleciés et Pharés fu navrés,
Li dus Cratés s'en fuit sor son cheval armés,
Mil s'en vont aprés lui, de combatre ont assés.
6816 De tous ciaus ne fust puis uns tos seus retornés,
Qant lor vint dedevant Saligos li barbés,
A dis mil chevaliers les a cil encontrés.
Qant il les vit venir, en haut s'est escrïés :
6820 « Dites moi, Macabrun, avés Grigois trovés ?
Avés vos tout ce fait dont vos estes vantés ?
Car assés estoit fort nostre bone cités,
Et qui fust la dedens bien fust aseürés
6824 Q'il ne doutast nului tant com durast estés ;
Bien peüst avenir, ançois qu'il fust passés,
Que li rois s'en alast et il et ses barnés. »

brandissant dans sa main droite sa lame entaillée.
Il s'attaque aux Grecs avec une telle furie
qu'il en a tué deux et blessé quatre autres.
La mêlée reprend, de plus en plus violente :
le plus gai n'a pas envie de plaisanter.

399

Mais voici venir Filote sur la droite,
richement armé et monté sur un destrier gris ;
son haubert solide ne craint pas les coups.
Pas un seul lâche parmi les siens,
mais mille chevaliers montés sur leurs destriers, qui ont tous [hâte
de se servir de leur lance ou de leur javelot.
Ils laissent devant eux Filote jouter avec trois hommes
et commencent à essarter le champ ennemi :
ils brisent les lances comme des branches mortes.
Filote, du premier coup, leur tue Rohart,
puis porte à Pharès, le roi d'Egypte, un coup de sa faux d'armes
qui lui arrache la boucle de l'écu pendu à son cou.
Pharès cherche refuge vers son étendard.

400

Macabrun est contusionné, et Pharès blessé ;
le duc Cratès s'enfuit sur son cheval,
suivi par ses mille hommes qui ne veulent plus combattre :
pas un seul n'aurait fait demi-tour,
quand ils rencontrent Saligot à la longue barbe,
avec ses dix mille chevaliers.
Quand il les voit venir, il s'écrie d'une voix forte :
« Dites-moi, Macabrun, avez-vous trouvé les Grecs ?
Avez-vous fait tout ce dont vous vous êtes vanté ?
Elle était pourtant forte, notre bonne cité,
et si nous étions restés dans ses murs,
nous n'aurions redouté personne de tout l'été !
Peut-être même, avant la fin de l'été,
le roi s'en serait-il retourné avec son armée. »

Qant l'oï Macabruns, un peu s'est vergondés :
6828 « Sire, fait il, g'i fui, et vos i revenés. »

401

Saligos fu armés sor un cheval morel,
En toute la compaigne n'avoit pas plus isnel.
Un hauberc ot vestu dont d'or sont li clavel,
6832 Et ot en son sa lance un vermeil penoncel.
Il broche le cheval et o lui mil dansel,
Sachiés ja lor rendront un estor de novel.
Saligos esperone, tint l'escu en chantel,
6836 Vait ferir un Grigois en mi lieu le tropel,
Que lui et le cheval abat en un moncel.
Qant le vit Tholomés, ne li fu mie bel,
Un des leur vait ferir que on claime Ospinel ;
6840 Li escus de son col ne li vaut un mantel,
Que lui et son cheval abat en un putel.

402

Saligos et li sien lor ont damage fait,
Plus de deus cens en ont abatu el garait ;
6844 Qant ce voient Grigois, arriere se sont trait.
Saligos esperone, un Grigois ferir vait,
Que l'escu de son col a peçoié et frait,
Si l'a navré el cors que il geta un brait.
6848 Se ne fust Aristés, li hardis qui bien ait,
Ançois qu'il s'en partissent i eüst malvais plait ;
Qant ce vit Aristés que il lor font si lait,
Cele part est venus au partir du forfait,
6852 En la plaie q'ot faite vaura metre l'entrait.

403

Aristés est venus armés desor Vairon,
Un escu ot au col ou ot paint un lion ;
Tuit ensamble esperonent il et si compaignon.

Macabrun, à ces mots, a un peu honte :
« Seigneur, dit-il, je reviens du combat, et vous y retournez. »

401

Saligot, en armes, monte un cheval noir,
le plus rapide de toute sa compagnie.
Il porte un haubert aux clous d'or
et au sommet de sa lance, un pennon vermeil.
Il pique des deux, suivi de mille guerriers
prêts à raviver les combats.
Saligot éperonne son cheval, tenant son écu de côté,
et vient frapper un Grec au milieu de la troupe,
abattant l'homme et la bête ensemble.
Tholomé, furieux à ce spectacle,
vient frapper un ennemi nommé Ospinel,
que son écu protège aussi peu qu'un manteau,
et le renverse avec son cheval dans un bourbier.

402

Saligot et les siens infligent des pertes aux Grecs :
ils en abattent plus de cent dans le guéret.
Les Grecs, à cette vue, reculent.
Saligot éperonne son cheval et vient frapper un Grec :
il fracasse son écu
et le blesse si cruellement que l'autre pousse un cri.
Sans Aristé, le hardi chevalier (Dieu le bénisse !),
les Grecs auraient connu un triste sort avant la fin du combat.
Mais Aristé les voit en piteuse posture
et vient de leur côté après le mauvais tour qu'on leur a joué :
il veut mettre du baume sur leur plaie.

403

Aristé est en armes et monté sur Vairon ;
il porte, pendu au cou, un écu à un lion.
Il éperonne son cheval, comme tous ses compagnons.

6856 Voit ciaus de Babilone, qui molt lor sont felon ;
La compaigne des Grieus ont mis en tel friçon,
S'il ne tornent en fuie, ne sevent garison ;
Ja les orent chaciés le trait a un boujon,
6860 Qant Aristés i vint, qui oï la tençon.
Il a baissié sa lance a tout le gonfanon,
Vait ferir Saligot par dejoste l'arçon,
Le fer li mist el cors, de la lance un tronçon ;
6864 Saligos est cheüs tous envers el sablon.
Aristés fiert un autre el pis sous le menton,
Par mi le cors li met le fer et le penon,
Du cheval l'abat mort par delés un buisson.

404

6868 Saligos fu navrés el cors, mais nequedent
Paor ot de la mort, a son cheval se prent,
Montés est par l'estrier, qui fu fait a argent.
Grant paor a li rois por la plaie qu'il sent,
6872 De l'estor est issus par mi toute sa gent,
Vait s'ent a esperon, que nului n'i atent.
Qant l'amiraus le vit de la plaie sanglent,
Contre lui est venus si li dist belement :
6876 « Saligos, biaus amis, par le mien ensïent,
Navrés estes a mort, dont aï le cuer dolent ;
Se je puis esploitier, j'en prendrai vengement »
Lors fait soner buisines et de cors plus de cent,
6880 Et li rois Saligos de son cheval descent.

405

L'amiraus fist soner deus buisines a glas.
« Sire, dist Saligos, en la bataille iras ;
Se tu bien ne t'i gardes, tu t'en repentiras,
6884 Car li home Alixandre ne furent onques las,
Lor cheval sont isnel, fort et corant et cras.
Ou qu'il truevent tes homes, ses vont ferir a tas,
Lor haubers lor derompent autresi comme dras.
6888 – Par foi, dist l'amiraus, tout ce me samble gas,

Il voit les hommes de Babylone, qui ne leur veulent que du
Les troupes de Saligot épouvantent les Grecs,   [mal.
qui ne trouvent leur salut que dans la fuite
et se laissent pourchasser sur un jet d'arbalète.
Mais Aristé arrive au bruit du combat ;
il abaisse sa lance et son gonfanon
et vient frapper Saligot près de l'arçon ;
il lui enfonce dans le corps le fer et une partie du bois de sa
Saligot tombe à la renverse dans le sable.   [lance :
Aristé en frappe un autre à la poitrine, sous le menton,
lui enfonçant dans le corps son fer avec le pennon :
il l'abat, mort, de son cheval, près d'un buisson.

404

Saligot est cruellement blessé ;
il a peur de mourir et monte à cheval
en s'aidant de l'étrier d'argent.
Le roi souffre de sa blessure : il a grand-peur,
quitte la bataille au milieu de tous ses hommes
et part au grand galop sans attendre personne.
Quand l'émir voit sa plaie sanglante,
il vient à sa rencontre et lui dit doucement :
« Saligot, cher ami, vous êtes blessé à mort,
je crois, et j'en suis malheureux.
Je vous vengerai, si je le peux ! »
Il fait alors sonner plus de cent trompettes et cors,
tandis que le roi Saligot met pied à terre.

405

L'émir fait retentir deux trompettes au son éclatant.
« Seigneur, dit Saligot, tu entres dans la bataille :
prends bien garde à ne pas t'en repentir !
Les hommes d'Alexandre ne connaissent pas la fatigue ;
leurs chevaux sont forts, rapides et bien nourris.
De tous côtés, ils s'abattent sur tes hommes,
et déchirent les hauberts comme des tuniques.
– Par ma foi, dit l'émir, tu plaisantes ! »

Li respons Apollin ne nos fausera pas.
Tu es navrés a mort, por ice remanras. »
Or s'en ist l'amiraus tout souavet le pas,

6892 Ançois que none soit sera devers le bas.
Et Saligos apele le bon mire Ypocras,
Dist li : « Je te donrai de fin or dis henas
Et dis mile besans, se de cest mal respas. »

406

6896 Or s'en vait l'amiraus tout droit en la bataille ;
De sa gent a perdu, mais de ce ne li chaille,
En Apollin se fie et en sa devinaille.
Le cheval point et broche, ne laira nes asaille,

6900 Li chevaus cort plus tost q'espreviers aprés qaille ;
Et feri un Grigois el pis sous la ventaille
Et le fer et le fust li mist par mi l'entraille ;
L'auberc qu'il ot vestu li deront et desmaille,

6904 Tant souef l'abat mort que de riens ne travaille.
Il escrie s'ensegne : « Apollins nos i vaille. »

407

Droit aprés l'amirail estes vos Acarin ;
Molt avoit grant fiance el respons Apollin,

6908 Tresque ci l'ont tenu trestout por bon devin.
Ses chevaus fu tous noirs, et blanc furent li crin,
Ses escus fu vermaus a un chantel hermin,
Et ot en son sa lance un gonfanon porprin.

6912 Vait ferir un Grigois sor l'escu a or fin,
Que mort l'a abatu dedelés un sapin.
Estes vous aprés lui Sanson et Torquentin,
Li uns fiert Lisiart et li autres Maurin,

6916 Tous desconfis les chacent tresq'a la roche Arsin,
Ou li rois Macabruns fist l'angarde hui matin ;

---

102. « Dans le blason, l'hermine est figurée par un champ d'argent semé de
mouchetures de sable [noires] » (M. Pastoureau, *Traité d'héraldique*, p. 104).

L'oracle d'Apollin ne peut pas nous tromper.
Tu es blessé à mort et dois rester ici. »
L'émir s'éloigne au petit pas de son cheval ;
avant midi, il sera en bas de la pente.
Et Saligot appelle le bon médecin Hippocrate,
lui disant : « Si j'en réchappe, je te donnerai
dix hanaps pleins d'or fin et dix mille besants ! »

406

L'émir s'en va tout droit dans la bataille ;
il a perdu des hommes, mais peu lui chaut :
il fait confiance à Apollin et à sa prophétie.
Il pique des deux, se lançant à l'assaut.
Le cheval vole plus vite qu'un épervier après une caille.
L'émir atteint un Grec à la poitrine, sous la ventaille,
et lui enfonce le fer et le bois de sa lance dans les entrailles,
mettant en pièces son haubert :
il l'abat, mort, sans aucun effort
et lance son cri de ralliement : « Apollin avec nous ! »

407

Juste derrière l'émir, voici venir Acarin :
il avait toute confiance dans l'oracle d'Apollin,
que tous les Babyloniens avaient tenu jusqu'ici pour un bon
Son cheval est tout noir ; seule la crinière est blanche.   [devin.
Son écu est vermeil, avec un quartier d'hermine[102]
et il porte au sommet de sa lance un gonfanon de pourpre.
Il vient frapper un Grec sur son écu d'or fin
et le renverse mort près d'un sapin.
Voici venir derrière lui Samson et Torquentin,
dont l'un attaque Lisiart et l'autre Maurin,
qu'ils chassent, en déroute, jusqu'à la roche d'Arsin,
là où le roi Macabrun avait monté la garde le matin même.

L'amiraus les enchauce, o lui mil Sarrasin.
Tholomés trestorna el mont les le chemin,
6920 Acarin vait ferir de son branc acerin ;
Ne li valut li elmes une coiffe de lin,
Si que mort le trebuche desous un aubespin.

408

Acarins fu ocis par tel mesaventure ;
6924 Ne por qant l'amiraus tout a desconfiture
Enchauce les Grigois tant com li mons li dure,
Il n'i a si hardi de retorner ait cure.
Lors vint Antigonus delés une costure,
6928 O lui mil chevaliers, vienent grant aleüre.
Qant Dans Clins l'entendi, molt en ot grant ardure ;
Il dist a Tholomé : « Ce est molt grant laidure
Que nos ainsi fuions por ceste gent tafure,
6932 Molt a mal enploié li rois sa norreture ;
Se nos perdons s'amor, ce sera bien droiture. »
Lors poingnent les a les andui a desmesure
Et tint chascuns l'espee par mi l'enheudeüre
6936 Et fiert chascuns le sien tres par mi la faiture,
Des chevaus les abatent andui a terre dure.
« Dant Clin, dist Tholomés, querés lor sepulture,
Car les ames ont ja en infer pris masure. »

409

6940 A cele pointe vint Antigonus li ber,
Mil chevaliers o soi qui molt font a douter,
Plus de mil en ont fait chaoir et enverser ;
Ensamble o eus i poingnent trestout li douze per.
6944 Si fort les enchaucierent qu'il les font reüser,
Desi q'a l'estandart n'i pot nus arester.
Or pöés grant mervelle oïr et escouter,
Ainc de si grant estor n'oïstes mais parler.
6948 La peüssiés veoir et poins et piés cauper,
Les chevaus estanchiés par la champaigne aler,
Tant chevalier sor l'erbe chaoir et reverser,

L'émir les pourchasse avec mille Sarrasins.
Tholomé fait demi-tour sur le chemin de la colline :
de sa lame d'acier, il frappe Acarin,
dont le heaume d'acier le protège aussi peu qu'une coiffe de
et le renverse mort sous une aubépine.   [lin,

408

Acarin a trouvé une terrible mort.
Mais l'émir poursuit les Grecs en déroute
sur toute la largeur de la colline :
aucun d'eux n'ose faire demi-tour.
Alors Antigonus surgit le long d'un champ,
approchant à vive allure avec mille chevaliers.
Sire Clin, à cette nouvelle, se sent plein d'ardeur
et dit à Tholomé : « C'est une honte
de fuir devant ces coquins !
Le roi a eu bien tort de nous garder près de lui :
si nous perdons son amitié, nous l'aurons bien mérité ! »
Alors tous deux s'élancent dans un galop effréné,
brandissant leur épée,
et frappent chacun leur homme en plein visage,
l'abattant de cheval sur la terre dure.
« Sire Clin, dit Tholomé, il faut les enterrer,
car leurs âmes sont déjà en enfer ! »

409

Au moment de cette charge arrive le valeureux Antigonus,
suivi de mille chevaliers redoutables :
ils renversent de cheval plus de mille adversaires.
Les douze pairs se joignent à eux
et pressent si bien l'ennemi qu'ils le font reculer
jusqu'à son étendard sans qu'il puisse s'arrêter.
Ecoutez le récit de cette prodigieuse bataille,
la plus grande dont vous ayez jamais entendu parler !
Quel spectacle que les poings et les pieds tranchés,
les chevaux épuisés qui errent par la campagne,
les chevaliers qui tombent sur l'herbe à la renverse,

Tant ruiste caup ferir, tante ensaigne escrïer
6952　Et tant dolereus plaint et tant souspir geter.
Molt fu preus l'amiraus por estor endurer,
Il fait a l'estandart deus buisines soner,
Et si ra fait ses homes ralïer et serrer
6956　Que nus des chevaliers ne puisse entr'aus entrer,
Et se il s'i enbat, ne puisse retorner.

410

Segnor, a l'estandart la fu li recovriers,
Li chans fu grans et larges et vestus des premiers.
6960　Li amiraus fu preus et de ce costumiers,
Aveuc lui Macabrun et Sanson et Cratiers.
Il vait ferir Filote en l'escu de qartiers ;
Qant il s'en departi, ne remest mie entiers,
6964　Sanglente en fu la hanste, li fers et li aciers.
Filotes chiet a terre entre les paoniers ;
Par la resne de paile fu saisis ses destriers.
L'amiraus s'aresta comme bons chevaliers,
6968　Il le cuida bien prendre, qant li vint encombriers :
Licanor esperone, qui n'iert mie laniers,
Ançois que il s'en parte, fera vuidier estriers ;
Vait ferir l'amiraut, qui estoit fors et fiers,
6972　Qu'il est cheüs a terre entre deus boutoniers.
Puis a pris le cheval, dont il estoit mestiers,
Si l'a rendu son frere, qui monta volentiers.

411

Entre deus boutoniers est l'amiraus cheüs ;
6976　Se li rois Alixandres i fust a tans venus,
L'amiraus i fust mors ou el champ retenus.
Estes vos apoingnant plus de mil de ses drus,
Le cheval li rendirent dont il iert abatus ;
6980　De cel quil gaaigna fu molt tost reperdus.
Li amiraus monta, qui s'est aperceüs,
Et broche le cheval des esperons agus,
Vait ferir Tholomé dolens et irascus ;

sous les coups violents ! On entendait les cris de ralliement,
les plaintes et les soupirs des blessés.
L'émir était un preux, endurant au combat.
Près de son étendard, il fait sonner deux trompettes,
rallie ses hommes et fait resserrer les rangs,
pour empêcher tout chevalier de s'infiltrer parmi eux
ou de s'en retourner.

410

Seigneurs, le ralliement se fait à l'étendard.
Le champ est immense et couvert d'hommes de première
L'émir est un preux habitué à se battre :   [valeur.
il est accompagné de Macabrun, Samson et Cratès.
Il vient frapper Filote sur son écu écartelé,
et le laisse blessé :
la hampe et le fer de sa lance sont rouges du sang du Grec.
Filote tombe à terre au milieu des fantassins :
on s'empare de son destrier par la rêne de soie.
L'émir se dresse, le bon chevalier.
Il croit le capturer mais rencontre un obstacle :
Licanor éperonne son cheval : il n'a rien d'un lâche !
Avant de repartir, il en fera voler plus d'un de sa selle.
Il vient frapper l'émir, si fort et si fier,
et le fait tomber à terre entre deux buissons.
Puis il prend le cheval dont il avait besoin,
et le rend à son frère, heureux de monter en selle.

411

L'émir est tombé entre deux buissons :
si le roi Alexandre était alors venu,
l'émir était mort ou prisonnier.
Mais voici, au galop, plus de mille de ses amis,
qui lui rendent son cheval après sa chute.
Il devait pourtant vite reperdre ce qu'il venait de gagner.
L'émir monte en selle, dès qu'il le voit,
et pique son cheval de ses éperons pointus.
Furieux et courroucé, il vient frapper Tholomé

6984   Desous la boucle d'or fu perciés ses escus,
       A terre l'eüst mis, se ne brisast li fus ;
       Et Tholomés fiert lui du branc qui fu molus.
       Molt fu bien li estors d'ambedeus pars ferus,
6988   De sanc et de cervele fu molt grans la palus ;
       Grant force ot l'amiraus, qant ne fu retenus,
       Et li Grigois les fierent des brans d'acier tos nus.

412

       Macabruns esperone le destrier de Castele,
6992   Plus tost le fait aler que ne vole arondele,
       Et fiert si un Grigois sor l'escu de Tudele
       Que l'auberc li faussa par desous la mamele,
       Aprés li a trenchié et chemise et gonele
6996   Et le fer et le fust li mist desous l'aissele,
       Que par derrier le dos en parut l'alemele ;
       Enpaint le de vertu si l'abat de la sele.
       Puis a traite l'espee qui luist et estincele
7000   Et vait ferir un autre, qui porte une roële,
       Ausi li trenche l'elme com se fust une astele,
       Tout li a espandu le sanc et la cervele.
       « Par foi, dist l'amiraus, ceste joste est molt bele,
7004   Cist doit avoir amor et deduit de pucele. »
       Macabruns Tholomé par son droit non apele
       Et dist c'or li estuet une biere novele.

413

       Qant Tholomés oï que il fu rampronés,
7008   Le cheval point et broche des esperons dorés,
       Li espiés que il porte fu Macabrun privés,
       Que ses escus en est et frais et estroués,
       Li haubers de son dos et rompus et fausés.
7012   La lance li a mise par ansdeus les costés,
       Enpaint le de vertu, Macabrins est versés ;
       Por la plaie qu'il ot s'est quatre fois pasmés.
       Qant le voit l'amiraus, a poi n'est forsenés,
7016   Puis a dit a ses homes : « Or sui je malmenés.

et perce son écu sous la boucle d'or :
il l'aurait jeté à terre, si sa lance ne s'était brisée.
Tholomé, en retour, le frappe de sa lame émoulue.
La bataille fait rage de part et d'autre ;
le champ boueux est couvert de sang et de cervelle.
L'émir, libéré, montre toute sa force.
Mais les Grecs frappent de leurs lames d'acier nues.

412

Macabrun éperonne son destrier de Castille
et le fait voler plus vite qu'une hirondelle.
Il frappe un Grec sur son écu de Tudela,
transperce le haubert sous la mamelle,
tranche la chemise et la tunique
et lui enfonce le fer et le bois de sa lance sous l'aisselle :
on voit la lame ressortir dans le dos.
Le choc a été si violent qu'il l'abat de sa selle.
Puis il dégaine l'épée qui luit et étincelle
et vient frapper un autre Grec qui porte un bouclier rond :
il lui tranche le heaume comme une planchette,
répandant son sang et sa cervelle.
« Par ma foi, dit l'émir, voilà une belle joute :
ce guerrier mérite bien l'amour et les faveurs des dames ! »
Macabrun interpelle Tholomé par son nom
et lui dit qu'il lui faudra bientôt une civière.

413

Quand Tholomé entend cette raillerie,
il pique son cheval de ses éperons dorés.
De son épieu, il atteint si bien Macabrun
qu'il troue son écu et le met en pièces,
et rompt les mailles de son haubert.
Il lui enfonce sa lance dans les flancs
et frappe si violemment que Macabrun tombe de cheval :
il est si grièvement blessé qu'il s'évanouit quatre fois de suite.
L'émir, à cette vue, est presque fou de rage
et dit à ses hommes : « Je suis bien mal en point :

Macabruns est ocis ou il est afolés ;
Gardés qu'il soit vengiés, por Dieu or en pensés. »
Et cil li respondirent : « Si com vos commandés. »
7020　A l'ensegne qu'il crie, vint ses riches barnés,
El premier chief devant ot plus de mil armés.
Segnor, li vilains dist et si est verités
Tels veut son duel vengier tost est sor lui tornés.

414

7024　Qant l'amiraus voit mort Macabrun et sa gent,
Sa proëce regrete et son grant hardement,
Et dist ja mais n'iert liés s'en avra vengement.
Lors escrie s'ensegne si que sa gens l'entent,
7028　Entor lui sont venu plus de mil et set cent.
Puis vont joster as lors molt aïreement ;
Tels chaï en la route qui bien ne mal ne sent.
Li chevaus l'amiraut les menus saus porprent,
7032　La resne li alasche et nel fait mie lent,
Des esperons le hurte et met l'ensegne au vent,
Vait ferir un Grigois, que tout l'escu li fent,
Tant com hanste li dure du cheval le descent.

415

7036　Li estors fu molt grant et la bataille fiere.
Macabrun ont couchié desor une litiere
Et li Grieu en porterent le leur qui fu en biere.
L'amiraus ot grant force ses vaut chacier arriere
7040　Et li Grieu sont molt fort, n'i a celui n'i fiere.
La compaigne Alixandre vint toute une costiere,
Li rois vint premerains, ne vint mie derriere.
La lance que il porte ne fu pas de bruiere,
7044　Pesans fust a un autre, mais a lui fu legiere ;
Desus ot fait lacier de paile une baniere.

---

103. Allusion aux *Proverbes au vilain*. Morawski 2351 : « Tels cuide ven-
chier sa honte qui la croist ».

Macabrun est tué ou blessé.
Veillez, au nom de Dieu, à le venger ! »
Et ses hommes répondent : « A vos ordres ! »
A son cri de ralliement accourt sa puissante chevalerie,
plus de mille hommes en armes devant lui.
Seigneurs, le vilain le dit, et c'est la vérité :
Tel veut venger son deuil qui le fait retomber sur lui[103].

414

Quand l'émir voit morts Macabrun et ses hommes,
il pleure la prouesse et la grande vaillance de son allié
et dit qu'il ne retrouvera le repos qu'après l'avoir vengé.
Il lance son cri de ralliement et tous ses hommes l'entendent :
plus de mille sept cents se regroupent autour de lui
et se lancent dans la bataille avec ardeur.
Ceux qui tombent dans la mêlée ne ressentent plus ni bien ni
Le cheval de l'émir prend le galop :   [mal.
il lui lâche la bride sur le cou, le lance à vive allure,
l'éperonne et déploie son enseigne au vent.
Il vient frapper un Grec, dont il fend l'écu,
et le renverse de son cheval de toute la longueur de sa lance.

415

La mêlée est terrible, la bataille fait rage.
On a couché Macabrun sur une litière
et les Grecs emportent l'un des leurs sur une civière.
L'émir, avec toutes ses troupes, veut les repousser en arrière,
mais les Grecs, valeureux, se battent avec acharnement.
La compagnie d'Alexandre arrive d'un côté,
le roi le premier, qui refuse de rester à l'arrière.
La lance qu'il porte n'est pas de bruyère :
un autre la jugerait lourde, lui la trouve légère ;
il y a fait fixer une bannière de soie.

Vait ferir un des lor sor la targe doubliere,
C'onques nel pot tenir poitraus ne estriviere
7048 Que il ne l'abatist en mi la sabloniere.
Lors s'escria li rois a la hardie chiere :
« Segnor, or i ferés, la bataille est pleniere. »
Par la ou li rois vait fu molt grans la poudriere,
7052 Plus de cent en laissa gesir en la charriere.

416

La compaigne Alixandre vint de travers un mont,
Et sont plus de deus mile devant el premier front ;
Tout si com li rois vait la grant presse derront.
7056 Qant vint as paoniers, tres par mi aus s'en vont,
Les fuians vont ferant et des mors font le pont.
Qanque li rois consieut tout destruit et confont,
A ses homes parole, de ferir les semont ;
7060 Ne cessent ne ne finent desi au val parfont.
Dedevant la cité avoit un pin reont,
La s'aresta li rois et cil qui o lui sont ;
Lors retornent arriere et par aus s'en revont.

417

7064 Alixandres revint o s'eschiele d'a val,
Et sont el premier front bien vint mile vassal,
Trestuit sont si ami, si home natural.
Li paonier s'en fuient, car trop avoient mal.
7068 Des esperons a or fait saillir le cheval,
Ens en mi de sa voie encontre l'amiral,
Un caup li vait doner, onques ne reçut tal ;
De l'escu li froissa la boucle de cristal,
7072 Par mi le cors li mist l'ensegne de cendal
Et tout a desrompu et cengles et poitral ;
Aprés le roi de Gresce poingnent tuit li vassal.
L'amiraus est cheüs por la plaie mortal ;
7076 Alixandres li rois prist sor lui son estal.

Il vient frapper un ennemi sur sa targe à double épaisseur :
ni harnais ni étrivières ne peuvent empêcher le vaincu
de tomber dans le sable.
Alors le roi au fier visage s'écrie :
« Seigneurs, battez-vous donc, c'est un âpre combat ! »
Partout où le roi passe s'élève la poussière ;
il en laisse plus de cent gisant sur le chemin.

416

La compagnie d'Alexandre franchit une colline :
ils sont plus de deux mille rien qu'en première ligne.
Sur le passage du roi, la foule s'éclaircit.
Ils arrivent aux fantassins, traversent leurs rangs,
frappent les fuyards et se font un pont des cadavres.
Le roi sème la destruction et la mort chez tous ceux qu'il   [atteint ;
il exhorte ses hommes à se battre.
Ils n'arrêtent pas leur course avant le val profond.
Devant la cité, il y avait un pin à la cime ronde ;
c'est là que s'arrêtent le roi et ses hommes.
Puis ils reviennent en arrière et s'en retournent.

417

Alexandre remonte du val avec sa compagnie,
qui compte bien vingt mille guerriers rien qu'en première ligne,
tous ses amis, ses hommes liges.
Les fantassins s'enfuient ; ils sont trop mal en point.
De ses éperons d'or, il fait bondir son cheval.
Sur son chemin, il rencontre l'émir :
il lui porte un coup d'une force inégalable,
fracasse la boucle de cristal de l'écu,
lui enfonce dans le corps son enseigne de taffetas
et brise les sangles et le harnais du cheval.
A la suite du roi de Grèce, s'élancent tous les chevaliers.
L'émir est tombé, blessé mortellement ;
le roi Alexandre se tient devant lui, prêt à l'attaque.

418

Li rois s'est arestés et a traite l'espee,
N'avoit encore pas la ramprosne oublïee
Que li ot par un brief li amiraus mandee.
7080 A l'amiraut en done une si grant colee
Que la teste a tout l'elme li a du bu sevree.
Adont fu sa compaigne toute desbaratee
Et cil a pié s'en fuient contre val la valee.
7084 Alixandres li rois a sa gent apelee
Et dist une parole, qui bien fu escoutee,
Qu'il n'ocïent mais nul de ciaus de la contree :
« Se feütés m'estoit et plevie et juree,
7088 Lor cités lor seroit de moi asseüree. »
Dementres que li rois la chose a devisee,
Tholomés et li sien ont l'angarde montee
Et brochent les chevaus, lor voie ont molt hastee.
7092 Ançois que li fuiant venissent a l'entree,
Ont il prise la porte, qui lor fu deffermee.
Venus est a la tor, ainc ne li fu v[e]ee,
Et l'ensegne Alixandre a dedesus levee.
7096 Alixandres li rois, qant il l'ot esgardee,
Si a dit en riant : « Ceste m'iert destinee ;
Qui la tor a saisie m'amor li est privee. »
Li rois s'est arestés dedesous en la pree ;
7100 Sa gens est descendue, aprés est desarmee.

419

Tholomés a la tor et la cité saisie,
Et li chans est vaincus, la bataille est fenie.
Alixandres li rois fist molt grant cortoisie,
7104 A ses homes commande et hautement lor prie :
« Gardés que un tout seul nus de vos n'en ocie. »
Alixandres apele sa gent et si lor prie
Qu'aillent querre les mors, que nus nel contredie ;
7108 Il meïsmes i vait o grant chevalerie.
L'amiraut a fait metre en un drap de Rossie

418

Le roi s'est arrêté ; il dégaine son épée.
Il n'avait pas encore oublié la lettre insultante
que l'émir lui avait envoyée.
Il assène à l'émir un coup d'épée
qui lui sépare la tête du corps.
C'est la déroute dans l'armée babylonienne,
et les hommes à pied s'enfuient au fond de la vallée.
Le roi Alexandre appelle ses troupes
et leur donne l'ordre, que tous respectent,
de ne tuer aucun habitant du pays :
« S'ils me prêtent serment d'allégeance,
je garantirai la sécurité de leur cité. »
Pendant que le roi fait ce discours,
Tholomé et les siens gravissent la hauteur ;
ils éperonnent leurs chevaux pour hâter leur course.
Avant même que les fuyards ne parviennent à l'entrée,
ils s'emparent de la porte, qui leur est ouverte.
Tholomé vient à la tour, sans rencontrer de résistance,
et y plante l'enseigne d'Alexandre.
Le roi Alexandre, quand il l'aperçoit,
dit en riant : Cette tour m'était destinée.
Celui qui s'en est emparé mérite toute mon amitié ! »
Le roi s'est arrêté sous les murs, dans un pré ;
ses hommes mettent pied à terre et se désarment.

419

Tholomé s'est emparé de la tour et de la cité.
Ils ont triomphé, la bataille est terminée.
Le roi Alexandre se conduit avec courtoisie.
Il adresse à ses hommes cet ordre et cette instante prière :
« Gardez-vous de tuer un seul homme ! »
Alexandre appelle ses troupes et les prie
d'aller chercher les morts sans nul retard.
Lui-même s'y rend avec de nombreux chevaliers.
Il fait envelopper le corps de l'émir dans une étoffe de Russie,

Et tous ses compaignons, que nul n'en i oublie ;
Les siens mors refait metre en une autre partie.

420

7112 Ses homes fist li rois richement enterer,
      Puis fist faire un charnier, si com j'oï conter,
      Les autres mors fist prendre et iluecques geter.
      L'amiraut et ses rois en fist lai ens porter ;
7116 Ens el temple Apollin, qui soloit deviner,
      Cent et cinquante cierges fist li rois alumer.
      Les cors fist richement ouvrir et enbasmer
      Et l'amiraut commande richement conreer,
7120 Fist li tel sepulture qui molt fist a loër.
      Se bien le vos voloie et dire et deviser,
      Je ne porroie mie bien trestout remenbrer ;
      En tout le mont n'ot tele, bien le puis afermer,
7124 Fors que seul l'Alixandre, sous ciel n'en ot sa per.
      Et ne por qant, se vos me volés escouter,
      La verté en dirai, se g'i puis assener.
      De bon marbre et d'yvoire furent tuit li piler,
7128 Le fondement desous fist d'aÿmant ovrer
      Et a fer et a plom fist les qarriaus sauder
      Et si en fist le mur si hautement lever
      Nus hom n'i peüst mie d'une pierre geter.
7132 Desus les quatre vautes, qui tant luisoient cler,
      Fist li rois par engien quatre harpes poser.
      Par itel maiestire les i fist compasser,
      Se nus por son deduit i vait por escouter,
7136 De pierre ou de martel s'il i daigne hurter,
      Donques orra les harpes tant doucement soner,
      S'il voloit la raison en son cuer porpenser,
      Si li seroit avis que il oïst harper :
7140 Les deus harpes commencent l'amiraut regreter.

---

104. Voir *infra*, IV, vv. 1486-1551.

ainsi que ses compagnons morts, sans en oublier un seul.
Il sépare d'eux ses propres morts.

420

Le roi fit donner à ses hommes de belles funérailles
puis il fit faire un charnier, à ce que j'ai entendu dire,
où il fit jeter les autres morts.
L'émir et les autres rois, il les fit porter dans la ville.
Dans le temple d'Apollon, le bon devin,
le roi fit allumer cent cinquante cierges.
Les dépouilles furent richement embaumées
et l'émir somptueusement paré.
Le roi lui fit un tombeau digne de toutes les louanges.
Si je voulais vous le décrire dans toute sa beauté,
je serais incapable de tout rapporter :
c'était le plus beau du monde, je peux vous l'affirmer,
à l'exception de celui d'Alexandre, qu'on ne devait jamais
Et pourtant, si vous voulez m'écouter,   [égaler[104].
j'essaierai de dire la vérité de mon mieux.
Tous les piliers étaient de marbre précieux et d'ivoire,
le sol ouvragé de diamant
avec des carreaux soudés de fer et de plomb
et les murs si hauts
qu'on n'aurait pu en atteindre le sommet en lançant une pierre.
Sur les quatre voûtes qui étincelaient,
le roi fit placer par grand art quatre harpes.
Elles étaient disposées avec une telle habileté
que si l'on entrait pour le plaisir de les écouter,
et qu'on donnait un coup de pierre ou de marteau,
on entendait les harpes résonner si doucement
que tout bien réfléchi,
on avait l'impression d'entendre un musicien jouer de la harpe.
Les deux harpes commencent aussitôt à pleurer la mort de
                                                    [l'émir.

421

Dedesous les quatre ars quatre lampes pendoient,
Par art de ningremance en air se sostenoient.
Ce dïent bien por voir cil qui les lampes voient
7144 Q'eles pendent en air, que nul lieu ne tenoient,
Et nuit et jor les lampes molt clerement ardoient
Si que nule liqeur por ardoir n'i metoient.
Es quatre ars par desous qui tout ce sostenoient
7148 Tous les fais l'amiraut de color i paignoient
Et deseur tout ice letres i escrivoient ;
Li fait tel com il ierent tout de fin or paroient,
C'estoit avis a ciaus qui bien les esgardoient
7152 Que fust chose vivant la painture qu'il voient.
De pierre ou de martel qant un peu i touchoient,
Les harpes retentissent, qui volentiers chantoient ;
Aveuc ceste mervelle, une autre en i faisoient,
7156 Cil qui ne l'ont veü molt a envis le croient.

422

D'une esmeraude vert firent la sepulture ;
Assés est longe et lee, trestout a sa mesure.
Or vous dirai aprés dont fu la coverture :
7160 D'eles d'alerion, et est de tel nature
Chose qui'n est coverte ne doute porreture,
Ainsi furent saudees que n'i parut jointure.
Qui sa main i metroit tost avroit grant ardure,
7164 Plus trenche que rasoirs, ja n'iert la riens tant dure ;
Tout si comme on la trait i pert la trencheüre.
Puis firent d'Apollin tresgeter la figure,
Trestoute de fin or, set piés ot de mesure.
7168 Li oel sont de topasse, si com dist l'escripture,
L'une est des douze pierres qui molt est clere et pure.

---

105. Sur l'alérion, voir *supra*, I, v. 1951.
106. La topaze figure parmi les douze pierres précieuses mentionnées dans
l'*Exode* 28, 17-20 et l'*Apocalypse* 21, 19-20.

421

Sous les quatre arcs, pendaient quatre lampes,
qui tenaient en l'air par magie.
On constatait, en les voyant,
qu'elles étaient suspendues en l'air, sans aucune attache ;
et nuit et jour, elles brillaient
sans la moindre huile.
Sur les quatre arcs qui soutenaient l'édifice,
des peintures colorées montraient toute la vie de l'émir,
que des inscriptions expliquaient au-dessus.
Toute sa vie était représentée, à l'or fin,
et on avait l'impression, en regardant les peintures,
de voir des tableaux vivants.
Il suffisait des les toucher d'une pierre ou d'un marteau,
et aussitôt les harpes faisaient entendre leur chant.
Mais il y avait aussi une autre merveille,
qu'on a du mal à croire, quand on ne l'a pas vue.

422

La tombe était une émeraude verte,
taillée aux dimensions du corps.
Quant à la dalle qui le recouvrait,
elle était en ailes d'alerion et possédait la propriété
de préserver de la pourriture[105] ;
les ailes étaient assemblées de telle sorte qu'on ne voyait
On se ferait très mal en y posant la main :   [aucune couture.
elle est tranchante comme un rasoir, il n'est rien d'aussi dur ;
sur toute surface qui la touche apparaît une coupure.
Puis l'on fit une statue d'Apollin,
toute d'or fin, de sept pieds de haut.
Les yeux étaient de topaze, à ce que dit l'écrit,
l'une des douze pierres les plus claires et les plus pures[106].

Au chief li ont assis tout droit en estature ;
Plus de mil mars d'or fin en vaut la vesteüre.

423

7172 Riche est la sepulture, nus ne set si vaillant.
L'amiral ont ens mis, honor li firent grant,
Car Apollin poserent a son chief en estant,
De fin or tresgeté de molt riche samblant.
7176 En molle i sont fondu de coivre dui enfant,
As piés les font drecier, molt furent avenant.
Chascuns tint un escu d'or et fort et pesant,
A deus bastons de fer se vont grant caus donant,
7180 Comme autre champion se vont escremissant.
Puis que cil s'en issirent qui firent cest enchant,
Ni vit on puis entrer nisune riens vivant.
Por cel fist Alixandres, si com trovons lisant,
7184 Ne veut que nus i entre qui lor voist forfaisant,
Qui le tresor en port que la verra gisant,
Et qant il sera mors ne veut que nus s'en vant.
Desi q'as quatre entrees vienent li païsant,
7188 De pierre ou de martel i fierent li auqant
Por escouter le son des harpes et le chant ;
n'i a nul si hardi qui ost aler avant,
Car se il i aloit, de mort n'avroit garant.

424

7192 Si fu haute la tombe c'on la peüst choisir
Bien de quatre lieuees, ne vos en quier mentir ;
Encore en porrïés autre mervelle oïr :
N'i peüssiés jointure ne veoir ne sentir.
7196 Qant il orent fait l'uevre trestout a lor plaisir,
D'un tout seul chapitel la font desus covrir.
Un oisel de fin or por cele oevre acomplir

---

107. Cf. l'enchantement des deux automates de la forêt des pucelles, *supra*,
III, laisses 194-197.

La statue se dressait à la tête de la tombe ;
rien que les vêtements valaient plus de mille marcs d'or.

423

Le tombeau est riche, il n'en est pas de plus précieux.
On y plaça l'émir avec tous les honneurs.
A sa tête, on plaça la statue d'Apollin,
une statue magnifique toute d'or fin.
Au pied de la tombe, se dressaient deux belles statues de cuivre
qui représentaient deux jeunes gens :
tous deux tenaient un écu d'or très lourd
et échangeaient des coups de leurs bâtons de fer,
comme deux champions qui s'affrontaient[107].
Après le départ des auteurs de cet enchantement,
nul être vivant ne pénétra dans le tombeau.
C'est qu'Alexandre, à ce que dit le livre,
voulut en interdire l'accès pour éviter qu'un criminel
n'emportât le trésor qui reposait en ces lieux
et ne pût s'en vanter après la mort du roi.
Les gens du pays viennent jusqu'aux quatre entrées
donner un coup de pierre ou de marteau
pour écouter le chant des harpes.
Mais nul n'a l'audace d'aller plus loin,
car il trouverait alors la mort.

424

Le tombeau était si haut qu'on pouvait le distinguer
à quatre lieues de là, sans mentir.
Et je pourrais vous en dire encore une merveille :
on ne pouvait voir ni sentir la moindre jointure.
Quand l'ouvrage fut achevé, à la satisfaction générale,
on le fit recouvrir d'un chapiteau unique,
surmonté par grand art,

Font sor le chapitel par grant engien tenir.
7200 Un chalemel d'argent li font du bec issir ;
Quel c'onques vent qu'il vente, quant il i puet ferir,
Trestous iciaus qui l'oënt fait cele part venir.
Puis l'ont fait par defors tout de fin or burnir ;
7204 Qant li solaus reluist, tout le fait resclarcir,
Q'a tous ciaus qui l'esgardent fait les ieus esbloïr.
Or devons a l'estoire d'Alixandre venir :
Se un peu me volés escouter et soufrir,
7208 Tels paroles dirai qui bien font a oïr
Du regne as damoiseles que il ala saisir,
De Divinuspater qui si l'ala traïr,
Il et Antipater, et par venim morir.

425

7212 La bataille fu faite et prise la cités,
L'amiraus fu ocis et ses riches barnés.
Alixandres li rois de ce fist que senés
Q'as citoiens rendi toutes lor erités
7216 Por ce que il ont fait toutes ses volentés.
En la tor de Babel en est li rois entrés,
Que li gaiant fremerent par lor grans poëstés.
« Hé ! Dieus, dist Alixandres, com or sui honorés
7220 Qant ceste terre est moie et trestos cis regnés ;
Or veul desi q'a poi estre rois coronés
Et desor tout le mont estre sires clamés. »
Desi q'a quinze dis fu li jors creantés.
7224 Lors fist ses briés escrire, ses homes a mandés
De par toute la terre ou fu sa poëstés.
Sanse uns hom l'amiraut, qui estoit eschapé, –
Il n'estoit mie mors mais un poi fu navrés, –
7228 Cil a dit tel parole dont bien fu escoutés :
« Sire rois Alixandres, envers moi entendés.
Ne vos veul pas desdire, por noient vos vantés ;
Encor sai je tel terre, ce est la verités,
7232 Ains que l'aiés conquise a faire avrés assés. »
Et respont Alixandres : « Amis, car la només.
– Sire, jel vos dirai, qant savoir le volés :

pour parachever l'ouvrage, d'un oiseau d'or fin,
qui tenait dans son bec un chalumeau d'argent :
dès que la moindre brise touche l'oiseau,
celui-ci appelle les assistants de son côté.
On a recouvert l'oiseau d'une couche d'or fin :
il étincelle aux rayons du soleil,
et éblouit tous ceux qui le regardent.
Mais revenons à l'histoire d'Alexandre !
Continuez à m'écouter, si vous le voulez bien,
mon récit le mérite :
il raconte la conquête du royaume des femmes,
et la trahison de Divinuspater,
qui, avec Antipater, fit mourir Alexandre par le poison.

425

La bataille est finie et la cité est prise ;
l'émir est mort, comme ses puissants barons.
Le roi Alexandre, sagement,
a rendu tous leurs biens aux habitants de la cité,
contre leur soumission.
Le roi a pénétré dans la tour de Babel,
que les géants avaient édifiée en signe de leur puissance.
« Ha Dieu ! dit Alexandre, quel honneur pour moi
de voir cette terre et tout ce royaume m'appartenir !
Je veux maintenant être couronné roi
et proclamé le maître du monde ! »
On fixa la date à quinze jours de là.
Il fit envoyer des messages pour convoquer tous ses hommes
sur toute la surface de la terre où s'étendait son pouvoir.
Mais un homme de l'émir, Samson,
qui avait échappé à la mort et n'était que légèrement blessé,
prononça des paroles qui ne passèrent pas inaperçues :
« Seigneur roi Alexandre, écoutez-moi :
sans vouloir vous contredire, vous avez tort de vous vanter.
Je connais une terre, en toute vérité,
que vous aurez du mal à conquérir. »
Alexandre répond : « Nomme-la moi, mon ami !
– Seigneur, à vos ordres : je vais vous le dire.

Amazoine est, uns regnes d'un flueve avironés,
7236 Et est tous li païs de femes abités.

426

« Encor i a tout el, n'est hom qui m'en desdie :
Molt est preus la roïne qui les puceles guie.
Une feïe en l'an enprennent compaignie,
7240 Et quant sont assamblees, passent Meothedie,
C'est uns fluns de la terre qui l'avirone et lie.
A une feste en l'an qui lor est establie,
Li chevalier i vont, chascuns d'aus por s'amie.
7244 La parolent d'amors et de chevalerie
Et font lor volentés trestout par drüerie.
Se l'une en est ençainte et li enfes ait vie,
Por que il soit vallés de riens ne se detrie,
7248 Son pere le tramet qui l'ait en mainbornie ;
Et se ce est pucele, o sa mere est norie.
– Par Dieu, dist Alixandres, or ai mervelle oïe.
Se je icele terre nen ai en ma baillie
7252 Et je ne puis avoir sor eles segnorie,
Dont porrai je bien dire ma proësce est faillie.
Le matin i movrai quant l'aube iert esclairie

427

– Sire, ce li dist Sanses, la terre est molt salvage,
7256 Uns fluns l'açaint entor dont haut sont li rivage ;
A envis i trueve on pont ne gué ne passage.
Molt est preus la roïne qui tient cel iretage,
Et toutes les puceles sont molt de haut parage,
7260 Armes sevent porter et faire vasselage.
Ja n'iert icele terre conquise sans damage,
Ançois que l'aiés prise i ferés lonc estage. »

---

108. Sur cette représentation des Amazones, voir A. Petit, « Le traitement courtois du thème des Amazones d'après trois romans antiques : *Enéas*, *Troie* et *Alexandre* », *Le Moyen Age*, 1983, pp. 63-84.

C'est le pays des Amazones, un royaume encerclé par un
et entièrement habité par des femmes[106].   [fleuve

426

« Il y a autre chose, je vous jure que c'est vrai :
la reine qui gouverne ces jeunes filles est pleine de prouesse.
Une fois par an, elles se rassemblent
et franchissent la Meothedie,
un fleuve qui fait le tour de leur terre.
Le jour qui tous les ans est fixé pour cette fête,
les chevaliers les rejoignent, chacun a son amie.
Ils parlent d'amour et de chevalerie
puis tous se livrent aux plaisirs de l'amour.
Quand l'une d'elles est enceinte et accouche d'un enfant,
s'il s'agit d'un garçon, elle le remet sans retard
à son père, qui le garde en tutelle ;
mais les filles restent avec leurs mères.
— Au nom de Dieu, dit Alexandre, quel prodige !
Si je ne puis m'emparer de cette terre
et affirmer mon pouvoir sur ces femmes,
ma prouesse ne vaut rien !
Je m'y rendrai demain, dès le lever du jour !

427

— Seigneur, lui dit Samson, c'est un pays sauvage,
entouré par un fleuve aux eaux profondes ;
il est difficile d'y trouver un pont ou un gué et de le franchir.
La reine de cette terre est pleine de prouesse
et toutes les jeunes filles sont de haute naissance ;
elles savent porter les armes et se battent vaillamment.
On ne saurait conquérir cette terre sans grande perte ;
il vous faudra beaucoup de temps pour la prendre. »

Qant l'oï Alixandres, s'enbroncha son visage,
7264 Et qant se redreça, si a dit son corage :
« Se ne la puis conquerre, ne me tieng pas por sage,
Et s'eles ne me rendent ou cens ou treüage.
– Eles n'ont onques cure de faire mariage,
7268 Mais une fois en l'an assemblent par lor rage.
– Par Dieu, dist Alixandres, ains i lairoie gage
Que ne lor face rendre ou treü ou chavage.

428

« Segnor, fait Alixandres, or est remés li jors
7272 De porter ma corone, de partir mes honors.
– Sire, ce li dist Sanses, molt sont de grans valors,
Sachiés qu'en nule terre n'a chevaliers mellors
Por maintenir tornois ne guerre ne estors.
7276 – Par Dieu, dist Alixandres, se nes tor a mes mors,
Dont ne sui je pas nes de gentieus ancisors
Qui du regne de Gresce tinrent les maistres tors. »
Encor le dist Lucans, qui fu maistres auctors,
7280 Que de tous ciaus du siecle fu Alixandres flors,
Des rois qui sont en terre et des empereors.
Lors fait li rois remaindre de ses homes pluisors
Por resaner lor plaies et garir lor dolors.
7284 A vint mil paoniers fu donés li sejors,
Se il en a mestier, qu'il li facent secors.
L'endemain sont monté es destriers missaudors,
Et li rois fait soner ses cors et ses tabors,
7288 Aveuc lui maine Sanse, qui est ses vavasors.

429

Or s'en vait Alixandres par itel achoison
Qu'il veut veoir la terre ou n'a se femes non
Et qu'il la veut avoir en sa subjection.

---

109. Lucain, *Pharsale* X 272 : « Summus Alexander regum, quem Memphis
adorat » (Le plus grand des rois, que Memphis adore, Alexandre...).

Alexandre, à ces mots, s'assombrit ;
mais il relève la tête et dit sa volonté :
« Je ne fais plus confiance à mon habileté, si je ne conquiers
et n'oblige les Amazones à me donner un tribut !   [cette terre
– Elles ne veulent pas se marier
mais, une fois par an, l'instinct les pousse à s'unir aux

[hommes.
– Au nom de Dieu, dit Alexandre, plutôt laisser un gage
que renoncer à exiger d'elles un tribut ou un impôt !

428

– Seigneurs, dit Alexandre, je repousse le jour
de mon couronnement et de la distribution des terres.
– Seigneur, lui dit Samson, elles sont très vaillantes :
on ne trouve nulle part chevaliers plus habiles
à la guerre ou au tournoi !
– Au nom de Dieu, dit Alexandre, si je ne les plie pas à ma
c'est que je ne suis pas né des nobles ancêtres   [volonté,
qui ont possédé les forteresses du royaume de Grèce ! »
Lucain nous le dit bien (c'est une autorité) :
Alexandre fut la fleur de tous les mortels,
de tous les rois du monde comme des empereurs[109].
Le roi laisse à Babylone beaucoup de blessés,
pour leur permettre de soigner leurs plaies et de se reposer.
Il donne aussi congé à vingt mille fantassins,
chargés de venir lui porter secours, en cas de besoin.
Le lendemain, les chevaliers montent sur leurs destriers de
le roi fait résonner ses cors et ses tambours ;   [prix ;
il emmène avec lui Samson, devenu son vassal.

429

Alexandre s'en va, dans son désir
de voir la terre où ne vivent que des femmes,
et de la mettre sous sa loi.

7292 Et maine ensemble o lui son vavassor Sanson,
     Aristé et Filote, Perdicas et Caulon.
     Licanor est remés par tel devision
     Que Babilone gart, la tor et le dongon,
7296 Et a en sa baillie toute la region.
     Or s'en vait Alixandres par grant aatison,
     Pain et vin fait porter et autre garison,
     Et passent ces grans tertres et ces vaus a bandon.
7300 Au chief de quinze jors, ce dist en la leçon,
     Une jornee pres tendi son pavellon.
     L'endemain sejorna et il et si baron ;
     Une espie envoia coiement a larron
7304 Por cerchier le passage entor et environ.
     Icele nuit meïsmes, n'en dirai se voir non,
     La dame d'Amazoine vint une avision.

					430

     Un songe mervellous a songié la roïne
7308 Qu'il avoit une peue en la sale perrine
     Et avoit paonciaus que aprés soi traïne.
     Par devers Babilone en mi une gastine
     Vint une aigle volant par molt grant aatine
7312 Qui li voloit tolir ses paons par rapine,
     Mais o ses paonciaus s'en fuit en la cuisine ;
     Qant ele i dut entrer, si chaï jus sovine.
     L'endemain par matin manda une devine,
7316 En un gardin l'en maine desous une aubespine,
     Iluec se sont assises, l'une a l'autre s'acline.
     La roïne parole et dist a la meschine :
     « A mie nuit songai dedesous ma cortine
7320 Un songe molt estrange, ne sai que il destine. »

					431

     Le songe li conta, cele le vaut oïr ;
     Et qant ele ot oï, si jeta un souspir,
     En plorant li respont, ne se pot astenir :

Il emmène avec lui son vassal Samson,
Aristé et Filote, Perdicas et Caulus.
Licanor est resté
pour garder Babylone, la tour et le donjon,
et toute la région placée sous ses ordres.
Alexandre s'en va à vive allure,
avec du pain, du vin, tous les vivres nécessaires.
L'armée franchit sans effort les hautes montagnes et les
Au bout de quinze jours, dit le livre,   [vallées.
il fait monter son pavillon à une journée de route de son but.
Le lendemain, il reste sur place avec ses barons
et envoie en secret un espion
pour chercher comment traverser le fleuve.
La même nuit, je ne vous dis que la vérité,
la reine des Amazones eut une vision.

430

La reine eut un songe prodigieux :
dans la grande salle de pierre de son palais, une paonne
menait avec elle ses paonneaux.
Elle voyait fondre, d'un désert du côté de Babylone,
un aigle au vol impétueux,
qui voulait lui enlever ses paonneaux :
elle s'enfuyait avec eux dans la cuisine,
mais tombait à la renverse au moment d'y entrer.
Dès le lendemain matin, elle appelle une devineresse,
la mène dans son jardin, sous une aubépine.
Elles s'asseoient, se penchent l'une vers l'autre.
La reine dit alors à la jeune fille :
« A minuit, dans mon lit, j'ai fait un songe
très étrange : je ne sais ce qu'il présage. »

431

L'autre veut entendre le récit du songe.
Quand elle l'a entendu, elle pousse un soupir
et répond, sans pouvoir retenir ses larmes :

7324 « Dame, trestous les songes doit on a bien vertir.
Vos esterés la peue, n'i pöés pas faillir ;
Uns rois ce iert li aigles, ne vos en quier mentir,
Par force vous vaura cest roiaume tolir ;
7328 Se vos i combatés, nel porrés pas soufrir,
Ou vous veulliés ou non, vos convenra fuïr.
Conseil vos estuet querre comment porrés garir ;
Je vos lo cest roiaume de lui a retenir
7332 Et par an treü rendre trestout a son plaisir ;
Mieus vos vaut ice faire qu'en bataille morir,
Puis que la chose est faite tart est au repentir. »

432

Lor conseil ont finé, la roïne le croit.
7336 En son palais s'en vait si s'est assise droit
En un lit qui d'or fin trestous massis estoit.
Les coutes sont de paile sor coi ele gisoit,
Li lis cordés de soie qui les coutes tenoit.
7340 Es vos une pucele qui la poignant venoit
Sor un destrier d'Arrabe qui cort a grant esploit.
Qant el voit la roïne, gentement li disoit :
« Jupiter li grans dieus, qui haut siet et loins voit,
7344 Saut et gart la roïne si com faire le doit,
Mars li dieus de bataille en aïde li soit,
Phebus la gart de mal, n'ait trop chaut ne trop froit,
Juno li doint richece, Pallas la li otroit,
7348 Venus li doinst amor ou ele bien l'enploit.
Noveles li sai dire, s'ele veut, or endroit,
Ja ne li celeroie por nule riens qui soit. »
La roïne fu sage, bonement respondoit :
7352 « Diane la dieuesse les autres deus en proit

---

110. C'est la traduction d'A. Henry (Adenet le roi, *Berte aus grans piés*, Bruxelles 1963, v. 1686).
111. Cf. Benoît de Sainte-Maure, *Le Roman de Troie*, vv. 16544-16545 (à propos du tombeau d'Hector) : « De riche seie bien entraite / Fu toz li liz desoz cordez ».

« Dame, il faut interpréter exactement tous les songes[110].
Vous êtes la paonne, vous n'y pouvez rien ;
et l'aigle, c'est un roi (je ne veux pas vous mentir)
qui veut vous arracher votre royaume.
Si vous le combattez, vous ne pourrez résister ;
bon gré, mal gré, il vous faudra fuir.
Il faut chercher le moyen de vous sauver.
Je vous conseille de placer votre royaume sous sa suzeraineté
et de lui livrer tous les ans le tribut de son choix.
Mieux vaut s'y résigner que périr au combat.
Une fois le choix fait, il est trop tard pour se repentir. »

432

Elles arrêtent là leur délibération : la reine accepte l'avis.
Elle retourne dans son palais et s'assied
en un lit d'or massif,
sur des couvertures somptueuses,
tendues par des cordes de soie[111].
Voici venir une jeune fille au grand galop,
sur un destrier d'Arabie qui file à vive allure.
Quand elle voit la reine, elle dit respectueusement :
« Jupiter, le grand dieu qui voit loin, de son siège élevé,
sauve et protège la reine, comme il le doit !
Mars, le dieu de la guerre, lui vienne en aide !
Phébus la garde des maladies, de la chaleur ou du froid !
Junon et Pallas lui donnent la richesse !
Vénus lui donne un amour digne d'elle !
Si la reine le veut, j'apporte des nouvelles
que je ne veux pas lui cacher plus longtemps ! »
La reine, avec sagesse, répond doucement :
« Puisse la déesse Diane implorer les autres dieux

Que nos salves soions ; or dites sans destroit
Queles sont les noveles. » Et cele li disoit.

433

La roïne commande descendre la pucele.
7356 Lors commença a dire et conter la novele :
« De devers Babilone, ce dist la damoisele,
Vient uns rois Alixandres, sa gent ainsi l'apele ;
Fortune l'a levé tout en son la roële.
7360 Maint prince a afolé et mis jus de sa sele ;
La gent que il conduist est hardie et isnele,
Tout le mont a conquis – durement se revele –
Fors seulement ceste ille, qui molt li semble bele,
7364 Et jostera ensemble le malle et la femele ;
Se il puet esploitier, de vos fera s'ancele. »
Qant la roïne l'ot, rougist comme estincele,
Deffuble son mantel, remest en sa gonele,
7368 Un petit s'enbroncha, sa main a sa maissele ;
Qant se fu redrecie, la meschine en apele.

434

« Dites moi, damoisele, est ce dont verités ?
Enfin le veul savoir comment vos le savés.
7372 – Dame, jel vos dirai, quant vos le demandés.
Je m'en estoie alee hui matin en ces gues,
La estoit uns batiaus venus et arivés
Q'a la cit d'Amazoine venoit tous abrievés
7376 Qant il fu a la rive atachiés et fremés,
Je ving poignant vers aus ses ai araisonés.

---

112. Le thème de la roue de Fortune est récurrent dans le roman : cf. *infra*, III, vv. 7787-7788 et 7817. Fortune est représentée, dans la littérature et l'iconographie médiévales, comme une femme (souvent aveugle), qui fait tourner une roue sur laquelle sont assis les hommes : voir H.R. Patch, *The Goddess Fortuna in Medieval Literature*, Cambridge (Mass.), 1927 et E. Mâle, *L'Art religieux du XIII* siècle en France, Le Livre de poche, 1958, I, pp. 183-188.
113. Sur ce geste qui exprime la douleur, cf. *supra*, II, v. 2976.

de nous sauver ! Dites-moi sans détours
ces nouvelles ! » Et l'autre lui dit tout.

433

La reine ordonne à la jeune fille de mettre pied à terre
pour commencer son récit.
« Il est venu de Babylone, dit la demoiselle,
un roi que son peuple nomme Alexandre.
Fortune l'a placé tout en haut de sa roue[112].
Il a défait bien des princes au combat ;
le peuple qu'il conduit est hardi et rapide.
Il a conquis le monde entier, et s'en vante,
à l'exception de cette île, qu'il convoite fort :
il veut réunir hommes et femmes
et faire de vous sa servante, s'il le peut. »
La reine, à ces mots, devient rouge comme le feu.
Elle enlève son manteau et reste en robe ;
elle baisse la tête, porte la main à sa joue[113].
Mais elle se redresse et appelle la messagère.

434

« Dites-moi, demoiselle, est-ce bien la vérité ?
Je veux savoir comment vous avez appris tout cela.
– Dame, à vos ordres : je vais vous le dire.
J'étais allée ce matin près de l'eau,
où venait d'arriver un bateau
qui se dirigeait à toutes voiles vers la cité d'Amazonie.
Quand il fut amarré,
je me précipitai vers les matelots pour leur parler,

Ciaus qui dedens estoient vi ge molt effreés
Et je lor demandai : "Biau segnor, dont venés ?"
7380 Dirrent que l'ost venoit, qui grans estoit assés ;
Por la paor de l'ost guerpie ert la cités. »
Qant la roïne l'ot, molt fu ses cuers müés,
Bien sot que lors estoit ses songes averés.
7384 Li consaus de ses dames fu molt tost assemblés ;
Qant fu de toutes pars venus et aünés,
« Dames, fait la roïne, un petit m'entendés.
Uns rois de Babilone, grans est sa poëstés,
7388 Tout le mont a conquis par ses tres grans fiertés
Fors seulement cest ille qui tant li est löés.
Tant par est, ç'oï dire, d'avarise provés
Que de tout l'or du mont ne seroit assasés. »
7392 Dist une sage dame : « Et vos l'en trametés
Quatre chevaus charchiés et cinc muls afeutrés.
– Dame, si ferai je, qant vos le me löés. »
Deus puceles apele, plaines de grans biautés ;
7396 Onques encor li fluns ne fu d'eles passés
N'onques encor ne fu fraite lor chasteés.
« Alés, fait la roïne, vos gens cors conreés ;
Au fort roi Alixandre mon present conduirés,
7400 Proiés li doucement qu'il l'en pregne pités,
Que ne soit ma terre arse ne mes païs gastés ;
Chascun an, s'il commande, li iert abandonés,
Ains que de moi departe li iert asseürés. »

435

7404 Florés et sa compaigne s'en vont isnelement.
Chascune s'est vestue bel et cortoisement ;
Florés vest un blïaut, molt fu a son talent,
Sa chars pert blanche et tendre par le detrenchement,
7408 Li mantiaus de meïsme detrenchiés ensement.
Ses palefrois fu pres, n'iert pas li frains d'argent

---

114. Ce passage rappelle l'ambassade d'Antigone et d'Ismène dans le
Roman de Thèbes (vv. 4045-4100).

car je les voyais pleins de frayeur.
Je leur demande : "Chers seigneurs, d'où venez-vous ?"
Ils m'expliquent qu'une grande armée approche
et que dans leur peur, les habitants abandonnent la cité. »
La reine tremble à ces mots ;
elle comprend bien que son songe s'est réalisé.
Elle a tôt fait de réunir le conseil de ses dames,
qui viennent de tous côtés la rejoindre.
« Dames, dit la reine, écoutez-moi bien !
Un roi de Babylone, d'une puissance redoutable,
a conquis par ses exploits le monde entier,
à l'exception de cette île dont on lui chante les louanges.
Il est, à ce qu'on dit, d'une telle convoitise
que tout l'or du monde ne lui suffirait pas. »
Une dame pleine de sagesse lui répond : « Envoyez-lui donc
quatre chevaux et cinq mules bien harnachées, chargés de
– Dame, je suivrai votre avis. »   [présents !
Elle appelle deux jeunes filles d'une grande beauté,
qui n'avaient encore jamais franchi le fleuve
et étaient encore vierges.
« Allez, dit la reine, vous faire belles !
Vous apporterez mon présent au puissant roi Alexandre,
en le priant doucement d'avoir pitié de nous,
de ne pas brûler ni dévaster mes terres.
Tous les ans, s'il le veut, je ferai acte d'allégeance
et lui prêterai serment avant même son départ. »

435

Floré et sa compagne s'éloignent rapidement[114],
toutes deux magnifiquement parées.
Floré porte une tunique tout à fait à son goût,
dont les échancrures laissent voir sa chair blanche et tendre ;
le manteau est échancré de la même manière.
Son palefroi l'attend : le frein n'en est pas d'argent,

Ains estoit de fin or, ovrés molt soutilment
A pierres precïeuses, plus en i ot de cent.
7412 Florés i est montee, q'a estrier ne s'i prent.
Biautés rot un blïaut d'un molt chier garnement,
Il fu plus noirs que meure et resemble arrement,
Li mantiaus de meïsme, se l'estoire ne ment.
7416 Li palefrois fu pres, frain ot et bel et gent,
Bien valoient les pierres quatre vins mars d'argent.
Cele qui l'amena par le resne li tent,
Biautés i est montee molt acesmeement.

436

7420 Des somiers i ot nuef, molt richement charchiés
De riches dras de soie et de pailes ploiés
Et de fin or d'Arrabe, qui molt est covoitiés.
Encor fu li presens durement enforciés :
7424 Trente henas de saffre de tel tempre alïés,
Primes les enversés et puis les redreciés,
Ja por cheoir a terre n'en sera uns brisiés ;
Salemons les fist faire, qui molt fu enseigniés
7428 Ains qu'il veïst la dame dont il fu engigniés.
« Mon anel li portés aveuc par amistiés,
Proiés li doucement qu'il li praigne pitiés,
Que il n'arde ma terre, que ce seroit pechiés. »

437

7432 Aprés quatre chameus d'or et d'argent charcha,
Alixandre le roi le present envoia
Et par les deus puceles doucement li manda
Chascun an, s'il commande, autretant en avra.
7436 A mil de ses puceles la roïne monta,
Tresq'a Meothedie le present convoia,
Sor la rive s'estut dementres qu'il passa,
Tant com les pot veoir tous tans les esgarda ;

_____

115. Sur cette allusion, voir *supra*, I, vv. 1970-1971.

mais d'or fin, superbement ouvragé,
et orné de plus de cent pierres précieuses.
Floré monte en selle sans s'aider de l'étrier.
Quant à Beauté, elle porte une tunique d'étoffe précieuse,
plus noire que la mûre et l'encre,
et un manteau assorti, si l'histoire dit vrai.
Son palefroi l'attend : le frein porte des pierres magnifiques
qui valent plus de quatre-vingts marcs d'argent.
Celle qui l'a conduit le lui tend par la rêne :
Beauté monte vite en selle.

436

Il y avait neuf chevaux chargés de richesses :
de précieuses étoffes et des tentures de soie pliées,
de l'or fin d'Arabie, qui est très recherché ;
et pour rehausser encore le présent,
trente hanaps de saphir d'une telle dureté
que vous pourriez bien les jeter au sol puis les ramasser :
même en tombant à terre, ils ne se brisent jamais.
Salomon le sage les avait fait faire,
avant de rencontrer la dame qui devait le tromper[115].
« Portez-lui aussi mon anneau en gage d'amitié
et priez-le doucement d'avoir pitié,
de ne pas brûler ma terre : ce serait un crime ! »

437

La reine fait encore charger quatre chameaux d'or et d'argent
et envoie le présent au roi Alexandre,
lui promettant, par l'intermédiaire des deux jeunes filles,
tous les ans la pareille, s'il y consent.
Elle monte en selle avec mille de ses demoiselles
et accompagne le convoi jusqu'à la Meothedie.
Elle reste sur la rive à le regarder traverser,
aussi longtemps qu'elle peut le voir ;

7440 Qant nes pot plus veoir, arriere retorna.
Alixandres iluec un seul jor sejorna,
Et li garçons revint qui le païs cercha ;
L'endemain par matin Alixandres monta,
7444 Ne vaut plus sejorner, toute l'ost s'en ala,
Et tant a esploitié que une eaue trova,
En un pré descendi, ilueques se disna.
Dant Clin et Aristé en un tertre monta
7448 Por l'angarde porprendre, et s'ensegne i ficha.

438

Florés et sa compaigne chevalchent a baudor,
Et si avoit chascune palefroi ambleor
Et fait devant soi traire un destrier missaudor.
7452 Chantent une chançon o son de grant douçor
D'un vallet qui ja fu, ce content li auctor,
Onques tant bel ne virent trestout nostre ancisor ;
Por ce que de biauté avoit si grant valor,
7456 Amer nule pucele ne degna par amor.
Une mesaventure li avint a un jor :
Vint a une fontaine, tous las de son labor,
En l'eaue vit son ombre, d'amor ot tel tenror
7460 Que plus le covoita que chevaliers s'oissor ;
Tant jut sor la fontaine et mena sa dolor
Que li dieu le müerent en une bele flor.

439

Florés et sa compaigne chevalchent a bandon,
7464 Amblent li palefroi, chantent une chançon,
A haute vois la dïent andeus et a un ton.

---

116. La légende de Narcisse semble ici sortir tout droit des *Métamorphoses* d'Ovide (III 339-510) et non du *Lai de Narcisse*, qui semble avoir été composé dans les années 1170, et qui ne mentionne pas la métamorphose de Narcisse en fleur. Voir *Narcisse*, éd. M. Thiry-Stassin et M. Tyssens, Paris, 1976, et L. Vinge, *The Narcissus Theme in Western European Literature up to the early XIXth century*, Lund, 1967, pp. 57-58.

quand elle ne voit plus rien, elle revient sur ses pas.
Alexandre s'était arrêté un seul jour,
en attendant le retour du serviteur envoyé en éclaireur.
Dès le lendemain matin, il remonte en selle
avec toute l'armée, sans vouloir s'arrêter davantage.
Il fait route jusqu'à une rivière,
met pied à terre dans un pré pour le dîner.
Il fait monter sire Clin et Aristé sur un tertre
pour se charger de la garde et planter son enseigne.

438

Floré et sa compagne chevauchent joyeusement,
montées sur des palefrois qui vont l'amble,
et font mener devant elles leurs destriers de prix.
Elles chantent une douce chanson qui parle
d'un jeune homme qui vivait autrefois, comme le content les
On n'en avait jamais vu d'aussi beau ;   [textes.
mais il accordait tant de prix à sa beauté
qu'il refusait de donner son amour à une jeune fille.
Il lui arriva un jour malheur :
il vint à une fontaine, épuisé par son labeur,
vit son ombre dans l'eau et se prit pour elle d'un amour plus
que celui d'un chevalier pour son épouse.   [fort
Il resta couché au-dessus de la fontaine à se lamenter
et les dieux finirent par le transformer en une belle fleur[116].

439

Floré et sa compagne chevauchent rapidement ;
les palefrois vont l'amble, elles chantent une chanson,
à tue-tête, toutes deux ensemble.

Dans Clins et Aristés, ambedui li baron,
Chevalchierent avant et puis lor compaignon.
7468 Qant il oënt la vois, sachiés molt lor fu bon,
Chascuns tire sa resne si s'apoie a l'arçon.
Aristés premerains commença sa raison :
« Aïe ! Dieus, dist il, par ta beneïçon,
7472 Est ce vois de seraine dont nos oons le son ? »
Lors a par devant soi apelé un garçon :
« Amis, va moi lassus desi a cel buisson,
A aler t'i covient par tel devision
7476 Que me saches a dire, s'en avras guerredon,
Se ce est vois de feme qui chante a si haut ton. »
Li gars s'en est tornés, qui covoite le don,
Bien pres d'une loëe a couru de randon,
7480 Delés une forest a pris arestison,
Vit venir les puceles qui ont gente façon.

440

Qant celes le choisirent, tantost l'ont apelé.
Florés fu molt cortoise si l'a araisoné :
7484 « Amis, dont estes vos ? ne nos soit pas celé. »
Il li a respondu : « Ja orrés verité.
Se savoir le volés, je sui hom Aristé,
Il est hom Alixandre, le fort roi corouné,
7488 L'angarde fait de l'ost par molt grant nobleté ;
Dans Clins la fait o lui, qui est plains de bonté.
Dui sont des douze pers proisié et alosé.
— Amis, dist la pucele, par vostre loiauté,
7492 Por ce que il vos soit encor guerredoné
Dites vostre segnor, mant li par amisté,
S'il nos voloit conduire devant son avoué,
Molt l'en amerions et savrions bon gré.
7496 — Volentiers, dist li gars, ja n'en iert trestorné. »
A tant s'en est partis, n'i a plus demoré,
Et a premierement son segnor encontré.
Tantost com il le vit, si li a escrïé :
7500 « Mervelles vos dirai, ne l'ai pas contrové. »
Por icele parole sont andui aresté.

Sire Clin et Aristé, les deux bons guerriers,
s'avancent vers elles avec leurs compagnons.
Ils écoutent les voix, charmés,
puis tirent sur leurs rênes et s'appuient sur leurs arçons.
Aristé parle le premier :
« Ha, Dieu ! dit-il (puisses-tu me protéger !),
est-ce la voix d'une sirène que nous entendons ? »
Il appelle un de ses serviteurs :
« Ami, va donc là-bas jusqu'à ce buisson,
tu seras récompensé !
Et tâche de me dire
si c'est une voix de femme qui chante sur ce ton ! »
L'autre, pressé d'avoir sa récompense,
court sur près d'une lieue
et s'arrête près d'une forêt :
il voit venir les gracieuses jeunes filles.

440

Dès qu'elles l'aperçoivent, elles l'appellent
et Floré lui adresse la parole avec courtoisie :
« Ami, d'où êtes-vous ? dites-nous la vérité !
– Je vais vous la dire, répond-il.
Puisque vous voulez le savoir, je suis un des hommes d'Aristé,
et lui-même est un homme d'Alexandre, le grand roi couronné.
Il monte la garde pour l'armée, dans sa grande noblesse,
accompagné de sire Clin, le bon guerrier.
Tous deux sont prisés et renommés parmi les douze pairs.
– Ami, dit la jeune fille, si vous êtes loyal,
et si vous voulez recevoir une récompense,
dites à votre seigneur que je lui demande par amitié
de nous conduire devant son maître :
nous lui en saurions bon gré et ne l'en aimerions que mieux.
– Volontiers, dit le serviteur, j'y vais de ce pas. »
Il s'éloigne alors sans plus tarder
et rencontre tout de suite son seigneur.
Aussitôt, il s'écrie :
« J'ai de prodigieuses nouvelles, et je n'invente pas un mot ! »
Sur ces paroles, tous deux s'arrêtent.

Dans Clins li respondi : « Di qanqu'as enpensé,
Guerredon en avras ains qu'il soit avespré.

441

7504 — Sire, ce dist li gars, mervelle dirai grant.
Ja sont ce deus puceles qui la vienent chantant ;
Chascune devant soi fait traire un auferrant
Covert desi as piés d'un paile escarimant
7508 Et chevalche chascune un palefroi amblant,
Qu'il n'en a nul mellor desi qu'en Oriant.
Sor l'arçon de derriere et sor celui devant
Lor pendent lor chavel com fin or reluisant,
7512 Onques si beles femes ne vi en mon vivant.
Un present aconduient molt riche et molt vaillant ;
La dame d'Amazoine au gent cors avenant
L'envoie a Alixandre, le fort roi conquerant,
7516 Qu'il li soit en aïde des cest jor en avant ;
Ne veut que son roiaume voist li rois degastant,
Et dist que chascun an l'en donra autretant.
Par moi vos ont mandé et jel di en oiant
7520 Que les alés conduire, que nus faus ne s'en vant »
Qant Dans Clins l'entendi, si respont en riant
Et dist a Aristé : « Car i alons poingnant. »
Lors chevaus demanderent, que mainent dui enfant.

442

7524 Des palefrois descendent si montent es destriers,
Li garçons les en maine tos les chemins pleniers
Deci q'as deus puceles qui les cors ont legiers ;
La ou il les troverent avoit quatre oliviers.
7528 Qant les puceles virent ansdeus les chevaliers,
Sempres les salüerent et les tinrent molt chiers.
Dans Clins parla premiers ses salua premiers :
« Cil Dieus qui maint en haut vos doinst vos desirriers. »
7532 Et dist a Aristé : « Ci a biaus saudoiers ;
Compaignie feroie a un d'aus volentiers. »

Sire Clin lui répond : « Dis-moi tout ce que tu sais :
tu auras ta récompense avant ce soir !

441

– Seigneur, dit le serviteur, écoutez ce prodige !
Ce sont deux jeunes filles qui viennent en chantant.
Chacune fait mener devant elle un coursier
entièrement couvert de housses de soie somptueuse,
et monte un palefroi qui va l'amble,
le meilleur d'ici jusqu'en Orient.
Leur chevelure brille comme de l'or fin
et tombe jusqu'aux arçons :
je n'ai jamais vu de femmes aussi belles de toute ma vie.
Elles escortent un présent superbe et précieux :
c'est la belle reine des Amazones
qui l'envoie à Alexandre, le grand roi conquérant,
pour obtenir son aide
et éviter la ruine de son royaume.
Elle dit qu'elle lui en offrira chaque année tout autant.
Elles m'ont demandé de vous appeler et je leur ai promis
que vous alliez les conduire, vous en êtes seul digne. »
A ces mots, sire Clin se met à rire
et dit à Aristé : « Allons-y vite ! »
Ils demandent leurs chevaux, que mènent deux écuyers.

442

Ils quittent leurs palefrois pour leurs destriers.
Le serviteur les guide le long du chemin
jusqu'aux deux jeunes filles au corps gracieux ;
ils les trouvent près de quatre oliviers.
A la vue des deux chevaliers,
les jeunes filles les saluent avec amitié.
Sire Clin prend le premier la parole pour les saluer :
« Que Dieu qui est au ciel accomplisse vos désirs ! »
Il dit à Aristé : « Voici de beaux guerriers :
j'apprécierais fort la compagnie de l'un d'eux ! »

443

Dans Clins vint a Floré, par la resne la prent,
El ne fu pas vilaine, volentiers le consent.
7536 Aristés prist Biauté par la resne d'argent,
Cele fu preus et sage, que pas ne li deffent.
Or chevalchent ensemble tuit quatre belement,
Li uns parole a l'autre d'amor et de jovent.
7540 « Pucele, dist Dans Clins, or faisons un covent :
Car me dites vostre estre, dont estes, de quel gent
Et comment avés non, nel me celés noient,
Et je vos redirai de mon estre ensement.
7544 – Sire, dist la pucele, au Dieu commandement,
Et dirai mon pensé et trestout mon talent.
je sui molt gentil feme et de molt haute gent
Si ai a non Floré. » Et qant Dans Clins l'entent,
7548 Lors si li a proié et dit molt doucement :
« Bele, la vostre amor m'otroiés loiaument,
Je vos otroi la moie sans nul atendement.
– Sire, dist la pucele, je l'otroi bonement
7552 Que vos aiés la moie sans nul prolongement. »
Qant Dans Clins l'entendi, molt grans mercis l'en rent,
Quatre fois la baisa par amor doucement.
Lor amistié fremerent ambedui voirement ;
7556 Puis l'ot il a mollier, se l'estoire ne ment.

444

Aristés et Biautés parolent en reqoi,
Il la tint par la resne de l'amblant palefroi.
« Pucele, se vos plaist, dites par vostre foi
7560 Se estes fille a conte ou a duc ou a roi,
Bien pert a la biauté certes que en vos voi
Que estes gentil feme et de riche conroi ;
Se je vos veul amer, autresi amés moi.
7564 – Sire, dist la pucele, par la foi que vos doi,
Vos dites vostre bon, mais molt petit vos croi.
– Bele, dist Aristés, nos somes d'une loi,
Loiaument je vos jur par le dieu ou je croi

443

Sire Clin s'approche de Floré, prend la rêne de son cheval ;
la courtoise demoiselle y consent volontiers.
Aristé saisit la rêne d'argent du cheval de Beauté ;
la vaillante et sage demoiselle ne s'en défend pas.
Tous quatre chevauchent ensemble, tout heureux,
parlant gaiement d'amour et de plaisir.
« Demoiselle, dit sire Clin, concluons un accord :
vous me direz qui vous êtes, d'où, de quelle naissance,
comment vous vous nommez, sans rien me cacher ;
et je vous dirai tout de moi, de mon côté.
— Seigneur, dit la jeune fille, au nom de Dieu,
je vais vous dire le fond de ma pensée.
Je suis de noble naissance et d'un grand lignage
et me nomme Floré. » Sire Clin, à ces mots,
la supplie doucement :
« Belle, accordez-moi votre amour loyal,
comme je vous accorde le mien sans plus tarder !
— Seigneur, dit la jeune fille, je vous accorde volontiers
mon amour dès maintenant. »
Sire Clin, à ces paroles, la remercie avec ferveur :
ils échangent quatre baisers
et scellent ainsi leur union.
Ils devaient ensuite se marier, si l'histoire dit vrai.

444

Aristé et Beauté dialoguent dans leur coin.
Il tient la rêne de son palefroi qui va l'amble.
« Demoiselle, s'il vous plaît, dites-moi, sur votre foi,
si vous êtes fille de comte, de duc ou de roi :
on voit bien, à votre beauté,
que vous êtes d'une noble et puissante famille.
Je vous offre mon amour : aimez-moi en retour !
— Seigneur, dit la jeune fille, par ma foi,
vous parlez bien, mais je ne vous crois guère !
— Belle, dit Aristé, nous avons la même religion :
je vous jure loyalement, par le dieu en qui je crois,

7568 Que je por vostre amor sui mis en grant effroi.
— Sire, dist la pucele, n'en sai autre conroi,
Toute ma drüerie et m'amor vos otroi ;
Se je fail a la vostre, malement m'i foloi,
7572 Et se la puis avoir, la moie bien enploi. »
Qant Aristés l'entent, si l'a traite vers soi,
Par amors la baisa coiement sans desroi.

445

Estes les vos tous quatre entresq'a l'ost venus,
7576 Sous un arbre descendent qui molt iert bien foillus.
Molt furent esgardees de grans et de menus
Et lor biautés loëes de princes et de dus.
Alixandres estoit hors de son tref issus
7580 Et vit les deus messages a terre descendus.
Florés parla avant, qui li rendi salus :
« Sire rois Alixandres, por vos fait Dieus vertus,
Car par tout le mont estes et doutés et cremus.
7584 Du regne d'Amazoine vos vient ci li treüs.
La roïne vos mande que vos estes ses drus,
Ne veut que ses roiaumes soit de riens confondus,
Chascun an vos sera tous autreteus rendus. »
7588 Li presens fu molt biaus, sempres fu receüs.
Lors parla Alixandres com hom aperceüs :
« Cis roialmes estoit a mon oés tous perdus ;
Se li païs veut estre de moie part tenus
7592 Et li convens gardés et li treüs rendus,
Ja n'en iert lance fraite ne estroués escus,
Chevaliers n'en iert mors ne de sele abatus
Ne ja mais n'en sera caus d'espee ferus.

446

7596 — Sire, ce dist Biautés, ne lairai ne vos die :
La roïne vos mande que ele est vostre amie,

---

117. Cf. *supra*, III, v. 1492.

que je suis tout ému d'amour pour vous !
– Seigneur, dit la jeune fille, je ne vous demande rien d'autre :
je vous donne mon amour et ma foi.
Si vous me trahissez, j'aurai fait une folie ;
mais si vous m'êtes loyal, j'aurai bien placé mon amour ! »
Aristé, à ces mots, l'attire vers lui
et lui donne un baiser doucement.

445

Ils rejoignent tous les quatre l'armée
et mettent pied à terre sous un arbre feuillu.
Petits et grands contemplent les jeunes filles,
duc et princes s'extasient devant leur beauté.
Alexandre sort de sa tente
et voit les deux messagères.
Floré prend la parole et le salue :
« Seigneur roi Alexandre, Dieu fait pour vous des miracles[117],
car vous êtes redouté dans le monde entier.
Voici le tribut du royaume des Amazones :
la reine vous demande votre amitié ;
elle ne veut pas la ruine de son royaume
et vous remettra tous les ans le même don. »
Alexandre s'empresse d'accepter le magnifique présent
puis prend la parole en homme avisé :
« Je considérais ce royaume comme perdu ;
mais s'il se place sous ma domination,
si l'accord est respecté et le tribut versé,
les lances et les écus resteront intacts,
nous éviterons les morts et les blessés,
et les épées resteront au fourreau.

446

– Seigneur, dit Beauté, voici mon message :
la reine vous fait dire qu'elle est votre amie

Son anel vos envoie par molt grant drüerie,
Ves le ci en present, ne le refusés mie.
7600 Qant treü vos envoie, c'est molt grans segnorie,
Et trestot son roiaume met en vostre baillie,
De vos le veut tenir, ce vos requiert et prie.
Par itel convenant iert de vos recuellie :
7604 Se volés guerroier, ce vos jure et affie
Que dis mile puceles venront en vostre aïe.
Chascune iert bien armee de broingne a or sartie,
Lacié elme luisant, çainte espee forbie ;
7608 Volentiers i feront, nel mescreés vos mie,
Car mieus aiment le pris de la chevalerie
Que nule riens qui soit en ceste mortel vie.
La terre sera toute en vostre commandie
7612 Et la dame iert tous jors de vos servir garnie.
Mandés por la roïne devant la baronie,
Seürté vos fera ele et sa compaingnie.
– Certes, dist Alixandres, qant ainsi s'umelie,
7616 Se je ce refusoie, ce seroit vilonie.

447

« Certes, dist Alixandres, vostre dame est molt sage,
Qui si beles puceles tramet en son message,
Cortoises et proisies et de molt bel aage,
7620 Et si semblés molt bien femes de haut parage.
Por la vostre biauté et por le vasselage,
Devant tous mes barons pardonrai le chevage,
Que ja mais en ma vie n'en avrai treüage
7624 Fors tant que du roiaume avrai le segnorage.
Qant la vostre roïne m'avra fait son homage
Et je l'otroierai au los de mon barnage,
Puis li rendrai son fief et tout son hiretage,
7628 Si que ne li ferai ne honte ne damage.
– Sire, ce dist Dans Clins, entendés mon corage.
Certes je aim Floré, ne mie par putage,
A mollier la veul prendre, n'i quier autre avantage.
7632 – Sire, dist Aristés, bons rois de franc corage,
De moi et de Biauté faites le mariage. »

et vous envoie son anneau en gage de son amour :
le voici devant vous, ne le refusez pas !
Elle vous envoie ce noble tribut
et remet tout son royaume entre vos mains
pour le tenir de vous : elle vous en prie elle-même.
Acceptez cet accord :
quand vous voudrez faire la guerre, elle vous prête le serment
d'envoyer à votre aide dix mille de ses demoiselles,
bien armées de broignes serties d'or,
de heaumes luisants et d'épées bien fourbies.
Elles se battront bien, n'ayez crainte,
car elles placent la gloire chevaleresque
au-dessus de toutes les joies de ce monde !
Vous dominerez la terre entière
et notre dame sera toujours prête à vous servir.
Appelez la reine devant vos barons :
elle vous prêtera serment, avec toute sa compagnie.
– Certes, dit Alexandre, ce serait une vilenie de ma part
que de repousser une reine qui s'humilie ainsi !

447

« Certes, dit Alexandre, votre dame est sage
de confier son message à de si belles demoiselles,
jeunes, courtoises et bien dignes d'estime :
on voit que vous êtes de haute naissance.
Pour votre beauté et votre courage,
devant tous mes barons, je renonce au tribut
et ne vous demanderai jamais le moindre impôt :
je ne demande qu'à être seigneur de ce royaume.
Lorsque votre reine m'aura rendu hommage,
avec le consentement de tous mes barons,
je lui rendrai son fief et toutes ses terres,
et ne lui causerai jamais le moindre mal.
– Seigneur, dit sire Clin, écoutez-moi :
j'aime Floré d'amour loyale
et la veux pour épouse, c'est tout ce que je demande !
– Seigneur, dit Aristé, grand roi au noble cœur,
donnez-moi Beauté en mariage ! »

448

Alixandres respont : « Volentiers le feroie
Se les puceles veulent et chascune l'otroie.
7636 — Sire, ce dist Florés, onques n'oi si grant joie,
A nul jor de ma vie, com se Dant Clin avoie.
— Sire, ce dist Biautés, se je ja lie soie,
Fors le cors mon ami autre riens ne querroie. »
7640 Es vos le chapelain, qui de ce se manoie :
A la loi que il tienent ensamble les aloie.
Et dist li uns a l'autre : « Fait avons riche proie,
C'or est vostre Biautés et Florés si rest moie. »
7644 Alixandres li rois por la roïne envoie,
Il veut que ele viegne et que il parler l'oie.
Qant la roïne l'ot, maintenant se conroie,
A mil de ses puceles cui li sejors anoie ;
7648 Eus ont vairs et rians et color qui rougoie,
Molt sont bien acesmees, por ce que on les voie,
De pailes orfresés dont li ors reflamboie.
Chascune laist dehors pendre sa crine bloie,
7652 Chapiaus ont sebelins por le chaut qui nes broie
Et çaignent les espees dont li aciers brunoie
Et ont chevaus en destre qui sont covert de soie.
La roïne fu çainte d'une large coroie,
7656 Amable ot non la dame, qui volentiers tornoie,
Il n'ot si bele dame dusq'au siege de Troie.
Montent es palefrois si acuellent lor voie
Tresq'a Meothedie, l'eaue qui n'est pas coie ;
7660 A navie la passent au port sous la sapoie,
De l'autre part arrivent sor l'erbe qui verdoie,
En un pré remonterent par delés une arbroie.
La roïne chevalche, qui pas ne se desroie,
7664 Vint au tref Alixandre, qui les autres avoie.

449

La dame d'Amazoine est de son regne issue,
A mil de ses puceles a sa voie tenue
Et vint a Alixandre, comme roi le salue,

448

Alexandre répond : « Je m'y accorde volontiers,
si les demoiselles y consentent.
– Seigneur, lui dit Floré, vous ne sauriez me faire une plus
qu'en me donnant sire Clin pour époux !   [grande joie
– Seigneur, lui dit Beauté, rien ne rendrait plus heureuse
que d'avoir mon ami ! »
Le chapelain se charge de l'affaire :
il les unit selon la religion qu'ils partagent.
« Quelle riche conquête nous avons faite, se disent les
en gagnant Beauté et Floré ! »   [chevaliers,
Le roi Alexandre envoie chercher la reine :
il veut la voir et lui parler.
La reine se prépare aussitôt
avec mille de ses demoiselles, qui n'ont cure de rester :
elles ont les yeux brillants et rieurs, le teint rose ;
elles se sont parées pour s'offrir en spectacle,
de soieries bordées d'orfroi, dont l'or resplendit.
Leurs cheveux blonds sont défaits
et couverts d'une coiffure de zibeline, pour les protéger du
Elles portent leurs épées d'acier brillant   [soleil.
et mènent sur leur droite des chevaux couverts de housses de
La reine porte une large ceinture.   [soie.
Elle a pour nom Aimable, et aime les tournois.
C'est la plus belle dame qu'on ait vue depuis le siège de Troie.
Toutes se mettent en route sur leurs palefrois
jusqu'à la Meothedie aux eaux impétueuses,
qu'elles franchissent au port dans un navire, sous les sapins.
Elles accostent sur l'autre rive, dans l'herbe verdoyante,
et remontent en selle dans un pré, près d'un bosquet.
La reine chevauche en tête
et vient tout droit à la tente d'Alexandre.

449

La reine des Amazones est sortie de ses terres
avec mille de ses demoiselles
pour venir à Alexandre : elle lui fait le salut qu'on doit à un roi,

7668 Et Alixandres l'a gentilment respondue.
Por faire son homage est a pié descendue,
Ele a parlé en haut, ne se fist mie mue :
« Sire rois Alixandres, se guerre t'est creüe,
7672 A mil de mes puceles m'en venrai en t'aiue,
Ja n'en i avra une qui n'ait broigne vestue,
Lacié elme luisant et targe a or batue,
Espee çainte au les trenchant et esmolue.
7676 De moie part sera la guerre maintenue,
Que nos amons plus guerre que aler a charrue,
– Par foi, dist Alixandres, bien soiés vos venue.
Or vos dirai noveles : Floré avés perdue
7680 Et Biauté sa compaigne, car amors l'a vaincue,
Car Dans Clins a Floré a mollier retenue
Et Aristés Biauté a mollier et a drue. »
Qant la roïne l'ot, de maltalent tressue,
7684 Otroier li estuet qant li rois l'en argüe.

450

La roïne demande le congié por esrer.
« Certes, dist Alixandres, primes veul esgarder
Comment vos damoiseles sevent armes porter. »
7688 Et respont la roïne : « Ne fait a refuser. »
Isnelement commande son cheval amener ;
La roïne monta, n'i vaut plus demorer,
Deffuble son mantel por son gent cors mostrer.
7692 Ses puceles commande d'une part atorner
Et les armes a prendre et es chevaus monter.
Qui veïst les puceles des armes adouber
Et poindre ces chevaus et guenchir et torner !
7696 Et qant l'une voloit les autres trespasser
Et veut des esperons le blanchet adeser,
Plus tost vait li chevaus c'oisiaus ne peut voler.
Il est uns grans poissons en cele Rouge Mer,
7700 Ce est uns chevaus pois, ainsi l'oï nomer ;
Le cheval la roïne sor coi aloit joster
Engendra en une yeve, si com l'oï conter.
Alixandres prist molt le cheval a loër ;

et Alexandre lui rend noblement son salut.
Elle met pied à terre pour rendre son hommage
et prend aussitôt la parole d'une voix forte :
« Seigneur roi Alexandre, si on te fait la guerre,
je viendrai à ton aide avec mille de mes demoiselles,
toutes armées d'une broigne,
d'un heaume brillant et d'une targe d'or battu,
avec, au côté, une épée tranchante et émoulue.
Nous ne te ferons pas défaut à la guerre,
car nous aimons mieux manier les armes que la charrue.
– Par ma foi, répond Alexandre, soyez la bienvenue !
Je vais vous apprendre une nouvelle : vous avez perdu Floré,
ainsi que Beauté sa compagne, car Amour les a vaincues :
Sire Clin a épousé Floré,
et Aristé a fait de Beauté sa femme et son amie. »
La reine, à ces mots, tremble de colère,
mais sous la pression du roi, elle doit consentir à ces noces.

450

La reine demande congé pour se retirer.
« Certes, dit Alexandre, je veux d'abord voir
comment vos demoiselles savent porter les armes ! »
La reine lui répond : « Je ne saurais refuser. »
Elle se fait aussitôt amener son cheval,
monte en selle sans plus attendre,
enlève son manteau pour montrer son corps gracieux.
Elle ordonne à ses demoiselles de se préparer,
de revêtir leurs armes et de monter en selle.
Il fallait voir les jeunes filles revêtir leurs armes,
éperonner leurs chevaux et faire des voltes !
Et quand l'une d'elles voulait dépasser les autres,
elle touchait son cheval blanc de ses éperons,
et le cheval volait plus vite qu'un oiseau.
On trouve un grand poisson dans la mer Rouge,
qu'on appelle cheval-poisson, à ce que j'ai entendu dire :
le destrier de la reine, à ce que l'on m'a dit,
était né de cet animal et d'une jument.
Alexandre vanta fort le cheval ;

7704 Qant le sot la roïne, si li fist presenter,
     Et li rois Alixandres l'en prist a mercïer.
     La dame prist congié, n'i vaut plus demorer ;
     Li rois l'acole et baise qant vint au dessevrer.

451

7708 Qant la roïne fu el palefroi montee,
     Congié a pris du roi si s'en est retornee,
     Tresq'a Meothedie n'i ot regne tiree ;
     Qant ot le flun passé, si fu en sa contree.
7712 Et li rois Alixandres a sa voie hastee
     Et vint en Babilone a l'onzime jornee ;
     Or sera de fin or sa teste coronee.
     De par toute sa terre fu lors sa gent mandee,
7716 Et li prince et li conte furent à l'assamblee.
     Olimpias sa mere, qui fu preus et senee,
     Li tramist une chartre en cire saelee.
     Dromadaire chevauche cil qui l'a aportee,
7720 Qant il vit Alixandre, si li a presentee.
     Li rois prist le seel s'a la cire entamee
     Et a lute la letre ; quant il l'ot esgardee,
     De maltalent et d'ire a la teste craulee.
7724 S'or estoit ma raisons un petit escotee,
     En romans vos diroie par parole menbree
     Q'il trova en la chartre qui li fu presentee.

452

     Olimpias sa mere, qui de son cuer l'amoit,
7728 Tout au commencement cent salus li mandoit,
     Et aprés les salus sachiés qu'il i avoit
     Que dans Antipater, qui Sydoine tenoit
     Et trestoute l'onor et qanqu'il apendoit,
7732 De son service faire durement se faignoit,
     Et Divinuspater, cil qui Tyr maintenoit,
     Por son commandement riens faire ne voloit.
     Li uns parloit a l'autre et sovent conseilloit,

la reine, en l'apprenant, le lui offrit,
et le roi Alexandre l'en remercia.
La dame prit enfin congé sans vouloir demeurer davantage ;
le roi, en la quittant, la serra contre lui et l'embrassa.

451

La reine remonta sur son palefroi,
prit congé du roi et s'en retourna,
à bride abattue, jusqu'à la Meothedie :
elle franchit le fleuve et rejoignit son pays.
Et le roi Alexandre se hâta de regagner
Babylone en dix jours :
il devait bientôt recevoir une couronne d'or fin.
De par toute sa terre il appelle ses hommes :
les princes et les comtes viennent à cette assemblée.
Sa mère, la courageuse et sage Olympias,
lui fait remettre une lettre scellée de cire.
Le messager chevauche un dromadaire :
il remet la lettre à Alexandre.
Le roi brise le sceau
et après avoir lu la lettre,
il hoche la tête avec colère et tristesse.
Si vous m'écoutez maintenant,
je vous traduirai en français
le contenu de cette lettre.

452

Sa mère Olympias, qui l'aimait de tout son cœur,
lui envoyait d'abord mille saluts,
mais ensuite elle disait
que sire Antipater, seigneur de Sidon
et de toutes les terres qui dépendaient de la cité,
faisait bien mal son service,
et que Divinuspater, seigneur de Tyr,
refusait d'obéir à ses ordres.
Tous deux complotaient ensemble,

7736 Non mie de son preu, tout de fi le savoit.
      Or li mande sa mere par la foi qu'il li doit
      Que d'iluec en avant nus d'aus gardés n'en soit,
      De ce qu'il ont forfait pregne vengance et droit.
7740 Qant li rois vit les letres, durement l'en pesoit,
      Molt pensa longement savoir qu'il en feroit
      Et trueve en son corage c'un brief i trametroit ;
      Se c'est voirs qu'ele dist, molt bien l'esproveroit,
7744 Et s'il le set de voir, grant vengance en prendroit.

453

      Qant la chartre fu lute, li rois s'est porpensés
      Que il une autre fois les avoit ja mandés ;
      Il n'i vaurent venir, or s'en est aïrés.
7748 Un brief lor envoia qui bien fu seelés,
      Il ne lor mande mie salus ne amistés,
      Ains i a fait escrire : « Oiés et entendés :
      Sachiés vostres services vos iert guerredonés.
7752 Je vos mant et commant, des que cest brief verrés,
      Que vos vegniés a moi ains que mais soit passés,
      Mar serés si hardi que vos i arestés. »
      A ciaus qui les briés portent ont les chevaus livrés ;
7756 Les briés ont pris du roi, li consaus est finés.
      Montent es palefrois, es les vos dessevrés,
      Entresi que a Tir ne fu lor frains tirés.
      Antipater i fu premerains apelés,
7760 Qui la estoit venus a uns plais devisés.
      De par le roi de Gresce fu li briés presentés,
      A un clerc l'ont baillié qui bien estoit letrés.
      Qant il l'oënt espondre, estes les vos desvés,
7764 Par un poi qu'il ne crievent, tant fu chascuns enflés.

454

      Qant il l'oënt espondre, n'i ot que corecier,
      Ou il veullent ou non, les estuet chevalchier,
      Aler en Babilone por lor droit desrainier

et ce n'était pas pour le bien d'Alexandre, elle en était sûre.
Sa mère lui demandait donc, par la foi qu'il lui devait,
de veiller dès maintenant
à se venger et à les châtier de leurs crimes.
Le roi, très soucieux à la lecture cette lettre,
se demande longuement que faire.
Il décide finalement d'envoyer une lettre :
il veut vérifier la véracité de ces accusations
et si Olympias dit la vérité, il prendra une vengeance
[exemplaire.

453

Après avoir lu la lettre, le roi se rappela
qu'il avait déjà convoqué les deux hommes
et qu'ils avaient refusé de venir : il se mit en colère.
Il leur envoie une lettre bien scellée,
qui ne contient ni salutations ni amitiés,
mais le message suivant : « Faites bien attention !
Vous serez récompensés selon vos mérites.
Je vous donne l'ordre, dès réception de cette lettre,
de venir me rejoindre avant la fin mai :
gardez-vous d'avoir l'audace de tarder ! »
On approche les chevaux des messagers,
qui reçoivent la lettre des mains du roi, après la réunion du
[conseil.
Ils montent en selle sur leurs palefrois, et les voilà partis.
Ils galopent à bride abattue jusqu'à Tyr
et trouvent en premier Antipater,
qui était venu là pour une affaire.
On lui donne la lettre de la part du roi de Grèce.
Les deux hommes la remettent à un clerc bien lettré.
A la lecture du message, les voilà fous de rage :
ils manquent en crever de fureur.

454

A la lecture du message, ils peuvent bien se mettre en colère :
qu'ils le veuillent ou non, il leur faut monter en selle,
aller jusqu'à Babylone pour défendre leur cause,

7768　Et se il sont coupable de la merci proier.
　　　Aler les i estuet, n'i a que delaier.
　　　Si comme il chevalchoient il et lor escuier,
　　　Ce dist Antipater : « Molt nos doit anuier.
7772　Cis rois nos tient por fous, trop nos laissons plaissier.
　　　Qant nos chastiaus rendons, poi faisons a proisier ;
　　　Set ans le peüssons richement guerroier
　　　S'eüssons assés quis a boire et a mengier ;
7776　Dementres peüst il avoir tel enconbrier
　　　Que tost eüssons pais sans or et sans denier,
　　　Peüssiens la contree tenir et justicier.
　　　Por malvais doit on l'ome tenir et por lanier
7780　Qui fait nul malvais plait por qu'il se puisse aidier. »
　　　Dist Divinuspater : « Molt vos voi esmaier ;
　　　Se je le vos osoie dire ne consellier,
　　　Tel chose vos diroie, dont vos veul acointier,
7784　Dont nos porrions tost de lui tres bien vengier.
　　　Rien n'i ferons par force, ja celer nel vos quier ;
　　　S'engins ne nos aïde, force n'i a mestier.
　　　Fortune, qui l'a fait sor la roe drecier,
7788　Le refera par tans chaoir et trebuchier. »

　　　　　　　　　　455

　　　Ce dist Antipater : « Grant folie feïs
　　　Qant tu onques por lui hors de Tyr t'en issis
　　　Et je hors de Sydoine, certes bien le jehis.
7792　Li mur sont haut et fort de qarriaus qu'i sont mis,
　　　Les tors hautes de marbre qui est et blans et bis,
　　　D'autre part est la mer dont li mur sont porpris.
　　　Ne nos peüst chaloir s'il nos eüst assis,
7796　Car bien i peüst estre quatre ans ou cinc ou sis
　　　Ançois qu'il nos eüst par sa force conquis ;
　　　En dementre avenist qoi que soit, ce m'est vis. »
　　　Dist Divinuspater : « Tu es de sens mendis ;
7800　C'est arriereconsaus, biaus tres dous chiers amis.
　　　Dont nen a il par force trestout le mont conquis
　　　Et Babilone prise, ou il n'a gaires sis ?
　　　L'amiraut i a mort et ses homes malmis ;

et, s'ils sont jugés coupables, implorer leur pardon.
Il leur faut y aller, rien ne sert de tergiverser.
Alors qu'ils faisaient route avec leurs écuyers,
Antipater déclare : « Nous sommes bien mal traités !
Ce roi nous prend pour des imbéciles, nous nous laissons
Nous avons bien tort de lui livrer nos châteaux :   [opprimer.
avec assez de vivres,
nous aurions pu facilement lui faire la guerre pendant sept ans ;
et pendant ce temps, il aurait pu lui arriver malheur,
et nous aurions eu la paix sans rien débourser.
Nous aurions pu gouverner le pays en toute souveraineté !
Il mérite bien d'être traité de lâche et de poltron,
l'homme qui accepte une mauvaise affaire, alors qu'il peut y
Divinuspater lui dit : « Je te vois épouvanté :   [remédier. »
si j'osais te donner un conseil,
je te confierais un projet.
Nous pourrions facilement nous venger de lui.
Il ne faut pas employer la force, je te le dis tout de suite ;
c'est la ruse qui nous sauvera : la force ne sert à rien.
Fortune, qui l'a placé tout en haut de sa roue,
l'aura vite fait retomber tout en bas. »

455

Antipater répond : « Tu as été bien fou
de sortir des murs de Tyr pour lui,
et moi de quitter Sidon, je l'avoue,
avec ses remparts de pierre hauts et forts,
ses hautes tours de marbre blanc et bis,
et la mer qui entoure les murailles.
Nous aurions pu résister à un siège
de quatre, cinq ou six ans,
avant de nous avouer vaincus ;
et pendant ce temps, n'importe quoi pouvait arriver, j'en suis
– Tu as bien peu de sens, dit Divinuspater,   [sûr !
et les idées te viennent trop tard, mon cher ami !
N'a-t-il pas conquis le monde entier
et pris Babylone en très peu de temps ?
L'émir y est mort, ses hommes mis à mal :

7804 Se bien ne nos gardons, encor nos fera pis.
Querons prochainement comment il soit ocis.
Se croire me volés, ançois quarante dis
Li donrons nos tel boire dont il perdra le ris,
7808 Tous ciaus en vengerons que il a fait chaitis. »

456

Ce dist Antipater : « Ci a molt male atente.
Quant nos en son service avons mis nostre entente,
Nostre terre nous taut et retaille la rente.
7812 Par lui a prise mort mainte bele jovente,
Plus a il rois destruis mien ensïent de trente.
Cil Dieus qui maint en haut a veoir nos consente
Des maus qu'il nos a fais qu'encore s'en repente. »
7816 Dist Divinuspater : « A tel marchié tel vente.
Fortune lieve l'ome, en aprés le cravente ;
Grans malvaistiés est d'ome qui tous jors se demente.
Bon conseil ai trové, se il vos atalente :
7820 Nous li donrons venim si que la mort en sente,
Que l'ame aut en infer en la plus grant tormente. »
Ce dist Antipater : « Ceste raisons m'est gente.
La gent en vengerons que il a fait dolente. »

457

7824 Andui ont porchacié le venim d'un serpent,
Et est de tel nature, se l'estoire ne ment,
Que qant li hom le boit et el cors li descent,
Desq'au nuevisme jor ne bien ne mal ne sent,
7828 Et qant vient au termine, adont li maus li prent
Et au disime jor l'ame du cors li rent.
Itel le quirrent il par apercevement,
Car qant il le beüst, s'il fust mors en present,
7832 Dont fust il conoissant a trestoute la gent
Que il l'eüssent mort par lor enchantement.
Lors plevirent lor fois andui priveement
Que bien le celeront s'en firent sairement.
7836 Lors ont tant chevalchié a l'oré et au vent

si nous n'y prenons garde, il nous fera bien pis.
Cherchons plutôt à le faire mourir vite !
Si tu veux m'en croire, avant quarante jours
nous lui donnerons un breuvage qui lui enlèvera l'envie de rire,
et nous vengerons de lui toutes ses victimes ! »

456

Antipater déclare : « Nous sommes bien mal récompensés.
Nous nous sommes mis à son service,
et le voilà qui nous enlève notre terre et nous rogne nos rentes !
Par lui bien des jeunes gens ont trouvé la mort ;
il a tué, je crois, plus de trente rois.
Que Dieu, là-haut, nous permette
de le faire se repentir du mal qu'il nous a fait !
– Rendons-lui la monnaie de sa pièce ! dit Divinuspater.
Fortune n'élève un homme que pour mieux l'écraser.
Il faut être bien lâche pour passer son temps à se lamenter.
J'ai une bonne idée, si elle te convient :
nous l'empoisonnerons, pour qu'il sente la mort venir
et que son âme subisse les tourments de l'enfer.
– Ce projet m'agrée, dit Antipater.
Nous vengerons tous ceux qu'il a fait souffrir. »

457

Tous deux se sont procuré le venin d'un serpent
qui a cette propriété, si l'histoire dit vrai :
quand un homme l'avale,
il ne sent rien pendant huit jours.
Mais ensuite, il devient malade
et rend l'âme le dixième jour.
Ils furent habiles de prendre ce poison,
car si Alexandre était mort aussitôt après l'avoir bu,
tout le monde aurait compris
qu'ils l'avaient tué par leur sortilèges.
Tous deux se prêtent alors mutuellement serment
de bien garder le secret.
Puis ils poursuivent leur chevauchée, à tous les vents,

Q'en Babilone vinrent li traïtor pullent.
7838 Alixandres li rois, a qui li mons apent,
Devoit porter corone l'endemain hautement.

et les deux ignobles traîtres arrivent à Babylone.
Le roi Alexandre, devant qui le monde entier s'incline,
devait porter solennellement sa couronne le lendemain.

BRANCHE IV

1

A l'issue de may, tout droit en cel termine
Que li biaus tans revient et yvers se decline,
Estoit en Babilone nes d'une Sarrasine
4 Uns mostres mervelleus par volenté devine.
Alixandres l'ot dire si manda la meschine.
Deseure iert chose morte desi q'en la poitrine,
Et desous estoit vive, la ou li faut l'eschine.
8 Tout environ les aines, la ou li ventres fine,
De ces plus fieres bestes qui vivent de rapine
I avoit pluisors testes et font chiere lovine ;
Molt sont de male part et de malvaise orine,
12 Ne se pueent souffrir, l'une l'autre esgratine.
Molt par est grans mervelle que Dieus el mont destine,
Que la mort Alixandre veut demostrer par sinne.

2

Par toute Babilone tramet li rois s'espie,
16 Les sages gens fait querre par molt grant segnorie,
Et les devineors, que nul n'en i oublie.
Quant assamblés les ot, si lor commande et prie
Du mostre qui est nes ne li çoilent il mie,
20 Mais dïent verité, savoir que senefie.
Il i ot un sage home qui la teste ot florie,

---

1. Sur ce monstre, cf. Pseudo-Callisthène III 30, Julius Valerius III 54 et *Epitome*, III 30.

BRANCHE IV

1

A la fin mai, juste au moment
où le beau temps revient, où l'hiver se termine,
une Sarrasine avait donné naissance à Babylone,
par la volonté divine, à un monstre prodigieux.
Alexandre, l'apprenant, le fit amener par la mère.
Le haut du corps était mort, jusqu'à la poitrine,
et vivant en-dessous, au bas de l'échine.
Tout autour du ventre, près de l'aine,
il y avait plusieurs têtes de bêtes féroces
qui vivent de proie, comme des loups :
elles étaient cruelles et mauvaises,
et ne pouvant se supporter, elles s'entredéchiraient.
Ce grand prodige était un signe
par lequel Dieu voulait annoncer au monde la mort
[d'Alexandre[1].

2

Dans toute la ville de Babylone, le roi envoie son espion :
il fait rechercher à prix d'or les hommes les plus sages
et les devins, sans en oublier un seul.
Quand ils sont rassemblés, il leur commande et les prie
de ne rien lui cacher sur le monstre
et de lui dire sa véritable signification.
Il y avait là un sage à la tête blanche,

Cil li dist la verté, sor soi prist la baillie :
« Rois, ce que tu demandes, veus tu que le te die ?
24 Se tu t'en coreçoies ce sambleroit folie.
La chose que tu vois qui est a mort flaistrie
Ce es tu qui te muers, nel te celerai mie ;
Les testes que tu vois qui mostrent felonie
28 Et que l'une vers l'autre porte si grant envie,
Ce sont li douze per q'as en ta compaignie.
Si tost com seras mors et ta vie fenie
La guerre iert commencie et ta terre saisie.
32 Fai le mieus que tu pués, molt est corte ta vie. »

3

Se li rois a paor n'est mie de mervelle ;
Devant lui voit celui qui sa mort li conseille
Ne de riens ne li dit qui la li apareille.
36 Il a si grant angoisse que pas des ieus ne ceille,
Ne nus aspiremens de lui ne descoreille.
Il se vait acouter sous l'ombre d'une treille,
Ne fust pas si molliés de l'eaue d'une seille
40 Com il est de suor sous la porpre vermeille.

4

Une eure a chaut li rois si li rougist la face,
Autre eure devint noirs si froidist comme glace.
Divinuspater vint, li sers de pute estrace,
44 O lui Antipater, qui de mort le manace ;
Desous un olivier descendent en la place
Et manderent le roi que grant honor lor face.
Li rois ot la novele que li mes li deslace,
48 Il ala encontre aus ses acole et enbrace.
Le treü li presentent qui est venus de Trasce ;
Et dona a chascun, por ce que mieus lor place,
Un anel de fin or de l'uevre de Galace,
52 L'une moitié de Gresce valoient li topace.

qui prit sur lui de dire la vérité :
« Roi, veux-tu vraiment savoir la vérité ?
Ce serait une folie que de te mettre en colère.
La chose que tu vois, flétrie et morte,
c'est toi qui te meurs, je ne te le cacherai pas ;
les têtes que tu vois, qui montrent leur félonie
et sont si envieuses l'une de l'autre,
ce sont les douze pairs que tu as près de toi.
Dès que tu seras mort et privé de vie,
la guerre commencera, on s'emparera de tes terres.
Fais du mieux que tu peux : tes jours sont comptés. »

3

Si le roi a peur, comment s'en étonner ?
Il voit devant lui l'homme qui lui annonce sa mort
sans lui dire qui la lui prépare.
Pris d'une grande angoisse, il reste là, sans ciller des yeux,
sans faire entendre le moindre souffle.
Il va s'accouder à l'ombre d'une treille,
plus trempé de sueur sous la pourpre vermeille
que s'il avait reçu un seau d'eau.

4

Le roi est tantôt rouge et brûlant,
tantôt blême et glacé de froid.
Divinuspater arrive, le serf de sale engeance,
suivi d'Antipater, qui menace le roi de mort ;
ils mettent pied à terre sous un olivier,
et annoncent leur arrivée, pour être reçus avec honneur.
Le roi, apprenant la nouvelle par leur messager,
vient à leur rencontre et les serre dans ses bras.
Ils lui présentent le tribut qu'ils ont apporté de Thrace,
et le roi leur offre à chacun, en gage d'amitié,
un anneau d'or ciselé en Galatie,
dont les topazes valent la moitié du royaume de Grèce.

5

Li termes est venus que li arbre orent dit
Que li rois de sa mort n'aroit plus de respit.
Li ans et li uit mois sont passé et complit,
56 Dont entre li nuevismes, si com il est escrit.
Li rois sot bien le terme, tous li cors li defrit ;
Il a mandé ses homes, talent a ques convit,
Et vaura tenir cort, onques si grant ne vit ;
60 Iluec seront doné tyré, paile et samit,
Vaissel d'or et d'argent de la terre d'Egit.

6

Li rois par maintes fois a ses barons mandés,
Dus et contes et princes et ses autres chasés ;
64 Cel jor fu haute feste que il fu coronés.
Plus richement de lui n'iert mais rois atornés ;
Sa corone fu d'or, pierres i ot assés :
Jagonces et topaces et saffirs neelés.
68 Sa mollier Rosenés, qui tant avoit biautés,
Fu aveuc coronee et ses cors atornés,
Cors de si bele dame ne sera ja mais nes.
Qui veïst son viaire, com il iert colorés !
72 De blanc et de vermeil estoit entremellés,
Et li cors avenans et li cuers esmerés.
Sous ciel n'a si dur home, tant soit vilains provés,
S'il esgardast la dame, ne fust d'amors navrés,
76 Tant iert de bones teches ses cors enluminés.
Qant fu fais li services et missael chantés,
Li rois issi du temple hautement celebrés ;
Tholomés et Dans Clins vont devant les a les.
80 Cel jor fu Alixandres de maint home esgardés ;
Il ot larges espaulles et bien fais les costés
Et grant enforcheüre, d'or fu esperonés,
Chauciés fu d'un brun paile a oiselés ovrés,
84 Et de meïsme rest li blïaus gironés ;
Molt estoit biaus et gens et de cors acesmés.
Sa corone soustienent Dans Clins et Tholomés,

5

Voici venu le jour prédit par les arbres,
le jour où le roi doit mourir.
Un an et huit mois se sont écoulés ;
on entre dans le neuvième mois, comme il est écrit.
Le roi sait bien que le jour est venu : tout son corps en frémit.
Il a convoqué ses hommes, comme il le désirait,
pour tenir la plus grande cour qu'on ait jamais vue :
on y distribuera des étoffes de Tyr, des draps d'or, des soieries,
des coupes d'or et d'argent de la terre d'Egypte.

6

Le roi a plusieurs fois convoqué ses barons,
les ducs, les comtes, les princes et ses autres vassaux :
il est en ce jour solennellement couronné.
On ne verra plus jamais roi plus richement paré :
sa couronne d'or était couverte de pierres précieuses,
jagonces, topazes et saphirs niellés.
Son épouse, la belle Roxane,
fut parée et couronnée avec lui.
Jamais plus on ne verra une aussi belle dame :
si vous aviez vu les couleurs de son visage,
où le vermeil se mêlait au blanc,
et son corps gracieux, digne de son cœur pur !
Il faudrait avoir le cœur le plus dur et le plus vil
pour ne pas se sentir blessé d'amour, en regardant la dame,
tant elle resplendissait de beauté et de vertu !
Quand on eut célébré le service et chanté la messe,
le roi sortit du temple à grand honneur ;
Tholomé et sire Clin marchaient devant lui côte à côte.
Ce jour-là, tous contemplèrent Alexandre :
il avait une puissante carrure, les hanches étroites
et une large poitrine ; il portait, sous ses éperons d'or,
des chausses de soie brune brodée d'oiseaux,
et sa tunique à bandes était de la même étoffe ;
il était plein de beauté, de grâce et d'élégance.
Sa couronne était tenue par sire Clin et Tholomé,

D'autre part Perdicas, qui des Grieus fu amés,
88　Qui du regne Alixandre fu puis rois coronés.
Emenidus d'Arcage, li preus et li senés,
Tenoit une gisarme dont li fers estoit les
Et li aciers trenchans et li manches dorés.
92　Por ce q'a icel jor iert li rois terminés,
Q'a cel jor devoit estre mors et enpoisonnés,
Grant place li faisoient environ de tous les.
Par ces rues a vautes avoit tapis getés,
96　Et desus Alixandre tinrent pailes röés
Por l'ardor du soleil, que li chaus iert levés.
Jusq'au maistre palais en fu ainsi menés ;
El temple ancïenor fu li rois desarmés
100　De la corone d'or dont il iert coronés.
Les tables furent mises s'est li mengiers crïés ;
Tels s'i assist a joie qui s'en leva troblés :
Ce fu li rois meïsmes qui fu enpoisonés.

7

104　A grant joie en menerent le roi Mascedonés.
Qui donques reveïst sa mollier Rosenés,
Ainsi com li baron l'en menerent aprés !
Ne fu si bele dame des le tans Moÿsés.
108　Sa corone soustienent Leone et Filotés,
Desus tinrent un paile Caulus et Aristés,
Que li chaus ne li arde le vis ne le palés.
En la chambre l'en mainent bonement et en pes ;
112　Sa corone li ostent li doi fil Aminés,
Ses dras li ont ostés, car li chaus iert engrés.
Au mengier sont assis a grant joie el palés,
Ains en seront iré qu'il en relievent mes.

---

2. La guisarme est une arme d'hast destinée aux gens de pied, dont le fer, qui comprend un long taillant légèrement convexe en son milieu, est muni d'un crochet du côté de ce taillant, d'une forte pointe au revers, et se prolonge en une lame destinée à donner des coups d'estoc.

ainsi que Perdicas, que les Grecs aimaient tant,
et qui devait ensuite porter la couronne du royaume
Emenidus d'Arcage, le preux et le sage,   [d'Alexandre.
tenait une guisarme au large fer,
à la lame tranchante et au manche doré[2].
C'est en ce jour que la vie du roi devait s'achever
et qu'il devait être empoisonné.
On lui faisait place de tous côtés ;
dans les rues à arcades, on avait jeté des tapis,
et l'on tenait au-dessus de sa tête des voiles de soie à rosaces
pour le protéger de l'ardeur du soleil.
On le mena ainsi jusqu'au palais royal.
Le roi enleva, dans le temple antique,
la couronne d'or du couronnement.
On mit les tables et l'on annonça le repas.
Mais un homme devait s'asseoir dans la joie et se relever dans
c'était le roi, qui allait être empoisonné.   [le tourment :

7

Les Macédoniens, joyeux, accompagnent le roi.
Quant à son épouse Roxane,
il fallait voir les barons l'escorter à la suite :
il n'y avait pas eu d'aussi belle dame depuis le temps de
Sa couronne était tenue par Lioine et Filote ;   [Moïse !
Caulus et Aristé la protégeaient d'un voile de soie,
pour empêcher la chaleur de lui brûler le visage et la gorge.
Ils la conduisent noblement dans la salle :
les deux fils d'Aminès lui retirent sa couronne
et son manteau, car il faisait terriblement chaud.
On s'assied joyeusement à table dans la salle du palais,
mais on se relèvera dans le deuil.

8

116 Par toute Babilone a fait li rois crïer
Et tous les chevaliers de la terre mander
Que il viegnent a lui por sa cort honorer
Et por sa grant richece veoir et esgarder.

120 Onques n'en i vint nus qui ne feïst doner
Vaissel d'or ou d'argent ou paile d'outremer.
A son plus maistre dois sist li rois au disner,
Et furent entor lui cel jor li douze per ;

124 Se il ot grant paor ne fist mie a blasmer,
Car venus est li termes que il oï nomer,
Que li arbre li dirent ou il ala parler,
Que cel jor de sa mort ne porroit trespasser.

128 A tous ciaus qui servoient fait li rois commander
Qu'il facent tuit lor manches jusqu'as coutes cauper
Et viegnent en bras nus le mengier aporter,
Car durement se crient li rois d'enpoisoner ;

132 Grant joie avra au cuer se cel jor puet passer.
Mais li serf de put aire, qui nel veulent amer
Et que il pensoit molt hautement honorer,
Ont aporté l'entosche por lui envenimer.

136 Hé ! las, por coi le firent ? com l'oserent penser ?
Ja mais si bon segnor ne porront recouvrer ;
De Dayre le Persant lor peüst remembrer.
Ja nus hom ne doit serf essaucier ne lever,

140 C'onques bone chançon n'en oï on chanter.

9

Molt par fu grans la cors q'ot li rois assamblee,
Mainte bele richece i ot le jor donee.
Li rois sist au mengier en la sale pavee,

144 Molt par ot grant paor, sa gens fu effraee
Por ce q'a icel jor fu sa mort destinee
Ainsi com li dui arbre li orent devisee.
Li doi serf qui sa mort li orent aportee,

148 Li uns sist au mengier de la table honoree,
Et li autres servi en la porpre roëe,

8

Dans tout Babylone, le roi a fait crier son ban
et convoquer tous les chevaliers du pays,
pour qu'ils viennent à sa cour lui faire honneur
et contempler sa grande richesse.
A tous ceux qui viennent, il fait donner
une coupe d'or ou d'argent, ou une soierie d'outre-mer.
Le roi s'assied pour dîner à sa haute table ;
les douze pairs l'entourent toute la journée.
On ne saurait le blâmer d'avoir peur,
car le moment qu'on lui a fixé est venu,
le jour au-delà duquel les arbres ont dit
qu'il ne pourrait plus vivre.
A tous ceux qui servent à table, le roi ordonne
de couper leurs manches jusqu'aux coudes
et d'apporter les plats, bras nus,
car il a grand peur d'être empoisonné ;
il sera tout joyeux quand le jour sera passé.
Mais les serfs de sale engeance qui le détestent,
alors qu'il les couvrait d'honneurs,
ont apporté le venin pour l'empoisonner.
Hélas ! pourquoi ce geste ? comment eurent-ils pareille pensée ?
Jamais ils ne retrouveront un si bon seigneur !
On aurait dû penser à Darius le Perse :
on ne doit jamais élever un serf au-dessus de sa condition,
car jamais on ne lui a entendu chanter une bonne chanson.

9

Le roi avait rassemblé une cour immense,
où l'on distribua des cadeaux riches et somptueux.
Le roi était assis à table, dans la salle pavée ;
il avait très grand peur, tout comme ses hommes,
car c'était le jour fixé pour sa mort,
comme le lui avaient annoncé les deux arbres.
Des deux serfs qui lui avaient apporté la mort,
l'un était assis à la table d'honneur,
l'autre servait à table, sur la pourpre ornée de rosaces,

Devant le roi demaine tint la cope doree
Qui iert de riches pierres porprise et aornee.
152 Molt fu la traïson coiement porparlee :
Por ce qu'il ont des bras chascuns la manche ostee,
En l'ongle de ses paus ot l'entosche boutee.
Qant li rois vaut le vin, la coupe a demandee,
156 Et cil fiert ens ses paus si la li a donee.
Tantost com ot beü, si li art la coree,
Li cuers li muert el ventre s'a la color müee ;
Puis sailli de la table, la coupe a jus getee,
160 Por ce que vomir vaut une plume a rovee.
Antipater li fel l'en a une aprestee
Q'il ot molt coiement sous son mantel botee,
Et estoit de venim entoschie et louee.
164 Il a prise la plume, ne l'a pas esgardee,
Si l'a isnelement en sa bouche boutee ;
Li deerrains venins li a la mort donee.
Tuit li menbre li falent, la poitrine a enflee.
168 « Ahi ! fait il, maisnie, com dure destinee.
Tout por voir sans doutance or est ma vie outree.
Des arbres et des mostres est la chose averee. »

10

Qant li rois ot beü, si li froidist li cors,
172 Sa char devint plus vers que n'est fuelle de pors.
Li dui serf le regardent, de la chambre issent fors ;
Or ne quiert chascuns plus mais d'iluec soit estors,
Que ses pooit bailler Filote et Licanors,
176 Nes raiembroit li mons s'il devenist fins ors.

---

3. Chez le Pseudo-Callisthène (III 31), Julius Valerius (III 56) et dans l'*Epitome* (III 31), Antipater, gouverneur de Macédoine, entre avec conflit avec Olympias. Alexandre destitue Antipater, qui décide de tuer le roi. Il corrompt l'échanson d'Alexandre et lui remet le poison. Julius Valerius mentionne en outre Divinuspater. La tradition historique confirme la volonté d'Alexandre de destituer Antipater, le conflit d'Antipater et d'Olympias et les rumeurs propagées par Olympias, après la mort d'Alexandre, pour discréditer Antipater.

et tenait la coupe dorée du roi lui-même,
toute recouverte de pierreries.
Il avait soigneusement machiné sa trahison :
ayant les bras nus comme les autres,
il avait caché le poison dans les ongles de ses pouces[3].
Le roi, voulant du vin, lui demande sa coupe
et l'autre y enfonce ses pouces avant de la lui tendre.
Dès qu'Alexandre boit, ses entrailles se mettent à brûler,
le cœur lui manque, il change de couleur ;
il se lève d'un bond en jetant la coupe,
et demande une plume pour l'aider à vomir.
Le félon Antipater en avait une toute prête,
qu'il avait cachée sous son manteau :
elle était tout enduite de poison.
Le roi prend la plume, sans la regarder,
et l'enfonce vite dans sa gorge :
ce deuxième poison lui donne la mort.
Ses forces l'abandonnent, sa poitrine se met à enfler.
« Hélas ! fait-il, mes amis, quelle cruelle destinée !
Il est bien vrai que je dois mourir aujourd'hui.
La prophétie des arbres et du monstre s'est vérifiée ! »

10

Quand le roi a bu, son corps se refroidit,
sa peau devient plus verte que la feuille de poireau.
Les deux serfs, à sa vue, quittent la salle ;
ils ne songent plus qu'à se sauver,
car s'ils tombaient entre les mains de Filote ou de Licanor,
tout l'or du monde ne pourrait les racheter.

11

　　　　Qant li rois se senti de la mort angoissier,
　　　　En une chambre a vaute s'en est alés couchier.
　　　　Li Grieu boutent les tables et lievent du mengier
180　　Et pleurent et regretent lor segnor droiturier :
　　　　« Ahi ! rois, sor tous homes faisïés a proisier ;
　　　　Ne vos penïés mie de vos gens abaissier
　　　　Mais a vostre pooir lever et essaucier,
184　　Et si les faisïés en richece baignier
　　　　Et donïés l'avoir et l'argent et l'or mier.
　　　　Ja mais n'avromes prince qui sache guerroier.
　　　　Que porront ore faire cil povre saudoier ?
188　　L'uns vendra son hauberc et l'autre son destrier.
　　　　Cil sera mieus amés qui mieus sara plaidier. »
　　　　Li rois entent les cris que font cil chevalier,
　　　　Tel duel a de sa gent que vis cuide esragier.
192　　Par mi l'uis d'une chambre entra en un vergier,
　　　　Ens el flun d'Eufratés se veut aler noier,
　　　　Mais la mort l'angoissa quil fist agenollier ;
　　　　Qant ne pot plus aler, si se prist a hercier.
196　　Sa mollier Rosenés le prist a enbracier
　　　　Et les ieus et la bouche li commence a baisier :
　　　　« Sire, drois empereres, veus me tu dont laissier,
　　　　Et guerpir en cest siecle ta chaitive mollier ?
200　　Je sui grosse et ençainte si ne me puis aidier,
　　　　Rois, qui or me deüsses aidier et consellier. »
　　　　En un lit l'en porta cele qui molt l'ot chier.
　　　　Grieu et Mascedonois commencent a huchier
204　　Que se tost ne lor rent lor segnor droiturier,
　　　　Ja feront tous les huis de la chambre brisier.

12

　　　　Li rois oï les cris et sa gent dolouser,
　　　　Sa mollier Rosenés commence a demander :
208　　« Quel noise oi je la fors en cel palais lever ?
　　　　— Rois, Mascedonés sont, qu'on ne puet atemprer,
　　　　Qui veulent ceste chambre et les huis craventer

11

Quand le roi sent venir les douleurs de la mort,
il va se coucher dans sa chambre voûtée.
Les Grecs repoussent les tables et se lèvent,
pleurant et regrettant leur seigneur légitime.
« Hélas ! roi, le plus digne d'éloges de tous les mortels !
Vous ne cherchiez pas à abaisser vos hommes,
mais à les élever et à les glorifier de tout votre pouvoir !
Vous les combliez de richesses,
distribuant les biens, l'argent et l'or pur !
Jamais plus nous n'aurons un prince qui sache ainsi faire la
Que pourront devenir ses malheureux soldats ?   [guerre.
L'un vendra son haubert, l'autre son destrier.
Le mieux aimé sera le plus beau parleur ! »
Le roi entend les cris de ses chevaliers,
il souffre tant en pensant à ses hommes qu'il manque devenir
Il sort de sa chambre et entre dans un verger   [fou de rage.
pour aller se noyer dans les eaux de l'Euphrate.
Mais les douleurs de la mort le forcent à tomber à genoux.
Il ne peut plus marcher et se traîne par terre.
Son épouse Roxane le prend dans ses bras
et lui embrasse les yeux et la bouche :
« Seigneur, noble empereur, veux-tu donc me laisser,
abandonner ta malheureuse épouse ?
Je suis enceinte et sans défense,
roi, et tu devrais me défendre et me venir en aide ! »
La reine porte dans son lit celui qu'elle aime tant.
Les Grecs et les Macédoniens se mettent à hurler
que si elle ne leur rend pas leur seigneur légitime,
ils vont briser les portes de la chambre.

12

Le roi entend les cris et le deuil de ses hommes
et demande à son épouse Roxane :
« Quel est ce bruit que j'entends dans la salle ?
— Roi, ce sont les Macédoniens, qu'on ne peut pas calmer :
ils veulent écraser les portes de la chambre,

Por ce qu'il ne vos pueent veïr ne esgarder. »
212 Li rois se commanda el palais a porter ;
Lors veïssiés ses homes entor lui aüner
Et tant cheveus desrompre et tant dras descirer.
Et li rois a ses homes commença a parler :
216 « Mascedonois et Grieu, je vos doi molt amer,
Car vos m'avés les terres aidié a conquester.
Çai ens sont li baron et tuit li douze per ;
Par le los de vos tous vos veul segnor doner ;
220 Eslisiés qui vos plaist, je sui pres du livrer. »
Grieu et Mascedonois commencent a crïer :
« Rois, qant nos ne poons a toi plus recovrer,
Et hui nos en covient partir et dessevrer,
224 Que mais ne te porrons en bataille mener,
Perdicas nos otroie, qui tant est preus et ber,
Car nel volons por autre ne changier ne müer. »
Qant l'entent Alixandres, si commence a penser,
228 Car il ne cuidoit mie q'a ce peüst torner,
Mais sa grant aventure ne li vaut trestorner.
Adonques recommence le vassal a loër,
Le sens et la proëce de lui a ramenbrer ;
232 Toute Gresce li done et les illes de mer
Et toute Mascedoine, n'i veut plus demorer.
Cil li courut au pié si l'en va mercïer,
Grieu et Mascedonois l'en corent relever.

13

236 Li rois ot grant angoisse, qui de la mort fu pres.
Qant vint de pasmison, si regarde el palés,
Entor lui vit sa gent, dont il i ot assés ;
Perdicas apela, coureçous et irés,
240 Il li dist en plorant : « Biaus amis, je vos les
Ma contree de Gresce et les Mascedonés,
Si vos commant ma feme, la bele Rosenés ;

---

4. Perdiccas reçut d'Alexandre mourant le sceau royal et assura la régence au nom de Philippe Arrhidaios, fils de Philippe II.

parce qu'on les empêche de vous voir. »
Le roi commande qu'on le porte dans la salle ;
et ses hommes aussitôt de se rassembler autour de lui,
d'arracher leurs cheveux, de déchirer leurs vêtements.
Le roi se met à parler à ses hommes :
« Grecs et Macédoniens, vous méritez bien mon amour,
car vous m'avez aidé à conquérir les terres !
Voici mes barons et les douze pairs.
Je veux vous donner un seigneur de votre choix :
désignez celui qui vous plaira, je vous le donnerai. »
Grecs et Macédoniens se mettent à crier :
« Roi, puisque nous ne pouvons pas te garder
et qu'il nous faut nous séparer de toi,
puisque tu ne nous mèneras plus à la bataille,
donne-nous Perdicas, le preux et le vaillant :
c'est lui seul que nous voulons ! »
Alexandre, à ces mots, se met à réfléchir :
il ne croyait pas que les choses en viendraient là.
Mais il ne veut pas s'opposer au destin de Perdicas,
et commence lui aussi à louer le chevalier,
à rappeler sa sagesse et son courage.
Il lui fait don de la Grèce et de ses îles,
et de toute la Macédoine, sans plus attendre[4].
Perdicas tombe à ses pieds pour le remercier :
Grecs et Macédoniens courent le relever.

13

Le roi sent les douleurs de la mort qui approche.
Revenant de pâmoison, il regarde la salle
et voit autour de lui la foule de ses hommes.
Plein de tristesse et de chagrin, il appelle Perdicas
et lui dit en pleurant : « Mon ami, je vous laisse
mon pays de Grèce et les Macédoniens
et vous confie ma femme, la belle Roxane.

Espousés la demain, par amors vos en bes.
244 Ele est grosse et ençainte, d'enfant sostient le fes.
Se li enfes est malles, aprés vostre decés
Li otroiés le regne bonement et en pes,
Et vostre soit la terre qui fu au roi Cersés,
248 Plus bele ne mellor ne verrés vos ja mais ;
Et se ele est meschine, molt grant avoir li les,
Et si la mariés et només Alixés. »
Et li rois li otrie par devant Filotés,
252 Et tuit li autre per li creantent aprés.

14

Qant Alixandres voit que la mort le justise,
Contre terre s'estent et devoltre et debrise.
En mi la riche sale, qui fu de marbre bise,
256 Fait metre un lit a or, talent a qu'il i gise ;
La coute fu de soie, qui tenoit grant porprise.
Li douze per le couchent sor un paile de Frise.
« Barons, dist Alixandres, tous jors vos ai pramise
260 Honor et grant richece se Babilone iert prise.
Nos avons, merci Dieu, mainte terre conquise
Dont la gens est vaincue, confondue et malmise ;
De ciaus qui deffendirent i ot fait grant justise.
264 Je vaudrai de vos douze faire rois par devise,
Si que chascuns avra la sieue terre assise ;
S'en sera, Se Dieu plaist, m'ame en Paradis mise,
Q'avrai fais douze rois en la terre q'ai prise.

15

268 « Segnor, dist Alixandres, molt sui en grant torment ;
La mort me tient au cuer qui me point molt sovent.
Qant je vos esgart tous, molt grant pitié m'en prent,
Ne puis mais entre vos demorer longement.
272 Qui la mort m'a donee ne vos aime noient,
C'est Divinuspater, qui li cors Dieu cravent,
Il et Antipater, qui me fist le present ;
Hui me feront partir de la plus noble gent

Epousez-la demain, je vous en prie, pour l'amour de moi !
Elle est enceinte, chargée d'enfant.
Si c'est un enfant mâle, laissez-lui le royaume
après votre décès, sans contredit,
et recevez la terre du roi Xerxès :
vous n'en verrez jamais d'aussi belle ni de meilleure.
Et si c'est une fille, je lui lègue de grands biens :
vous la marierez et lui donnerez le nom d'Alixès. »
Le roi lui confirme le don devant Filote ;
puis tous les autres pairs lui prêtent serment.

14

Quand Alexandre voit que la mort le torture,
il s'allonge sur le sol et s'agite dans sa souffrance.
Au milieu de la belle salle de marbre bis,
il fait mettre un lit d'or tout recouvert de soie,
pour pouvoir s'y coucher.
Les douze pairs l'allongent sur un riche drap de Frise.
« Barons, dit Alexandre, je vous ai toujours promis
des terres et des richesses, si nous prenions Babylone.
Nous avons, Dieu merci, conquis bien des terres,
dont nous avons vaincu et écrasé les peuples ;
leurs défenseurs ont été défaits.
Je veux vous faire rois tous les douze
et donner à chacun sa terre :
ainsi, s'il plaît à Dieu, mon âme ira au paradis,
pour avoir fait douze rois dans les terres que j'ai conquises.

15

« Seigneurs, dit Alexandre, je souffre la torture.
La mort m'agrippe le cœur et je sens ses piqûres.
J'ai grand pitié de vous, en vous regardant,
à l'idée de ne pouvoir demeurer parmi vous plus longtemps.
Ceux qui m'ont donné la mort ne vous aimaient guère :
c'est Divinuspater (Dieu le maudisse !)
qui m'a fait ce présent, avec Antipater :
ils me font quitter aujourd'hui les plus nobles vassaux

276 Qui soit en tout le mont. Ha ! Dieus omnipotent,
Je ne verrai le jor qu'en soit pris vengement. »
Tholomé apela et Cliçon ensement,
Emenidon d'Arcage et Caulon voirement,
280 Et tuit li autre vinrent, courecié et dolent.
Qant il furent assis, li rois dist son talent :
« Segnor, dist Alixandres, ves me ci en present.
Je ne serai mais gaires, puis Dieus nel me consent,
284 Mais ançois que je muire ne pregne finement
Avrés por vos servises guerredon bel et gent.
Gardés bien qu'entre vos n'ait nul descordement,
Car chascuns avra terre et fié et chasement
288 Plus que n'en ot mes peres, qui toute Gresce apent.

16

« Tholomé, dist li rois, je vos donrai Egypte ;
Toute la mellor terre ai a vostre oés eslite
Qui soit en tout le mont ne par bouche descrite ;
292 Babilone tenrés des or mais toute cuite
Et toute cele gent qui en la terre abite.
Certes, vostre proëce devroit bien estre escrite ;
Li cop de vostre espee parurent en Eslite
296 Et par toute la terre que nos avons afflite ;
Hui est venus li jors q'en avrés la merite.
Li venins me destraint qui le cors me soubite,
Ennevois me morrai de laide mort despite. »
300 Tholomés ot tel duel quant la parole ot dite
Tous ses cheveus derront et depiece et degite,
Le paile c'ot vestu, qui fu fais a Melite,
A si rout et fendu ne vaut une carpite.

17

304 « Tholomé, dist li rois, je vos aim de corage,
Et por amor de vos trestout vostre lignage ;

---

5. Il s'agit de Babylone d'Egypte, c'est à dire Le Caire. Ptolémée Iᵉʳ Sôter
fut le fondateur en Egypte de la dynastie grecque des Lagides.

qui soient au monde. Ha ! Dieu tout-puissant,
je ne pourrai pas me voir vengé ! »
Il appelle Tholomé et Clin,
Emenidus d'Arcage et Caulus,
et tous les autres accourent, tristes et désespérés.
Quand tous sont assis, le roi fait connaître sa volonté :
« Seigneurs, dit Alexandre, vous me voyez devant vous,
mais pas pour longtemps, car telle est la volonté de Dieu.
Mais avant de mourir et de disparaître,
je veux vous récompenser dignement pour vos services.
Gardez-vous de laisser la discorde s'installer entre vous :
chacun recevra pour fief des terres
plus grandes que n'en possédait mon père, qui était maître de la
[Grèce.

16

« Tholomé, dit le roi, je vous donne l'Egypte :
j'ai choisi pour vous la meilleure terre
dont on ait jamais parlé dans le monde ;
Babylone sera désormais entièrement à vous[5],
avec tout le peuple qui habite cette région.
Certes, on devrait écrire le récit de vos prouesses :
on a bien vu les coups de votre épée en Elite
et dans toutes les terres que nous avons désolées :
le jour est venu de vous en récompenser.
Le venin me tourmente et précipite ma mort :
je vais bientôt mourir d'une misérable mort. »
Tholomé souffre tant d'entendre ces paroles
qu'il s'arrache les cheveux à pleines mains,
déchire et fend si bien sa tunique de soie de Melite,
qu'elle n'a même plus la valeur d'un tapis.

17

« Tholomé, dit le roi, je vous aime de tout mon cœur,
ainsi que tout votre lignage pour l'amour de vous :

Egypte vos doins quite et otroi par mon gage.
Cleopatras, la bele de cors et de visage,
308 Vos otroi a mollier, qui est de haut parage ;
Mes peres l'espousa voiant tout son barnage,
Mais je deffis les noeces, qu'il me vint a corage,
Qar ma mere i avoit perte, honte et damage.
312 Uns enfes en est nes, – Dieus li croisse barnage ! –
Philiperideüs l'apelent en langage ;
Lui doins Esclavonie, une terre marage,
Et trestout le païs li doins en hiretage.
316 Le vallet gardés bien tant qu'il viegne en aage,
Et la dame prenés, qui est cortoise et sage,
Il n'a plus bele feme jusq'as murs de Cartage. »
Et cil li respondi belement sans outrage :
320 « La chose que volés ne me sera salvage. »

18

Li rois par grant amor en apela Cliçon :
« Dans Clins, venés avant, si vos rechaserom ;
Onques mieudres de vos ne chauça esperon.
324 Toute Perse vos doing, le roiaume Dayron,
Que nos avons conquise a force et a bandon.
Bien la devés avoir quitement sans tençon ;
Vous vos i combatistes a guise de baron,
328 Au fer de vostre lance vuidierent maint arçon
Tous jors vos ont trové mi enemi felon.
Hui est venus li jors q'en avrés guerredon
D'un des mellors roiaumes c'onques veïst nus hom ;
332 Set rois et trente dus a en la region
Qui en seront vostre home, chascuns par devison,
Et iront en bataille o vostre gonfanon.
Amis, par tel convent vos en fais livrison

---

6. Le texte identifie Cléopâtre d'Egypte et Cléopâtre, nièce d'Attale et
épouse de Philippe. Dans la branche I (laisses 83-87), Alexandre empêche ce
mariage.
7. L'un des fils de Philippe II, Philippe Arrhidaios, régna en Macédoine sous
le nom de Philippe III, de 323 à 317. Le nom de Philipperideus résulte de la
contamination de Philippe et d'Arrideus.

je vous garantis l'Egypte en toute souveraineté,
et la main de Cléopâtre, au beau visage et au corps gracieux,
qui est de haute naissance.
Mon père la prit pour femme devant tous ses barons,
mais je défis les noces, selon ma volonté,
car c'était pour ma mère une honte et un dommage[6].
Un enfant est né de cette union, Dieu le fasse valeureux !
On le nomme Philipperideus[7].
Je lui donne en héritage l'Esclavonie, une terre sauvage,
et tout le pays qui en dépend.
Veillez bien sur l'enfant jusqu'à ce qu'il grandisse,
et épousez la dame, qui est courtoise et sage :
c'est la plus belle femme d'ici jusqu'aux murs de Carthage. »
Et Tholomé répond doucement, sans orgueil :
« Je ne saurais refuser d'accomplir votre désir ! »

18

Le roi appelle Clin avec amitié :
« Sire Clin, avancez-vous que je vous donne un fief !
Nul meilleur chevalier ne chaussa les éperons.
Je vous donne toute la Perse, le royaume de Darius,
que nous avons conquis par la force des armes.
Elle vous revient sans contredit :
vous vous y êtes battu en vaillant guerrier
et votre lance a vidé bien des arçons ;
vous vous êtes montré cruel envers mes ennemis.
Voici venu le jour de vous en récompenser
par l'un des meilleurs royaumes qu'on ait jamais vus.
Sept rois et trente ducs vivent dans la région :
tous seront vos fidèles vassaux,
et marcheront au combat derrière votre gonfanon.
Ami, je souhaite en vous faisant ce don

336 Que Dieus vos en doinst joie et gart de traïson,
  Que vostre home vers vos ne facent que felon
  Si com li mien m'ont fait, qui m'ont doné poison
  Dont ja jor de ma vie nen avrai garison.

340 Enevois me morrai sans nule raençon. »
  Cil entent la parole si baissa le menton,
  L'eaue qui ist des ieus li cort a grant foison,
  Si que les geules mollent de l'ermin peliçon.

344 « Clin, vos et Tholomé fustes bon compaignon ;
  Gardés q'aprés ma mort n'i ait riens se bien non,
  Car m'amë en seroit en male souspeçon. »
  Et cil li respondirent : « Se Dieu plaist, non ferom.

348 Nous somes bon ami et tous jors le serom,
  Que ja entre nos deus n'i avra se bien non.

19

  – Ça venés, dist li rois, Emenidus d'Arcage ;
  Onques mieldres de vos n'issi de nul lignage.

352 De vos me vint tous jors honors et vasselage ;
  Mon gonfanon portastes et par mer et par nage,
  Onques n'i perdi riens par vostre guionage.
  Nubie vos otroie, une terre molt large

356 Qui molt est bien garnie de pres et de boscage,
  Si a riches cités et maint bel hebregage ;
  Iluec puet on trover mainte beste salvage.
  Cent mile chastelain vos en feront homage,

360 Qui vos en porteront honor et segnorage.
  Par foi, plus bele terre ne mellor por estage
  Ne pot onques avoir nus hom de haut parage ;
  Et vous la tenrés bien, qui avés bon corage,

364 Ja n'iert hom si puissans qui vos toille hiretage. »
  Devant lui s'agenolle, li rois li tent le gage.
  « Tenés, dist il, amis, Deus vos croisse barnage,
  Car ja mais bon conseil n'avrés de moi ne sage.

---

8. Le vers 353 (*et par mer et par nage*) a été corrigé d'après les manuscrits CGHJLY (*et par terre et par nage*).

que Dieu vous donne d'en jouir et vous protège de la trahison,
et que vos vassaux ne soient pas félons
comme les miens, qui m'ont donné le poison
dont je ne guérirai jamais.
Je vais bientôt mourir sans pouvoir payer rançon. »
Clin, à ces mots, baisse la tête ;
les larmes coulent sur ses joues
et trempent le collet de sa pelisse d'hermine.
« Clin, Tholomé et vous avez toujours été de bons
veillez à le rester après ma mort ;   [compagnons :
sinon, mon âme en serait tourmentée. »
Et tous deux lui répondent : « S'il plaît à Dieu, nous ne nous
                                        [querellerons jamais.
Nous sommes des amis et le resterons toujours,
et il n'y aura jamais que de l'amitié entre nous !

19

– Avancez, dit le roi, Emenidus d'Arcage !
On n'a jamais vu naître meilleur guerrier que vous.
Je n'ai trouvé en vous qu'honneur et vaillance.
Vous avez porté mon gonfanon sur terre et sur mer[8],
et sous votre conduite, je n'ai jamais subi la moindre perte.
Je vous donne la Nubie, une terre immense
couverte de prés et de forêts,
de riches cités et de belles maisons ;
on y trouve beaucoup de bêtes sauvages.
Cent mille châtelains vous feront hommage
et vous honoreront comme leur seigneur.
Par ma foi, un homme de haute naissance
ne saurait rêver meilleure terre pour domaine.
Vous la gouvernerez bien, car vous êtes courageux :
l'homme le plus puissant ne pourra pas vous voler votre
Emenidus s'agenouille, le roi lui tend son gage.   [héritage. »
« Tenez, dit-il, ami : que Dieu accroisse encore votre vaillance,
car je ne pourrai plus vous aider d'un sage conseil ;

368　Ennevois me morrai, ja n'i metrai ostage. »
　　　Cil entent la parole, a poi d'ire n'esrage ;
　　　Ses dras a descirés et ses cheveus esrache.
　　　Lors veïssiés plorer el palais le barnage,
372　Tels set cens le regretent qui sont de haut parage.

20

　　　« Aristé, dist li rois, je vos ai doné tere ;
　　　Plus bele ne mellor ne me devés requerre :
　　　Trestoute Ynde Maior, qui me fist mainte guerre.
376　La mer et la vermine vos enclot et enserre,
　　　Par force n'est nus hom qui la peüst conquerre.

21

　　　« Ça venés, dist li rois, biaus sire Antiocus ;
　　　Tant m'avés bien servi ne vos puis amer plus.
380　Je vos donrai Sulie et le païs en sus
　　　Jusq'au regne de Perse, que tint Assüerus,
　　　De l'entree de Gresce desi as mons de Tus ;
　　　A destre et a senestre et d'encoste et dejus
384　Et de mer et de terre iert vostres li treüs.
　　　De Gos et de Magos garderés le pertrus.

22

　　　« Antigonus, fait il, je vos donrai Celice,
　　　Une terre aaisie ou a mainte delice.
388　Les cités sont bien closes de pierre tailleïce
　　　Et les tors bataillies, mainte en i a treslice.
　　　Plus amerés la terre que enfes sa norrice ;
　　　Sous ciel nen a richece ne deduit ne espice
392　Qu'on n'i puisse trover, et chiers dras de Venice.
　　　Por ce que tant m'avés esté de bon service
　　　N'ainc plus frans chevaliers ne vesti de pelice,

---

9. Voir *supra*, III, vv. 4110-4114.

je vais bientôt mourir, sans pouvoir livrer d'otage. »
Emenidus est presque fou de douleur à ces mots :
il déchire ses vêtements, s'arrache les cheveux.
Et tous les barons de pleurer dans la salle :
sept cents nobles chevaliers pleurent Alexandre.

20

« Aristé, dit le roi, je vous donne une terre :
vous ne sauriez m'en demander une plus belle.
C'est toute l'Inde Majeure, qui m'a tant combattu,
enserrée et protégée par la mer et les serpents ;
nul homme ne pourrait la conquérir par la force des armes[9].

21

« Avancez, dit le roi, cher seigneur Antiochus !
Vous m'avez si bien servi que j'ai pour vous beaucoup
Je vous donne la Syrie avec tous les pays   [d'amitié.
qui vont jusqu'au royaume de Perse, que possédait Assuérus,
des frontières de la Grèce jusques aux monts de Tus :
à l'est comme à l'ouest, dans tout le pays,
du côté de la mer, du côté de la terre, on vous paiera tribut ;
vous garderez le passage qui mène chez Gog et Magog.

22

« Antigonus, dit-il, je vous donne la Cilicie,
une riche terre pleine de délices.
Les cités sont bien closes de murailles de pierre taillée,
les tours sont fortifiées et garnies de fenêtres treillissées.
Vous aimerez mieux cette terre qu'un enfant sa nourrice.
Toutes les richesses du monde, les plaisirs, les épices,
on les trouve tous là, avec les riches draps de Venise.
Vous m'avez toujours si bien servi
et vous êtes le plus noble chevalier qui ait jamais revêtu une
                                                        [pelisse !

Vos doins en croisement Partisent et Felice ;
396　Molt pres de vostre terre est li regnes de Grice.
Molt a grant tort li sire qui sa gent apetice.

23

« Aprochiés vos de moi, biaus sire Filotas ;
Por moi avés eü sovent vostre escu quas
400　Et enduré d'espee en estor felon glas.
Je vos donrai Cesaire, la terre Nicholas,
Et le roiaume tout, riches hom en seras ;
Je l'ocis en bataille a mon branc de Damas.
404　Tholomé la donai, mais il ne l'avra pas,
Car il a tout le regne desi que a Baudas.
Jusqu'a la mer d'Egypte tout le païs tenras ;
Cele terre est molt riche de pailes et de dras,
408　La sont li hardi home et li bon cheval cras ;
Por ce la te doins cuite que tant bien servi m'as. »
Filotas s'agenolle devant le lit en bas,
Et li rois l'en revest, voiant Mascedonas.

24

412　Alixandres apele Licanor, ou se fie,
Le gentil chevalier a la chiere hardie.
« Ça venés, dist li rois, vassaus sans couardie,
Bons chevaliers et larges et plains de cortoisie ;
416　Ainc ne fustes repris de nule vilonie.
Ja vos ai je doné la moie drüerie ;
Tant par est conneüe vostre chevalerie
N'a home en tout le mont ne vos en port envie.
420　Vous m'avés bien servi a l'espee forbie,
Guerredon en avrés, se Dieu plaist, en ma vie.
Alenie vos doing et toute Esclavonie,
Deus roialmes tenrés en vostre segnorie ;
424　De l'une part vos clot la mer devers Roussie,
Les montaingnes vos serrent devers l'autre partie.
Vostre terre est molt bone et richement garnie
De toute icele riens qui a cors d'ome aïe.

Pour vous grandir, je vous donne Partisent et Felice :
votre terre est toute proche du royaume de Grèce.
Un seigneur a bien tort de diminuer ses vassaux.

23

« Approchez-vous de moi, cher seigneur Filote !
Souvent vous avez brisé votre écu pour moi
et reçu de durs coups d'épée au combat.
Je vous donne Césarée, la terre de Nicolas,
avec tout le royaume : vous serez un homme puissant.
Je l'ai tué au combat de ma lame de Damas.
J'avais donné la terre à Tholomé, mais il ne l'aura pas,
car il a reçu tout le royaume d'ici jusqu'à Bagdad.
Vous posséderez tout le pays jusqu'à la mer d'Egypte :
c'est une terre où l'on trouve soieries et draps précieux,
des hommes hardis et de bons chevaux gras ;
je vous la donne en toute souveraineté en récompense de vos
Filote s'agenouille au pied du lit   [bons services. »
et le roi le revêt de son fief, devant les Macédoniens.

24

Alexandre appelle Licanor, le noble chevalier
au fier visage, qui a toute sa confiance.
« Avancez, dit le roi, vassal sans couardise,
bon chevalier généreux et courtois !
Jamais on n'a pu vous reprocher la moindre vilenie.
Vous avez depuis longtemps mon amitié.
Votre chevalerie est si bien connue
que nul homme au monde n'en est envieux.
Vous m'avez bien servi de votre épée fourbie,
et s'il plaît à Dieu, je vous en donnerai la récompense pendant
Je vous donne l'Alenie et toute l'Esclavonie :   [que je vis.
vous serez ainsi seigneur de deux royaumes.
Du côté de la Russie, vous avez la mer pour frontière,
et les montagnes de l'autre côté.
C'est une bonne terre, bien pourvue
de tout ce qui peut faciliter la vie de l'homme.

428 Li païs est molt bons et plains de gent hardie ;
    Quatre cens mile d'omes menrés en ost banie
    Qui tuit vos porteront honor et segnorie.
    Ta terre et la Filote a une mer partie,
432 Estroite est, n'est pas large, et si porte navie
    De la mer d'Engleterre desi en Lombardie ;
    De la vient li avoirs et la marcheandie.
    Frere estes et ami et d'une compaignie,
436 Gardés q'entre vos deus n'ait tençon ne envie ;
    Tous jors en sera m'ame plus lie et plus joïe. »
    Et cil li respont : « Sire, ja n'i avra folie.
    – Perdicas, dist li rois, je ne vos oubli mie.
440 Qant je sailli en Tyr entre la gent haïe,
    Ce fu li premiers hom de qui je oi aïe,
    Ne mais que Aristés fu en ta compaignie ;
    Ambedui me sïustes par grant chevalerie.

25

444 « Festion, dist li rois, aprochiés vos de moi ;
    Ne vos ai oublïé, car molt vos aim et croi.
    Onques mieudres de vos ne josta en tornoi ;
    Il aparut molt bien a Tyr sor le gravoi,
448 A vostre branc feïstes maint Tyrïen tout coi.
    Qant je sailli en Tyr du mur et du berfroi,
    Festion, biaus amis, iluec me portas foi ;
    Aristés me sieui, plus le virent de troi,
452 Et puis li douze per vinrent tuit aprés moi,
    Et tu as premerains, ainc n'en preïs conroi,
    Ne de mort ne de vie ne te chalut de toi.
    Qui tel saut fait por home il n'a cure de soi,
456 Qant por moi le feïstes, grant guerredon vos doi.
    Je te donrai tel terre, par le dieu ou je croi,
    Dont cent mil chevalier en iront aprés toi :
    Or recevés Hongrie et le regne d'Ansoi. »
460 Festions li respont : « Biau sire, je l'otroi.
    Que ferai je de terre quant je morir vos voi ? »
    Ja se ferist au cuer se il eüst de qoi.

C'est un bon pays, peuplé d'hommes hardis :
vous mènerez à la guerre quatre cent mille hommes,
qui tous vous porteront l'honneur dû à leur seigneur.
Une mer sépare votre terre de celle de Filote :
elle est étroite et porte les navires
qui vont d'Angleterre en Lombardie ;
c'est de là que viennent les biens et les marchandises.
Vous êtes tous deux frères, amis et compagnons.
Veillez à ne pas laisser s'installer entre vous la querelle et
Mon âme en sera à jamais plus joyeuse. »   [l'envie !
Et Licanor répond : « Seigneur, nous n'aurons pas cette folie.
– Perdicas, dit le roi, je ne vous oublie pas.
Quand j'ai fait ce saut à Tyr, au milieu de ce peuple odieux,
vous avez été le premier à me venir en aide,
accompagné du seul Aristé :
vous m'avez tous deux suivi en vaillants chevaliers.

25

« Festion, dit le roi, approchez-vous de moi !
Je ne vous ai pas oublié, car je vous aime et j'ai confiance en
                                                                    [vous.
On n'a jamais vu meilleur que vous à la joute et au tournoi.
Vous l'avez bien montré sur les sables de Tyr,
quand, sous votre lame, les Tyriens devenaient muets.
Quand j'ai sauté à Tyr du mur et du beffroi,
Festion, cher ami, vous m'êtes resté fidèle :
Aristé m'a suivi, tout le monde l'a vu,
puis l'ensemble des douze pairs,
et vous le premier, sans hésiter,
sans penser à préserver votre vie.
En faisant ce saut, vous vous êtes sacrifié ;
vous l'avez fait pour moi et je vous dois une belle récompense.
Je vous donnerai une terre, par le dieu en qui je crois,
où cent mille chevaliers se rangeront derrière vous :
recevez la Hongrie et le royaume d'Ansoi. ».
Festion lui répond : « Cher seigneur, je veux bien.
Mais que faire d'une terre, quand je vous vois mourir ? »
Il se percerait le cœur, s'il avait une arme.

26

« Segnor, dist Alixandres, ne vos chaut de plorer.
464 Por coi feriés duel ? N'i pöés recovrer.
De vostre compaignie me convient a sevrer ;
Molt par en sui dolans, mais nel puis amender.
Se Dieus vausist, encore bien peüsse durer ;
468 Molt me samble grief chose de vos entroublïer.
Je vos amoie plus, sor sains le puis jurer,
Que nule riens en terre que on sache nomer.
Onques ne vos trovai jor pereceus d'esrer ;
472 Tous jors avés plus fait que ne soi demander,
Si m'estuet vos services a tous guerredoner.
Ou estes vous, Leoines ? Forment vos doi amer ;
Mainte fois avés fait vostre escu estrouer
476 Por amor Alixandre, que hui verrés finer.
Aproichiés vos de moi, car je vos veul doner
Une terre aaisie qui molt fait a loër :
Ce est Esclavonie et Venisse sa per,
480 Et les pors qui sont larges desor l'eaue de mer. »
Leoines s'agenolle si l'en va mercïer,
Et li rois l'en saisist ; n'i vaut plus demorer,
Car li cerviaus du chief li commence a meller
484 Et la face a noircir et li oel a troubler ;
A paines puet il mais de la bouche parler.

27

« Aridés, dist li rois, je vos donrai Cartage.
La roïne Dydo la perdi par folage
488 Por l'amor Eneas, ou ot mis son corage,
Qui en icel païs estoit venus a nage
Qant eschapa de Troies, ou il ot grant damage.
La dame le retint et fist gent hebregage,
492 Ainc de riens qu'il vausist ne fu vers lui salvage,
Car ele le cuidoit avoir par mariage ;
Et qant il s'en parti, s'en ot au cuer tel rage
O le branc de s'espee s'ocist par grant outrage ;
496 Qant ele ainsi s'ocist, ne fist mie que sage.

26

« Seigneurs, dit Alexandre, rien ne sert de pleurer.
Pourquoi mener ce deuil ? vous ne pouvez rien changer !
Il me faut quitter votre compagnie :
j'en suis malheureux, mais je ne peux rien y faire.
Si Dieu l'avait voulu, j'aurais pu vivre plus longtemps.
C'est un crève-cœur pour moi que de devoir vous oublier.
Je peux le jurer sur les reliques, je vous aimais plus
que tout au monde !
Jamais vous ne vous êtes plaints de tous ces voyages,
vous avez toujours fait plus que je ne vous en demandais.
Je veux donc vous récompenser de vos services.
Où êtes-vous, Lioine ? Vous méritez bien mon amitié :
que de fois votre écu a été troué
pour l'amour d'Alexandre, que vous allez voir mourir
Approchez-vous de moi ! Je veux vous donner   [aujourd'hui !
une riche terre qui mérite toutes les louanges :
c'est l'Esclavonie avec Venise, sa noble cité,
et ses grands ports sur la mer. »
Lioine s'agenouille pour le remercier
et le roi lui attribue son fief. Il ne veut plus attendre,
car son cerveau commence à s'obscurcir,
son visage à blêmir, ses yeux à se troubler ;
il peut maintenant à peine parler.

27

« Aridès, dit le roi, je vous donne Carthage,
que la reine Didon perdit par son fol amour
pour Enée, dont elle s'était éprise.
Il était venu par mer en ce pays,
après sa fuite de Troie, où il avait beaucoup souffert.
La dame le garda près de lui et lui offrit l'hospitalité.
Elle ne lui refusa rien de ce qu'il voulait,
car elle croyait l'épouser.
Et quand il la quitta, elle en eut une telle douleur
que dans son délire, elle se tua de l'épée d'Enée :
en se tuant ainsi, elle agit follement.

Barbarie et Aufrique et Sebile el rivage
Et le roiaume tout vos doins en hiretage.
Hui me menbre de Tyr, ou me portas message
500　Qant ma gent fu afflite el val de Josafage.
Cel jor i receüsse molt dolereus damage
Ne fust vostre proëce et vostres vasselage. »
Aridés s'agenolle, li rois li tent le gage,
504　Et prie bonement que Dieus li doinst barnage.

28

Caulon de Mascedoine a li rois apelé :
« Amis, venés avant ; ne vos ai oublïé,
Car vos avés o moi en maint besoing esté,
508　Du branc de vostre espee maint pesant caup doné.
Hui est venus li jors que t'iert guerredoné :
Hermine la grant terre vos doins en hireté,
A vous et a vostre oir tous jors en quiteé.
512　Tous tans m'avés servi de bone volenté,
Et je vos ai, ce quit, molt riche don doné. »
Cil li courut au pié si l'en a mercïé ;
Voiant Mascedonois l'en a li rois fievé.
516　« Or sont, dist Alixandres, li douze per chasé. »

29

Qant Alixandres ot les douze pers chasés
Et les regnes partis et trestous devisés,
Les corones des rois que il ot conquestés
520　Fait venir devant lui si les a coronés,
Puis les fist arengier devant lui les a les.
« Ha ! Dieus, dist Alixandres, hautismes poëstés,

---

10. Après avoir été chassés de Grande Arménie (en Anatolie) par les Turcs,
en 1064, les Arméniens fondent en Cilicie le royaume de Petite Arménie, dont
le dernier roi, Léon VI de Lusignan, sera chassé en 1375.

11. Les douze pairs semblent être ici au nombre de treize. Mais Festion n'en
faisait pas partie (I, vv. 688-694, IV, v. 1374). Il prend en fait la place de Perdicas, qui a succédé à Alexandre.

Je vous donne en héritage tout le royaume :
la Barbarie, l'Afrique et jusqu'aux rivages de Séville.
Je me souviens de Tyr, où vous m'avez apporté un message,
quand mes hommes étaient en difficulté dans le val de
J'aurais subi ce jour-là un cruel dommage,   [Josaphat.
sans votre prouesse et votre vaillance. »
Aridès s'agenouille, le roi lui tend son gage
et souhaite avec bonté que Dieu lui donne du courage.

28

Le roi appelle Caulus de Macédoine :
« Ami, avancez-vous, je ne vous ai pas oublié.
Vous avez été près de moi dans toutes les difficultés
et votre lame a porté bien des coups redoutables.
Voici venu le jour de vous en récompenser :
je vous donne en héritage la grande Arménie,
à vous et à vos descendants en toute souveraineté[10].
Vous m'avez toujours servi de tout votre cœur,
et je vous ai, je crois, fait un riche don. »
Caulus court à ses pieds pour le remercier ;
devant les Macédoniens, le roi le revêt de son fief,
en disant : « Les douze pairs ont maintenant reçu leur fief[11]. »

29

Quand Alexandre a attribué des fiefs aux douze pairs,
qu'il a réparti et assigné tous ses royaumes,
il fait apporter les couronnes des rois qu'il a vaincus
et couronne les douze pairs.
Puis il les fait s'aligner devant lui côte à côte.
« Ha, Dieu ! dit Alexandre, Souverain tout-puissant,

Sire de tout le mont, verais et reclamés,
524 S'or fuisse li tresimes entr'aus rois coronés,
Lors fust mes cuers en joie et mes cors en santés.
Mais, Dieus ! je morrai sempres, tost iert mes cors finés ;
Ja ne verrai le terme que cis jors soit passés. »
528 Lors li troublent li oel et li rois est pasmés.
Estes vous par la sale le duel qui est levés ;
La ot paumes batues et mains cheveus tirés,
Forment fu Alixandres de sa gent regretés.

30

532 « Segnor, dist Alixandres, franc chevalier vaillant,
Vos estes douze roi preudome et conquerant,
Et avés grans les cuers et si fier le talent
Que destruirés les terres que chascuns a si grant ;
536 Car soient desous l'un tuit li autre apendant.
Ançois que je me muire veul que faciés itant
Que devegniés tuit home Tholomé, jel commant,
Et recevés vos terres et soiés si tenant. »
540 Et cil li respondirent : « Tout a vostre commant. »
Devant lui se deffublent et drecent en estant
Et devinrent si home si quel virent auqant.
Tholomés les reçut, le cuer en ot joiant,
544 Tel parole lor dist qui puis fu aparant :
Que ja ne perdront terre en trestout son vivant,
Ains seront, se Dieu plaist, des autres conquerant.
Et cil li respondirent qu'il l'en seront aidant.

31

548 Alixandres apele Licanor le fils Fale,
Le preu Emenidon, qui sist a sa destre ale :
« Aufrique avons conquise jusq'a la mer qui bale,

---

12. Tholomé semble ici recevoir le même honneur que Perdicas plus haut.
Dans l'*Historia de proeliis*, Perdicas est proclamé proconsul par les Grecs, alors
qu'Alexandre place Tholomé à la tête de ses capitaines.

Seigneur du monde entier, Dieu vrai que j'implore,
si seulement je pouvais être aujourd'hui le treizième de ces rois
j'aurais le cœur en joie, le corps en bonne santé !   [couronnés,
Mais, Dieu ! je vais mourir, ma vie va s'achever ;
je ne verrai pas la fin de cette journée ! »
Alors ses yeux se troublent, le roi s'est évanoui.
Et s'élève dans la salle un deuil général :
on se tord les poings, on s'arrache les cheveux.
Tous ses hommes pleurent Alexandre.

30

« Seigneurs, dit Alexandre, nobles et vaillants chevaliers,
vous êtes douze rois preux et conquérants.
Vous avez le cœur fier et si grand
que vous détruirez mutuellement vos immenses royaumes.
Il faut que vous soyez tous sous l'autorité d'un seul.
Avant ma mort, je veux que vous acceptiez tous
de devenir les hommes de Tholomé : je vous ordonne
de recevoir vos terres de lui et d'être ses vassaux. »
Ils répondent alors : « A vos ordres ! »
Devant lui, ils se dépouillent de leur manteau et se lèvent
pour devenir les vassaux de Tholomé, sous les yeux de tous[12].
Tholomé reçoit leur hommage avec joie
et leur dit une parole qui devait se vérifier :
jamais ils ne perdront leurs terres de son vivant,
mais en conquerront d'autres, s'il plaît à Dieu.
Et les autres de répondre qu'ils seront à son service.

31

Alexandre appelle Licanor, fils de Fale,
et le preux Emenidus, qui siège à sa droite :
« Nous avons conquis l'Afrique jusqu'à la mer agitée,

Et Perse et Eürope jusq'as mons en Itale.
552 France la renomee, qui a conquerre est male,
Eüsse en mon demaine, a Paris fust ma sale ;
Puis preïsse Engleterre et Normendie et Gale
Et Escoce et Irlande, ou li solaus avale.
556 France fust chiés du mont, que sa droiture est tale,
Car la gens est molt bone, n'est nule qui la vale ;
Pieç'a qu'il m'ont mandé par letre communale.
Mais je me morrai sempres d'une mort desloiale,
560 Ne m'i vaura mecine, mandeglore n'orvale.
Dieus, reçoif mon espir en ton ciel par t'eschale,
Qant il s'en istra sempres du vaissel taint et sale. »
A cest mot s'est pasmés, de dolor devint pale.

32

564 Alixandres se pasme por la mort quil destraint,
Et qant fu revenus, si a geté un plaint.
Tholomé apela et dist qu'on li amaint,
Et Cliçon autresi, contre lui les estraint ;
568 A Dieu les commanda et de ses bras les çaint,
Si lor prie et commande que li uns d'aus l'autre aint ;
Molt durement li poise que entr'aus ne remaint.
A icest mot se pasme et tous li cors li taint.
572 Li dels lieve en la sale qui a paines remaint.

33

« Alixandres se muert », es vos le cri levé ;
La noise et la tumulte lieve par la cité.
Par mi ces lis se pasment cil chevalier navré,
576 Et li autre se sont el palais aüné ;
Plus de set cens se sont sor le marbre pasmé.
Et quant il se redrecent, si l'ont bien regreté :

---

13. Il s'agit de l'échelle de Jacob. *Genèse* 28, 12 : Jacob « eut un songe : voilà qu'une échelle était plantée en terre et que son sommet atteignait le ciel et des anges de Dieu y montaient et descendaient. »

la Perse et l'Europe jusqu'aux montagnes d'Italie.
La France renommée, si dure à conquérir,
aurait été en mon pouvoir ; j'aurais eu mon palais à Paris.
Puis j'aurais pris l'Angleterre, la Normandie et le pays de
et l'Ecosse, et l'Irlande où le soleil se couche.   [Galles,
J'aurais mis la France à la tête du monde, car elle le mérite.
Elle a un bon peuple, que nul autre ne vaut ;
il m'a appelé depuis longtemps par une lettre rédigée en
Mais je m'en vais mourir d'une mort traîtresse ;   [commun.
nul remède ne peut me sauver : ni mandragore ni sauge.
Dieu, laisse monter mon esprit au Ciel sur ton échelle[13],
quand il quittera ce vaisseau blême et sale ! »
A ces mots, il s'évanouit, pâle de douleur.

32

Alexandre s'évanouit dans les angoisses de la mort.
Quand il revient à lui, il fait entendre une plainte.
Il appelle Tholomé, demande qu'on le lui envoie
avec Clin, et les serre contre lui :
il les recommande à Dieu en les prenant dans ses bras,
leur prie et leur commande de toujours s'aimer ;
il se désespère de ne pouvoir rester avec eux.
A ces mots, il s'évanouit et tout son corps blêmit.
Le deuil monte dans la salle, contenu à grand-peine.

33

« Alexandre se meurt ! » tel est le cri qui s'élève,
suscitant agitation et tumulte dans la cité.
Les chevaliers blessés s'évanouissent dans leur lit ;
les autres se rassemblent dans la salle du palais :
ils sont plus de sept cents à s'évanouir sur le marbre.
Et quand ils se relèvent, ils pleurent Alexandre.

« Gentieus rois debonaires, tant mar i fumes né.
580 La vostre grant proëce ne la vostre bonté
Ne porroit mais avoir nus hom de vostre aé.
Quel part porrons fuïr, chaitif, maleüré ?
Ahi ! com remandrons de segnor esgaré. »
584 Qant l'oï Alixandres, si a le chief levé,
Devant soi fait venir Cliçon et Tholomé :
« Segnor, franc chevalier, qui tant m'avés amé,
A grant duel serons hui en cest jor dessevré.
588 Ce m'ont fait li dui serf qui m'ont enpoisoné ;
Querés les et si soient devant moi amené,
Si seront li cors ars et la porre venté.
Se vengiés m'en estoie molt me venroit a gré. »
592 Et cil li respondirent par grant humilité :
« Sire, quis les avons, mais ne sont pas trové. »
Qant li rois entendi que il sont eschapé,
Ne lor pot mot respondre, tant ot le cuer iré.
596 Tout ainsi comme il pot apela Tholomé :
« Qant vos me verrés mort et de cest siecle alé,
Portés m'en Alixandre, el temple Josüé ;
Metés moi el sarcu que tant m'avés gardé. »
600 Et cil li respondirent : « A vostre volenté. »
L'ame s'en est alee et li cors devïé.
Onques por un seul home n'ot mais tel duel mené.
Toute nuit l'ont gaitié et plaint et regreté,
604 A l'aube aparissant ont le cors enbasmé.

34

La mort le roi de Gresce fist les barons plorer,
Par toute Babilone en fait les cris lever.
Or dist li uns a l'autre : « Quel part porrons aller ?
608 Remeses sont les guerres, li grant don a doner. »
Tholomés prist les piés le roi a enbasmer.

---

14. Cette vengeance fait l'objet d'un épisode du manuscrit de Venise :
MFRA I, pp. 485-489, laisses 572-574. Elle sera développée dans les deux
Vengeance Alexandre rédigées avant 1191, l'une par Guy de Cambrai, l'autre
par Jean le Nevelon.

« Noble et généreux roi, pourquoi sommes-nous venus au
Nul homme de votre âge ne saurait   [monde ?
vous égaler en prouesse et en valeur !
Où donc pourrons-nous fuir, malheureux que nous sommes ?
Hélas ! Nous resterons privés de notre seigneur ! »
Alexandre, à ces mots, relève la tête
et fait venir devant lui Clin et Tholomé.
« Seigneurs, nobles chevaliers qui m'avez tant aimé,
ce triste jour est celui de notre séparation,
par la faute des deux serfs qui m'ont empoisonné.
Faites-les chercher et amenez-les moi !
Ils seront brûlés, et leurs cendres dispersées au vent.
Je serais heureux de pouvoir m'en venger[14] ! »
Mais ils lui répondent avec respect :
« Seigneurs, nous les avons cherchés sans pouvoir les trouver. »
En apprenant qu'ils se sont échappés,
le roi ne peut répondre, tant il est courroucé.
Il appelle Tholomé avec difficulté :
« Quand vous me verrez mort, disparu de ce siècle,
transportez-moi à Alexandrie, dans le temple de Josué,
et placez mon corps dans le cercueil qui m'est réservé. »
Ils répondent : « Il en sera fait selon votre volonté. »
L'âme s'en est allée et a quitté le corps.
Jamais un seul homme n'a suscité pareil deuil.
Toute la nuit ils l'ont veillé, pleuré et regretté ;
au lever du jour, on embaume le corps.

34

La mort du roi de Grèce fait pleurer les barons
et dans tout Babylone s'élèvent les cris de deuil.
Les gens se disent : « Où pourrons-nous aller ?
Les guerres sont terminées, tout comme les distributions de
Tholomé saisit les pieds du roi qu'on embaume.   [largesses ! »

Qui lors veïst sovent la roïne pasmer
Et ses chaveus desrompre et ses dras descirer,
612 Des poins batre son pis, son vis esgratiner,
Ja n'eüst si grant joie ne l'esteüst plorer.
Les barons entor li faisoit de duel desver,
Le fort roi Alixandre a pris a regreter :
616 « Sire, fais te tu mus qant a toi veul parler ?
Des que je vos voi mort ne sai quel part torner.
Je n'ai mais nul conseil, or me convient penser. »
Ses puceles se painent de li reconforter,
620 Mais molt poi prise chose c'on li sache loër.

35

Du bon roi Alixandre, dont terre est orfenine
Et la gent soufraitouse et de tous biens frarine,
M'estuet ramentevoir la mort et la ravine.
624 Qant li rois ot conquis la terre barbarine.
Et pendu a la porte le duc de Palatine,
Et Babilone prise et la tor gigantine,
Et toutes autres terres mises en sa saisine,
628 Si vint Antipater a la chiere lovine,
Et Divinuspater qui tout sot son convine.
Li cuivert souduiant, par une orbe traïne,
Li donerent a boire la poison serpentine
632 Par coi li gentieus rois ot la mort a voisine.
Qant voient que la mors li cort seure a ravine,
Fuiant s'en sont torné par devers la marine.
Alixandres remest gisant sous la cortine,
636 Sor lui ot estendu une porpre sanguine ;
La mort qui riens n'espargne l'a geté sor l'eschine.
Li cris en est levés en la sale perrine ;

---

15. Les laisses 34-59 constituent une série de déplorations funèbres ou *planctus*, dans lesquels on retrouve les mêmes motifs : 1) lien narratif ; 2) apostrophe ; 3) prière pour l'âme du défunt ; 4) éloge du défunt ; 5) signes extérieurs de douleur ; 6) douleur intérieure ; 7) allusion à la patrie lointaine ; 8) ubi est ; 9) évocation de la situation présente ; 10) mare fustes (quel malheur !). Voir P. Zumthor, « Les planctus épiques », *Romania* 84, 1963, pp. 61-69, et C. Thiry, *La Plainte funèbre*, Turnhout, 1978.

Si vous aviez vu la reine s'évanouir sans cesse,
s'arracher les cheveux, déchirer ses vêtements,
se frapper la poitrine de ses poings et se griffer le visage !
L'homme le plus joyeux se serait mis à pleurer en la voyant.
Les barons, autour d'elle, en devenaient fous de douleur.
Elle se met à pleurer le puissant roi Alexandre[15] :
« Seigneur, vous êtes muet quand je veux vous parler ?
Puisque vous êtes mort, je ne sais où aller.
J'ai beau chercher, je n'ai plus de soutien. »
Ses suivantes tentent de la réconforter,
mais elle ne veut entendre aucun conseil.

35

La terre est orpheline du bon roi Alexandre,
son peuple dans la misère et privé de tous les biens.
Je dois rappeler sa mort et sa disparition.
Quand le roi eut conquis la terre des Berbères
et pendu à sa porte le duc de Palatine,
pris Babylone et sa tour gigantesque,
et mis toutes les autres terres en son pouvoir,
vint Antipater au visage de loup,
et Divinuspater, qui savait tout du complot.
Les misérables traîtres, par une aveugle trahison,
lui firent boire le venin du serpent
qui devait causer la mort du noble roi.
Quand ils virent que la mort était déjà sur lui,
ils s'enfuirent sur la mer.
Alexandre reste gisant sous les tentures de son lit,
recouvert d'une pourpre d'un rouge de sang.
La mort, qui n'épargne rien, l'a couché sur le dos.
Le cri s'élève dans la salle de pierre ;

Estrange duel en font la gent outremarine,
640 Q'en toute Babilone n'a dame ne meschine
Ne soit trois fois pasmee et chelie sovine.
Li douze per desrompent lor barbes et lor crine ;
Plus de mil s'en pasmerent en la sale marbrine.
644 Mais sor trestous les autres s'ocist et parafine
Dans Clins, li fieus Caduis, qui fu nes a Valpine,
Ce est une cité en terre alixandrine.
Cil le pleure et regrete et devant lui s'acline,
648 Un petit sousleva la grant coute porprine.
« Alixandre, fait il, bons rois de franche ourine,
Mar fu vostre jovente qui si tempre define.
Onques n'amai tant frere ne parent ne cousine
652 Com le vostre gent cors que la mort adecline.
Sire, vos me deïstes en la grant desertine,
Le jor que nos feïmes le fu por la vermine,
Que ja nus avers rois n'aroit joie enterine.
656 Mais or puis je bien dire que barnages define,
Tous biens va remanant et li maus enracine ;
Prouece est refroidie et malvaistés chemine.
Rois, vostre bele bouche, que la mort en traïne,
660 Estoit ersoir plus blanche que n'est oef de geline,
Or endroit est plus noire qu'escorce d'aubespine.
Sire, n'i a mestier charnes ne medecine,
Ja mires n'i vendra por veoir vostre ourine.
664 Avarise et largece courent par aatine
Et muevent d'un eslais, mais li siecles destine
Que largece est vaincue, nis mes cuers le devine ;
C'est drois, puis que cil muert qui tout le siecle acline.
668 Rois, vos nos donïés le vair, le gris, l'ermine,
Et por nos faire riches prenïés a rapine
Qanque vos trovïés sor la gent sarrasine.
Certes, or m'en irai en bos ou en gaudine ;
672 Ilueques me vivrai d'erbes et de racine,
N'i avrai compaignie fors de la salvechine.
Las ! por coi ne me prent male mors palasine ?
Dieus, qui par ta vertu feïs plovoir ferine,
676 Qant li fil Israel ierent en la gastine,

le peuple d'outre-mer mène un deuil prodigieux.
Dans tout Babylone, il n'est dame ni jeune fille
qui ne tombe trois fois évanouie.
Les douze pairs s'arrachent la barbe et les cheveux ;
plus de mille hommes s'évanouissent dans la salle de marbre.
Mais plus que tous les autres, celui qui se tue de douleur,
c'est sire Clin, fils de Caduit, qui est né à Valpine,
une cité en terre d'Alexandrie.
Il pleure et regrette Alexandre, s'incline devant lui,
soulève la grande couverture de pourpre.
« Alexandre, dit-il, bon roi de noble naissance,
quel malheur que votre jeunesse prenne si vite fin !
Jamais je n'ai aimé frère, parent ou cousin
autant que vous, que la mort a abattu.
Seigneur, vous m'avez dit dans le grand désert,
le jour où nous avons allumé un feu pour faire fuir les serpents,
que jamais un roi avare ne pourrait être heureux.
Je peux bien dire maintenant que disparaissent le courage
et toutes les vertus, que le mal s'enracine,
la prouesse se relâche, la lâcheté fait son chemin.
Roi, votre belle bouche que la mort va fermer,
était hier soir plus blanche que l'œuf ;
elle est aujourd'hui noire comme l'écorce d'aubépine.
Seigneur, remèdes ni charmes ne servent plus à rien ;
le médecin ne viendra pas examiner vos urines.
Avarice et Largesse rivalisent dans leur course
et s'avancent dans le même élan, mais le destin veut
que Largesse soit vaincue, mon cœur le prédit :
c'est justice, puisque meurt le maître du monde.
Roi, vous nous donniez le vair, l'hermine, le petit-gris,
et pour nous enrichir, vous dérobiez
les biens des Sarrasins.
Aujourd'hui, je m'en irai dans un bois ou une forêt
pour y vivre d'herbes et de racines,
sans autre compagnie que celle des bêtes sauvages.
Hélas ! Pourquoi ne puis-je mourir subitement de paralysie ?
Dieu, toi qui, par miracle, fis pleuvoir la farine,
quand les fils d'Israël traversaient le désert,

Et les aloes frites, – n'orent autre cuisine, –
Prenés de ciaus vengance par qui ma joie fine.
A tort sueffre mes sires si crüel dessepline. »
680 A cest mot chiet pasmés sor une coute hermine ;
Au redrecier s'escrie en haut comme buisine,
De son mantel desront toute la sebeline,
A deus poins ses cheveus et sa face esgratine,
684 Si que li sans vermaus li chiet sor la poitrine.
La dolor qu'il demaine por le roi qui termine
I fist le jor plorer maint fil de palasine.

36

Ce fu un samedi, que li soirs les apresse,
688 Q'Alixandres fu mors qui tantes terres lesse ;
N'a home en sa compaigne qui por lui ne s'iresse.
Tholomés fait tel duel, qui de plorer ne cesse,
Plus de quarante fois vers ses cheveus s'eslesse
692 Et regrete Alixandre, qui les orgelleus plesse :
« Sire rois, la vostre ame soit devant Dieu confesse.
Plus gentil chevalier ne cuit que ja mais nesse.
Plorés, Mascedonois, que vostre pris abesse. »
696 Des navrés entor lui veïssiés si grant presse
Tel set cens le regretent, n'i a celui n'ait fesse.

37

Qi lors oïst son duel demener a Cliçon,
Com il plaint et regrete le nobile baron !
700 Dans Clins avoit vestu un hermin peliçon,
En plus de trente lieus l'a rompu environ,
Des bendes qui en chieent sont covert li giron ;
Et tenoit sa main destre desus son compaignon.
704 « Ahi ! tant mar i fustes, sire fieus Phelippon,
Bons chevaliers et larges, hardis comme lion,
Preudom por bien conquerre et por faire grant don,

---

16. Dans la Bible (*Exode* 16, 13, *Nombres* 11, 31-32), il s'agit de cailles.

et les alouettes frites, quand ils n'avaient rien à manger[16],
prends vengeance de ceux qui ont tué ma joie,
ceux par qui mon seigneur endure injustement ce cruel
                                                    [supplice ! »
A ces mots, il tombe évanoui sur une couverture d'hermine ;
quand il se relève, son cri sonne comme une trompette ;
il déchire toute la zibeline de son manteau,
s'arrache les cheveux et se griffe le visage :
son sang vermeil tombe sur sa poitrine.
Le deuil qu'il mène pour le roi qui meurt
fait couler les larmes de bien des fils de comtesses palatines.

36

Ce fut un samedi, à la tombée du jour,
qu'Alexandre mourut, en laissant tant de terres.
Tous ses hommes sont dans l'affliction.
Tholomé ne cesse de pleurer, dans sa douleur,
et s'arrache les cheveux plus de quarante fois.
Il pleure Alexandre, le fléau des orgueilleux :
« Seigneur roi, que Dieu accueille votre âme !
On ne verra jamais naître plus noble chevalier !
Pleurez, Macédoniens, c'en est fait de votre gloire ! »
Les blessés s'attroupent autour du roi ;
ils sont sept cents à le pleurer, tous couverts de pansements.

37

Si vous aviez entendu Clin mener son deuil !
Comme il plaint et regrette le noble guerrier !
Sire Clin avait revêtu une pelisse d'hermine ;
il la déchire en plus de trente endroits :
les lambeaux tombent sur les pans.
Il tenait sa main droite posée sur son compagnon.
« Hélas, quel malheur, noble fils de Philippe,
bon chevalier généreux, hardi comme un lion,
qui conquérais les terres et distribuais les dons,

Por preudome honorer, por destruire felon,
708 Fel vers ses enemis et vers sa gent dous hom.
Rois, vos n'amastes onques losengier ne garçon
Ne couart en estor ne hardi en maison
Ne home qui vers autre porparlast traïson.
712 Que fera or cis pueples ? Tous ira a bandon.
Or departiront sempres li douze compaignon. »
De dolor s'est pasmés et taint comme charbon,
En plorant le regrete qant vint de pasmison :
716 « Alixandre, Alixandre, biau sire, que ferom ?
Ahi ! riche compaigne, com or departirom ! »
Lors oïssiés tel duel et tel escrioison
De plus de set cens vois i oïssiés le ton ;
720 Por la mort Alixandre plorent nis li felon.

38

Aprés Cliçon le conte, le grant duel renovele
Emenidus, li fieus l'amiraut de Tudele,
Qui por l'amor avoir de la noble pucele
724 Combati au gaiant es plaines de Castele,
Tant que le cuer li traist par desous la mamele.
Cil regrete Alixandre doucement et apele :
« Gentieus rois debonaires, dolereuse novele
728 Nous a la mort donee qui si nos amoncele.
Sire, tant mar i fu vostre bouche la bele,
Qui plus souef flairoit que mirre ne canele ;
Hui matin iert plus fresche que n'est rose novele,
732 Rois, ore est perse et torble plus que sans qui flaele.
Dehais ait or la mort qui devant nos champele
Qant ele ne me fent le cuer et esquartele.
Ahi ! ahi ! Fortune, com par estes isnele !
736 Assés courés plus tost que ne vole arondele.
Ja cuit je que la mort est vostre suer jumele,
Qui onques n'espargna ne malle ne femele.
Les eus avés crevés, n'i a point de pronele,
740 Car vos avés changié coroie por cordele ;
Le mellor prince avés abatu de la sele

qui honorais les preux, détruisais les félons,
cruel pour ses ennemis, mais doux envers ses hommes !
Roi, vous n'avez jamais aimé les flatteurs ni les fourbes,
ceux qui sont lâches au combat, hardis à la maison,
ni ceux qui machinent leurs trahisons !
Que va devenir votre peuple ? Il sera livré à lui-même.
Les douze compagnons vont bientôt se séparer. »
Il s'évanouit de douleur et blêmit.
En revenant à lui, il pleure son seigneur :
« Alexandre, Alexandre, cher seigneur, qu'allons-nous faire ?
Hélas, noble compagnie ! Il faut nous séparer ! »
Il fallait entendre le deuil et les cris
de plus de sept cents voix !
Même les félons pleurent la mort d'Alexandre.

38

Après le comte Clin, le grand deuil recommence
avec Emenidus, le fils de l'émir de Tudela,
qui, pour l'amour de la noble jeune fille,
combattit le géant dans les plaines de Castille,
et lui transperça le cœur.
Il pleure Alexandre et l'invoque doucement :
« Noble et généreux roi, la mort, qui nous rassemble ainsi,
nous a infligé un douloureux coup !
Seigneur, votre belle bouche
répandait une plus douce odeur que la myrrhe et la cannelle ;
elle était ce matin plus fraîche que la rose nouvelle.
Roi, elle est maintenant plus ternie et plus sombre que le sang
[qui bat dans les veines.
Maudite soit la mort qui nous foule aux pieds,
puisqu'elle refuse de me fendre et de m'écarteler le cœur !
Hélas, hélas, Fortune, comme vous êtes rapide !
Vous volez plus vite que l'hirondelle ;
je crois bien que la Mort est votre sœur jumelle,
elle qui n'épargne jamais ni mâle ni femelle !
Vous avez les yeux crevés et vides de prunelle,
car vous avez échangé une courroie contre une corde :
vous avez renversé de son siège le meilleur prince

Qui onques escoutast ne harpe ne vïele.
Dehais ait or li cuers qui el cors vos sautele.
744 Qant en itel maniere tornés vostre roële.
Hui cest jor est estainte la plus clere chandele
C'onques veïst ardoir dame ne damoisele.
Proëce, vos dormés et malvaistés oisele,
748 Hui cest jor estes mise de grant cuve en cuvele.
Largetés est breaigne et avarisse aignele.
Or sont li douze per en malvaise brandele.
Dieus, por coi ne me part li cuers sous la mamele ?
752 S'or eüsse un coutel a trenchant alemele,
Ja feroie saillir de mon cors la boiele ;
Onques mais ne fuis cuis de si chaude estincele.
Dieus, tu es endormis, et diables revele
756 Et por monter au ciel ses angles atropele,
Qant li bons rois est mors qui tout le mont chadele. »
A icest mot se pasme por le duel et chancele,
Au piler se hurta de la maistre tornele
760 Si que du nes li vole de sanc plaine escuiele.
Il se hurte et debat et par terre roële,
Li sans li bout et frit comme lars en paiele ;
Devant lui a ses piés vit gesir une astele,
764 Ja se ferist el chief desi qu'en la cervele,
Qant la li a tolue li princes de Nivele.

39

Qi lors oïst le duel que fait Emenidus !
Nus chevaliers en terre n'en fera ja mais plus.
768 Cil regrete Alixandre : « Gentieus sires, mar fus.
Sire, bons conquerere, tels n'en iert ja mais nus.
Le monde conquesistes jusq'as bonnes Artus,
Et trestoute la terre jusq'en Occeanus ;
772 Mors avés en bataille les princes et les dus,
Rois et empereors et les amiraüs.
Que fera or cis pueples ? Tous ira a reüs.
Ahi ! chevalerie, comme entrés en renclus !
776 Toute joie de terre, hui cest jor vos refus. »
De dolor s'est pasmés, a terre chaï jus,

qui ait jamais écouté la harpe ou la vielle.
Maudit soit celui qui vous fait fête,
quand vous tournez ainsi votre roue en ce jour !
Aujourd'hui s'est éteinte la plus claire chandelle
qu'ait jamais vu briller dame ni demoiselle.
Prouesse, vous dormez, et Lâcheté triomphe ;
on vous met aujourd'hui sur un petit pied.
C'est Largesse qui est stérile et Avarice féconde !
Voici les douze pairs en mauvaise posture !
Dieu, pourquoi mon cœur ne cesse-t-il de battre ?
Si j'avais un couteau à la lame tranchante,
je me l'enfoncerais dans les entrailles !
Jamais je n'ai été brûlé de pareille flamme.
Dieu, tu es endormi, et le diable exulte
et rassemble ses anges pour conquérir le ciel,
puisqu'il est mort, le bon roi qui dirige le monde ! »
A ces mots, il s'évanouit de douleur et chancelle,
se heurtant au pilier de la grande tour :
le sang coule à flots de son nez.
Il se heurte, se débat, roule à terre ;
son sang bout et brûle comme le lard dans la poêle.
Voyant à ses pieds un éclat de bois,
il se l'enfoncerait dans le crâne jusqu'au cerveau,
si le prince de Nivelles ne le lui enlevait.

39

Si vous aviez entendu le deuil d'Emenidus !
C'est le plus grand que pourra jamais mener un chevalier !
Il pleure Alexandre : « Noble seigneur, quel malheur !
Seigneur, on ne verra plus jamais pareil conquérant.
Vous avez conquis le monde jusqu'aux bornes d'Arthur,
et toute la terre jusques à l'Océan.
Vous avez tué en bataille les princes et les ducs,
les rois, les empereurs et les émirs.
Que deviendra le peuple ? il devra reculer.
Hélas, chevalerie, vous vous retirez du monde !
Toutes joies terrestres, je vous refuse aujourd'hui ! »
Il s'évanouit de douleur et tombe sur le sol.

En plorant le regrete qant il releva sus.
Por Alixandre pleure Aristés et Caulus,
780 Ses chaveus et sa barbe derront Antiocus.

40

Licanor fait grant duel, por le roi crie et pleure :
« Conquerere du mont, tant mar veïmes l'eure
Que la mort nos depart, qui tant franc home aceure !
784 Molt est fiere et crüel qant as mellors cort seure.
Molt est preudom li sire qui ses homes honeure,
Cil ne doit tenir terre qui sa gent deshoneure.
Or vauroie sentir de mon espié la meure.
788 Sire, li rois des rois, cui tous li mons aeure,
Ait merci de vostre ame, au besoing la seqeure. »
Lors derront ses chaveus et se fiert et deveure ;
Plus de mil chevaliers se pasment en peu d'eure.
792 Qui por autrui fait bien aveuc son oés labeure.

41

Filotes fait grant duel, entre lui et son frere,
Et regrete Alixandre, qui lor fu sire et pere :
« Bons rois de Mascedone, que fera vostre mere,
796 Qui por la vostre vie estoit joians et clere ?
Par Dieu ! ceste novele li iert au cuer amere,
Plus parfont la poindra que pertruis de tarere ;
La joie de son cuer en estuet jus a rere.
800 Ahi ! tant mar i fustes, sire, drois emperere,
Bons chevaliers et larges et hardis conquerere.
Ahi ! mors, por qu'en iés vers tel baron amere,
Dont tous li mons a duel, pleure et fait laide here ? »

42

804 Aristés fait grant duel, por le roi fait sa plainte :
« Conquereres du mont, vostre joie est estainte.
Ahi ! riche compaigne, comme or estes atainte !
Mors est cil qui des dones nos avra faite mainte.
808 Franche gent honorastes et l'orgellouse mainte

Quand il se relève, il poursuit sa plainte.
Aristé et Caulus pleurent aussi Alexandre.
Antiochus s'arrache les cheveux et la barbe.

40

Licanor mène grand deuil, pousse des cris de douleur.
« Conquérant du monde, nous avons eu le malheur de voir
la mort, qui tue les plus nobles, vous arracher à nous !
Elle est fière et cruelle de s'en prendre aux meilleurs !
Qu'il est preux, le seigneur qui honore ses vassaux,
et indigne de posséder une terre, celui qui les déshonore !
Je voudrais maintenant sentir la pointe de mon épieu !
Seigneur, puisse le Roi des rois, qu'adore le monde entier,
avoir pitié de votre âme et la secourir dans le besoin ! »
Il s'arrache les cheveux, se frappe, se maltraite ;
plus de mille chevaliers s'évanouissent aussitôt.
Qui fait du bien aux autres, travaille dans son intérêt.

41

Filote mène grand deuil, ainsi que son frère,
et pleure Alexandre, son seigneur et son père :
« Bon roi de Macédoine, que fera votre mère,
dont vous étiez toute la joie ?
Dieu, comme cette nouvelle lui sera cruelle !
Elle lui percera le cœur comme une vrille
et en arrachera toute joie !
Hélas, quel malheur ! seigneur, juste empereur,
bon chevalier généreux, hardi conquérant !
Hélas, Mort, pourquoi cette cruauté envers pareil guerrier,
qui plonge le monde entier dans le deuil, les larmes et la
[désolation ? »

42

Aristé, plein de deuil, fait lui aussi entendre sa plainte :
« Conquérant du monde, votre joie n'est plus !
Hélas, puissante compagnie, comme vous voilà frappée !
Mort est celui qui nous a fait tant de dons !
Vous honoriez les nobles cœurs, mais tous les orgueilleux,

Avés tous jors vaincue, confonduë et frainte.
Onques de vostre bouche n'issi parole fainte.
Sire, vos me deïstes en la cité de Gainte
812 Que bons rois conquereres doit tous jors porter enque
Et pene et parkemin ou sa vie soit painte. »

43

Por Alixandre pleure Caulus, li fieus Saberte,
Une dame de Gresce, duchesse de Valerte ;
816 L'uns des douze pers fu, mainte paine ot souferte :
« Alixandre, mar fus, franche chose et aperte !
Par vos estoit largesce desserree et overte,
Et meniés o vous de chevaliers tel herte
820 Qui molt tost vos eüssent une tor descoverte.
Mainte bele richece as donee et offerte ;
Maint jentil chevalier charront hui en poverte
S'iert mainte bele dame par povreté coverte.
824 Sire, qui savra mais guerredoner deserte ?
Ja mais n'iert a nul jor restoree la perte. »

44

Qi lors oïst le duel que maine Perdicas,
Com il plaint et regrete le roi mascedonas !
828 « Sire, drois empereres, ja mais ne nos verras.
Que fera or ta mere, la bele Olimpias ?
Ta mort l'a deceüe, de ton duel l'ocirras.
Au branc nu de t'espee oceïs Nicholas,
832 Aprés donas sa terre au hardi Filotas,
Le mellor chevalier des maigres et des cras ;
Cliçon donastes Perse, Coroscane et Baudas ;
Et moi, qui mains né iere, chevaliers assés bas,
836 As otroié ton regne. Dieus, tu li meriras ;
Conduisiés la soie ame pres du siege Elyas. »
De dolor s'est pasmés, a terre chiet a quas,
En plus de trente lieus a le visage qas.

---

17. Elie, prophète d'Israël, s'éleva au ciel sur un char de feu (2 *Rois*, 2, 11).

vous les avez vaincus, brisés et écrasés !
Jamais de votre bouche n'est sortie parole trompeuse.
Seigneur, vous m'avez dit dans la cité de Gainte,
qu'un bon roi conquérant doit toujours porter sur lui l'encre,
la plume et le parchemin qui peindront ses exploits. »

43

Caulus pleure Alexandre : il est fils de Saberte,
une dame de Grèce, duchesse de Valerte.
C'est l'un des douze pairs ; il a enduré bien des épreuves.
« Alexandre, quel malheur, noble cœur plein de franchise !
Vous manifestiez sans cesse votre largesse,
et meniez avec vous une troupe de chevaliers
qui avaient tôt fait d'emporter une tour.
Vous avez distribué d'immenses richesses.
Mais bien des bons chevaliers tomberont aujourd'hui dans la
et bien des belles dames connaîtront l'indigence.   [pauvreté,
Seigneur, qui, désormais, saura récompenser la valeur ?
Jamais on ne pourra réparer cette perte ! »

44

Si vous aviez entendu le deuil de Perdicas,
sa plainte et ses regrets du roi de Macédoine !
« Seigneur, juste empereur, vous ne nous verrez plus !
Que fera votre mère, la belle Olympias ?
Votre mort l'a blessée et la fera mourir de chagrin.
De votre épée nue, vous avez tué Nicolas
puis donné sa terre au hardi Filote,
le meilleur de tous les chevaliers.
A Clin, vous avez donné la Perse, le Khorassan et Bagdad,
et à moi le plus jeune et le moins bien né,
vous avez remis votre royaume. Dieu, récompensez-le !
Conduisez son âme près du siège d'Elie[17] ! »
Il s'évanouit de douleur, tombe comme une masse sur le sol :
son visage est couvert de contusions.

45

840 Mors fu li rois en may, que chante la chalende.
   Au duel que fait Leoines n'i a nul qui n'entende ;
   N'a si chier drap vestu q'a ses deus mains ne fende,
   Environ lui a terre en chaï mainte bende,
844 Et regrete Alixandre, qui conquist Orïende :
   « Sire, ceste compaigne por vostre mort n'amende.
   Tels trente mile d'omes tenïés en provende,
   Ja mais ne sera princes si riches don lor rende.
848 Tels a son bon cheval or estuet qu'il le vende,
   Por souffraite d'avoir li convenra despendre.
   La mort ne laisse mie que tous ne nos offende.
   Sire, qui vos a mort fait nos a laide offrende,
852 Frans hom nes doit bailler qu'a ses deus mains nes
   Ne puet müer Leoines q'a terre ne s'estende,   [pende. »
   D'eaue froide et de pluie li ont faite marende.
   Por Alixandre pleure Minus, li fieus Clarende ;
856 Au duel faire en la sale n'i a nul qui n'entende.

46

   Aridés fait tel duel que nus hom nel conforte ;
   Ne se puet detenir que ses deus mains ne torde,
   Et desront ses cheveus et ses dras que il porte
860 Et regrete Alixandre, qui tous les desconforte :
   « Esgaree compaigne, quel dolor vos deporte ?
   Que porrons devenir qant proëce est hui morte ?
   Cortoisie et largesce, serree est vostre porte ;
864 Ja mais ne sera hom qui la clef en destorte.
   Or poons nos bien dire que largetés avorte,
   Ne puet mais remanoir que doners ne resorte.
   Mais un respit i a qui les pluisors conforte,
868 Qu'aprés lui morrons tuit, n'est nus qui s'en estorte. »

45

Le roi est mort en mai, quand chante l'alouette.
Tout le monde remarque le deuil de Lioine.
Il déchire de ses mains ses plus précieux vêtements,
qui tombent autour de lui en lambeaux,
et pleure Alexandre, qui conquit l'Orient :
« Seigneur, votre compagnie perd tout avec votre mort.
Les trente mille hommes que vous entreteniez
ne trouveront jamais un prince assez riche pour leur faire
Certains devront vendre leur bon cheval,   [pareils dons.
et en dépenser l'argent par manque de ressources.
La mort s'attaque à tous les hommes.
Mais, seigneur, ceux qui vous ont tué nous ont mis dans le
                                                  [malheur :
si un homme de bien s'en empare, qu'il les pende de ses
Lioine ne peut s'empêcher de tomber à terre :   [mains ! »
on lui sert une collation d'eau froide.
Minus, fils de Clarende, pleure aussi Alexandre ;
tous dans la salle ne songent qu'à mener leur deuil.

46

Rien ne peut alléger le deuil d'Aridès :
il ne peut s'empêcher de se tordre les mains,
s'arrache les cheveux et les vêtements qu'il porte,
et pleure Alexandre, dont la mort les désespère tous :
« Troupe désemparée, quelle douleur vous emporte !
Qu'allons-nous devenir, quand Prouesse est morte
Courtoisie et Largesse, votre porte est fermée ;   [aujourd'hui ?
il n'y aura plus personne pour en tourner la clef.
On peut bien dire maintenant que Largesse avorte ;
Libéralité devra faire retraite.
Seule peut nous réconforter l'idée
que nous mourrons tous après lui, nul n'y échappera ! »

47

Antiocus fait duel si que tous s'en esroe,
Et regrete Alixandre, cui tous li pueples loe :
« Ja mais tels chevaliers ne maingera d'aloe.
872 Sire, mains gentieus hom seoit hui sor la roe
Qui por la vostre amor est cheüs en la boe.
La vostre grant proëce, que tous li mons tresloe,
Est plus fichiee en terre que li bes d'une hoe.
876 Dieus, com faite aventure entor cel pueple roe !
L'autr'ier l'avions blanche, or l'avons noire et bloe.
Molt est la mors hardie qui en tel lieu s'encroe
Dont nus hom ne vit onques issir malvaise escroe.
880 Tels trente mil oison porsieuoient ceste oe
N'iert si hardis li leus qu'il i tendit la poe.
Sire, vos me deïstes sor l'eaue de Dunoe
Qu'eschars rois pereceus tient l'usage a la choe
884 Qui quiert l'autrui viande et tous jors pert la soe.
Par ma foi, Alixandre, sor trestous vos amoe,
Vous estïés la riens ou je plus me fioe ;
Ja mais ne vos verrai, que la mort le desloe. »
888 Lors derront ses cheveus et se fiert les la joe,
En plus de trente lieus ront sa char et estroe.

48

Antigonus fait duel, de plorer se saole
Et regrete Alixandre, qui les pluisors adole :
892 « Sire rois, a l'espee maintenïés tel sole
Dont mainte large terre justice vostre bole.
Hui repaire largesce de la chaudiere en l'ole ;

----

18. Cf. *infra*, IV, vv. 1700-1701.
19. Une fable grecque raconte qu'un jour le choucas se blanchit pour s'introduire parmi les colombes et partager leur repas. Trahi par sa voix, il voulut
rejoindre les siens, qui le rejetèrent à leur tour, en raison de sa couleur blanche.
La morale souligne les dangers de l'avidité : voir B. Edwards, « An aesopic
allusion in the *Roman d'Alexandre* », *Mélanges F.W. Shipley*, St Louis, 1942,
pp. 95-99.

47

Antiochus mène un tel deuil qu'il en est tout enroué,
et pleure Alexandre, dont tout le peuple chante les louanges :
« On ne verra jamais plus pareil chevalier manger d'alouette !
Seigneur, maint homme de bien assis en haut de la roue,
pour l'amour de vous, est tombé aujourd'hui dans la boue.
Votre immense prouesse, que le monde entier chante,
est enfoncée sous terre comme le bec d'une houe !
Dieu, comme le destin de notre peuple a tourné !
Hier il était tout blanc, aujourd'hui noir et sombre[18].
La mort est bien hardie de s'attacher à un lieu
dont on n'a jamais vu sortir un mauvais rejeton.
Trente mille oisons suivaient cette oie,
empêchant le plus hardi des loups d'y mettre la patte.
Seigneur, vous m'avez dit, sur les eaux du Danube,
qu'un roi avare et faible agit comme le choucas,
qui veut la nourriture d'autrui et perd la sienne propre[19].
Par ma foi, Alexandre, vous étiez l'homme du monde que
celui en qui j'avais le plus confiance !   [j'aimais le plus,
Je ne vous verrai plus : la mort me l'interdit ! »
Il s'arrache les cheveux, se frappe la joue
et se déchire la peau sur tout le visage.

48

Antigonus mène son deuil et se soûle de larmes.
Il pleure Alexandre, dont la mort désole tout le monde :
« Seigneur roi, vous usiez de l'épée avec ardeur
et votre habileté vous assurait la domination sur bien des vastes
                                                  [terres[20].
Aujourd'hui, Largesse passe d'une grande chaudière à un petit
                                                  [chaudron.

---

20. Au vers 893, *justice* a été corrigé en *justiçoit*, selon la suggestion
d'A. Foulet.

Malvaistiés l'ocirra qui les pluisors engole,
896 Avant li taut le cors et aprés la moolle.
     Tels vestoit blanc hauberc qui or vestira cole,
     Et saullers pains a or, qui chaucera cibole.
     Or poons nos bien dire q'aventure nos fole.
900 La joie de cest mont ne pris une cibole,
     Qant li sires du mont laira hui sa gent sole. »

49

     Du duel n'est pas mervelle que li baron ont fait ;
     Sa mollier Rosenés sor trestous crie et brait,
904 Les proëces du roi cortoisement retrait :
     « Ha ! sire, rois des rois, qui tant chastel as frait,
     Tant mur et tante tor as torné a garait !
     Envers orgelleus home ne feïs malvais plait,
908 Et qui te vaut servir nel preïs a forfait.
     Que porrons devenir, qant cil le siecle lait
     Qui conquesist le mont, s'il vesquist, entresait
     Et donast tout l'avoir de terre, ou qu'il estait ?
912 Ne sai bon chevalier hui cest jor ne s'esmait,
     Car s'il est endetés n'avra dont il le pait.
     Je ne cuit qu'il ait home, tant com li solaus vait,
     Soufraite et poverté, rois, por ta mort nen ait.
916 De tant com je vos voi, et il molt bien m'en vait ;
     Mieus veul morir que vivre. Mors, sail de ton agait
     Si m'oci par moi seule, ne sai riens qui me hait. »
     Sus le cors chiet pasmee, nus nel voit pitié n'ait.

50

920 As piés le roi de Gresce, devant les autres Gris,
     La derront ses cheveus et depiece son vis
     Caulus, uns damoisiaus, ses peres fu rois Mis.
     Sires fu de Melite si fu freres Biblis,

---

21. Byblis, éprise de son frère Caunus, fut frappée de folie et métamorphosée en source (Ovide, *Métamorphoses*, IX vv. 443-665). Caulus est ici identifié à Caunus.

Elle sera tuée par Méchanceté, qui engloutit tout le monde,
se nourrissant de son corps et de sa moelle.
Certains quitteront leur blanc haubert pour une coule de moine,
et leurs souliers brodés d'or pour des chaussures grossières.
Nous pouvons bien dire que le destin nous foule aux pieds.
Je prise les joies de ce monde autant qu'une cive,
maintenant que le seigneur du monde laisse ses hommes

[seuls ! »

49

Comment s'étonner du deuil des barons ?
L'épouse d'Alexandre, Roxane, crie et pleure plus que tous
et rappelle courtoisement les prouesses du roi :
« Ha ! seigneur, roi des rois, qui as forcé tant de châteaux,
transformé en guérets tant de murs et de tours !
Jamais tu n'acceptas un traité honteux avec un orgueilleux,
mais celui qui acceptait de te servir, tu ne lui reprochais rien !
Qu'allons-nous devenir, quand disparaît
celui qui aurait conquis le monde, s'il avait vécu,
et distribué tous les biens de la terre, où qu'ils fussent ?
Tous les bons chevaliers, aujourd'hui, se désespèrent,
sachant qu'ils n'auront plus de quoi payer leurs dettes.
Il n'est pas un seul homme, je crois, sous le soleil,
qui par ta mort, roi, ne se retrouve pauvre et diminué.
Je ne puis être heureuse qu'avec toi.
J'aime mieux mourir que vivre. Mort, sors de ton affût,
et viens me tuer : je n'ai plus aucune raison de vivre ! »
Elle tombe évanouie sur le cadavre : on ne peut la voir sans en

[avoir pitié.

50

Aux pieds du roi de Grèce, devant les autres Grecs,
Caulus s'arrache les cheveux et se déchire le visage.
Il était jeune et noble, fils du roi Mis,
seigneur de Mélite et frère de Byblis[21].

924 Mais por le fol corage que sa suer i ot mis
S'en issi de sa terre et laissa son païs.
Au bon roi Alixandre ala servir mains dis,
Et li rois l'ama molt et si fu ses amis ;
928 Por ce qu'il le vit sage, cortois et bien apris,
Et que de son service s'estoit si entremis,
Aveuc les douze pers l'ot Alixandres mis.
Li Grigois l'apeloient dant Caulus Menalis
932 Por ce que li bons rois li avoit ja pramis,
Qant il avroit de Rome le roiaume conquis,
Q'il li donroit Melans au jor qu'il l'avroit pris ;
Et se il se tenoit de riens a mesassis
936 Si li croistroit encores Monjeu et Moncenis,
Verziaus et Yvorie et Astë et Toris
Et trestoute la terre d'environ le païs ;
Coroner le feroit a la feste Jovis.
940 « He ! las, dist li vallés, que fera cis chaitis ?
Puis qu'issi de ma terre essilliés et fuitis
M'a plus doné mes sires, qui tant iert poëstis,
Rouge or et blanc argent et bons chevaus de pris,
944 Que n'ot Laomedon, qui fu aioel Paris.
Ahi ! riche compaigne, a quel duel departis ;
Com sera grans mervelle se nus en estort vis !
Mors, molt feïs que fole qant si tost l'oceïs,
948 Ja mais n'ieres doutee, tous tans seras plus vis ;
Or as fait ton pooir, ne nos pués faire pis,
Estainte as la lumiere dont li mons iert espris.
Solaus, molt feïs bien qant tu t'en oscurcis ;
952 Molt feras que cortois se ja mais n'esclarcis,
Ne pués veoir le duel ou la mort nos a mis.
Anquenuit se porra vanter sains Paradis
C'onques en son ostel tel oste ne fu mis.
956 Grant duel doivent mener Clotos et Lachesis,
Entr'eles pueent dire que rompus est li fis
Dont tous li mons estoit et atains et porpris.

---

22. Clotho et Lachésis sont deux des trois Parques (la troisième étant Atropos), les déesses de la destinée qui, dans la mythologie grecque, filaient, dévidaient et coupaient le fil de la vie des hommes.

Mais devant le fol amour que sa sœur lui portait,
il avait quitté sa terre et abandonné son pays.
Il avait longtemps servi le bon roi Alexandre,
et le roi avait pour lui beaucoup d'amitié,
car il le voyait sage, courtois et bien appris,
et il appréciait son service.
Alexandre l'avait mis au nombre des douze pairs.
Les Grecs l'appelaient sire Caulus Menalis,
car le bon roi lui avait promis,
quand il aurait conquis le royaume de Rome,
de lui donner Milan dès qu'il l'aurait prise ;
et s'il se trouvait encore mal établi,
d'y joindre le Grand-Saint-Bernard et le mont Cenis,
Verceil et Ivrea, Asti et Turin
et toutes les terres des environs.
Il comptait le faire couronner à la fête de Jupiter.
« Hélas ! dit le jeune homme, que ferai-je, malheureux ?
J'ai quitté mon pays, fuyard et exilé,
et mon puissant seigneur m'a donné
plus d'or rouge, d'argent blanc, de bons chevaux de prix,
que n'en eut jamais Laomédon, l'aïeul de Pâris !
Hélas, noble compagnie, quel malheur de nous séparer !
Si un seul s'échappe vivant, ce sera un prodige !
Mort, quelle folie tu as faite de le tuer !
Tu ne seras plus redoutée, on te méprisera.
Tu as montré ton pouvoir, tu ne pouvais nous faire plus de mal.
Tu as éteint la lumière qui éclairait le monde.
Soleil, tu as bien fait de te cacher !
Agis courtoisement : ne te montre plus jamais,
ne montre pas le deuil où la Mort nous a plongés !
Ce soir, le saint paradis pourra se vanter
de n'avoir jamais accueilli pareil hôte.
Clotho et Lachésis doivent mener grand deuil
et se dire qu'on a coupé le fil
qui entourait le monde entier[22].

22. L'auteur déforme et mélange Eudès, Tavolo, Macès... ainsi vient Caus amené à lui appliquer. Anonyme au v. 2173, au v. 11 : 138, sur les principaux personnages de la *Vie d'Alexandre* (vv. 1064-1102), cf. Meyer, t. 2, p. 51.

Ahi ! rois Alixandre, franche chose gentis,
960 Humles et frans et larges a tous tes bons amis
Et fiers et orgelleus contre tes enemis,
Com voi ore troublés ces ieus et cest cler vis
Et cele bele bouche dont ainc n'issi faus ris !
964 Se fuissiés coreciés, ains que fust mïedis
Toute en tramblast la terre jusq'au flun de Gangis,
N'osassent avant corre Eufratés ne Tygris.
Encor dist ier mes sires, ains qu'il fust si aquis,
968 Que ja nus avers rois n'enterroit en haut pris.
Sire, tu donas tout, ainc riens ne retenis ;
Ains eüsses doné cinc roiaumes ou sis
C'uns autres riches hom n'eüst un mantel gris.
972 Honors, sens et largesce avoient en vos mis
Lor cuer et lor entente a vos servir tous dis ;
Hom qui tel conseil a ne puet estre mendis.
Dieus, molt es envïous quant tu le nos tolis,
976 Molt as sage conseil quant a ton oés l'as pris ;
Esgarde ciel et terre et canque tu feïs,
Onques mais tel damage el monde ne meïs
Ne si riche tresor a ton oés ne traisis ;
980 Por c'est li remanans coreçous et pensis.
Joie, tu l'amas molt, onques ne le guerpis ;
Va t'ent ensamble o lui es chans Elyseïs
Qui tout sont plain de flors, de roses et de lis. »
984 Ja li baisast les piés desous le paile bis,
Mais l'un tint Tholomés et l'autre tint Dans Clins.

51

Il n'avoit pas grant piece que li rois iert fenis
Ains qu'il fust enbasmés, oins ne ensevelis.
988 Ses lis estoit envous de deus riches samis ;
A pierres precïeuses seelés et cleufis,
L'uns fu fais a Estrives, l'autrë a Estrelis ;

---

23. *Estrives* désigne la ville de Thèbes, *Estrelis* celle de Sofia : voir J. Longnon, « Estive, estrelis », *Romania* 93, 1972, pp. 123-128. Sur les prodiges qui accompagnent la mort d'Alexandre (vv. 1000-1005), cf. *Matthieu* 27, 45 et 51.

Hélas ! roi Alexandre, noble créature,
vous étiez doux, franc et généreux envers tous vos amis,
mais fier et orgueilleux pour vos ennemis !
Comme je vois changés ces yeux, ce clair visage,
cette belle bouche qui ne forma jamais un sourire trompeur !
Quand vous étiez en colère, la terre en aurait tremblé
tout entière, jusqu'au Gange ;
le Tigre et l'Euphrate n'auraient pas osé poursuivre leur cours.
Hier encore mon seigneur disait, avant sa maladie,
que jamais roi avare n'aurait une haute réputation.
Seigneur, vous donniez tout, sans rien garder pour vous :
vous auriez donné plus facilement cinq ou six royaumes,
qu'un autre puissant un manteau de petit-gris.
Honneur, Sagesse, Largesse avaient décidé
de vous servir toujours de tout leur cœur :
avec de pareils conseillers, un homme ne peut manquer de rien.
Dieu, c'est par envie que tu nous l'as enlevé ;
tu as été sage de le prendre pour toi.
Regarde le ciel, la terre, et toute ta création :
tu n'as jamais causé au monde pareil dommage
ni gagné pour toi pareil trésor !
Tous ceux qui lui survivent sont dans la douleur et le chagrin.
Joie, tu l'aimais beaucoup, jamais tu ne l'as quitté :
va-t'en donc avec lui dans les Champs Elysées,
qui sont couverts de fleurs, de roses et de lis ! »
Il voulait lui baiser les pieds sous la couverture de soie bise,
mais Tholomé et sire Clin les tenaient déjà dans leurs mains.

51

Peu de temps après sa mort,
le roi fut embaumé, oint et enseveli.
Sa couche était enveloppée de deux précieuses étoffes de soie
scellées et cloutées de pierres précieuses.
L'une de ces soieries venait de Thèbes et l'autre de Sofia[23] ;

Par tel engin estoient et tissu et treslis
992 Mil ans fuissent en terre ains qu'uns en fust porris.
Qui or vos vauroit dire com il fu costeïs
Et roiaument gardés, plorés et obeïs,
Nel seüssent descrire Salemons ne Davis.
996 Si veïssiés mervelles ses barons amatis,
De duel et de pesance vains et empaleïs ;
A son chief iert Filotes et a ses piés Dans Clins
Et li autre gisoient pasmé sor ces tapis.
1000 Oscurcis fu li jors, li solaus fu maris
Por la mort du baron dont il estoit partis ;
Des la mer de Sydoine jusq'as pors d'Alentis
N'ot dongon ne murel qui ne fust escroissis ;
1004 Par trestoute la terre dont il estoit saisis
Tramblerent les cités desi qu'en la raïs ;
Trestous li firmamens par estoit si noircis
Que li uns hom de l'autre ne pot estre choisis,
1008 Et por ce que li cieus estoit si oscurcis
Ardoient en la sale mil cierge couleïs.
Lignalöés et ambre, nardus et autre espis
Ardoient en la sale com s'il fust vieus palis ;
1012 De l'odeur des especes et du bon flaireïs
Deüst estre par droit uns malades garis.
S'ilueques fust Herodes, Pilate et Antecris,
Si plorast il de duel ains qu'il s'en fust partis.
1016 Et por ce que li dels les a si affeblis
Fu mendre un peu la noise et abaissiés li cris,
Qant li bons Aristotes, li mieudres des escris,
S'apoia devant aus desous un arc vautis.
1020 Bien fu de philosophe ses fais et ses abis,
Ne li chaloit de soi, tous estoit enhermis ;
Barbë ot longe et lee et le poil retortis
Et le chief deslavé et velus les sorcis ;
1024 De pain et d'eaue vit, ne quiert autres pertris ;
Onques n'issi d'Ataines uns seus clers si soutis.
Lors a dit as barons un peu de ses bons dis :
« Maines rois, qui la gis mors et descoloris,
1028 Com tiens or peu de terre et com est briés tes lis !
Et si deïs tu ja, sor Dunoe a Brandis,

elles avaient été tissées avec un tel art
qu'elles pouvaient rester mille ans en terre sans jamais pourrir.
Dire la richesse toute royale de la cérémonie,
comment il fut veillé et pleuré, comment on obéit à ses ordres,
Salomon et David en seraient incapables !
C'était un prodige de voir l'abattement de ses barons,
pâles et affaiblis par la douleur et le chagrin.
Filote se tenait à sa tête, sire Clin à ses pieds,
et les autres gisaient évanouis sur les tapis.
Le jour était sombre, le soleil attristé
par la mort du guerrier qui l'avait quitté.
De la mer de Sidon jusqu'aux ports d'Alentis,
tous les donjons, toutes les murailles étaient ébranlés.
Par toutes les terres que dominait Alexandre,
les cités tremblèrent sur leurs bases.
Tout le firmament était si noir
que l'on ne voyait pas un homme devant soi,
et en raison de l'obscurité du ciel,
mille cierges brûlaient dans la salle en fondant.
De l'aloès, de l'ambre, du nard et d'autres épices
brûlaient dans la salle, aussi abondants que si l'on avait fait
L'odeur et le parfum des épices   [brûler du vieux bois.
auraient pu guérir tous les malades.
Si Hérode s'était trouvé là, ou Pilate, ou l'Antéchrist,
ils auraient pleuré de chagrin avant de quitter la pièce.
Comme le deuil a affaibli les barons,
le bruit et les cris sont un peu moins violents.
Et voici le bon Aristote, le plus grand homme dont parlent les
qui vient parmi eux et s'appuie contre une voûte.   [livres,
Il menait bien la vie d'un philosophe :
ne se souciant pas de lui-même, toujours solitaire ;
il avait la barbe longue et large, les cheveux emmêlés,
la tête crasseuse, les sourcils touffus ;
il vivait de pain et d'eau, ne cherchait pas d'autres mets.
Athènes n'a jamais eu d'esprit aussi subtil.
Il prononce alors devant les barons ces sages paroles :
« Grand roi, toi qui gis, là, mort et décoloré,
comme tu tiens peu de place, comme ton lit est petit !
Tu disais pourtant, sur le Danube, à Brandis,

Que tous cis mons estoit a un home petis.
Ahi ! rois, sor tous autres conquerans et hardis,
1032 Largesce estoit ta mere et tu ieres ses fis ;
En doner iert ta gloire, ta joie et tes delis.
N'atendoies pas tant, ja n'en serai desdis,
C'uns preudom te rovast ne qu'il fust escondis,
1036 Tant ieres de doner pres et amanevis.
Encor n'iert pas mes sire ier soir si affeblis
Qant il dist q'avers rois fust destruis et maldis,
Car il en est de Deu et du pueple haïs,
1040 En cest siecle et en l'autre est perdus et honis.
Par covoitise fu li premiers hom peris,
Et Dayres li Persans vaincus et desconfis ;
Et uns des rois de Rome, Crassus, si malbaillis,
1044 Escarant l'abevrerent d'or cuit qui fu boulis.
Oés la prophecie que nos dist Johannis :
Que oan ociroit li lions la formis.
Ahi ! Antipater, traïtres dieusmentis,
1048 Com estiés par lui honorés et servis
Et de si riches fiés chasés et enrichis !
Gadres t'avoit donee, les dongons, les larris
Et trestoute la terre que tint li dus Betis.
1052 Tantes gens chaciés hui a duel et a escis,
Dont mainte gentil dame en plaindront lor maris
Et mainte veuve mere en ploreront lor fis.
Par toi sera li maus encore revertis,
1056 Car tu seras trovés ou que soies fuïs ;
Vis seras escorchiés ou sor charbon rostis
Ou detrais a chevaus ou a coutiaus murdris.
De toi ne puet chaloir se tu muers ou tu vis

---

24. Plusieurs historiens rapportent cette mort du triumvir Crassus : voir
P. Meyer, *Alexandre le Grand*, II, p. 198, n. 1, E. Lommatzsch, *Zeitschrift für
romanische Philologie* 65, 1949, pp. 97-100, Guillaume de Tyr, éd. P. Paris,
Paris, 1879, X, XXVIII, p. 373 : « En ce leu meismes (Carram) fu pris Crassus,
uns des granz princes de Rome, et por ce que li Tur avoient conneue s'avarice,
li firent boivre or fondu tout chaut. »

25. On trouve une allusion similaire dans *La Cour d'amour*, un poème pro-
vençal édité par. L. Constans, *Revue des langues romanes* 20, 1881,
vv. 107-108 : « Que l'autrer nos dis Johannitz / Que leons aucis la formitz. »

que tout ce monde était petit pour un seul homme.
Hélas ! roi, le plus hardi des conquérants,
Largesse était ta mère, et tu étais son fils ;
c'est à donner que tu trouvais ta gloire, ta joie et ton plaisir !
Tu n'attendais jamais, nul ne me contredira,
d'être sollicité par un homme de bien ; tu ne le laissais pas
tant tu étais prompt et disposé à donner !   [essuyer un refus,
Hier soir, mon seigneur n'était pas encore affaibli,
quand il souhaitait aux rois avares d'être détruits et maudits,
car ils sont haïs de Dieu comme de leur peuple,
perdus et déshonorés en ce monde comme dans l'autre.
C'est la convoitise qui a perdu le premier homme
et qui a provoqué la défaite et la chute de Darius le Perse.
Et l'un des rois de Rome, Crassus, le malheureux,
les brigands lui firent avaler de l'or bouillant[24].
Rappelez-vous la prophétie de Johannis,
selon laquelle cette année le lion tuerait la fourmi[25].
Hélas ! Antipater, traître déloyal à Dieu,
il t'avait pourtant donné tous les honneurs
et enrichi de fiefs magnifiques !
Il t'avait donné Gaza, ses donjons et ses landes,
et toute la terre du duc Betis !
Combien de gens tu plonges aujourd'hui dans le deuil et le
Combien de nobles dames regretteront leurs maris   [malheur !
et combien de mères veuves pleureront leurs fils !
Mais le mal que tu as fait retombera sur toi,
car où que tu fuies, on te retrouvera :
tu seras écorché vif ou rôti sur des charbons ardents,
écartelé par des chevaux ou percé de couteaux !
Mais quelle importance que tu meures ou que tu vives !

Pour A. Wesselofsky (Compte-rendu de P. Meyer, *Giornale storico della lette-ratura italiana* 9, 1887, p. 265), Johannis serait Johannicius, c'est à dire Honein ben Ishak (IXe siècle), auteur de sentences reprises au XIe siècle dans le *Livre des sentences des sages*, texte arabe à l'origine des *Dits moraux des philosophes* de Guillaume de Tignonville. L'opposition du lion et de la fourmi illustrerait ici l'impuissance d'Alexandre, inconscient du crime tramé contre lui.

1060 Qant par toi muert li rois qui sor tous iert eslis ;
     Par lui fust tous li mons ains set ans esbaudis.
     Hui partiras les homes que mes sire a norris,
     De lor lige segnor sans forfait departis.
1064 Alixandre, de toi nos ont li dieu traïs ;
     Se tu peüsses vivre seul dis ans acomplis,
     Tu fuisses dieus en terre aourés et servis,
     Et te feïsons temples, auteus et crucifis.
1068 Ahi ! Dieus, molt par es envious et faillis,
     Qui les malvais espargnes et les bons nos ocis. »
     Or deïst ja mervelles qant il fu acuellis,
     Qant doi autre gramaire, Varo et Egesis,
1072 Li senerent de loins que trop iert esbahis,
     Qant il des dieus mesdist, trop est de sens maris.
     Ja chaïst jus pasmés, tous est esvanuïs,
     Qant Litonas l'aert et l'estraint vers son pis.
1076 Lors commence tel duel et si fait ploreïs,
     Se Dieust tonast el ciel, ne fust il pas oïs.

52

     Nel tieng pas a merveille se cil ont grant paor
     Qui voient a lor ieus mort gesir lor segnor,
1080 Et si ont d'Aristote grant duel et grant paor,
     Que il voient gesir tout pale et sans color ;
     Or deïst ja mervelle a ciaus qui sont entor,
     Mais li souglout li tolent qu'il a pris par froidor.
1084 Lors se sont acoisié li grant et li menor.
     Emenidus se drece qui fu fieus de contor ;
     Qant senti des especes la fumee et l'odor,
     Adont parla un poi a ciaus qui sont entor :
1088 « Je fui ja connestables au roi mascedonor
     Et portai en bataille s'ensaigne et s'oriflor
     Et li aidai a vaintre, merci Dieu, maint estor
     Et maint chastel a prendre et mainte ferme tor.
1092 Nel di pas por vantance, Dieu en trai a auctor,
     Car li rois n'ama onques chevalier vanteor.
     Esgardés d'Aristote, vostre maistre doctor,

Tu as tué le roi que son excellence plaçait au-dessus de tous les
et qui, avant sept ans, aurait rempli le monde de joie !   [autres,
Aujourd'hui, tu sépares les hommes qui ont grandi auprès de
                                                           [mon seigneur,
tu les prives de leur seigneur lige, alors qu'ils ne t'ont rien fait.
Alexandre, les dieux nous ont trahis en t'enlevant à nous :
si tu avais pu vivre ne serait-ce que dix ans de plus,
tu serais adoré et servi comme un dieu sur terre,
nous te ferions des temples, des autels, des crucifix.
Hélas ! Dieu, que tu es envieux et cruel
d'épargner les méchants, et de nous tuer les bons ! »
Il aurait dit encore des prodiges, quand on l'arrêta,
quand deux autres grammairiens, Varron et Egesis,
lui firent signe de loin que, bouleversé,
il médisait des dieux et perdait le sens.
Il s'évanouit et serait tombé à terre
si Litonas ne l'avait soutenu et pris dans ses bras.
Alors il mène un tel deuil et sanglote si fort
qu'on n'aurait pas entendu Dieu tonner dans le ciel.

52

Comment s'étonner de l'épouvante des soldats,
qui voient leur seigneur mort sous leurs yeux,
qui se désolent et craignent pour Aristote,
qu'ils voient gisant tout pâle et sans couleur !
Il parlerait encore pour l'émerveillement de son entourage,
mais les sanglots l'en empêchent, et le froid qui le glace.
Alors grands et petits font silence.
Emenidus se dresse ; il était fils de comte.
Quand il sent la fumée et l'odeur des épices,
il adresse ces paroles à son entourage :
« J'étais le connétable du roi de Macédoine,
et portais en bataille son enseigne et son oriflamme.
Je l'ai aidé, avec l'aide de Dieu, à triompher dans bien des
à prendre bien des châteaux et des tours fortifiées.   [combats,
Je ne veux pas me vanter car, Dieu en soit témoin,
le roi n'a jamais aimé les chevaliers vantards.
Regardez Aristote, votre plus grand savant,

Qui estoit conseillieres au maine empereor ;
1096 Essample i pueent prendre auqant et li pluisor,
Car rois ne doit avoir malvais conseilleor.
Encor dist ier matin mes sire a Licanor,
Qant il le corona a roi d'Ynde Maior :
1100 "Licanor, biaus amis, ne croi losengeor,
Car mil fois en ont terre perdu nostre ancisor.
Princes qui veut entrer en pris et en valor
Doit metre en un preudome son conseil et s'amor
1104 Qui le bien li ensegne a faire chascun jor,
Chevaliers a amer et tenir en douçour ;
Hom qui conquerre veut n'a soing d'autre labor.
Puis que tu connoistras un home a menteor
1108 Qui fera en sa lange ne engien ne trestor,
Si t'eslonge de lui com du fu d'un chaut for,
Car par nature sont losengier traïtor.
Se tu vois saudoier qui entende a honor,
1112 Si en fai duc ou prince, amiraut ou contor ;
Nel laissier en souffraite gesir ne en esror,
Car povretés est pire que n'est fievre maior ;
Garde qu'il ait en toi molt large doneor."
1116 Q'en puis je, Alixandre, se je por t'amor plor ?
Car li tien don n'avoient ne terme ne sejor,
Ains ierent plus isnel que le vol d'un ostor.
Ainc n'eüs escrivain o toi ne conteor,
1120 Car dons qui est escris fait home atendeor.
Ha ! mors, chaitive chose, dolente riens, puor,
Ne criem mais ta manace la noise d'un tabor.
Un sairement en fais, ne puis faire gregnor,
1124 Par cest cors qui ci gist desous cest covretor :
Puis q'Adans morst la pome par le conseil s'oisor
N'oceïs tu son per ne si bon ne mellor,
Et qant li dieu ont fait de toi commandeor,
1128 Bien en doivent avoir li aver grant paor.
Biau sire, hui lais tes homes en paine et en tristor,
Et aussi esgarés com beste sans pastor.
Ja ne ferai por t'ame proiere au creator,

qui était le conseiller du grand empereur :
c'est un exemple pour tous,
car un roi ne doit pas avoir un mauvais conseiller.
Hier matin encore, mon seigneur dit à Licanor,
en le couronnant roi d'Inde Majeure :
"Licanor, mon ami, ne crois pas les flatteurs,
car mille fois ils ont fait perdre leurs terres à nos ancêtres !
Un prince qui tient à sa réputation et à sa valeur
doit placer sa confiance et son amitié en un homme honnête
qui lui montre tous les jours comment faire le bien,
aimer et bien traiter ses chevaliers :
voilà la seule peine que doit se donner celui qui veut faire des
Si tu sais qu'un homme est menteur   [conquêtes.
et ne prononce que des paroles trompeuses et rusées,
éloigne-toi de lui comme d'un four brûlant,
car les flatteurs sont traîtres par nature !
Mais si tu vois un soldat fidèle à l'honneur,
fais-le duc ou prince, émir ou comte ;
ne le laisse pas dans l'indigence et le chagrin,
car la pauvreté est pire que la fièvre la plus pernicieuse !
Veille à répandre les dons autour de toi !"
Puis-je donc, Alexandre, m'empêcher de pleurer pour l'amour
Tes dons n'avaient ni limite ni fin,   [de toi ?
ils venaient, plus rapides que le vol d'un autour.
Tu n'as jamais eu d'écrivain ni de conteur près de toi,
car un homme qui tient le compte de ses dons devient trop
     [attentif à ce qu'il donne.
Ha ! Mort, pauvre rien, misérable chose puante,
je crains désormais ta menace comme le bruit d'un tambour !
J'en fais le serment le plus solennel,
par ce corps qui ci-gît sous cette couverture :
depuis qu'Adam mordit la pomme sur le conseil de sa femme,
tu n'as jamais tué l'égal de cet homme, tu n'en as jamais tué de
     [meilleur ni d'aussi bon !
Et depuis que les dieux t'ont donné le pouvoir, Alexandre,
les avares ont de justes raisons d'avoir peur !
Cher seigneur, tu laisses aujourd'hui tes hommes dans la peine
et aussi désemparés que des bêtes sans berger.   [et la tristesse,
Je n'adresserai pas une prière pour ton âme au Créateur :

1132 Bien sai qu'ele est la sus el ciel superior
     Ou li angle en demainent grant joie et grant baudor,
     Car la joie de terre ont mellee o la lor. »

53

     Aprés Emenidon, qui fu rois de Nubie,
1136 S'escria Perdicas a la barbe florie ;
     C'est uns des douze pers ou li rois plus se fie.
     Por ce qu'il iert cortois et sans losengerie
     Li dona son anel, dont maint orent envie,
1140 Que li avoit doné par non de drüerie
     Candace la roïne qant el devint s'amie ;
     Li aniaus valoit bien la cité de Pavie ;
     Perdicas l'ot el doit, li sires d'Orcanie,
1144 Qui si detort ses poins, a poi qu'il ne l'esmie.
     As piés du lit s'apuie si durement qu'il plie.
     Il sousleva le paile de soie d'Aumarie ;
     Qant senti le cors froit et la char vit blaismie,
1148 Les ieus tornés el chief et la face empalie,
     Lors chaï a la terre si n'a talent qu'il rie ;
     De l'angoisse qu'il a piteusement s'escrie :
     « Alixandre, biaus sire, bons rois sans couardie,
1152 Fontaine de largesce et puis de cortoisie,
     Comblés d'ensegnement et res de vilonie,
     Hui matin aviés de cest mont la baillie ;
     Rois, or l'avés perdue en mains d'eure et demie,
1156 Ne sai par quel raison l'avés si tost guerpie.
     Sire, trop tost vos est la parole faillie,
     En poi d'eure vos est cele bouche noircie.
     Rois, car parlés a moi, se Dieus vos beneïe,
1160 Et a vostre maisnie qui por vos est marie.
     Por coi nes confortés ? Com l'avés enhaïe !
     Ves com est esgaree et com est enbroncie ;
     Onques por nule riens ne fu si esbahie.
1164 Rois, ja l'aviés vos si doucement norrie,
     D'armes et de chevaus si richement garnie ;
     Ahi ! com hui remaint de segnor esgarie !
     Segnor, qui me dira ice que senefie

je sais bien qu'elle est au plus haut du ciel,
où les anges mènent leur joie et leur liesse,
car ils ont maintenant avec eux ce qui faisait la joie de la
[terre ! »

53

Après Emenidus, le roi de Nubie,
on entendit la plainte de Perdicas à la barbe fleurie :
c'était l'un des douze pairs en qui le roi avait le plus confiance.
Parce qu'il était courtois et sans flatterie,
il lui donna son anneau, que beaucoup désiraient,
car il l'avait reçu en gage d'amour
de la reine Candace, quand elle était devenue son amie ;
cet anneau valait bien la cité de Pavie.
Il est au doigt de Perdicas, le seigneur d'Orcanie,
qui se tord les poings au risque de briser l'anneau.
Il s'appuie sur les pieds du lit au point de les faire fléchir.
Il soulève le drap de soie d'Aumarie
et quand il sent le corps froid et voit la peau blême,
les yeux tournés vers le ciel et le visage pâli,
il n'a pas envie de rire ; il tombe sur le sol
et s'écrie, pitoyable dans sa détresse :
« Alexandre, cher seigneur, bon roi sans couardise,
fontaine de largesse et puits de courtoisie,
rempli de sagesse et exempt de vilenie,
ce matin, le monde était en votre pouvoir ;
roi, vous l'avez perdu en moins d'une heure et demie,
je ne sais comment il vous est si vite échappé.
Seigneur, vous avez si vite perdu la parole,
votre bouche est devenue noire en peu de temps.
Roi, parlez-moi ; que Dieu vous bénisse !
Parlez à vos hommes qui pleurent pour vous.
Pourquoi ne les consolez-vous pas ? Vous ne les aimez plus !
Voyez-les, désespérés, la tête baissée !
On ne les a jamais vus si désemparés.
Roi, vous aviez pourtant pris tant soin d'eux,
vous les aviez richement équipés en armes et en chevaux.
Hélas ! Ils restent aujourd'hui privés de leur seigneur !
Seigneur, qui me dira pourquoi

1168 Que li rois ne parole a celui qui le prie ?
     Fait il ce par orguel ou por la mort quil plie ?
     Ne sai que ce puet estre ne ne truis quil me die.
     Onques mais ne fist Dieus si crüel felonie.

1172 Encor me dist il ier a parole serie,
     Au matin, ains que l'aube fust gaires esclairie,
     Que s'il pooit avoir un an santé et vie,
     Q'il donroit Tholomé le regne de Sulie,

1176 Et s'en feroit segnor de toute Esclavonie.
     Puis parlasmes assés de sens et de folie ;
     Mais or sai je de voir, de ce ne dout je mie,
     Ja mais n'i parlerai, car la mort le me vie.

1180 Mal dehais ait Fortune qui si me contralie,
     Hui cest jor m'a esté trop crüel enemie.
     Onques li rois du ciel, cui toute riens sousplie,
     N'ot mais si grant honor com de sa compaignie,

1184 Ne ja mais nen avra en trestoute sa vie.
     Ahi ! toute franchise, com hui estes perie,
     Malvaistiés esveilliee et proëce endormie !
     Li biens va descroissant et li maus molteplie.

1188 Or ne pris mais le siecle une pume porrie,
     Hui cest jor est perdue toute chevalerie.
     Dieus, por coi vif ge tant ? Male mort, car m'ocie !
     Par foi, je m'oceïsse a m'espee forbie,

1192 Mais mes cuers le deffent et tient a musardie,
     Et Fortune meïsme, qui me jure et affie,
     Se Deus iert trespassés et sa vie fenie,
     Qu'il avroit aprés lui des angles la maistrie,

1196 Du ciel et de la terre toute la segnorie.
     Las ! fait il, qu'ai je dit ? C'est rage et desverie. »
     A icest mot se done du poing joste l'oïe,
     Si que du sanc vermeil li est la bouche emplie.

1200 Sor le cors chiet pasmés comme beste estordie,
     Mais Tholomés l'en drece, qui souef le chastie.

54

Antiocus le pleure si que tous en est las.
Riches hom iert et sages, fieus le roi Cleofas ;

le roi refuse de parler à celui qui l'en prie ?
Est-ce de l'orgueil ? est-ce la mort qui le plie sous sa loi ?
Je ne sais, et je ne trouve personne pour me le dire.
Dieu n'a jamais fait si cruelle félonie.
Hier encore, il me disait doucement,
le matin, quand le jour était à peine levé,
que s'il pouvait avoir un an encore de santé et de vie,
il donnerait à Tholomé le royaume de Syrie,
et le ferait seigneur de toute l'Esclavonie.
Puis nous avons échangé des propos sages et fous.
Mais je sais maintenant, je ne peux en douter,
que je ne lui parlerai plus jamais : la mort me l'interdit.
Maudite soit Fortune, qui me persécute ainsi !
Elle a été en ce jour ma cruelle ennemie.
Jamais le Roi du ciel, devant qui tous s'inclinent,
n'a eu si grand honneur dans sa compagnie,
et jamais il ne l'aura de toute sa vie.
Hélas ! Noblesse, tu péris aujourd'hui !
Lâcheté s'éveille et Prouesse s'endort !
Le Bien va déclinant, le Mal se multiplie.
Le monde vaut désormais pour moi autant qu'une pomme
aujourd'hui toute la chevalerie est perdue !   [pourrie :
Dieu, à quoi bon vivre ? Male mort, tue-moi donc !
Par ma foi, je me tuerais bien de mon épée fourbie,
mais mon cœur me défend cette folie,
et Fortune elle-même me jure
que si Dieu trépassait, si sa vie s'achevait,
Alexandre serait après lui le maître des anges,
le seigneur du ciel et de la terre.
Hélas ! fait-il, qu'ai-je dit ? C'est de la rage et de la démence ! »
A ces mots, il se frappe du poing près de l'oreille
si fort que son sang vermeil lui remplit la bouche.
Il tombe évanoui sur le cadavre, comme une bête privée de
Mais Tholomé le redresse et le réprimande doucement.   [sens.

54

Antiochus pleure Alexandre jusqu'à l'épuisement.
C'était un homme puissant et sage, fils du roi Cleophas.

1204 Antioche fu sieue et Halape et Damas,
Puis li acrut son fief de l'onor de Baudas
Li rois qui de doner ne pooit estre las,
Cil li dona la terre du val de Josafas,

1208 La rente et le treü de l'onor de Baudas
Et la cité de Meqes qui puis fu Goulias ;
Tant li dona de terre li rois mascedonas
Dont maint home amaigrirent et il en devint cras.

1212 Or le plaint et regrete, mais ce n'est mie a gas :
« Alixandre, fait il, biaus sire, tu t'en vas ;
Guerpi as ta maisnie, ja mais ne la verras ;
En tel lieu vas, ce cuit, dont ja ne revenras.

1216 Vos doniés l'avoir a foison et a tas.
Hui sont li douze per venu du trot au pas ;
Molt lor est mescheü, geté ont ambes as.
Or poons nos bien dire : "Dieus ! de si haut si bas,

1220 Onques mais ne venimes a si felon trespas."
Ha ! Dieus, plains de douçor, qui tout le mont crias
Et les quarante jors de ton gré jeünas,
Garis l'ame de lui du felon Sathanas,

1224 Q'en l'ostel ne le mete ou conversent li las. »
Lors dist a soi meïsme : « Chaitis, que devenras ? »
Et fiert l'un poing a l'autre et descire ses dras.
De crïer et de braire i demaine tels glas

1228 Que la sale en tentist qui fu faite a compas ;
Puis chiet pasmés a terre dejoste Perdicas,
Au cuer a tel angoisse nus hom nel cuidast pas ;
Il ne deïst un mot qui li donast Baudas.

55

1232 Aristés se replaint qui ot vois de seraine.
Gentieus hom iert de Gresce, du parenté Elaine

---

26. Il s'agit du coup le plus faible au jeu de dés.

27. Jésus jeûna quarante jours dans le désert avant de commencer son minis-tère (*Matthieu* 4, 1-2). Ces quarante jours sont commémorés par le carême (de quadragésime, quarantième jour), un temps de pénitence et de jeûne durant les quarante jours qui précèdent Pâques.

Il possédait Antioche, Alep et Damas.
Puis le roi qui ne se lassait jamais de donner
accrut encore son fief de la terre de Bagdad.
Il lui donna encore le val de Josaphat,
la rente et le tribut de la terre de Bagdad
et la cité de La Mecque, qui depuis appartint à Goulias.
Le roi de Macédoine lui avait donné toutes ces terres
et, pour l'engraisser, avait fait maigrir bien des hommes.
Maintenant il plaint et regrette Alexandre, et ne plaisante pas :
« Alexandre, dit-il, cher seigneur, vous vous en allez ;
vous avez abandonné vos hommes, vous ne les verrez plus
                                                            [jamais ;
vous vous en allez, je crois, en un lieu d'où vous ne reviendrez
Vous distribuiez les dons à foison.   [jamais.
Aujourd'hui les douze pairs sont passés du trot au pas ;
le malheur s'est abattu sur eux, ils ont sorti les deux as aux
                                                            [dés[26].
Nous pouvons bien dire maintenant : "Dieu ! tomber de si haut
Nous n'avons jamais subi si cruelle épreuve !"   [si bas !
Ha ! Dieu plein de douceur, toi qui créas le monde,
et jeûnas de ton plein gré pendant quarante jours[27],
protège son âme, empêche le félon Satan
de la mettre dans l'hôtel où logent les maudits ! »
Il se parle à lui-même : « Malheureux, que vas-tu devenir ? »
Il frappe ses poings l'un contre l'autre, déchire ses vêtements.
Ses cris et ses pleurs sont si forts
qu'ils retentissent dans la salle magnifique ;
puis il tombe évanoui à terre, près de Perdicas,
le cœur serré par une détresse indicible :
même si on lui donnait Bagdad, il ne pourrait pas dire un mot.

55

Aristé fait entendre sa plainte : il a la voix des sirènes.
C'était un noble chevalier de Grèce, du lignage d'Hélène,

Por qui Paris soffri lonc tans dolor et paine ;
Ele iert, ce dist l'estore, sa cousine germaine,
1236 Biaus iert, mais il avoit une teche vilaine,
Q'il n'amast nule dame se ne fust chastelaine
Ne ne vaut porter armes a jor de dïemaine
Ne monter a cheval por ferir en quintaine.
1240 Cil regrete Alixandre et grant duel en demaine :
« Alixandre, fait il, ce est chose certaine
Que de toutes proëces estïés la fontaine,
Sor trestoutes estoit la vostre soveraine.
1244 Rois, vostre bele chars soloit estre plus plaine
Que n'est marbres polis, et soués comme laine ;
Or est poingnans et aspre plus que n'est pains d'avaine.
De vostre bele bouche n'istra ja mais alaine,
1248 Hui matin iert vermeille com se fust tainte en graine.
Sire, vos en alés la ou la mort vos maine,
Ci nos avés guerpis entre la gent foraine.
Sire rois de bon aire, en peneuse semaine
1252 Entrent li douze per et en fort quarentaine ;
Il ont hui receü une malvaise estraine.
Nous solions jadis parler de teste saine,
Mais or en est rompue toute la maistre vaine.
1256 Ha ! Dieus, qui a ta forme feïs la char humaine
Et garesis Jonas el cors de la balaine,
Pren vengance de ciaus par qui ma joie est vaine,
Et trebuche lor ames en la terre soutaine. »
1260 A icest mot se pasme deseur un lit de laine ;
Tholomés li vaillans de conforter se paine,
Et lui et tous les autres dont la sale estoit plaine.

56

Molt par fu grans li dels el palais de porfire,
1264 Entor la biere furent li douze per a tire.

---

28. L'engloutissement de Jonas par un poisson et sa délivrance au bout de trois jours (*Jonas*, 2) sont repris dans les Evangiles comme image de la mort et de la résurrection de Jésus (*Matthieu* 12, 39).

pour qui Pâris souffrit longtemps douleurs et peines.
L'histoire dit qu'elle était la cousine germaine d'Aristé.
Aristé était beau, mais il avait un vilain vice :
il n'aimait les dames que si elles étaient châtelaines,
et refusait le dimanche de porter les armes
ou de monter à cheval pour un jeu de quintaine.
Il pleure Alexandre et mène grand deuil :
« Alexandre, fait-il, nul ne peut nier
que vous étiez la fontaine de toute prouesse
et que votre prouesse dépassait toutes les autres.
Roi, votre beau corps était plus lisse
que le marbre poli et plus doux que la laine ;
le voilà maintenant raide et dur plus que le pain d'avoine.
Plus le moindre souffle ne sortira de votre belle bouche,
qui était hier matin aussi vermeille que si on l'avait teinte
                                              [d'écarlate.
Seigneur, vous vous en allez là où la mort vous mène,
vous nous avez laissés en pays étranger.
Seigneur, mon noble roi, les douze pairs
entament une douloureuse semaine, un terrible carême.
Ils ont aujourd'hui reçu un coup affreux.
Nous formions jusque-là un corps en bonne santé,
mais aujourd'hui la veine principale a éclaté dans notre
Ha ! Dieu, qui créas l'homme à ta semblance   [cerveau.
et protégeas Jonas dans le ventre de la baleine[28],
prends vengeance de ceux qui m'ont enlevé ma joie,
et que leurs âmes s'abîment au plus profond de la terre ! »
A ces mots, il s'évanouit sur un lit de laine ;
Tholomé le vaillant s'efforce de le consoler,
ainsi que tous les chevaliers dont la salle était pleine.

56

Le deuil est immense dans le palais de porphyre ;
les douze pairs se tiennent alignés autour de la bière.

Leoines a tel duel a poi n'esrage d'ire,
Frere estoit Perdicas qui fu nes de Montire,
Por la mort Alixandre parfondement souspire
1268 Et eschauffe d'angoisse et remet comme cire.
A haute vois s'escrie : « Alixandre, biau sire,
Onques mais ne vos pot nule riens desconfire
Fors seulement la mort, qui nului ne remire.
1272 De garir vostre plaie n'avra ja denier mire.
La tieue grant largesce ne porroit nus descrire,
Nus clers qui tant seüst de chanter ne de lire,
Neïs tant seulement de doner la matire.
1276 Ainc ne vausis a home ton avoir escondire.
Rois, tu es entoschiés, ja n'en avras remire,
Ta chars en est plus vers que n'est jus de colire.
Au cuer ai tel angoisse que ne sai mais que dire.
1280 Mais tant voi je tout cler que cist siecles empire,
Car proëce radote et malvaistiés se mire,
Largesce voi plorer et avarisse rire,
Cele qui soloit estre la mieudre est or la pire.
1284 Ha ! mort, trop me delaies, trop mes a moi occire,
A tort et a pechié me fais ici defrire. »
Lors a pris son blïaut et la pene en descire,
De l'un chief dusq'en l'autre le desront et detire ;
1288 Sa main mist a sa barbe, estraint et sache et tire,
Ains qu'il la deguerpisse en sont mil poil a dire.

57

Licanors li marchis tort ses mains et debrise.
Ce est un chevaliers qui durement se prise ;
1292 Nes estoit de la marche qui depart et devise
La terre as Barbarins du roiaume de Frise ;
Molt iert preus et cortois et de grant gentelise,
Onques mieldres de lui ne nasqui de marchise ;
1296 Vestus iert d'un biface ovré par grant maistrise,

---

29. *Colire* désigne peut-être, selon A. Foulet, une plante de l'espèce des mauves, la *malva erratica* ou *colliris*.

Lioine souffre tant qu'il est presque fou de chagrin.
C'était le frère de Perdicas, qui était né à Montire.
Devant la mort d'Alexandre, il pousse de profonds soupirs,
tremblant d'angoisse et mou comme la cire.
Il s'écrie d'une voix forte : « Alexandre, cher seigneur,
rien n'a jamais pu vous abattre
hormis la mort, qui n'a d'égards pour personne :
nul médecin ne pourra guérir votre plaie.
Nul ne pourrait décrire votre immense largesse :
même le clerc le plus habile à chanter et à lire
ne saurait seulement en faire le compte.
Jamais vous n'avez refusé votre bien à personne.
Roi, contre ce poison il n'est pas de remède.
Votre peau est plus verte que le jus de la mauve[29].
J'ai au cœur une telle angoisse que je ne sais plus que dire,
mais je vois clairement que ce monde décline,
car Prouesse radote et Lâcheté se pavane.
Je vois pleurer Largesse et Avarice rire :
le meilleur est devenu le pire.
Hélas ! Mort, tu es trop lente, tu tardes trop à me tuer,
c'est un tort et un péché que de me torturer ainsi ! »
Il saisit sa tunique et en arrache la fourrure
puis la déchire d'un bout à l'autre.
De ses mains, il tire et serre sa barbe si fort
qu'il l'arrache par poignées avant de s'arrêter.

57

Licanor le marquis serre et tord ses mains.
C'était un chevalier attaché à sa gloire :
il était né dans la marche qui sépare
la terre des Berbères du royaume de Frise.
Il était preux et courtois, d'une grande noblesse ;
on ne vit jamais naître meilleur fils de marquis.
Il portait sur sa magnifique tunique de deux couleurs,

Mantel ot de samit a une pene grise.
Vers la biere se traist por le duel qui l'atise ;
Il sousleva le paile qui tenoit grant porprise ;
1300 Qant il l'ot descovert, piteusement l'avise,
Gentement le regrete qant s'alaine ot reprise :
« Rois des rois terriens, qui ainc n'ot couardise,
Ne de malvaistié faire n'ot onques covoitise,
1304 Ja mais ne sera hom de la vostre franchise.
La vostre grans largesce ne pot ainc estre aquise,
Car ains que tu eüsses la richece conquise
L'avoies tu, biau sire, ou donee ou pramise.
1308 Bien ont li douze per enploié lor servise :
Chascuns en a el chief corone d'or assise.
Ahi ! toute franchise, com hui estes malmise !
Avarisse est montee, largesce a terre mise,
1312 Morte est comme la noif contre soleil remise.
Ja Damedeu ne place que je siece ne gise
Tant que j'aie de ciaus haute vengance prise
Par coi ta gens est torble et de dolor esprise.
1316 Molt orent felon cuer et plain de cuivertise
Qant il oserent faire vers vos si grant mesprise.
Certes, se jes puis prendre, j'en ferai tel justise
Qu'il en sera parlé jusqu'au jor du juïse.
1320 Ne fust pas tels damages se fust morte ou ocise
Toute la gent qui est entre ploiel et bise.
Que fait ore Diables que le col ne me brise ? »
A icest mot se hurte a une pierre bise,
1324 Si que le cuir du front en trois lieus li encise ;
S'il fust trois fois baigniés en l'eaue de Tamise,
Ne fust il plus molliés qu'il iert sous sa chemise
Du sanc qui de lui ist vermaus comme cerise.
1328 Il ne deïst un mot por tout l'avoir de Pise ;
A tous ciaus qui l'esgardent tel pitié en est prise
N'i a celui ne plort tenrement sans faintise.

58

Filotes s'est levés tous drois en son estage ;
1332 N'ot mellor chevalier en trestout son lingnage

un manteau de soie doublé de petit-gris.
Il s'approche de la bière, dévoré de chagrin,
soulève le drap d'or qui la recouvrait entièrement ;
il contemple le corps avec une douleur pitoyable,
et quand il peut reprendre son souffle, le pleure doucement :
« Roi des rois de cette terre, qui ne connûtes jamais la
ni le moindre désir de faire le mal,   [couardise
on ne reverra jamais un homme de votre noblesse !
Votre immense largesse n'a jamais pu être égalée,
car avant même de conquérir des richesses,
vous les aviez déjà, cher seigneur, données ou promises.
Les douze pairs ont été bien payés pour leurs services :
chacun d'eux a reçu une couronne d'or.
Hélas, Noblesse, comme vous êtes aujourd'hui mise à mal !
Avarice est en haut, Largesse plus bas que terre,
morte comme la neige qui fond au soleil.
A Dieu ne plaise que je m'assoie ou me couche
avant d'avoir pris une terrible vengeance de ceux
qui ont bouleversé votre peuple et l'ont rempli de douleur !
Ils avaient le cœur bien félon et bien bas
pour oser commettre envers vous pareil crime !
Certes, si je peux les prendre, on parlera de ma justice
jusqu'au jour du Jugement !
Le dommage serait moins grand si l'on avait tué
tout le peuple qui se trouve entre le nord et le sud !
Pourquoi donc le diable refuse-t-il de me briser le cou ? »
A ces mots, il se heurte à une pierre bise
et se fait trois coupures sur le front :
s'il s'était baigné trois fois dans la Tamise,
il aurait été moins trempé que maintenant,
inondé de sang vermeil comme cerise.
Il ne pourrait plus dire un mot pour toutes les richesses de Pise :
ceux qui le regardent en ont si grand-pitié
qu'ils pleurent tous à chaudes larmes sincèrement.

58

Filote s'est levé de toute sa hauteur ;
c'était le meilleur chevalier de son lignage,

Fors Licanor son frere, ou ot grant vasselage.
Cil regrete Alixandre forment en son corage :
« Gentieus rois debonaires, estrés de haut parage,
1336   Sor tous rois terïens resamblïés ymage ;
Ja mais ne sera princes qui demaint tel barnage.
Rois, il n'avoit cité jusq'en la terre ombrage,
Bourc, vile ne dongon ne fort chastel marage
1340   Dont li prince et li duc ne t'aient fait homage ;
Trestout t'en obeïssent et rendent treüage.
Sire, a vous repairoient et privé et salvage ;
Vous n'escondisïés ne le fol ne le sage,
1344   Ançois lor donïés l'avoir de bon corage.
Tout avés departi, neïs vostre hiretage ;
Onques n'en retenistes vaillissant un formage.
En vos et en largesce avoit bon mariage,
1348   Onques ne la tenistes un jor en soignantage ;
Or estes dessevrés a tort et par outrage,
Nis Dieus ne porroit mie restorer cest damage.
Gentieus rois de bon aire, mes dels point n'asouage ;
1352   Ja mais ne serai liés en trestout mon aage,
Car je voi enforcier le perilleus orage
Qui tout le mont traira a duel et a hontage.
Or vos estuet ci metre et guerpir en ostage
1356   Vostre cors, biaus dous sire ; n'i lairons autre gage.
Ha ! Dieus, qui les Ebreus passas la mer sans nage
Qant li rois Pharaon les chaçoit el rivage,
L'ame de mon segnor commant a tel message
1360   Q'au jor du grant juïse soit a la destre page. »
Lors a si grant dolor a poi d'ire n'esrage,
As ongles de ses mains depiece son visage.
Onques por Eneas, quant issi de Cartage

---

30. Le motif épique de la *terre ombrage*, sans soleil, renvoie à la fois à une réalité géographique et au registre de l'imaginaire. Honorius Augustodunensis (cité par A. Foulet, MFRA VII, p. 119) évoque dans le *De Imagine mundi* les deux zones de la terre qui ne sont jamais atteintes par le soleil. Marco Polo désigne la Russie comme la province de l'obscurité (éd. G. Ronchi, Milan, 1982, pp. 641-644). Mais la terre ombrage relève aussi de l'espace fantastique : F. Dubost, *Aspects fantastiques de la littérature française médiévale*, I, pp. 392-400.

hormis Licanor, son frère, le courageux guerrier.
Il pleure Alexandre de tout son cœur :
« Noble et généreux roi, de si haute naissance,
plus que tous les rois de la terre, vous étiez l'image d'un dieu.
On ne verra plus jamais un prince aussi vaillant.
Roi, il n'était pas de cité jusqu'à la terre de l'ombre[30],
ni bourg, ville ou donjon, ni forteresse protégée par la mer
dont les princes et les ducs ne t'eussent rendu hommage :
tous, ils t'obéissent et te paient un tribut.
Seigneur, à vous venaient vos proches comme les étrangers,
car vous ne repoussiez ni le fou ni le sage,
leur faisant à tous un don de bon cœur.
Vous avez tout donné, même votre héritage,
vous n'en avez pas gardé la valeur d'un fromage.
Largesse et vous étiez de bons époux :
jamais vous n'avez été adultère,
et vous voilà séparés, cruellement et à tort :
Dieu lui-même ne pourrait réparer ce dommage.
Noble et généreux roi, je ne peux calmer ma douleur ;
je ne connaîtrai plus la joie de toute ma vie,
car je vois s'étendre la périlleuse tempête
qui emportera le monde entier dans le deuil et la honte.
Il vous faut maintenant laisser votre corps en otage,
cher seigneur ; nous ne laisserons pas d'autre gage.
Ha ! Dieu, qui laissas les Hébreux traverser la mer sans navires,
quand le roi Pharaon les acculait au rivage,
je te recommande l'âme de mon seigneur,
pour qu'au jour du grand Jugement, elle soit inscrite sur la page
                         [de droite[31] ! »
Il souffre tant qu'il manque devenir fou de douleur :
il se griffe le visage de ses ongles.
Jamais, quand Enée quitta Carthage

---

31. Lors de l'exode des Hébreux d'Egypte vers le pays de Canaan, sous la conduite de Moïse, la mer Rouge s'ouvrit pour laisser passer les Hébreux et se referma sur les Egyptiens qui les poursuivaient (*Exode* 13, 21).

1364　Et par la mer salee acuelli son voiage,
　　　Ne demena tel duel Dydo au cuer volage
　　　Com Filotes demaine qui se hurte a l'estage.

59

　　　Molt fu plains et plorés li rois de ses barons,
1368　De Sulïens, d'Ermins, de Persans, d'Esclavons ;
　　　Nis cil le regreterent d'estranges regions
　　　Q'il ot fait maintes fois grans persecucions ;
　　　Mais desor tous les autres le pleure Festions.
1372　Cil fu plus ses privés, ainsi com nos cuidons,
　　　C'onques n'avoit esté Tholomés ne Cliçons ;
　　　Por qant si n'iert il mie des douze compaignons,
　　　Mais en enfance avoit esté ses norreçons.
1376　Au chavés de la biere se met a genollons
　　　Et regrete Alixandre, non mie a conseillons :
　　　« Alixandre, fait il, li sires des Griffons,
　　　Com est por vostre mort li cieus noirs et enbrons,
1380　Li oisel s'atapissent et abaissent lor sons.
　　　Molt nos avés laissiés en grans torblacions ;
　　　C'est par les traïtors qui firent les poisons
　　　Dont en terre est venue si grans confusions.
1384　Onques tels chevaliers ne chauça d'esperons ;
　　　Ne vos en puis aidier ne doner garisons.
　　　Sire Dieus, quel damage et quels destrucions
　　　Qant li rois est matés par deus de ses paons ;
1388　Mais au traire mesprinrent, qu'il i ot traïsons.
　　　Gentieus rois Alixandre, abondance de dons,
　　　Ainc amer ne vausistes traïtors ne felons ;
　　　Mais qui servir vos vaut nel fist mie en pardons,
1392　Car plus que ne servoit iert grans li guerredons.
　　　Ahi ! rois Alixandre, a quel duel departons ;
　　　Je m'en vois aprés vos, la mort m'en a semons,
　　　Et g'irai volentiers, n'i querrai achoisons. »
1396　Lors desront ses cheveus, sa barbe et ses grenons,
　　　Que tous en fu sanglens ses pis et ses mentons ;
　　　Au dolouser qu'il fist, ausi com il iert lons
　　　En travers de la biere chaï a ventrellons.

et lança son navire sur la mer salée,
Didon au cœur volage ne mena deuil pareil
à celui de Filote, qui se jette contre un pilier.

59

Le roi fut plaint et pleuré de ses barons,
des Syriens, des Arméniens, des Perses, des Esclavons ;
il fut même regretté dans les pays lointains
dont il avait persécuté les peuples.
Mais Festion pleure plus que tous les autres :
il était son ami le plus proche, je crois,
plus encore que Tholomé ou Clin.
Il ne faisait pourtant pas partie des douze compagnons,
mais il était aux côtés d'Alexandre depuis son enfance.
Il s'agenouille au chevet de la bière.
Il pleure Alexandre, et ce n'est pas à voix basse.
« Alexandre, fait-il, seigneur des Grecs,
que le ciel est noir et sombre depuis votre mort !
Les oiseaux se cachent et assourdissent leur chant.
Vous nous avez laissés dans la pire détresse.
C'est par la faute des traîtres qui firent le poison
que la terre a été ainsi bouleversée.
On n'a jamais vu pareil chevalier chausser les éperons ;
je ne peux pourtant ni vous guérir ni vous venir en aide.
Seigneur Dieu, quel malheur, quelle désolation
de voir le roi mis mat par deux de ses plus humbles soldats ;
mais ils ont mal joué, car ils l'ont trahi !
Noble roi Alexandre, fontaine de tous les dons,
jamais vous n'avez aimé les traîtres ni les félons.
Mais on ne vous servait jamais en vain
car la récompense dépassait le service.
Hélas ! roi Alexandre, quelle douleur que cette séparation !
Je m'en vais après vous, la mort m'a appelé,
je la suis volontiers sans chercher à résister ! »
Il s'arrache les cheveux, la barbe, les moustaches,
couvrant de sang son menton et sa poitrine ;
dans sa douleur, il tombe de tout son long
à plat ventre, en travers de la bière.

60

1400 Tous jors devant le roi furent li douze per ;
Tant com il jut malades ne s'en vaurent torner,
Car molt lor estoit bel qu'il l'oïssent parler,
Molt lor plaist a oïr ses dis et escouter.

1404 Un poi devant ice que il deüst finer
Apela Tholomé que il pot tant amer,
De la tor de Babel l'a fait asseürer,
As citoiens l'a fait et plevir et jurer.

1408 Alixandres li rois ne pot plus demorer ;
Li bel oel de son chief commencent a torbler,
Li nes a acorcier et la bouche a crever,
Si blanc bras li defaillent qu'il nes pooit lever.

1412 L'ame parti du cors, que n'i pot plus ester.
Et qant li rois fu mors, qui les oïst crïer !
Onques n'i ot un seul qui n'esteüst pasmer,
Et quant sont redrecié, qui les oïst plorer

1416 Et detordre lor puins et lor cheveus tirer,
Le roi et sa proëce durement regreter !
« Ahi ! gentieus rois, sire, ou porrons nos aler ?
Puis que vos estes mors ne savons ou torner.

1420 Ja mais ne morra hom qui tant face a loër
Ne si seüst preudome servir et honorer. »
Le roi ont fait ovrir et l'entraille geter,
Puis ont isnelement le cors fait enbasmer.

1424 Li Grigois l'en voloient en lor terres porter,
Mais nus de tous les autres nel voloit creanter,
Iluec en Babilone le veulent enterer.
Antiocus fu sages si prist a sarmoner :

1428 « Segnor, or ne vos chaut a tencier n'a choser,
Car aler en covient as deus por demander
En quel lieu li vaudront sepulture doner. »

---

32. Tholomé a en fait reçu d'Alexandre Babylone d'Egypte (Le Caire) : voir *supra*, IV, v. 292.

33. La laisse 60 répète la mort d'Alexandre, déjà mentionnée à la laisse 33, avant la série des plaintes, et ignore la demande du mourant, formulée à la laisse 33, d'être enterré à Alexandrie.

60

Les douze pairs restent auprès du roi.
De toute sa maladie, ils ne l'ont pas quitté,
car ils aimaient l'entendre parler,
ils prenaient plaisir à écouter ses paroles.
Un peu avant ses derniers moments,
il appela Tholomé qu'il aimait tant :
il le rendit maître de la tour de Babel ;
il fit prêter serment aux habitants de la cité[32].
Le roi Alexandre ne peut plus retenir sa vie :
ses beaux yeux commencent à se troubler,
son nez se fronce, sa bouche se crevasse ;
ses bras blancs sont si faibles qu'il ne peut plus les lever.
L'âme s'échappe du corps, où elle ne peut plus rester[33].
Et quand le roi est mort, si vous les entendiez crier !
Pas un seul ne peut s'empêcher de s'évanouir.
Et quand ils se relèvent, si vous les entendiez pleurer,
se tordre les mains, s'arracher les cheveux,
regretter longuement le roi et sa prouesse !
« Hélas ! noble roi, seigneur, où pouvons-nous aller ?
Maintenant que vous voici mort, nous ne savons que faire.
On ne verra jamais mourir un homme aussi digne de louange
ni aussi habile à servir et honorer les hommes de bien ! »
On ouvre le corps du roi pour vider les entrailles
et l'embaumer aussitôt.
Les Grecs voulaient l'emporter dans leur pays,
mais tous les autres s'y refusaient
et voulaient l'enterrer à Babylone.
Antiochus les réprimande avec sagesse :
« Seigneurs, cessez vos disputes et vos querelles !
Il faut aller demander aux dieux
en quel lieu ils veulent fixer sa sépulture. »

61

Li baron s'en tornerent, ne s'aseürent mie,
1432 Por ce que li uns d'aus a l'autre contralie,
Car porter en voloient le roi en Romenie ;
Li uns le contredit et li autres l'otrie.
Por la noise abaissier Antiocus les guie.
1436 Droit au temple Jovis, si com l'estoire crie,
Ont fait un de lor sors par molt grant maiestrie.
Li prestres qui du temple avoit la segnorie,
Et qui li mestiers iert qant on i sacrefie,
1440 Aprés ce que la messe fu chantee et fenie
As dieus a demandé et doucement lor prie
Ou li rois Alixandres, qui est alés de vie,
Doit avoir sepulture ; isnelement lor die.
1444 Iluec ot une ymage, de fin or fu plastrie,
Et fu desor l'autel trestout droit establie ;
Une vois en issi qui tres bien fu oïe :
« Segnor, en Mascedoine nel porterés vos mie,
1448 Ne ja mais Babilone nen iert de lui saisie ;
En la grant Alixandre iert sa char sepelie,
La avra sepulture, Juspiter li otrie,
Et qui ce ne feroit si feroit grant folie.
1452 – Par foi, dist Tholomés, ja ceste n'iert guenchie.
La sera il portés s'en puis avoir aïe. »
Et Dans Clins li respont : « Ne vos en faurons mie.
Volentiers vos ferons aïde et compaignie.

62

1456 « Segnor, ce dist Dans Clins, et comment le ferons ? »
Respont Antiocus : « Bon conseil en prendrons :
Anuit mais, se vos plaist, et nos le gaiterons,
Au matin par son l'aube nos aparellerons ;
1460 Sor un char tout d'or fin richement le metrons,
Li cheval le trairont et nos aprés irons. »
Et respont Tholomés : « Se Dieu plaist, non ferons.
Nous meïsme a nos cols, certes, le porterons
1464 Si li ferons honor de tant com nos porrons,

61

Les barons se séparent sans se mettre d'accord,
car ils s'opposent les uns aux autres.
Ils voulaient emporter le roi en Grèce :
l'un s'y oppose, l'autre l'accepte.
Pour calmer la querelle, Antiochus les emmène.
Au temple de Jupiter, à ce que dit l'histoire,
ils font appel au sort avec solennité.
Le prêtre qui avait la haute main sur le temple
et qui était chargé des sacrifices,
chante et célèbre la messe
puis implore doucement les dieux et leur demande
où le roi Alexandre, qui vient de mourir,
doit avoir sa sépulture : il faut le leur dire.
Il y avait là une statue recouverte d'or fin
qui se dressait sur l'autel.
Une voix en sortit, que tous entendirent parfaitement :
« Seigneurs, vous ne l'emporterez pas en Macédoine,
mais Babylone ne gardera pas non plus son corps.
C'est dans Alexandrie la grande qu'il faut l'ensevelir,
c'est là qu'il aura son tombeau : telle est la volonté de Jupiter,
et ce serait folie que de s'y opposer.
– Par ma foi, dit Tholomé, nous ne désobéirons pas à cet ordre.
Je le porterai à Alexandrie, si je trouve de l'aide. »
Sire Clin lui répond : « Nous ne vous ferons pas défaut.
Nous vous accompagnerons volontiers pour vous assister.

62

« Seigneurs, dit sire Clin, et comment ferons-nous ? »
Antiochus lui répond : « Nous allons en décider.
Cette nuit, si vous le voulez bien, nous le veillerons,
et au matin, dès l'aube, nous nous préparerons.
Nous le placerons sur un précieux char d'or fin
tiré par des chevaux, et nous irons derrière. »
Mais Tholomé répond : « Non, s'il plaît à Dieu !
Nous devons le porter nous-mêmes sur nos épaules
pour l'honorer de tout notre pouvoir,

Que ja mais en nos vies si bon segnor n'avrons.
Il nous a molt amés et donés les grans dons,
Si en soit ore ci li premiers guerredons.
1468 – Par foi, dist Aristés, ce est drois et raisons.
Faites faire la biere, si nos aparellons,
Et chauciés grans saullers, ostés les esperons.
Vous avrés bone aïde des douze compaignons,
1472 Ja nes en troverés orgelleus ne felons. »

63

Une litiere firent adont apareillier :
Li limon de ciprés por plus souef flairier,
Les espondes d'ivoire, li pecoul d'olivier.
1476 Un riche lit i mirent por le roi sus couchier,
De coute et de cousin le font apareillier ;
D'un blanc drap de Sydoine, qui molt fait a proisier,
Le covrirent desus por la chalor laissier.
1480 Çaingnent soi et escourcent trestout li chevalier ;
Onques n'i ot ronci, palefroi ne destrier,
Car por l'amor le roi furent tuit paonier ;
A chascunne jornee le firent bien gaitier.
1484 Onques ne porent plus en sis jors esploitier,
En Alixandre vinrent au sesme jor entier.
Or devons du sepulcre la verité noncier.
Des autres puet on bien conter et fabloier,
1488 Li un sont veritable, li autre mençoignier ;
Un tout seul n'en puet on envers cestui prisier.
S'or estoient ensamble trestout icil ovrier
Qui or sont en cest siecle, por les poins a trenchier
1492 N'en feroient un tel, por les menbres trenchier.
Tholomés le fist faire, qui molt ot le roi chier,
Et qant il fu tous fais, sel fist plus haut drecier
Que on ne porroit traire qarrel d'arbalestrier.

---

34. Sur le motif littéraire du tombeau dans les romans antiques, voir
E. Baumgartner, « Tombeaux pour guerriers et amazones : sur un motif descriptif de l'*Enéas* et du *Roman de Troie* », *Michigan Romance Studies* VIII,
1989, 37-50 ; cf. *supra*, III, laisses 420-424, le tombeau de l'émir de Babylone.

car jamais nous ne retrouverons un si bon seigneur !
Il nous a tant aimés et tant comblés de dons :
c'est la première récompense qu'il en recevra !
– Ma foi, dit Aristé, c'est juste et raisonnable.
Faites faire la bière et préparons-nous !
Chaussez-vous de souliers larges, enlevez vos éperons !
Les douze compagnons vous viendront en aide :
vous ne les trouverez ni orgueilleux ni félons. »

63

Ils font alors préparer une litière :
les côtés sont de cyprès, pour son doux parfum,
la tête et le fond d'ivoire, les montants d'olivier.
Ils y installent une riche couche pour accueillir le roi,
avec un matelas et un coussin ;
et, pour protéger le corps de la chaleur,
ils le recouvrent d'un précieux drap blanc de Sidon.
Tous les chevaliers retroussent leur tunique et la fixent par une
Il n'y avait ni roussin, ni palefroi, ni destrier,   [ceinture.
car pour l'amour du roi, ils marchaient tous à pied
et à chaque étape ils prenaient soin de le veiller.
Il leur fallut six jours pour faire ce voyage,
et ils arrivèrent à Alexandrie le septième jour.
Il faut maintenant dire la vérité sur le tombeau[34].
On peut, à propos d'autres tombeaux, dire des contes et des
les uns véridiques, les autres mensongers.   [fables,
Mais on ne saurait leur accorder le moindre prix devant le
Si tous les ouvriers du monde   [tombeau d'Alexandre.
étaient réunis, dût-on leur trancher les poings,
ils ne pourraient pas le refaire, dût-on leur trancher les
Tholomé le fit faire, lui qui aimait tant le roi ;   [membres.
et quand il fut prêt, il le fit élever à une hauteur
que ne pourrait pas atteindre un carreau d'arbalète.

64

1496 Onques n'i ot quarrel ne pierre ne ciment,
Ne n'i ot point de fust, n'en i covint noient ;
Deus cens charees d'or et autrestant d'argent
Firent autresi maurre commë on meut forment ;
1500 Le blanc et le vermeil i mirent sagement,
Et le vert et le bis, trestout melleement.
Quatre ymages d'yvoire mirent el fondement,
Et ot chascune teste, par le mien ensïent ;
1504 Et avoit entredeus de terrë un arpent.
Ilueques commencierent l'uevre massicement.
La poudre fu saudee a glu molt maistrement,
Une vaute i ont faite qui bien fu aparant ;
1508 Une estache de fer par mi leu i descent,
Le marbre firent maurre aveuc tout ensement ;
Ainsi com l'uevre monte, la glus au fer se prent.
Sus el premier estage firent fenestres cent ;
1512 Qant l'une moitié oevre, et l'autre clot au vent.
Les fenestres sont faites d'une pel de serpent ;
Qant vient el mois de may, que li solaus resplent,
Tres par mi cele pel li rais lai ens s'estent,
1516 Car la pel est si clere que riens ne li deffent.
Et por l'or qu'est molus, qant il le soleil sent,
C'est a vis qui l'esgarde, a trestoute la gent,
Que ce soit fus espris qui si grant clarté rent.

65

1520 La piramide au roi fu molt et grans et lee,
Et fu la sus a mont ainsi haute levee
Nus hom n'i peüst traire qarrel d'arbalestee.
Por ce fu en grigois piramide apelee
1524 Que d'une seule pierre fu toute acovetee,
Cele fu d'aïmant si fu a fer saudee
Et ot nuef piés de lé, ainsi fu mesuree,
Et vint en ot de lonc et fu dedens cavee ;

64

Le tombeau ne contenait ni bloc de pierre ni ciment,
ni le moindre morceau de bois : on n'en avait pas besoin.
On prit deux cents charretées d'or et autant d'argent,
qu'on fit moudre comme de la farine ;
on y incorpora habilement du blanc et du vermeil,
du vert et du bis, tout ensemble.
On plaça tout en en bas quatre statues d'ivoire
séparées l'une de l'autre par un arpent de terre,
et dont les têtes supportaient le reste de l'édifice.
C'est là que l'on commença le gros de l'ouvrage.
On mêla habilement la poudre d'or et d'argent à de la colle
et l'on en fit une immense voûte
soutenue par un pilier de fer qui en descendait au milieu.
On avait moulu le marbre avec le reste ;
et au fur et à mesure que l'ouvrage s'élevait, la colle se fixait
Au premier étage, on fit plus de cent fenêtres   [au fer.
dont la moitié s'ouvre, tandis que l'autre moitié se referme, au
Ces fenêtres sont faites d'une peau de serpent :[souffle du vent.
quand vient le mois de mai, que le soleil resplendit,
les rayons traversent les fenêtres,
tant la peau en est fine,
et quand l'or reçoit la lumière du soleil,
la clarté est si grande qu'on a l'impression
de voir brûler un feu.

65

La pyramide du roi, d'une longueur et d'une largeur immenses,
s'élevait si haut vers le ciel
qu'un carreau d'arbalète n'aurait pas pu en atteindre le
Elle porte ce nom de pyramide en grec,   [sommet.
parce qu'elle est toute recouverte d'une seule pierre,
faite de diamants soudés de fer.
Elle mesurait neuf pieds de large,
vingt de long, et elle était creuse.

1528 Et si ot sanc de buef plus d'une grant tounee,
Que ja ne fust la pierre en autre sens ovree.
La char au maine roi fu la dedens posee.
La lame dedesus fu molt chier achatee,
1532 Tholomés i dona d'argent une charee.
Puis ont pris une ymage de fin or tresgetee,
Ens el poing li ont mis une pome doree ;
La pome fu molt grosse, tout en reont tornee.
1536 L'ymage fu a glu sor la lame posee,
Ja mais ne charra jus por vent ne por gelee.
Li oel sont d'un topace dont est enluminee.
Par grant senefiance fu l'ymage formee ;
1540 S'or estoit ma raison oïe et escoutee,
Tout ainsi com je l'ai en l'estoire trovee
La dirai en romans, ja ne vos iert celee.

66

C'est l'ymage le roi qui iluec desous gist,
1544 Ice nos devisa cil qui l'estoire fist ;
Tholomés la dita a celui qui l'escrist.
La pome fu reonde que ens el poing li mist,
Si est li mons reons q'Alixandres conquist.
1548 Maint prince en afola et maint roi en malmist,
Lor terres lor toli et les treüs en prist ;
Et qant il ot tout fait, si com l'estoire dist,
De fer ne pot morir, mais maus venins l'ocist.

67

1552 Mors fu rois Alixandres et a sa fin alés,
Molt fu de ses barons et plains et regretés ;
En haute piramide fu bien par droit levés,
Si com l'estoire dist, et il est verités ;
1556 Se il fust crestïens, ainc tels rois ne fu nes,
Si cortois ne si larges, si sages, si menbrés,

---

35. Sur l'emploi de sang dans la fabrication de ciment, cf. *supra*, I, v. 1994.

On y avait mis plus d'un tonneau de sang de bœuf[35] ;
sinon jamais on n'aurait pu faire cette pierre.
On déposa le corps du grand roi à l'intérieur de la pyramide,
et on le recouvrit d'une lame précieuse :
Tholomé l'avait payée une charretée d'argent.
Puis on fit une statue d'or fin,
tenant dans le poing une pomme dorée,
très grosse et toute ronde.
On colla la statue sur la lame :
ni le vent ni le gel ne peuvent la faire tomber.
Les yeux sont des topazes qui éclairent son visage.
Cette statue est porteuse de sens :
si vous vouliez maintenant écouter mes paroles,
je vous traduirais en français, sans en rien cacher,
ce que j'en ai trouvé dans l'histoire.

66

Cette statue représente le roi qui gît sous la pierre,
c'est ce que nous explique l'auteur de l'histoire.
Cette histoire, Tholomé la dicta et la fit graver sur la pierre.
La pomme ronde qu'elle tient dans le poing,
c'est la terre ronde qu'Alexandre conquit :
il défit bien des princes, il vainquit bien des rois
pour leur prendre leurs terres et leur imposer des tributs.
Et après tout cela, comme l'histoire le dit,
il ne mourut pas sous le fer, mais tué par le poison.

67

Le roi Alexandre est mort ; sa fin est venue.
Ses barons ne cessent de le pleurer et de le regretter.
On lui éleva une haute pyramide, comme il le méritait :
l'histoire le dit, et c'est la vérité.
S'il avait été chrétien, on n'aurait jamais vu pareil roi,
si courtois et généreux, si sage, si illustre,

Si cremus en bataille, ne d'armes redoutés.
Et si n'ot que quinze ans quant il fu adoubés,
1560 Et qant il en ot vint, si fu rois coronés,
Et douze ans regna puis, itels fu ses aés,
Si que de tout le mont estoit sires clamés.
Ne por qant ces douze ans fist il douze cités
1564 Dont li mur de chascune fu hautement fondés ;
Bien les vos nomerai, s'escouter me volés.
Li nons au maine roi i fu primes posés,
Et öés l'aventure por coi il fu trovés.
1568 Le jor que Bucifal fu mors et afolés
Fist il la premeraine, si com oï avés ;
Aprés Bucifala en fu li nons trovés.

68

Aprés en fist une autre que sor un mont leva,
1572 Alixandre Montoise por ce si la clama ;
Et une autre Alixandre la ou Porrus tua,
Alixandre Porri por ce si l'apela ;
Et Alixandre en Frise, qant conquerre l'ala,
1576 Et le non de la terre o le sien i posa ;
Et la grant Alixandre q'en Egypte estora,
Icele fu la mieudre et que il plus ama,
La fu sa sepulture, si com l'estoire va ;
1580 Et une en Babilone que il aprés fonda,
Ou l'amiraus fu mors qui vers lui s'adreça.

69

Ahi ! rois Alixandre, com gentement ovras,
Qui n'eüs que vint ans qant corone portas,

---

36. Cette liste est traduite de l'*Epitome* (III 35) : « condiditque urbes duodecim, quas omnes suo de nomine Alexandriam nuncupavit : Alexandriam quae
condita est sub nomine Bucephali equi, Alexandria montuosa, Alexandria apud
Porum, Alexandria in Scythia, Alexandria Babylonis, Alexandria apud Massagetas, Alexandria apud Aegyptum, Alexandria apud Origala, Alexandria apud
Granicum, Alexandria apud Troadam, Alexandria apud Tigridem fluvium,
Alexandria apud Scantum. » En fait, Alexandre semble avoir fondé près de vingt

si craint dans les batailles et redouté aux armes.
Il n'avait que quinze ans quand il fut adoubé,
et vingt quand il reçut la couronne royale.
Il régna douze ans, tel fut le terme de sa vie ;
et le monde entier le reconnaissait pour son seigneur.
Mais pendant ces douze ans, il fit douze cités
aux hautes murailles de pierre.
Je vais vous les nommer, si vous voulez m'écouter[36].
Elles reçurent le nom du grand roi,
voici dans quelles circonstances.
Le jour où Bucéphale trouva la mort,
il fonda la première cité, comme je vous l'ai conté :
elle reçut le nom de Bucéphala.

68

Puis il fonda une autre cité qu'il éleva sur un mont,
et pour cette raison l'appela Alexandrie Montueuse ;
il en fonda une autre là où il avait tué Porus,
et l'appela pour cette raison Alexandrie de Porus.
Il fonda Alexandrie de Frise, quand il alla conquérir la Frise,
et lui donna le nom du pays joint au sien ;
puis Alexandrie la grande, en Egypte :
c'était la plus belle et sa préférée ;
c'est là qu'il fut enseveli, comme l'histoire le dit.
Puis il en fonda encore une à Babylone,
là où l'émir qui s'était opposé à lui avait trouvé la mort.

69

Hélas ! roi Alexandre, quels nobles exploits,
toi qui n'avais que vingt ans quand tu ceignis la couronne,

---

villes, parmi lesquelles : Alexandrie d'Egypte (331), Alexandrie d'Arite-Hérat (330), Alexandrie de Drangiane-Prophtasia (330), Alexandrie d'Arachosie-Kandahar (330), Alexandrie du Caucase, au pied de l'Indou-Kouch (329), Alexandrie-Extrême-Léninabad, sur l'Iaxarte (329), Alexandrie du Confluent, au confluent de l'Indus et de l'Acésinès (326), Alexandrie d'Oritie (325), Alexandrie de Carmanie (325).

1584 Et en douze ans aprés tout le mont conquestas,
Et dedens ces douze ans douze cités fondas
Et a chascunne d'eles le tien non i posas,
Les sis en ai nomees si com tu les nomas,
1588 Les autres nomerai, que je n'i faudrai pas.
Tu feïs Alixandre as puis Masagitas,
Puis en feïs une autre droit as puis Orgalas,
Ices sont deus contrees ou on fait riches dras ;
1592 Et as puis Gramaton une autre en estoras,
C'est uns rois que par force meïs de haut en bas ;
Puis en feïs une autre, richement le pueplas,
Alixandre fu dite et as puis Troadas ;
1596 Sor l'eaue de Tygris la dousime estoras,
Cinc letres de grigois es murs escrites as.

70

Por coi il fist ces letres jel vos sai bien a dire,
Qu'Alixandres, qui fu de tout le monde sire,
1600 Du lignage Jovis – et si fu de sa tire,
Se cil fu dieus en ciel, cist ne fu mie pire –,
Douze cités fonda ; letres i fist escrire
Que riens n'i gaaigna cil qui l'esmut a ire,
1604 Et qui le coureça ainc n'en pot au loins rire ;
Trestous ses malfaitors a livrés a martire.
Qui l'ocist a venim la male mort le fire !

71

Molt fu preus Tholomés, si fist grant cortoisie
1608 Qant en sa sepulture fist escrire sa vie.
Or m'entendés, segnor, que Dieus vos beneïe !
Cui Dieus done le sens, il nel doit celer mie,
Mais bien se doit garder que a tel gent le die

---

37. *Epitome* III 35 : « Insignivit ergo muros earum primorum quinque grae-
corum elementorum characteribus, uti legeretur in eis : Alexander rex genus
Iovis fecit : A, B, Γ, Δ, E. » (« Il fit graver sur leurs murs les cinq premières
lettres de l'alphabet grec, avec cette signification : Le roi Alexandre, de la race
de Jupiter, a fondé cette ville, A B Γ Δ E. »

qui douze ans plus tard avais conquis le monde
et en ces douze années fondas douze cités
et donnas ton nom à chacune d'elles !
J'ai rappelé pour six d'entre elles le nom que tu leur donnas ;
je vais maintenant nommer les autres sans faute.
Tu fis Alexandrie des monts des Massagètes,
puis Alexandrie des monts d'Orgalas :
ce sont deux contrées où l'on fabrique des étoffes précieuses.
Puis tu en fondas une autre aux monts de Gramaton,
du nom d'un roi que tu précipitas du haut de son trône ;
puis une autre cité, que tu peuplas de nombreux habitants
et qui reçut le nom d'Alexandrie des monts de Troade.
La douzième, tu la fondas sur les bords du Tigre,
et tu fis graver sur ses murs cinq lettres grecques.

70

Pourquoi ces lettres, j'en sais bien la raison[37] :
c'est qu'Alexandre, le seigneur du monde,
était du lignage de Jupiter et fait à son image :
si Jupiter était dieu dans le ciel, Alexandre ne valait pas moins.
Il fonda douze cités et fit graver sur leurs murs
qu'on n'avait rien gagné à soulever sa colère
et qu'on n'avait jamais ri longtemps après avoir suscité son
                                                    [courroux ;
tous ceux qui lui avaient fait du mal, il les avait livrés au
Celui qui l'empoisonna, qu'il meure de male mort ! [supplice.

71

Tholomé le vaillant fit un geste courtois
en faisant graver la vie d'Alexandre sur son tombeau.
Ecoutez-moi, seigneurs, et que Dieu vous bénisse !
Quand Dieu vous donne la sagesse, il ne faut pas la cacher
mais veiller à la faire partager

1612 Qui disnes soit d'oïr, car cil fait grant folie
      Qui entre les porciaus gete sa margerie
      Ne aveuc le forment seme la gargerie.
      Teus se fait molt cortois plains est de vilonie ;
1616 Avarisse est montee et largesce est falie,
      Bontés est refroidie, montee est felonie.
      Oïs est cil qui sert de la losengerie,
      Services est perdus s'avoirs ne li aïe.
1620 Por ce le di, segnor, se Dieus me beneïe,
      Ne veul que ma raisons soit de tel gent oïe
      Qui bien ne sache entendre que ele senefie.
      Qui chante de mençoigne s'ame est pres de perie ;
1624 Qui vilain veut aprendre de la chevalerie,
      De buison faire ostoir se paine et estudie ;
      Icil est faus provés, la letre le nos crie.
      Salemons fu molt sages qui ce dist et otrie :
1628 Costume ensegne a l'ome cil qui bien le chastie,
      Mais nature a au loins toute la segnorie.

                        72

      Segnor, ceste raison devroient cil oïr
      Qui sont de haut parage et ont terre a baillir.
1632 Li gentieus hom malvais, cil fait molt a haïr,
      Qui veut avoir service et dont nel set merir.
      Princes qui terre tient a envis doit mentir,
      Mais proëce et largesce font bien terre tenir.
1636 Ice fist Alixandre essaucier et tehir,
      Car il conquist le mont trestout a son plaisir.
      Molt par i ot sage home, ainc ne vaut consentir
      Losengier entor soi, c'onques nel pot souffrir.
1640 Hom qui tent a honor, il n'i puet pas faillir,
      Mais q'en tel lieu entende ou il puisse avenir ;
      Cil qui se desmesure si puet molt tost chaïr.

_____

38. Le topos de la sagesse qu'il faut partager avec autrui est déjà présent dans les prologues du *Roman de Thèbes* (vv. 1-16) et du *Roman de Troie* (vv. 1-32). Il est ici tempéré par le souci de ne s'adresser qu'à ceux qui en sont dignes, c'est à dire les clercs et les chevaliers, tout comme dans le *Roman de*

à ceux qui en sont dignes, car c'est une grande folie
que de jeter sa perle aux pourceaux
et de semer l'ivraie avec le bon grain[38].
Tel qui fait le courtois est plein de vilenie ;
Avarice s'élève, Largesse disparaît ;
Bonté est affaiblie et Félonie s'élève.
On écoute les flatteurs ;
à quoi bon offrir ses services s'ils ne sont pas récompensés ?
Si je parle ainsi, seigneurs (que Dieu me bénisse !),
c'est que je ne veux pas offrir mon récit à des gens
incapables de comprendre son sens.
Mentir dans ses chansons, c'est compromettre le salut de son
Vouloir apprendre la chevalerie à des vilains,   [âme.
c'est s'efforcer de faire un autour d'un busard :
c'est être fou, le proverbe le dit bien.
Salomon le sage ne l'a-t-il pas dit ?
On peut donner de bonnes habitudes à un homme en le
                                                [corrigeant bien,
mais Nature à la longue reprend tous ses droits[39].

72

Seigneurs, ceux qui doivent écouter ce récit,
ce sont les hommes de haute naissance qui gouvernent une
Celui qui est noble et mauvais mérite toute la haine :   [terre.
il veut des services qu'il ne sait pas récompenser.
Le prince d'une terre doit refuser de mentir[40].
Prouesse et Largesse aident à bien gouverner une terre.
Voilà les qualités qui ont permis à Alexandre de grandir et de
de conquérir le monde à sa volonté.   [s'élever,
Dans sa profonde sagesse, il refusait
d'avoir des flatteurs autour de lui, il ne pouvait les souffrir.
Qui recherche l'honneur ne peut manquer d'y parvenir,
à condition de fixer une limite à son ambition :
la démesure provoque bientôt la chute.

Thèbes. Les deux métaphores de la perle et des pourceaux, du bon grain et de
l'ivraie sont d'origine néo-testamentaire : *Matthieu* 13, 24-30 et 7, 6.
  39. Morawski 1328 : « Nature passe norreture ».
  40. Cf. *supra*, III, v. 536.

Hardis fu Alixandres, ainc ne degna fuïr ;
1644 Si fu larges li rois, se nus le vaut servir,
Onques de son service ne se pot repentir.
Bien sot qui dut doner et qui il dut tolir,
Comment il dut doner tres bien le sot veïr,
1648 Selonc ce qu'il estoit sot doner et partir ;
Et qant vint au besoing, bien se sot esbaudir,
Et bien sot en estor tous premerains ferir ;
Ainc ne vaut a nul home sa malvaistié covrir.

73

1652 Li gentil chevalier et li clerc sage et bon,
Les dames, les puceles, qui ont clere façon,
Qui sevent de service rendre le guerredon,
Cil doivent d'Alixandre escouter la chançon.
1656 Or se traient arrier li aver, li felon,
Que ja ne lor feroit li oïrs se mal non ;
Li cuer lor endurcissent encontre la raison.
Fous est qui d'esprevier cuide faire buisson,
1660 Ne de ronci destrier, ne de levrier gaignon.
Nature et norreture demainent grant tençon,
Mais au loing vaint nature, ce dist en la leçon ;
Si en trai a garant le sage Salemon.
1664 Alixandres le dist et mostre par raison :
Fous est qui conseil croit de serf ne de felon
Ne qui fait de nul d'aus prince de sa maison ;
Se gaaig i puet faire, ne doute traïson ;
1668 Ci doivent prendre essample li prince et li baron.
Hardis fu Alixandres et plus fiers d'un lion
Et sages de parler, larges por doner don,
De droit sot et de tort faire division ;
1672 Por ce ot tout le mont en sa subjection.
Qui trestout veut tenir tout pert a abandon ;
Souvent i pert grant chose par malvaise achoison.

---

41. Cf. *supra*, IV, vv. 1628-1629.
42. Morawski 2165 : « Qui tot covoite tot pert » ; 2170 : « Qui tout tient tout pert » ; 2174 : « Qui trop demande petit prent » ; 2175 : « Qui trop embrasse pou estraint ».

Alexandre était brave, jamais il n'accepta de fuir.
Le roi était si généreux que nul ne pouvait se repentir
d'avoir choisi de le servir.
Il savait bien à qui donner, à qui prendre,
et voyait de lui-même comment donner
et répartir ses dons selon les circonstances.
Et, dans le besoin, il savait être plein d'ardeur
et être le premier à frapper ;
jamais il ne voulait s'abriter derrière un autre.

73

Les nobles chevaliers, les clercs pleins de sagesse et de vertu,
les dames, les jeunes filles au clair visage
qui savent récompenser les efforts accomplis :
voilà ceux qui doivent écouter la chanson d'Alexandre.
Arrière, les avares, les félons !
Ils ne pourraient rien gagner à m'écouter :
leurs cœurs sont trop durs pour comprendre.
Il faut être fou pour vouloir faire d'un busard un épervier,
d'un roussin un destrier et d'un mâtin un lévrier.
Nature et éducation se livrent un grand combat,
mais la nature finit par l'emporter, dit le proverbe :
j'en ai pour garant le sage Salomon[41].
Alexandre le dit et le démontre bien :
bien fou celui qui croit les conseils d'un serf ou d'un félon
et qui fait de l'un d'eux le maître de sa maison :
l'autre, s'il peut y gagner, n'hésitera pas à le trahir !
Princes et barons doivent prendre exemple sur ce récit.
Alexandre était brave et plus fier qu'un lion,
sage dans ses paroles, généreux dans ses dons ;
il savait distinguer le droit et le tort :
voilà pourquoi il eut le monde entier en son pouvoir.
Qui veut tout tenir a tôt fait de tout perdre[42] ;
souvent on perd beaucoup par sa faute.

74

Li rois qui son roiaume veut par droit governer
1676 Et li prince et li duc qui terre ont a garder
Et cil qui par proëce veulent riens conquester,
Cil devroient la vie d'Alixandre escouter ;
Se il fust crestïens, onques ne fu teus ber.
1680 Rois ne fu plus hardis, ne mieus seüst parler,
Ne onques ne fu rois plus larges de doner,
Ne de chevalerie tant feïst a loër ;
Onques puis qu'il fu mors ne vit nus hom son per ;
1684 Plus donast Alixandres qu'autres n'osast penser.
N'est drois que ja l'escoutent li escars, li aver ;
Tout autresi est d'aus, tres bien l'os afremer,
Com il est de l'asnon qui escoute a harper.
1688 Assés vos en puet on longement deviser,
N'en dirai plus avant, ma raison veul finer.

75

Ci fenissent li livre, des or mais est mesure,
Du bon roi Alixandre, qui tant ama droiture.
1692 Sor la tombe de lui ont fait mainte painture,
Et de mer et de terre, de toute creature.
Li Grieu s'en sont torné la petite ambleüre,
Alixandres remest dedens la sepulture.
1696 Dieus li face merci, qui fait la nuit oscure,
S'il onques a cel tans ot de nul home cure.
Ci fenissent li ver, l'estoire plus ne dure.
Ce raconte Alixandres de Bernai vers Eüre,
1700 Qui onques nen ot jor longement aventure ;
S'un jor la trova blanche, l'endemain l'avoit sure.

---

43. Reprise du prologue du *Roman de Thèbes* : « Or s'en tesent de cest mestier / se ne sont clerc ou chevalier, / car ausi pueent escouter / conme li asnes a
harper » (vv. 13-16). Cf. *supra* I, vv. 34-36.
44. Cf. *supra*, IV, v. 877.

74

Le roi qui veut gouverner son royaume selon la justice,
les princes et les ducs qui ont une terre à défendre
et ceux qui veulent faire des conquêtes grâce à leur prouesse,
voilà ceux qui doivent écouter la vie d'Alexandre.
S'il avait été chrétien, on n'aurait jamais vu pareil guerrier.
Nul roi ne fut plus brave, n'aurait pu mieux parler ;
nul roi n'égala jamais sa générosité
et n'aurait pu mériter autant de louanges par sa chevalerie.
Depuis sa mort, on n'a jamais vu son égal.
Alexandre donnait plus que les autres dans leurs rêves les plus
Les avares et les ladres ne méritent pas de m'écouter   [fous.
car ils sont, j'ose bien l'affirmer,
comme l'ânon qui écoute de la harpe[43].
Je pourrais vous en dire plus long,
mais je m'en tiendrai là pour clore mon récit.

75

Là s'arrêtent les livres (c'est la juste mesure)
du bon roi Alexandre, qui aimait tant la justice.
On a couvert sa tombe de peintures :
de toutes les créatures, de la mer, de la terre.
Les Grecs se sont éloignés lentement.
Alexandre repose dans son tombeau.
Dieu ait pitié de lui, lui qui répand la nuit obscure,
qu'il lui prodigue ses soins plus qu'à tout autre !
Là s'arrêtent les vers ; l'histoire ne va pas au-delà.
Voilà ce que raconte Alexandre de Bernay vers l'Eure,
à qui le destin ne fut jamais longtemps favorable :
un jour blanc, l'autre noir et amer[44].

CHRONOLOGIE

326 Alexandre franchit l'Indus. Victoire sur Porus, qui se rallie.

    Fondation de Bucéphala (Djelalpour ?) sur la rive de l'Hydaspe, et de Nicée.

    Parvenu jusqu'au bassin du Gange, Alexandre doit faire demi-tour sous la pression de ses soldats.

    Construction de douze autels pour marquer l'extrémité orientale du monde.

    Fondation d'Alexandrie du Confluent (Maltoun ?), au confluent de l'Indus et de l'Acésinès.

325 Arrivée à Pattala, sur le delta de l'Indus, et voyage vers l'ouest.

    Fondation d'Alexandrie d'Oritie.

    Périple de Néarque, qui relie par mer l'embouchure de l'Indus à celle de l'Euphrate.

    Fondation d'Alexandrie de Carmanie (Koulashgard ?).

    Antipater, relevé de ses fonctions de régent de Macédoine, doit rejoindre Alexandre.

324 Retour en Perse. Mariage d'Alexandre à Suse avec Statira, fille de Darius, et Parysatis, fille d'Ochos, et noces de nombreux Macédoniens avec des Persanes.

323 Alexandre aménage Babylone, future capitale de son empire.

    Mort d'Alexandre à Babylone.

    Arrivée à Memphis du corps d'Alexandre, transféré ensuite à Alexandrie.

INDEX DES NOMS PROPRES

(Ne sont ici données que les premières apparitions des noms de lieux et des principaux personnages.)

ABILAS, I 586, ami d'Alexandre.

ABILAS DE LASERRE, I 954, gonfalonnier de Nicolas.

ABILAS D'AMILAS, I 1082, guerrier de Nicolas.

ABILOS, I 1368, nom de lieu, près de Césarée.

ABIUS DE GOMORT, III 715, guerrier de Porus.

ACARIE, I 2435, médecin d'Alexandre.

ACARIN, III 6142, messager de l'émir de Babylone.

ADANS, IV 1125, Adam, le premier homme.

AISE, I 2025, l'Asie.

ALAINS, III 6605, officier de l'émir de Babylone.

ALBAN, III 6054, destrier d'Alexandre au cours de la bataille de Babylone.

ALEMAIGNE, I 165, l'Allemagne.

ALENIE, I 145, terre de Philippe ; III 2037, royaume d'Aminadap ; IV 422, fief de Licanor.

ALENTIS, IV 1002, nom de ville.

ALIAIGNE, ALIERNE, I 947, 1182, nom de lieu près de Césarée.

ALIER, I 57, ville ou contrée d'où Alexandre est originaire. Voir la note.

ALIXANDRE(S), ALISSANDRE, I 1, etc., Alexandre, roi de Macédoine.

ALIXANDRES DE BERNAI ou DE PARIS, II 3098-3099, IV 1699, auteur du roman.

ALIXANDRE, ALIXANDRE (LA) PORRI, III 4315, 4325, IV 1574, Alexandrie de Porus, ville fondée par Alexandre en mémoire de Porus.

ALIXANDRE, LA GRANT ALIXANDRE, IV 598, 1577, Alexandrie d'Egypte.

ALIXANDRE MONTOISE, IV 1572, Alexandrie montueuse.

ALIXANDRE EN FRISE, IV 1575, Alexandrie de Frise.

ALIXANDRE AS PUIS MASAGITAS, IV 1589, Alexandrie des monts des Massagètes.

ALIXANDRE AS PUIS ORGALAS, IV 1590, Alexandrie des monts d'Orgalas.

ALIXANDRE AS PUIS TROADAS, IV 1595, Alexandrie des monts de Troade.

[ALIXANDRE], *une en Babiloine*, IV 1580, ville fondée par Alexandre près de Babylone.

[ALIXANDRE], *as puis Gramaton une autre*, IV 1592, ville fondée par Alexandre aux monts de Gramaton.

[ALIXANDRE], *sur l'eaue de Tygris la dousime*, IV 1596, ville fondée par Alexandre sur les rives du Tigre.

ALIXES, IV 250, nom choisi par Alexandre pour sa fille à naître.

AMABLE, III 7656, reine des Amazones.

AMAZOINE, III 7235, nom du royaume des Amazones ; III 7375, ville du royaume.

AMETIS, I 1321, médecin d'Alexandre.

BARSIS (EAUE DE), I 882, fleuve sur les rives duquel a lieu la bataille entre Alexandre et Nicolas (près de Césarée).

BASTRE, III 1006, la Bactriane, terre de Porus ; III 1549, Bactres, capitale de Bactriane.

BAUCANT, III 1810, Balzan, cheval de Clin.

BAUDAIRE, III 4425, ville natale de Dagobert ; cf. BAUDAS.

BAUDAS, III 3812, Bagdad.

BEDUIN, III 5187, Bédouin.

BELINAS, I 1101, ville de Palestine, aujourd'hui Baniyas en Syrie.

BERNAI, II 3098, Bernay, en Normandie.

BESAS, III 262, l'un des deux meurtriers de Darius (le satrape Bessos).

BETAINE, I 1020, Béthanie, village de Palestine où ressuscita Lazare.

BETIS, IV 1051, Bétis, duc de Gadres.

BIBLIS, IV 923, Byblis, éprise de son frère Caunus et métamorphosée en source.

BILE, I 2501, royaume d'Asie Mineure.

BILES, I 564, nom du forgeron qui a forgé l'épée d'Alexandre.

BITERNE, I 1687, nom de lieu.

BLIONE, I 1141, nom de lieu.

BONIFACE, III 2070, nom du cheval de Clin.

BONIVENT, III 3565, Bénévent, en Italie.

BOS, III 1838, roi de Carthage, allié de Porus, tué par Alexandre.

BOSIEN, II 2905, guerrier perse.

BRANDIS, IV 1029, Brandis (Brindisi ?).

BREHAIGNE, III 514, la Bohême.

BRIAN DE VALQUAIRE, I 634, vassal de Nicolas.

BRIAS, II 2908, guerrier perse.

BRIER (LES PORTS DE), I 1408, nom de lieu.

BUCIFAL, I 433, Bucéphale, cheval d'Alexandre.

BUCIFALA, III 4070, ville élevée par Alexandre sur la tombe de Bucéphale.

CADUIT, CARDUIT, III 815, 6047, Caduit, père de Clin.

CALABRE, III 384, la Calabre.

CALUS (EAUE DE), III 1502, fleuve d'Inde, peut-être une forme altérée de Halys, rivière d'Asie Mineure mentionnée par Quinte-Curce (IV, 5,1 et 11, 5).

CANDACE, III 10, reine éprise d'Alexandre.

CANDEOLUS, III 4491, fils de la reine Candace.

CAFARNAON, III 4883, la ville de Capharnatim.

CARCIDOINE, III 4362, Chalcédoine, ville d'Asie Mineure ; cf. ESCALIDOINE.

CARTAGE, I 2593, Carthage.

CASPOIS, TERRE CASPOIS, III 748, 3759, nom de lieu (les bords de la mer Caspienne ?)

CASTELE, III 737, la Castille.

CAULUS, CAULON, I 586, 691, Caulus, l'un des douze pairs ; IV 922, 931, identifié à Caunus, frère de Byblis dans les *Métamorphoses* d'Ovide, sous le nom de Caulus Menalis.

CAÜS, I 1940, Cahu, un des dieux d'Alexandre, avec Jupiter ; démon sarrasin dans les chansons de geste.

CAYPHAS, I 1100, ville de Palestine (Haïfa).

CEBUS, I 589, messager de Nicolas.

CELICE, IV 386, la Cilicie.

CERBAL, I 480, maréchal des écuries de Philippe.

CERSES, IV 247, Xerxès, roi des Perses ; cf. SERSES.

CESAIRE, I 620, Césarée en Palestine, terre du roi Nicolas.

CESAIRES JULIENS, I 203, Jules César ; cf. JULIUS CESAR.

CHANS ELYSEIS, IV 982, les Champs Elysées.

LITONAS, III 1917, guerrier grec.
LOLIFAS, III 1018, nom de lieu.
LOMBARDIE, IV 433, la Lombardie.
LUCABEL, III 2006, dieu de Porus.
LUCAN, III 7279, Lucain, poète latin.
LUCINE, III 4490, la déesse Lucine.
LUTIS, I 2501, royaume d'Asie Mineure.

MABON, II 2835, vassal de Darius.
MACABRUN(S), MACABRINS, III 6108, 7013, Macabrun, roi de Nubie, allié de l'émir de Babylone.
MACELINE, I 560, nom de lieu.
MAHON, MAHOMES, III 6152, 6203, Mahomet, dieu de l'émir de Babylone.
MALATOUS, I 1280, vassal de Nicolas.
MAGOS, MAGOG : voir Gos et MAGOS.
MAJOR (TERRE), III 3611, « la Grande Terre » ou « la Terre des Aïeux ». Voir la note.
MARGOS, III 1936, allié de Porus, compagnon du roi Gos, tué par Filote.
MARORTE, III 1979, royaume de Salatiel.
MARS, III 7345, Mars, dieu de la guerre.
MASCEDOINE, MASCEDAINE, I 145, la Macédoine.
MASCEDONOR, MASCEDONOIS, I 244, 2308, Macédonien.
MAURIN, III 6915, guerrier grec.
MEDE, III 6314, la Médie.
MELANS, IV 934, Milan, en Italie.
MELITE, IV 303, 923, cité de Caulus, Malte.
MENALIS, IV 931, surnom de Caulus, lié à Melans.
MENELAUS, I 2055, Ménélas, époux d'Hélène.
MEOTHEDIE, III 426, fleuve qui entoure le royaume des Amazones.
MEQES, IV 1209, La Mecque.
MER VERMELLE, I 268, la mer Rouge ; cf. ROUGE MER.
MICAINE, MESCHINE, I 1024, 2054, Mycènes, en Grèce.
MIDOINE, III 4363, lieu qui produit les pierres dont sont bordés les écus des hommes d'Alexandre.
MINOX, III 4384, Minos, l'un des trois juges des Enfers.
MINUS, IV 855, guerrier grec.
MIS, IV 922, le roi Mis (Miletus, père de Byblis et Caulus dans les *Métamorphoses* d'Ovide).
MOAB, III 733, roi d'Afrique, allié de Porus.
MONCENIS, IV 936, le mont Cenis.
MONJEU, IV 936, le Grand-Saint-Bernard.
MONT ESCOT, III 635, nom de lieu.
MONTIRE, IV 1266, ville natale de Perdicas.
MORAL, III 6601, vassal de l'émir de Babylone.
MOREL, III 1988, Le Noir, cheval de Licanor ; III 4130, cheval de Porus.
MORETAIGNE, III 6773, la Mauritanie, pays des Maures.
MOYSES, I 1759, Moïse.

NABIGAL, I 1044, guerrier de Nicolas.
NABUSARDAN, III 5220, neveu et sénéchal de l'émir de Babylone.
NAVAIRE, II 1193, la Navarre.
NECTANABUS, I 187, l'enchanteur Nectanabus.
NICOLAS, NICHOLAS, I 409, 591, Nicolas, roi de Césarée.
NIDELE, I 2425, nom de fleuve.
NIVELE, IV 765, Nivelles, en Belgique.

PORRUS, PORRON, I 217, Porus, roi de l'Inde.
PROTESELAUS, I 2062, le premier Grec tombé au siège de Troie (personnage du *Roman de Troie*).
PUILLE, III 384, la Pouille.

QUINARGOS, II 2896, guerrier de Porus.

RENARS, I 2351, Renart le goupil.
RIMOST (DESERS DE), III 3114, pays des Cynocéphales.
RIVIERS (LES PUIS DE), III 478, Les monts de Riviers, nom de lieu.
ROCHE PENDANT (LA), III 4571, La Roche Pentue, nom de lieu.
RODOAL, RODOAN, III 1867, 1873, ami de Porus.
ROHART, III 6809, guerrier de Babylone.
ROMENIE, I 164, IV 1433, l'empire byzantin, la Grèce.
ROSENES, IV 68, Roxane, épouse d'Alexandre.
ROSSIE, I 163, la Russie.
ROUGE MER, III 7699, La mer Rouge ; cf. MER VERMEILLE.

SABBA, III 6124, le royaume de Saba.
SABERTE, IV 814, mère de Caulus.
SADOS, III 803, roi de Salemandre, allié de Porus.
SALATIEL, III 1979, roi de Marorte, allié de Porus.
SALATRI, II 2857, guerrier perse.
SALEMANDRE, III 803, royaume de Sados.
SALEMON, I 1971, le roi Salomon.
SALERNE, III 696, ville d'Italie.
SALIGOS DE RAMIER, I 295, l'un des devins qui interprètent le songe d'Alexandre.
SALIGOS, III 6124, roi de Saba, vassal de l'émir de Babylone.
SALOS DE VALIER, I 1406, vassal de Nicolas.
SAMADON, I 1120, guerrier de Nicolas.
SAMUEL, III 1991, guerrier grec.
SANSES, SANSON, Samson 1, I 726, neveu de Darius, entré au service d'Alexandre.
SANSON, SANSONS, Samson 2, III 6142, messager de l'émir de Babylone.
SARAGON, III 6773, guerrier de Babylone.
SARDEUS, III 783, roi de Parte, allié de Porus.
SARPETUS, II 2907, guerrier perse.
SATHANAS 1, I 1811, Satan.
SATHANAS 2, II 2906, guerrier perse.
SATUMART, II 2959, vassal de Darius.
SEBILE, IV 497, Séville.
SEMIRAMUS, SEMIRAMIS, I 1941, III 169, Sémiramis, reine mythique d'Assyrie, réputée pour son faste ; elle aurait créé les jardins suspendus de Babylone.
SERSES, III 2411, Xerxès, roi des Perses ; cf. CERSES.
SERUC, III 787, guerrier grec.
SICHEM DE VALEBRON, III 706, guerrier de Porus.
SIDOINE, SYDOINE, I 1142, III 7730, Sidon, en Phénicie.
SIDRAS DE BABYLONE, III 811, allié de Porus.
SILOCIEN, II 2890, seigneur des Herlos, allié de Darius.
SIRE, I 2660, Syrie (pays), cf. SURIE ; I 2666 (ville).
SIS, II 3039, ville située sur le Gange, qu'Alexandre donne à la mère de Darius (Suse chez Quinte-Curce). Sis est la capitale de Petite Arménie (Cilicie) au Moyen Age.
SISTE, III 4938, nom de pays, peut-être la Scythie.

TABLE

Imprimé en France par CPI
en mars 2021
N° d'impression : 2056554
Dépôt légal 1re publication : novembre 1994
Édition 04 - mars 2021
LIBRAIRIE GÉNÉRALE FRANÇAISE
31, rue de Fleurus - 75278 Paris Cedex 06

30/4542/4